復刻版
文教時報 第11巻

2025年2月25日　発行

編・解説者　藤澤健一・近藤健一郎
発行者　船橋竜祐
発行所　不二出版株式会社
〒112-0005 東京都文京区水道2-10-10
TEL 03-5981-6704 FAX 03-5981-6705
E-mail administrator@fujishuppan.co.jp
印刷・製本　株式会社 デジタルパブリッシングサービス

ISBN978-4-8350-8079-6　Printed in Japan

復刻版 文《ぶん》教《きょう》時《じ》報《ほう》 第4回配本
（第10巻～第12巻）

2019年2月25日 第1刷発行

揃定価（本体64、000円＋税）

編・解説者 藤澤健一・近藤健一郎

発行者 小林淳子

発行所 不二出版
東京都文京区水道2-10-10
TEL 03(5981)6704

印刷所 栄光

製本所 青木製本

乱丁・落丁はお取り替えいたします。

第11巻 ISBN978-4-8350-8079-6
第4回配本（全3冊 分売不可 セットISBN978-4-8350-8077-2)

文教時報

74

1961.3　　No. 74

琉球　文教局研究調査課

はしがき

研究調査課長　喜久山　添　采

1960年10月5日に文部省が小・中・高校の最終学年の児童，生徒を対象に行なつた全国学力調査を文教局においても本土と同じく6これを全琉的に実施したが，これはその結果をまとめた報告書である。

この学力調査は1956年以来毎年実施されているが今年は第5回目で教科は第2回に行なわれた教科と同じく社会，理科の二教科について実施された。したがつて調査の領域によつては第2回目の結果と比較して問題点をさぐり指導の資料とすることができるし，さらに全国水準との対比において全琉の学力の分析，実態のは握等極めて意義ある調査である。

今年の調査の結果から見ると全琉の学力はまだ全国の水準に及ばず第2回目同様その差は相等のひらきを見せている。

今まで5か年にわたるこの調査の結果では第2回目に高等学校通常課程の化学がわずか全国平均を上まわつていたことがあつただけで，その他は多少の差こそあれすべて全国平均を下まわつている。このことを思うときいつも言うことながら今こそ教育行政の衝にあるもの，現場で直接指導に当たつている先生方，父兄の方々。ともどもに緊密な連けいをとり，児童生徒の学力向上に力をいたすべき時ではないだろうか。
学力向上，学力向上の言葉を空念仏におわらすことなくお互いの立場立場においてその責任を深く反省し，今年こそ一歩でも本土の水準に近づけるよう祈念してこの報告書を提供することにする。

目　次

全国学力調査報告
社会科・理　科

―昭和35年10月５日実施―

文教局研究調査課

A. 調査の概要

この調査は「小学校、中学校、高等学校の児童、生徒の学力の実態を全琉的な規模では握し、学習指導、教育課程および教育条件の整備、改善に役立つ基礎資料を得る」ことを目的として、文部省が学習指導要領を基準にしてテスト問題を作成し、全国的に実施したものでこれに準じて、全琉の公立小学校、中学校および政府立高等学校の最高学年の児童生徒に対して実施したものである。

これはその調査結果の報告書である。

a　調査した教科と時間

本年度の調査は第５回目の調査であり、1960年10月５日（水）に実施した。その教科および時間は、次のとおりである。

	社会科		理科
小学校	60分		60分
中学校	60分		60分
高等学校	日本史	人文地理	化学
	70分	70分	90分

なお本年度実施した社会、理科の両教科（高等学校の日本史・人文地理を除く）は1957年度に第１回調査を実施しているので本年度の調査は第２回目にあたつている。

b　調査の対象

(1)　小・中学校

小、中学校においては、文部省は学校規模別、地域類型別に無作為抽出によつて小学校約 4.0%、中学校約 5.0%の学校を選び、それぞれの学校の最高学年の全児童、生徒を対象としているが、本局においては悉皆調査をおこなつた。

(2)　高等学校

文部省は、日本史、人文地理、化学の各科目の履修状況を考慮して、普通、農業、工業、商業、家庭に関する課程別に平均約10%の課程を選び、その最高学年の生徒を対象とし、化学は選定した全課程の生徒に課し、日本史、人文地理については生徒の科目履修の状況に応じて各課程を日本史を課す課程、人文地理を課す課程に分類をして調査しているが、本局においては履修した全生徒を対象に調査をおこなつた。

第一表　調査対象学校数、児童生徒数

				学校数	児童・生徒数		
					社会科		理科
小学校		全国	実数	1067校	111998人		111929人
			比率	4.0%	4.6%		4.6%
		全琉	実数	227	23181人		23204人
			比率	96.2	97.6		97.7
中学校		全国	実数	594校	68135人		68130人
			比率	4.8%	5.0%		5.0%
		全琉	実数	157	10091		10073人
			比率	96.2	95 4		95.2%
					日本史	人文地理	化学
高等学校	全日制	全国	実数	407校	34243人	30666人	65548人
			比率	11.8%	5.9%	5.3%	11.3%
		全琉	実数	25	5693	4062	5841
			比率	100.0	85	60	86.8
	定時制	全国	実数	334	5168	5233	10386
			比率	9.8	4.9	4.9	9.8
		全琉	実数	11	519	61	468
			比率	73.3	92.5	10.9	83.4

(3) この報告書の対象となつた学校数、児童、生徒数は次のとおりである。

なお本表で学校数が実学校数より小学校で9校、中学校で4校少なくなつているのは最高学年児童、生徒のいない学校があるからである。高等学校定時制の場合においても4校少なくなつているのは、4年生のいない学校および該数料の履修生徒がいなかつたからである。

B 調 査 結 果

1. 調査結果の概観

児童、生徒の全琉平均点を学校種別、教科別に全国平均点と比較してみると次のとおりである。

学校種別		社会科 1960年度	社会科 1957年度	理科 1960年度	理科 1957年度
小学校	全国	44.5点	55.7点	51.7点	51.3点
	全琉	24.5	34.6	38.2	34.4
中学校	全国	41.2	55.7	47.7	49.5
	全琉	26.0	41.1	35.8	40.1

高等学校		日本史 1960年度	日本史 1957年度	人文地理 1960年度	人文地理 1957年度	化学 1960年度	化学 1957年度
全日制	全国	54.0点		41.5点		37.6点	39.8点
	全琉	38.3		34.2		32.1	41.3
定時制	全国	34.1		34.0		24.4	28.8
	全琉	28.8		26.5		22.8	25.4

小学校においては1957年度よりも全琉平均点と全国平均点の差が多少縮まつているが中学校には多少差が大きくなつていることが注目される。

高等学校には日本史、人文地理は今回がはじめてなので比較できないが、化学は、前回全日制が全国平均点を上まわつていたが今回は逆になり、5.5の差がみられる。定時制においては前回より差が大きくなつていることがうかがわれる。

なお全般的にいえることは、高等学校よりも中学校、中学校よりも小学校と全国との差が次第に大きくなつており、教科では理科よりも社会科が、小学校、中学校、高等学校の全体をとおしてその差が大きくなつているということである。

以下教科別、学校種別に概観してみることにしよう。

社 会 科

a 小 学 校

1957年度の調査では、全国平均50点を期待して出題したようであるがその結果は全国平均が55.7点に対して全琉平均が34.6点でその差は21.1点であつた。これに対して本年度の問題は前回よりやや低い平均点を予期して出題したようである。これは回答の許容範囲をせばめ正確さをより強く要求した問題を作成し、採点方法においても、そのような方針をとつたからで、全国平均44.5点はおおむね期待どおりの成績であると文部省では見ている。これに対して全琉平均は24.5点で全国平均との差は20.0点で、いぜんとしてその差は大きい。

商業のはたらきや、工業の特色などについてのきわめて基礎的と思われる理解力を問うた問題(問題〔3〕〔8〕)の結果がかなり低かつたことや、前回と同じく「グラフを用いての判断や理解の力」になお不じゆうぶんな点がみられること(問題〔7〕)等が期待どおりの成績をおさめていないと文部省はいつている。正答率を全国と全琉の比較において見ると、地図や、グラフを用いての理解や判断(問題〔5〕〔7〕〔12〕)の差が大きいということは注目すべきことである。

全国の場合は総じて歴史に関する問題の結果がやや悪く、地理の問題については期待をあまりはずれていないといつているが、全琉の場合は歴史に関する問題の差が小さく、地理の問題の差が大きくなつている。

前回の問題との間に完全な共通問題はないので、厳密な意味における比較は困難であるが、類似の問題についてこれをみると、地図の方位距離その他を読みとる力を問うた1957年度の問題〔1〕(ア)〜(オ)、1960年度の問題〔1〕(ア)〜(エ)の平均正答率はそれぞれ全国が53.9% 61.4% 全琉が39.0%、41.4%となつており前回に比較してこの領域ではわずかに向上のあとからうかがえるのであるが、本土の向上率より全琉の向上率が低いということも考えねばならない。

小学校問題領域別正答率

問題番号	領域	ねらい	正答率 全国	正答率 全琉
〔1〕	地理的見方	地図における方位、高低、距離の理解	62.4%	41.8%
〔2〕	交通	国内の鉄道幹線および大都市の交通網にかんする理解	51.1	30.7
〔3〕	商業	各種の商業機関の特質にかんする理解	35.1	13.7
〔4〕	商業	商業の時代的順序にかんする理解	38.1	22.9
〔5〕	農業	日本各地の農業生産のようすについての理解(地図を用いて)	53.5	27.9
〔6〕	農業	江戸時代、明治時代、現代(第二次大戦後)の各時代の農業のようすについての理解	32.4	21.9
〔7〕	農業	日本の農業の基本的な特色と判断(クラブを用いて)	39.5	14.7
〔8〕	工業	日本の工業の基本的な特質にかんする理解	35.8	17.7
〔9〕	工業	日本の工業の発達にかんする理解と判断(年表を用いて)	23.6	8.2
〔10〕	工業	工業地帯・原料産地・火力発電所の地理的分布にかんする理解	35.8	15.7
〔11〕	歴史的見方	歴史事象の時代的位置づけにかんする理解	40.2	19.7
〔12〕	地理的見方	農産物の分布と自然条件にかんする理解	58.7	34.0
〔13〕	社会的道徳的分野	公共施設および公共生活にかんする知識	53.8	30.1
〔14〕	社会的道徳的分野	公共事業に対する一般市民の態度についての考え方	76.8	56.7

b 中学校

1957年度の調査では全国平均が50点になることを期待して出題し、その結果は55.7点、全琉平均が41.1点であつた。本年度の調査問題については、問題の内容、形式、採点方法が前回と少しく異なるので1957年度の問題より若干むづかしくなり、全国平均は50点を下廻ることを予期していたようである。その結果は全国平均41.2点で、これは期待を少しく下廻つていると文部省では見ている。全琉平均は26.0点で全国平均との前回の差が14.6点であつたのに対して今回は15.2点で差が大きくなつている。

問題別にみると全国の場合歴史的分野の問題〔4〕などの結果は期待より低かつたが、その他の問題はほぼ期待どおりであるようで、全琉の場合は問題〔3〕〔5〕〔9〕の本土との差がめだつている。

1957年度と本年度の調査問題の中には全く共通の問題はないので同じねらいで出題された問題についてもその結果の比較は慎重でなければならない。そのうち、比較的単純に比べられるものは、次のような問題である。本年度の問題〔10〕と1957年度の問題〔7〕はいずれも「民主政治の発達を世界の近代史を通し理解しているか」をみようとした問題であるがその平均正答率は全国の場合43.7%と40.6%で全琉の場合30.8%と30.3%でいずれも本年度がやや高い。

本年度の問題〔9〕と1957年度の問題〔2〕は、日本の貿易について統計資料を用いて判断する力をみようとする問題で設問の形式もほぼ同じである。しかし採点方法が異なるのでその比較はかるがるしくはできないが本土の場合の正答率36.0%と50.9%に対して全琉が8.7%と36.3%となりその差が極端に大きくなつている。このことから具体的な統計グラフに基づいて社会事象を解釈する力に欠けていることが指摘されるもので指導上の欠陥があると思われる。特にそれと関連して問題〔3〕統計地図を利用する力、問題〔5〕統計表を読みとる力等でそのひらきが大きくなつていることからみて、これらの領域における指導上の欠陥が教材教具の不足とともに指摘されてよいのではなかろうか。

中学校問題領域別正答率

問題番号	領域	ねらい	正答率	
			全国	全琉
〔1〕	歴史的分野	年表によつて歴史を考える能力 古代から中世に至る基礎的事項についての理解因果関係をは握する能力	45.4%	34.6%
〔2〕	地理的分野	世界における気候と生産活動との関係についての基礎的な理解 気候型の分布についての理解	40.7	23.1
〔3〕	地理的分野	日本の工業の分布についての基礎的な理解 統計地図を利用する能力	45.5	25.8
〔4〕	歴史的分野	時代の特色―基礎的事項についての理解 政治、経済、社会、文化についての総合的理解	32.7	18.2
〔5〕	地理的分野	日本農業の地域的特色についての理解 統計表を読みとる能力	62.6	35.5
〔6〕	地理的分野	大縮尺の地図を読みとる能力	45.0	32.3
〔7〕	地理的分野 歴史的分野	近代史の基礎的理解 東アジアの主要都市の発達と現状についての理解	35.5	22.2
〔8〕	歴史的分野 政治・経済 社会的分野	日本の近代史―政党政治の変遷についての理解 因果関係とは握する能力	37.9	30.1
〔9〕	地理的分野 政治・経済 社会的分野	日本の貿易についの基礎的理解と判断力 統計資料を解釈する能力	36.0	8.7
〔10〕	歴史的分野 政治・経済 社会的分野	世界―民主政治の発達についての理解 ヨーロツパの近代史についての理解	43.7	30.8

C 高等学校　日本史

全国平均は全日制が50点程度の水準を期待していたが、結果は全日制が54.0点定時制が34.1点で全日制ではほぼ期待どおりであるが、定時制では期待を低くおいたのにその結果はさらにこの期待を下廻つているようである。これに対して全琉平均は全日制38.3点定時制28.8点でその差はそれぞれ15.7点と 5.3点で全日制の差が大きくなつている。

問題別にみると問題〔1〕、〔2〕(2)、〔3〕(4)等は両課程とも全国との差が大きくなつている。

問題〔4〕では定時制が全国平均をわずかに上廻つている。

なお、日本史は1957年度には調査しなかつたのでそれとの比較はできない。

高等学校日本史問題領域別正答率

問題番号	分野	ねらい	正答率			
			全日制		定時制	
			全国	全琉	全国	全琉
〔1〕	政治	基礎的な事象、人物、所、時、などについての理解 （原始、古代、中世、近代）	% 39.6	% 14.9	% 14.7	% 5.2
〔2〕		時代の概念のは握				
(1)	政治、経済 文化	各時代の特色が正しくは握されているか （古代、中世、近世）	71.8	62.5	60.2	56.4
(2)	政治、国際 関係	重要な歴史的な事象の年代的なは握が正確であるか （特に国際的関連において）（古代、中世、近代）	54.9	37.3	32.6	25.2

問題番号	分野	ねらい	正答率			
			全日制		定時制	
			全国	全琉	全国	全琉
〔3〕		歴史における政治的、経済的、社会的な理解	%	%	%	%
(1)	政治	（古代）	60.4	47.2	34.8	32.1
(2)	社会、経済	（中世）	52.4	44.6	43.8	41.9
(3)	社会、経済	（近世）	86.0	75.4	71.3	66.2
(4)	政治	（近代）	63.0	43.9	43.7	32.8
〔4〕	政治、文化 国際関係	おもな史料についての理解（古代、近世、現代）	62.9	47.8	40.8	41.0
〔5〕		歴史における文化的な事象についての理解と判断				
(1)	政治、文化 国際関係	文化的な事象を中心とするおもな事象の歴史的意義が適確には握されているか（古代、近世、近代）	31.9	20.0	11.5	10.5
(2)	文化	各時代の文化の特質が正しく理解されているか（原始、古代、中世、近世）	46.9	31.4	27.1	20.7
〔6〕	政治、社会 経済、国際 関係	世界史的視野に立つた近代社会についての理解	61.0	48.7	43.6	38.6

d　高等学校　人文地理

全国平均では全日制は50点程度になることを期待していたが、その結果は全日制41.6点、定時制34.0点で期待に達していないようである。これに対して全琉平均は34.2点と26.5点になつており、その差は7.3点と7.5点で定時制の差がわずかに大きい。

問題別にみるとクライモグラフの問題〔4〕の結果が特に悪い。統計資料についての問題〔3〕、〔6〕などはいずれも期待より低い結果があらわれている。地図を読みとる問題〔1〕は、中学校の問題〔6〕と全く共通の問題であるが、その結果を比較すると次のとおりである。

この結果を見ると全琉の場合、全日制では中学校に比べ18点も高くなつているが、定時制と中学校との間にあまりひらきが見られない。

	中学校問題〔6〕		高等学校問題〔1〕			
			全日制		定時制	
	全国	全琉	全国	全琉	全国	全琉
問　1	51.4%	34.0%	65.2%	52.0%	54.3%	37.5%
問　2	19.5	18.7	27.4	26.4	25.1	19.7
平　均	45.0	32.3	57.6	49.2	48.5	35.5

なお人文地理は1957年度には調査していないので前回との比較はできない。

高等学校人文地理問題領域別正答率

問題番号	ねらい	正答率			
		全日制		定時制	
		全国	全琉	全国	全琉
〔1〕	大縮尺の地図を読みとる能力	59.6%	49.2%	48.5%	35.5%
〔2〕	人間活動と自然環境との関係に関する総合的思考力、判断力、資源の愛護、保全、利用と自然の諸条件の有効な利用に関する理解	47.2	45.1	46.3	48.4
〔3〕	日本の工業についての基礎的理解 統計資料の解釈能力	34.6	31.1	29.4	24.4
〔4〕	自然環境とくに気候と生活活動に関する総合的理解 グラフ（クライモグラフ）を読みとる能力	21.7	15.0	14.0	6.1
〔5〕	小縮尺の分布図を読みとる能力 世界の農牧生産に関する基礎的理解	52.0	41.5	39.1	24.9
〔6〕	統計表を利用して世界の各地域の特性と相互のつながりを理解する能力	41.2	32.3	31.0	26.2
〔7〕	地図の種類と利用に関する基礎的理解	40.3	42.1	35.6	33.6

理　　　科

a 小　学　校

本年度の出題に当たつては、前回（1957年）の結果と比較することができるように考慮するとともに、現在の児童の知識、理解の深さや能力、態度の程度も推測できるように構成したようである。結果は全国平均が51.7点で問題作成に際して期待した水準50点をわずかに上廻つており、ほぼ期待どおりであると文部省では見ている。全琉平均をみると前回の34.4点に対し、38.2点となつて3.8点の向上である。全国平均では0.4点の向上であることと、全国と全琉の差が16.9点から13.5点を縮まつていることは向上したものと認めてよい。しかし本年度の調査問題は前回にくらべて問題の構成、程度に若干の相違があり、全問題については厳密な比較はできないが、前回と全く同じ形式で出題した問題〔2〕ア、〔7〕、〔21〕、〔29〕、〔30〕では、全国平均正答率は10%以上上昇しているのに対して全琉平均の正答率は、問題〔30〕は12.1%の上昇を示しているが〔7〕、〔29〕の向上はわずかであり、〔2〕ア、〔21〕においては逆さがついている。もつとも本差の縮まつているのは問題〔3〕、〔9〕、〔10〕、〔12〕、〔15〕、〔23〕、〔27〕などで逆に差の大きいのは問題土との〔6〕、〔11〕、〔20〕、〔26〕、〔29〕、〔30〕、〔31〕などである。このことは全体を通じて観察、実験の機会の多いものほど正答率が本土では高くなつているのに対して、全琉の場合は逆にその差が大きくなつていることに注目しなければならない。これは実験、観察のための施設、備品の不足はもちろんのことであるが、指導上にも欠陥はなかろうか。本土の場合「生物に関する問題は一般に正答率はきわめて高くなつているが、物理、化学に関連するものは、その内容にもよるが前回よりも上昇しているとは必ずしもいえない。地学に関するものは前回よりもやゝ下廻つている」と文部省は見ているが、全琉の場合必ずしも同様なことになつていない。地学の場合は総じて本土との差が接近しているが問題〔11〕グラフから「気温やその変化の関係」を読みとる思考能力については本土が前回より向上しているのに対して逆に全琉は低下しているが、このことについて地温の測定の施設が不充分であるという点にもよろうが指導上にも問題があるように思われる。

生物分野においては知識と類似点の考察力や、理科用語の概念のつかみ方、原理の理解判断といつた面についての指導上の問題点があるように思われる。

小学校問題領域別正答率

問題番号	分野	ねらい	正答率 全国	正答率 全琉
〔1〕	生物植物	花のしくみ（はなびら、がく、おしべ、めしべ）についての知識	71.6%	54.5%
〔2〕	〃 〃	花のしくみ（同種の花）についての知識理解	53.2	39.9
〔3〕	〃 〃	花のしくみ（めばな、おばなの区別）について知識	45.7	43.3
〔4〕	〃 〃	花の咲かない植物と咲く植物についての知識	53.1	38.4
〔5〕	〃 〃	発芽の条件（温度、水分、空気）に関する思考能力	63.6	49.4
〔6〕	生物動物	動物のからだ（はまぐり、ふな）のしくみの類似点についての知識理解	62.8	32.9
〔7〕	〃 〃	昆虫（モンシロチョウ）の成長についての知識	60.8	41.5
〔8〕	〃 〃	昆虫についての知識	58.5	46.6
〔9〕	地　学	小石、砂、粘土のしずむ速さについての理解	27.7	25.5
〔10〕	〃	雨量の測定についての理解	20.6	17.0
〔11〕	〃	気温、地面の温度、地下１mの温度、井戸水の温度などの変化や、それらの間の関係をグラフから読みとる思考能力	53.5	29.3
〔12〕	〃	風向計と風との吹く向きについての知識	52.6	50.1
〔13〕	〃	北極星の位置についての知識	44.3	31.6
〔14〕	〃	北天の星や星座の日周運行ついての思考能力	30.2	23.6

問題番号	分野	ねらい	正答率	
			全国	全琉
〔15〕	物理	物（三脚付写真機）のすわりの理解	59.1	54.7
〔16〕	化学	木材乾燥の実験についての基礎技能	34.5	25.3
〔17〕	〃	でんぷんとりの実験結果から性質を思考する能力	29.5	17.2
〔18〕	〃	せつけん水の油に対するはたらきについての理解	44 2	35.3
〔19〕	物理	てこの原理の理解	63.4	54.3
〔20〕	〃	押し上げポンプのべんのはたらきと水の動きの理解	49.4	29.4
〔21〕	〃	おしちぢめられた空気のはたらきについての理解にもとずく思考能力	51.3	33.2
〔22〕	〃	水がこおると体積がふえることと、物の浮き沈みとの関係の理解	46.2	40.5
〔23〕	〃	水の膨脹に関する実験から思考する能力	18.4	16.7
〔23〕	化学	二酸化炭素の性質についての知識	37.0	27.1
〔25〕	物理	乾電池の直列、並列のつなぎについての理解	42.0	33.9
〔26〕	化学	実験室についての基礎技能にある器具	57.5	36.6
〔27〕	物理	光の屈折のしかたについての理解	33.8	31.2
〔28〕	〃	光の屈折による現象についての理解	38.2	20.6
〔29〕	〃	弦の長短、太さと音の高低との関係の理解	52.1	28.5
〔30〕	〃	温度計を読む基礎的技能	69.7	46.0
〔31〕	化学	実験結果から物の名前を思考する能力	50.5	26.2

b 中 学 校

中学校でも出題にあたつて、全国平均がおよそ50点となることを期待していたようだがその結果は47.7点で前回49.5点となつている。全琉平均は35.8点で前回が40.1点であつた。全国平均と全琉平均では前回の差が9.4点であつたのに比べて今回は11.9点とその差がが大きくなつている。 これからみると全国および全琉の場合前回よりも低い数値を示していることになつているが、これは本年度の問題やその構成のしかたが前回と相当異なるので、このとこからだけで直ちに学力が低下していると断定することはできない。前回との共通問題として出題した問題〔1〕(基本単位の理解) の正答率でみると全国の場合はかなりの向上がうかがわれるが全琉の場合はあまり変化がみられない。

	全国		全琉	
	1957年度	1960年度	1957年度	1960年度
a 重さ	93.6%	95.6%	84.7%	85.2%
b 長さ	95.1	96.3	86.9	86.9
c 時間	94.9	95.7	83.6	83.7
d 面積	86.7	89.7	71.8	71.4
a 体積	83.2	87.7	66.8	66.8
f 速さ	88.6	90.5	70.3	71.6
g 圧力	33.3	36.1	28.7	26.7
h 密度	43.7	46.0	33.7	31.6

全国の場合は「領域別にみると生物に関する問題が他の領域のものよりも出来がよく、これは知識の有無をみる傾向の問題が多少多かつたためとも考えられる。全般的にみて知識の有無をみる問題に比べ、理解や判断力を要する問題のできがよくない」というのが文部省の見解である。

◦全琉の場合をみると生物に関する領域では単細胞生物、固着生活をする生物に関する知識と葉の表皮を顕微鏡でみたところの理解については本土との差が大きく他の面ではひらきが小さい。「全般的に実験を観察による理解や判断を要する問題のできはよくないようである。

◦問題〔2〕h、〔8〕b、〔16〕b、〔18〕c、などは全国とのひらきはあまりみられない。

中学校問題領域別正答率

問題番号		分野	ねらい	正当率	
				全国	全琉
〔1〕	(a)〜(j)		単位の理解	82.0%	62.8%
〔2〕	(a)	化学	電解質の理解	70.7	56.0
	(b)	〃	酸素の製法の知識	24.2	16.7
	(c)	〃	中和の知識	22.5	19.0
	(d)	物理	振子の知識	70.5	53.4
	(e)	〃	機械のしくみの知識	30.6	14.7
	(f)	生物	葉緑体を有する植物の知識	33.4	19.8
	(g)	〃	両性花についての知識	21.4	18.3
	(h)	〃	種子の構造についての知識	50.0	49.7
	(i)	地学	鉱物の知識	48.7	37.8
〔3〕	(a)	生物	単細胞生物についての知識	57.6	29.4
	(b)	〃	固着生活をする動物についての知識	55.8	33.3
	(c)	〃	幼生が水中生活、成体が空中生活をするものの知識	82.9	67.3
〔4〕		物理	比熱の理解	28.3	19.8
〔5〕		〃	水の膨脹に関する実験についての判断力	28.5	23.8
〔6〕		〃	雨量の測定についての理解	17.8	12.8
〔7〕	(a)〜(c)	地学	地形図の理解(読図力)	46.9	32.9
〔8〕	(a)	生物	葉の表皮を顕微鏡でみたところの理解	48.0	27.6
	(b)	〃	孔辺細胞についての理解	33.1	33.0
	(c)	〃	葉の表皮を顕微鏡でみる技能	47.2	31.5
〔9〕		物理	輪軸のつり合いの理解	41.7	26.7
〔10〕	(a)〜(d)	地学	天気図の読み方	56・2	46.5
〔11〕	(a)〜(b)	物理	気圧の理解	47.8	37.7
〔12〕		化学	酸およびアルカリに対する理解と判断力	42.0	29.7
〔13〕	(a)〜(b)	物理	浮力の理解	41.5	30.5
〔14〕	(a)〜(b)	地学	星の日周運動と年周運動の理解	28.2	15.0
〔15〕		物理	光の屈折の理解	38.5	28.9

問題番号		分野	ねらい	正答率	
				全国	全琉
〔16〕	(a)	生物	雑種第2代にあらわれる形質の理解	62.0	46.9
	(b)	〃	雑種第2代にあらわれる純系の理解	23.3	20.6
〔17〕	(a)〜(b)	物理	オーム法測の理解	39.0	30.3
	(c)	〃	配線図の見方の理解	58.5	34.5
〔18〕	(a)〜(b)	化学	実験に関する知識と判断力	55.0	37.4
	(c)	〃	実験における危害予防に関する知識と判断力	23.8	23.8

c　**高等学校　化　学**

化学の場合は全日制高等学校普通課程の平均がおよそ50点となることを期待して出題されているが、その結果は、普通課程の全国平均が42.6点を示しかなりのへだたりがあるのに対し、全琉の普通課程の平均は45.0となつていて全国平均を上廻つている。

なお本年度と前回（1957年度）の全国平均並びに全琉平均を調べると次表のとおりで、本年度の平均点は前回のそれに比べて全般的に低率を示している。

		1957年度	1960年度
全国	全日制	39.8	37.6
	定時制	28.8	24.4
全琉	全日制	41.3	32.1
	定時制	25.4	22.8

しかし前回と今回とでは小・中学校の場合と同様に問題構成や難易の程度に相違があるため、平均点のみから直ちに学力が低下したと考えることはできない。すなわち同種のものについて見れば、化学式についての基礎知識を問う問題〔1〕は次表の如く正答率が著しく向上している。

		全日制	定時制
H_2	(1957年度)	51.4	34.0
O_2	(1960年度)	53.4	35.3

問題〔5〕（図を読む能力とそれに基く判断力を調べる問題）は全国の正答率は問題の内容が前回よりほぼ程度が高いため低率を示しているのに対し、全琉の場合は全日制は同点を示し、定時制は著るしい向上を見せている。ちなみにその正答率の前回との比較は次表のとおりである。

	1957年度	1960年度
全日制	30.4%	30.4%
定時制	12.8	22.3

一般的に見ると前回より特に知識の面では向上していると考えられる。問題別に見ると、化学反応の表わし方問題〔4〕(1)の理解や構造式の意味の理解など、割合高い正答率を示しているのに対して、グラム当量など当量（問題〔3〕）の理解や濃度に関する理解（問題〔5〕）などに欠けている。

個々の化学反応の知識（問題〔7〕〔12〕〔17〕）個々の物質の性質に関する知識などは比較的良い。しかし基礎的な考察を要求するものは低い。（問題〔14〕）実験に関する知識と判断力はあるが、その実験における危害防止に関する知識と判断力には乏しい。

以上を要するに化学に関する知識については比較的学習されていると見られるが、初歩的基本的な事項、概念の理解がなお浅く、これを活用する能力が低率であると云えよう。

c　高等学校　化　学

問題番号	領域	ねらい	正答率			
			全日制		定時制	
			全国	全琉	全国	全琉
〔1〕	知識	化学式についての基礎知識	34.7%	24 4%	17.2%	15.5%
〔2〕	理解	化学式、化学式量およびクラフ式量の意味の理解	47.4	36.9	26 1	21.5
〔3〕(1)(2)	〃	グラム当量の意味の理解	20.3	17.7	6.0	5.1
(3)	〃	化学反応における当量の理解	11.3	10.7	2.4	1.7
〔4〕(1)	〃	化学反応の表わし方の理解	73.9	65.8	56.6	54.5
(2)	理解・思考力	化学反応の表わし方の理解と思考力	24.7	17.4	6.0	7.3
〔5〕(1)(2)	技能・思考力	図を読む能力とそれに基く判断力	40.7	30.4	26.6	22.3
(3)	技能・理解	図を読む能力と溶液の濃度に関する理解	13.1	13.0	5.4	3.2
〔6〕(1)(2)	知識・思考力	実験に関する知識と判断力	69.1	57.8	57.6	45.1
(3)	〃	実験における危害予防に関する知識と判断力	25.1	21.5	22.1	22.1
〔7〕	〃	物質の特性に関する知識とそれに基く総合判断力	63.4	49.1	41.5	34.0
〔8〕(1)	知識	周期律表に関する知識	27.9	25.2	15.9	26.3
(2)	理解・思考力	周期律に関する理解と思考力	20.6	23.8	12.4	20.7
〔9〕	知識・理解	原子構造に関する知識と理解	37.9	31.6	27.2	26.9
〔10〕	〃	金属の性質に関する知識と理解	26.1	24.5	19.8	17.9
〔11〕	理解・思考力	電気分解に関する理解と思考力	26.9	21.2	18.9	14.5
〔12〕	理解	いろいろな化学反応の種類に関する理解	45.0	42.4	35.7	37.1
〔13〕(1)	〃	実験式の意味の理解	36.9	27.8	22.5	10.2
(2)	〃	電体の分子量のもつ意味の理解	40.5	35.7	28.3	15.8
(3)	〃	実験式と分子式の意味の理解	22.3	22.3	9.9	4.3
〔14〕(1)(2)	〃	化学反応の理解	29.8	20.5	10.1	5.9
(3)	理解・思考力	化学反応の理解とそれに基く思考力	13.5	22.3	3.4	1.3
〔15〕(a)	理解	構造式の意味の理解	77.8	73.9	57.4	41.3
(b)	〃	異性体の意味の理解	39.0	39.5	23.0	17.8
〔16〕	知識・理解	有機化合物の構造の特性に関する知識と理解	31.2	30.5	17.4	15.5
〔17〕	〃	有機化学反応に関する知識と理解	49.0	40.7	39.3	34.1

2　児童生徒の得点分布

児童生徒の全琉的な学力を表わす示標として、常に全国的平均との比較の上に全琉平均を示してきたが次に児童、生徒の得点のちらばりを見るため、各学校種別、教科別に得点分布を図示する。

得点分布は問題の難易、配点によつて大きく変わるので軽々しく断定することはできないが、こゝに現われた現象から見れば、生徒個人間の学力差はかなり大きいことが理解される。

「小学校においては社会科はかなり低い点数に片寄つており、分布のひらきは全国的分布に比べて大きくはない（S・D＝17.8）が、何れにしても良い分布ではないように思われる。

理科の場合はやや正規分布に近い現象を示しているが全国的分布に比べて低い方に片寄つていることが

注目される。

「中学校における社会科の分布は小学校のそれと同じく低い点数に片寄つており、分布のひらきは小学校ほどではない（S・D=13.9）、理科はほゞ正規分布に近い現象を示しており、全国分布と比較するとやはり低い方に片寄つている。

「全日制高等学校では日本史は全国分布が高い点数に片寄つた正規分布に近い形をなしているのに対し全琉の場合は反対に低い点数に片寄つている。人文地理は分散の小さい左右対称に近い形をなしている。化学はL型に近いカーブのため分散がやゝ大きくなつている。「定時制高等学校については何れも低い点数に片寄つており分布の状態は大体全国の場合とほゞ類似している。

小・中学校における得点の上位者と下位者の比率を示すと次のとおりである。この数字の示すとおり全琉の場合下位者の比率は高く、上位者の比率は低くなつている。とくに小学校社会科の下位者18.0という比率はあまりも高すぎる。

		全数	0 ～ 9 点			90 ～ 100 点		
			全国	全琉		全国	全琉	
			比率	実数	比率	比率	実数	比率
小学校	社会科	100%	1.5%	4,182人	18.0%	2.4%	32人	0.1人
	理科	100	0.2	448	1.9	0.9	48	0.2
中学校	社会科	100	0.9	496	4.9	0.2	0	—
	理科	100	0.2	177	1.8	0.1	1	0.0

小学校についての得点分布を前回の場合と標準偏差によつて比較すると次のとおりで、全琉の場合小学校社会科はわずかに大きく理科は小・中学校とも僅かに小さくなつており、中学校の社会科はかなり小さくなつていることがわる。

全国の場合と比べてみると、いずれも標準偏差は小さくなつている。

	小学校				中学校			
	社会科		理科		社会科		理科	
	全国	全琉	全国	全琉	全国	全琉	全国	全琉
1957年度	22.0点	17.5点	17.5点	15.8点	23.2点	17.9点	15.1点	15.7点
1960年度	22.7	17.8	15.8	14.3	19.4	13.6	15.2	13.5

以上のような結果から全琉の場合、全国平均よりも左よりで、児童生徒の学力の差の小さい集団が高い比率を占めているということが云るのである。また前回よりも、そのひらきが小さくなつていえと云うとは、出題傾向の難易と比較して考えねばならないが、一応は学力の差が前回より縮つてきていると云えるのではなかろうか。

第1図　児童生徒の得点分布　a　小学校

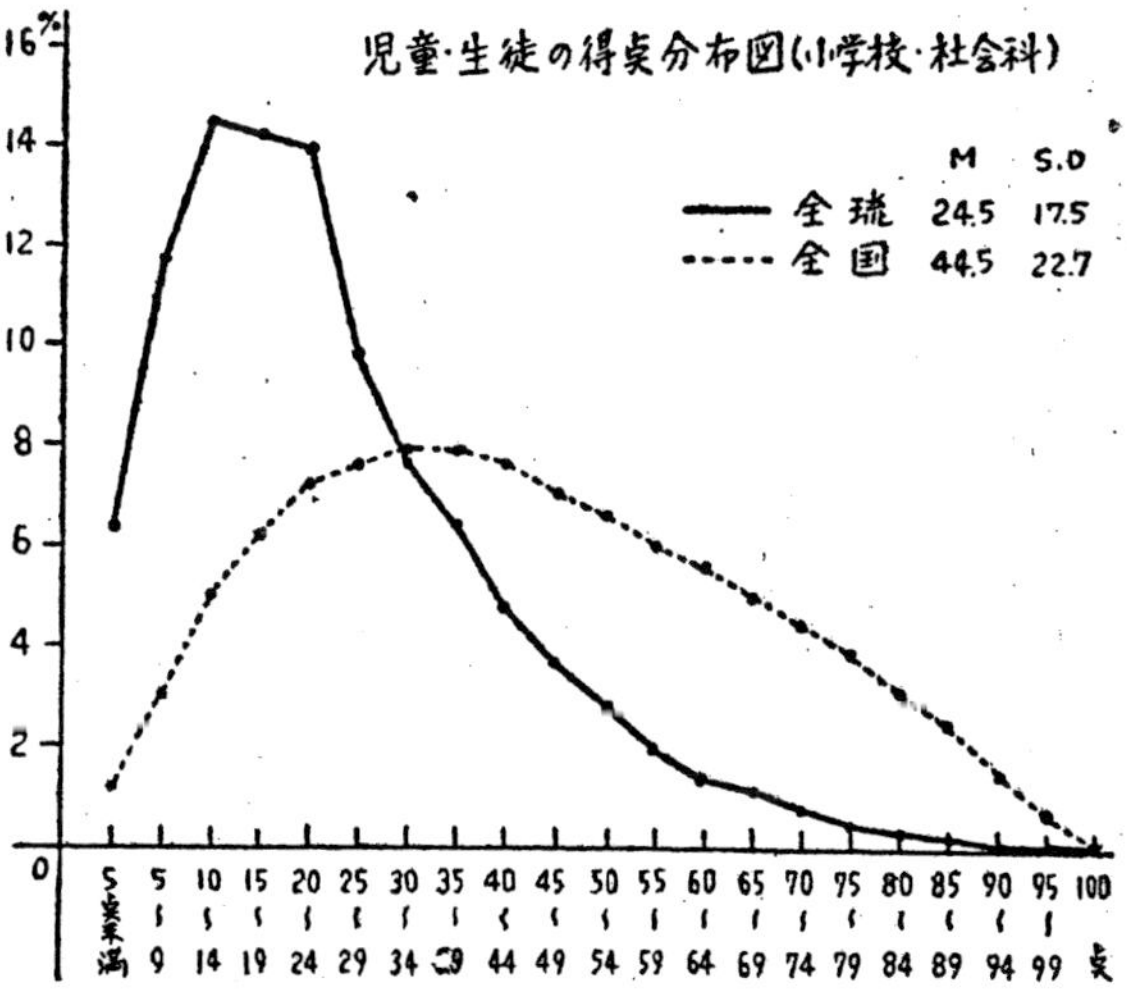

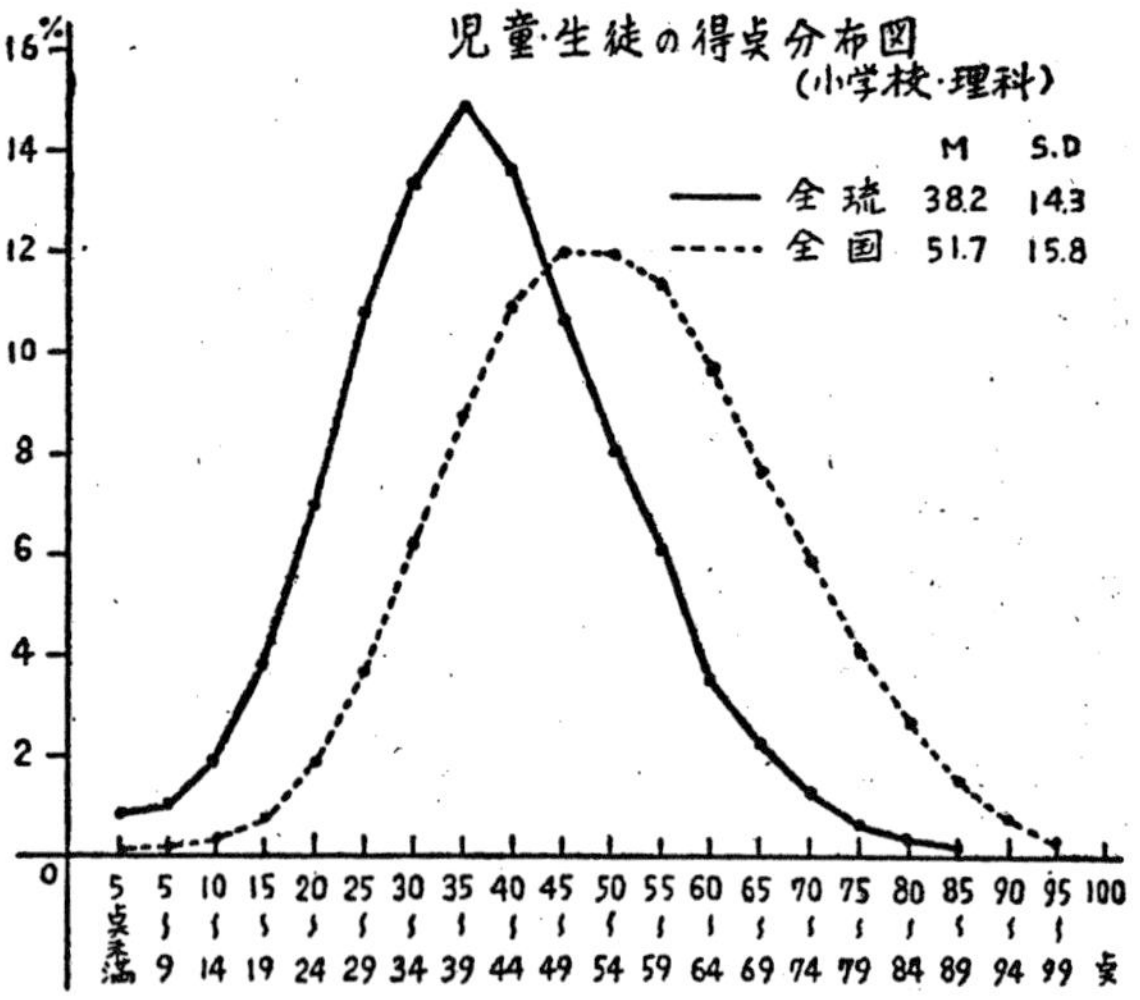
児童・生徒の得点分布図
(小学校・理科)
M S.D
全琉 38.2 14.3
全国 51.7 15.8
16%
14
12
10
8
6
4
2
0
5点未満 5~9 10~14 15~19 20~24 25~29 30~34 35~39 40~44 45~49 50~54 55~59 60~64 65~69 70~74 75~79 80~84 85~89 90~94 95~99 100点

b 中 学 校

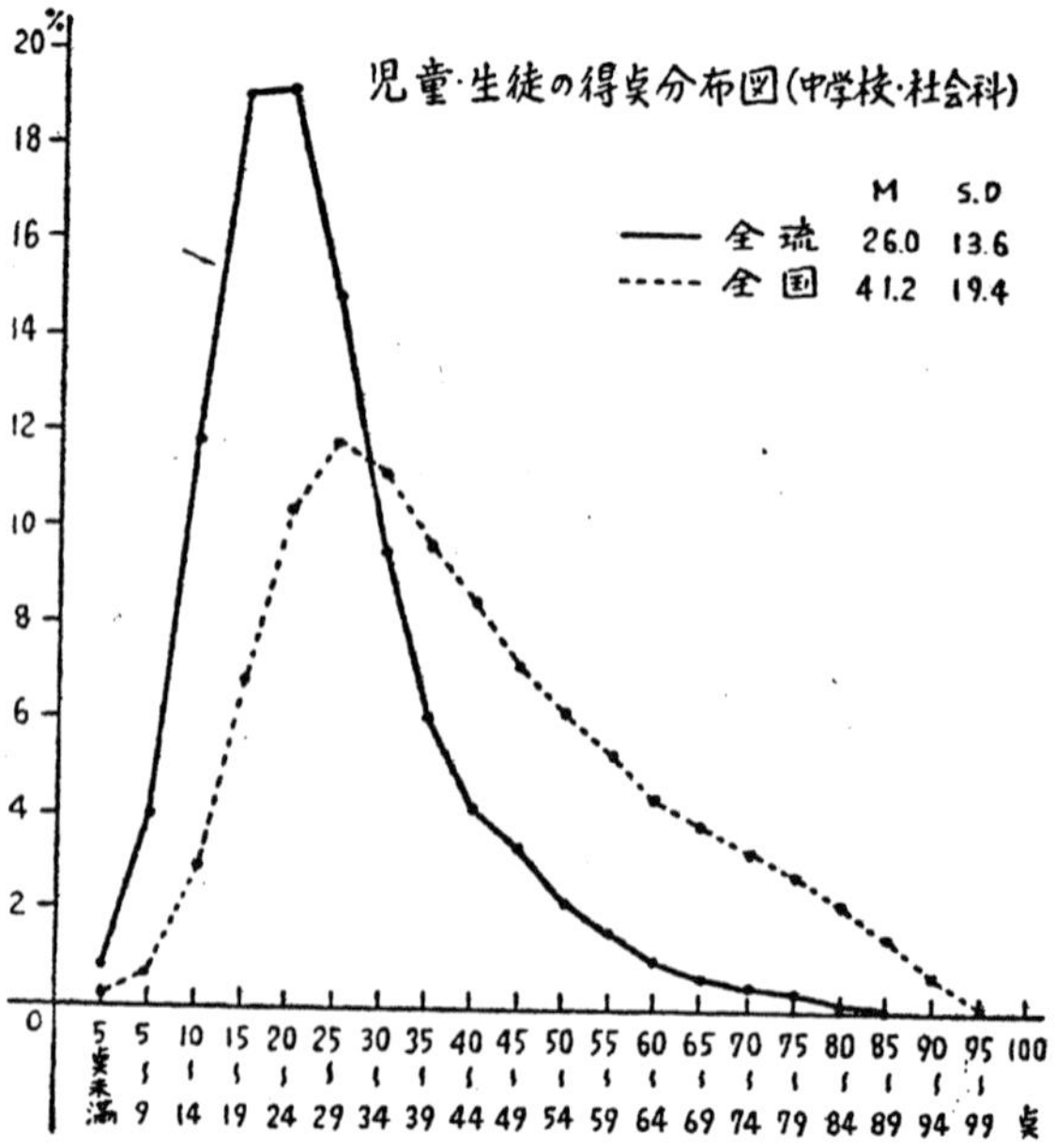
児童・生徒の得点分布図(中学校・社会科)
M S.D
全琉 26.0 13.6
全国 41.2 19.4
20%
18
16
14
12
10
8
6
4
2
0
5点未満 5~9 10~14 15~19 20~24 25~29 30~34 35~39 40~44 45~49 50~54 55~59 60~64 65~69 70~74 75~79 80~84 85~89 90~94 95~99 100点

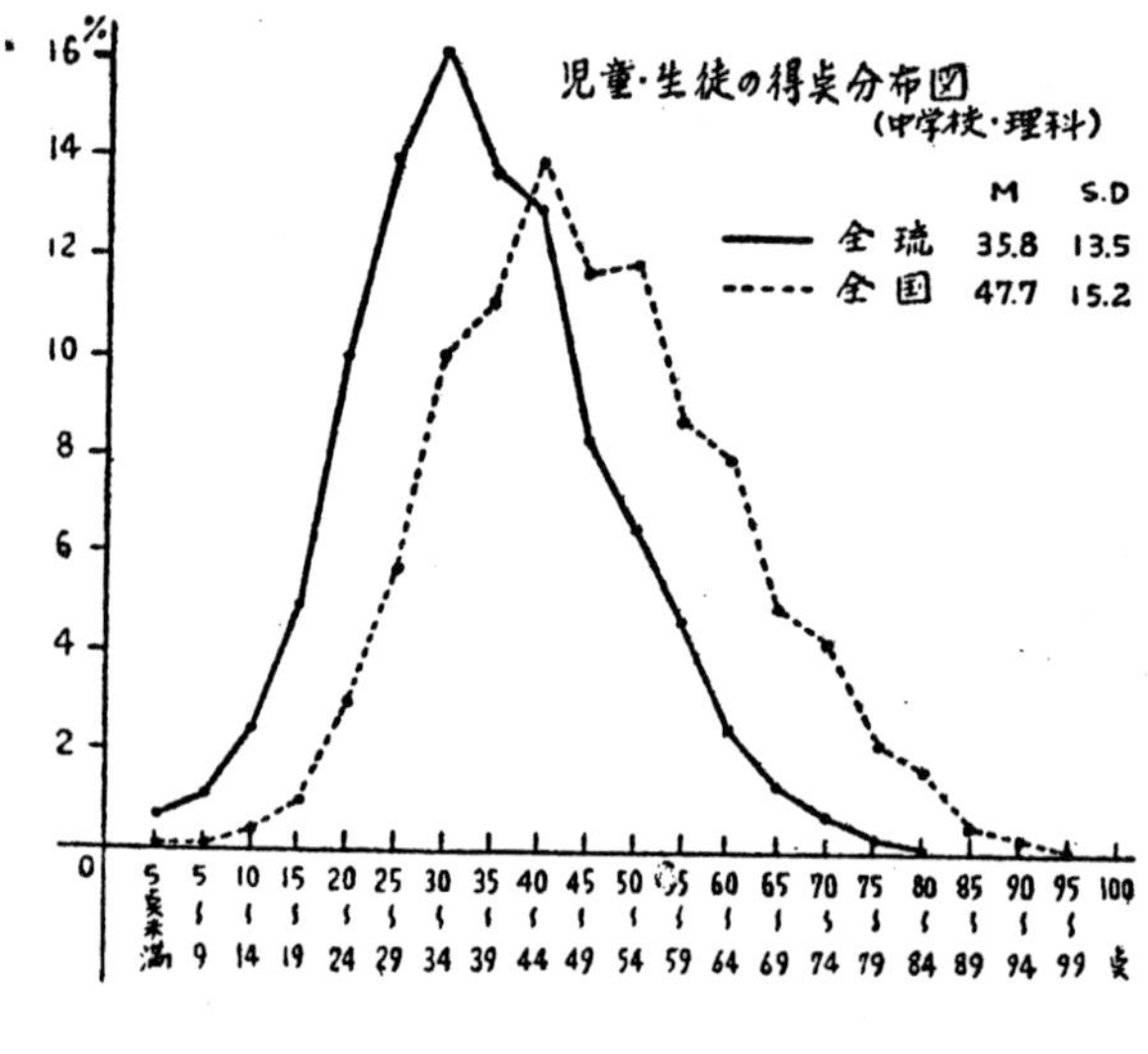
児童・生徒の得点分布図
(中学校・理科)
M S.D
全琉 35.8 13.5
全国 47.7 15.2
16%
14
12
10
8
6
4
2
0
5点未満 5~9 10~14 15~19 20~24 25~29 30~34 35~39 40~44 45~49 50~54 55~59 60~64 65~69 70~74 75~79 80~84 85~89 90~94 95~99 100点

c　高等学校（全日）

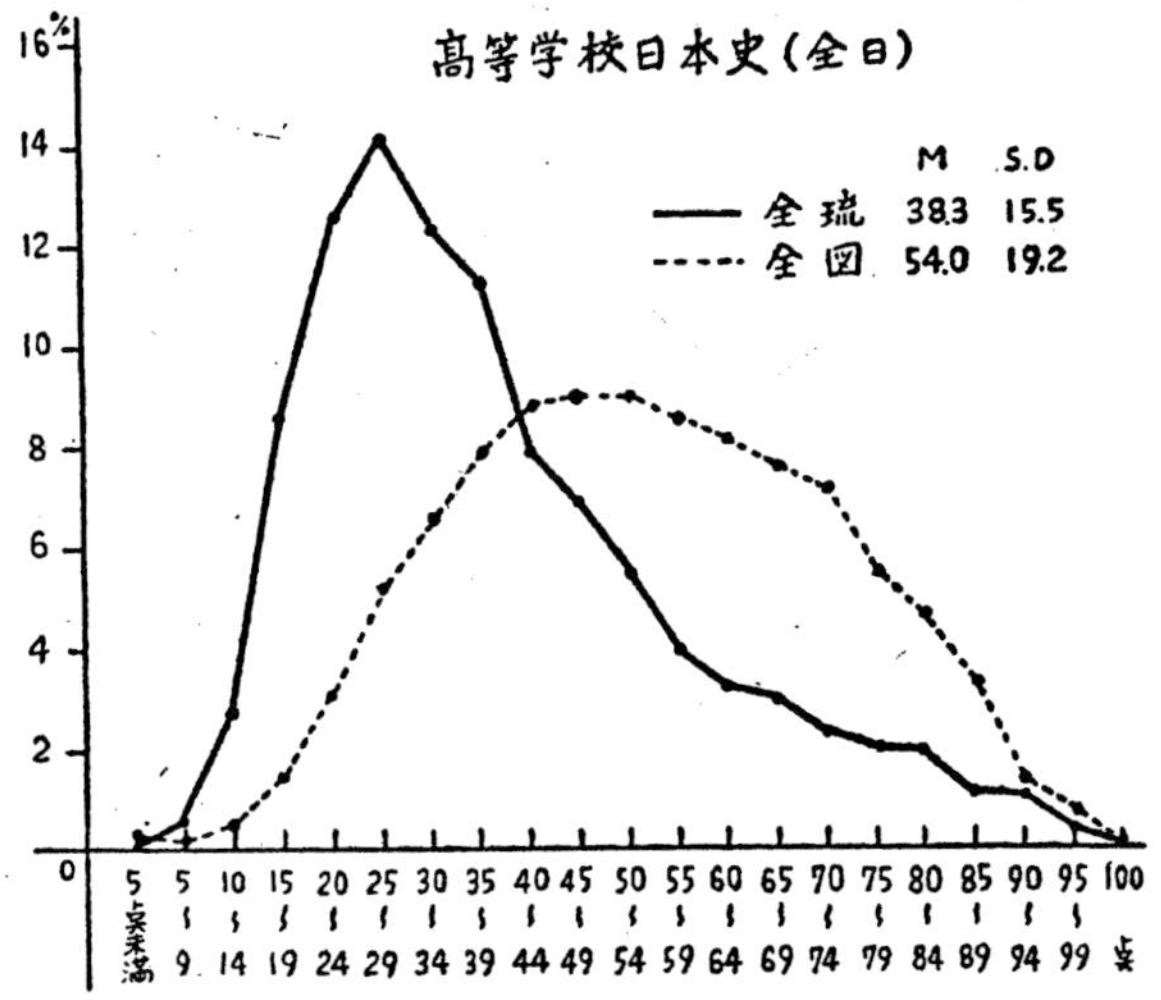
高等学校日本史(全日)
M S.D
全琉 38.3 15.5
全国 54.0 19.2

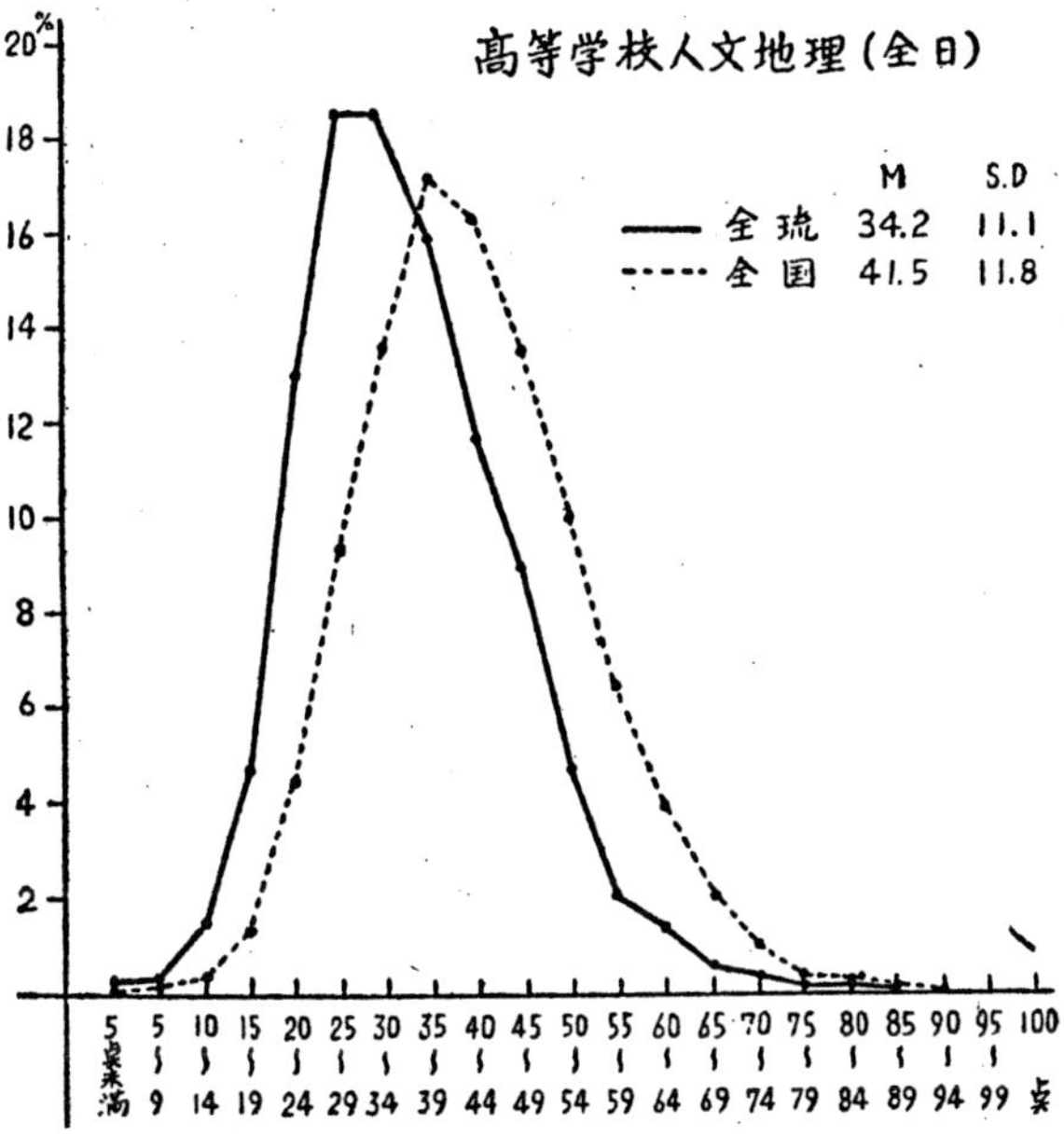
高等学校人文地理(全日)
M S.D
全琉 34.2 11.1
全国 41.5 11.8

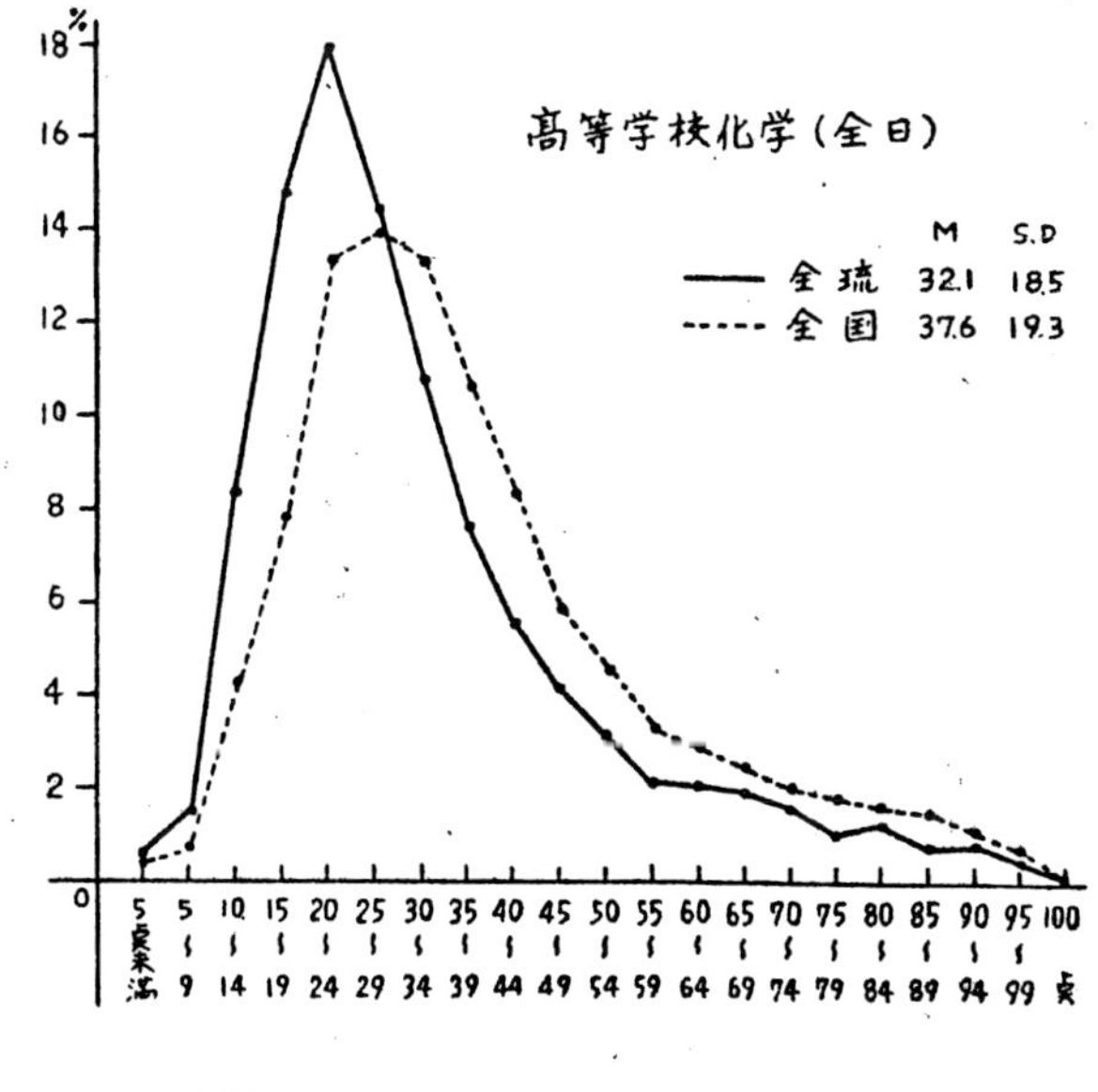
高等学校化学(全日)
M S.D
全琉 32.1 18.5
全国 37.6 19.3

高等学校（定時）

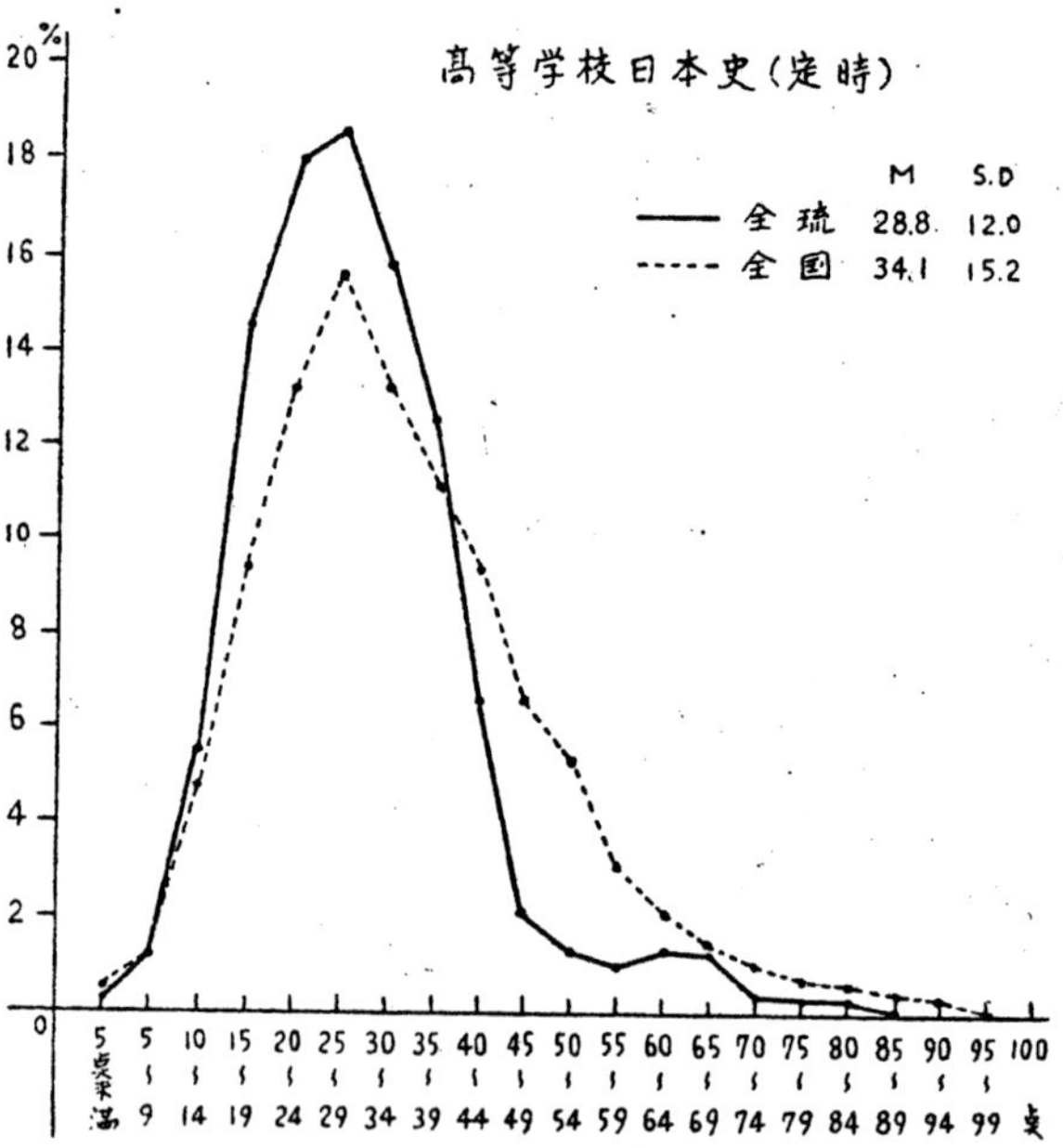
高等学校日本史（定時）
M S.D
全琉 28.8 12.0
全国 34.1 15.2
%
5未満 5~9 10~14 15~19 20~24 25~29 30~34 35~39 40~44 45~49 50~54 55~59 60~64 65~69 70~74 75~79 80~84 85~89 90~94 95~99 100点

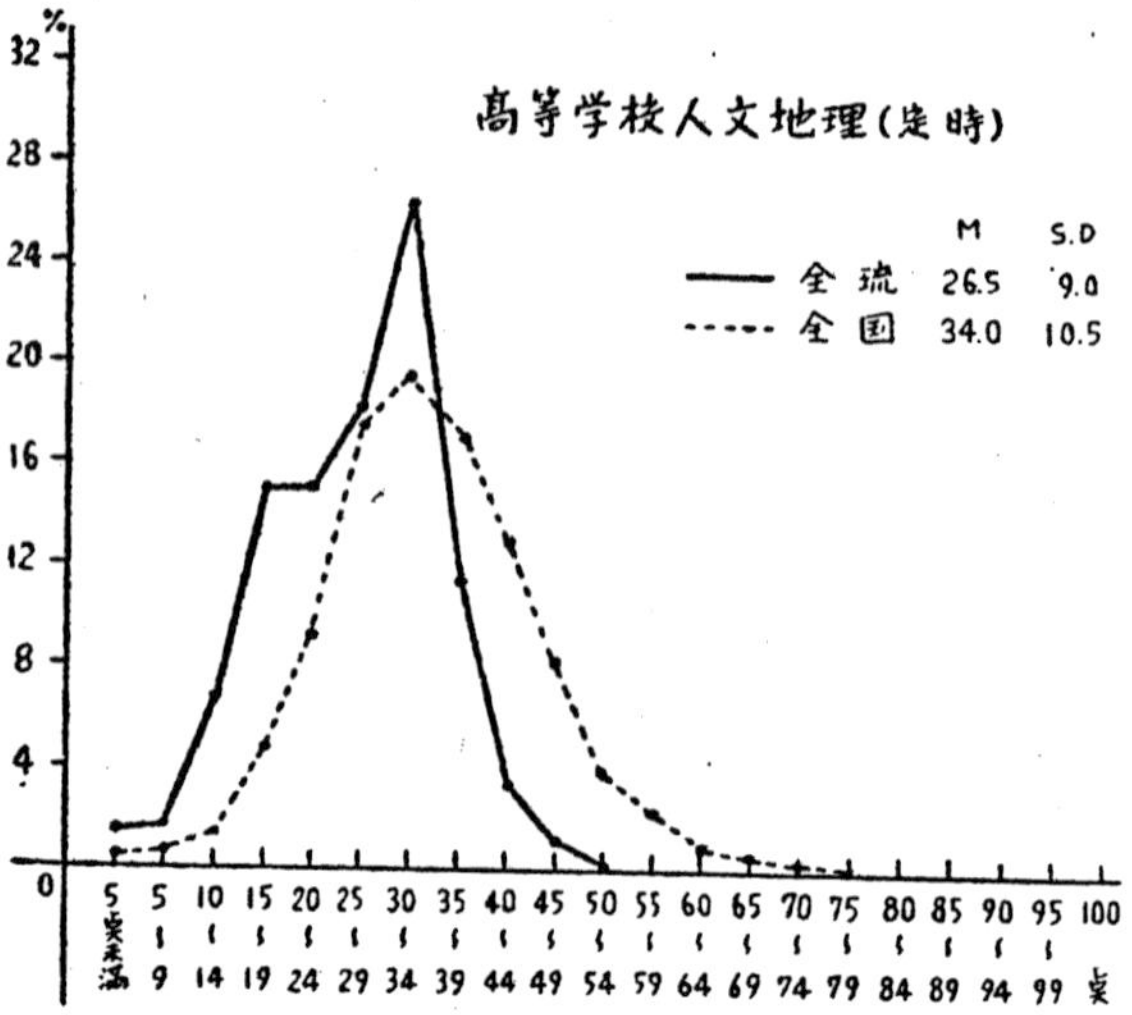
高等学校人文地理（定時）
M S.D
全琉 26.5 9.0
全国 34.0 10.5
%
5未満 5~9 10~14 15~19 20~24 25~29 30~34 35~39 40~44 45~49 50~54 55~59 60~64 65~69 70~74 75~79 80~84 85~89 90~94 95~99 100点

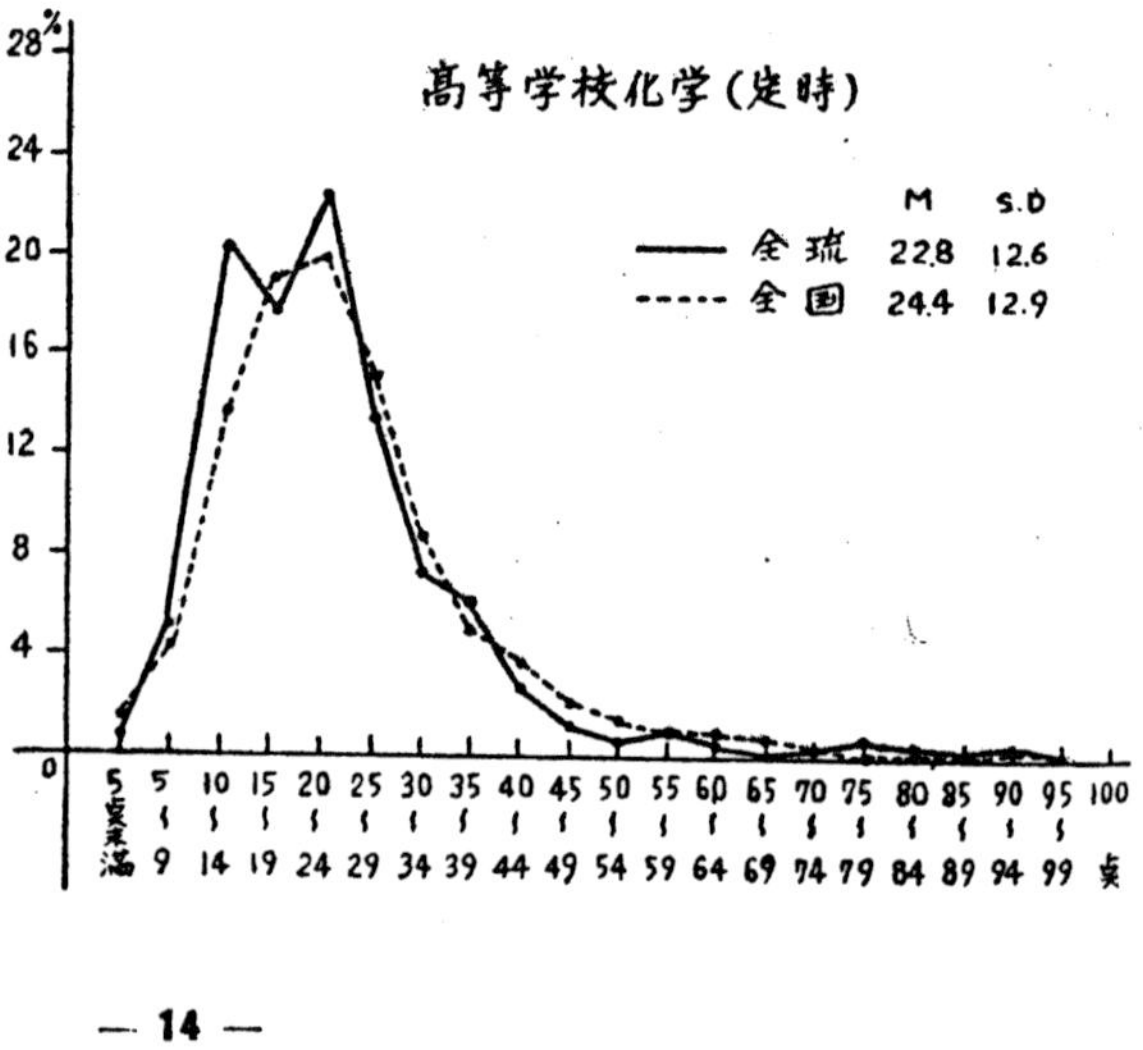
高等学校化学（定時）
M S.D
全琉 22.8 12.6
全国 24.4 12.9
%
5未満 5~9 10~14 15~19 20~24 25~29 30~34 35~39 40~44 45~49 50~54 55~59 60~64 65~69 70~74 75~79 80~84 85~89 90~94 95~99 100点

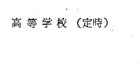

3　学校間の学力のひらき

小・中学校について、平均得点別にみた学校数の分布を示したのが第２図である。

これで見ると小・中学校いずれの教科においても標準偏差は全国に比べて小さくなつている。このことは学校間の学校差が全国ほど開きが大きくないということになる。しかしこのことは一概にどうという判断をすることは慎重でなければならない。

そのひらきの最も小さい小学校社会科で35点、最も大きい中学校社会科で80点となつているがこれは１校の調査人員１～３名の学校に左右されているのである。

第２図　学校平均点の分布

a）小学校

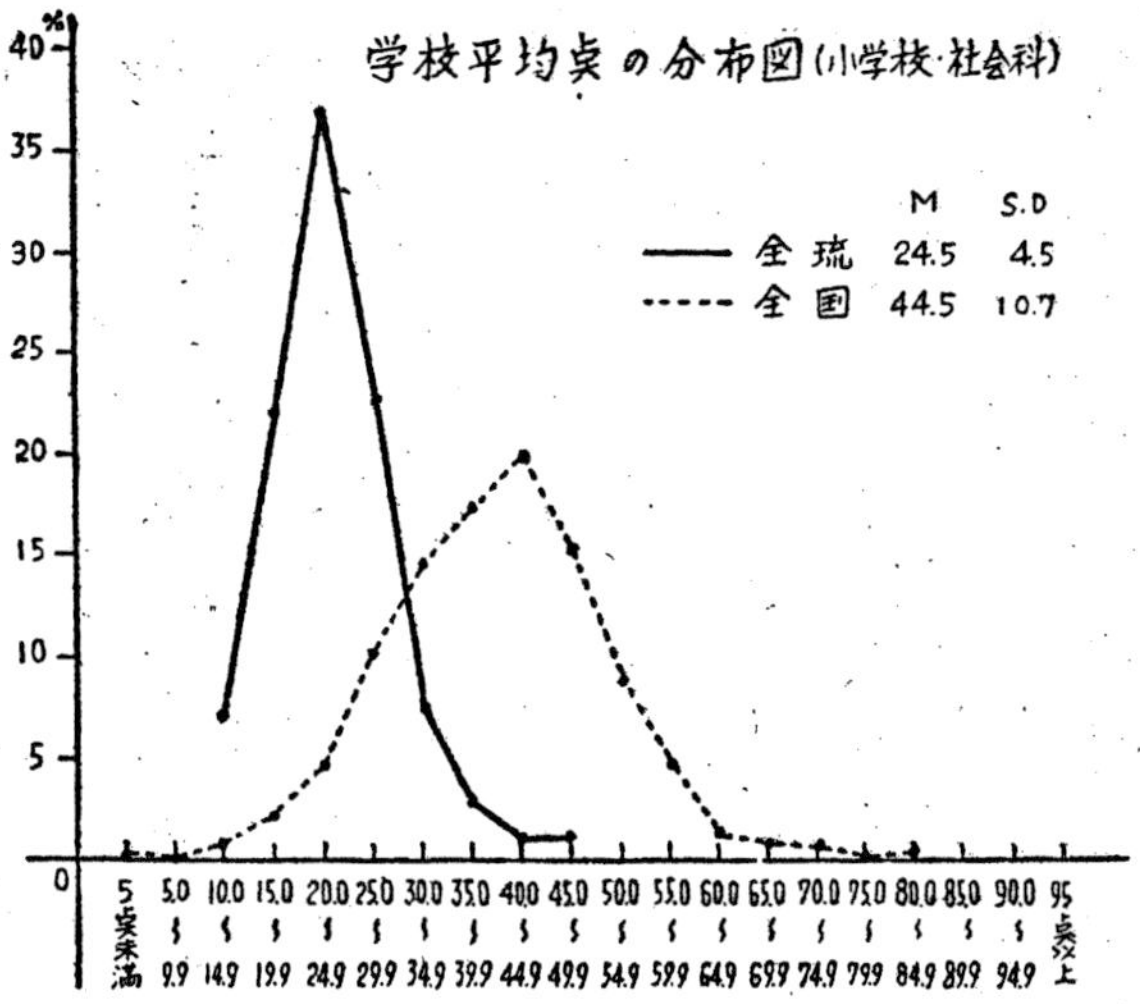

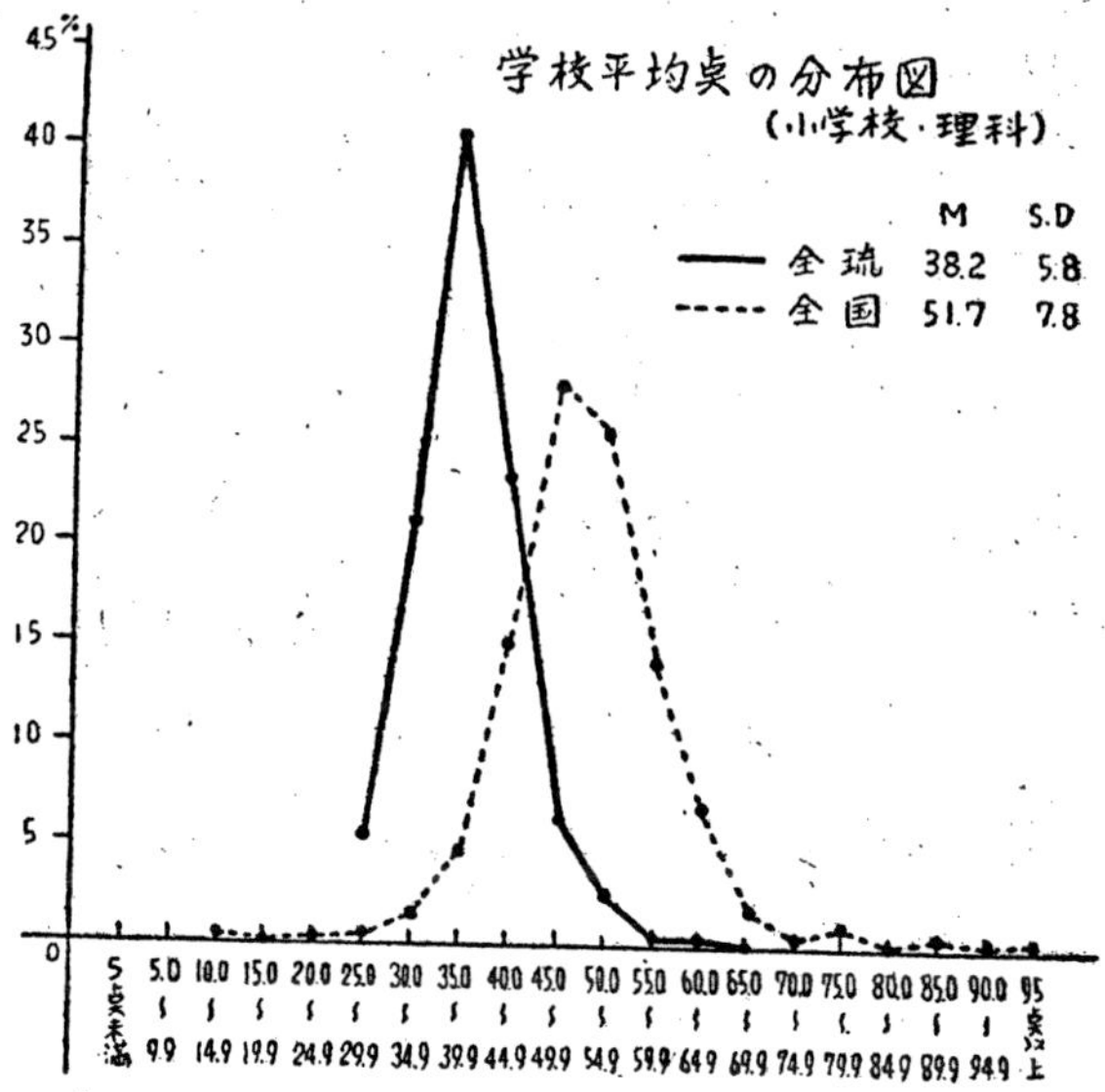

b　中学校

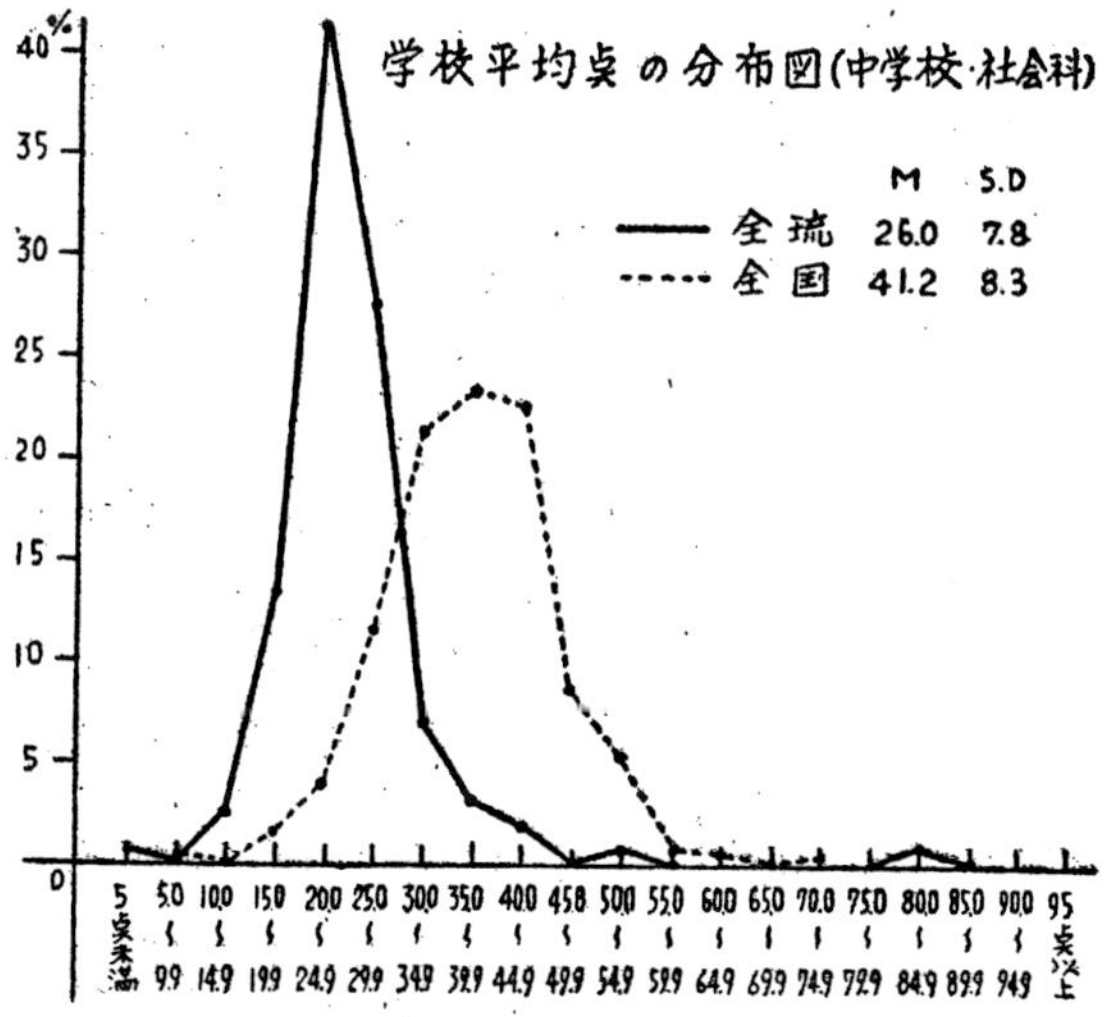

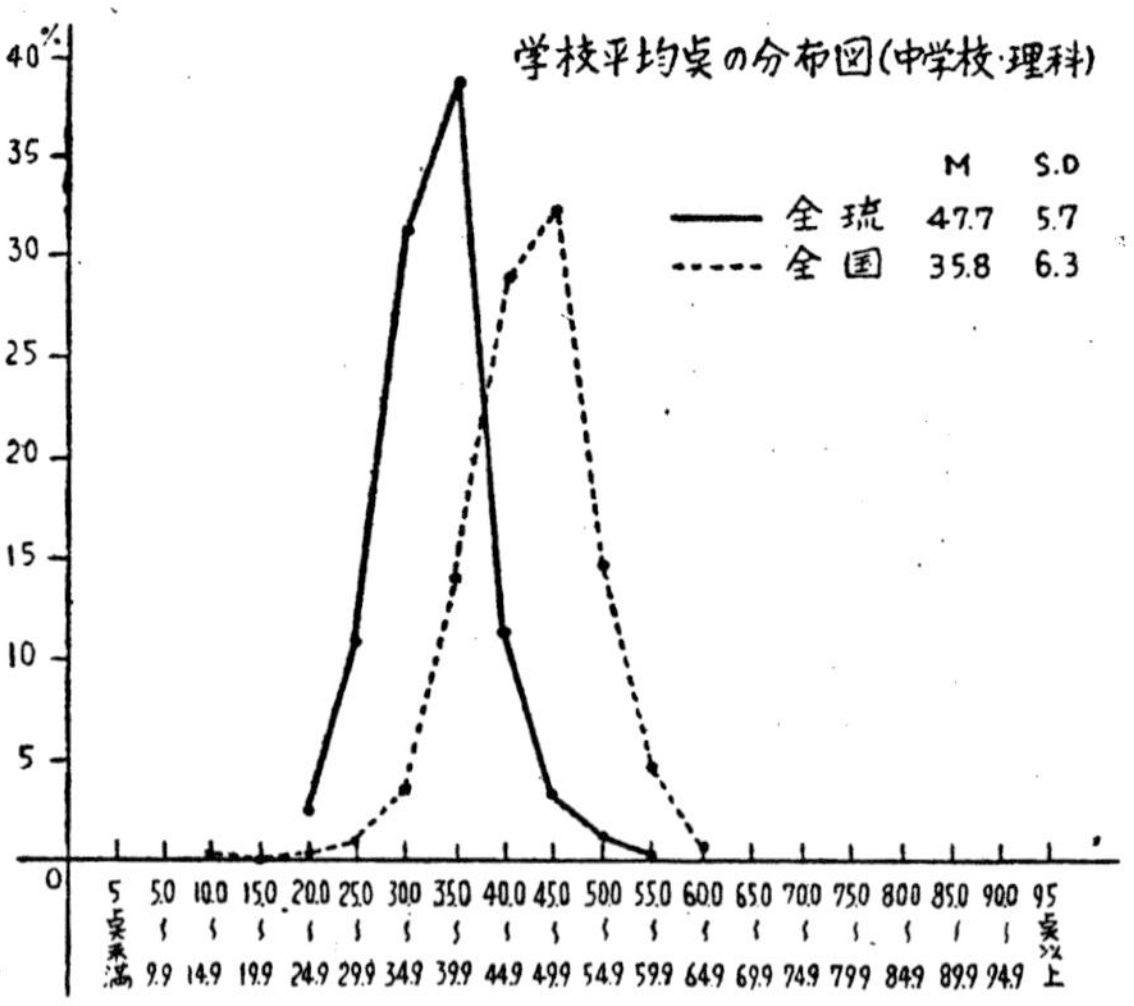

右の図は連合教育区別の平均点である。

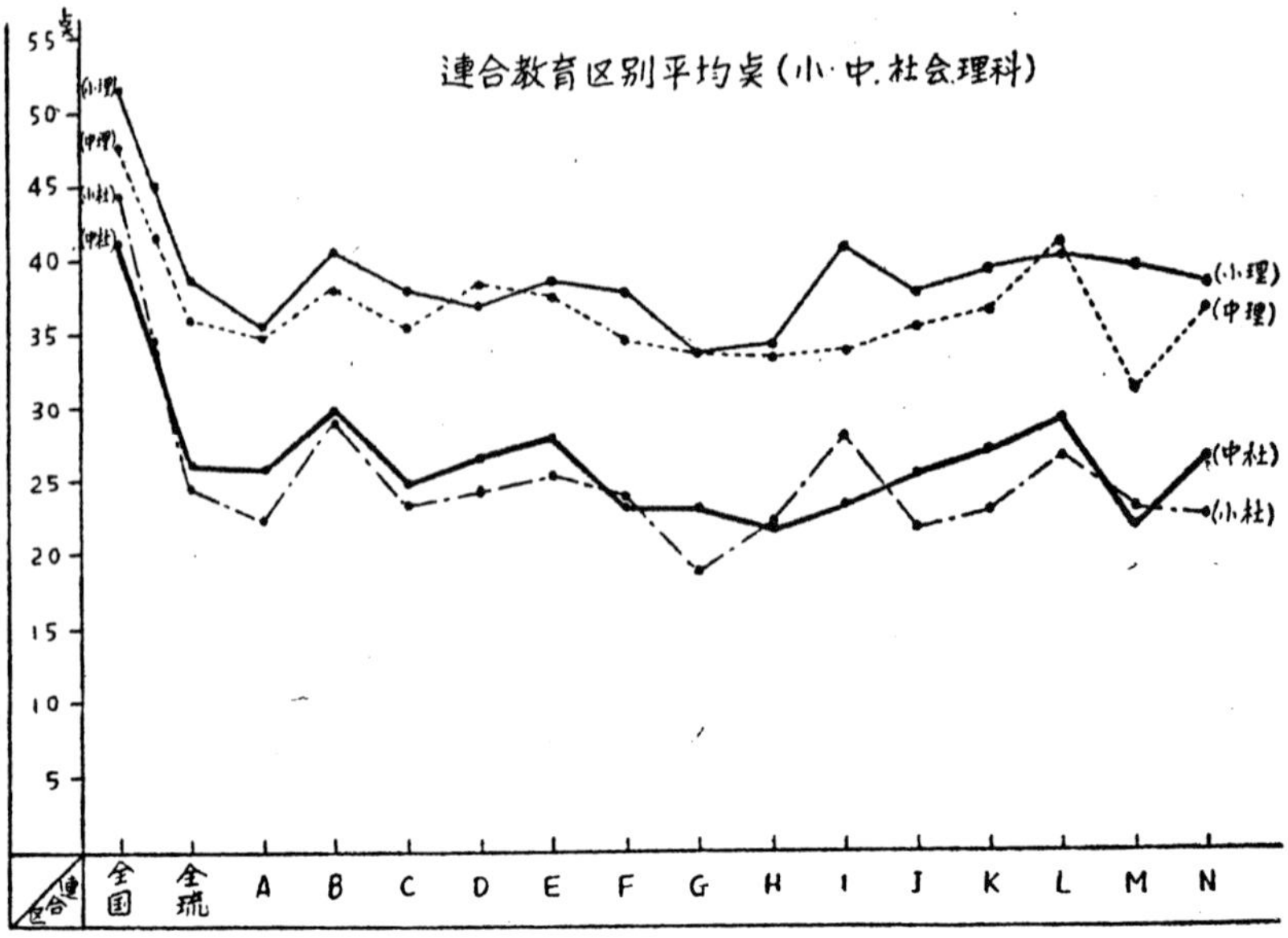

これを見てまず目につくことは理科と社会科の差が全国に比べてきいということである。G大の社会科Mの理科、Iの社会科、理科のように小学校と中学校の差が大きいことは、G、M、Iの連合教育区でとくに検討する必要がある。

社会科において全国の場合、小学校が高い点数を示しているのに全琉の場合は逆に中学校が高い点数を示している。

4　課程別にみた高等学校の平均点

高等学校の結果を各課程別にみると次の頁のとおりである。これによれば定時制の人文地理と日本史を除けば各科目とも普通課程の平均点が最も高い。しかし定時制の人文地理を受験したものは61名で２校となつているのでこれを他と比較することは問題があろう。

全日制の場合は全般をとおして普通課程についで水産課程（本土の場合は調査の対象にはなつていない）が高く、社会科（日本史、人文地理ともに）では商業課程が、化学では工業課程がその次にきている。家庭課程と農業課程が低い平均得点を示している。

全国との差を全般的にみると全日制よりも定時制の差が小さくなつている。全日制の場合日本史の差が最も大きく化学の差が小さくなつている、この化学の差の僅少については定時間の場合がもつともめだつている。化学における全日制の普通課程は全国平均よりも高いのは前回と共通している。普通課程以外は各教科とも３単位履修の生徒が多いことを付記しておきたい。

	全日制高等学校						定時制高等学校					
	日本史		人文地理		化学		日本史		人文地理		化学	
	全国	全琉	全国	全琉	全国	全琉	全国	全琉	全国	全琉	全国	全琉
	点	点	点	点	点	点	点	点	点	点	点	点
全課程	54.0	38.3	41.5	34.2	37.6	32.1	34.1	28.8	34.0	26.5	24.4	22.8
普通課程	58.8	51.7	42.5	41.3	42.6	45.0	37.0	29.7	34.8	25.6	26.2	24.4
農業課程	34.8	25.3	38.0	30.9	26.5	23.1	26.9	20.7	33.1	27.8	22.1	17.8
工業課程	56.5	33.1	44.7	32.3	42.5	26.0	35.9	24.9	37.2	—	26.2	17.6
商業課程	52.9	34.1	42.1	32.9	29.3	25.7	35.1	30.1	34.1	—	21.2	23.8
家庭課程	36.2	37.1	33.6	29.4	26.4	22.9	26.6	—	28.7	—	21.9	—
水産課程	—	38.9	—	35.0	—	29.1	—	—	—	—	—	—

5　地域類型別にみた学力

小学校を通学区の産業人口の構成によつて分類し、各地域類型別の各児童生徒の平均点を算出すると下表のようになる。これは全国の順位を示したものに全琉のものを比較させてみたものである。

第３表　地域類型別の平均点

小　学　校

社会科					理科				
順位	地域類型		平均点		順位	地域類型		平均点	
			全国	全琉				全国	全琉
			点					点	
1	大・中都市	商業地域	53.6	—	1	大・中都市	商業地域	56.5	—
2	〃	住宅地域	52.2	—	2	〃	住宅地域	55.8	—
3	〃	商工業地域	48.6	—	3	小都市・町村	市街地域	52.4	39.9
4	小都市・町村	市街地域	46.8	27.9	4	大・中都市	商工業地域	52.0	—
5	大・中都市	工鉱業地域	44.7	—	5	〃	工鉱業地域	50.5	—
6	小都市・町村	農業地域	39.7	21.8	6	小都市・町村	農業地域	50.2	36.8
7	〃	鉱業地域	37.6	—	7	〃	鉱業地域	48.7	—
8	〃	漁業地域	35.1	20.0	8	〃	山村地域	46.6	40.4
9	〃	山村地域	32.9	21.3	9	〃	漁業地域	45.8	36.1

中　学　校

社会科					理科				
順位	地域類型		平均点		順位	地域類型		平均点	
			全国	全琉				全国	全琉
			点					点	
1	大・中都市	商業地域	48.6	—	1	大・中都市	住宅地域	52.6	—
2	〃	住宅地域	47.5	—	2	〃	商業地域	51.8	—
3	〃	商工業地域	43.9	—	3	〃	商工業地域	48.9	—
4	小都市・町村	市街地域	43.1	28.7	4	小・都市町村	市街地域	48.7	37.7
5	大・中都市	工鉱業地域	41.0	—	5	大・中都市	工鉱業地域	48.2	—
6	大都市・町村	鉱業地域	38.7	—	6	小都市・町村	鉱業地域	46.0	—
7	〃	農業地域	37.0	24.3	7	〃	農業地域	45.0	34.6
8	〃	山村地域	32.5	24.6	8	〃	山村地域	41.9	32.4
9	〃	漁業地域	32.3	22.2	9	〃	漁業地域	41.6	23.1

これによると市街地域が全般的に上位を示しており漁業地域が下位を示している。小学校理科において山村地域が首位を示しているのは注目される。しかし、地域類型別とは云つても市街と農業地域が調査対象人員の95%以上を占めているのでその比較にあたつては慎重でなければならない。

昭和35年度　全　国　学　力　調　査　　高等学校（全日制）

（日 本 史）　学校別教科別平均点

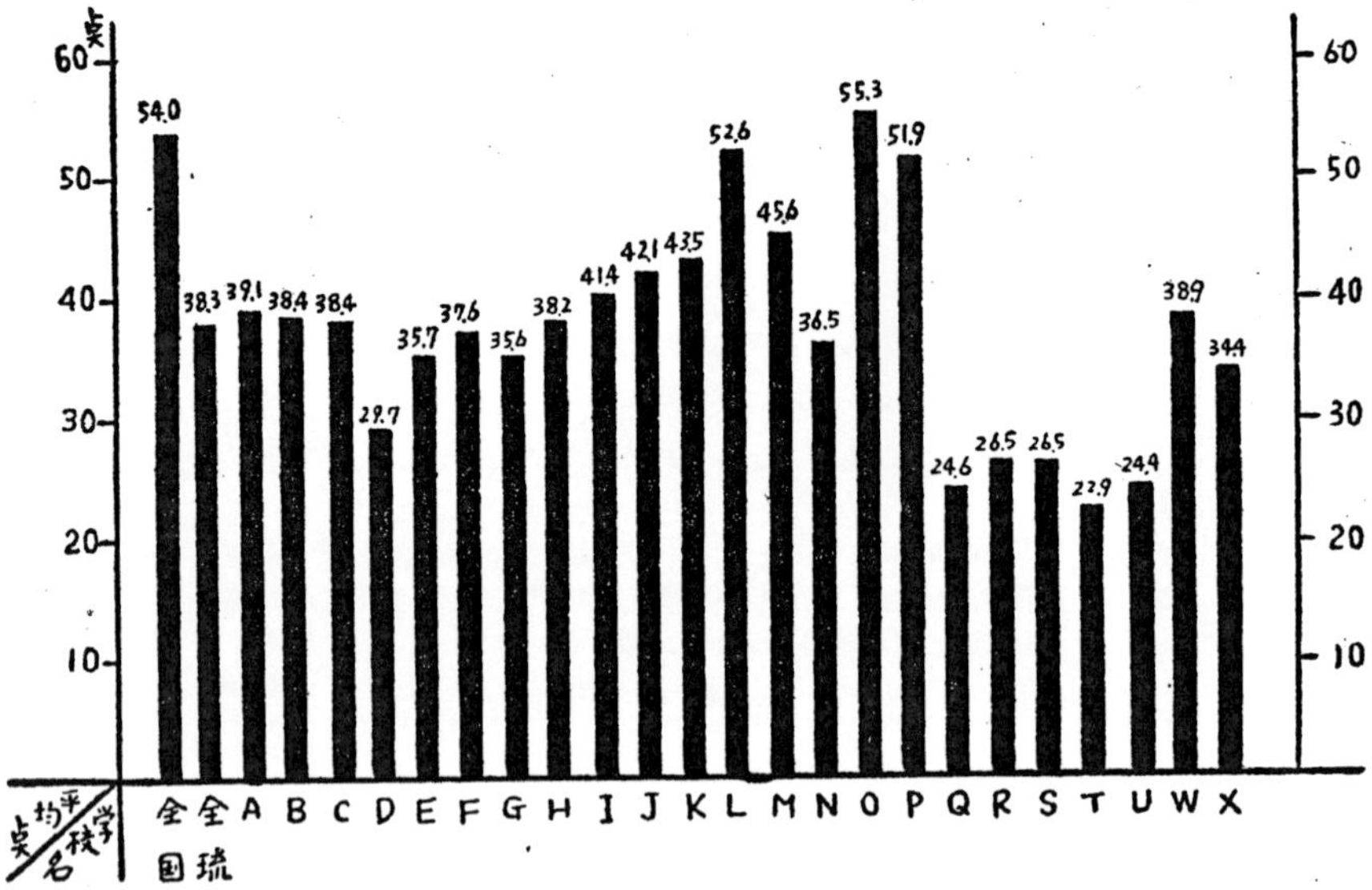

昭和35年度　全　国　学　力　調　査　　高等学校（全日制）

（人文地理）学校別教科別平均点

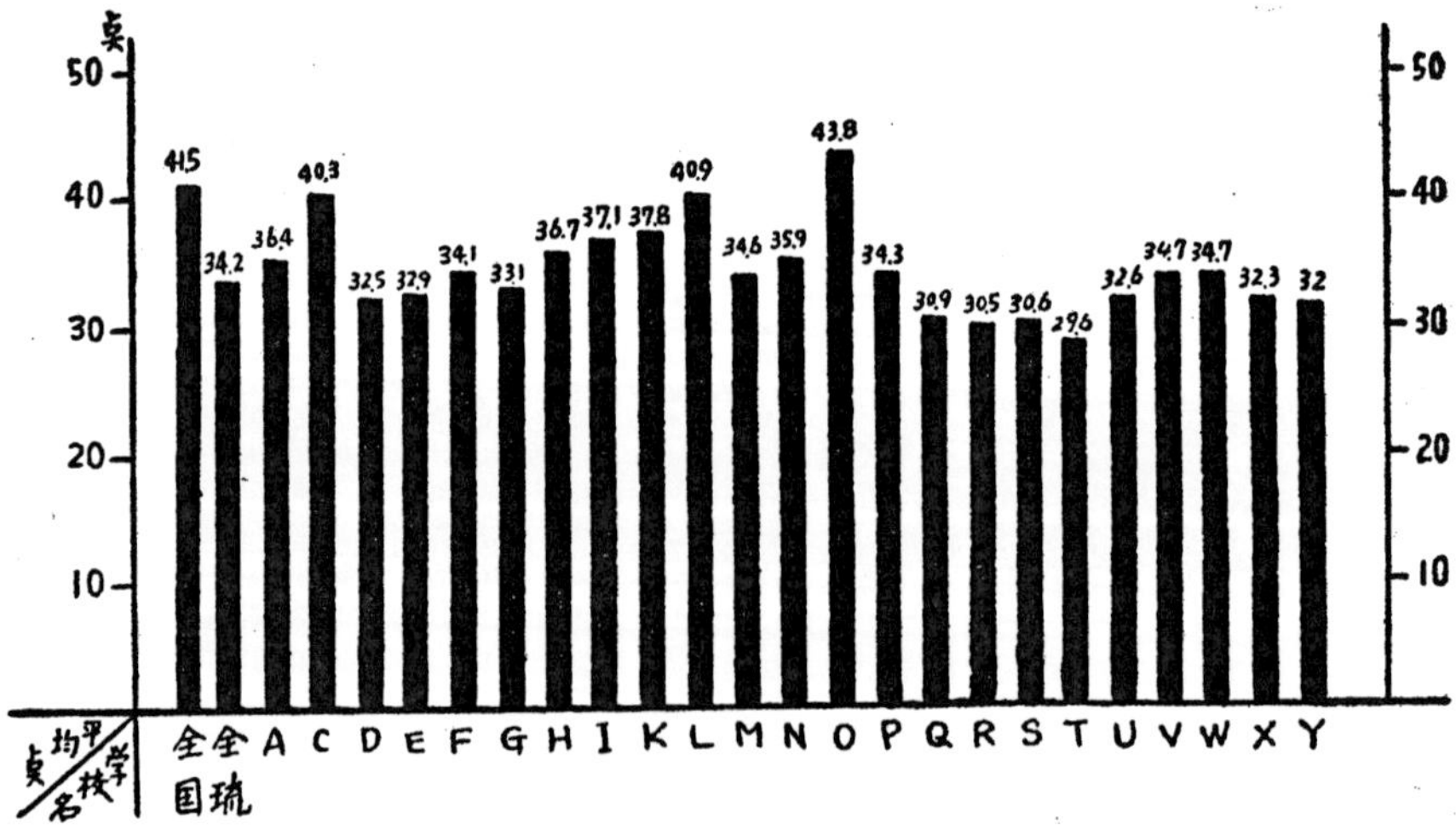

昭和35年度　全　国　学　力　調　査　　高等学校（全日制）

（化　　学）　学校別教科別平均点

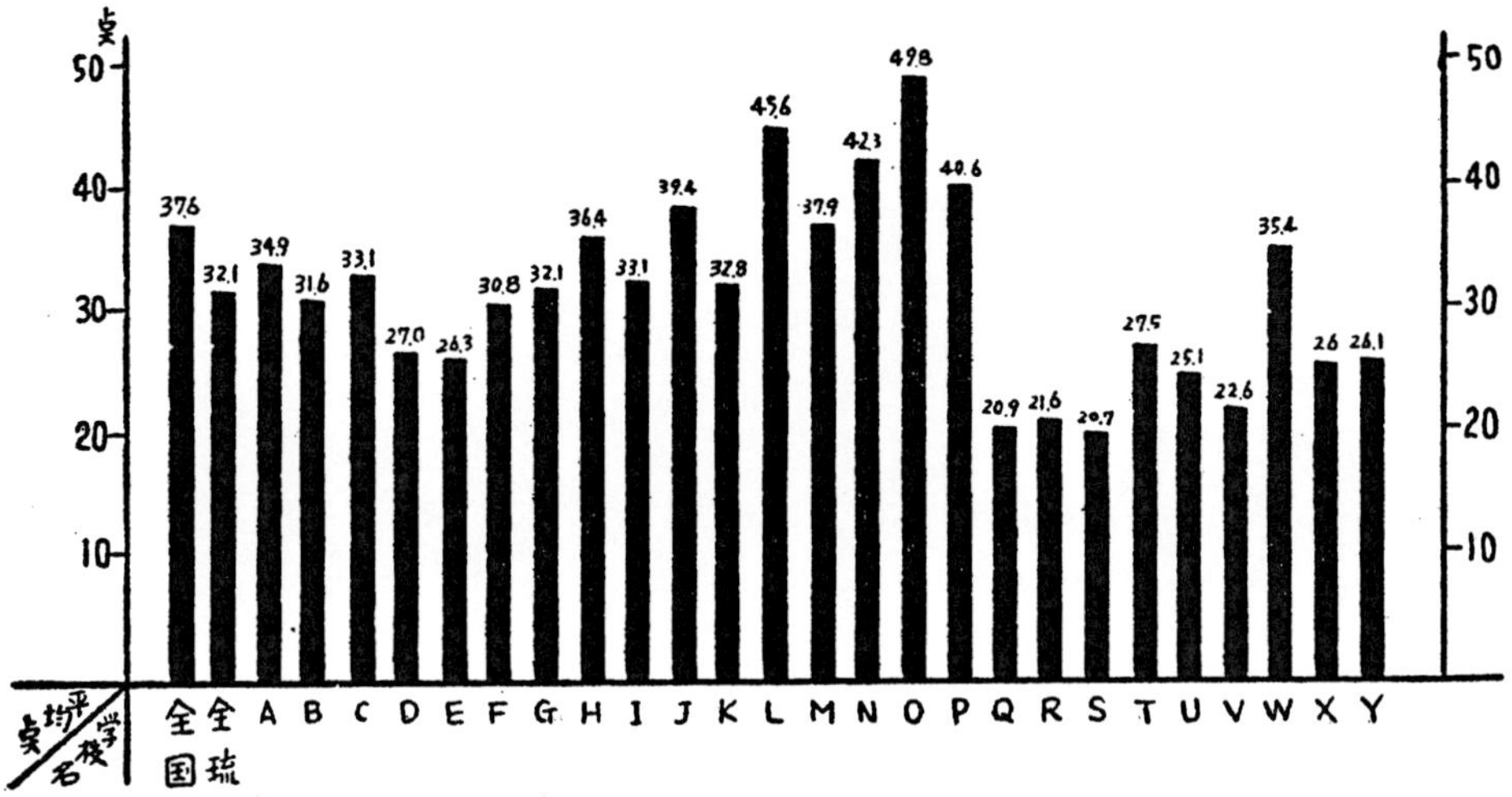

昭和35年度　全　国　学　力　調　査　　高等学校（定時制）

学校別教科別平均点

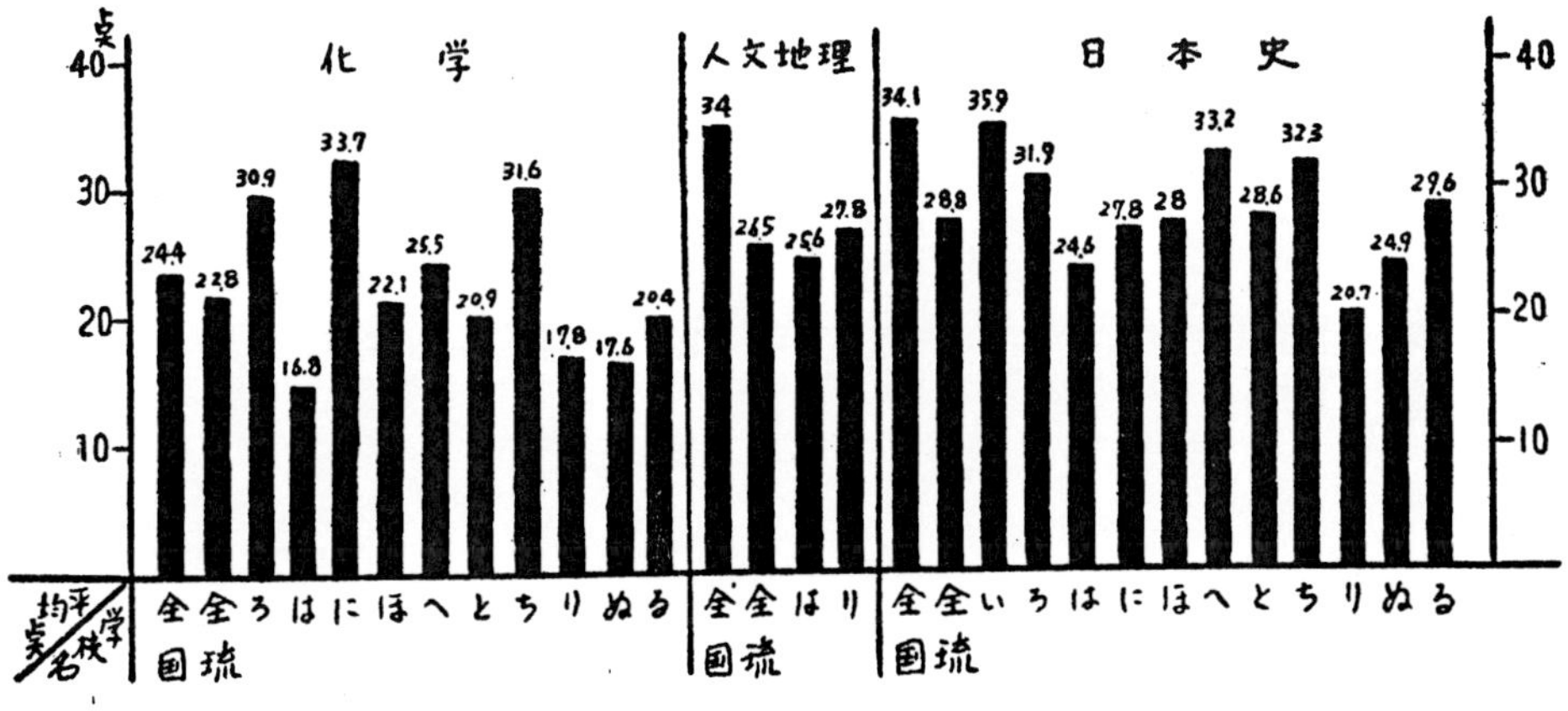

統　計　表

第1表　児童生徒の得点の分布　（小・中学校）

	点数階級	合計	0点（再掲）	0～4	5～9	10～14	15～19	20～24	25～29	30～34	35～39	40～44	45～49	50～54	55～59	60～64	65～69	70～74	75～79	80～84	85～89	90～94	95～99	100点	標準偏差
小学校 社会科 全国	百分比	% 100.0	0.2	1.2	3.0	5.0	6.2	7.2	7.6	7.9	7.8	7.6	7.0	6.6	6.0	5.6	5.0	4.4	3.9	3.1	2.5	1.5	0.7	0.2	22.7
小学校 社会科 全琉	実数	23,181	2.57	1,491	2,691	3,345	3,287	2,768	2,261	1,790	1,472	1,119	841	642	457	314	266	177	116	67	50	23	8	1	17.8
小学校 社会科 全琉	百分比		1.1	6.4	11.6	14.4	14.2	11.9	9.8	7.7	6.4	4.8	3.6	2.8	2.0	1.4	1.1	0.8	0.5	0.3	0.2	0.1	0.03	0.04	
小学校 理科 全国	百分比	% 100.0	0.1	0.1	0.1	0.3	0.7	1.8	3.6	6.1	8.7	10.9	12.0	12.0	11.4	9.7	7.6	5.9	4.1	2.6	1.5	0.7	0.2	0.0	15.8
小学校 理科 全琉	実数	23,204	101	210	238	411	887	1,647	2,503	3,090	3,467	3,166	2,476	1,891	1,381	787	521	286	129	66	36	11	1		14.3
小学校 理科 全琉	百分比		0.4	0.9	1.0	1.8	3.8	7.0	10.8	133	14.9	13.6	10.7	8.1	6.0	3.4	2.2	1.2	0.6	0.2	0.1	0.04	0.04		
中学校 社会科 全国	百分比	% 100.0	0.1	0.2	0.7	2.9	6.9	10.4	11.8	11.1	9.6	8.5	7.3	6.2	5.3	4.4	3.9	3.3	2.8	2.2	1.5	0.8	0.2	0.0	19.4
中学校 社会科 全琉	実数	10,091	20	81	415	1,196	1,917	1,930	1,491	980	638	427	342	218	159	107	72	46	37	21	14				13.6
中学校 社会科 全琉	百分比		0.2	0.8	4.1	11.9	19.0	19.1	14.7	9.7	6.3	4.2	3.4	2.2	1.6	1.1	0.7	0.5	0.4	0.2	0.1				
中学校 理科 全国	百分比	% 100.0	0.0	0.1	0.1	0.4	1.0	3.0	5.7	10.1	11.1	13.9	11.7	11.9	8.8	8.0	5.0	4.3	2.2	1.7	0.6	0.3	0.1	0.0	15.2
中学校 理科 全琉	実数	10,073	21	71	106	248	508	1,010	1,403	1,630	1,383	1,309	849	664	375	251	137	81	26	16	5		1		13.5
中学校 理科 全琉	百分比		0.2	0.7	1.1	2.5	5.0	10.0	13.9	16.2	13.7	13.0	8.4	6.6	3.7	2.5	1.4	0.8	0.3	0.2	0.05		0.01		

統　計　表

第1表　生徒の得点の分布

（高等学校）

		点数階級	合計	0点（再掲）	0〜4	5〜9	10〜14	15〜19	20〜24	25〜29	30〜34	35〜39	40〜44	45〜49	50〜54	55〜59	60〜64	65〜69	70〜74	75〜79	80〜84	85〜89	90〜94	95〜99	100点	標準偏差
全日制	日本史	全国 百分比	100.0	0.2	0.2	0.1	0.5	1.6	3.2	5.1	6.6	7.9	8.9	9.0	9.0	8.6	8.1	7.6	6.7	5.7	4.8	3.4	2.2	0.8	0.0	19.2
		全琉 実数	5,693		2	2.4	157	484	702	807	701	643	461	398	316	212	181	154	127	102	87	56	56	21	2	15.5
		全琉 百分比			0	0.4	27	8.5	12.3	14.1	12.3	11.2	8	7	5.5	4	3.1	3	2.2	2	2	1	1	0.3	0	
	人文地理	全国 百分比		0.0	0 0	0.1	0.2	1.3	4.5	9.3	13.7	17.1	16.2	13.5	10.0	6.4	3.9	2.1	1.0	0.4	0.2	0.1	0.0	—	—	11.8
		全琉 実数	4,062	—	4	7	58	192	477	768	768	661	468	286	188	80	53	26	17	3	5	1	0	0	0	11.1
		全琉 百分比		—	0.1	0.2	1.4	4.7	11.7	18.9	18.9	16.3	11.5	7.0	4 6	2.0	1.3	0.6	0.4	0.1	0.1	0.0	—	—	—	
	化学	全国 百分比		0.2	0.4	0.9	4.2	7.9	13.3	14.0	13.2	10.4	8.1	5.8	4.6	3.4	2.6	2.3	2.0	1.8	1.6	1.5	1.3	0.6	0.1	19.3
		全琉 実数	5,841		34	88	486	833	1,046	830	621	452	327	241	182	120	115	113	94	54	76	48	53	22	6	18.5
		全琉 百分比			0.6	1.5	8.3	14.3	17.9	14.2	10.6	7.7	5.5	4.1	3.1	2.1	2.0	1.9	1.6	0.9	1.3	0.8	0.9	0.3	0.1	
定時制	日本史	全国 百分比		0.1	0.3	1.2	4.6	9.4	13.3	15.6	13.5	11.7	8.6	6.7	5.3	3.1	2.2	1.7	1.0	0.7	0.6	0.3	0.2	0.0	—	15.2
		全琉 実数	519		2	6	29	75	92	98	82	64	32	11	7	5	7	6	2	0	1	0	0	0	0	12.0
		全琉 百分比			0.2	1.2	5.6	14.5	17.7	18.9	15.8	12.3	6.2	2.1	1.3	1.0	1.3	1.2	0.4	—	0.2	—	—	—	—	
	人文地理	全国 百分比		0.0	0.1	0.2	1.4	5.2	11.2	17.6	19.4	16.6	12.6	8.1	3.9	2.3	0.9	0.4	0.1	—	0.0	—	—	—	—	10.5
		全琉 実数	61		1	1	4	9	9	11	16	7	2	1	0	0	0	0	0	0	0	0	0	0	0	9.0
		全琉 百分比	100		1.6	1.6	6.6	14.8	14.8	18.0	26.2	11.5	3.3	1.6	—	—	—	—	—	—	—	—	—	—	—	
	化学	全国 百分比		0.5	1.7	4.7	13.9	18.7	20.4	14.4	9.9	5.4	3.8	2.2	1.6	1.0	0.7	0.6	0.4	0.2	0.2	0.1	0.1	0.0	0.0	12.9
		全琉 実数	468		3	24	94	84	104	64	34	28	11	6	2	4	2	0	2	3	2	0	1	0	0	12.6
		全琉 百分比			0.6	5.1	20.1	17.9	22.2	13.7	7.3	6.0	2.4	1.3	0.4	0.9	0.4	—	0.4	0.6	0.4	—	0.2	—	—	

第2表　得点別に見た学校数の分布

	小学校						中学校					
	社会科			理科			社会科			理科		
	全国	全琉		全国	全琉		全国	全琉		全国	全琉	
	百分比	実数	百分比	百分比	実数	百分比	百分比	実数	百分比	百分比	実数	百分比
合計	% 100.0	227	% 100.0	% 100.0	227	% 99.8	% 100.0	157	% 99.9	% 100.0	157	% 100.0
0 ～ 4.9	0.2							1	0.6			
5.0～ 9.9							0.2					
10.0～14.9	0.8	16	7.0	0.1			—	4	2.5	0.2		
15.0～19.9	2.0	50	22.0				1.3	21	13.4			
20.0～24.9	4.5	83	36.6	0.1			4.0	65	41.4	0.2	4	2.5
25.0～29.9	10.0	51	22.5	0.2	12	5.3	11.5	45	28.7	1.0	17	10.8
30.0～34.9	14.3	17	7.5	1.3	48	21.1	21.4	11	7.0	3.4	49	31.2
35.0～39.9	17.0	6	2 6	4.8	92	40.5	23.3	5	3.2	14.0	61	38.9
40.0～44.9	19.7	2	0.9	15.9	53	23.3	22.5	3	1.9	28.7	18	11.5
45.0～49.9	15.1	2	0.9	28.0	14	6.2	8.9			32.3	5	3.2
50.0～54.9	8.8			25.7	5	2.2	5.4	1	0.6	14.8	2	1.3
55.0～59.9	4.8			14.1	1	0.4	0.8			4.7		0.6
60.0～64.9	1.4			6.7	1	0.4	0.5			0.7	1	
65.0～69.9	0.7			1.8								
70.0～74.9	0.5			0.4	1	0.4	0.2					
75.0～79.9				0.7								
80.0～84.9	0.2							1	0.6			
85.0～89.9				0.1								
90.0～94.9												
95.0～99.9				0.1								
標準偏差	点 10.7		点 4.5	点 7.8	点 5.8		点 8.3	点 7 8		点 6.3	点 5.7	

小学校社会科調査問題

昭和35年度全国学力調査

〔1〕

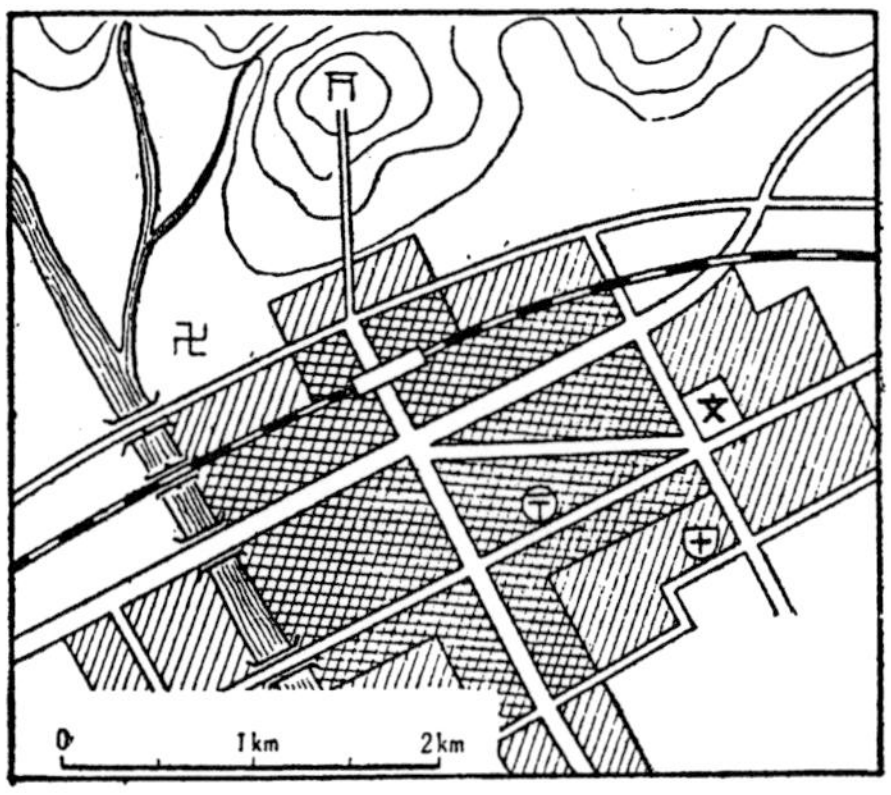

上の地図を見て，下の｛　｝の中の正しいものを一つだけえらんで，**その番号を○でかこみなさい。**

（あ）病院は｛1 郵便局《ゆうびんきょく》　3 寺院　3 学校｝の南の方にある。

（い）**神社は駅の**｛1 東　2 北　3 西｝の方にある。

（う）**駅の**｛1 南東　3 北東　3 南西｝**には，郵便局がある。**

（え）**川は** ①｛1 北　2 南東　3 北西｝から ②｛1 北西　2 南東　3 南の｝**方向へ流れている。**

（お）神社は寺院｛1 より低い　2 より高い　3 と同じ高さの｝ところにある。

（か）駅から神社までは，およそ｛1 14km　2 500m　3 1500m｝くらいある。

〔**2**〕（あ）下の文の｛　｝中の正しいものを一つだけえらんで，**その番号を○でかこみなさい。**

本州のおもな鉄道には，①｛1 信越《しんえつ》本線　2 山陰《さんいん》本線　3 東海道《とうかいどう》本線｝のように表《おもて》日本を走つてい

問題番号	正答率 全国	正答率 全琉
〔1〕	62.4	41.8
（あ）		51.8
（い）		52.0
（う）		40.9
（え）		20.8
（お）		57.9
（か）		27.4
〔2〕	51.1	30.7
（あ）		16.4

る鉄道や，② ｛1 山《さん》陽《よう》本線　2 北《ほく》陸《りく》本線　3 中《ちゆう》央《おう》本線｝のように裏《うら》日本を走つている鉄道など，いろいろある。わが国の鉄道で旅《りよ》客《かく》の輸《ゆ》送《そう》量《りよう》のいちばん多いのは，3 ｛1 山陽本線　2 鹿児島《かごしま》本線　3 東北《とうほく》本線　4 東海道本線｝である。

（い） その鉄道がほかの鉄道にくらべて，旅客の輸送量がいちばん多いのはなぜでしようか。次の中から正しいと思うものを**一つだけえらんで，その番号を○でかこみなさい。**

1 いちばん古くできた鉄道だから。

2 途《と》中《ちゆう》に名《めい》所《しよ》旧《きゆう》蹟《せき》が多く，けしきのよいところを通るから。

3 外国のお客や有名な人たちが乗るから。

4 大都市や大きな工業地帯の間をむす結んでいるから。

5 客車がきれいで乗りごこちがよいから。

（う） 東京や大《おお》阪《さか》のような大都市には，いろいろな交通機関が集まり鉄道や道路が網《あみ》の目のように発達しています。それはなぜでしようか。次の中から正しいと思うものを**二つだけえらんで，その番号を○でかこみなさい。**（三つ以上○でかこんではいけません。）

1 海上の交通があまり便利でないから。

2 都市の中心につとめにいく人や用事のある人が多いから。

3 広い平野の中にあつて，鉄道をしいたり，道路にする土地があまつているから。

4 むかし城《じよう》下《か》町《まち》だつたから。

5 いろいろな工場や商店があつて，毎日たくさんの品物を運ばなければならないから。

〔3〕 次の(あ)から(え)の文の（　）の中に，右ページの［　　　］の中から，あてはまるものを**一つだけえらんで，その番号を書き入れなさい。**

（あ） 小売店には，くつだけとか，かなものだけとかいうように①（　　　）ばかりを集めて売つている②（　　　）がある。

（い） 都会には，大きな建《たて》物《もの》の中に①（　　　）をつくつて，日常生活に使う品物をそろえて売る②（　　　）がある。

（う） 村の中心などには，①（　　　）といつて，一けんの店で②（　　　）を売る店がある。

（え） 野菜や魚は，生産者から①（　　　）へ送られ，仲《なか》買《がい》人《にん》や小売店の手をへて，②（　　　）に売られる。

問題番号	正答率	
	全国	全琉
(い)		31.3
(う)		44.5
〔3〕	351	13.7
(あ)		12.8
(い)		7.9
(う)		17.3
(え)		17.3

1　いろいろな売り場	2　小売店
3　いろいろな日用品	4　市　場
5　おなじ種類の品物	6　資　金《しきん》
7　デパート	8　専　門　店《せんもんてん》
9　よろずや(雑貨店《ざつかてん》)	10　生活協同組合《せいかつきょうどうくみあい》
11　消費者《しょうひしゃ》	12　銀行《ぎんこう》

〔4〕　次の文は，いろいろな時代の商業《しょうぎょう》のようすをあらわしたものです。よく読んで，**古いものから順に1，2，3，4の番号を**，(　　　　)の中に書き入れなさい。

(　　　　)(あ)　きまつた場所に品物をもちよつて取り引きをするような市《いち》がはじまつた。

(　　　　)(い)　外国との取り引きも行われるようになり，会社《かいしゃ》や銀行《ぎんこう》ができはじめた。

(　　　　)(う)　五街道《ごかいどう》や港なとととのえられ，陸上や海上の交通がさかんになり，国内各地の産物がさかんに取り引きされるようになつた。

(　　　　)(え)　大量に生産した品物を売りさばくために，新しいせんでんや広告《こうこく》の方法をいろいろくふうするようになつた。

〔5〕　次の(あ)から(お)の五つの文は，日本各地の農業のようすをあらわしたものです。よく読んで，それぞれ右の地図のどの地方にあたるかを考え，**地図に示してある番号を**(　　　)の中に書き入れなさい。

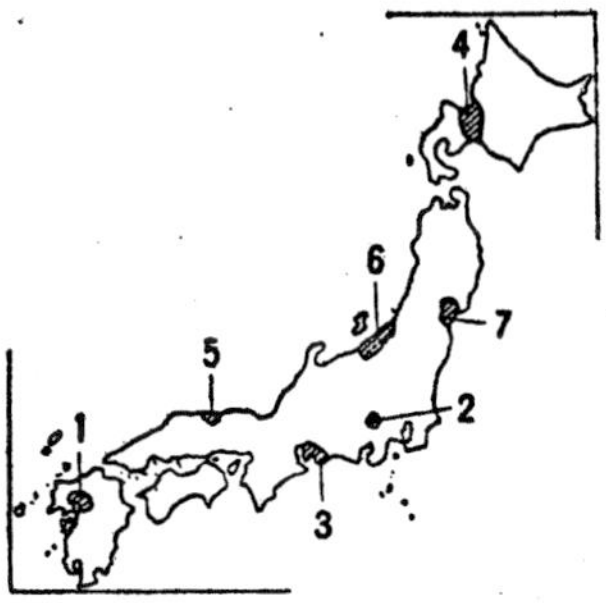

(　　　)…(あ)　むかしから水はけのよい山すその傾斜地《けいしゃち》を利用してぶどう作りが行なわれていた。最近では，その消費量もひじょうにふえたので，ますますぶどう作りがさかんになり，田や畑までぶどう畑に作りかえている。

(　　　)…(い)　土地が広くて，気候が牧草やえんばく，とうもろこしなど乳牛《にゅうぎゅう》のえさになる作物を作るのに適《てき》しているので，牧畜《ぼくちく》がさかんである。また現在では，米作りもさかんで，かなりの生産をあげているが，このようになるまでには人々の長い間の研究と努力があつた。

(　　　)…(う)　冬の気温はわりあいに高く，二毛作《にもうさく》がさかんに行なわれている。用水路が網《あみ》の目のように作られ，その地方の代表的な米作地である。また，近くの浅い海を干拓《かんたく》して新しい耕地《こうち》をひらいている。

問題番号	正答率 全国	正答率 全琉
〔4〕	38.1	22.9
〔5〕	53.5	27.9
(あ)		22.4
(い)		45.7
(う)		25.1

(　　)…(え)　大きな工業地帯が近くにあり，野菜作りを主とした農業がさかんで，そのほか草花の栽培《さいばい》や養鶏《ようけい》も行なわれている。また，台地や半島では水の便が悪いので大規模《だいきぼ》な用水を作る計画が進められている。

(　　)…(お)　この地方は，わが国でも重要な米の産地で，見わたすかぎり広い水田がつづいている。しかし，長い冬をむかえると，田畑の仕事があまりなくなるので，農家の人たちは町の工場や大都会へ働きに出かけることが多い。

〔6〕　(1)　次の文は，いろいろな時代の農業のようすをあらわしたものです。文中の〔　〕に，よくあてはまることばを，下の□の中から一つだけえらんで，その記号を書き入れなさい。

1　米は国民の主食として欠《か》くことができないので，各地でさかんに生産されてきたが，このころから農業技術の改善《かいぜん》や〔　　　　〕によつて気温の低い北海道でも作られるようになつた。

2　これまで地主《じぬし》から土地をかりていた農民は，〔　　　　〕によつて，自分の土地をもつことができるようになつた。また新しい肥料や農薬などがあらわれて，生産を高めるのに大きな役わりをはたすようになつた。

3　幕府《ばくふ》や大名たちは農地をひろげて年貢《ねんぐ》をふやすために，さかんに〔　　　　〕や干拓《かんたく》事業をしようれいした。そのころの努力のあとが今でもあちこちの地名にのこつている。

あ　新田の開発《しんでんかいはつ》	**い**　品種改良《ひんしゆかいりよう》	**う**　耕地整理《こうちせいり》
え　共同購入《きようどうこうにゆう》	**お**　農地改革《のうちかいかく》	

(2)　上に示した**1**，**2**，**3**の三つの文は，それぞれ，いつの時代の農業のようすをあらわしたものであるかを考え，下の□の中のあてはまる時代に**その番号を書き入れなさい。**

時代	(ア) 江戸時代《えど》	(イ) 明治・大正・昭和（第二次世界大戦前）	(ウ) 昭和（第二次世界大戦後）
こたえ			

〔7〕　下のグラフを見ながら，次の(あ)(い)の文をよく読み，□の中にあてはま**るグラフの番号を一つ書き入れ，**また，{　　}の中に書いてあることばのうち正しいものを一つえらんで，**その番号を○でかこみなさい。**

問題番号	正答率 全国	正答率 全琉
(え)		26.4
(お)		19.6
〔6〕	32.4	21.9
1		22.3
2		28.8
3		23.4
(2)		12.9
〔7〕	39.5	14.7

グラフ１ 同じ面積（１ヘクタール）からの米のとれ高

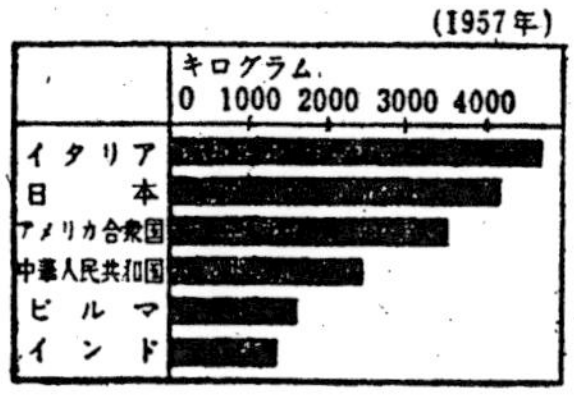

グラフ２ 農民１人あたりの耕地《こうち》面積

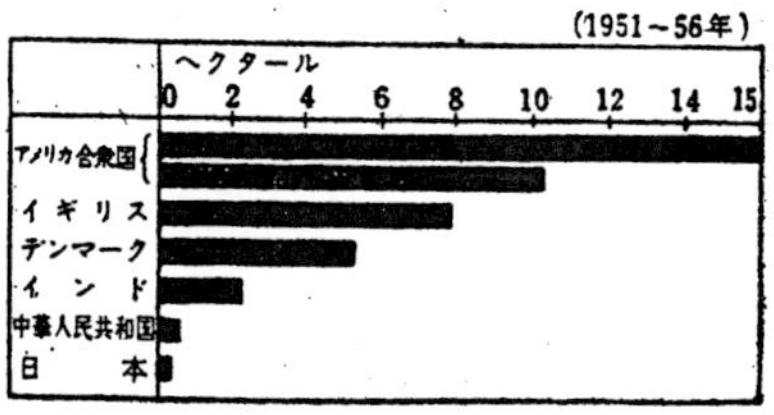

グラフ３ おもな国の米の産額

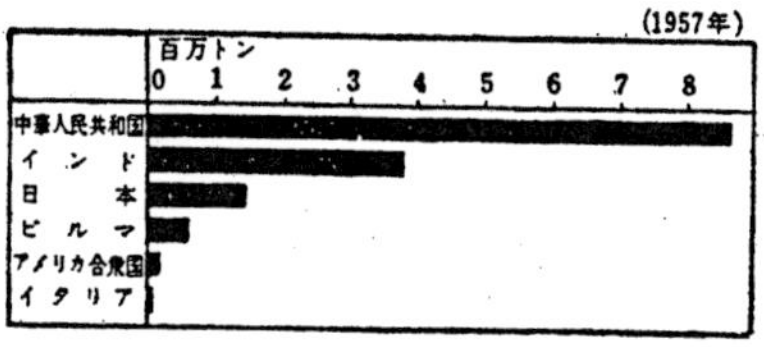

（あ） 日本では，グラフ① ［　　］ をみればよくわかるように，農業ではたらく人の数に対して耕地の面積が ②｛1 ちようどよく　2 たいへん広く　3 たいへんせまく｝なつている。そこで，これまで

③｛1 いろいろくふうして少しでも生産をあげよう　2 耕地があまるので牧場や森林をふやそう　3 各地に大じかけな機械農業をひろめよう｝としてきた。

（い） 日本の農業では，グラフ① ［　　］ によつてわかるように，ほかの国にくらべて，きまつた面積の土地から

②｛1 多くの　2 すくない　3 あまり多くない｝米を収穫《しゆうかく》している。

そのわけは ③｛1 耕地が広くて大ざつぱな農業が行なわれている　2 気候がよくてどこでも土地がひじように肥えている　3 栽培《さいばい》技術や品種改良などが進んでいる｝からである。

〔8〕 次に日本の工業についてのべた，いくつかの文があります。このうち正しいものを**三つえらんで，その番号を○でかこみなさい。**（四つ以上○でかこんではいけません。）

1 日本に近代工業がおこつてから，まだ80年くらいしか，たつていない。はじめは製糸《せいし》や紡績《ぼうせき》などのせんい工業がおもであつたが，しだいに重工業《じゆうこうぎよう》や化学《かがく》工業もさかんになつてきた。

2 日本では工業の原料となる鉱産資源《こうさんしげん》が足りないので，ほとんどすべてのものを外国から買つている。

3 日本では工業がひじようにさかんになつてきたので，工場で働く人々の数がふえて，今ではいろいろな職業で働く人全体の$\frac{2}{3}$のわりあいをしめるようになつている。

4 日本は今では世界の工業国にまけないほど大工業がさかんで，中小工場の数はわずかになつている。

問題番号	正答率 全国	正答率 全琉
（あ）		20.0
（い）		9.4
〔8〕	35.8	17.7

5　日本の工業には，原料を外国から輸入し，それに加工して製品を外国へ輸出しているものが多い。

6　日本では国内で生産したたくさんの工業原料を外国へ輸出しており，その一部分を国内の工業の原料に使つている。

〔9〕　右の年表を参考にして，次の文の｛　　｝の中から正しいものを一つだけえらび，その番号を○でかこみなさい。

（あ）　電燈やラジオの放送は ①｛1　100年近く　2　50年くらい　3　10年たらず｝の間に外国からわが国に伝つたが，機械紡績《ぼうせき》工業はイギリスではじまつてから，わが国ではじまるまでに，約 ②｛1　100年近く　2　50年くらい　3　10年たらず｝の年数がたつている。これは ③｛1　イギリスの人がひみつにして，よその国に教えなかつた。　2　1858年までは鎖国《さこく》をして外国とあまりつきあいをしなかつた　3　江戸時代のおわりまでは，士農工商の身分がはつきりわかれていた｝からである。

（い）　1765年，ワットが蒸気《じようき》機関を改良してから，工業や交通機関をはじめとして世の中のようすが大きくかわつた。これを ①｛1　オートメーション　2　産業革命《さんぎようかくめい》　3　手工業生産《しゆこうぎようせいさん》｝という。このような外国のえいきようをうけて，日本でも ②｛1　明治のはじめ　2　江戸時代の中ごろ　3　大正の末ごろ｝から動力として ③｛1　水や風の力　2　電力　3　蒸気の力｝を使う工業がしだいにふえてきた。

問題番号	正答率 全国	正答率 全琉
〔9〕	23.6	8.2
（あ）		7.5
（い）		8.9

時代	年	日本	世界
江戸時代	1639	鎖国《さこく》した。	
	1702		イギリスではじめて日かん新聞がでた。
	1764		イギリスで紡績機が発明された。
	1765		ワットが蒸気機関を改良した。
	1771		イギリスで機械紡績をはじめた。
	1774	杉田玄白《げんぱく》らが解体新書をつくつた。	
	1776		アメリカが独立を宣言《せんげん》した。
	1830		イギリスではじめての鉄道が開通した。
	1858	開国した。	
	1867	鹿児島紡績所ができた（機械紡績工業のはじめ）。	
明治	1868	明治維新	
	1869	士農工商の身分制度がやめられた。	スエズ運河が開通した。
	1870	横浜毎日新聞が発行された（日かん新聞のはじめ）。	
	1872	東京横浜間に鉄道が開通した。	
	1879		エジソンが電燈を発明した。
	1882	東京に電燈がついた。	
	1889	大日本帝国憲法ができた。	
	1903		ライト兄弟が飛行機を発明した。
	1910	わが国ではじめて飛行機がとんだ。	
大正	1920		アメリカでラジオ放送をはじめた。
	1925	東京放送局でラジオ放送をはじめた。	

〔10〕 次の文の｛　｝の中から，正しいと思うものを一つだけえらび，**その番号を○でかこみなさい。**

（あ） 日本の工業地帯は本州の①｛1 東北部　2 日本海がわ　3 太平洋がわ｝にもつとも多く

②｛1 北陸《ほくりく》　2 京浜《けいひん》　3 東海《とうかい》｝や③｛1 名古屋《なごや》（中京《ちゆうきよう》）　2 瀬戸内《せとうち》　3 四国《しこく》｝や④｛1 北九州《きたきゆうしゆう》　2 常磐《じようばん》　3 阪神《はんしん》｝の

三つの大工業地帯もこの中にふくまれている。

（い） 動力資源やいろいろな工業の原料としてたいせつな①｛1 鉄鉱石　2 石灰石　3 石炭｝のおもな産地

は，これらの工業地帯から遠く②｛1 北海道《ほつかいどう》　2 近畿地方《きんきちほう》　3 中部地方《ちゆうぶちほう》｝や③｛1 南九州　2 北九州　3 四国｝などにかた

よつている。

（う） 発電所には，水力発電所と火力発電所とがあるが，火力発電所は

①｛1 港の近く　2 平野の中　3 山地｝に多い。これは発電所の動力源《どうりよくげん》として使う②｛1 電気　2 水力　3 石炭｝を

③｛1 船ではこぶ　2 電線で送る　3 ダムでたくわえる｝ことと深い関係がある。

〔11〕 次の四つの文は，歴史的なことがらを示しています。文章をよく読んで，それはいつごろのことか，下の年表のあてはまる［　］の中に，**その番号を書き入れなさい。**

（［　］は一つだけあまるようになつています。）

1 飛脚《ひきやく》の制度《せいど》にかわつて，新しい郵便《ゆうびん》制度ができたが，その利用のしかたをよく知らないで，まごついた人もあつたそうだ。

2 K町は古くから絹織物《きぬおりもの》の町として有名だつたが，ナイロンその他の化学せんいが発明されてからまつたくさびれた。しかしその後，町の人びとの努力で新しいせんい工業にきりかえたため，前よりも景気《けいき》はよくなつたそうだ。

3 「箱根《はこね》八里は馬でもこすが，こすにこされぬ大井川《おおいがわ》」というのは，このころの旅や交通のありさまをうまくいいあらわしたものだ。

4 このトンネルが完成するまでには，16年の年月と約2,600 万円の費用がかかつたそうだが，このおかげで東海道本線はけわしい箱根の山をこえなくてもすむようになつた。

問題番号	正答率 全国	正答率 全琉
〔10〕	35.8	15.7
（あ）		23.1
（い）		14.7
（う）		9.1
〔11〕	40.2	19.7

(年　表)

一六〇〇	一八六八	一九一二	一九二六	一九四五	一九六〇

戦国時代	江戸時代	明治時代	大正時代	昭和時代

- 織田・豊臣氏が天下を統一した
- 徳川幕府ができた
- 鎖国が行なわれた
- (あ) [　　　]
- ペリー来航　開国した
- (い) [　　　]
- 明治維新《いしん》
- (う) [　　　]
- 議会政治がはじまった
- 第一次世界大戦
- (え) [　　　]
- 第二次世界大戦が終った
- (お) [　　　]
- チリ地震津波《じしんつなみ》わが国をおそう

〔12〕 (1) 下のA図の(あ)，(い)はくだものの分布図で，B図の(あ)，(い)は，いもの分布図です。この四つの図がそれぞれ何の分布を示しているかを考え，下の[　　　]の中からあてはまるものをえらび，その番号を(　　)の中に書き入れなさい。

1	ぶどう	2	りんご	3	みかん
4	じゃがいも（ばれいしょ）	5	さといも	6	さつまいも

A 図

(あ)

(　　)

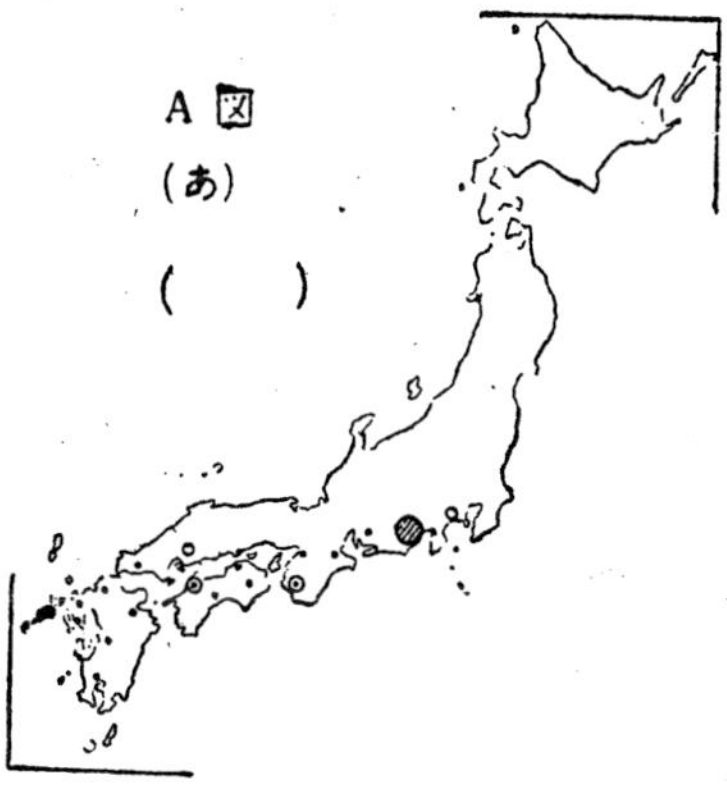

(い)

(　　)

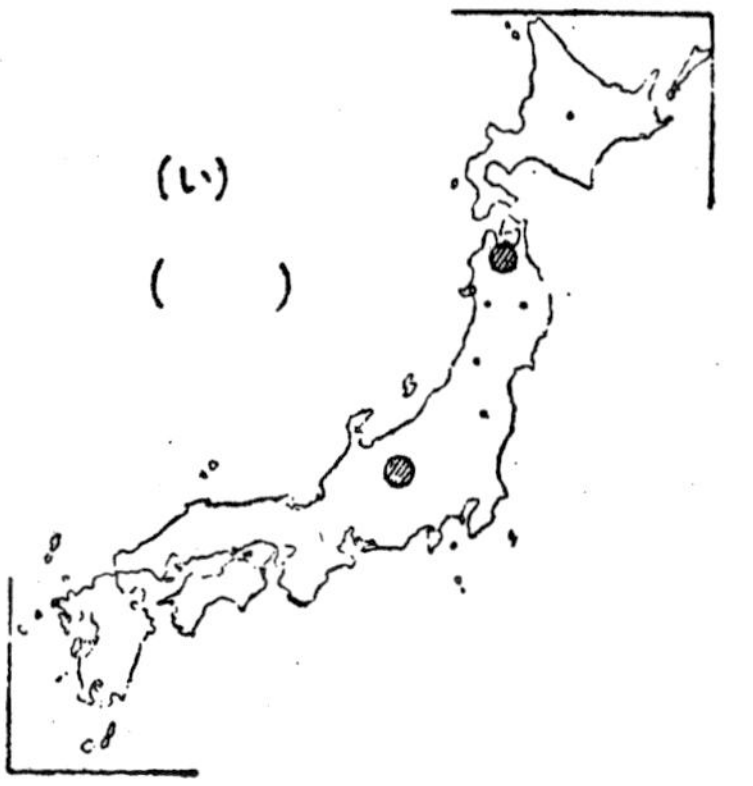

B 図

(あ)

(　　)

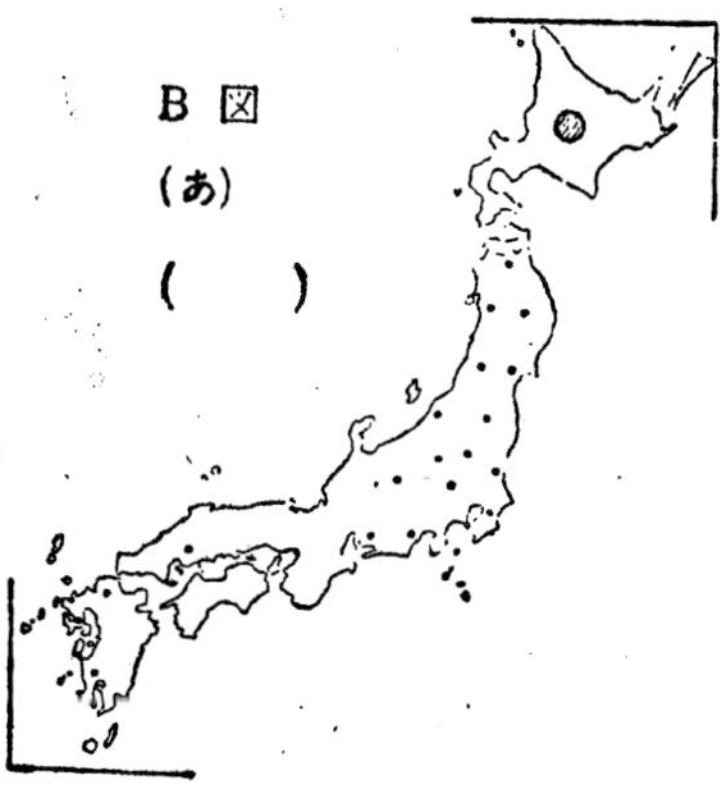

(い)

(　　)

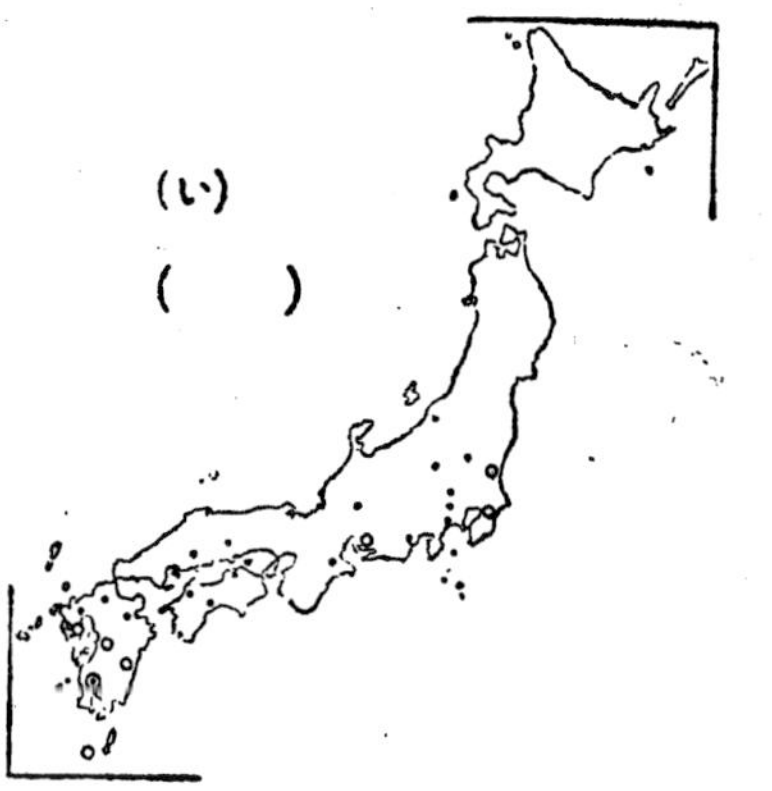

◍ 全国のとれ高の 20% 以上とれる都道府県
◉　〃　10%　〃
○　〃　5%　〃
•　〃　1%　〃

問題番号	正答率 全国	正答率 全琉
(あ)		26.5
(う)		20.8
(え)		18.1
(お)		13.2
〔12〕	58.7	34.0
A図		27.2
B図		27.1

問題番号	正答率	
	全国	全琉
(2)		47.3
〔13〕	53.8	30.1
〔14〕	76.8	56.7

(2) このようにいろいろな農作物の分布がちがうのはなぜでしょうか。次の四つの中から，正しいものを**一つえらんでその番号を○でかこみなさい。**

1 地方によつて農家の人口が多いところと少ないところがあるから。

2 付近に工場の多いところと少ないところとがあるから。

3 農業の機械化が進んでいるところと進んでいないところがあるから。

4 各地の気候や土地のようすがちがつているから。

〔13〕 次の文の｛　｝の中から正しいものを一つだけえらんで，**その番号を○でかこみなさい。**

この町には，みんなのおさめた税金《ぜいきん》をもとにしてつくられたいろいろな公共《こうきょう》施設《しせつ》がある。

①｛1 警察署《けいさつしょ》　2 公民館《こうみんかん》　3 公園《こうえん》｝は，町の人々が休日にからだや心をやすめたり，子どもたちの遊ぶ場所として役立つているし，②｛1 映画館《えいがかん》　2 図書館《としょかん》　3 保健所《ほけんしょ》｝は，みんながしずかに読書したり，いろいろなことを調べたりするときに利用されている。

また，いろいろな職業の人が集まつて，③｛1 水防団《すいぼうだん》　2 商店連合会《しょうてんれんごうかい》　3 農業協同組合《のうぎょうきょうどうくみあい》｝というしくみをつくり，台風のさいがいなどから町の人々の生活を守るくふうをしている。

このようなことを見ても，この町の暮しをよくしていくためには，

①｛1 男の人たちのはたらき　2 町の人々全体の協力　3 町に古くから住んでいる人のはたらき｝がなによりもたいせつなことがわかる。

〔14〕 ひでおの町では，近く町の道路の一部を広くする工事がはじまるそうです。これからの町の人々の生活や産業の発達のためには，道路を広くすることがどうしても必要である，町の議会で相談がまとまつたからです。しかし，その工事のために今まで住んでいた家をとりこわされ，新しいところへ移らなければならなくなる人々もいます。ひでおと同じ組のあきらもその一人です。みんなはそのことについていろいろ話し合いましたが，次のようないろいろな意見が出ました。あなたはだれの意見に賛成《さんせい》しますか。

問題番号	正答率	
	全国	全琉

一つだけえらんで，その番号を〇でかこみなさい。（二つ以上〇でかこんではいけません。）

1　きみ子の意見――あきら君の家がひつこしたら，よその学校へ転校しなければならないかもしれない。気のどくだから，みんなでこの計画に反対して議会のおじさんに道路を広げることをやめてもらおう。

2　まさおの意見――町会議員のおじさんたちは，みんなにえらばれたりつぱな人たちなのだから，その人たちの決めたことにしたがつていれば，まちがいはない。

3　みち子の意見――新しいところへ移る人のためには，町でもいろいろお世話をするそうだし，道を広くすることは，町の人々全体のしあわせのためなのだから，しかたがない。あきらくんがもし転校しても，ときどき遊びに行つて，なかよくすればよい。

4　よしおの意見――あきらくんの家は，古くから今の場所で商売をしていたのだから，ほかへ移らなくてもかまわないと思う。

小学校理科調査問題

昭和35年度全国学力調査

問題番号	正答率	
	全国	全琉
〔1〕	71.6	54.5
ア		82.4
イ		36.8
ム		55.5
エ		43.3
〔2〕	53.2	39.9
ア		35.4
イ		44.3
〔3〕	45.7	43.3
〔4〕	53.1	38.4
〔5〕	63.6	49.4

〔1〕　次の図はアブラナの花の図です。――のあるところの名まえを，次のことばの中からえらんで，(　　)の中にその番号を書きなさい。

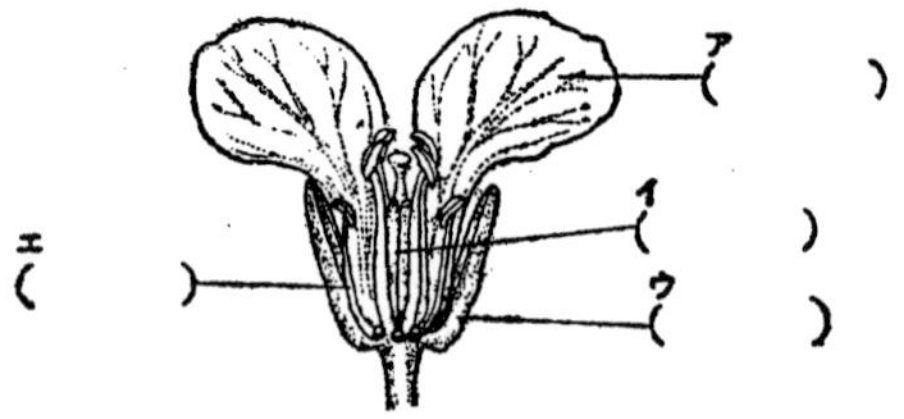

1 がく　　2 はなびら　　3 みつせん　　4 めしべ
5 ほう　　6 おしべ

〔2〕(ア)　次の花の中で，キクの花のつくりに，いちばんよくにているものを一つえらんで，その番号を○でかこみなさい。

1　バラ　　2　タンポポ　　3　ホウセンカ　　4　アサガオ
5　チユーリップ

(イ)　上の問題でキクの花ににているものをえらんだわけを，次の中から一つえらんで，その番号を○でかこみなさい。
1　おしべとめしべをもつている。
2　めしべのさきがまるくなつている。
3　花の色がにている。
4　小さな花があつまつてできている。
5　たねのちりかたがにている。

〔3〕　次の植物《しよくぶつ》のうちめばなとおばながあるものを一つえらんで，その番号を○でかこみなさい。

1　アブラナ　　2　アサガオ　　3　ヒマワリ
4　イネ　　5　カボチヤ

〔4〕　次の植物の中に，けつして花のさかない植物が一つあります。その番号を○でかこみなさい。

1　ワラビ　　2　サクラ　　3　イネ
4　エンドウ　　5　シロツメグサ

〔5〕　下の図のようにして，ダイズのたねをガラスのいれものにいれ，めの出るようすをしらべました。いちばんはやくめが出るのはどれでしよか。1～6の中から一つえらんで，その番号を○でかこみなさい。

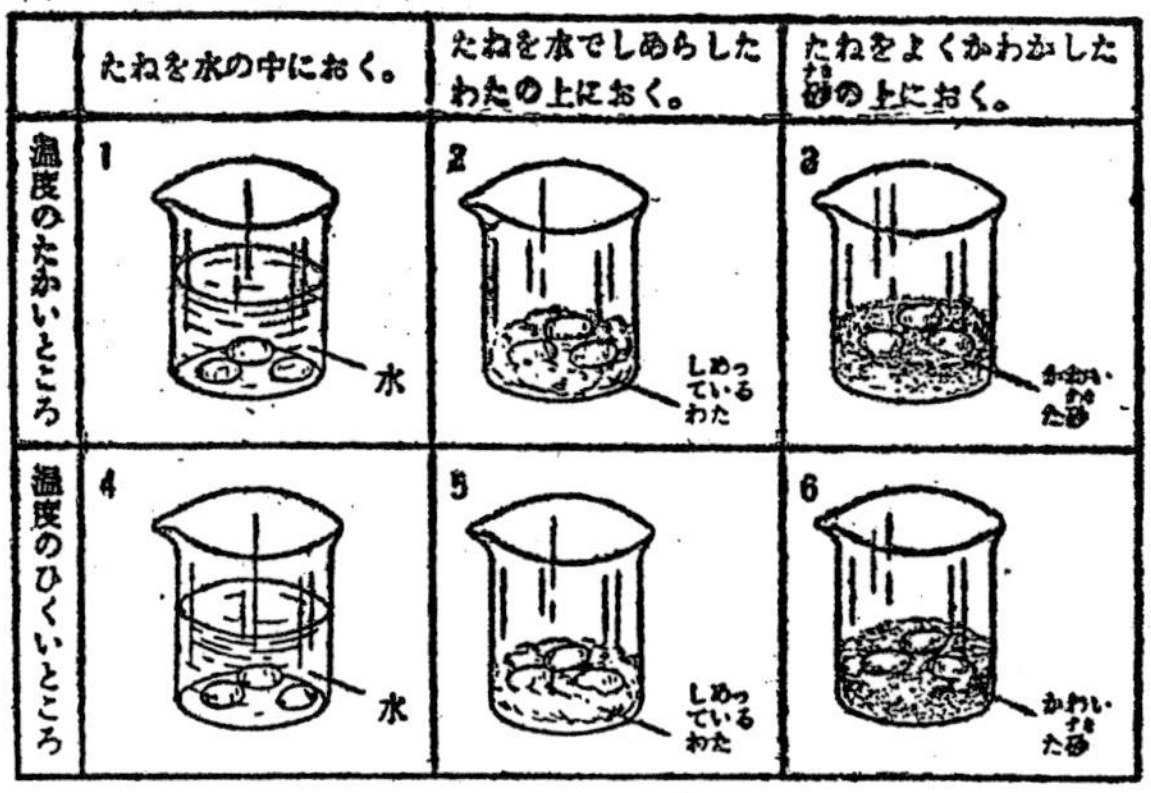

〔6〕 次の中から，ハマグリとフナのどちらにもあてはまることがらを一つえらんで，その番号を○でかこみなさい。

1 海の中にいる。　　2 足がある。　　3 せぼねがある。
4 えらがある。　　5 うきぶくろがある。

〔7〕 モンシロチョウの一生について，次の中から正しいものを一つえらんで，その番号を○でかこみなさい。

1 卵《たまご》—→あおむし—→モンシロチョウ
2 卵—→さなぎ—→あおむし—→モンシロチョウ
3 卵—→あおむし—→さなぎ—→モンシロチョウ
4 さなぎ—→あおむし—→卵—→モンシロチョウ
5 あおむし—→卵—→モンシロチョウ

〔8〕（ア） 次の虫のうち，こん虫のなかまでないものが一つあります。それをえらんで，番号に○をつけなさい。

1 トンボ　　2 ハエ　　3 チョウ　　4 カ　　5 クモ

（イ） 次の虫のうち，こん虫のなかまでないものが一つあります。それをえらんで，番号に○をつけなさい。

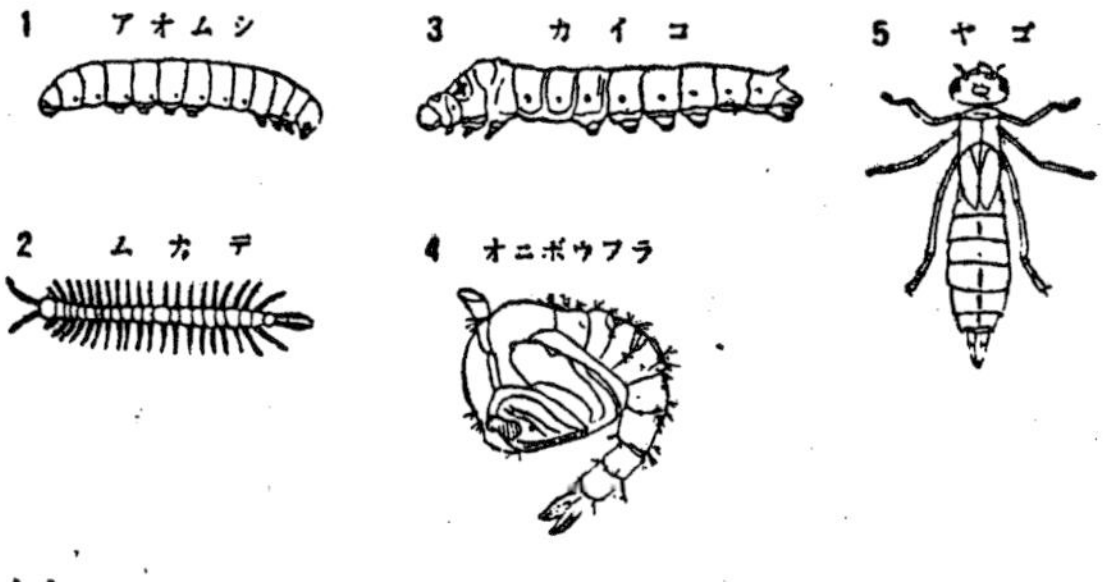

〔9〕 小石，砂《すな》，ねんどのまじつた土をコップにいれ，水とまぜてよくかきまわしてから，しばらくしずかにしておくと，どのようになりますか。次の1～5の中から一つえらび，その番号を○でかこみなさい。

問題番号	正答率 全国	正答率 全琉
〔6〕	62.8	32.9
〔7〕	60.8	41.5
〔8〕ア	58.5	46.6 43.1
イ		50.1
〔9〕	27.7	25.5

問題番号	正答率	
	全国	全琉
〔10〕	20.6	17.0
〔11〕	53.5	29.3

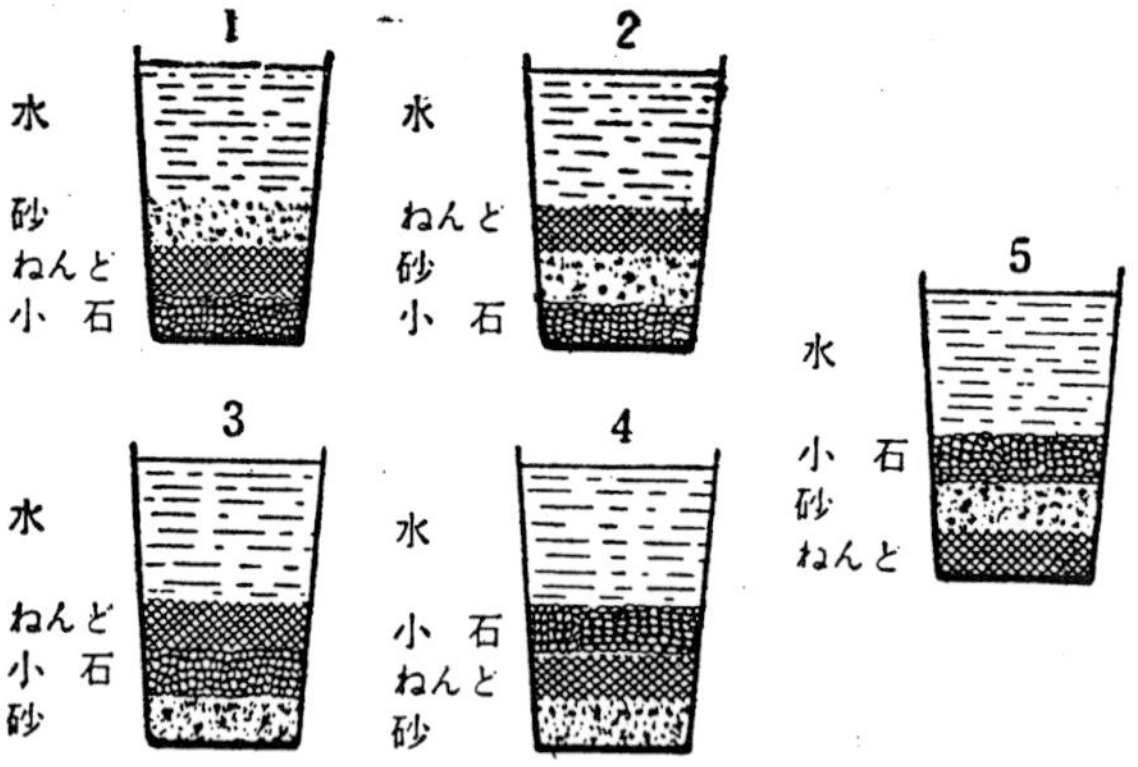

〔10〕 雨がふつてきたので，下の図のような二つのいれものをならべて同時に雨水をあつめました。いま，アのいれもので，水の深さが16mmあつたとき，イのいれものにたまつた雨水の深さは，およそいくらになりますか。１～５の中から一つえらんで，その番号を○でかこみなさい。

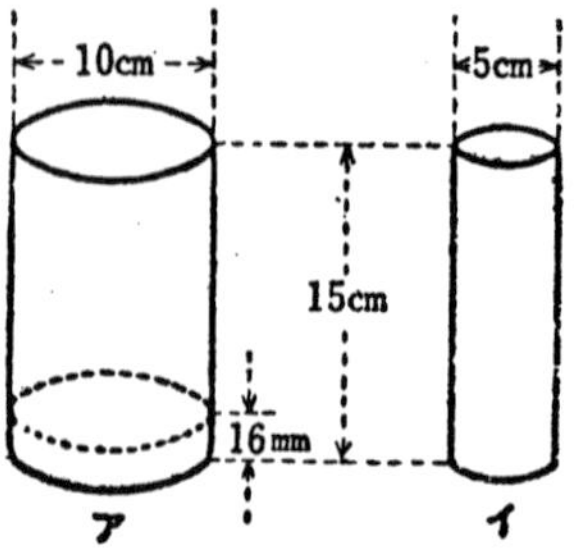

1　4mm

2　8mm

3　16mm

4　32mm

5　64mm

〔11〕 気温，地面の温度，地下１mの温度，井戸《いど》水の温度の変化《へんか》やそれらの関係《かんけい》を知ろうとおもつて，記録《きろく》をとつたら，次のようになりました。

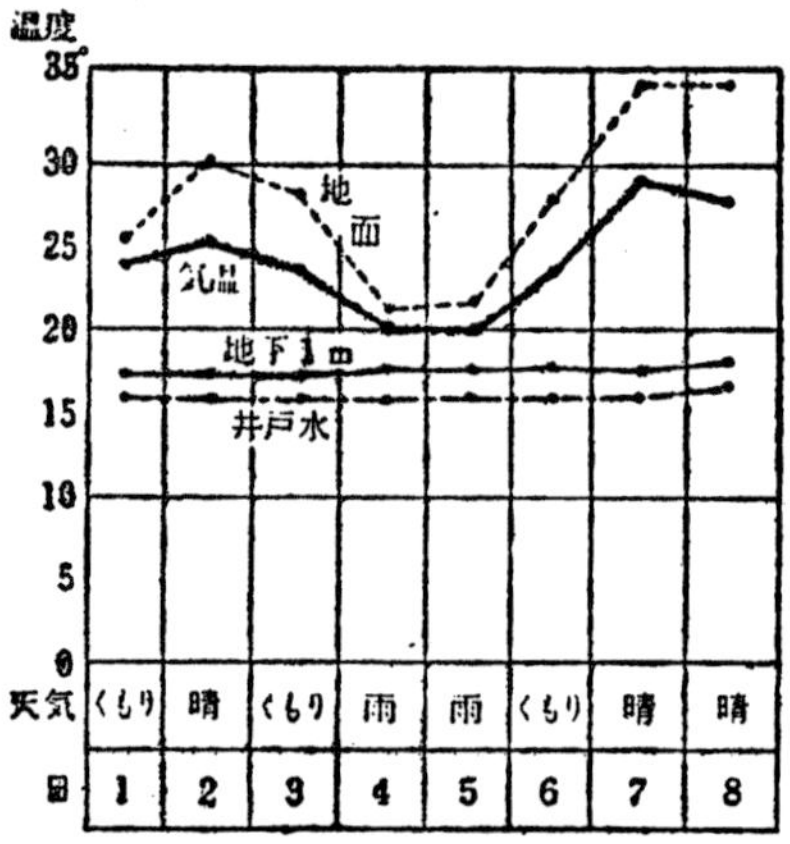

このグラフから考えて，次の１～５の中から，**まちがつているとおもうもの**を一つえらんで，その番号を○でかこみなさい。

問題番号	正答率 全国	全琉
〔12〕	52.6	50.1
〔13〕	44.3	31.6
〔14〕	30.2	23.6

1　気温はいつも地面の温度よりひくい。

2　地下1mの温度の変化は，地面の温度の変化より小さい。

3　地面の温度の変化は，井戸水の温度の変化より小さい。

4　天気による温度の変化は，地下1mよりも地面のほうが大きい。

5　井戸水の温度は，ほとんど変化がない。

〔12〕　下の図は，北西の風がふいたときの風向計《ふうこうけい》のさす向きをしめしたものです。次の1～5の中から正しいものを一つえらんで，その番号を○でかこみなさい。

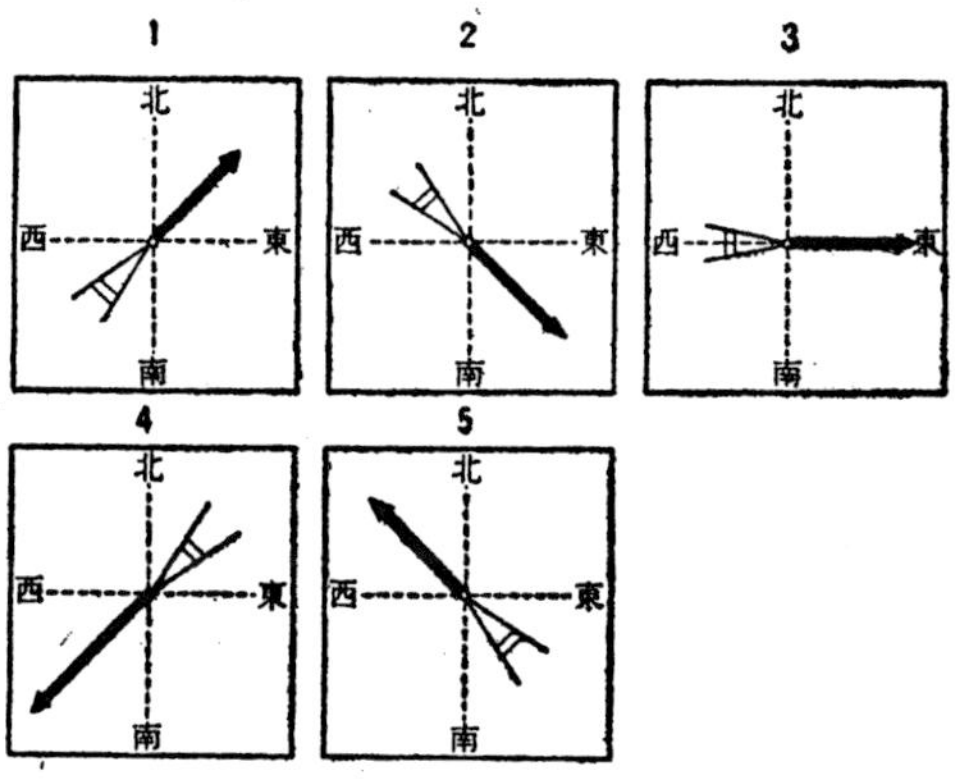

〔13〕　ほくと七星をもとにして，ほつきよく星をさがそうとおもいます。次の図で，ほつきよく星はどの位置《いち》にあるでしょうか。1～5の中から一つえらんで，その番号を○でかこみなさい。

〔14〕　午後7時ごろ，北の空の（ア）のところに図のような星座《せいざ》が見えました。

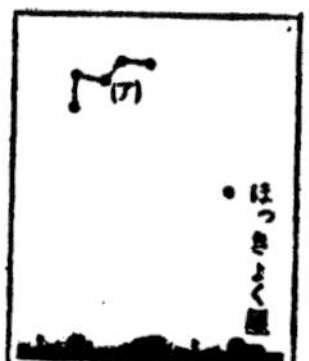

これは午後9時ごろにはどう見えるでしょうか。1～5までの中から一つえらんで，その番号を○でかこみなさい。点線で書いたのは午後7時ごろに見えた位置です。

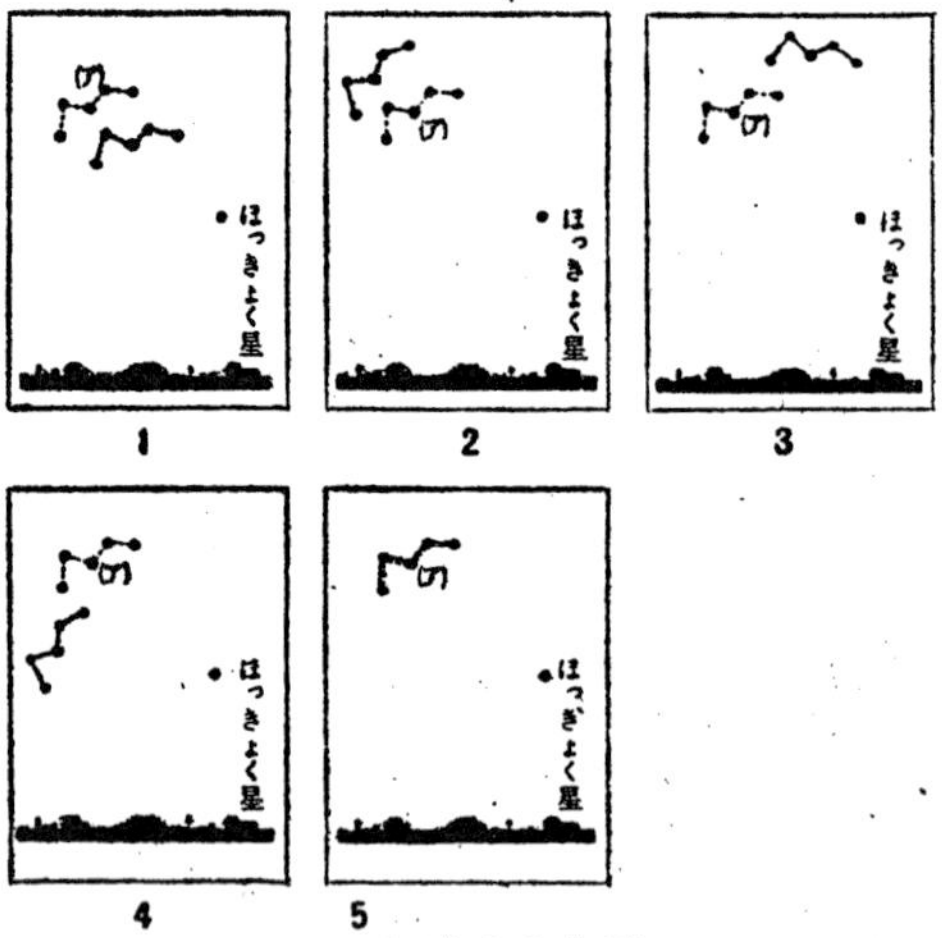

（ア）とおなじ

〔15〕（ア）　下の図は写真機《しやしんき》に三本の足をつけたものです。この中から**いちばんたおれにくいもの**を一つだけえらんで，その番号を○でかこみなさい。

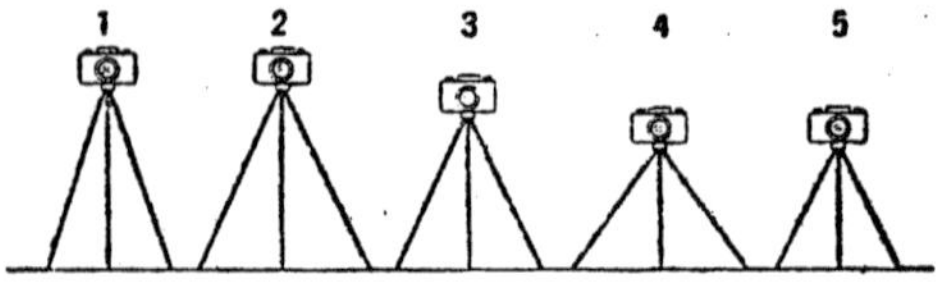

（イ）　上の答えをえらんだわけを，次の中から一つえらんで，その番号を○でかこみなさい。

1　たけが高くて，あしの開きがひろいから。
2　たけが低くて，あしの開きがひろいから。
3　たけが高くて，あしの開きがせまいから。
4　たけが低くて，あしの開きがせまいから。
5　上のほうに重い写真機がのつているから。

〔16〕　試験管《しけんかん》にわりばしを小さく切つて入れ，下からアルコールランプで熱し，むしやきにして，木炭を作る実験をしようとしています。下の方法の中で，どの実験のしかたがいちばんよいでしようか。いちばんよいとおもうものを一つえらんで，その番号を○でかこみなさい。

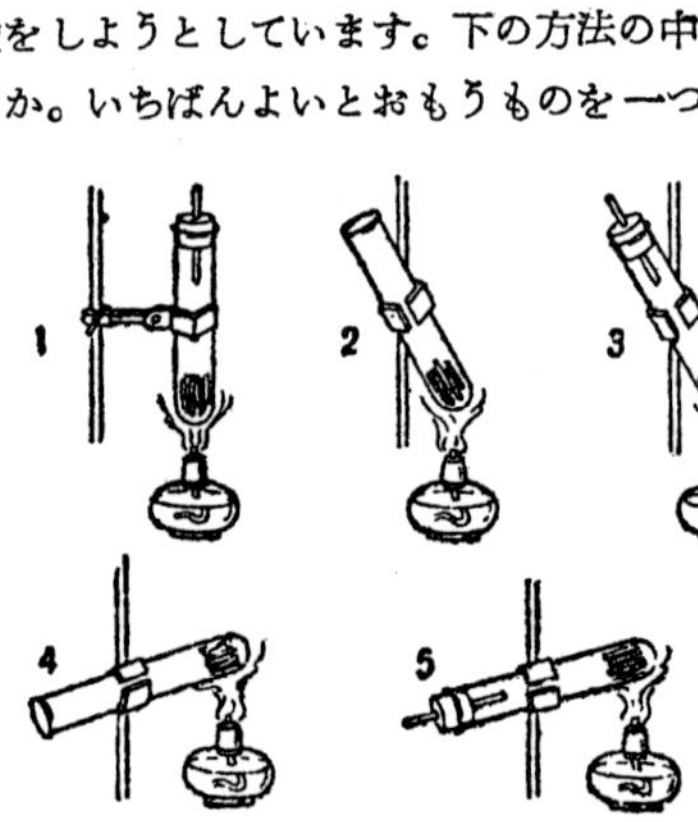

問題番号	正答率	
	全国	全琉
〔15〕	59.1	54.7
ア		55.6
イ		53.9
〔16〕	34.5	25.3

問題番号	正答率	
	全国	全琉
〔17〕	29.5	17.2
〔18〕	44.2	35.3
〔19〕	63.4	54.3
〔20〕	49.4	29.4

〔17〕 でんぷんをとるには，いもをすつて，布でつつみ，水の中でもんだり，ふつたりしてしばらくおいて，底《そこ》にたまつたものをとりだします。**このことだけから**，どんなことがわかりますか。次の中で，いちばんよいとおもうものを一つえらんで，その番号を○でかこみなさい。

1 でんぷんは，水にとける。
2 でんぷんは，白いつぶである。
3 でんぷんは，布の目より小さいつぶである。
4 にると，でんぷんのりになる。
5 ヨードチンキをつけると，でんぷんはあおむらさき色になる。

〔18〕 ま水とせつけん水に，油をおとして，よくふつてから，しばらくおくと，どんなちがいが見られますか。次の中から一つえらんで，その番号を○でかこみなさい。

1 しばらくすると，ま水でもせつけん水でも油は上にうかぶ。
2 ま水では油は上にうかぶが，せつけん水では下にしずむ。
3 ま水でもせつけん水でもしばらくすると，油は全部下にしずむ。
4 ま水では，油は上にうかぶが，せつけん水では，白くにごつてわからない。
5 どちらも，油はとけて，すきとおつてしまう。

〔19〕 てこを使つて重いものを動かすとき，下の図のどれがいちばん小さい力で，らくに動くでしょうか。その番号を○でかこみなさい。

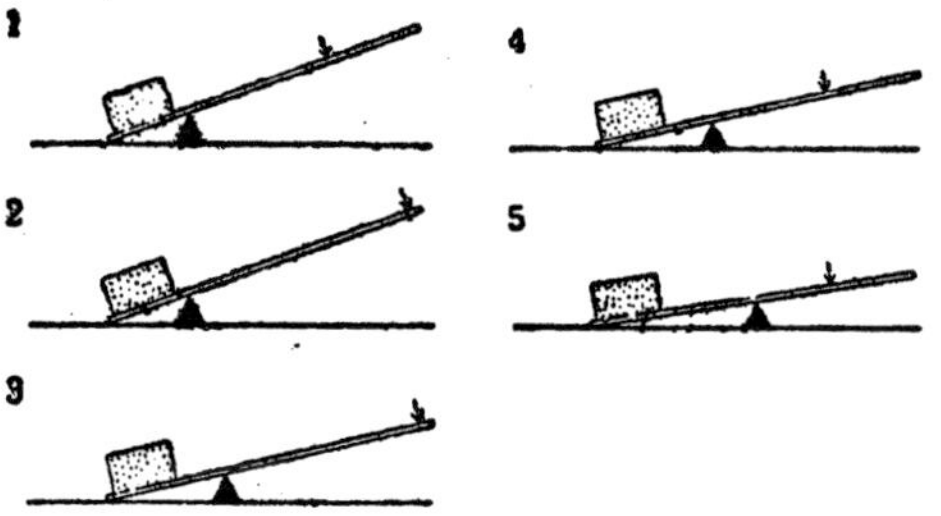

〔20〕 右の図のような，おしあげポンプでピストンをひきあげるとどうなりますか。次の中からよいとおもうものを一つだけえらんで，その番号を○でかこみなさい。

1 よこのベンがひらいて，シリンダーに水がはいつてくる。
2 よこのベンがひらいて，水がおしあげられる。
3 下のベンがひらいて，水がさがつていく。
4 下のベンがひらいて，シリンダーに水がはいつてくる。
5 両方のベンがひらいて，水がおしあげられる。

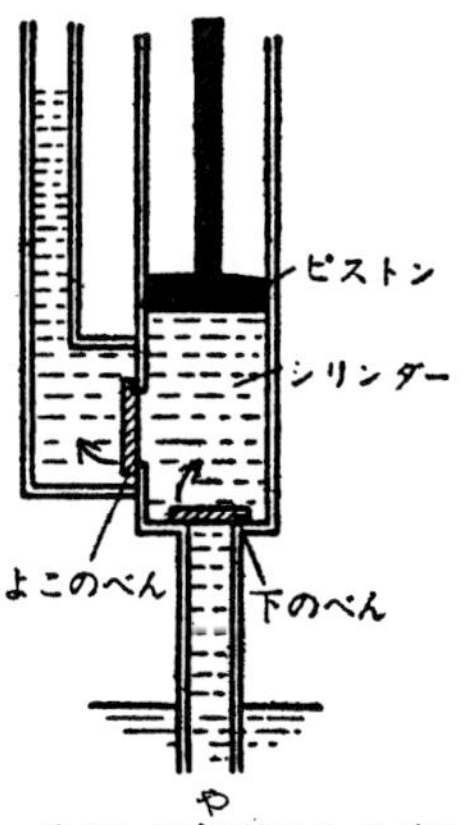

（ベンは矢《や》じるしの方向に動きます。）

問題番号	正答率	
	全国	全琉
〔21〕	51.3	33.2
〔22〕	46.2	40.5
〔23〕	18.4	16.7
〔24〕	37.0	27.1

〔21〕 次の図の中で，まつすぐな管《くだ》から水がふき出すとおもうものを一つえらんで，その番号を○でかこみなさい。

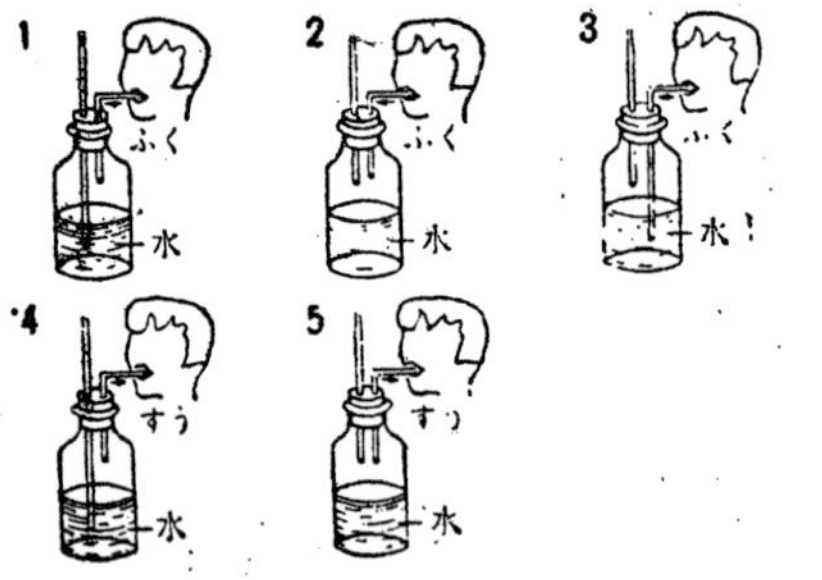

〔22〕 水がこおりになると体積《たいせき》がふえることと関係《かんけい》のあることがらを一つえらんで，その番号を○でかこみなさい。

1 こおりをわると，われ口は白く見える。

2 こおりに塩をまぜると 0° 以下になる。

3 こおりがとけるときの温度は，ふつう 0° である。

4 こおりは池のまわりのほうにはつている。

5 こおりは水にうかぶ。

〔23〕 水をあたためると体積がふえることをためす実験をするのに，いちばんよいとおもうものを下の図の中から一つえらんで，その番号を○でかこみなさい。

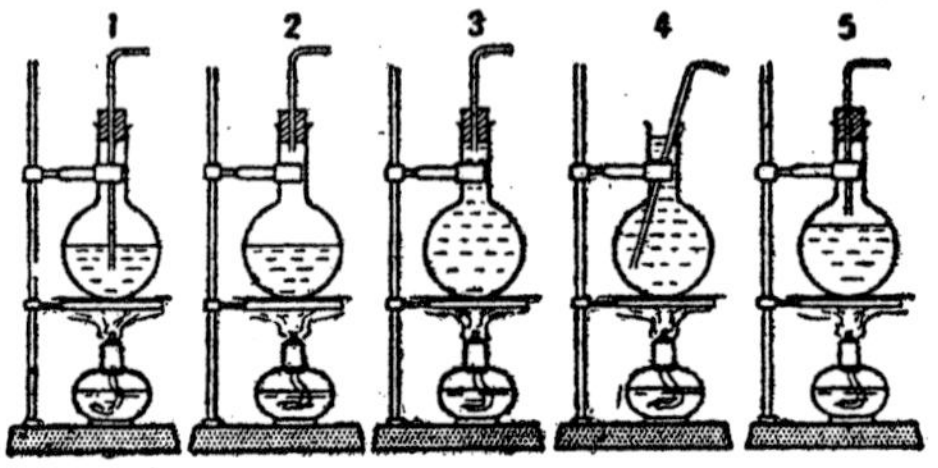

〔24〕 二酸化炭素《さんかたんそ》（炭酸《たんさん》ガス）のせいしつをしらべましたが，次の中に**まちがつているもの**が一つあります。その番号を○でかこみなさい。

1 せつかい水の中にふきこむと，白くにごる。

2 物がもえるのをたすける。

3 水にとけて酸になる。

4 空気より重い気体である。

5 色のない気体である。

問題番号	正答率	
	全国	全琉
〔25〕	42.0	33.9
〔26〕	57.5	36.6
〔27〕	33.8	31.2
〔28〕	38.2	20.6

〔25〕　次の図は乾《かん》電池と豆《まめ》電球のいろいろなつなぎ方をしめしたものです。この図の中で，豆電球が**つかないもの**を一つだけえらんで，その番号を○でかこみなさい。

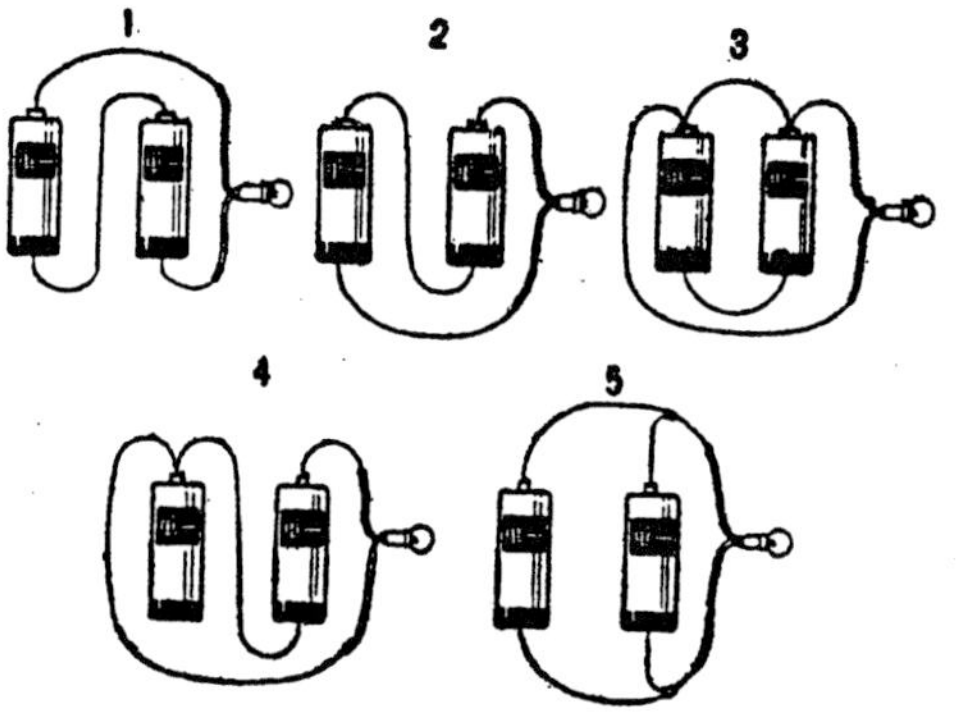

〔26〕　砂《すな》やごみがたくさんまじつている海水から，きれいな食塩をとりだす実験をしようとおもいます。この実験をするには，どんな道具がいるでしよう。次の１～８までの中に，**あまりひつようでない**とおもうものが一つあります。それをえらんで，その番号を○でかこみなさい。

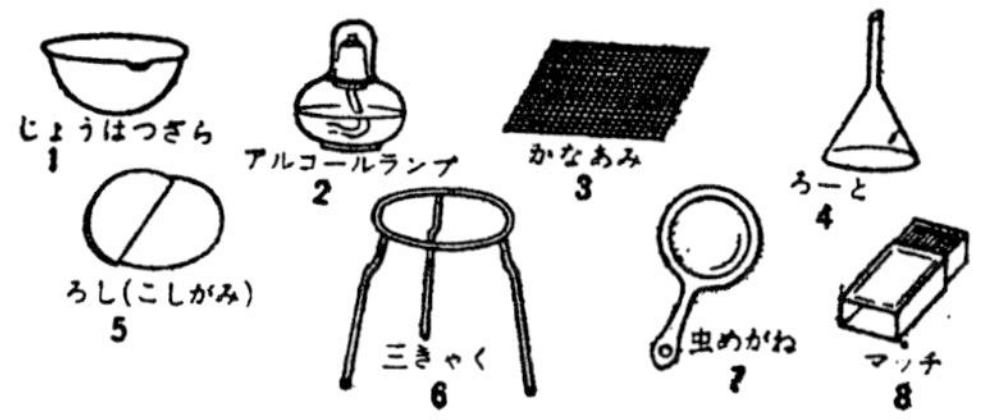

〔27〕　下の図のように，ガラスの水そうに水をいれて，よこのほうから光をあてたとき，光はどのように進むでしようか。よいものを一つだけえらんで，その番号を○でかこみなさい。

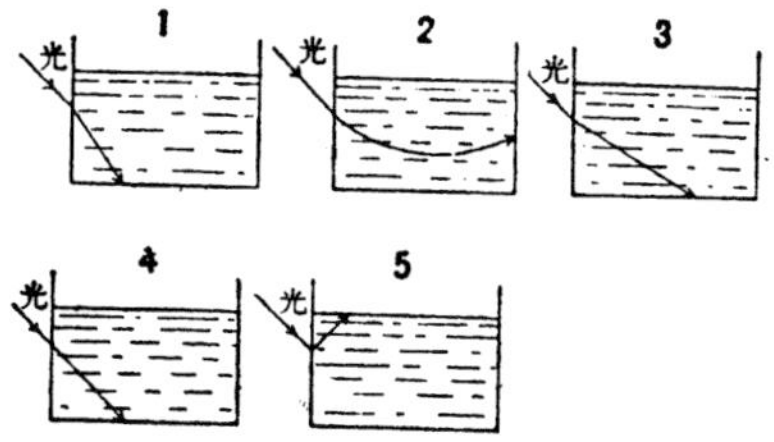

〔28〕　次の中で光が屈折《くつせつ》するためにおこることがらを一つだけえらんで，その番号を○でかこみなさい。

1　かがみには，右と左がはんたいにうつつて見える。
2　はりあな写真機では，外のけしきがさかさにうつる。
3　電球にかさをつけると，かさがないときより明るくなる。
4　たいらな水面では，かおなどがうつるが，波がたつと見えなくなる。
5　水をいれると，茶わんの底《そこ》があさくなつて見える。

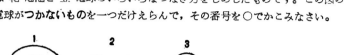

〔29〕 次の「こと」の糸は，どれも同じ強さで，はつてあります。糸の矢《や》じるしのところをはじいたとき，いちばん高い音の出るものを一つえらんで，その番号を○でかこみなさい。

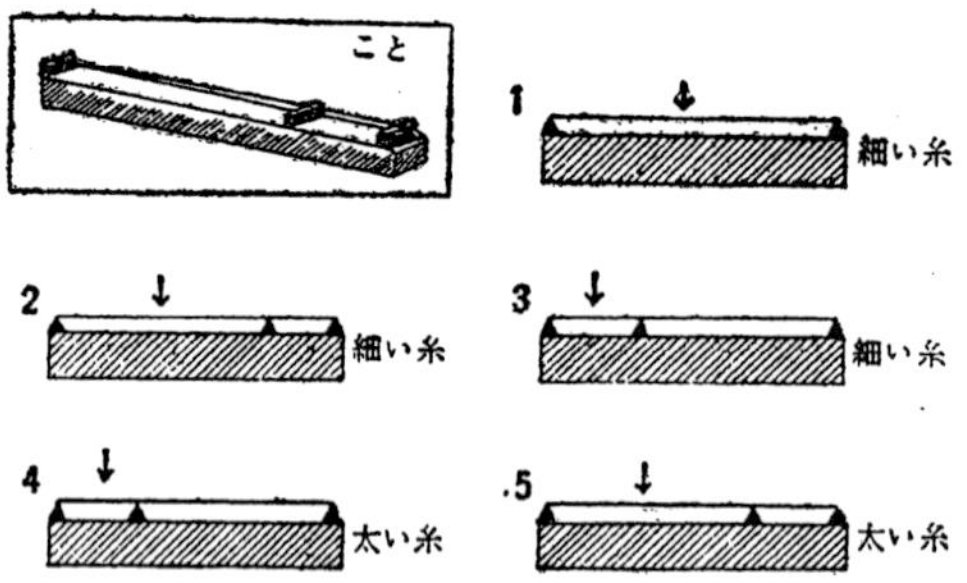

問題番号	正答率 全国	正答率 全琉
〔29〕	52.1	28.5

〔30〕 次の図は，いろいろな場合の温度計の図です。その温度を読みとり，（ ）の中に書きなさい。

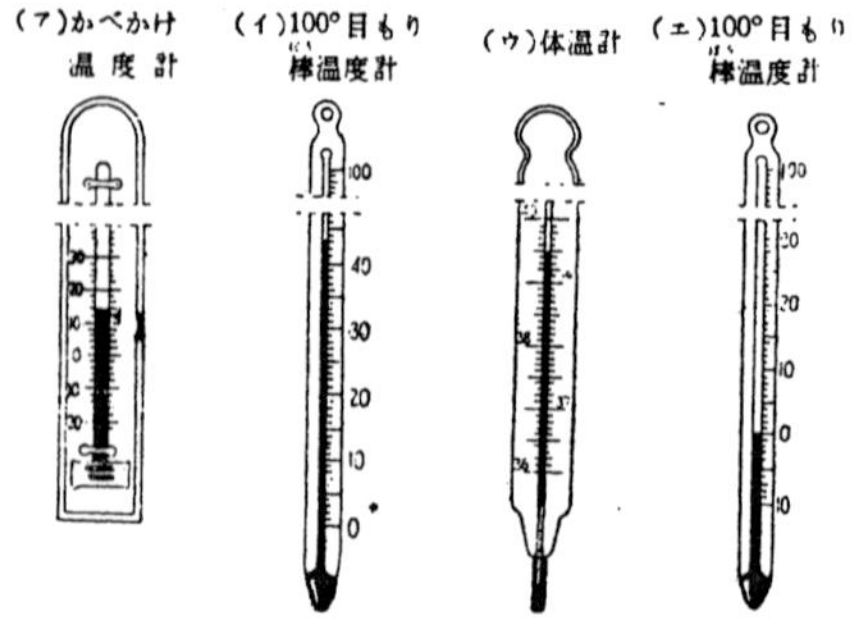

（ ℃） （ ℃） （ ℃） （ ℃）

問題番号	正答率 全国	正答率 全琉
〔30〕	69.7	46.0
ア		28.0
イ		62.5
ウ		48.8
エ		44.5

〔31〕 下に書いてあるものの中から一つえらんで，試験管に少しとりました。水を入れてふると，白くにごりましたが，しばらくしずかにしておくと，水の底《そこ》にしずみました。この試験管をあたためてみたら，のりができました。これはなんでしょうか。下に書いてあるものの中から一つえらんで，その番号を○でかこみなさい。

1 ほうさん　　2 こむぎこ　　3 せつかい　　4 しお　　5 さとう

問題番号	正答率 全国	正答率 全琉
〔31〕	50.5	26.2

中学校社会科調査問題

〔1〕次の年表を見て，下の問いについてそれぞれの答えの欄《らん》に答えなさい。

5	4	3	2	紀元前1世紀	紀元後1世紀	2	3	4	5	6	7	8	9	10	11	12	13	14	15	16
	ア		水田耕作はじまる	イ	小国家が分立する		邪馬台国《やまたいこく》	ウ		仏教伝わる エ	大化の改新	オ 平安京にうつる	A	平安文化		鎌倉《かまくら》幕府ができる	B	鎌倉幕府ほろぶ	応仁《おうにん》の乱	秀吉の天下統一

問 1　上の年表の中の イ ウ エ にあてはまるものを，下の［　　］の中の1～5の語群からそれぞれ選び，答えの欄にその番号を書き入れなさい。

1　古墳《こふん》文化	2　縄文《じょうもん》文化
3　天平《てんぴょう》文化	4　飛鳥《あすか》文化
5　弥生《やよい》文化	

答

年表の記号	イ	ウ	エ
語群の番号			

問 2　大和《やまと》朝廷によって日本がほぼ統一されたのはいつごろか。上の年表の ア から オ の中からあてはまるものを選び，その記号を書きなさい。

答［　　］

問 3　年表の A は，平安文化に関係の深い政治上のことがらである。それは次のどれにあたるか。適当なものを選んで，その番号を書きなさい。

1　班田収授法の制定　　2　院政の開始
3　遣唐《とう》使の廃止　　4　宋《そう》と貿易を開く

答［　　］

問題番号	正答率 全国	正答率 全琉
〔1〕		
問1	45.4	34.6
イ		32.8
ウ		25.8
エ		37.2
問2		30.9
問3		31.9

問 4　年表の B の時期に相当するもので，鎌倉幕府が衰える原因となつたものを，下の語群の中から**二つ**選び，その番号を書きなさい。

1　承久《しようきゆう》の変　　2　徳政令　　3　守護・地頭の設置

4　評定衆《ひようじようしゆう》の設定　　5　建武の新政（建武の中興）　　6　蒙古《もうこ》の襲来

答 | | |

〔2〕問 1　右の世界地図に示されている，いくつかの場所について，I群には気候の特色，II群には生産活動のようすがしるされています。図のA，B，C，D，Eの場所にあてはまるものを，各群から，それぞれ一つづつ選び，その番号を答えの欄に書き入れなさい。

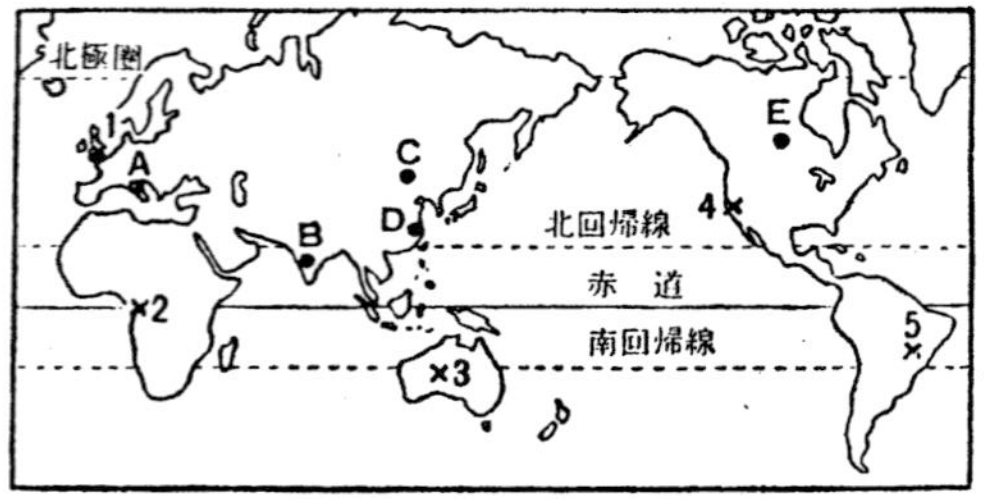

I　**群**（気候の特色）

1　赤道からややはなれた地方で，乾《かん》季と雨季とが規則的にある。たけの高い草がしげり，樹《じゆ》木もまばらにはえている。

2　長い乾季と短い雨季とがある。夏と冬との寒暑の差がかなり大きく，多くは広い草原となつている。

3　夏と冬との寒暑の差が小さく，雨は冬に多いが，全体として降水量が少なく，晴天の日が多い。

4　夏と冬との寒暑の差がやや大きく，夏は特に高温で降水量が多い。四季の区別がはつきりしている。

5　冬は非常に寒くて長いが，夏は短い。昼と夜，夏と冬との気温の差が大きく，針《しん》葉樹林が続いている。

6　中緯度の大陸西岸にあり，降水量は一年を通じて平均している。冬の寒さもそれほどきびしくない。

II　**群**（生産活動）

1　集約的な稲作が盛んに行なわれ，人口密度が高い。

2　酪《らく》農も盛んであるが，特にバターやチーズの生産が多く，また，チューリップなどの球根の輸出地としても有名である。

3　人口が少なく，農業には適していないが，パルプ用材の重要な供給地となつている。

4　肥えた土壌《どじよう》に恵まれた高原で，綿花の栽培《さいばい》が盛んに行なわれている。

5　いつぱんに遊牧地帯になつているが，近年開発が進んで，農業が行なわれているところもある。

6　穀物の栽培や羊の牧畜なども行なわれるが，特に，オリーブをはじめ果樹の栽培が盛んである。

問題番号	正答率 全国	正答率 全琉
		37.3
		46.2
〔2〕	40.7	23.1
A I群		19.6
II		20.1
B I群		27.3
II		24.3
C I		22.7
II		20.6

答

	A	B	C	D	E
Ⅰ 群（気候の特色）					
Ⅱ 群（生産活動）					

問 2　地図のAおよびBの場所と同じような気候の場所を，地図の1〜5の中から，それぞれ一つずつ選び，その**番号**を答えの欄に書き入れなさい。

答

A	B

〔3〕　下のa〜eの五つの地図は，＿＿＿＿内にしるした各種の工業の都道府県別製品出荷額の分布図です。分布図にあてはまる工業を一つずつ選び出して，その**番号**を答えの欄に書き入れなさい。

1　製糸業	2　鉄鋼業	3　乳製品製造業
4　石油製品製造業	5　出版・印刷業	6　綿糸紡績業

（注）1　出荷額は，生産額とほぼ同じと考えてよろしい。

2　分布図は，各工業製品について各都道府県出荷額の全国出荷額に対する百分率で示されている。ただし都道府県ごとに1％未満のものは図にあらわしていない。

（昭和32年度調べ）

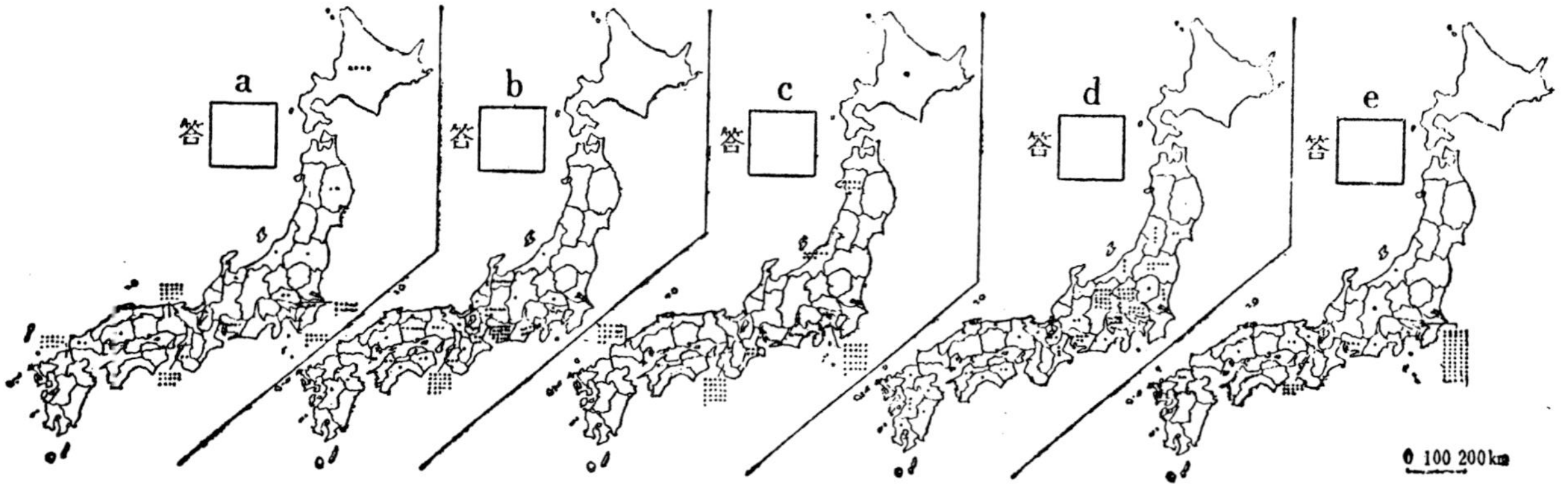

問題番号	正答率 全国	正答率 全琉
D Ⅰ		16.4
Ⅱ		20.7
E Ⅰ		28.5
Ⅱ		20.9
A		29.2
B		27.2
〔3〕	45 5	25.8
a		32.9
b		21.4
c		25.8
d		21.2
e		27.8

〔4〕 問 1 次のA群のア～カのことがらについて，時代の古いものから順に選び，答えの欄に記号を書き入れなさい。

A群 ア 武家諸法度《ぶけしよはつと》　イ 貞永式目《じようえいしきもく》（御成敗式目《ごせいばいしきもく》）　ウ 普通選挙法

エ 大宝律令《りつりよう》　オ 五か条の御誓文《ごせいもん》　カ 摂政《せつしよう》・関白

答

時代順	1	2	3	4	5	6
A群の記号						

問 2 上のA群のア～カことがらと，年代の上から見て最も近いものを，下のB群のことがらとC群の人名の中から，それぞれ一つずつ選んで，その番号を答えの欄に書き入れなさい。

B群 1 地租改正　2 租・庸《よう》・調　3 荘園《しようえん》の普及　4 五人組
5 座の発達　6 財閥の成長

C群 7 吉田兼好　8 大伴家持《おおとものやかもち》　9 福沢諭吉　10 紫式部
11 芥川竜之介《あくたがわりゆうのすけ》　11 松尾芭蕉《ばしよう》

答

A群	ア	イ	ウ	エ	オ	カ
B群						
C群						

〔5〕 次の日本地図には，五つの都道府県が斜線で示されています。

問 1 地図のA，B，C，D，Eにあてはまるものを，下の文の中から一つずつ選び，それぞれの番号を答えの欄に書き入れなさい。

1 農家1戸あたりの耕地面積は狭いが，たくさんのため池によつてかんがい用水を補い，水田がよく開かれている。また，裏作には小麦，はだか麦などをつくり，土地の利用が進んでいる。

2 森林や原野が広い面積をしめているが，わが国の代表的な畑作地域で，大豆《だいず》，じゃがいもなどの生産が多い。

3 水田耕作に中心をおいているが，都市向けの野菜や草花の栽培も盛んになつてきた。

問題番号	正答率 全国	正答率 全琉
〔4〕問1	32.7	18.2
1.2		11.1
3.4		10.5
5.6		39.4
問2		
ア B		15.7
C		14.9
イ B		14.1
C		17.8
ウ B		20.6
C		17.2
エ B		19.8
C		16.1
オ B		15.4
C		19.1
カ B		18.6
C		21.8
〔5〕	62.6	35.5
問1 A		46.1
B		35.3
C		27.2
D		27.1

4　広い平野にはいちめんに水田が開かれ，多量の米を県外に送り出しているが，湿田が多く，山よりの地帯では積雪量が多いので，一部の地方を除けば，裏作はほとんど行なわれない。
5　山地が多いので，面積のわりに耕地が少ないが，水田は谷の奥や傾斜地にまで階段状によく開かれている。しかし全体としては畑のほうが多く，くわ畑や果樹園に利用されているところが多い。
6　温暖で雨が多いこの地方では，水田の裏作がよく進んでいる。しかし，火山灰でおおわれた台地が広い面積をしめて，開拓の進まないところもあり，農家１戸あたりの耕地面積が狭い。

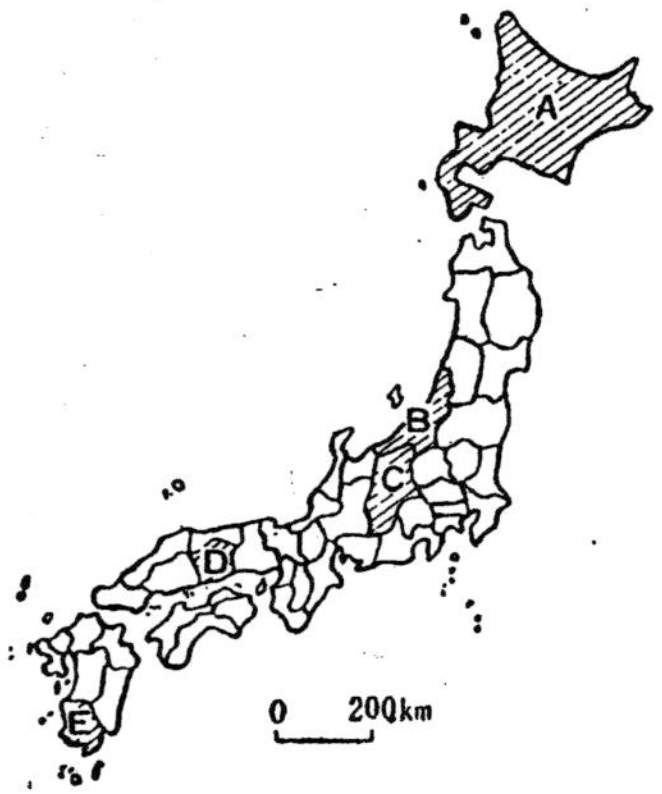

答

地図	A	B	C	D	E
番号					

問題番号	正答率 全国	正答率 全琉
E		48.9
2 A		39.6
B		24.4

問２　次の統計表は，地図の中の五つの都道府県の耕地利用の状態を表わしたものです。この統計表の中から地図中のＡ，Ｂにあてはまる都道府県を選び出し，その番号を答えの欄に書き入れなさい。

都道府県の番号	農家１戸あたり耕地面積（アール）	水田率（%）（水田面積／耕地面積）	水田裏作率（%）（水田冬作物作付面積／水田面積）
1	57	38	67
2	102	80	4
3	336	20	0
4	63	75	63
5	72	45	37

（昭和33年度調べ）

地図	A	B

〔6〕問1　左に示した地図を参形図を参照しながら次の文章を読み，文中の｛　　｝の中の正しいものを一つずつ選んで，その番号を答えの欄に書き入れなさい。

（地形図中の横書きの地名は，右から書いてあります。）

わたしたちは，「五万分の一の地形図」を持つて野外の観察をしました。

「よしだ」駅で汽車に乗つて

①｛1　4　2　8　3　20｝kmあまり離れた「かわしま」駅まで行きました。線路の両側付近には

②｛1　田（乾田）　2　普通畑　3　しらかば林｝の間に③｛1　すぎ林　2　草地　3　くわ畑｝が点在しているのが見られました。

「かわしま」駅で下車して，線路わきの小道を通つて，古屋川の鉄橋のところへ出ました。

鉄橋のところから，古屋川の川原を中橋まで歩きました。この川はこの辺では，だいたい

④｛1　東から西　2　西から東　3　南から北｝へ流れています。中橋から山道へかかつて，古屋川の川岸からおよそ

⑤｛1　100　2　300　3　700｝mほど高い大村山へ向かいました。

道の両側には⑥｛1　くり林　2　竹林　3　まつ林｝が続き，視界がさえぎられるところもありました。

問題番号	正答率 全国	正答率 全琉
〔6〕	45.0	32.3
問1		34.0
①		22.4
②		41.7
③		61.2
④		38.8
⑤		34.2
⑥		44.2

大村山の頂上に着いてみますと，とても見晴らしがよく，いままで調べてみたところも手にとるように見えました。特に注意して大村山の山地のふもとを見ますと，田口から川原田までの間には ⑦{1 野菜畑 / 2 竹林 / 3 りんご園} が続いていました。大村山から，ふもとに近い八幡《まん》宮までの道は，さつき登つた北森山付近から大村山までの道にくらべると ⑧{1 かなり急な道 / 2 ゆるやかな道 / 3 とてもゆるやかな道} でした。

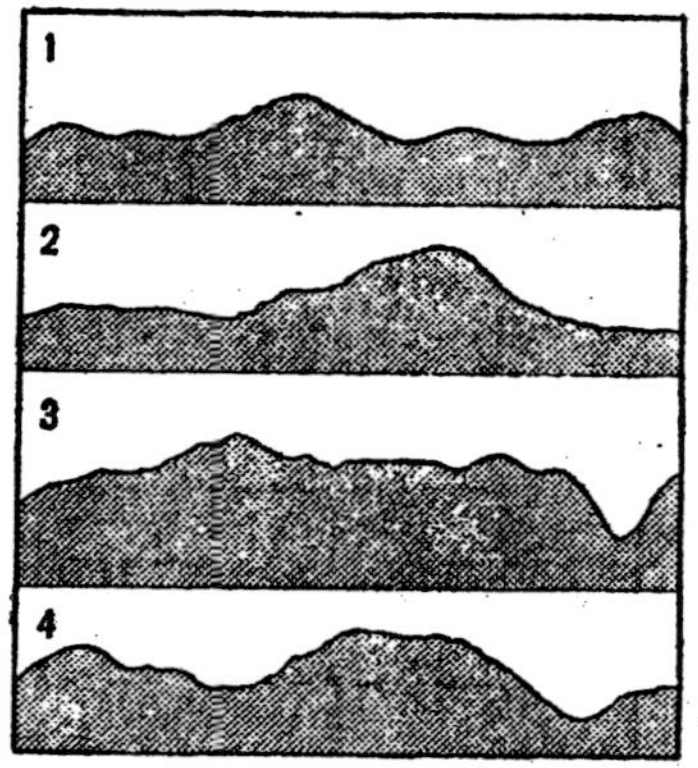

答

①	②	③	④	⑤	⑥	⑦	⑧

問２

川島村の東にある新田から通学している木村君が、自分の家から大村山方面の山地のすがたを正しく描いたスケッチを見せてくれました。木村君が描いた山地のすがたは左の図のどれか。正しいと思うものの番号を答えの欄に書き入れなさい。

答 □

〔７〕 次頁の地図を見て，次の問いに答えなさい。

問１ 次のａ，ｂ，ｃのことがらは，図の中のＡ～Ｄに示される地域と関係のある，近代における歴史上のできごとをあらわしています。

（あ）（い）（う）にあたる国を下のＩ群から選び，その番号を答えの欄に書き入れなさい。また，それらはいつごろのことか。適当な時期をII群から選び，その番号も答えの欄に書き入れなさい。

ａ　Ａは（あ）の領土であつたが，日本にゆずりわたされた。

ｂ　Ｂは（い）から独立したが，政治上のちがいから二つの国に分かれた。

ｃ　Ｃ，Ｄは（う）から日本にゆずりわたされたが，Ｃはまもなくもとの国にかえされた。

問題番号	正答率 全国	正答率 全琉
⑦		42.7
⑧		30.9
2		18.7
〔７〕	35.5	22.2
問１ a		15.8
b		13.9
c		16.3

Ⅰ群

1　ソビエト連邦	2　日　本
3　中華民国	4　清《しん》
5　ロシア	

Ⅱ群

1　第二次世界大戦後	2　日清《しん》戦争後
3　満州事変後	4　第一次世界大戦後
5　日露戦争後	

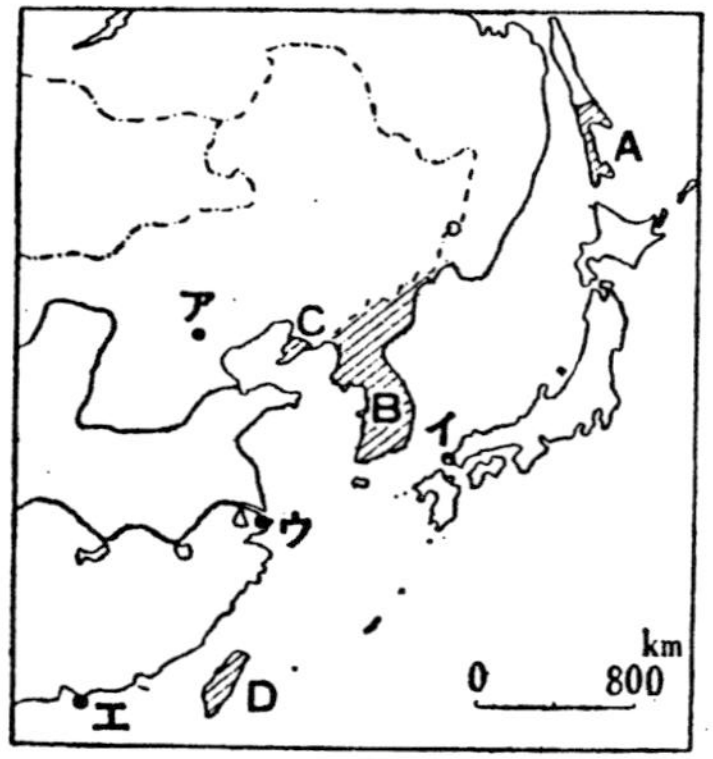

答

	a	b	c
	（あ）の国	（い）の国	（う）の国
Ⅰ群			
Ⅱ群			

問２　地図の**ア〜エ**に示される都市にあてはまる事項を，下の **1〜5** の中から一つずつ選び，その番号を答えの欄に書き入れなさい。

1　**C〜D**が日本領にきめられた条約が，ここで結ばれた。現在では水産物の重要な集散地である。

2　19世紀末ごろから国際都市とし発達し，アジアでは東京について人口が多い。この国の重要な貿易港で，綿工業その他の工業も盛んである。

3　イギリス領の良港で，中継貿易が盛んに行なわれ，イギリスの東アジアにおける活動の根拠地である。

4　日清戦争後，官営の大きな製鉄所がつくられ，この国の重工業発展のもとになった。

5　数代の王朝の都となつたところで，今も，この国の重要な政治都市である。

答

ア	イ	ウ	エ

問題番号	正答率 全国	正答率 全琉
2ア		27.9
イ		29.2
ウ		22.5
エ		29.4

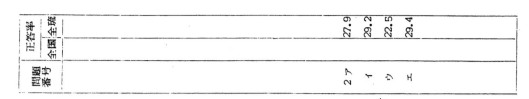

〔８〕 わが国の政党政治は，明治年間から今日まで，いろいろのすじみちをたどつてきた。次の ［　　］ の中のことがらを見て， 下の問いに答えなさい。

ア 大日本帝国憲法が発布された。
イ 政党が解消れさて，大政翼《よくさん》賛会ができた。
ウ 政友会総裁原敬が内閣をつくつた。
エ 板垣《いたがき》退助らの自由党ができた。
オ 日本国憲法が施行された。
カ 尾崎《おざき》行雄らによつて，初めて護憲運動が起こつた。
キ 5.15事件で総理大臣犬養毅《いぬかいつよし》が暗殺された。
ク 婦人にも選挙権が与えられ，結社などの自由が広く認められた。
ケ 2.26事件が起きて，政党 勢力は失われた。

問１ 上の ［　　］ の中のア～ケを年代の古いものから新しいものへ順に並べると，どのような順序になるか。答えの欄にあてはまる記号を書き入れなさい。

答

時代順	1	2	3	4	5	6	7	8	9
記　号		ア		ウ		ケ			オ

問２ 前のページの ［　　］ の中の カの運動はどうして起こつたか。 次の中から適当なものを一つ選び， その番号を答えの欄に書き入れなさい。
1 保守政党と革新政党との対立が激しくなつたので起こつた。
2 民選議院を設立してもらいたいと建白《けんぱく》したのに，それがとりあげられなかつたので起こつた。
3 藩閥《はんばつ》を中心とした政治が長く続いたので，それに反対して起こつた。
4 国会開設を請願したのに、政府が聞き入れなかつたので起こつた。

答 ［　　］

〔９〕 次のａ～ｅの五つの文章は、それぞれ右に示した統計グラフの二つをもとにして解釈したものです。 その中には誤つた解釈もあります。正しい解釈には○印を，誤つた解里には×印を答えの欄に書き入れなさい。 また，これらの解釈はどのクラフをもとにしたものであるかを考えて，答えの欄に解釈に使つたグラフの番号をそれぞれ**二つずつ**書き入れなさい。

ａ 日本は綿花の輸入国である。戦前と戦後とでは，輸入先に大きな変化がみられるが，アメリカ合衆国からの輸入がいつも比較的多いのが特徴である。

問題番号	正答率 全国	正答率 全琉
〔８〕	37.9	30.1
問１		25.6
3		19.0
5		33.4
7		20.3
8		52.1
問２		30.4
〔９〕	36.0	8.7
a 2.4		19.2
2		10.4
4		7.5

b　わが国の綿織物の生産量は世界の第5位を占め，その輸出量の国内生産量に占める割合は，第二次世界大戦前にくらべて増大している。

c　世界の綿織物生産には戦後大きな変化が起こつた。インド，パキスタン，ソ連，中国などが大生産国となつたのに反して，日本，イギリス両国は戦前の生産量に達していない。また，これと関連して，わが国のたいせつな綿織物輸出先であつた中国，インド，パキスタン，インドネシアなどへの輸出が激減してしまつた。

d　わが国の綿織物の生産は，戦後，その世界的地位がさがり，輸出量においても，現在まだ戦前の水準に達していない。

e　わが国の貿易は，戦前戦後とも輸入では綿花が，輸出では綿糸，綿織物がともに第1位を占めていて，綿花を輸入し，綿織物を輸出する加工貿易の特色がはつきりしている。

答

文章	a	b	c	d	e
解釈の正誤（○×で書く）					
解釈に使つたグラフの番号					

1　わが国の輸出品

2　わが国の輸入品

3　おもな国の綿織物の生産量

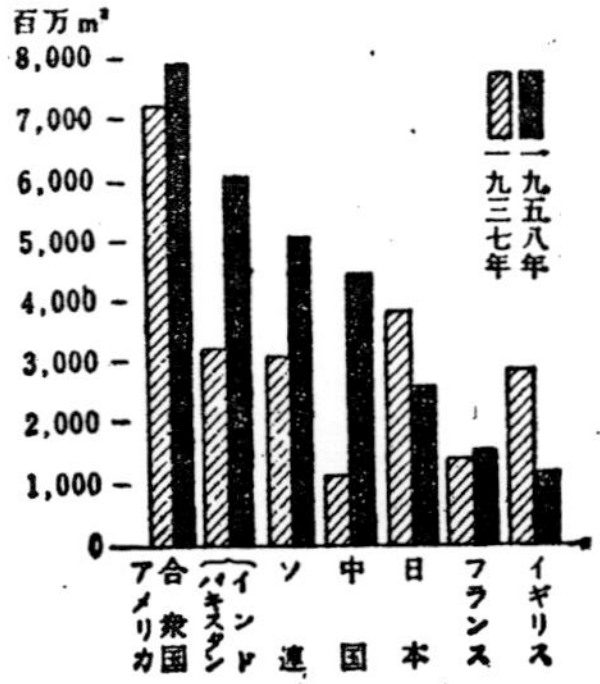

問題番号	正答率 全国	正答率 全琉
b		
3.5		9.9
5		7.1
c		11.7
3		6.4
6		8.5
d		
3.5		8.2
3		6.6
5		7.7
e		
1.2		5.3
2		4.2

4　わが国の綿花輸入の国別割合

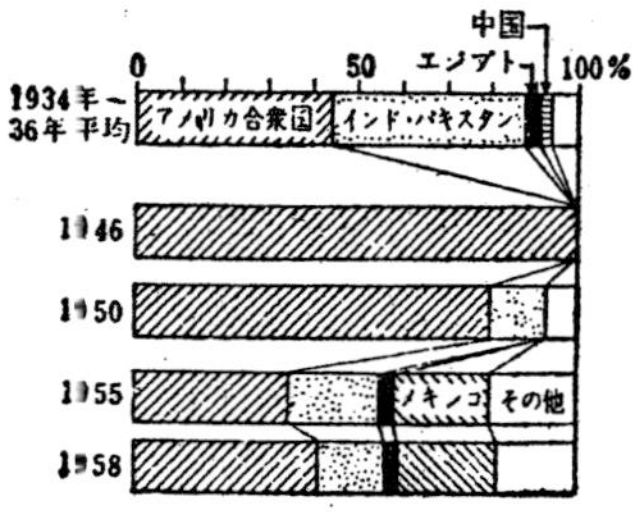

5　わが国の綿織物の生産量と輸出量

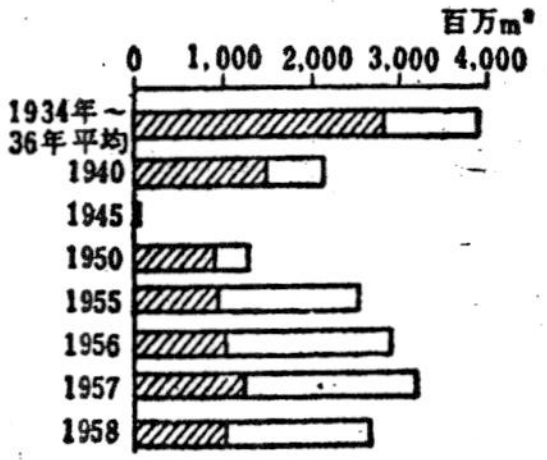

6　わが国の綿織物のおもな輸出先

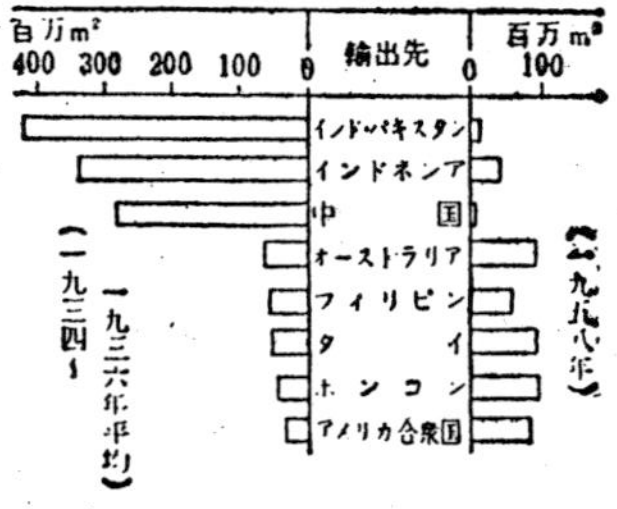

〔10〕　次の［　］の中のア～オのことがらは，それぞれ欧米の民主主義の発展のあとを示す重要なことがらです。これをよく読んで，下の問いに答えさい。

ア　植民地にも工業がおこつてきたが，本国の議会は，本国の工業と競争するような工業を植民地でおこすことを禁止したり，植民地の人々の生活を圧迫した。こうしたことがもとになつて，本国と植民地との間に戦争がはじまつた。

イ　議会はカトリックを復活しようする専制的な国王を廃して新しい国王を迎えた。この国王は，議会の決議した「権利の章典」を承認した。これから後，この国の政治は議会を中心として行なわれるようになつた。

ウ　国王のひどい専制政治に対して，国民はついに革命を起こしたが，この革命の思想は「人権宣言」にはつきり書きあらわされている。

エ　奴隷《どれい》を使うことについて，国内の意見の対立が激しくなり，ついに内乱となつたが，その最中に「奴隷解放令」が出された。

オ　国王は専制政治を行なつて，国教をしつけたりしたので．人々はこれに反対し．国王軍と議会軍が戦かつたすえ，国王は死刑となつた。

上のことがらにあてはまるものを，次の語句の中から選んで，その番号を答えの欄に書き入れなさい。

1　ロシア革命　　2　フランス革命　　3　アメリカの独立戦争
4　アメリカの南北戦争　　5　イギリスの名誉革命　　6　イギリスの清教徒革命

答

答ことがらの記号	ア	イ	ウ	エ	オ
番号					

問題番号	正答率 全国	正答率 全琉
〔10〕	43.7	30.8
ア		34.6
イ		21.2
ウ		34.5
エ		41.6
オ		22.1

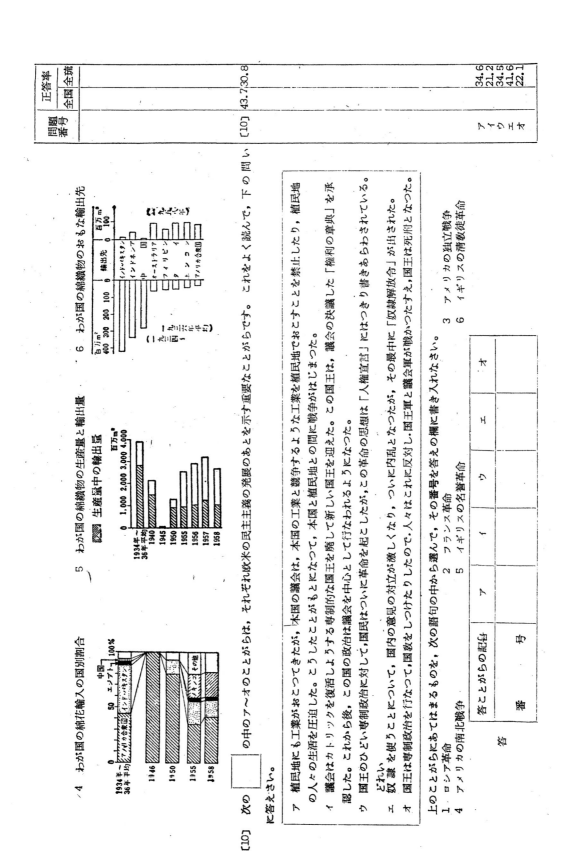

中学校理科調査問題

〔1〕 下の左側に書いたものの量を表わす単位を，右側にあるものの中から一つ選んで，その番号を（　　）の中に書き入れよ。

（a） 重さ（　　）		1 cm
（b） 長さ（　　）		2 cm^2
（c） 時間（　　）		3 cm^3
（d） 面積（　　）		4 g
（e） 体積（　　）		5 秒
（f） 速さ（　　）		6 g・cm
（g） 圧力（　　）		7 g/cm
（h） 密度（　　）		8 ℃
（i） 温度（　　）		9 g/cm^2
（j） 熱量（　　）		10 g/cm^3
		11 cm/秒
		12 cal

〔2〕 次の各問の１～４のうち，正しいものの番号を○でかこめ。

（a） 蒸留水に｛1 砂糖　2 食塩　3 アルコール　4 グリセリン｝をとかすと，電気が流れやすくなる。

（b） 過酸化水素水を二酸化マンガンにそそぐと｛1 酸素　2 水素　3 二酸化炭素（炭酸ガス）　4 塩化水素｝が発生する。

（c） 塩酸を水酸化ナトリウム（カセイソーダー）で中和した液につめると｛1 食塩　2 炭酸ナトリウム（炭酸ソーダ）　3 炭酸水素ナトリウム（重ソウ）　4 塩化カリウム｝が得られる。

問題番号	正答率 全国	正答率 全琉
〔1〕	82.0	62.8
a		85.2
b		86.9
c		33.7
d		71.4
e		66.8
f		71.6
g		26.7
h		31.6
i		82.9
j		70.9
〔2〕		31.7
a	70.7	56.0
b	24.2	16.7
c	22.5	19.0

(d)　糸におもりをつるした振り子では
1　おもりを軽くする
2　おもりを重くする
3　糸を長くする
4　糸を短くする
と周期が長くなる。

(e)　往復運動を回転運動に変えるには
1　クランク
2　歯　車
3　チェーンと歯車
4　ベルトと調べ車
を使う。

(f)
1　ワラビ
2　コウボキン
3　アオカビ
4　マツタケ
は，光合成（炭酸同化）を行なう。

(g)
1　マツ
2　キュウリ
3　ナス
4　カボチャ
は，一つの花の中に，おしべとめしべとの両方がある。

(h)
1　イネ
2　ダイズ
3　アサガオ
4　クリ
の種子には胚乳《はいにゅう》がある。

(i)　無色の鉱物がある。つめでこすったが，傷はつかない。10円の銅貨でこすると傷がついた。くだいてみると規則的にわれる。われた形はマッチ箱《ばこ》を少しゆがめたような形をしている。希《き》塩酸を注ぐとあわがでる。この鉱物は
1石　英
2長　石
3方解石
4雲　母
である。

問題番号	正答率	
	全国	全琉
d	70.5	53.4
e	30.6	14.7
f	33.4	19.8
g	21.4	18.3
h	50.0	49.7
i	48.7	37.8

〔3〕 次のA列のことがらにもつとも関係の深い生物名を，B列から選んで，その番号を（　　）内に書き入れよ。

A　列		B　列
（a）からだが，ただ一個の細胞《さいぼう》でできている。	（　）	1 トンボ 2 フナ 3 イモリ
（b）固着生活をする。	（　）	4 ミミズ 5 アメーバ
（c）幼虫のときは水中で生活し，成虫になると空気中で生活する。	（　）	6 バッタ 7 クジラ 8 イソギンチャク

〔4〕 まず，A，B，C三つのビーカーに20° Cの水を同量ずつ入れておく。次に同じ重さのアルミニウム，鉄，銅のかたまりを下図のようにして80° Cに熱し，Aのビーカーにはアルミニウム，Bのビーカーには鉄，Cのビーカーには銅を入れて，よくかきまわし，水温の変化を調べる。

この実験で，水温がもつとも高くなつたビーカーはどれか。表の比熱を参考にして考え，下の答えのらんの中に，水温の高いものの中から順に，A，B，Cの符号で書き入れよ。

答（水温が高い――――→低い　□---→□---→□）

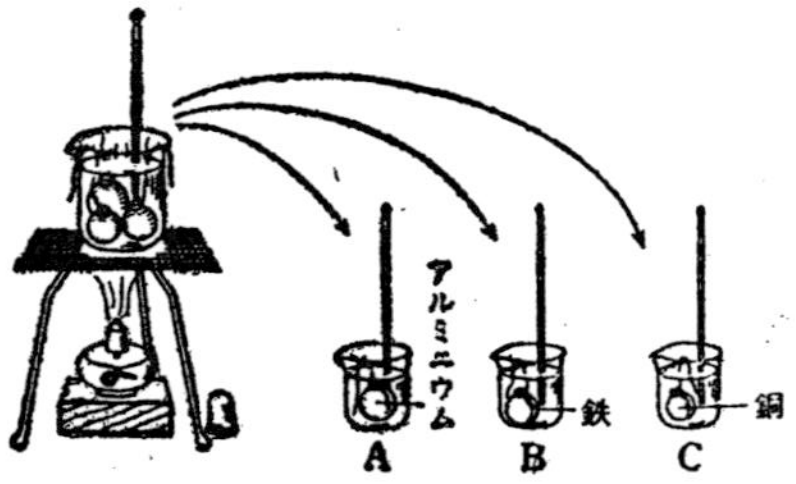

金　属	比熱
アルミニウム	0.21
鉄	0.11
銅	0.09

問題番号	正答率 全国	正答率 全琉
〔3〕		43.3
a	57.6	29.4
b	55.8	33.3
c	82.9	67.3
〔4〕	28.3	19.8

〔5〕 水をあたためると体積がふえることをためす実験をするのに，いちばんよいと思うものを，右の図の中から一つ選んで，その番号を○でかこめ。

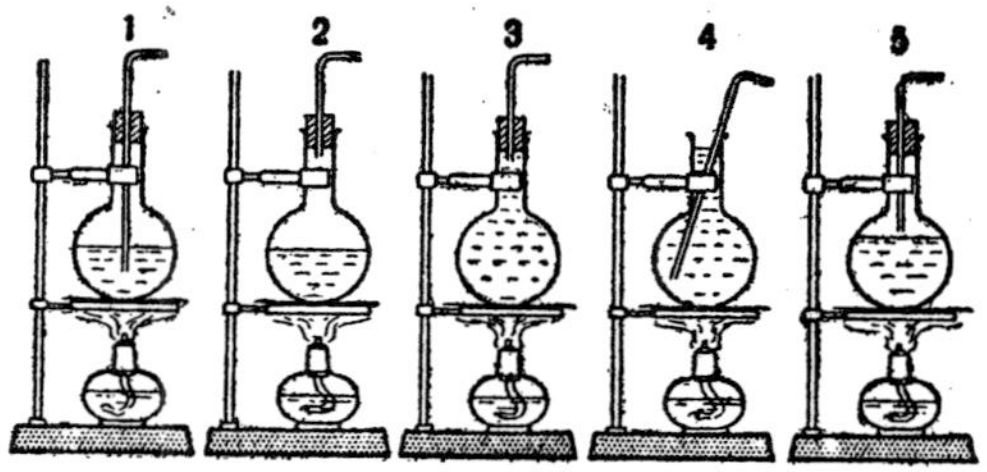

〔6〕 雨が降ってきたので，右の図のような二つの入れものをならべて，同時に雨水を集めた。いま，アのいれもので，水の深さが16mmあったとき，イのいれものにたまった雨水の深さは，およそいくらになるか。1～5の中から正しいものの番号を○でかこめ。

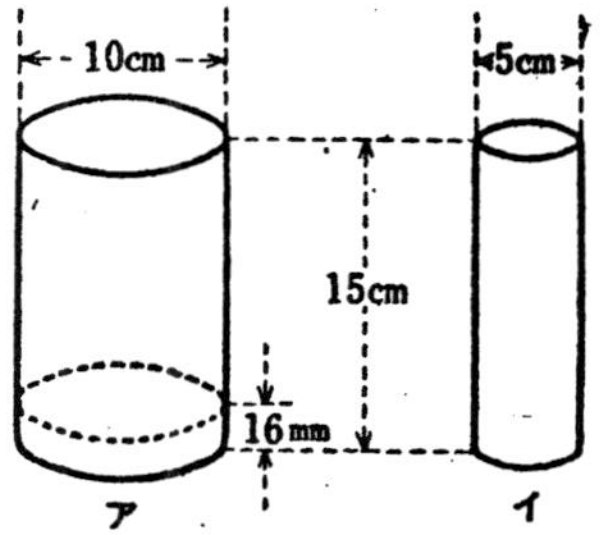

1 4mm
2 8mm
3 16mm
4 32mm
5 64mm

〔7〕 右の地形図を見て，次の各問の答えとして正しいものの番号を○でかこめ。

（a） 地点Cの高度はいくらか。

1 320m　2 300m　3 280m　4 260m

（B） 地点Aと地点Bとはどちらが何メートル高いか。

1 Bが20m高い　2 Bが160m高い　3 Aが20m高い

4 Aが140m高い

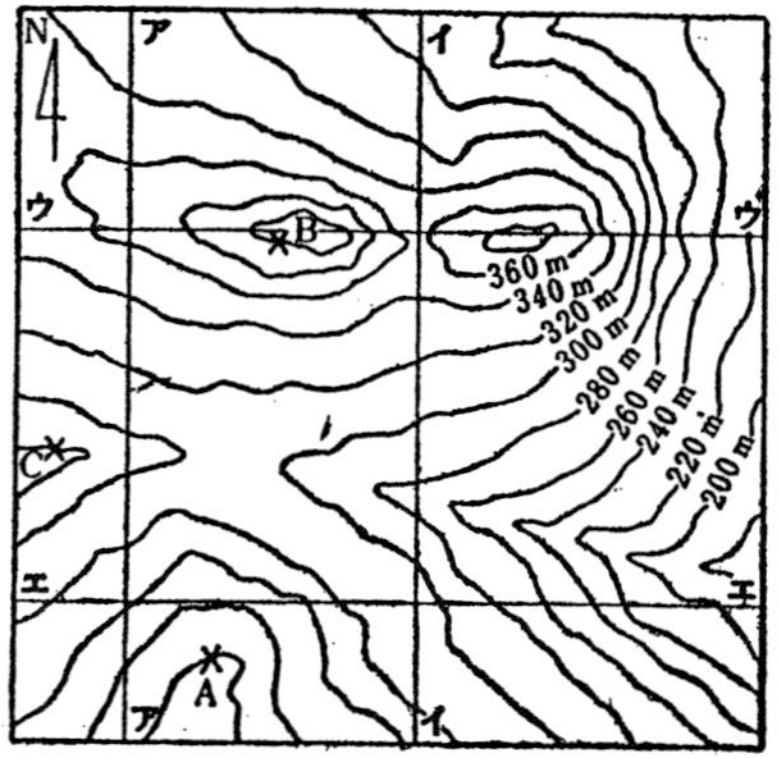

問題番号	正答率 全国	正答率 全琉
〔5〕	28.5	23.8
〔6〕	17.8	12.8
〔7〕	46.9	32.9
a		42.4
b		25.7

（ｃ） 右の断面図は，地形図のアア，イイ，ウウ，エエ，のどれかを南または東から見たものである。これらのうち正しいものはどれか。

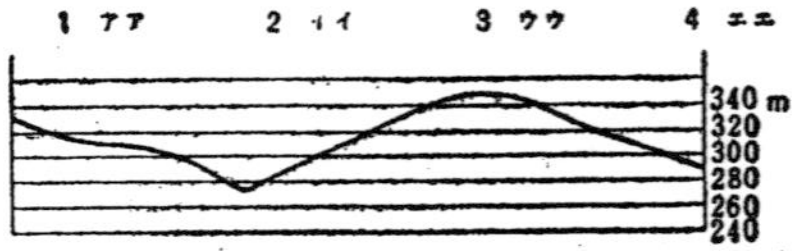

〔8〕 右の図は，ジヤガイモ（いもの部分だけでなく植物全体）のある部分を顕微鏡《けんび》で見たところをスケッチしたものであるが，まだすつかり書きあがつていない。この図を見て，次の各問の答えとして正しいものの番号を○でかこめ。

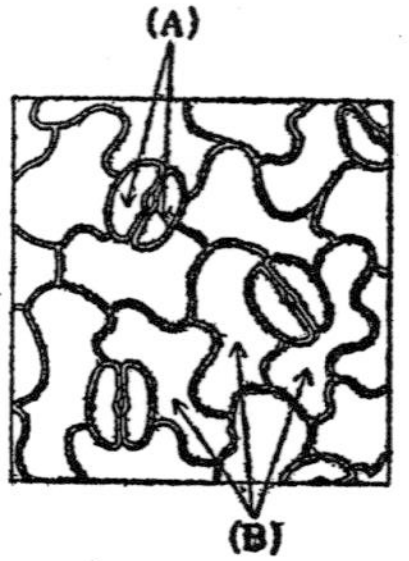

（ａ） ある部分とはどこか。

1 根の先端
2 茎《くき》にある養分や水分の通路
3 いもからのびた若い芽の先端
4 葉の表皮

（ｂ） 図には葉緑体が書き入れてないが，実際は，葉緑体が見られるかどうか。もし見られたとすると，どこに見られるか。

1 Aの部分とBの部分とに見られる。
2 Aの部分に見られ，Bの部分には見られない。
3 Bの部分に見られ，Aの部分には見られない。
4 Aの部分にもBの部分にも見られない。

（ｃ） 図のような状態を顕微鏡で見るためには，材料をどのようにしたらよいか。

1 そのままスライドガラスにのせて見る。
2 かわをうすくはがし，それをプレパラートにして見る。
3 横断してうすい切片を作り，それをプレパラートにして見る。
4 縦断してうすい切片を作り，それをプレパラートにして見る。

問題番号	正答率 全国	正答率 全琉
c		30.6
〔8〕		27.6
a	48.0	33.0
b	33.1	31.5
c	47.2	31.5

〔9〕 下の図は輪軸《りんじく》である。この半径《はんけい》はそれぞれ 1cm，2cm，3cmであるこの輪軸に，同じ重さのおもり6個のうち，2個を図のAにつるしたとき，残りの4個はどこにつるしたらつりあうだろうか。正しいものの番号を○でかこめ。

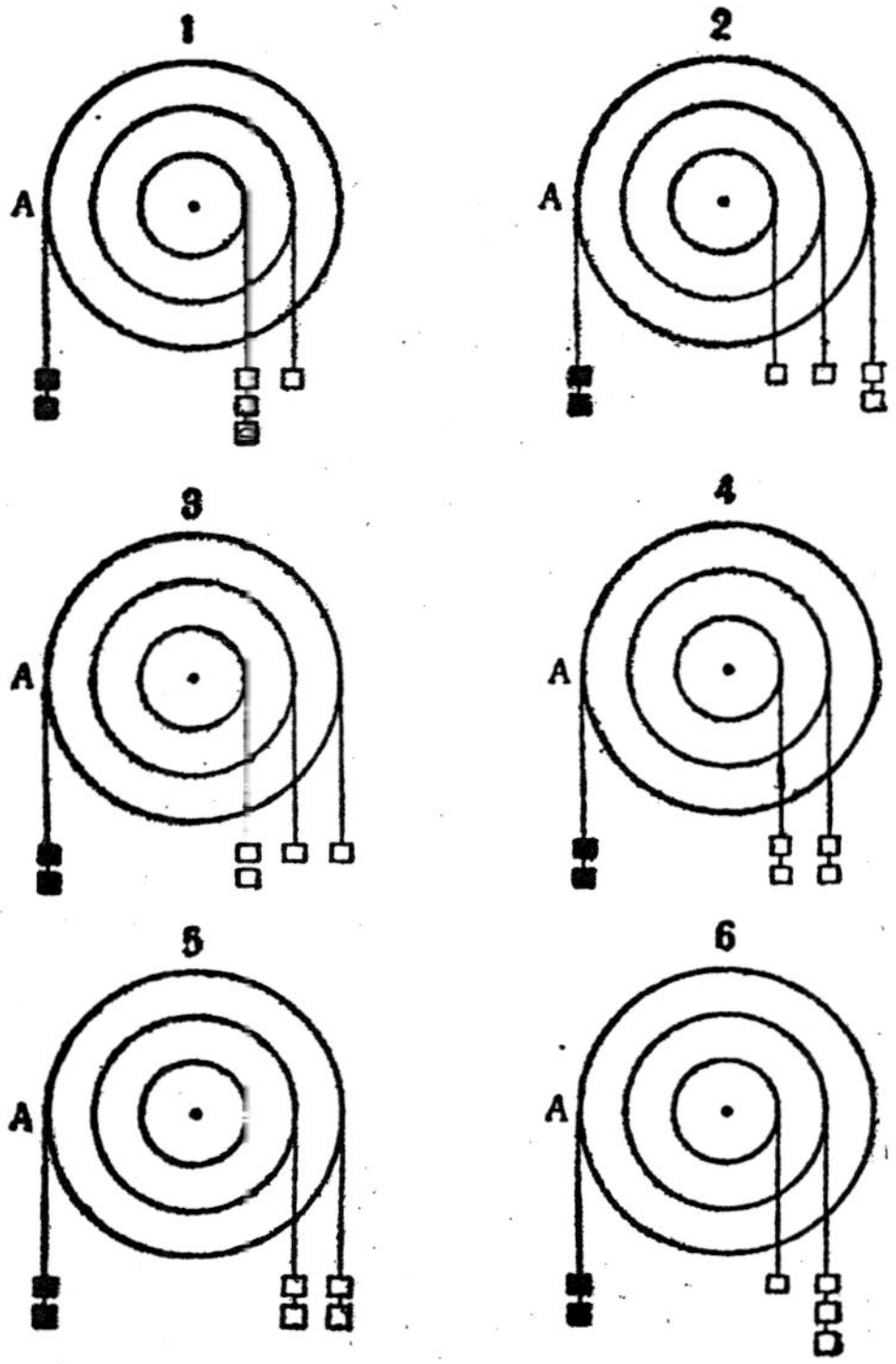

〔10〕 下の天気図を見て，次の各問の答えのうちで正しいものの番号を○でかこめ。

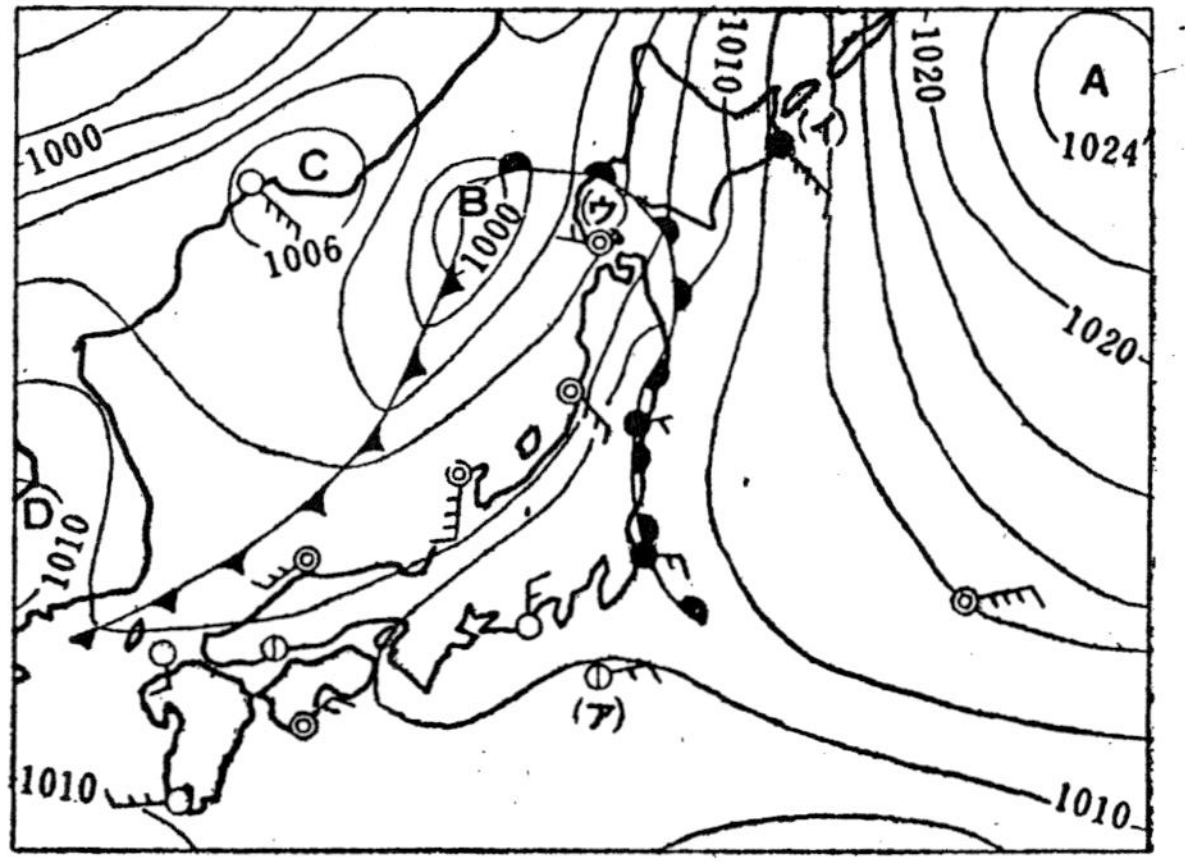

（a） 図の（ア）の地点における天気は，次のどれか。
1 快 晴　2 晴　3 くもり　4 雨

（b） （イ）の地点における風向きは，次のどれか。
1 北 東　2 北 西　3 南 東　4 南 西

（c） （ウ）の地点の気圧は，何ミリバールか。
1 1014ミリバール　2 1012ミリバール　3 1008ミリバール
4 1006ミリバール

問題番号	正答率 全国	正答率 全琉
〔9〕	41.7	26.7
〔10〕	56.2	46.5
a		50.9
b		35.1
c		40.8

（d） 図のA，B，C，D，のうちで，低気圧の中心にあたる所はどこか。

1　図のA　　2　図のB　　3　図のC　　4　図のD

〔11〕 右の図は，にわとりなどに水をやるうつわの断面図で，うつわの中の水Bは，Cの水面がさがらないかぎり，外へ流れ出すことはない。

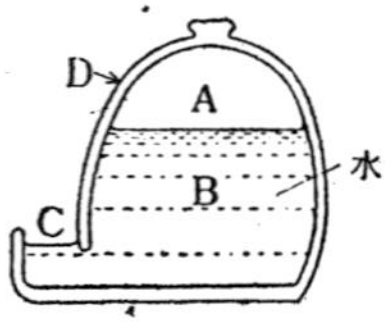

（a） うつわの中のAの気圧は，うつわの外の気圧より大きいか小さいか。次の1～4の中から正しいものの番号を○でかこめ。

1　Aの気圧は，うつわの外の気圧より大きい。
2　Aの気圧は，うつわの外の気圧より小さい。
3　Aの気圧は，うつわの外の気圧に等しい。
4　Aの気圧は，水の入れ方によってちがい，うつわの外の気圧より大きいときも小さいときもある。

（b） 図の矢《や》印Dの位置でうつわにあなをあけると，うつわの中の水はどうなるか。次の1～4の中から正しいものの番号を○でかこめ。

1　Bの水面は，図のままで変らない。
2　Bの水面の高さが，Cの水面の高さに等しくなるまで水は外へ流れ出る。
3　水は流れ出すが，Bの水面の高さがCの水面の高さに等しくなる前に水の流れはとまる。
4　あなの大きさによって，外へ流れ出る水の量はちがう。

〔12〕 4本の試薬びんにそれぞれ液体がはいっている。それらのレッテルがはがれて，どれが何だかわからなくなってしまったが，この四つはアンモニア水，塩酸，硫《りゅう》酸水，酸化ナトリウム（カセイソーダ）溶液であった。そこで試薬びんの中の薬品について実験をしてみたら，1～4のようなことがらがわかった。

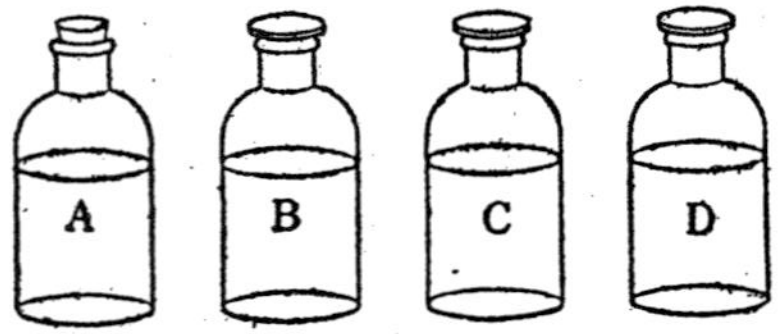

1　リトマス試験紙でしらべたら，赤色が青色になったのは，AとCの試薬びんの中の薬品であった。
2　リトマス試験紙の青色が赤色になったのは，B，Dの試薬びんの中の薬品であった。
3　B，Dの薬品を一滴ずつ紙につけて，火であぶったら，Bは紙が黒くこげた。
4　Cの試薬びんのせんをぬいたら，つんと鼻をつくにおいがした。これにDの試薬びんのせんをぬいて，CとDを近づけたら，白煙がたった。

以上のことから判断して，アンモニア水，塩酸，硫酸，水酸化ナトリウム（カセイソーダ）溶液はどの試薬びんの中にはいっているだろうか。下の（　）の中に試薬びんの符号（A，B，C，D）を書き入れよ。

アンモニア水（　　）　塩　　酸（　　）
硫　　酸（　　）　水酸化ナトリウム溶液（　　）

問題番号	正答率 全国	正答率 全琉
d		59.2
〔11〕	47.8	37.7
a		34.9
b		40.5
〔12〕	42.0	29.7
アンモニア水		43.2
塩　酸		23.5
硫　酸		24.9
水酸化ナトリウム		27.4

〔13〕 試験管に砂《すな》をみたし，図（ア）のように，空気中の重さと水中の重さとをはかった。
次に試験管の砂をへらし，図（イ）のように空気中の重さと水中の重さとをはかった。

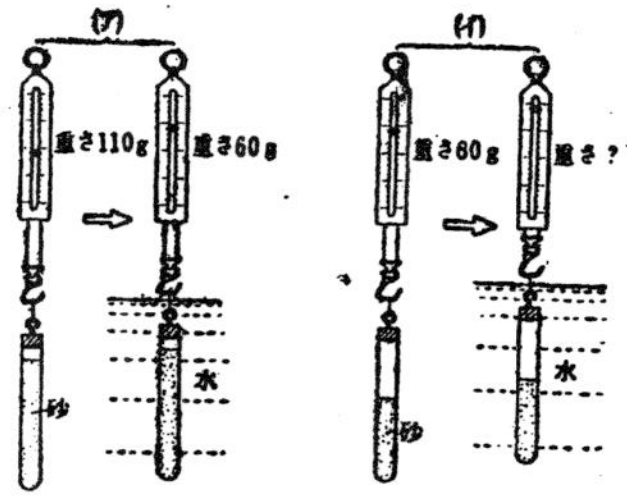

（a） 下の表は，図（ア）の実験の記録である。浮力《ふりよく》の大きさを計算して表の空らんに書き入れよ。

空気中の重さ	水中の重さ	浮力
110g	60 g	g

（b） 図（イ）の実験では浮力の大きさはどうなるか。下の1～4の中から，正しいものの番号を○でかこめ。
1 浮力の大きさは，図（ア）の実験のときより大きくなる。
2 浮力の大きさは，図（ア）の実験のときより小さくなる。
3 浮力の大きさは，図（ア）の実験のときと等しくなる。
4 浮力の大きさは，これだけの条件ではわからない。

〔14〕 次の文を読み，下の問いに答えよ

夕方日没《にちぼつ》どきに，西空低く見えている星（恒星《こうせい》）は数日後，同じ時刻には地平線下にはいり，見ることができなくなる。これは太陽が1日に約1度の割合で西から東に動くためである。そこで星は毎日太陽に対して1度ずつ西へ進み，その出没は毎日約4分ずつ早くなる。このちがいがつもりつもって1年で約1日になる。なお，星の日周運動は24時間につき 360° である。

下の図のように1の位置に見える恒星（A）がある。図の点線は，北極星のまわりを30° ずつにくぎったものである。

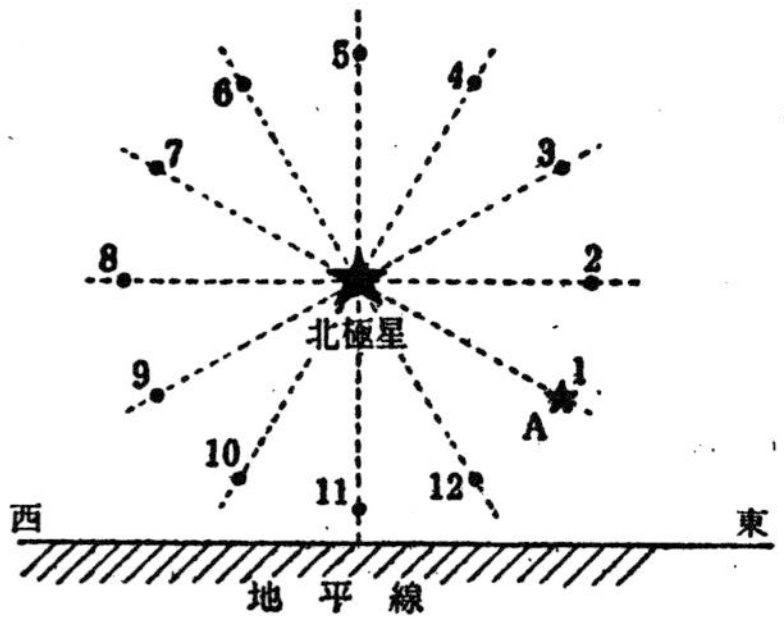

（a） この恒星（A）は，6時間後にはどこに見えるか。図に示してある番号を書け。

（b） この恒星（A）は，1か月後の同じ時刻にはどこに見えるか。図に示してある番号を書け。

問題番号	正答率 全国	正答率 全琉
〔13〕	41.5	30.5
a		36.9
b		24.1
〔14〕	28.2	15.0
a		19.9
b		10.2

〔15〕 光が空気中から厚いガラス板を通りぬけ，ふたたび空気中を進むとき光の進路はどうなるか。右の図1～4から正しいものの番号を○でかこめ。

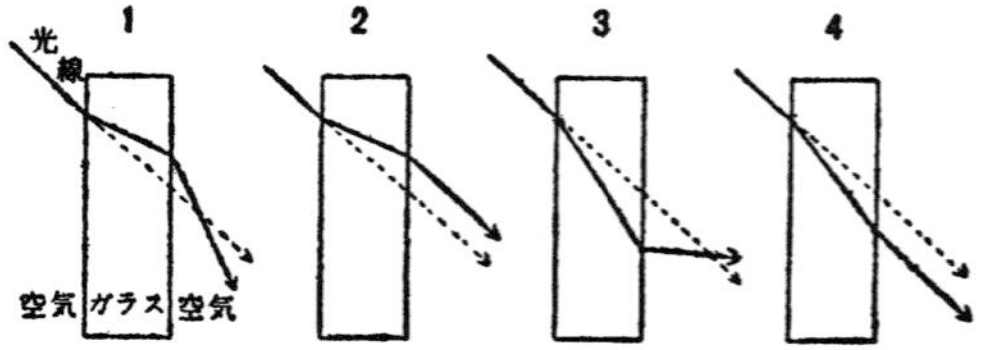

〔16〕 右の図は，何代も黄色のまゆばかりつくるカイコ（純系黄まゆ）のガと，何代も白色のまゆばかりつくるカイコ（純系白まゆ）のガとをかけ合わせると，その卵からかえつたカイコがみな黄色のまゆ（雑種黄まゆ）をつくることを示したものである。

これをもとにして，次の各問の答えのうち正しいものを一つ選んで，その番号を○でかこめ。ただし，この場合は，メンデルの法則にしたがうものとする。

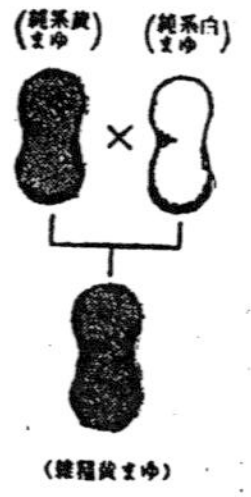

（a） 雑種黄まゆのガどうしをかき合わせると，その卵からかえつたカイコはどんな色のまゆをつくるか。

1 みな黄色のまゆをつくる。
2 黄色のまゆと白色のまゆとをだいたい同数つくる。
3 黄色のまゆ1に対して，白色のまゆをだいたい3の割合でつくる。
4 白色のまゆ1に対して，黄色のまゆをだいたい3の割合でつくる。

（b） aの場合にできた黄色のまゆのうち，純系のものは雑種に対してどれくらいあるか。

1 みな雑種で，純系のものはない。
2 純系のものは，雑種とだいたい同数である。
3 純系のものは，雑種のだいたい$\frac{1}{2}$である。
4 純系のものは，雑種のだいたい$\frac{1}{3}$である。

問題番号	正答率	
	全国	全琉
〔15〕	38.5	28.9
〔16〕		35.1
a	62.0	49.6
b	23.3	20.6

〔17〕 電熱線（ニクロム線），乾《かん》電池，電流計（A），電圧計（V），スイッチを右の図のように配線する。

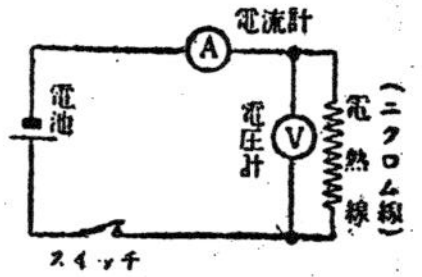

（a） 右の配線図で，乾電池の数は変えないで，電流を小さくするには，どうすればよいか。正しいものの番号を○でかこめ。

1 電熱線を同じ長さ，同じ太さの銅線に変える。
2 電熱線の長さを短くする。
3 同じ長さの細い電熱線に変える。
4 導線を太くする。

（b） この実験で，乾電池の数をふやして直列につなぎ電圧を変えると電流の強さはどう変るか。正しいと思うものの番号を○でかこめ。

1 電圧を2倍，3倍……に変えると，電流の強さはほぼ2倍，3倍…に変わる。
2 電圧を2倍，3倍……に変えると，電流の強さはほぼ$\frac{1}{2}$倍，$\frac{1}{3}$倍…に変わる。
3 電圧を2倍，3倍……に変えると，電流の強さはほぼ4倍，9倍…に変わる。
4 電圧を2倍，3倍……に変えると，電流の強さはほぼ$\frac{1}{4}$倍，$\frac{1}{9}$倍…に変わる。

（c） 下の1～4の図の中から，上の配線図と同じものの番号を○でかこめ。

1

2

3

4
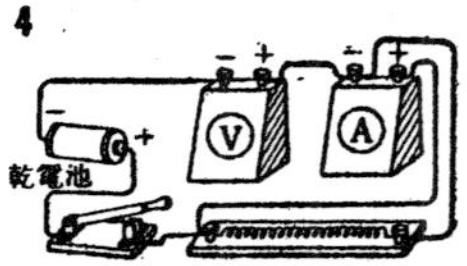

問題番号	正答率 全国	正答率 全琉
〔17〕		31.7
a・b	39.0	30.3
a		35.9
b	95.2	24.7
c	58.5	34.5

〔18〕 希《き》硫酸と亜鉛《あえん》粒《りゆう》をつかつて水素を発生させ，その性質をしらべる実験をしたい。これについて次の各問の答えのうち，正しいものの番号を○でかこめ。

（a） 発生につかう装置は，次のうちどれがいちばんよいか。

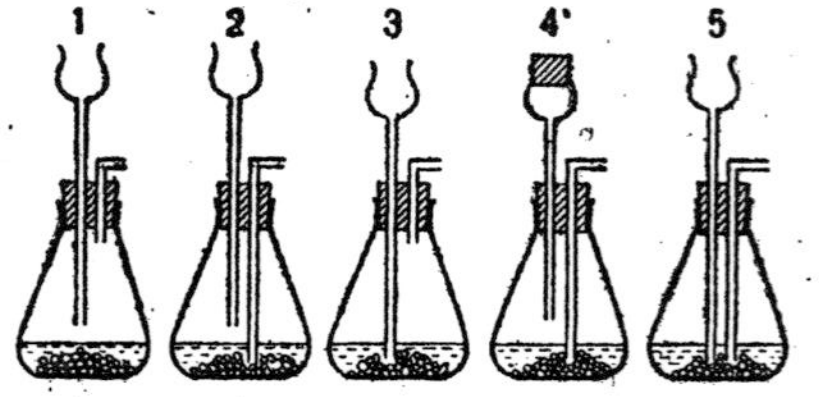

（b） 集気びんに水素だけを捕集する方法は，次のうちどれがいちばんよいか。

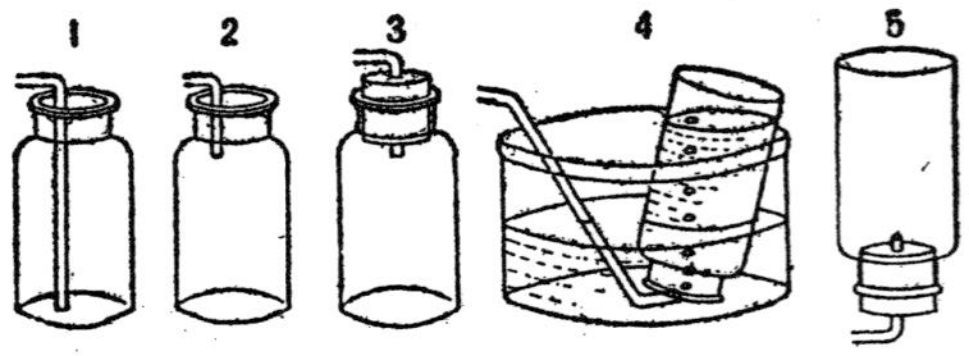

（c） 水素を捕集するときには，次のうちどれがいちばんよいか。

1 水素が発生しはじめてから，10分間たつてから捕集する。
2 水素が発生しはじめてから，３分以内に捕集してしまい，それ以後のものは捨てる。
3 発生する水素を試験管に集め，点火して，かん高い爆音がしなくなつてから捕集する。
4 発生器の導管に直接点火し，静かに燃えることを確かめてから捕集する。

問題番号	正答率 全国	正答率 全琉
〔18〕		
a・b	55.0	37.4
a		28.2
b		46.6
c	23.8	23.8

高等学校日本史調査問題

〔1〕 下の解答欄にあるaからjまでの地名に，最も関係の深い人物をAから，また，事項をB郡から選び，それらに関係のある時代をC郡から，一つずつ選んで，その番号を解答欄に記入せよ。

なお，aからjまでのそれぞれの場所は，下の地図上の，どの番号にあたるかを考え，その番号も解答欄に記入せよ。

〈A 郡〉 人 物

1 井原西鶴	2 シーボルト	3 光明皇后
4 源 頼朝	5 藤原清衡《きよひら》	6 李鴻章《りこうしょう》
7 足利《あしかが》義満	8 織田《おだ》信長	9 北条時宗

〈B 郡〉 事 項

1 鎌倉《かまくら》幕府	2 中尊寺	3 鳴滝塾《なるたきじゅく》
4 金 閣	5 弥生《やよい》文化	6 本能寺の変
7 浮世草子	8 元寇《げんこう》	9 悲田院
10 下関条約		

〈C 郡〉 時 代

1 原 始	2 奈良《なら》	3 平 安
4 鎌 倉	5 室 町	6 安土桃山
7 江 戸	8 明 治	9 大 正

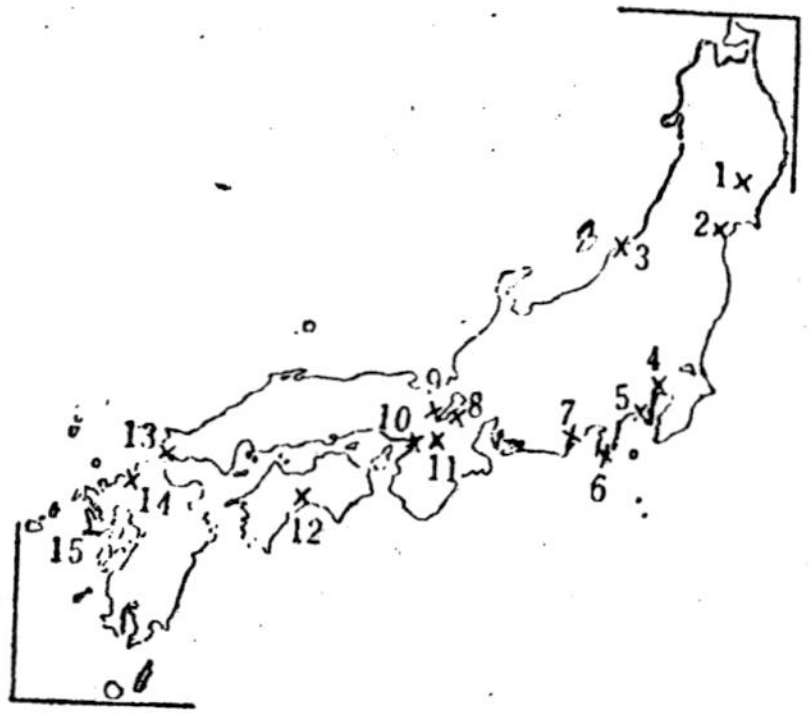

解答欄

	地 名	地図の番号	A人物	B事項	C時代		地 名	地図の番号	A人物	B事項	C時代
a	京 都					f	鎌 倉				
b	登呂《とろ》					g	平 泉				
c	奈 良					h	博 多				
d	安 土					i	長 崎				
e	大 阪					j	下 関				

正答率

問題番号	全国	全琉	全国定	全琉定
〔1〕	36.9	14.7	4.7	5.2
a		16.4		4.8
b		16·4		8.0
c		11.6		3.2
d		14.9		5.8
e		21.4		7.3
f		20.2		8.3
g		4.3		0.6
h		9.0		2.7
i		16.5		3.5
j		17.8		7.3

〔2〕（1）下の表は，各時代の特色を簡単に説明したものである。表のa～eのおのおのの時代について，1～4の説明がある。そのうち誤りのものが，各**二つずつ**あるから，**誤れるものの番号**を解答欄に記入せよ。

番号	1	2	3	4
a 奈良時代	8世紀のうち，およそ70年あまりである。	聖武《しょうむ》天皇のとき，大宝律令《りつりょう》がつくられ，班田の法が実施された。	国分寺が建てられ，政治と仏教が深い関係をもっていた。	この時代の終わりに，唐の政治にならつて，大化の改新が断行された。
b 平安時代	桓武《かんむ》天皇が京都に都をつくつてから，およそ1000年間をいう。	地方の政治がみだれ，荘園《しょうえん》がふえた。	北条氏が高い位について政治をほしいままにした。	「源氏物語」など女流文学がさかんになつた。
c 鎌倉時代	頼朝が鎌倉に幕府を開き，守護地頭をおいて実権をにぎつた。	商業が発達し，京都や鎌倉には座や店ができた。	このころ、武家諸法度《ぶけしょはつと》などの諸法度ができた。	大和絵《やまとえ》や「古今集」などの力強い文化が，よろこばれた。
d 室町時代	足利氏が政治をした時代で，この終わりごろ100年間を戦国時代という。	農民は砂糖やさつまいもをつくりはじめた。	外国貿易はまつたくふるわず，幕府の財政は極度に困窮した。	この時代の末ごろに，キリスト教が伝わつた。
e 江戸時代	幕藩体制のもとで，260余年の太平がつづいた。	四民平等の明るい社会で，農民も町人もその生活をたのしんだ。	鎖国以来，世界の文化を吸収する窓口は，長崎一港に限られた。	蘭学《らんがく》（洋学）がさかんになり，藤田東湖が「西洋紀聞」をあらわした。

問題番号	正答率 全国	全琉	全国定	全琉定
〔2〕		62.5		56.4

解答欄	時代	a 奈良時代		b 平安時代		c 鎌倉時代		d 室町時代		e 江戸時代	
	誤りの番号										

（2） 次の年表中のaからjまでの空欄のそれぞれにあてはまる歴史上のできごとを，下記の語群から選び解答欄にその番号を記入せよ。

紀元	A.D 500	600	700	800	900	1000	1100	1200	1300	1400	1500	1600	1700	1800	1900
重要事項	国土の統一すすむ	a 大化の改新	b	平安京にうつる		平《たいら》の将門《まさかど》の乱	c	武家政治おこる d	e 室町幕府できる		f	g 江戸幕府できる	生類憐《しょうるいあわれ》みの令	h 明治維新	i j

語　群

1 三国干渉	2 鉄砲の伝来	3 奈良遷都
4 元寇《げんこう》	5 院政のはじまり	6 関税自主権の回復
7 遣唐使のはじまり	8 貞永式目《じょうえいしきもく》の制定	
9 ペリーの来航	10 応仁《おうにん》の乱おこる	

解答欄	a	b	c	d	e	f	g	h	i	j
番号										

問題番号		正答率 全国	全琉	全国定	全琉定
(1)		71.8	62.5	60.2	56.4
a	2		42.2		33.3
	4		65.6		62.6
b	1		63.9		63.0
	3		70.9		67.8
c	3		44.9		38.9
	4		78.7		73.8
d	2		69.6		
	3		56.3		53.6
e	2		66.7		55.7
	4		65.5		52.2
(2)		54.9	37.3	32.6	25.2
a			44.9		30.8
b			38.5		31.9
c			29.7		18.9
d			33.0		21.0
e			24.7		14.5
f			26.0		11.2
g			42.5		25.6
h			55.5		37.6
i			32.8		21.9
j			45.5		38.7

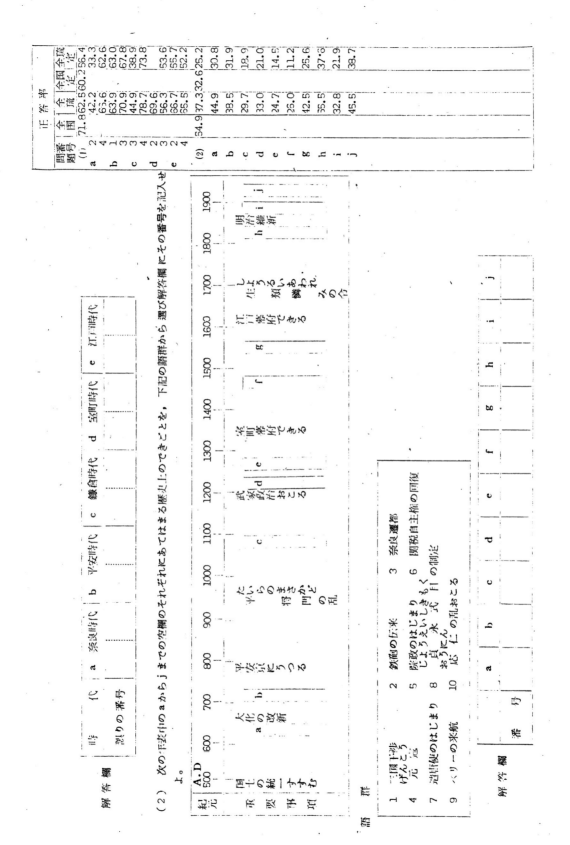

〔3〕 次の各文章中の空欄に最もよくあてはまる語句を，それぞれ下記の語群から選んで，解答欄にその番号を記入せよ。

（1） 大化の改新の詔《みことのり》により，四つの基本方針が明らかにされた。それは第1に，皇室の私有する［ a ］諸氏族の私有する土地人民を廃止して，公地公民の制を立てたこと，第2に，地方制度を整えて，新たに［ b ］を任命したこと，第3に，戸籍を作り，［ c ］の法を行ない，租を徴収したこと，第4に，税制を定めて［ d ］を中央政府に納めさせたことなどである。

こうして原則的に確立された律令の土地公有制度も，奈良時代にはいると，大きな変更が行なわれることとなつた。すなわち，723年には元正天皇が，［ e ］を定めて墾田の私有を許すこととなり，743年には聖武天皇が［ f ］を発して，社寺貴族らの開墾事業を大いに促進させる政策をとつたので，大土地の私有化は，いつそう顕著になつた。

語群

1 国造《くにのみやつこ》・県主《あがたぬし》	2 国司・郡司	3 墾田永世私有令	4 荘園整理令
5 屯倉《みやけ》	6 調庸	7 公事《くじ》・夫役	8 均田
9 班田収授	10 三世一身の法		

解答欄

(1)	a	b	c	d	e	f
語群の番号						

正答率

問題番号	全国	全琉	全国定	全琉定
〔3〕		52.9		42.7
（1）	60.4	47.2	34.8	31.4
a		47.0		30.1
b		48.4		40.8
c		56.8		37.9
d		60.8		42.8
e		34.0		18.7
f		36.0		22.2

(2) 室町幕府は，その成立の当初から［ a ］の力をおさえることができないで，政治は常に不安定であつた。その上［ b ］の成長がめざましく，農工生産の上昇は［ c ］を発達させ，商業の組織も整つてきたので，各地に都市が成立した。これらの都市には富裕な商人があらわれ，かれらは［ d ］や外国貿易を営むことによつて，ますますその財力を増大した。一方，都市の下層民や付近の農民は，酒屋，土倉などの富裕な商人や武士の重圧に対し，しばしば一揆《き》をおこした。

語　群

1 市　場	2 楽市・楽座	3 問屋制家内工業	4 株仲間
5 地方農民	6 公《く》家《げ》	7 高利貸し	8 守護大名

解答欄

(2)	a	b	c	d
語群の番号				

(3) 江戸幕府が，その強固な幕藩体制を確立していくたてまえからすると，［ a ］の実施ということは必要であつたであろう。そのため日本は世界の動きから目かくしされていたが，その反面，国内では，平和産業が栄え，従来輸入品に圧倒されていた［ b ］などの国内生産が，にわかに増加した。また，思想・学問をはじめ，従来の日本文化への反省も行なわれ，特色のある［ c ］の発達となつた。さらにまた，18世紀以後には，武士や農民などの大多数の生活は，いつそう苦しくなり，一部の富裕な［ d ］だけが富力を増大するという不つりあいを示すに至り，しだいに土地経済から［ e ］へと移行したのである。

語　群

1 甘藷《しよ》，甘蔗《しよ》	2 鎖国政策	3 生糸，絹織物	4 町人文化
5 文治政策	6 仏教文化	7 武　士	8 町　人
9 貨幣経済	10 統制経済	11 分地制限	

解答欄

(3)	a	b	c	d	e
語群の番号					

正答率

問題番号	全国	全琉	全国定	全琉定
(2)	52.4	44.6	43.8	41.9
a		59.2		57.8
b		37.7		36.8
c		39.3		36.0
d		42.2		36.2
(3)	86.0	75.4	71.3	66.2
a		80.3		67.6
b		86.1		82.9
d		60.8		46.2
c		76.3		67.6
e		75.6		66.7

(4) 明治維新の変革は，[a]のころから，西南雄藩が富国強兵の政策に成功したことが，間接的な一つの原動力となつたといわれる。その結果，明治政府は薩《さつ》・長の藩閥勢力を中核として組織されることとなつたのであるが，それだけに，これら両藩にならぶ[b]などの動向は，その後の自由民権運動と密接な関連をもつものとなつた。明治7年には，もとの参議板垣《いたがき》退助らが，民選議院設立の建白書を出し，また，このころ[c]の廃止などによつて不平をもつていた士族や，[d]などによつて新政府の政策に不安をいだいていた農民たちは，各地に相ついで騒乱《そうらん》を起こした。ところが，西南の役以後は，新政府に対する武力抵抗はあとをたち，これに代わつて自由民権を叫ぶ世論がいちじるしく高まつてきた。政府はこの世論に抗しきれず，明治14年に[e]を発したので，世論ははじめて静まり，政府も民間においても，立憲制への準備を進めるようになつた。

語　群

1　家族制度	2　家禄制度	3　寛政の改革	4　天保の改革	5　地租改正
6　廃刀令	7　土佐藩	8　会津藩	9　国家開設の勅諭	10　政体書

解　答　欄

(4)	a	b	c	d	e
語群の番号					

正答率

問題番号	全国	全琉	全国定	全琉定
(4)	63.0	43.9	43.7	32.8
a		36.8		31.6
b		55.6		45.7
c		37.1		23.3
d		36.2		26.8
e		53.8		31.6

［4］　次のaからeまでの文章は，ある史料の一部である。それらの文章を読んで，それらと最も関係の深い事項と人名とを，下のA群とB群の中から一つずつ選んで，その番号を解答欄に記入せよ。

a　銀《しろがね》も金《くがね》も玉も何せむに，まされる宝子にしかめやも

b　それ，往生極楽の教行は濁世末代の目足なり，道俗貴賤《きせん》誰《たれ》か帰せざるものぞ…

c　文武弓馬の道専《もっぱ》ら相嗜《たしな》むべき事…

d　其《その》翌日，良沢が宅に集まり，前日のことを語り合ひ，先づ，彼「ターフル・アナトミア」の書にうち向ひしに，誠に艫舵《ろかじ》なき船の大海に乗り出《い》だせし如《ごと》く茫《ぼう》洋として寄るべなし…

e　日本軍隊は完全に武装を解除されたる後，各自の家庭に復帰し，平和的かつ生産的の生活を営むの機会を得しめらるべし…

語　群

〈A　群〉

1	古今和歌集
2	カイロ宣言
3	ポツダム宣言
4	蘭学事始《ことはじめ》
5	蘭学階梯《かいてい》
6	万葉集
7	武家諸法度《ぶけしょはっと》
8	往生要集
9	公事方定書《くじかたさだめがき》
10	平家物語

〈B　群〉

1	柿本人麿《ひとまろ》
2	源信（恵心僧都）
3	崇伝
4	山上憶良《おくら》
5	フランクリン＝ルーズベルト
6	源空（法然上人）
7	トルーマン
8	杉田玄白
9	高野長英
10	青木昆陽《こんよう》

解答欄

文章	A群の番号	B群の番号
a		
b		
c		
d		
e		

問題番号		正答率 全国	全琉	全国定	全琉定
［4］		62.9	47.8	40.8	41,0
a	A		62.8		58.2
	B		62.7		55.7
b	A		55.2		41.4
	B		29.1		14.6
c	A		46.8		36.3
	B		22.4		14.6
d	A		47.1		48.4
	B		48.9		48.7
e	A		65.8		56.8
	B		35.9		35.8

〔5〕

(1) 解答欄のａからｊまでの各項目に，最も関係の深い事項を下のＡ群から，また，人名をＢ群からそれぞれ一つずつ選んで，その番号を解答欄に記入せよ。

語　群

〈Ａ　群〉

1	自然主義の文学	2	分国法	3	障壁画
4	軍縮会議	5	密陀《みつた》絵	6	蔵人《くろうど》
7	政治小説	8	平和会議	9	政党内閣
10	仏教的な歴史哲学			11	言論の統制
12	欧化政策	13	花伝書	14	知行合一
15	阿弥陀《あみだ》信仰				

〈Ｂ　群〉

1	北条時宗	2	藤原頼通	3	藤原冬嗣
4	井上馨《かおる》	5	藤原道長	6	若槻《わかつき》礼次郎
7	加藤高明	8	田山花袋	9	狩野永徳
10	慈円（慈鎮）	11	北畠《きたばたけ》親房	12	中江藤樹
13	世阿弥《ぜあみ》	14	狩野芳崖《ほうがい》	15	林羅山《らざん》

解　答　欄

項	目	Ａ群の番号	Ｂ群の番号
a	令外《りょうげ》の官		
b	愚管抄		
c	平等院鳳凰《ほうおう》堂		
d	ロンドン会議		
e	能楽		
f	陽明学		
g	普通選挙法		
h	桃山芸術		
i	鹿鳴《ろくめい》館		
j	明治後期の文壇		

(2) 次の文章は，各時代の文化の特色を簡単に説明したものである。それらを読んでみて，解答欄のａからｊまでのそれぞれに，最もよくあてはまるものを一つずつ選んで，その番号を解答欄に記入せよ。

1　六朝《りくちょう》芸術の影響をうけた時代であり，彫刻作品に例をとると，写実的技法はまだじゅうぶんには発達せず，表現は稚拙であるが，いちじるしく厳粛な感じの仏像がつくられている。

2　禅宗の僧侶《りょ》の間で朱子学の研究が行なわれ，また宋《そう》・元《げん》文化や禅宗の影響を受けて，淡白な味わいのある芸術がつちかわれ，連歌，謡曲，狂言などがさかんになつた。

問題番号	正答率 全国	全琉	全国定	全琉定
〔5〕				
(1)	31.9	20.0	11.5	10.5
a		12.9		4.1
b		13.6		4.0
c		4.9		0.8
d		20.3		7.3
e		24.9		7.9
f		8.7		3.5
g		22.1		10.4
h		22.9		10.0
i		18.9		8.5
j		50.7		47.8
(2)	46.9	31.4	27.1	20.7

正答率				
問題番号	全国	全琉	全国定	全琉定

3　中央では大臣《おおおみ》，大連《おおむらじ》など，地方では国造，県主などが中心となつて，氏姓制度の社会が形成され，支配者の権威を象徴するものとして，大きな墓をつくるとともに，鏡，剣，玉などの製作がさかんに行なわれた。

4　初唐《とう》文化の影響をうけ，仏像などにはいくぶん写実的技法の発達がみられるが，どことなく過渡期の芸術としての風格が感じられる。薬師寺東塔はその代表的な遺構である。

5　盛唐文化の影響をうけ，仏像などにはいちじるしく写実的技法が発達し，また乾漆や塑土《そど》を材料としたものも多く，日光菩薩《ぼさつ》，月光菩薩や戒壇院四天王像など，この時期の代表作といわれる。

6　江戸を中心として町人文化が発達し，豪商よりも，むしろ多くの町人の好みに適するような芸術がつくられるようになつた。一般に頽《たい》廃的な気分がひろまり，小説，詩歌にも人生を茶化す態度が多くみられる反面，奇知にとみ，洗練された江戸趣味もみられるようになつた。

7　上方《かみがた》（京阪地方）の豪商の経済力を背景とした町人文化の発達が，いちじるしかつた。近松門左衛門は義理と人情との相剋《こく》を描いた数々の作品をつくつて町人たちの心をとらえた。

8　唐から天台宗や真言宗が伝えられ，寺院は都市をはなれて山間に建てられるようになつた。また密教が全盛をきわめ，加持祈禱《かじきとう》がさかんに行なわれ，仏像にも神秘的な表現がみられるようになつた。

9　大陸文化の影響はほとんどみられず，文化の発達の歩みもきわめてゆるやかであつた。採集経済の時代ではあつたが，複雑な文様やいろいろの形の変わつた土器がつくられていた。

10　朝鮮半島を通つて大陸の金属文化が流入し，水田耕作の技法も伝わつて，生活，文化はいちじるしく変わつた。この時代の土器には無文か，簡単な文様のものが多かつた。

11　国文学の発達がいちじるしく，その作品には女子の手になるものが多かつた。また，浄土芸術がさかんとなり，阿弥陀堂《あみだどう》や阿弥陀仏が多くつくられるようになつた。

12　公家《くげ》の伝統的な文化を保存しながら，武士の気風が文化の形成に強い影響を及ぼし，また，禅宗の伝来によつて，文化の上に新しい傾向があらわれてきた。

解答欄

項目	文章の番号	項目	文章の番号
a 弥生《やよい》文化		f 古墳文化	
b 元禄文化		g 鎌倉文化	
c 天平《てんぴょう》文化		h 飛鳥《あすか》文化	
d 縄文《じょうもん》文化		i 東山文化	
e 藤原文化		j 弘仁《こうにん》(平安初期)文化	

〔6〕 次のaからeまでの文章は，明治時代から昭和時代にかけての日本の歩みをしるしたものである。それぞれの文章に最も関係の深い語句を，次ページの語群の中から選んで，その番号を解答欄に記入せよ。

a 明治の新政府は成立したが，まだ日本全体を統一して政治が行なわれたわけではなかつた。そこで長州の木戸と薩摩《さつま》の大久保らの画策により，薩・長・土・肥の四藩主をはじめ，諸藩主らはすべての土地と人民とを朝廷に返上したのであるが，政府はさらに明治4年7月に新政府の力を全国にゆきわたらせるための施策を実行した。

b 1882年，伊藤博文は各国の憲法を調査するためヨーロッパに派遣された。そして彼はグナイストやシュタインらの学者について，特にプロシア（ドイツ）憲法を学んで帰国した。これは議会中心主義のイギリスやフランスの憲法より，君主の権力の強いプロシア憲法のほうが，当時のわが国の国情に合うと政府が考えたからである。

c 大正末期から昭和初期にかけては，世界列強の間には，平和を維持しようとする空気が強く，わが国でもいわゆる幣原《しではら》外交といつて，国際協調を対外政策の基本としていた。かくて1928年（昭和3年）には，世界の国々が参加して，戦争に訴えることなくして，国際紛争を平和的手段で解決するという原則を決めた。

d 19世紀末から20世紀にかけての世界には，資本主義が大いに発達し，イギリス，フランスをはじめ，ロシア，ドイツ，アメリカ合衆国などの列強では，資本が国の権力と結んで，武力を背景にしてさかんに海外に進出した。その結果，政治的，経済的におくれた地域は，これらの列強の投資地となり，列強に強く支配されることになつた。

問題番号	正答率 全国	全琉	全国定	全琉定
a		57.8		40.5
b		21.8		14.8
c		19.1		11.2
d		61.1		46.2
e		19.9		10.2
f		60.2		41.3
g		25.0		14.6
h		20.2		12.1
i		16.6		9.6
j		11.7		5.9
〔6〕	61.0	48.7	43.6	38.3

e　第一次世界大戦による日本経済の繁栄は長く続かず，1920年(大正９)には経済界は早くも不況におちいつた。特に1923年(大正12)９月の関東大震災で，東京，横浜などの大部分が焼け野原になると，経済界の打撃はひどくなつた。戦後の輸入超過と国内物資の欠乏になやみ，産業はふるわず，通貨はいちじるしくふえた。もつともこれは，日本だけの現象ではなく，世界各国の経済も同じようであつた。

語　群

1 大政奉還	2 廃藩置県	3 政党内閣	4 欽定《きんてい》憲法
5 関東大震災	6 不戦条約	7 恐慌	8 自由民権運動
9 産業革命	10 帝国主義	11 国際連盟	12 国際連合

解答欄

文章	a	b	c	d	e
語群の番号					

正答率				
問題番号	全国	全琉	全国定	全琉定
a		55.9		52.6
b		60.0		46.4
c		28.2		30.3
d		36.2		22.2
e		63.0		42.8

高等学校人文地理調査問題

〔1〕問1　左に示した地形図を参照しながら下記の文章を読み，文中の｛　｝の中から正しいものを一つずつ選んで，その番号を解答欄に記入せよ。（地形図中の横書きの地名は右から書いてある。）

われわれは「五万分の一の地形図」を持って野外の観察に出かけた。

「よしだ」駅で汽車に乗って

①｛1　4／2　8／3　20｝kmあまり離れた「かわしま」駅まで行つた。線路の両側付近には

②｛1　田（乾田）／2　普通畑／3　しらかば林｝の間に③｛1　すぎ林／2　草地／3　くわ畑｝

が点在しているのが見られた。「かわしま」駅で下車して，線路わきの小道を通つて，古屋川の鉄橋のところへ出た。鉄橋のところから，古屋川の川原を中橋まで歩いた。この川はこの辺では，だいたい④｛1　東から西／2　西から東／3　南から北｝へ流れている。中橋から山道へかかつて，古屋川の川岸よりもおそく⑤｛1　100／2　300／3　700｝mほど高い大村山へ向つた。道の両側には⑥｛1　くり林／2　竹林／3　まつ林｝が続き視界がさえぎられるところもあつたが，大村山の頂上に着いてみると，とても見晴らしがよ

問題番号	正答率 全国	全琉	全国定	全琉定
〔　〕	57.6	48.9	48.5	35.5
問1		51.9		37.5
①		52.8		19.7
②		58.7		27.5
③		59.8		34.4
④		56.6		44.3
⑤		30.9		27.9
⑥		55.9		44.3

く，いままで調べてきたところも手にとるように見えた。特に注意して大村山の山地のふもとをみると，田口から川原までの間には

⑦ { 1 野菜畑 / 2 竹林 / 3 りんご園 } が続いていた。大村山から，ふもとに近い八幡《まん》宮までは，さつき登った北森山付近から大村山までの道にくらべると，

⑧ { 1 かなり急な道 / 2 ゆるやかな道 / 3 とてもゆるやかな道 } であつた。

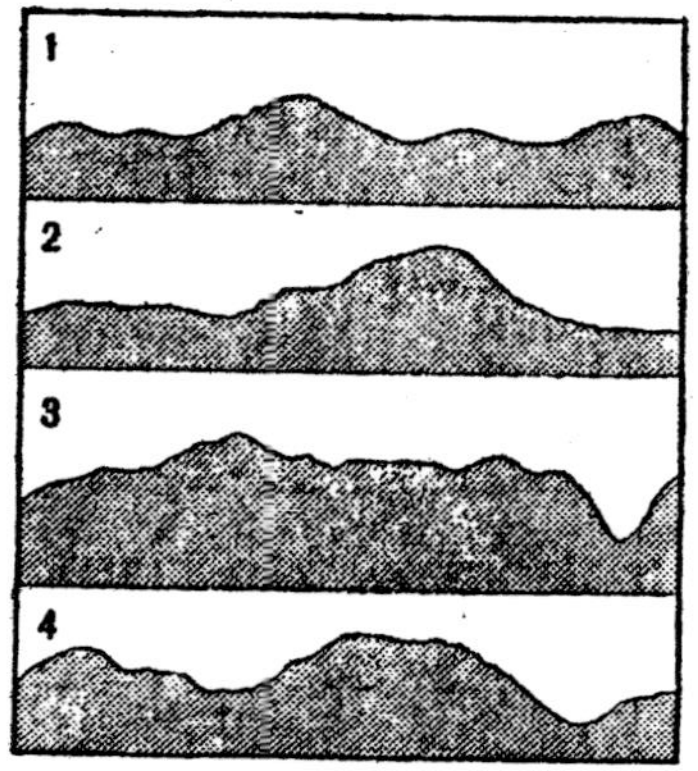

解答欄

①	②	③	④	⑤	⑥	⑦	⑧

問２

川島村の東にある新田から通学している木村君が，自分の家から大村山方面の山地のすがたを正しく描いたスケッチを見せてくれた木村君が描いた山のすがたは左の図のどれか。正しいと思うものの番号を解答欄に記入せよ。

解答欄 [　]

〔２〕 次の１～10の文章のうちから，正しいと判断されるもの**四つ**を選び出し，所定の解答欄にその番号を，**番号の順**に記入せよ。

1 タイガと呼ばれる大森林地帯では，樹種のそろつた軟木が多いので，どこでも製材業が栄えている。

2 イギリスで発明されたトロール漁業は，北海と類似の自然条件をもつたニューファンドランド近海で行なわれているばかりでなく，大陸棚《だな》の発達した他の漁場でも行なわれている。

3 日本では，土地利用が集約的であるばかりでなく，内湾では盛んに養殖を行なつて，資源を集約的に利用している。このような養殖は他の国では見られない。

4 熱帯の海には，潮目（潮境）もなく，寒海と違つて多量のプランクトンが生育しているところもないので，国際市場と結びつくような漁業は行なわれていない。

5 イギリスでは，産業革命が最も早く行なわれ，鉱工業が発展しただけに，現在でも工業の基幹となる鉄・石炭は，いずれも国内産でほぼ需要をまかなつている。

問題番号	正答率 全国	全琉	全国定	全琉定
⑦		65.5		47.5
⑧		35.1		34.4
問２		25.3		19.7
〔２〕	47.2	44.3	46.3	48.4

6　アメリカ合衆国は豊富な鉄鉱や石油に恵まれているが，さらに外国からもそれらの資源を輸入して重化学工業の発展につとめている。

7　マライ半島もキューバなど，プランテーションの行なわれているところは，気候ばかりでなく，肥沃《よく》な土壌《じょう》にも恵まれている。

8　ニュージーランドとオーストラリアとは羊や牛を中心にした牧畜国であることは共通しているが，人口密度のより高いニュージーランドの土地生産性はオーストラリアよりもいちじるしく高く，この点では両者は違つている。

9　気温と降水量に恵まれた南九州では，土地利用度が高く，農家の経営規模が小さくて，多くの労力が投下されているので，日本でも土地生産性の高い地方として知られている。

10　長野県の盆地には扇状地の発達がいちじるしいが，水田化への努力が続けられてきたので，耕地の半分近くが水田にひらかれた。また，この地域は，夏は日中の高温に恵まれ，稲作技術の改良もすすみ，水田の単位面積当たり収量は，日本では最も高い地域の一つとなつている

解答欄 | | | |

〔3〕　次に示す日本の工業に関する問1～問3の問題について答えよ。

問1　第二次世界大戦中から今日にかけて，日本の工業は急速な変化をとげつつある。その急速な変化とは

1　生産の急激な上昇　　2　重化学工業化　　3　軽工業部門の絶対的減少傾向　　4　資本の集中化　　5　生産設備の近代化

などいろいろといわれている。次のグラフは，以上1～5のどれを最もよく物語つているか。解答欄に番号で答えよ。

工業出荷額（生産額）の構成（%）

	金属	機械	化学	繊維	食品	その他
昭和9—11年平均	17.7	13.8	17.8	33.4	8.5	8.8
昭和31年	20.3	18.6	18.2	17.3	12.2	13.4

解答欄

問2　日本の工業の大半は四大工業地帯に，集中している。そのうちでも，交通や市場に恵まれた中京工業地帯は，戦前に比較して躍進がめだつている。次の表中のA～Cはそれぞれ　1　京浜　　2　中京　　3　阪神　　4　北九州　のどれに相当するか。解答欄に番号で答えよ。

正答率

問題番号	全国	全琉	全国定	全琉定
2		44.4		44.3
6		32.8		31.1
8		41.6		42.6
10		58.8		75.4
〔3〕	34.6	30.5	29.4	24.4
問1		47.1		36.1
問2		34.8		27.0

四大工業地帯における生産額の全国比（%）の推移

工業地帯	A	B	C	D	計
昭和10年	10.7	29.8	8.7	22.7	71.9
25年	12.0	23.6	6.2	21.8	63.6
31年	12.6	22.5	4.7	25.2	65.0

解答欄

A	B	C

問3　工業の発展とともに，新しい工業地域が各地につくられてきた。それは，特に関東・東海・近畿《きんき》・瀬戸内・北九州にわたる臨海地域に集中してみられる。次のA群にあげた都市では，どのような工業が中心となつているか。B群の中から工業の種類をそれぞれ一つずつ選んで，解答欄に番号で答えよ。ただし同じ番号の使用は，一回だけとは限らない。

A群　都市
- ア　姫路市に合併された広畑
- イ　遠浅の海岸をうめたて，港湾と工業用地をつくりあげた千葉
- ウ　錦川の形成するデルタの上にあり，比較的工業用水に恵まれた岩国
- エ　もと海軍燃料廠《しょう》あとを利用して成長した四日市
- オ　近くに銅山をひかえ，石炭の輸送にも恵まれた新居浜

B群　工業の種類
- 1　鉄鋼業
- 2　石油精製業
- 3　石油精製と化学繊維工業
- 4　造船工業
- 5　化学肥料工業と金属工業

解答欄

都市	ア	イ	ウ	エ	オ
工業の種類					

問題番号	正答率 全国	正答率 全琉	正答率 全国定	正答率 全琉定
A		40.5		31.1
B		27.9		22.9
C		36.1		27.9
問3		24.5		20.3
ア		19.7		14.8
イ		8.3		0
ウ		42.1		34.4
エ		36.4		27.9
オ		16.2		24.6

〔4〕 次の(ア)～(オ)のクライモグラフは，それぞれどんな気候を示しているか。A群の気候区の中から最も適当なものをえらび，さらにC群からは，各クライモグラフの示す気候要素が観測された地名を選んで，それぞれ，その番号を解答欄に一つずつ記入せよ。

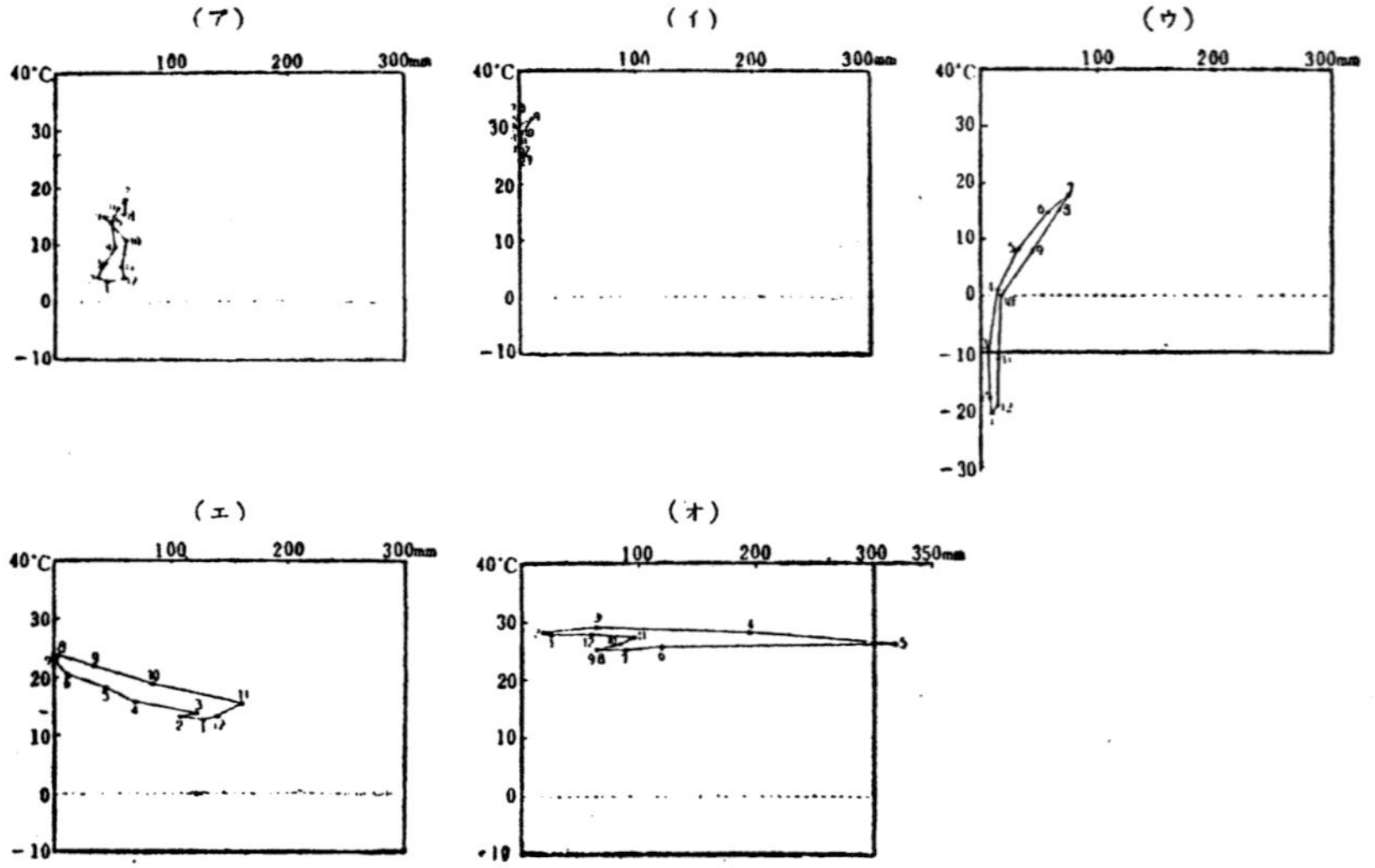

A 群 〔気候区〕

1 熱帯雨林気候　2 サバナ気候　3 砂漠気候　4 ステップ気候　5 地中海性気候
6 温帯モンスーン気候　7 西岸海洋性気候　8 亜寒帯（針葉樹林またはタイガ）気候　9 ツンドラ気候

B 群 〔産 物〕

1 米　2 じゃがいも　3 なつめやし　4 こうりゃん
5 コルクがし　6 ライ麦　7 さとうきび綿花

C 群 〔地 名〕

1 イルクーツク　2 鹿児島　3 パリ　4 ジブラルタル
5 ジャカルタ　6 アデン　7 モンバサ（東アフリカ）

解答欄

クライモグラフ	(ア)	(イ)	(ウ)	(エ)	(オ)
A 群					
B 群					
C 群					

正答率

問題番号	全国	全琉	全国定	全琉定
〔4〕	21.7	14.9	14.0	6.1
A B		10.2		3.9
ア		5.2		1.6
イ		26.8		11.5
ウ		10.9		3.3
エ		14.4		1.6
オ		3.5		1.6
C		19.7		8.2
ア		19.5		6.6
イ		13.5		4.9
ウ		32.2		13.1
エ		13.2		4.9
オ		20.3		11.5

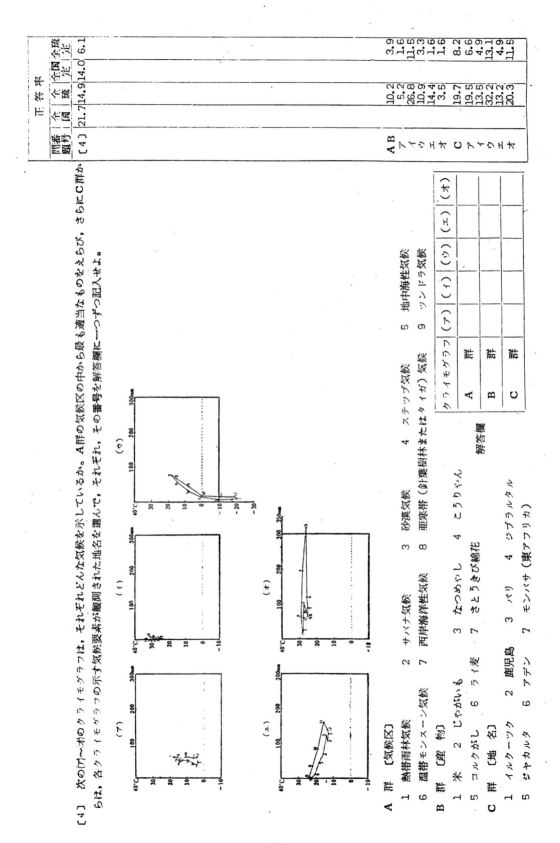

〔5〕 次の八つの世界地図はそれぞれ農畜産物の分布をあらわしたものである。各地図は解答欄に示した農畜産物のどれをあらわしたものであるか。該当する地図の番号を解答欄に記入せよ。

凡例 ▤ 生産地 ■ 主産地

1

2

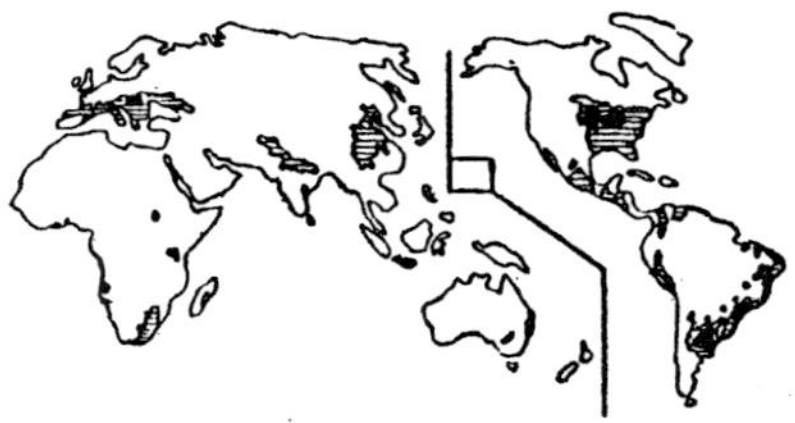

3

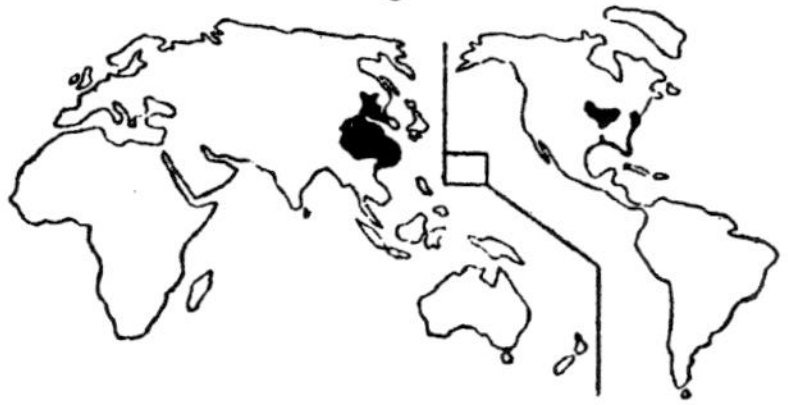

4

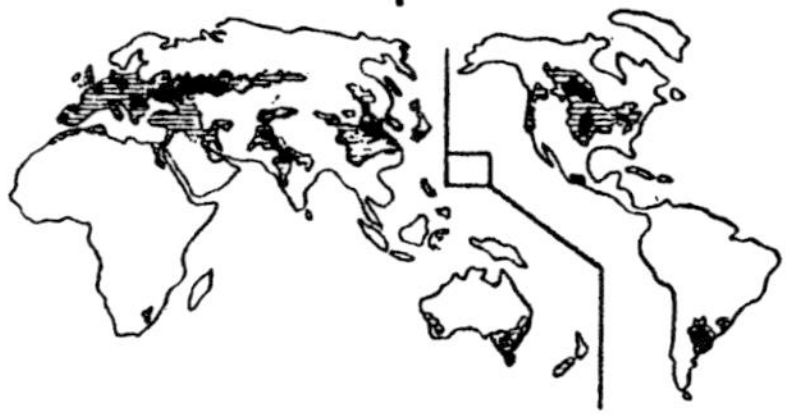

正答率				
問番題号	全国	全琉	全国定	全琉定
〔5〕	52.0	40.8	39.1	24.9

5

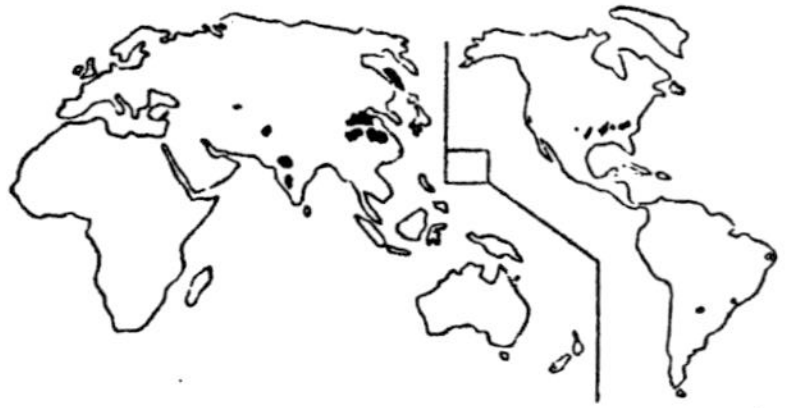

6

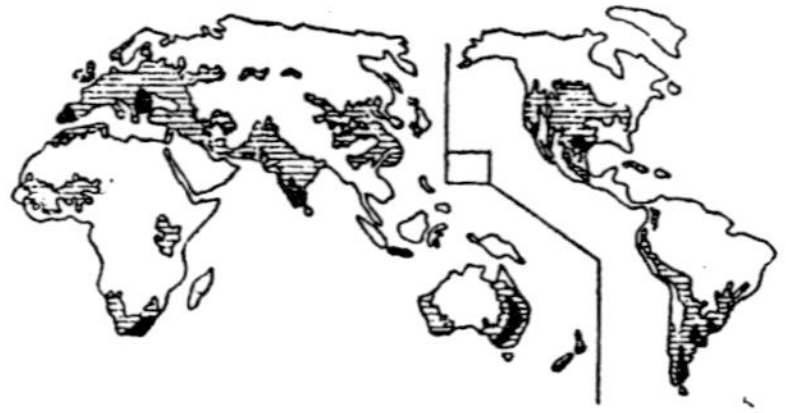

7

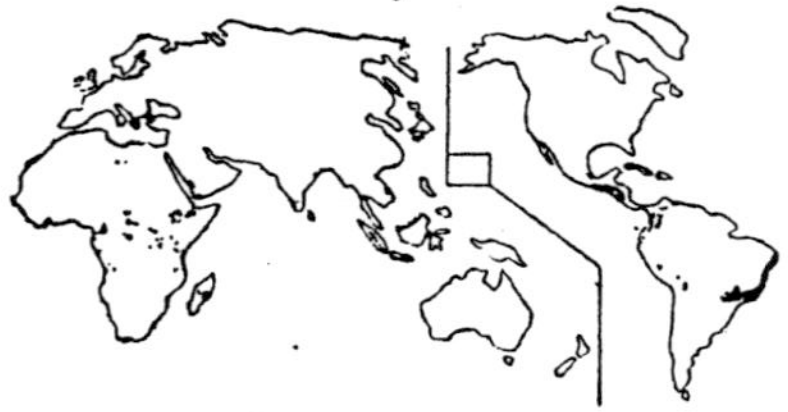

8

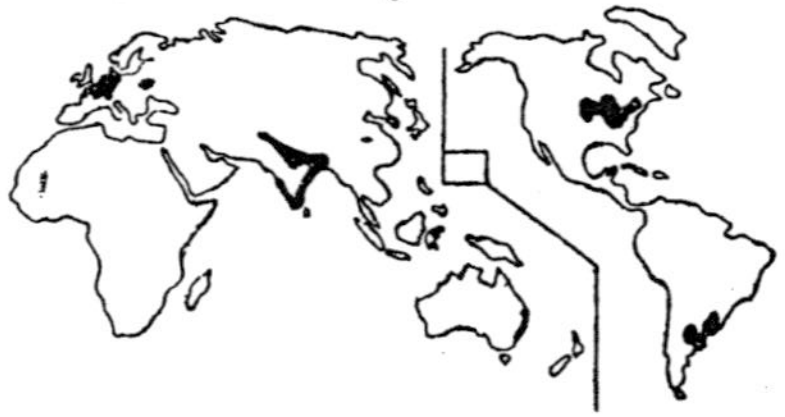

解答欄

産　物	(a)大　豆	(b)小　麦	(c)さとうきび	(d)とうもろこし	(e)　羊	(f)　牛
地　図						

正答率				
問番題号	全国	全琉	全国定	全琉定
a		40.7		27.9
b		35.3		18.0
c		58.3		32.8
d		33 0		21.3
e		45.5		26.2
f		31.6		22.9

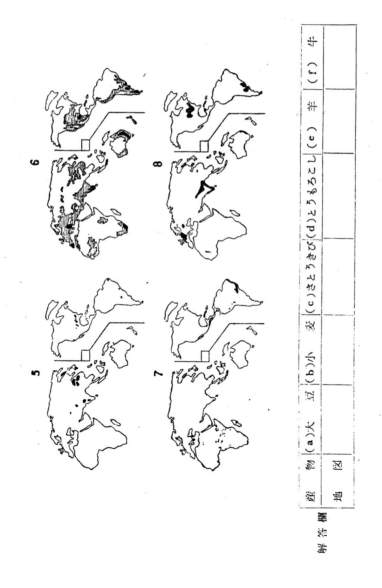

〔6〕 次の（a）～（e）の表は，それぞれある国と日本との貿易（1958年）を示したものである。各表にあてはまる国を表の下に付記してある事項をも参考にして，下の国名群の中から選び，その番号を解答欄に記入せよ。

1 中華民国（台湾）　2 パキスタン　3 フィリッピン　4 マラヤ連邦　5 インド
6 インドネシア　7 カナダ　8 西ドイツ　9 ソビエト連邦　10 イギリス

（a）　億円

日本から輸入		日本へ輸出	
鉄鋼	142.2	鉄鉱石	107.9
機械類	51.5	綿花	95.0
車両部品	31.4	綿紡くず	24.0
人絹糸	9.6	マンガン鉱	12.4
金属製品	6.6	鉄くず	11.8
化繊織物	1.8	雲母	8.2
綿織物	1.4	皮革類	5.5
医療用機械	1.2	塩	5.4
計(その他とも)	305.2	計(その他とも)	267.8

1. 北回帰線がだいたい国土の中央を通る。
2. 人口密度 120人/km2

（b）　億円

日本から輸入		日本へ輸出	
機械類	80.6	木材	197.3
鉄鋼	59.1	銅鉱石	53.3
綿織物	47.2	鉄鉱石	47.8
魚介《かい》類	24.1	麻類	34.9
金属製品	18.6	糖みつ	14.2
客車・貨車	5.0	クローム鉱	5.7
セメント	2.6	マンガン鉱	2.3
グルタミン酸	2.0	鉄くず	0.1
陶磁器	1.3	さとう	0.1
計(その他とも)	322.4	計(その他とも)	359.1

1. だいたいの位置 北緯5°～北緯20°
2. 人口密度 76人/km2

正答率				
問題番号	全国	全琉	全国定	全琉定
〔6〕	41.2	31.9	31.0	26.2

（c）　　　億円

日本から輸入		日本へ輸出	
衣類	54.7	小麦	248.4
金属製品	21.8	鉄鉱石	41.1
機械類	20.7	大麦	30.3
綿織物	18.4	亜麻の種	21.5
光学機器	15.8	石綿	18.0
玩《がん》具	15.7	人絹パルプ	10.2
合板	13.9	合成ゴム	9.7
鉄鋼	13.5	なたね	6.3
魚介《かい》類	11.5	原皮類	3.3
絹織物	5.9	木材	2.4
計(その他とも)	274.7	計(その他とも)	436.9

1. だいたいの位置　北緯50°～北緯80°
2. 人口密度　2人/km2

（d）　　　億円

日本から輸入		日本へ輸出	
化学肥料	72.0	さとう	115,4
機械類	65.7	米	105.2
鉄鋼	52.2	バナナ	20.0
船舶	26.2	塩	8.1
金属製品	21.1	パインアップル	7.1
セメント	5.2	銅鉱石	5.2
紙類	4.3	石炭	2.2
魚介《かい》類	2.3	たけのこ	1.9
計(その他とも)	324.1	計(その他とも)	272.3

1. 北回帰線がだいたい国土の中央を通る。
2. 人口密度　264人/km2

（e）　　　億円

日本から輸入		日本へ輸出	
化繊織物	21.2	機械類	191.4
綿織物	16.0	カリ肥料	24.9
魚油・鯨油	14.2	有機薬品	12.5
魚介《かい》類	8.0	医薬品	11.9
機械類	7.3	染料	9.5
葉たばこ	6.4	測量機械	6.5
鉄鉱	5.6	鉄鋼	3.5
絹織物	2.9	動物・植物性油脂	1.7
生糸	2.3		
計(その他とも)	157.8	計(その他とも)	325.0

1. だいたいの位置　北緯47°～北緯55°
2. 人口密度　208人/km2

解答欄

表	(a)	(b)	(c)	(d)	(e)
国名					

正答率

問題番号	全国	全琉	全国定	全琉定
a		29.2		18.0
b		23.8		21.3
c		35.2		21.3
d		38.0		45.9
e		33.3		24.6

〔7〕

問　1　次のA群のa～dのことがらを示す場合には，B群の投影法のうち，どれを選んだら最もよいか。**一つずつ選んで**，その**番号**を解答欄に記入せよ。

A　群

a　世界の三要航路　b　ユーラシア人口密度　c　世界の植物帯　d　世界の工業地帯

B　群

1　ボンヌ図法　2　モルワイデ図法　3　正(直)射図法　4　グード（ホモロサイン）図法　5　メルカトル図法

解答欄

A　群	a	b	c	d
B　群				

問　2

問1に示したA群のa～dのそれぞれの事項を研究する場合に，あわせて利用すると，最も役だつと思われる図表を，次のa～dのおのおのの中からそれぞれ**二つずつ**選んで，その**番号**を解答欄に記入せよ。

a　1　国別貿易額の表　2　世界の内陸水路分布図　3　国別第三次産業人口率の表
　4　世界の大陸棚《だな》分布図

b　1　ユーラシアの民族分布図　2　ユーラシアの米作地域図　3　ユーラシアの都市分布図
　4　ユーラシアの人口移動図

c　1　世界の地形図　2　世界各地における経済発展段階区分図　3　世界の土壌《じょう》分布図
　4　世界の海流図

d　1　世界の宗教分布図　2　世界の油田分布図　3　世界の炭田分布図
　4　世界の人口密度図

解答欄

a		b		c		d	

問題番号	正答率 全国	全琉	全国定	全琉定
〔7〕	40.3	42.0	35.6	33.6
問1		27.5		22.1
a		44.0		31.4
b		27.7		16.4
c		20.8		16.4
d		17.6		24.6
問2		49.3		39.3
a　1		42.2		29.5
3		23.9		22.9
b　2		29.9		27.9
3		45.2		42.6
c　1		80.9		65.6
3		74.9		44.3
d　3		28.8		24.6
4		63.4		57.4

高等学校化学調査問題

以下の各問題を解くについて，原子量が必要な場合には，特に問題の中にことわつた場合を除き，次の値を用いよ。

H＝1　C＝12　N＝14　O＝16　Na＝23　S＝32　Ag＝108

〔1〕　次の物質の化学式（分子式）を書け。

(1)　酸　素

(2)　硫化水素

(3)　炭酸水素ナトリウム（重曹《そう》）

(4)　ベンゼン

答	(1)	(2)	(3)	(4)

〔2〕　次の化学式で示される物質1モルは何グラムか。

(1)　$AgNO_3$

(2)　$C_3H_5(OH)_3$

答	(1)　　グラム	(2)　　グラム

〔3〕

(1)　硫酸の0.1グラム当量は何グラムか。

(2)　水酸化ナトリウム（カセイソーダ）の4グラムは何グラム当量か。

(3)　水酸化ナトリウムの8グラムとちょうど中和する硫酸の量は何グラムか。

答	(1)	(2)	(3)
	グラム	グラム当量	グラム

〔4〕　次の化学変化を化学反応式で書きあらわせ。

(1)　アンモニア（NH_3）の気体と，塩化水素（HCl）の気体をまぜると，化合して固体の塩化アンモニウム（NH_4Cl）ができるため，白い煙が見られる。

(2)　大理石（$CaCO_3$）に希塩酸（HClのうすい水溶液）を注ぐと，気体の二酸化炭素（CO_2）が発生する。

答	
(1)	→
(2)	→

正答率

問題番号	全国	全琉	全国定	全琉定
〔1〕	34.7	30.4	17.2	16.5
1		53.4		25.3
2		21.5		7.8
3		18.7		2.3
4		28.1		12.6
〔2〕	47.4	36.9	26.1	12.6
1		37.1		21.4
2		36.8		23.9
〔3〕		14.9		1.9
1		13.9		4.5
2	20.3 (1・2)	20.0	6.0 (1・2)	5.8
3	11.3	10.7	2.4	5.7
〔4〕		41.7		33.9
1	73.9	65.8	56.6	64.5
2	24.7	17.4	6.0	7.3

〔5〕 下の図は，硝酸カリウム（a） 塩化カリウム（b） 塩素酸カリウム（c） の溶解度曲線である。

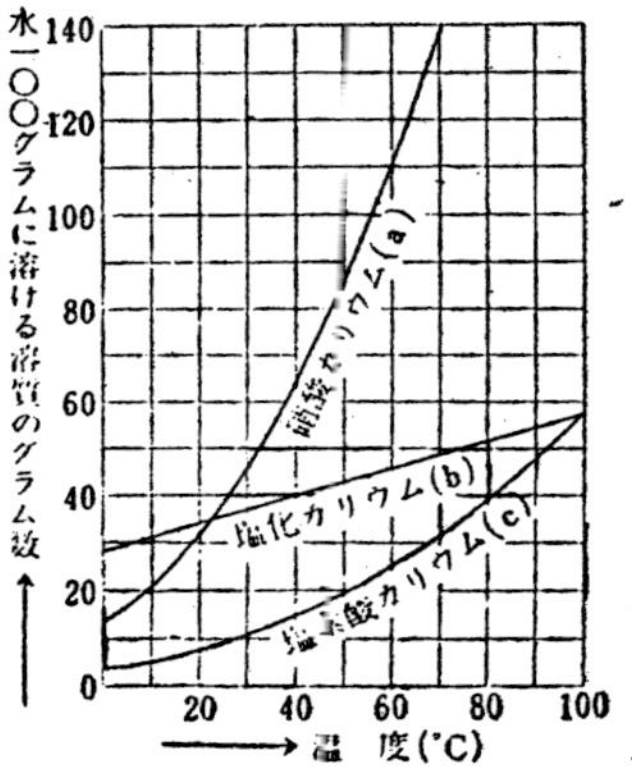

(1) 硝酸カリウム，塩化カリウム，塩素酸カリウムのそれぞれを40グラムずつはかつて，別々に100グラムの水に溶かし，熱して100°Cまでに温度を上げる。次に，この三つの溶液を同じ速さで温度を下げていくと，結晶《けつしょう》の出る順序は，次のア～オのうちどれか。符号で答えよ。

ア （a），（b），（c）の順　　エ （b），（a），（c）の順

イ （b），（c），（a）の順　　オ （c），（b），（a）の順

ウ （c），（a），（b）の順

(2) 上の三つの溶液をそれぞれ10°Cまで下げたとき，どの溶液が最も多量の結晶を析出するか。

(3) 20°Cにおける硝酸カリウムの飽和溶液の濃度は約何パーセントか。

答	(1)	(2)	(3)
			%

〔6〕 希硫酸と亜鉛を使つて水素を発生させ，その性質を調べる実験をしたい。これについて、次のそれぞれの問いに答えよ。答えはそれぞれの符号を解答欄に記入せよ。

(1) 発生に使う装置は，右の上の図のうちでどれがいちばんよいか。

(2) 集気びんに水素だけを捕集する方法は，右の下の図のうちでどれがいちばんよいか。

(3) 水素を捕集するときには，どのような注意が必要か。次のうちから，いちばんよいものを一つ選べ。

(ア) 水素が発生しはじめてから10分間たつてから捕集する。

(イ) 水素が発生しはじめてから3分以内に捕集してしまい，それ以後のものは捨てる。

(ウ) 発生する水素を試験管に集め，点火して，かん高い爆音がしなくなつてから捕集する。

(エ) 発生器の導管に直接点火し，静かに燃えることを確かめてから捕集する。

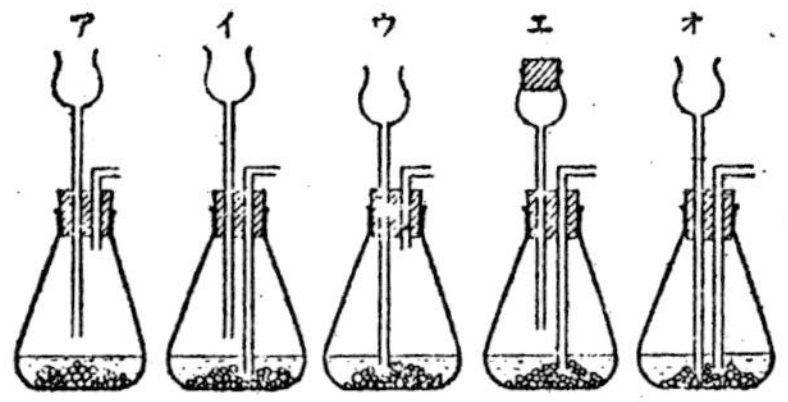

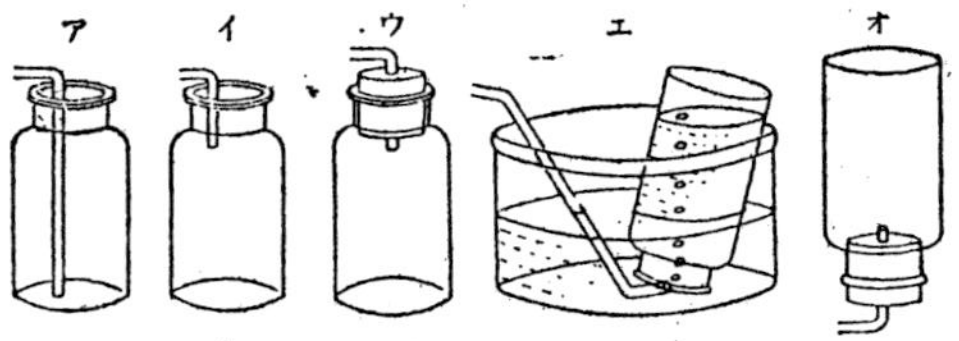

答	(1)	(2)	(3)

正答率

問題番号	全国	全琉	全国定	全琉定
〔5〕		24.3		16.3
1	40.7	28.3	26.6	20.5
2		32.5		25.2
3	13.1	12.2	5.4	3.2
〔6〕		45.7		37.7
1	69.1	43.7	57.6	30.8
2		71.9		60.3
3	25.1	21.5	22.1	22.2

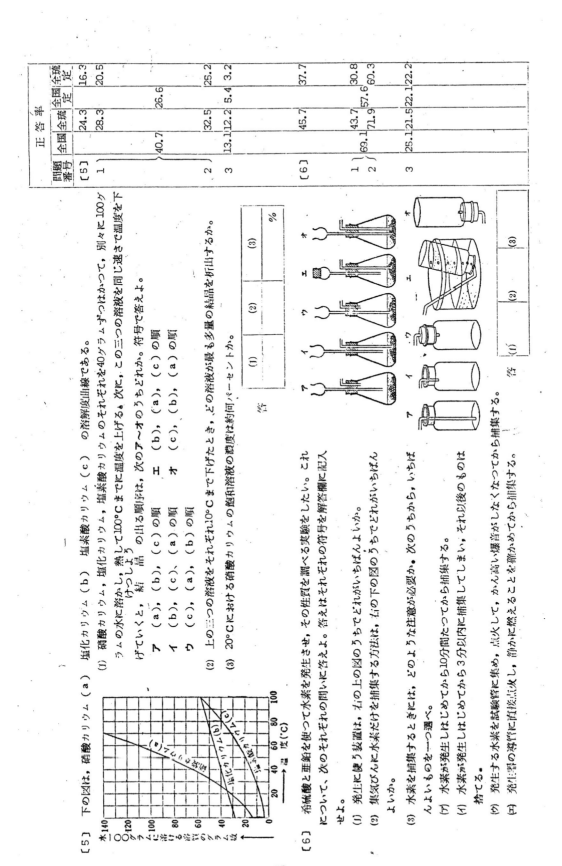

〔7〕 試薬びん（A～D）のレッテルがはがれていた。そのレッテルには，それぞれアンモニア水，塩酸，硫酸，水酸化ナトリウム（カセイソーダ）と書いてあつた。そこで試薬びんの中の薬品について実験をしてみたら，次の1～4のようなことがらがわかつた。

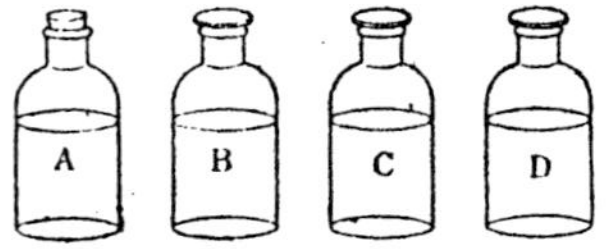

1 リトマス試験紙で調べたら，赤色が青色になつたのは，AとCの試薬びんの中の薬品であつた。
2 リトマス試験紙の青色が赤色になつたのは，B，Dの試薬びんの中の薬品であつた。
3 B，Dの薬品を一滴《てき》ずつ紙につけて，火であぶつたら，Bは紙が黒くこげた。
4 Cの試薬びんの栓《せん》をぬいたら，つんと鼻をつくにおいがした。これにDの試薬びんの栓をぬいて，CとDを近づけたら，白煙がたつた。

以上のことから判断して，アンモニア水，塩酸，硫酸，水酸化ナトリウム（カセイソーダ）溶液はそれぞれどの試薬びんにはいつているか。下の解答欄にそれぞれあてはまる符号（A，B，C，D）を書き入れよ。

答

アンモニア水	
塩　酸	
硫　酸	
水酸化ナトリウム溶液	

〔8〕

(1) 下の表は，周期律表の一部である。(ア)～(エ)にはいるべき元素記号を書け。

周期＼族	Ⅰ	Ⅱ	Ⅲ	Ⅳ	Ⅴ	Ⅵ	Ⅶ	0
1	H							He
2	Li	Be	B	(ア)	N	(イ)	F	(ウ)
3	Na	Mg	Al	Si	P	S	(エ)	Ar

(2) 次の化合物の化学式（分子式）を書け。
(ア) ナトリウムとフッ素の化合物
(イ) 窒素とマグネシウムの化合物

答

(1)	(ア)	(イ)	(ウ)	(エ)
(2)	(ア)	(イ)		

正答率

問題番号	全国	全琉	全国定	全琉定
〔7〕	63.4	49.1	41.5	34.7
アンモニヤ水		69.6		53.2
塩　酸		37.2		24.4
硫　酸		39.4		35.6
水酸化ナトリウム溶液		50.3		30.3
〔8〕		24.8		16.7
1	27.9	25.2	15.9	25.7
ア		30.3		37.2
イ		30.9		33.5
ウ		21.7		18.6
エ		18.1		13.5
2	20.6	23.8	12.4	20.2
ア		37.0		37.4
イ		10.6		2.9

〔9〕 ナトリウム原子は原子番号11，原子量22.991である。普通のナトリウム原子について，次の(1)～(3)の数は，下のA～Fのうち，それぞれどれか。答えは符号（A～F）で解答欄に記入せよ。

(1) ナトリウム原子の質量数

(2) ナトリウム原子のもつている電子の数

(3) ナトリウムの原子核に含まれている中性子の数

A 11	**B** 12	**C** 22
D 23	**E** 33	**F** 34

答

(1)	(2)	(3)

〔10〕 次に示す金属の中から，下の各項にあてはまるものを一つずつ選び，解答欄に元素記号で記入せよ。

Na,　Zn,　Fe,　Cu,　Pt,　Au

(1) 常温で水を分解して水素を発生する金属

(2) アルカリ性水溶液には溶けないが，うすい酸には溶けて水素を発生する金属

(3) うすい酸にもアルカリにも溶けて水素を発生する金属

(4) うすい塩酸や硫酸には溶けないが，硝酸には溶ける金属

答

(1)	(2)	(3)	(4)

〔11〕

(1) 右の図のような装置で電気分解の実験をしたとき，銅板A，白金板Bの各電極で起こる反応は，次の(ア)～(カ)のうちどれか。

(ア) 銅が析出する　(イ) 銅が溶ける

(ウ) 白金が析出する　(エ) 白金が溶ける

(オ) 酸素が発生する　(カ) 水素が発生する

答

銅板A	
白金板B	

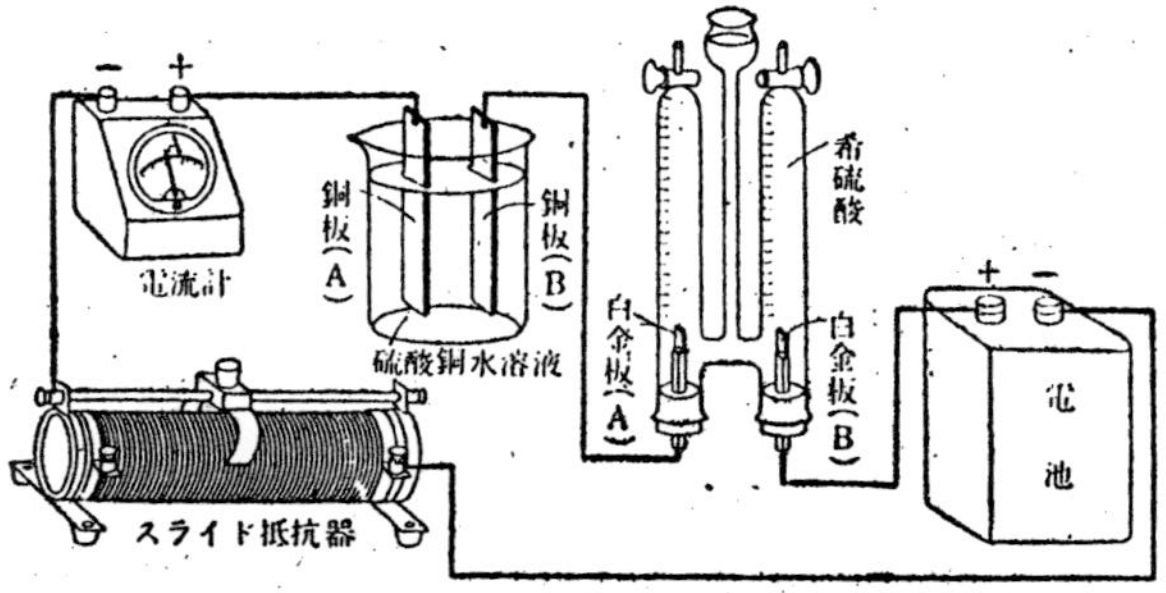

(2) 水の電気分解をした。1ファラデー（96500クーロン）の電気量で，標準状態（0°C，1気圧）の水素 11.2l が得られた。同じ電気量で酸素は0°C，1気圧下で何 l 得られるか。

答 ______ l

正答率

問題番号	全国	全琉	全国定	全琉定
〔9〕	37.9	31.6	27.2	27.8
(1)		36.3		32.5
(2)		36.5		33.1
(3)		22.1		17.8
〔10〕	26.1	24.5	19.8	18.0
(1)		38.7		31.6
(2)		17.5		13.5
(3)		23.5		16.2
(4)		18.1		10.7
〔11〕	26.9	21.2	18.9	14.9
(1)		22.8		19.7
銅板A		22.1		16.2
白金板B		23 4		23.1
(2)		18.0		5.3

〔12〕 次のア～オの反応の中から，（a），（b），（c）にあてはまるものを一つずつ選んで，ア～オの符号で解答欄に記入せよ。

（a） 酸化，還元反応

（b） 中和反応

（c） 可逆反応

ア $BaCl_2+H_2SO_4 \longrightarrow BaSO_4+2HCl$

イ $SnCl_2+HgCl_2 \longrightarrow SnCl_4+Hg$

ウ $KOH+HNO_3 \longrightarrow KNO_3+H_2O$

エ $Na_2O+H_2O \longrightarrow 2NaOH$

オ $CaCO_3+H_2O+CO_2 \rightleftarrows Ca(HCO_3)_2$

答

（a）	
（b）	
（c）	

〔13〕

(1) ある気体の炭化水素の重量組成は，およそ炭素80%，水素20%であった。この物質の実験式は，次の(ア)～(オ)のうちのどれか。符号で解答欄に記入せよ。

(ア) CH (イ) CH_2 (ウ) CH_3 (エ) C_2H_3 (オ) CH_4

(2) ある気体の標準状態（0°C，1気圧）における密度は1.36g/l であった。この物質の分子量は，次の(ア)～(オ)のうちのどれか。符号で解答欄に記入せよ。

(ア) 15 (イ) 30 (ウ) 40 (エ) 45 (オ) 60

(3) ある物質の実験式はCH_2Oで，分子量は60であった。この物質の分子式を解答欄に記入せよ。

答

(1)	(2)	(3)

正答率

問題番号	全国	全琉	全国定	全琉定
〔12〕	45.0	42.4	35.7	37.4
a		20.5		21.4
b		35.1		26.9
c		71.6		63.9
〔13〕		27.9		13.4
(1)	36.9	27.8	22.5	13.5
(2)	40.5	33.5	28.3	20.3
(3)	22.3	22.3	6.9	6.4

〔14〕 次の化学反応式は，アセチレンが完全に燃えて二酸化炭素と水ができることを示す。

$$2C_2H_2+5O_2 \longrightarrow 4CO_2+2H_2O$$

この反応について，次の問いに答えよ。

(1) アセチレン2lと化合する酸素の体積は，同温，同圧のもとで何lか。

(2) アセチレン26g（1モル）から二酸化炭素は何 g できるか。

(3) アセチレン13gから，0°C，1気圧の二酸化炭素が何lできるか。

答

(1)	(2)	(3)
l	g	l

〔15〕 次の(ア)〜(カ)の構造式の中から，（a），（b）にそれぞれあてはまるものを選んで，符号で解答欄に記入せよ。

（a） $CH_3 \cdot CH(CH_3) \cdot (CH_2)_2 \cdot CH_3$ に当たるものはどれか。

（b） 互いに異性体であるものは，どれとどれか。

(ア)

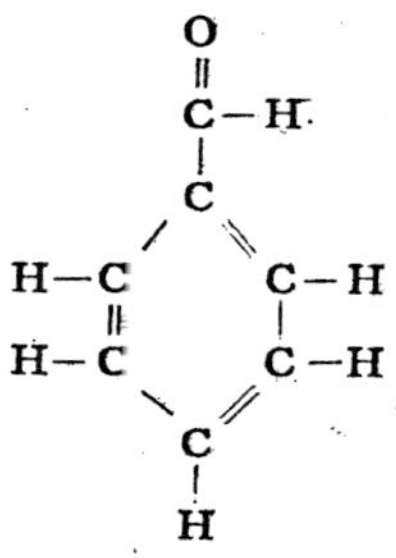

(イ)

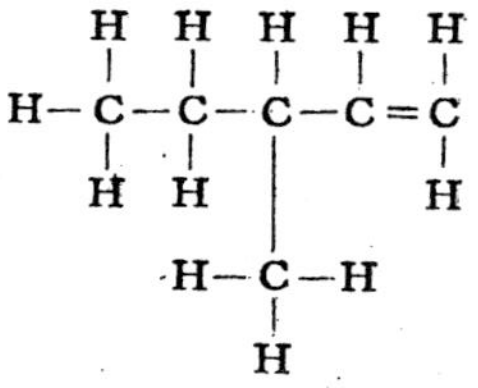

(ウ)

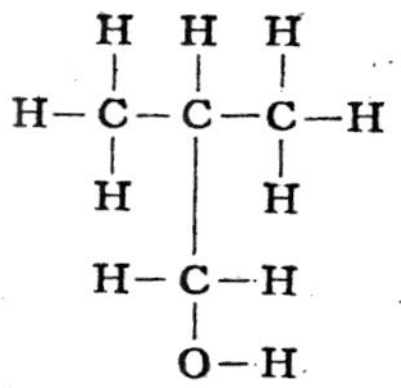

(エ)

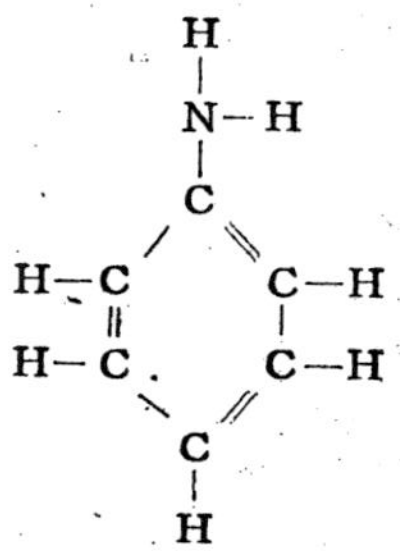

(オ)

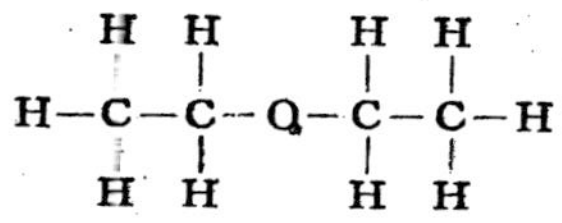

(カ)

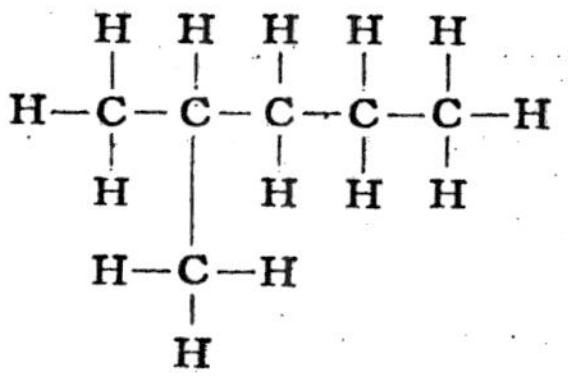

答

（a）		
（b）	と	

正答率

問題番号	全国	全琉	全国定	全琉定
〔14〕		16.8		5.2
(1)	29.8	23.6	10.1	9.6
(2)		17.3		4.1
(3)	13.5	9.6	3.4	1.9
〔15〕		56.7		38.0
a	77.8	73.9	57.4	52.8
b	39.0	39.5	23.0	23.3

〔16〕 次の（A）の（a）～（e）にあてはまる物質を，（B）の中から一つずつ選んで，ア～クの符号で解答欄に記入せよ。

（A） （a） アルコール　（b） アルデヒド　（c） エーテル　（d） 炭水化物
（e） アミノ酸

（B） ア C_2H_4　イ $C_6H_{12}O_6$　ウ $CH_2(NH_2)\cdot COOH$　エ $CH_3\cdot O\cdot CH_3$
オ $C_6H_5\cdot CH_3$　カ $H\cdot CHO$　キ C_2H_5OH　ク $C_{15}H_{31}COONa$

答

（a）	（b）	（c）	（d）	（e）

〔17〕 次の(ア)，(イ)の物質を実験室でつくるとき，必要な薬品は，次のa～fのうちどの組合わせか。それぞれ一つずつ選んで，その符号を解答欄に記入せよ。

(ア) アニリン　(イ) 酢酸エチル

a ニトロベンゼンと濃塩酸と亜硝酸ナトリウム
b ニトロベンゼンと濃塩酸とスズ
c クロルベンゼンと濃塩酸とスズ
d 氷酢酸とメタノールと濃硫酸
e 氷酢酸とエタノールと水酸化ナトリウム
f 氷酢酸とエタノールと濃硫酸

答

(ア)	(イ)

問題番号	正答率 全国	全琉	全国定	全琉定
〔16〕	31.2	30.5	17.4	16.0
a		40.3		20.1
b		30.8		13.7
c		25.5		15.4
d		31.5		16.5
e		24.4		15.6
〔17〕	49.0	40.7	39.3	35.4
ア		46.2		41.7
イ		35.2		29.1

昭和35年度

全国学力調査採点基準

小学校用

社会科正答表

問題番号			正答	配点	採点上の注意
〔1〕	(あ)		3	1	
	(い)		2	1	
	(う)		1	1	
	(え)	①	3	1	両方あつているもののみ正答
		②	2		
	(お)		2	1	
	(か)		3	1	
〔2〕	(あ)	①	3	3	三つともあつているもののみ正答
		②	2		
		③	4		
	(い)		4	3	(あ)③が正答のもののみ正答
	(う)		2	3	両方あつているもののみ正答
			5		
〔3〕	(あ)	①	5	2	両方あつているもののみ正答
		②	8		
	(い)	①	1	2	〃
		②	7		
	(う)	①	9	2	〃
		②	3		
	(え)	①	4	2	〃
		②	11		
〔4〕	(あ)		1	5	四つともあつているもののみ正答
	(い)		3		
	(う)		2		
	(え)		4		
〔5〕	(あ)		2	2	
	(い)		4	2	
	(う)		1	2	
	(え)		3	2	
	(お)		6	2	
〔6〕	(1)	1	い	2	
		2	お	2	
		3	あ	2	
	(2)	(ア)	3	3	三つともあつているもののみ正答
		(イ)	1		
		(ウ)	2		

問題番号				正答	配点	採点上の注意
〔7〕	(あ)		①	2	3	三つともあつているもののみ正答
			②	3		
			③	1		
	(い)		①	1	3	〃
			②	1		
			③	3		
〔8〕				1,2,5	5	三つともあつているもののみ正答
〔9〕	(あ)		①	3	4	三つともあつているもののも正答
			③	1		
			③	2		
	(い)		①	2	4	〃
			②	1		
			③	3		
〔10〕	(あ)		①	3	3	四つともあつているもののみ正答
			②	2		
			③	1		
			④	3		
	(い)		①	3	3	三つともあつているもののみ正答
			②	1		
			③	2		
	(う)		①	1	3	〃
			②	3		
			③	1		
〔11〕	(あ)			3	2	
	(う)			1	2	
	(え)			4	2	
	(お)			2	2	
〔12〕	(1)	A図	(あ)	3	2	両方あつているもののみ正答
			(い)	2		
		B図	(あ)	4	2	〃
			(い)	6		
	(2)			4	3	
〔13〕	①			3	5	四つともあつているもののみ正答
	②			2		
	③			1		
	④			2		
〔14〕				3	5	

小　学　校　用

理　科　正　答　表

問題番号		正　答	配点	採点上の注意
〔1〕	ア	2	2.5	名まえを記入したものもあつていれば正答
	イ	4	2.5	
	ウ	1	2.5	
	エ	6	2.5	
〔2〕	(ア)	2	2.5	
	(イ)	4	2.5	
〔3〕		5	2.5	
〔4〕		1	2.5	
〔5〕		2	2.5	
〔6〕		4	2.5	
〔7〕		3	2.5	
〔8〕	(ア)	5	2.5	
	(イ)	2	2.5	
〔9〕		2	2.5	
〔10〕		3	2.5	
〔11〕		3	2.5	
〔12〕		5	2.5	
〔13〕		3	2.5	
〔14〕		4	2.5	
〔15〕	(ア)	4	2.5	
	(イ)	4	2.5	
〔16〕		5	2.5	
〔17〕		3	2.5	
〔18〕		4	2.5	
〔19〕		2	2.5	
〔20〕		4	2.5	
〔21〕		1	2.5	
〔22〕		5	2.5	
〔23〕		3	2.5	
〔24〕		2	2.5	
〔25〕		3	2.5	
〔26〕		7	2.5	
〔27〕		3	2.5	
〔28〕		5	2.5	
〔29〕		3	2.5	
〔30〕	(ア)	14	2.5	
	(イ)	43	2.5	
	(ウ)	39.5	2.5	
	(エ)	0	2.5	
〔31〕		2	2.5	

中学校用

社会科　正答表

問題番号				正答	配点	採点上の注意
〔1〕	問1	イ		5	1	
		ウ		1	1	
		エ		4	1	
	問2			ウ	2	
	問3			3	2	
	問4			2	2	順序はかまわない
				6	2	
〔2〕	問1	A	Ⅰ群	3	1	
			Ⅱ群	6	1	
		B	Ⅰ群	1	1	
			Ⅱ群	4	1	
		C	Ⅰ群	2	1	
			Ⅱ群	5	1	
		D	Ⅰ群	4	1	
			Ⅱ群	1	1	
		E	Ⅰ群	5	1	
			Ⅱ群	3	1	
	問2	A		4	1	
		B		5	1	
〔3〕	a			2	2	
	b			6	2	
	c			4	2	
	d			1	2	
	e			5	2	
〔4〕	問1	1		エ	1	1，2ともに正しいもののみ正答
		2		カ		
		3		イ	1	3，4ともに正しいもののみ正答
		4		ア		
		5		オ	1	5，6ともに正しいもののみ正答
		6		ウ		
	問2	ア	B群	4	1	
			C群	12	1	
		イ	B群	5	1	
			C群	7	1	
		ウ	B群	6	1	
			C群	11	1	
		エ	B群	2	1	
			C群	8	1	
		オ	B群	1	1	
			C群	9	1	
		カ	B群	3	1	
			C群	10	1	
〔5〕	問1	A		2	1	
		B		4	1	
		C		5	1	
		D		1	1	
		E		6	1	
	問2	A		3	1	
		B		2	1	

問題番号				正答	配点	採点上の注意
〔6〕	問1	①		1	1	
		②		1	1	
		③		3	1	
		④		2	1	
		⑤		2	1	
		⑥		3	1	
		⑦		3	1	
		⑧		1	1	
	問2			3	2	
〔7〕	問1	a	Ⅰ群	5	2	Ⅰ群，Ⅱ群ともあつているもののみ正答
			Ⅱ群	5		
		b	Ⅰ群	2	2	〃
			Ⅱ群	1		
		c	Ⅰ群	4	2	〃
			Ⅱ群	2		
	問2	ア		5	2	
		イ		1	2	
		ウ		2	2	
		エ		3	2	
〔8〕	問1	1		エ	1	
		3		カ	1	
		5		キ	1	
		7		イ	1	
		8		ク	1	
	問2			3	1	
〔9〕	a			○，2，4	2	a～eについて解釈の正誤，グラフの二つをすべて正しく記入したものを正答とし，2点を与える。ただしa，c，dについては○をつけグラフの一つが正しければ1点を与える。bは×5，eは×2が記入されておれば1点を与え，bの×3，eの×1は誤答とする。
				○，2	(1)	
				○，4	(1)	
	b			×，3，5	2	
				×，5	(1)	
	c			○，3，6	2	
				○，3	(1)	
				○，6	(1)	
	d			○，3，5	2	
				○，3	(1)	
				○，5	(1)	
	e			×，1，2	2	
				×，2	(1)	
〔10〕	ア			3	1	
	イ			5	1	
	ウ			2	1	
	エ			4	1	
	オ			6	1	

中　学　校　用
理　科　正　答　表

問題番号		正答	配点	採点上の注意
〔1〕	(a)	4	1	単位を記入したものもあつていれば正答
	(b)	1	1	
	(c)	5	1	
	(d)	2	1	
	(e)	3	1	
	(f)	11	1	
	(g)	9	1	
	(h)	10	1	
	(i)	8	1	
	(j)	12	1	
〔2〕	(a)	2	2	
	(b)	1	2	
	(c)	1	2	
	(d)	3	2	
	(e)	1	2	
	(f〕	1	2	
	(g)	3	2	
	(h)	1	2	
	(i)	3	2	
〔3〕	(a)	5	2	
	(b)	8	2	
	(c)	1	2	
〔4〕		A→B→C	2	三つともあつているもののみ正答
〔5〕		3	2	
〔6〕		3	2	
〔7〕	(a)	3	2	
	(b)	1	2	
	(c)	2	2	
〔8〕	(a)	4	2	
	(b)	2	2	
	(c)	2	2	

問題番号		正答	配点	採点上の注意
〔9〕		4	2	
〔10〕	(a)	2	2	
	(b)	3	2	
	(c)	4	2	
	(d)	2	2	
〔11〕	(a)	2	2	
	(b)	2	2	
〔12〕	アンモニア水	C	2	
	塩酸	D	2	
	硫酸	B	2	
	水酸化ナトリウム溶液	A	2	
〔13〕	(a)	50g	2	
	(b)	3	2	
〔14〕	(a)	4	2	
	(b)	2	2	
〔15〕		2	2	
〔16〕	(a)	4	2	
	(b)	3	2	
〔17〕	(a)	3	2	
	(b)	1	2	
	(c)	3	2	
〔18〕	(a)	3	2	
	(b)	4	2	
	(c)	3	2	

高等学校用

日本史　正答表

問題番号		地図の番号	A人物	B事項	C時代	配点	採点上の注意
〔1〕	a	9	7	4	5	2	a～jとも，地図の番号，A人物，B事項，C時代のすべてが正しいもののみ正答
	b	7	／	5	1	2	
	c	11	3	9	2	2	
	d	8	8	6	6	2	
	e	10	1	7	7	2	
	f	5	4	1	4	2	
	g	1	5	2	3	2	
	h	14	9	8	4	2	
	i	15	2	3	7	2	
	j	13	6	10	8	2	

問題番号			正答	配点	採点上の注意
〔2〕	(1)	a	2	1	番号の順序はかまわない。
			4	1	
		b	1	1	〃
			3	1	
		c	3	1	〃
			4	1	
		d	2	1	〃
			3	1	
		e	2	1	〃
			4	1	
	(2)	a	7	1	
		b	3	1	
		c	5	1	
		d	8	1	
		e	4	1	
		f	10	1	
		g	2	1	
		h	9	1	
		i	1	1	
		j	6	1	
〔3〕	(1)	a	5	1	
		b	2	1	
		c	9	1	
		d	6	1	
		e	10	1	
		f	3	1	
	(2)	a	8	1	
		b	5	1	
		c	1	1	
		d	7	1	
	(3)	a	2	1	
		b	3	1	
		c	4	1	
		d	8	1	
		e	9	1	
	(4)	a	4	1	
		b	7	1	
		c	2	1	
		d	5	1	
		e	9	1	

問題番号				正答	配点	採点上の注意
〔4〕		a	A群	6	1	
			B群	4	1	
		b	A群	8	1	
			B群	2	1	
		c	A群	7	1	
			B群	3	1	
		d	A群	4	1	
			B群	8	1	
		e	A群	3	1	
			B群	7	1	
〔5〕	(1)	a	A群	6	1	両方あつているもののみ正答。
			B群	3		
		b	A群	10	1	〃
			B群	10		
		c	A群	15	1	〃
			B群	2		
		d	A群	4	1	〃
			B群	6		
		e	A群	13	1	〃
			B群	13		
		f	A群	14	1	〃
			B群	12		
		g	A群	9	1	〃
			B群	7		
		h	A群	3	1	〃
			B群	9		
		i	A群	12	1	〃
			B群	4		
		j	A群	1	1	〃
			B群	8		
	(2)	a		10	1	
		b		7	1	
		c		5	1	
		d		9	1	
		e		11	1	
		f		3	1	
		g		12	1	
		h		1	1	
		i		2	1	
		j		8	1	
〔6〕		a		2	2	
		b		4	2	
		c		6	2	
		d		10	2	
		e		7	2	

高等学校用
人文地理正答表

問題番号			正　答	配点	採点上の注意
〔1〕	問1	①	1	1	
		②	1	1	
		③	3	1	
		④	2	1	
		⑤	2	1	
		⑥	3	1	
		⑦	3	1	
		⑧	1	1	
	問2		3	2	
〔2〕			2	3	番号の順序はかまわない。
			6	3	
			8	3	
			10	3	
〔3〕	問1		2	1	
	問2	A	2	1	
		B	3	1	
		C	4	1	
	問3	ア	1	2	
		イ	1	2	
		ウ	3	2	
		エ	2	2	
		オ	5	2	
〔4〕	(ア)	A群	7	2	(ア)～(オ)ともA，B群ともにあつているもののみ正答。C群はA，B群の正誤に関係なく正しいものに点を与える。
		B群	2		
		C群	3	1	
	(イ)	A群	3	2	
		B群	3		
		C群	6	1	
	(ウ)	A群	8	2	
		B群	6		
		C群	1	1	
	(エ)	A群	5	2	
		B群	5		
		C群	4	1	
	(オ)	A群	2	2	
		B群	7		
		C群	7	1	
〔5〕	(a)		3	3	
	(b)		4	3	
	(c)		1	3	
	(d)		2	3	
	(e)		6	3	
	(f)		8	3	
〔6〕	(a)		5	3	
	(b)		3	3	
	(c)		7	3	
	(d)		1	3	
	(e)		8	3	
〔7〕	問1	a	5	2	
		b	1	2	
		c	2	2	
		d	4	2	
	問2	a	1	1	番号の順序はかまわない
			3	1	
		b	2	1	〃
			3	1	
		c	1	1	〃
			3	1	
		d	3	1	〃
			4	1	

高等学校用

化学正答表

問題番号		正答	配点	採点上の注意
〔1〕	(1)	O_2	2	大文字と小文字を間違えて書いたものは誤答。数字の位置を誤つて書いたもの O2, C6H6等は誤答。元素記号の順序が異つているものSH_2, H_6C_6 等は正答と認める。
	(2)	H_2S	2	
	(3)	$NaHCO_3$	2	
	(4)	C_6H_6	2	
〔2〕	(1)	170	2	左の数値以外は誤答。
	(2)	92	2	
〔3〕	(1)	4.9	2	同上
	(2)	0.1	2	
	(3)	9.8	2	
〔4〕	(1)	NH_3+HCl $\rightarrow NH_4Cl$	2	係数の誤り，化学式の誤りがあれば誤答。化学式の順序はかまわない。↑↓は採点に関係しない。
	(2)	$CaCO_3+2HCl$ $\rightarrow CaCl_2$ $+H_2O+CO_2$	2	
〔5〕	(1)	オ	2	
	(2)	c	2	
	(3)	24	2	23.5～25の範囲は正答と認める
〔6〕	(1)	ウ	2	
	(2)	エ	2	
	(3)	ウ	2	
〔7〕	アンモニア水	C	2	
	塩酸	D	2	
	硫酸	B	2	
	水酸化ナトリウム	A	2	
〔8〕	(1)(ア)	C	1	
	(イ)	O	1	
	(ウ)	Ne	1	
	(エ)	Cl	1	
	(2)(ア)	NaF	2	FNaも正答と認める。
	(イ)	Mg_3N_2	2	N_2Mg_3 も正答と認める。
〔9〕	(1)	D	2	D，A，Bのかわりに23，11，12を記入したものも正答
	(2)	A	2	
	(3)	B	2	

問題番号		正答	配点	採点上の注意
〔10〕	(1)	Na	2	
	(2)	Fe	2	
	(3)	Zn	2	
	(4)	Cu	2	
〔11〕	(1)銅板A	ア	2	
	白金板B	オ	2	
	(2)	5.6	2	左の数値以外は誤答。
〔12〕	(a)	イ	2	
	(b)	ウ	2	
	(c)	オ	2	
〔13〕	(1)	ウ	2	CH_3も正答。
	(2)	イ	2	30も正答
	(3)	$C_2H_4O_2$	1	$2CH_2O$，$(CH_2O)_2$等は誤答。
〔14〕	(1)	5	2	左の数値以外は誤答。
	(2)	88	2	
	(3)	22.4	2	
〔15〕	(a)	カ	2	
	(b)	ウとオ	2	両方あつているもののみ正答。順序はかまわない
〔16〕	(a)	キ	1	
	(b)	カ	1	
	(c)	エ	1	
	(d)	イ	1	
	(e)	ウ	1	
〔17〕	(ア)	b	2	
	(イ)	f	2	

文部省学習指導要領と琉球の学習指導要領の相違点

(中　学　校)

教科	学年	文部省学習指導要領	琉球の学習指導要領
総則			

文部省学習指導要領

第１　教育課程の編成

１　一般方針

中学校の教育課程は、必修教科、選択教科、道徳、特別教育活動および学校行事等によつて編成することになつており、必修教科は国語、社会、数学、理科音楽、美術、保健体育および技術・家庭の各教科、選択教科は外国語、農業、商業、水産、家庭、数学、音楽および美術の各教科となつている。

２　授業時数の配当

(1)　中学校の各学年における………

区分		第一学年	第二学年	第三学年
必修教科	国語	175(5)	140(4)	175(5)
	社会	140(4)	175(5)	140(4)
	数学	140(4)	140(4)	105(3)
	理科	70(2)	140(4)	140(4)
	音楽	70(2)	70(2)	35(1)
	美術	105(3)	35(1)	35(1)
	保健体育	105(3)	105(3)	105(3)
	技術家庭	105(3)	105(3)	105(3)
選択教科	外国語	105(3)	105(3)	105(3)
	農業	70(2)	70(2)	70(2)

(4)

キ　各学年における各教科道徳および学級活動の授業時数の計は1120単位時間を下つてはならないこととなつている。第２学年および第３学年にあつては、必修教科、選択教科、道徳および学級活動の最低授業時数をとる場合には、これらの計が1120単位時間に達しないようになつているが（規則第54条別表第２図表備考第３号および第４号）各学校において

琉球の学習指導要領

……必修教科は国語、社会、数学、理科、音楽、美術、保健体育、技術・家庭および英語の各教科、選択教科は英語……

区分		第一学年	第二学年	第三学年
必修教科	国語	・	175(5)	・
	社会	・	・	・
	数学	・	・	140(4)
	理科	・	・	・
	音楽	・	・	・
	美術	・	・	・
	保健体育	・	・	・
	技術家庭	・	・	・
	英語	105(3)	＼	＼
選択教科	英語	70(2)	105(3)	105(3)
	農業	・	・	・

キ

……1190単位

時間……

……1190単

位時間…

教科	学年	文部省学習指導要領	琉球の学習指導要領
		は、その実情に即応して、各教科、道徳または学級活動のうち必要と思われるものに授業時数を増して配当し、それらの計が、所定の1120単位時間以上となるようにしなければならないこと。	………1190単位時間……
		3　選択教科の運営	
		(1)	
		ア　学校は毎学年1以上の選択教科について、105単位時間以上を生徒に履修させなければならないことになつており、このうち少なくともいずれか1の教科の授業時数は、70単位時間以上（外国語にあつては105単位時間以上）でなければならないこととなつていること。	ア　学校は毎学年1以上の選択教科について、第一学年にあつては70単位時間以上、第二学年、第三学年にあつては、105単位時間以上を生徒に履修させなければならないこととなつており、このうち少なくともいずれか1の教科の授業時数は70単位時間以上（英語にあつては第二学年、第三学年は105単位時間以上）でなければならないこととなつていること。
		(3)　選択教科のうち外国語については、英語、ドイツ語、フランス語その他の現代の外国語のうちいずれか1か国語を履修させることを原則とし、第一学年から履修させることが望ましい。	全文削除
		(4)	(3)
		(5)	(4)
		(6)	(5)
		4　特　例	
		(3)　特殊学級の教育課程については、生徒の実態に即応し、特に必要がある場合は、特別の教育課程を編成し、実施することができることとなつている	全文削除
		(4)	(3)
		(5)　上記(2)(3)および(4)の場合は、当該中学校の設置者は、市町村の中学校にあつては都道府県教育委員会に、私立の中学校にあつては都道府県知事に届け出なければならないこととなつている。……	(4)　上記(2)および(3)の場合は、公立中学校にあつては設置者、政府立および私立の中学校にあつては学校長が文教局長に届け出なければならないこととなつている……
		第2　指導計画作成および指導の一般方針	
		1	
		(7)　第2章第2節社会「第3指導計画作成および学習指導の方針」の7に示す	

教科	学年	文部省学習指導要領	琉球の学習指導要領
		特例については、これを実施しようとする場合は公立の中学校にあつては市町村の教育委員会に、私立の中学校にあつては都道府県知事に、国立の中学校にあつては文部大臣にあらかじめ届け出るものとすること。 備考　以上適用条項、省略	…………………………………………… ……………………………………………教育区の教育委員会に、政府立および私立の中学校にあつては文教局長にあらかじめ届け出るものとすること。 備考　以上適用条項、省略
農業			
工業			
商業			
水産			
家庭			
道徳			
特活			
国語			
社会	3	3　指導上の留意事項 (1) (2) (3) (4)	(5)　沖縄が国際的に特殊な地位におかれているため、その政治の組織と運営、経済の構造と機能が国や都道府県と異なることに着目し、現状がどのようになつているかを理解させ、それにどう対処していくべきかを考える態度を養うように指導する必要がある。これらの指導にあたつては日本国民としての自覚と、国民的感情を育成するように留意することがたいせつである。
数学			

教科	学年	文部省学習指導要領	琉球の学習指導要領
理科	1	2 内 容 B 第二分野 (2) ア 種子でふえる植物 (ア) 花と種子 a サクラ、アブラナ、キク、エンドウ、イネやアヤメのそれぞれの仲間の花の構造を調べ、それぞれの特徴やそれらの間の違いを理解する。 イ 胞子でふえる植物 (ア) シダ類、コケ類、海ソウ類 a スギナ、ワラビ、ゼニゴケなどに胞子ができることを調べる	a サクラ、ダイコン、キク、エンドウ、イネ、イヂハツのそれぞれの…… a ホシダ、オキナワウラボシ、スギゴケなどに……
音楽			
美術			
保健体育		第3 指導計画作成および学習指導の方針 5 積雪地、寒冷地の学校では、スキー、スケートを指導することができる。この場合上記2の表に示した各領域の授業時数の割合をあまり変更しない程度で各領域の時数をさいて、これに充てる。	5 適当な指導者が学校にいる場合は、空手を指導することができる。この場合……
技術家庭			
英語		第9節 外国語 第1 目 標 1 外国語の音声に… 2 外国語の基本的な… 3 外国語を通して、その外国語を日常使用している国民の… 第2 英語についての各学年の目標および内容 第3 英語についての指導計画作成および学習指導の方針 第4 ドイツ語についての各学年の目標および内容 第5 ドイツ語についての指導計画作成および学習指導の方針 第6 フランス語について 第7 フランス語について… 第8 その他の外国語	第9節 英 語 第1 目 標 1 英語の音声に…… 2 英語の基本的な…… 3 英語を通して、その英語を日常使用している…… 第2 各学年の目標および内容 第3 指導計画作成および学習指導の方針 第4以下全内容削除

教科	学年	文部省学習指導要領	琉球の学習指導要領
学校行事等		第3　指導計画作成および指導上の留意事項 6　国民の祝日などにおいて儀式を行う場合には、生徒に対してこれらの祝日などの意義を理解させるとともに、国旗を掲揚し、君が代をせい唱させることが望ましい。	6 全文削除
施行期日		この中学校学習指導要領は、昭和33年10月1日から施行する。ただし道徳に係る部分を除き、各教科、特別教育活動および学校行事等に係る部分については、昭和37年3月31日まで、別に定めるもののほか、なお従前の例による。 なお中学校学習指導要領道徳編（昭和33年文部省告示第72号）はこれを廃止する。	この中学校学習指導要領は、1961年4月1日から施行する。ただし、道徳に係る部分を除き、各教科、特別教育活動および学校行事等に係る部分については、1962年3月31日まで、別に定めるもののほか、なお従前の例による。 なお基準教育課程目標編（高等学校に係る部分を除く）、国語編、社会編、数学編、理科編、音楽編、図画工作編、体育編、職業家庭編、英語編、特別教育活動編は1962年4月1日からこれを廃止する。

二月のできごと

一日　本部小学校文教局指定実験学校音楽研究発表会

二日　京大結核研究所長内藤益一博士、医学シンポジユウム総会出席のため来島

全琉指導主事研修会（於開南小学校）

石垣島大型製糖工場設置促進の陳情団大挙来島

三日　結核とらいについて第一回医学シンポジユウム開かる。

高校入試の願書受け付け締め切る。

四日　全沖縄学校お話大会（小校）中・高校は五日

五日　沖帝拳所属玉城清善君五輪候補として第五次強化合宿参加決定（日本ボクシング連盟総会）

参議院議員元文相高瀬壮太郎氏来島

十八市からなる九州市議会議長会一行那覇で実行委員会を開くため来島

六日　多良間村の悪性感冒広範囲にまん延

本土派遣医師団任地へ出発。

那覇市では大阪総合職業訓練所へ青少年を送り出すため訓練生募集始まる。

七日　宮古保健所は多良間小・中校へ悪性感冒に対して休校を指示。

小中高校本土研究教員と高校技術研修員氏名発表

八日　校長研修会（北部、中部、那覇）

十三日　那覇南部各高校の教諭を対象に教育課程研修会（文教局主催、那覇高校で）

十五日　キャラウェィ新弁務官着任

琉大池原貞雄教授理学博士となる。

琉球米陸軍司令部情報部は沖縄にある米人小学校に沖縄人教師六人を採用すると発表。

十六日　キャラウエィ新弁務官着任

王陵の一部が損壊盗難にあつたため文化財保護委員会では現場調査を行なつた。

十七日　高江洲中学校音楽研究発表会

警本刑事課は、全琉各署の六〇年度少年補導をまとめ発表した総補導数三、三九七人。

NHK沖縄取材班、同芸能班の一行八人空路来島

十八日　第十一次移民ボリビアへ一六三人たつ。

全琉政府立高校一せいに入試始む。

四年制大学として沖縄大学の設置中教委初めて認可。

琉球大学合格者（第一次）氏名発表

新年度予算概算査定始まる。

二十一日　キャラウエィ新弁務官立法院を訪問、就任のあいさつを行なう。

教育指導委員杉浦守邦氏寄生虫、聴力、栄養など学習に大きく影響すると那覇保健主事研修会で指摘。

立法院は教育指導委員を本土より継続派遣のための要請決議、日本政府高等弁務官、駐日アメリカ大使あて要請文を提出することになつた。

二十二日　ボーイスカウト沖縄地区第四回スカウター及び父兄総会（於ハーバービユー）

文教局では全琉に進路指導主事を三六人配置する計画で各教育長へその採用を依頼。

各団体婦人部による物価引下げ対策協議会（於教育会館）

二十三日　コザ地区PTA指導者講習会

台湾の農業使節団一行十四人来島

南連と社会局では遺骨収集始める（於運玉森）

二十四日　文教局主催、へき地用学校給食製パン講習会（於城間製パン工場内）

外務省の田中、宇山両参事官空路来島。

糸満中校理科教育実験学校発表会。

衆院予算委員会で西村防衛庁長官沖縄で自衛隊員募集について米軍代表の許可を得たと発表。

二十五日　沖縄タイムス社主催第六回全琉音楽祭、二十六日まで（於タイムスホール）

本土集団就職第一陣十三人出発

沖縄学校安全設立総会（於那覇教育委員会事務所会議室）

二十六日　沖縄柔道連盟主催第五回全島中学校柔道大会で上山中学校優勝

沖縄軟式庭球連盟主催六回高校新人庭球大会男子商業、女子辺土名が優勝。

日本経団連副会長植村甲午郎氏空路たち寄る。

早稲田大学アジア学会代表団七人来島。

二十七日　辺戸水力発電所完成

南農高校、温室竣工。

二十八日　東村高江農場より初の訓練生を本土大学へ派遣することに決定。

一九六一年三月十二日　印刷
一九六一年三月十五日　発行

文教時報
（第七十四号）（非売品）

発行所　琉球政府文教局
研究調査課

印刷所　ひかり印刷所
那覇市三区十二組
電話(8)一七五七番

正誤表

頁	行	正	誤
2	4	数科	数科
6	9	本土との差の	本差の
11	27	云える	云る
	29	いると云うことは、	いえと云うとは.
16	8	比べて大きい	比べてきい
	10	Gの社会科、Mの	G大の社会科 Mの
94	24	[15] (イ)正答 2	4

小学校·中学校·高等学校

昭和36年度

学力調査のまとめ

（文教時報特集号）

1962.9　　　No.79

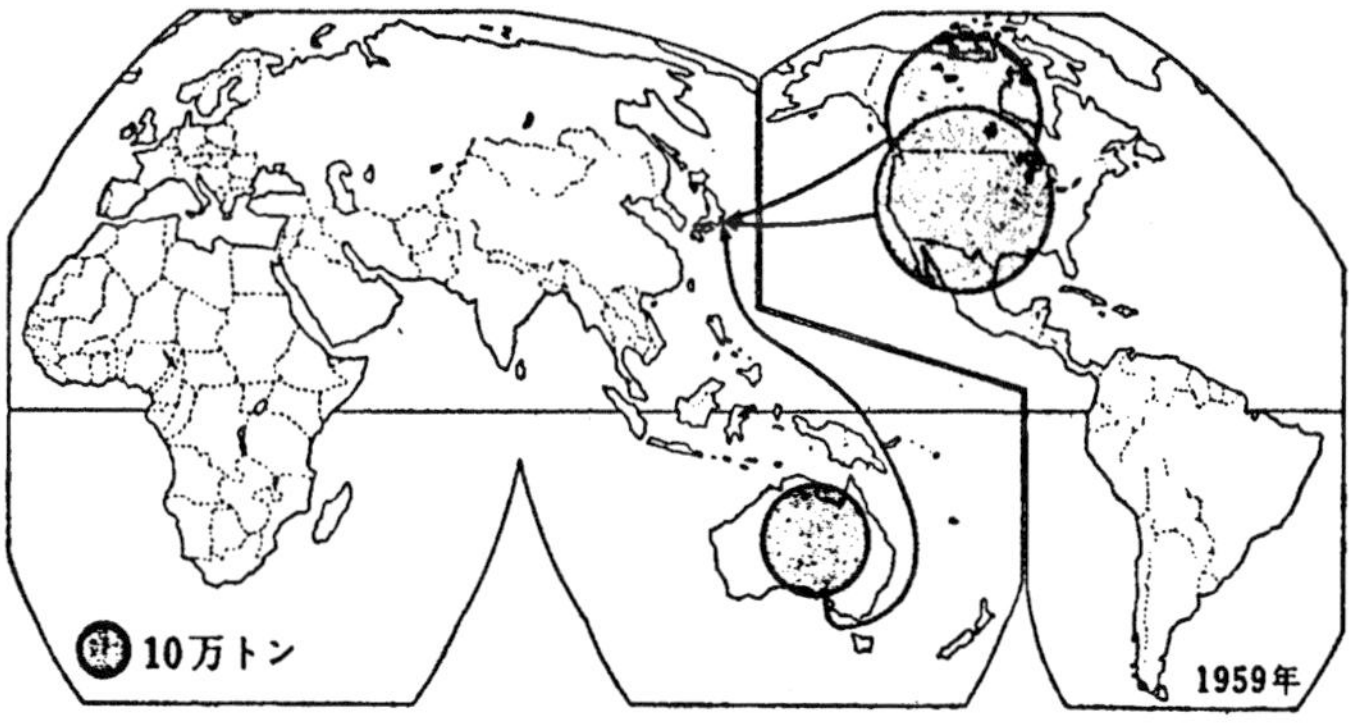

文教局教育研究課

はしがき

教育課程や学習指導および教育条件の整備改善等適切な教育施策樹立に必要な資料を得る目的で，文部省が昭和31年度から始めた全国学力調査は今年度で6回目を数え，ほとんどの教科に亘って一応の調査結果が公表され，国語，算数（数学）などは昭和36年度，第3回目の実施をみたのである。

わが沖縄においても，同一条件で今まで継続してこの調査を実施してきたのであるが，毎回の調査結果はそのつど本誌に掲載し，〝学力調査のまとめ〟として教育関係者に提供してきたとおり，その成績が本土のそれに比べてかなりの落差のあることは周知の事実となっている。

このような児童生徒の学力水準を本土の線に近づけてゆくことは，直接教育に携わる学校現場はもちろん，教育行政者やPTAおよび地域社会のあらゆる人々の一大関心事となっており，文教局においても，その対策を講ずるよすがともなるものを求めて，過般鹿児島県へ学力調査団を派遣したほどである。

現在各地で同調査団による調査結果の報告会が催され，学力向上対策樹立の機運が盛り上りつつあることは，まことに力強いことであるが，われわれはこの際，われわれの子ども達の学力の実態を把握するとともに，その不振の原因を探究し，それぞれの地域における教育現実の真の姿をとらえ，適切な策を講じたいものである。

ここに，昭和36年度に実施した小，中，高校の全国学力調査のまとめを公表するにあたり，この資料が前述の児童生徒の学力水準向上への手がかりとして各関係者に活用されるよう期待する次第である。

1962年6月

教育研究課長　親泊輝昌

昭和36年全国学力調査報告

目　　次

昭和三十六年全国学力調査報告

小学校高等学校の部

A 調査の概要

1 調査の目的

この学力調査の目的は文部省において実施した全国学力調査に準じて全琉の公立小学校、高等学校の児童生徒の学力の実態をとらえ、学習指導、教育課程および教育条件の整備、改善に役立つ基礎資料を作成することにある。なお、ここでいう学力とは学習指導要領に掲げられている教育目標に対する児童生徒の学習の到達度を意味する。

2 問題作成の方針

問題作成の基本方針として文部省は、次のように報じている。

（a） 問題の程度と範囲は、学習指導要領を基準とし、できる限り広い領域が含まれるようにする。

（b） 単なる知識、理解のみでなく、広く能力、態度もみられる問題を作成する。

（c） できる限り各領域ごとに比較的むずかしい程度の問題、普通の程度の問題および比較的やさしい程度の問題が含まれるようにし、各問題毎に結果に対する期待度を明らかにする。

（d） できる限り前回調査の領域分類を尊重し前回の調査結果と比較考察することもできるようにする。

（e） 英語、国語については、その一部にラジオ放送（HNK第2）を利用する。

3 調査した教科と時間

調査した教科は、小学校は国語、算数の二教科である。この二教科は、昭和31年度、34年度につづいて3回目の調査である。

高等学校の英語は昭和33年度に第1回調査を実施しているので、本年度の調査は第2回にあたる。

テストは昭和36年9月26日（火）に実施した。その所要時間は次の通りである。

小学校		高等学校
国語	算数	英語
60分	60分	90分

4 調査対象

（1） 小学校

本土では、全国の公立小学校の中から、文部省が学校規模、地域類型別に無作為抽出によって約4％の学校を指定し、指定した学校の最高学年の全児童を対象としている。沖縄の場合は、全琉の小学校6年の全児童を対象にした。

第1表は全数による全琉の調査結果を示し第2表は学校規模、地域類型別に無作為抽出によって50％の学校の調査結果を示したものである。両表の示す通り綜合成績(平均点)の結果は、ほぼ一致しているから、国語、算数の問題点の考察にあたっては、第2表によった。

第1表 全数による調査対象人員ならびに連合区別平均点

教科 / 区分 / 連合区	国語 総得点	国語 人員	国語 平均	算数 総得点	算数 人員	算数 平均
全琉	888,443	25,449	34.9	489,519	25,456	19.2
南部連合区	106,418	3,306	32.1	63,158	3,317	19.0
那覇 〃	302,763	7,280	41.6	160,378	7,271	22.1
中部 〃	231,514	7,094	32.6	122,888	7,096	17.3
北部 〃	129,711	4,033	32.1	70,379	3,986	17.7
宮古 〃	65,794	2,062	31.9	42,273	2,066	20.5
八重山〃	52,243	1,674	31.2	30,443	1,720	17.7

第2表　抽出による地域類型別平均点

地域＼区分	学校数	国語 人員	国語 総得点	国語 平均	算数 人員	算数 総得点	算数 平均	抽出率
合計	105校	11,811	407,235	34.5	11,796	226,618	19.2	
小都市地域	12校	3,294	133,928	40.7	3,294	71,313	22.1	50%
都市近郊農村	11校	2,378	87,796	36.9	2,374	50,106	21.1	50%
純農村	71校	5,786	173,815	30.0	5,775	98,201	17.0	50%
農漁山村	11校	353	11,696	31.0	353	6,998	19.8	50%
へき地（再掲）	28校	1,142	22,568	28.5	1,134	18,763	16.5	

◎抽出の数は地域類型による学校数の50%である。

（2）高等学校

高等学校の場合は、全日制、定時制ともに全琉高等学校の最高学年の全生徒を対象にし、本土の場合は課程別に約10%の学校の最高学年の生徒を対象にしている。（第3表参照）

第3表　高等学校調査対象になつた生徒数

		計	P	Q	R
全課程	沖縄	6,308人	2,618人	2,351人	1,339人
	本土	65,379	36,632	26,818	2,761
普通課程	沖縄	2,270	2,270	0	0
	本土	37,958	31,808	6,100	50
農業課程	沖縄	1,1,4	0	826	278
	本土	7,332	0	61,151	1,181
工業課程	沖縄	496	0	422	74
	本土	7,489	0	7,489	0
商業課程	沖縄	1,278	348	446	484
	本土	8,652	4,824	73,637	191
家庭課程	沖縄	843	0	340	503
	本土	3,948	0	3,441	507
水産課程	沖縄	317	0	317	0
	本土	0	0	0	0

B　調査結果の解説

教科別、学校別の平均点を示すと第4表の通りである。

1　小学校国語

（1）調査結果の概観

「国語の問題は全国平均がほぼ50点の水準に達することを期待して作成した。これに対して50.8という結果は期待通りの成績である」（文部時報2月号）となつているが、沖縄の場合平均得点43.9とな

第1図

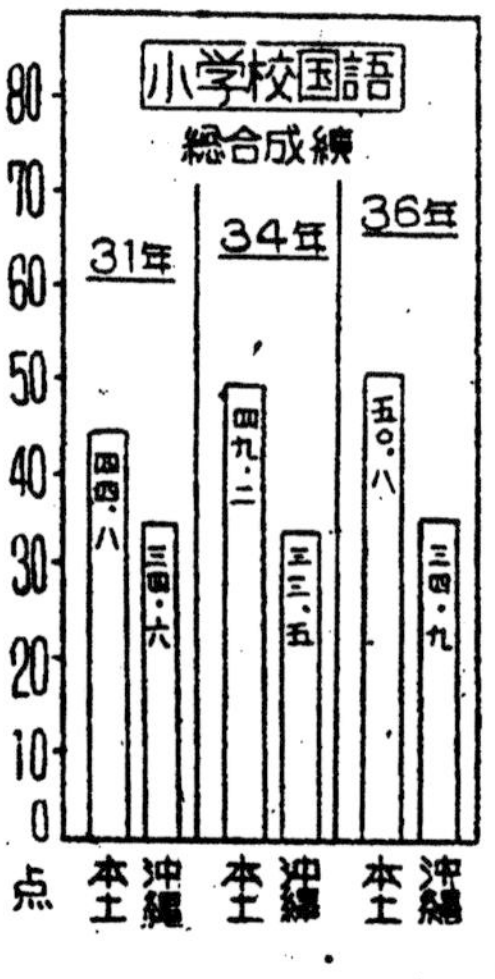

第4表　児童生徒の平均点

			国語	算数		
小学校		沖縄	34.9	19.2		
		本土	50.8	35.0		
			英語			
			計	P	Q	R
高等学校	全日制	沖縄	33.8	46.6	23.9	25.9
		本土	48.3	58.9	35.4	25.3
	定時制	沖縄	25.9	—	27.5	24.3
		本土	28.1	35.7	26.6	24.2

（註）高等学校における英語Pは15単位以上履修者Qは3～14単位履修者。Rは初修用教科書使用者である。

以下国語、算数、英語の順に調査結果を解説していく。

って前回より1.4 ののびを示しているとはいえ、依然として低い。（第１図参照）

（2） **領域別、問題別にみた問題点と指導対策**

国語の問題は「聞くこと」「読むこと」「書くこと」の三領域から出題され、各領域の問題構成、それぞれの問題のねらいおよび正答率を示すと次のようになる。小問別の詳細な正答率は第２図に示す。

第５表

領域	問題番号	ねらい	正答率 沖縄	正答率 本土	正答率 沖縄	正答率 本土
（A）聞くこと	〔一〕	校内放送（伝達）をきいて要点をききとること	27.6	55.9	31.4	55.0
	〔三〕	校内放送（ニュース解説）をきいて内容を正確にききとること	34.3	54.2		
（B）書くこと	〔二〕	耳で聞いて文章（漢字、かたかな、まる、助詞など）を正しく書き表わすこと	34.5	57.6	40.7	58.8
	〔八〕	漢字を使つて語区を正しく書き表わすこと	34.7	50.6		
	〔四〕	作者の立場に立つて文章を見通したり文章の組み立てに関してすいこうすること	38.2	44.6		
	〔五〕	文法や用語の面に関して文章をすいこうすること	55.6	73.3		
（C）読むこと	〔六〕	説明をよんで書き手の意図要点を理解する	44.2	64.0	34.4	45.7
	〔七〕	解説をよんで段落、文脈を理解する	25.1	38.3		
	〔九〕	物語をよんで情景、心情主題を理解すること	27.8	34.1		
	〔十〕	随筆を読んで書き手の意図、文脈の中の語句を理解する	32.5	46.2		

漢字で語を書き表わすことに関しては、昭和28、29年度（国立教育研究所学力水準調査）31年度（文部省全国学力調査）の調査問題の中から同一の漢字を４題えらんで出題されているがそのときの成績と今度の成績を比較してみると次表のとおりである。なお沖縄の場合は、昭和28年29年には実施していない。

第６表

語＼年度	36年 本土	36年 沖縄	31年 本土	31年 沖縄	29年 本土	29年 沖縄	28年 本土	28年 沖縄
相談	47.1%	30.6%	38%	26.2%	—	—	—	—
庭	71.4%	50.3%	—	—	—	—	66%	—
晴	77.2%	54.8%	—	—	—	—	75%	—
乗	60.6%	43.3%	—	—	55%	—	—	—

以下各領域毎の問題点を考察していく。

（1） 「聞くこと」

学校放送を聞いて要点を把握したり、書いたりする問題で、本土では問一、問三共に期待を上まわる成績であるのに対して、沖縄の場合は三領域のうちもっとも成績が悪く、特に放送を聞いて要点を把握する力が欠けている。沖縄の児童が放送施設等の文化施設に恵まれていないことも正答率を低くしている一因であろうが、平常の学習活動を通して「聞く態度」の指導に一層の留意が必要であろう。「聞くこと」が学習活動の全領域にわたって重要な役割を果すということから、今後の学習指導において大いに考慮しなければならない点である。

（2） 「書くこと」

三領域のうちもっとも高い正答率（40.7%）を示しているが、本土のそれより、15%も低く期待点にも達していない。

問二は従来の漢字の書き取りの方法に加えて新しく放送を利用して「書字力」のうち「聴写力」もみようとしたもので「聞く力」と「書く力」を同時に要求している問題である。特に「製造」という字を書けたものが 6.1%という結果や問八の正答率の結果からして、指導要領にうたわれている「文字の点画を正して速く書く」という指導とドリルを強化する必要があろう。

問四、五の「文法や用語の面に関して文章を推敲」することはよいが（55.6%）、作者の立場に立つ

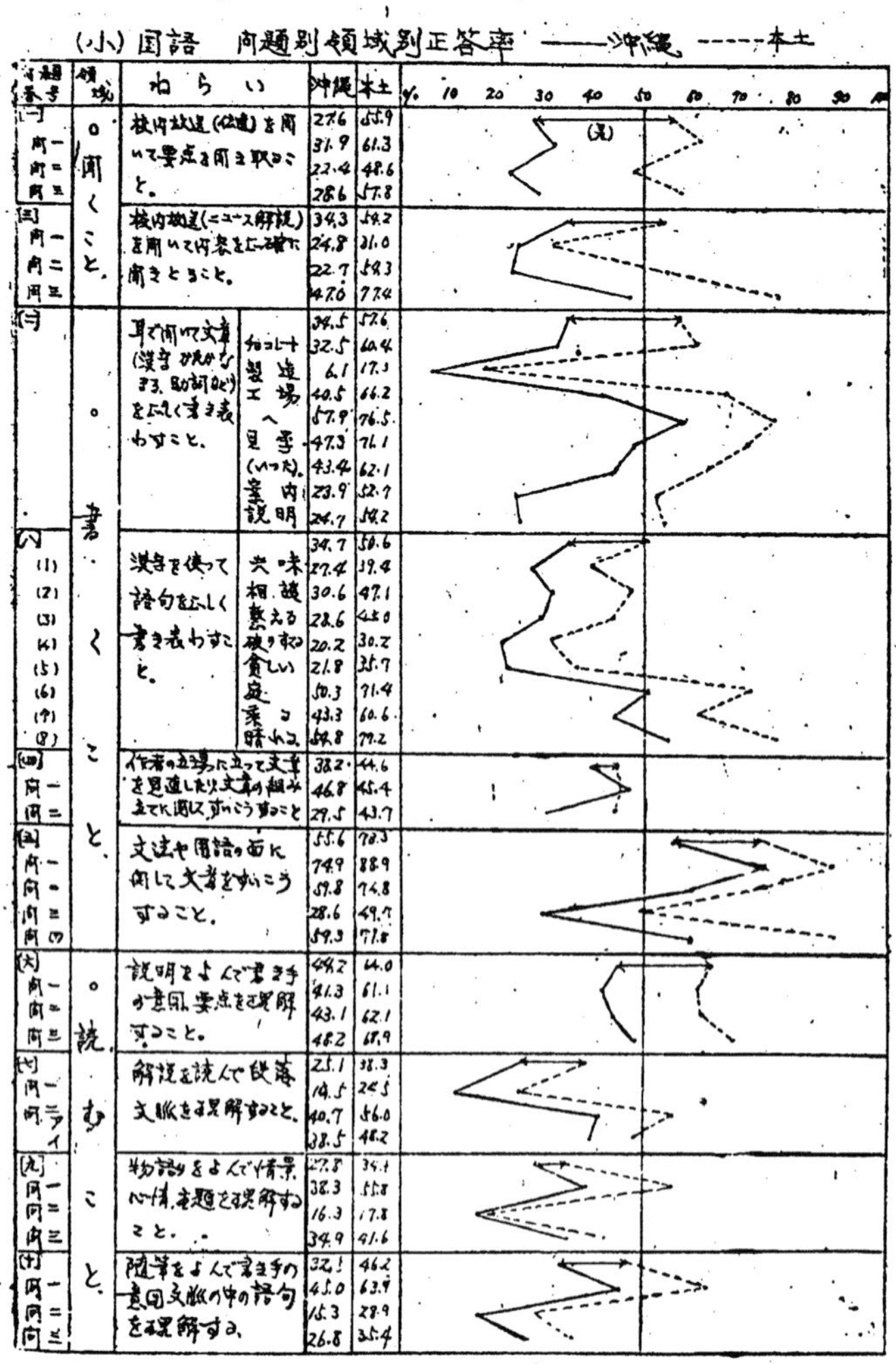

第2図

て文章を見直したり、文章の組み立てに関して推敲する面は劣っている。

このことは

（a） 児童自身書くことを身につけていない

（b） 表現能力の貧弱さ

（c） 言語生活の二重性

等からくる欠陥のあらわれとみることができよう。国語教育において一層作文指導の面を重視する必要があるのではなかろうか。

(3) 「読むこと」

読むことの領域は4題でこんどの調査では一番大きな部分を占めていて、文章形態は説明文（問六）、解説文（問九）随筆（問十）になっている。問六～問十までの平均正答率が本土45.7%、沖縄が32.4%で共に低く、中でも問七の「解説文」を読んで段落を理解する問題、問九の「物語文」を読んで情景、心情、主題を理解する問題、問十の「随筆」を読んで書き手の意図、文脈の中の語句を理解する問題等は特に悪い。

このことから

（a）書き手の意図や文章の主題をとらえながら味って読む態度ができていない。

（b）書かれていることの中の事実と意見を判断しながら読む訓練が不充分である。

（c）要点を抜き出したり、全体を要約したりする態度ができていない。

（d）興味本位に書かれたマンガ、雑誌等に関心を持ちすぎ、文学作品等の鑑賞的な読みになれていない。

ことなどが考えられるが、適切な読書指導が考慮されるべきであろう。

以上領域別、問題別に問題点を指摘し、その対策を簡単に述べたのであるが、これはあくまでも一般論であって、ここにあげた問題点あるいは対策がそのまま各学校にあてはまるとは限らない。

各学校において児童の答案についてできるだけこまかく分析（誤答分析等）、考察し、個々の児童についてどこにつまずきがあり問題があるかを明らかにして、学習指導の改善（学習の個別化等）のために利用することが望ましい。

（3） 得点の分布

1 児童の得点のひらき

第3図は児童の得点がどのようなちらばりになっているかを示したものである。

(イ) 0点から90点までの間に広くちらばっていて、児童の個人間の学力の差が相当大きいことを示している。

(ロ) 本土の分布が左右対称の正規分析に近い型になっているのに対して沖縄の場合は21点～25点台が

頂点で、点数の低い方に偏した分布となっている。

(ハ) 期待点を越える児童が沖縄の場合は20%である。

(ニ) 全体の40%の児童が30点未満で本土のそれの2倍以上の率を示している。

以上のことから本土に比較して著しく学力が不振であり、30点以下に40%以上の児童が属するということは注目に値する。

これらの児童を如何にして指導し、向上させるかが今後の学習指導の課題の一つだといえよう。

第3図

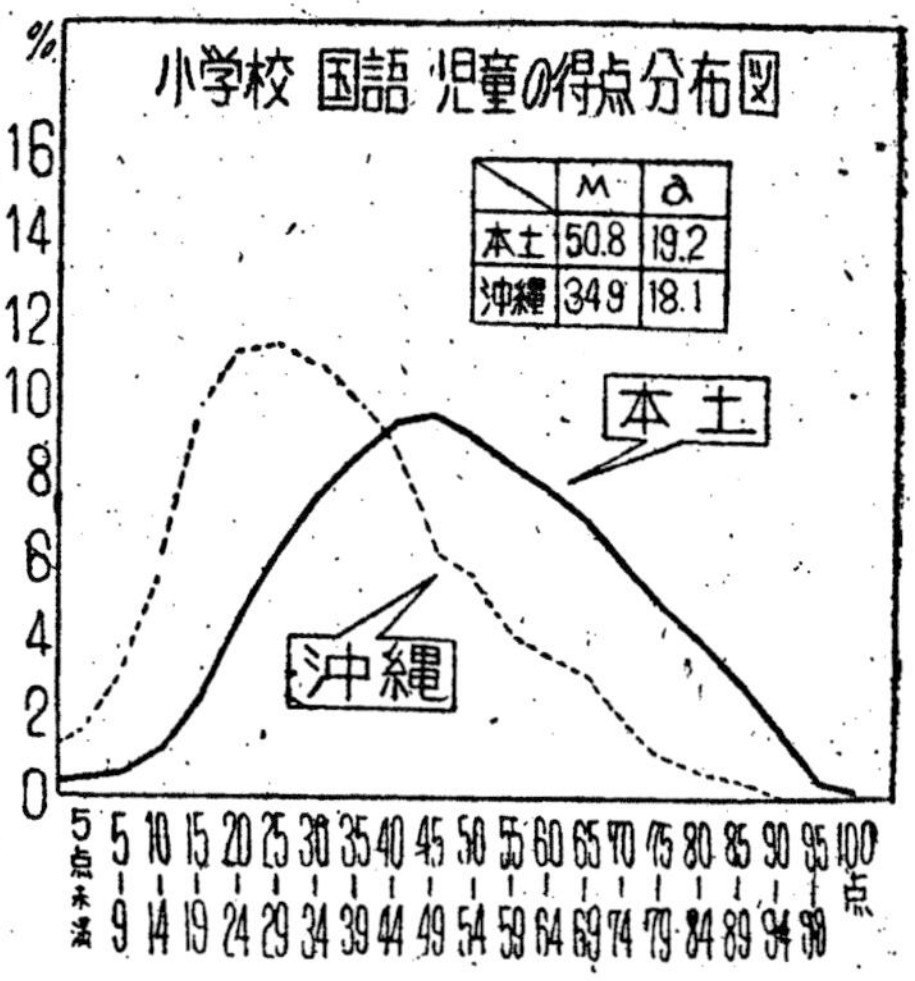

2 学校平均点の分布（**学校間の学力の差は大きい**）。

第4図

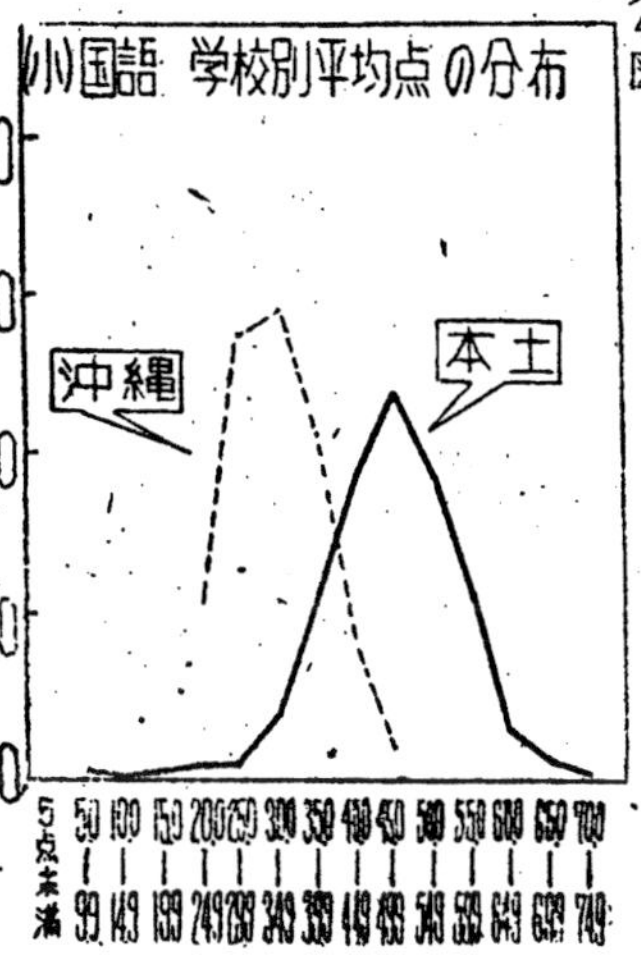

学校間の学力のひらきをみるために学校平均点の分布を示したのが第4図である。学校平均のもっとも高い学校と低い学校の間では25点のひらきがある。学校間の学力差の大きいことが推察される

学校全体としての学力は学校における教育計画、教員構成、さらには学校ならびに地域社会の環境等の諸条件が影響して、このような学校間の差異をもたらしたものと思われる。

教育の機会均等の趣旨から考えて、学校間に特に義務教育学校である小学校に大きな力学差のあることは注目しなければならない点であろう。

2 **小学校算数**

(1) **調査結果の概観**

調査結果の綜合成績（平均点）は第5図のとおりである。本土沖縄ともに前回より低くなっているが、前回より低い成績になっている理由として、文部省は次のように報じている。

第5図

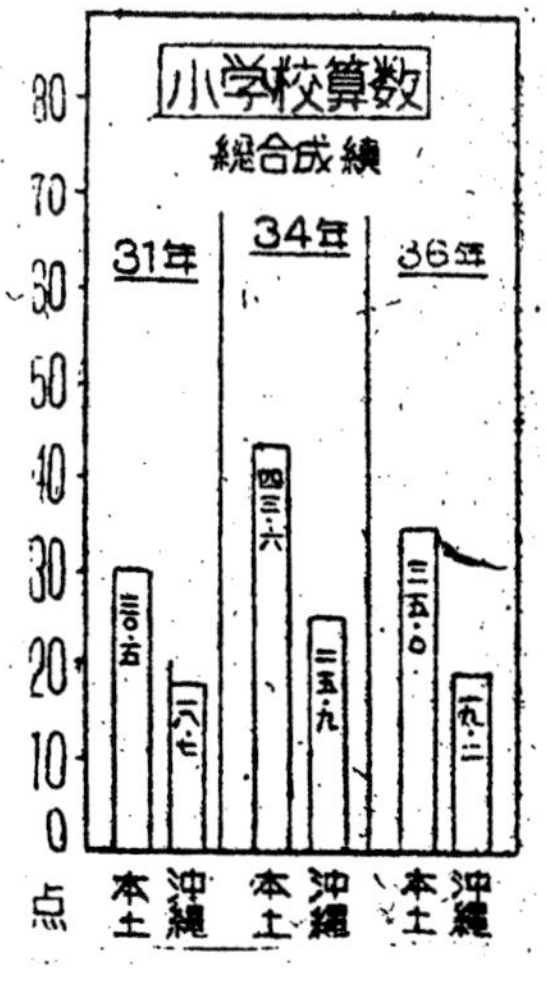

（a）学習指導要領の改訂により、ねらいや内容からみて34年より程度の高い問題が加わっている。

（b）移行措置期間における指導の不徹底、時間数不足等。

ところが沖縄の平均19.2点は上記の低下原因を考慮にいれても、その成績はあまりにもかんばしくない。

学力不振の原因がどこにあるか、充分に究明する必要があろう。

(2) **領域別、問題別にみた問題点と指導対策**

算数の問題は「数と計算」「量と測定」「数量関係」「図形」の四領域から出題され、各領域の問題構成、それぞれの問題のねらい、および正答率は第7表の通りである。

第 7 表

領　域	問題番号	ね　ら　い	正答率 沖縄	正答率 本土	沖縄	本土
(A) 数と計算	〔1〕①～④	整数、小数の乗除計算	33.4	53.6	28.6	48.2
	〔2〕	数の大小についての理解	38.4	60.1		
	〔4〕①～④	分数の四則計算	43.2	63.9		
	〔5〕①～③	整数の除法を適用する能力	5.2	22.1		
	〔15〕	分数の意味の理解	17.0	33.6		
(B) 量と測定	〔3〕(1)(2)	単位の相互関係の理解	26.2	44.6	12.1	30.4
	※〔6〕	図形を基本図形に分解し求積公式を適用する能力	8.3	29.8		
	〔7〕	はかりを読む能力	11.9	34.0		
	〔10〕	円の求積公式を用いる能力	5.9	21.0		
	〔11〕(1)	直方体の体積を求める能力	25.1	47.1		
	(2)	複雑な形のものを水におきかえて求積する方法の理解	6.5	24.3		
	※〔16〕	三角形についての底辺高さの意味の理解	6.3	21.1		
(C) 数量関係	〔8〕	百分比の意味の理解	5.6	3.9	17.5	28.0
	〔9〕	（生産量の比較について）割合の考えを適用する能力	40.7	59.8		
	〔12〕(1)	概数を用いて関係をよみとる能力	3.2	11.1		
	(2)	二つの数量の割合を比べる能力	3.3	10.4		
	〔17〕	（式について）具体的な事実と対応させて関係をよみとる能力	21.3	32.3		
	〔18〕(1)	円グラフから関係をよみとる能力	27.4	51.4		
	(2)	小数の場合に比の第1用法を適用する能力	7.7	19.8		
	(3)	割合に関し、総合的な関係判断を用いる能力	22.4	20.9		
	〔19〕	グラフの1目もりの大きさを決定する能力	5.1	18.2		
(D) 図　形	〔13〕	図形についての想像力とひし形について図形を弁別する能力	30.6	29.0	19.1	26.2
	〔14〕	直方体について空間的な関係を正しくとらえる能力	7.6	24.8		
	※〔6〕	図形を基本図形に分解し、求積公式を適用する能力	8.3	29.8		
	※〔16〕	三角形についての底辺、高さの意味の理解	6.3	21.1		

※を付した問題は「（B）量と測定」「（D）図形」のこの領域にわたるものである。

第６図

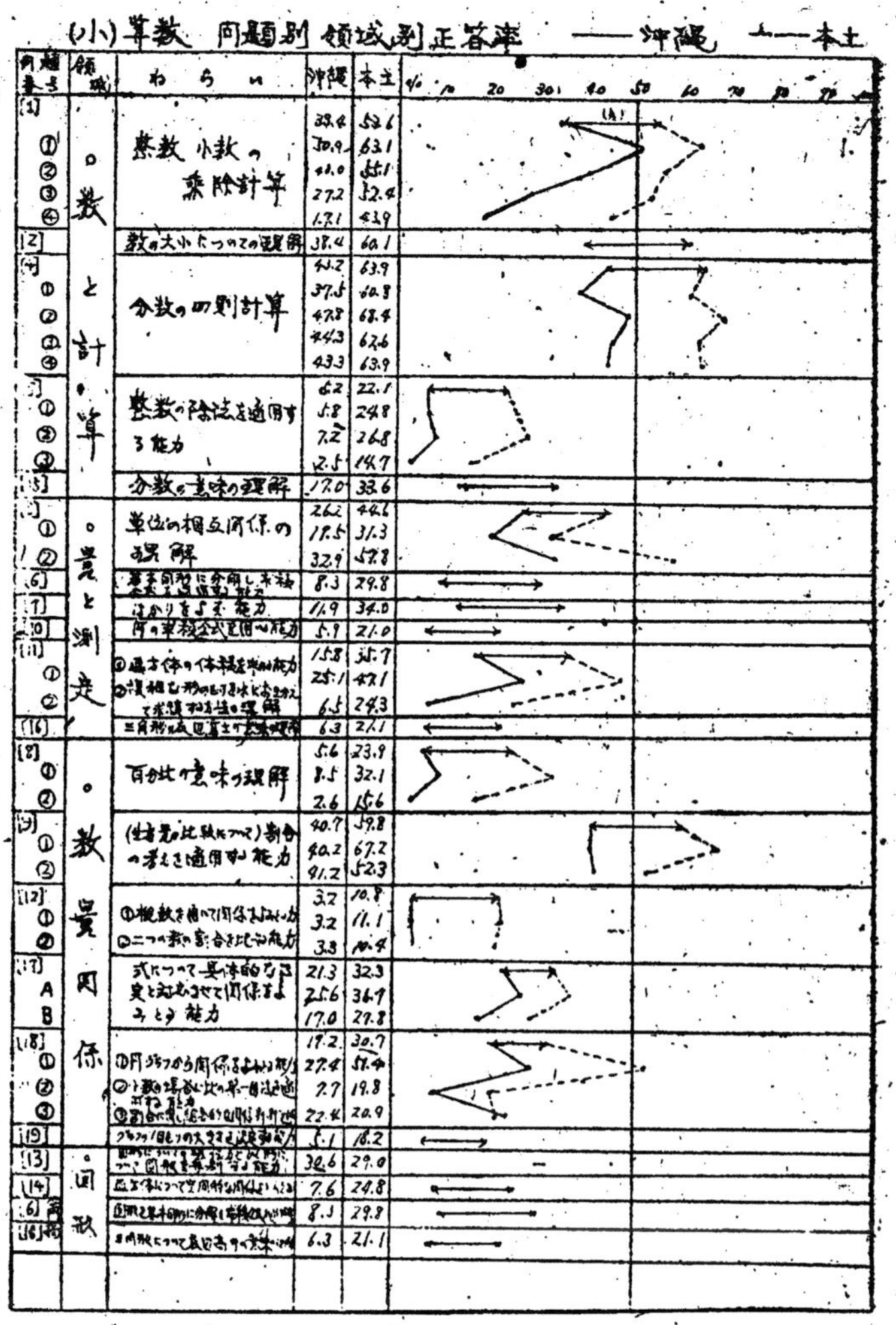

(小)算数　問題別領域別正答率

——　沖　縄

……　本　土

小問別の正答率を示したのが第６図である。これによると、領域別問題別の反応の状況は本土と類似の傾向を示している。

問題別の正答率を考察するまえに、前回ならびに前々回の調査と、類似問題の正答率の推移を示すと第８表①および②の通りである。

第８表　①　　類似問題の年次別正答率の比較

昭和36年度	正答率 本土	正答率 沖縄	昭和34年度	正答率 本土	正答率 沖縄	昭和31年度	正答率 本土	正答率 沖縄	36年と31年の伸長度 本土	36年と31年の伸長度 沖縄
〔１〕 ④ 63.9÷7	% 43.9	% 17.1	〔１〕 ④ 21.9÷7	% 35.0	%	〔１〕 ④ 12.5÷3	21.0	14.9	+22.9	+2.2
〔２〕つぎの数を大きい順にならべる 1.05、1、$1\frac{4}{3}$、0.9	60.1	38.4	〔２〕つぎの数を大きい順にならべる 0.06、1、$\frac{3}{4}$、0、$1\frac{1}{2}$	54.6	34.9	〔２〕つぎの数を大きい順にならべる 0.06、1、0、$\frac{3}{5}$	49.8	28.4	+10.3	+10.0
〔３〕 ② 3.09kg=□g	57.8	32.9	〔３〕 ② 1.06kg=□g	48.2		〔３〕 45g=□kg	32.5	15.6	+25.3	+17.3
〔４〕 ① $\frac{3}{4}+\frac{5}{6}$	60.8	37.5	〔４〕 ① $\frac{2}{3}+\frac{2}{9}$	65.9		〔４〕 ① $\frac{2}{3}+\frac{1}{6}$	62.9	50.8	− 2.1	−13.3
② $4\frac{2}{7}-2\frac{3}{7}$	68.4	47.8	② $3\frac{2}{5}-1\frac{3}{5}$	66.0	43.9	② $4\frac{3}{8}-1\frac{5}{8}$	48.4	28.9	+20.0	+18.9
③ $3\frac{3}{2}\times 5$	62.6	44.3	③ $1\frac{2}{7}\times 3$	53.9	38.0	③ $2\frac{1}{5}\times 3$	52.7	43.4	+ 9.9	+ 0.9
④ $\frac{3}{7}\div 3$	63.9	43.3	④ $\frac{3}{8}\div 3$	62.5		④ $\frac{4}{9}\div 2$	59.4	51.5	+ 4.5	−8.7
〔７〕 はかりの目盛をよむもの	34.0	11.9	〔10〕 同　左	20.4	6.5	同　左	25.3	10.3	+ 8.7	+ 1.6

第８表① は主として、形式的な知識、技能とみられるものである。このような面については、本土沖縄共に向上しているが、日本のそれがいちじるしく向上しているのに対して、沖縄の場合は、向上の度合がゆるやかである。

沖縄の場合も一応向上したと考へられるが、本土のそれがいちじるしいため本土との落差は大きい。

※〔４〕の①、④は31年度より低下している。

第８表② は、それらを適用して問題を処理する面に関しては、前回よりも低い成績になっている。

第８表 ②

昭和36年度	正答率 本土	正答率 沖縄	昭和34年度	正答率 本土	正答率 沖縄	昭和31年度	正答率 本土	正答率 沖縄	36年と31年の伸長度 本土	36年と31年の伸長度 沖縄
	%	%		%	%					
〔15〕学級園の手入れで、30分かかってぜんたいの$\frac{2}{5}$をおえたのこりのぶんは、あと何分でできるか。	33.6	17.0	〔11〕おばさんの家へ行くのに$\frac{3}{5}$だけ行くのに、15分かかったのこりはあと何分で行くか。	40.4	22.4	〔８〕正夫君たちは学級園のいもほりをした。畑の$\frac{2}{3}$からとれたいもの目方は、48kgありました。畑ぜんぶでは、どれだけとれることになるか。	43.5	28.5	−9.9	−11.5
〔12〕次の表で、高校進学者数は、中学卒業者のおよそどれだけか。 中学卒業者 18,235人 高校進学者 12,057人 就職者 5,516人 その他 662人	11.1	3.2	〔12〕次の表で、近視の者は、小学生全体のおよそ何分の一か。 小学生の数 1,296万人 近視者数 125 むし歯の者 994	28.1	10.9	〔５〕与えられた表より、概数を用いて、関係を読みとる能力。	5.0	2.5	+6.1	+0.7
〔19〕与えられた表からグラフを作るにあたつて、１目もりの大きさを決定するもの	18.2	5.1	〔17〕（１） 同　左	18.4	7.6	〔12〕② 与えられたグラフより、１目もりの大きさを決定するもの	40.9	28.6	−22.7	−23.5
分数についての理解	33,6	17.0	同　左	40.4	22.4	同　左	43.5	28.5	−9.9	−11.5

（註） 問題の表現は、いずれも簡略してある。

以上をとおしてわかるように、形式的な面に比べて、それを実際の場面に適用する面において向上がみられないことは、今後の学習指導において、大いに考慮しなければならない点である。

この点については、移行措置期間に於ける時間数の不足が影響していることは、もちろん考慮してよいことであろう。

(1) 「数と計算」

正答率28.6%は四領域のうち最も高率を示しているがこれを小問別に考察すると

（ａ） 数についての理解がなくても（計算の手続きを記憶させせることによって）計算が出来るよう な問題は、比較的によいが一たび数に関する理解なしには計算のむつかしい問題になると正答率がいちじるしく低下している。例えば問〔１〕（①〜③）問〔４〕の整数、小数、分数の乗除計算は比較的よいとして、これを適用する問〔５〕や問〔15〕は正答率がいちじるしく低下している。

（ｂ） 分数、小数の四則計算の指導において形式的な方法の単なる記憶の指導では、問題場面に直面した場合の処理に抵抗を感ずる。具体的な場にそくして、数のあらわす意味や、はたらきを充分理解させ、これが有効に用いられるよう指導したいものである。

（c） ドリルを強化して計算技能を高める必要があろう。

問〔2〕は数の大小を判定できるかどうかをみる問題でこれを過去2回の正答率と比較すると、各年次の正答率は28.4%（31年）34.9%（34年）38.4%（36年）となり、漸次向上しているとはいえ、依然として低い。

具体的数量を通して数の大小関係を判断する基礎となる数概念を的確にとらえさせるよう一層の工夫が必要であろう。

この領域で成績の最も悪い問題は問〔5〕と問〔15〕である。文章題として出題されているため文意を的確に把握出来ないということが考えられる。

整数や分数で表わされた問題場面や求答事項を的確に把握できないことは、数についての意味やはたらきを充分理解していないためであろう。具体的な場にそくして数の表わす意味やはたらきを確実にしこれが有効に用いられるよう一層工夫して指導することが必要であろう。

2 「量と測定」

「量と測定」の領域は、四領域のうち成績が最も悪い。

問〔3〕は単位間の相互関係の理解の程度をみる問題で、過去2回の学力調査にも類似問題が出題されているが、正答率は依然として低い。単位関係の指導に当つては、単に機械的に記憶させるだけでなく、具体物をとおして量感を与えながら指導する必要があろう。

問〔7〕は、はかりを図示してその目もりを読みとるもので各年次の正答率は第7表①に示すとおり低率である。計器が学校のみならず家庭においても充分備えられてないことも正答率の低い一因であろうが、はかりの指導のように日常の具体的な経験を必要とするような問題は、実物のはかりをとおして、児童の持ち物などを各自に測定させることによって理解が深まってくるものである。

量と測定の指導で、もっとも大切なことは計器を用いることである。計量が正しくできることはこれからの社会生活においてきわめて重要な基礎技能であり、はかりを実際に用いるような機会を計画的、継続的に指導にとり入れて、その技能を確実に身につけさせることがたいせつである。

3 「数量関係」

量と測定の領域についで正答率の低い領域である。

この領域でも特に問〔8〕の百分比の意味の理解と問〔12〕の概数を用いて数量関係（割合）をよみとる問題がいちじるしく悪い。統計表から「概数を用いて数量関係（割合）をとらえる」問題は34年にも出題されているが、前回の10.9%の正答率に対して今回のそれが3.2%となり前回より7.7%も低くなっている。

統計表から概数を用いて関係を把握する力が充分身についていない。

用語の問題として「およそどれだけか」という発問にもかかわらず、割合といえば「除法」を形式的に行なえばよいと考えがちの児童が多いのではなかろうか。一般に「算数」といえば、それをどんな目的に使用するかも考えないで、単に正確な値をだしさえすればよいと考える児童が少くないとみられる。それでは、せっかくの数も実際の場面で有効に用いることができない。十進数の性質を充分理解していない。

「小数点を1ケタ左へ移せばもとの数の$\frac{1}{10}$右へ移せばともの数の10倍の数ができる」ということが数を把握する場合、直観的に働くまでに高まっておらないと統計表から概数を用いて関係を把握することは困難である。十進数の性質を充分に理解させることが必要であろう。表やグラフから数値をよみとる能力および表やグラフを設計する能力がいちじるしく悪い。与えられた表から、グラフを作るにあたって1目もりの大きさを決定する問題も34年にも出題されている（第8表②参照）が34年より2.5%低下している。

表やグラフを各自で作成する機会を数多く指導の場にとり入れると共に、単に教師がきめた通りのものを作らせるのではなく、目もりの取り方などを児童自身に判断させ決定させるような経験をできるだけ多くもたせるようにすることが必要であろう。

4 「図　形」

この領域には過去の調査問題には出題されなかった平面図形の求積が新しい内容として加わって

いる。これらの成績がきわめて悪い。

問 〔6〕は、図形を基本図形に分解し、求積公式を適用する問題であるが、成績が著しく悪い。

△ 基本図形の求積公式、求積方法が充分身についていない。

△ 図形を分解したり、総合したりする力が劣っている。

問〔14〕は直方体についての空間的な関係を正しくとらえることができるかどうかをみる問題であるが、正答率の7.6%という結果からして、図形を想像する力が乏しい。

図形指導において、指導しようとする図形を、そのまゝに提示してしまうと、図形は単に見ればわかる学習になってしまいやすい。従って考へをめぐらす学習がうすれてくる。一たび基本図形の形を変えたり、位置をかえたり、見える部分や書いてない線がでてくると正答率がぐっと下つてくる。

問〔16〕は三角形について底辺および高さの意味を理解しているかどうかを見る問題で正答率が 6.3%で非常に悪い。

この原因は図形を書くとき、たとえば平行四辺形では一辺を水平におき、ひし形では対角線の一つを水平におき、三角形では底辺を水平におくように、常に特別の位置において図形をとり扱うと、これが一般の位置におかれた場合に児童は図形について大きな抵抗を感ずるようになるから、特別の位置に書かれた図形だけでなく、一般の位置におかれた図形、見えない部分や、書いてない線などを想定して学習を進めていくような、学習の場を設ける必要があろう。

以上領域別、問題別に問題点を指摘し、その対策を簡単に述べたが、これらの問題点については過去の学力調査や教研集会等でも指摘されている。要するに過去の調査結果や研究集録を如何に教壇に反映させるかによって学力の向上も可能になつてくる。もちろん上記で指摘した問題点および対策は一般論であつて、個々の学校にそのまゝあてはまるとは限らない。各学校においては全琉的な学力水準を比較し、その位置を知ることもよいだろが、それにもまして学習指導をよりよくするための資料として活用することが重要なねらいである。そのためには、まず答案の誤答分析をし、問題点を究明して「**どのような所に目をつけて指導したら**」学力を向上させることができるかをそれぞれの立場から結果を考察し対策をたて、今後の学習指導に活用してもらいたい。

3 得点の分布

(1) 児童の得点のひらき

第7図は児童の算数の得点がどのようなちらばりになつているかを示すものである。

(イ) 0点から90点までの間に広くちらばっていて児童個人間の学力の差が相当大きい事を示している。

(ロ) 5点～9点台が頂点で極端に左に偏した分配曲線になっている。

(ハ) 45～49点の段階を越える児童が本土では30%を越えるのに対して沖縄の場合は7%弱で（文部省の期待度と大きく逸脱している）逆に44点以下が全体の90%を越えている。

(ニ) 全体の60%弱が19点以下の成績で本土のそれの2倍以上の比率を示している。

第 7 図

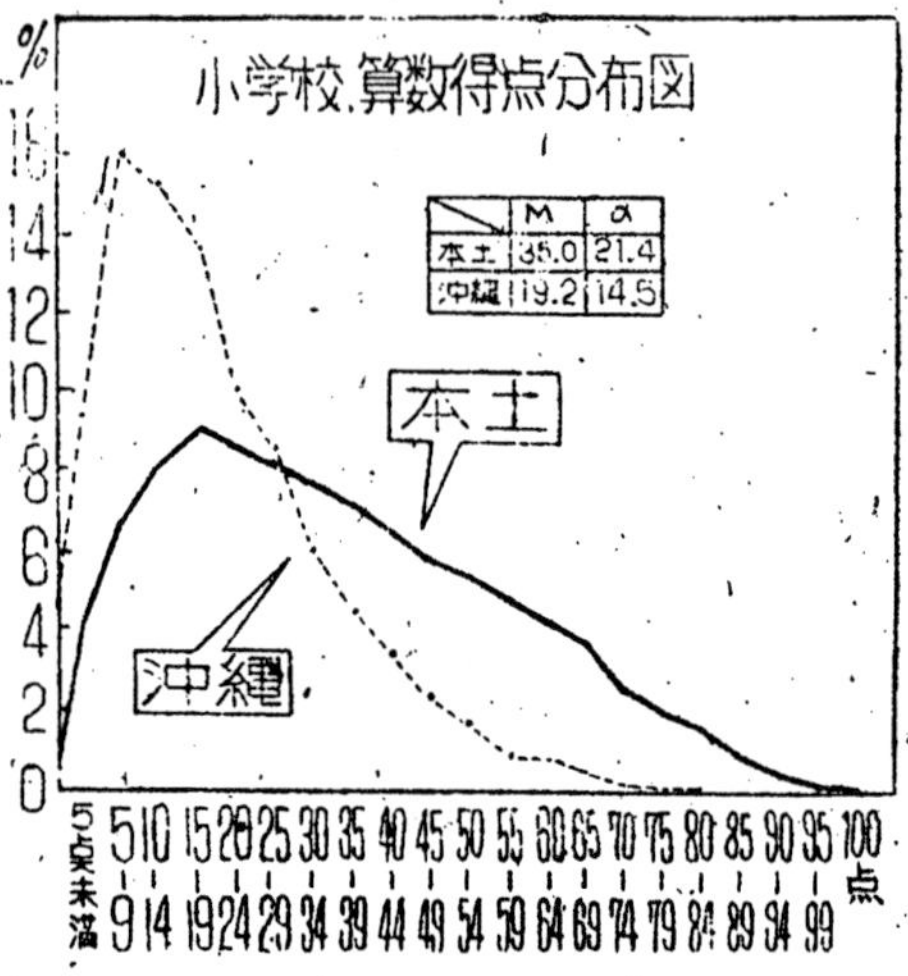

以上のことを要約すると本土に比較していちじるしく学力不振であり、19点以下に60%弱の児童が属するということは注目に値する。これらの児童を如何に指導し、向上させるかが今後の学習指導の課題の一つだと言へよう。

(2) 学校平均点の分布（**学校間の学力差は大きい**）

学校間の学力のひらきをみるために学校平均点の分布を示したのが第8図である。

学校平均点の最高と最低との差が30点以上のひらきがみられ学校間の学力差は大きい。

第 8 図

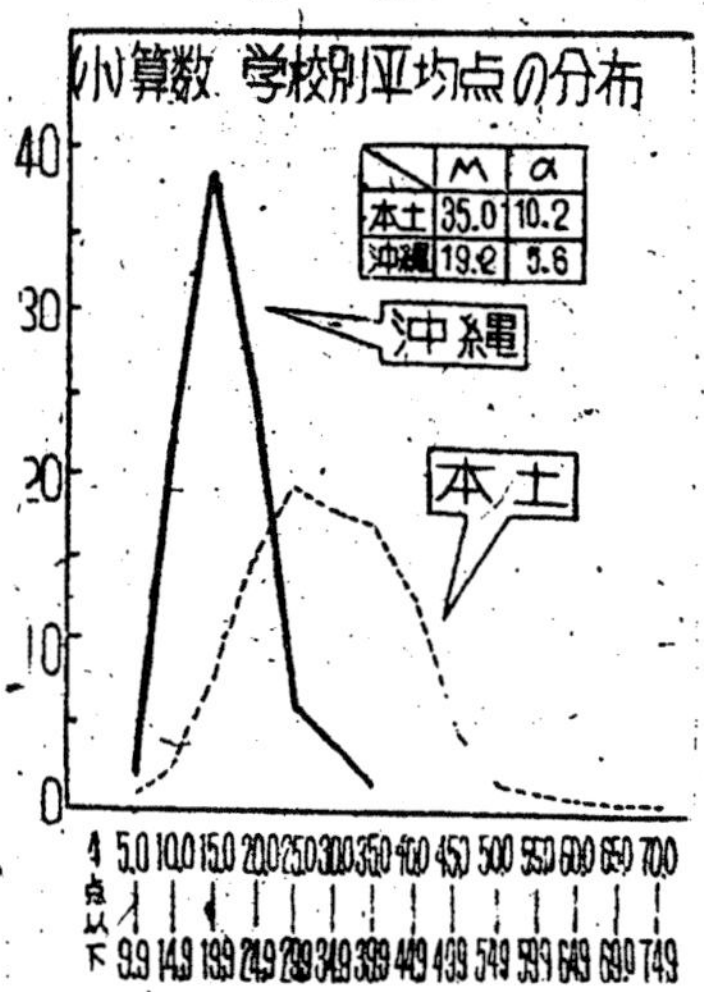

むすび

以上調査結果について概観し考察して来たが、ここではっきりいえる事は国語、算数ともに「本土との学力差は大きい」ということである。このことは過去二回の学力調査でも指摘されているが依然として落差が大きい。

学力調査のねらいは

(1) 学習指導要領を基準としてその目標に対する到達の度合を明らかにする（学力水準をみる）

(2) 将来同様な調査をする場合にこれと比較できるようにする（進歩の度合をみる）

(3) 学力をできるだけ診断的にとらえ、指導の欠陥などを知る（学習指導への利用）

となっているが学力水準は上述したように沖縄の場合進歩の度合も期待したようにはいっていないことがうかがわれる。その原因は教育諸条件の不備その他いろいろと問題点も多々あると思うが要は今次学力調査の結果を素直に受け取り、その診断の結果を教壇実践に反映させ、一日も早く全琉の学力水準が全国水準にまで引きあげられるよう現状に立っての一段の努力が必要ではなかろうか。

なお、ここで留意しなければならないことは、その学力調査の結果が児童の学力のすべてを示すものではないということである。このペーパーテストでみているのは限られた学科の「**共通にこれだけはマスターしておかなければ困るといつたような学習上最小限必要な基礎的な事項**」でこれ以外にも努力すべき領域がある事はもちろんである。したがって単に全体の成績とか平均点などを高めることにすりかえられてしまってほんとうに学習指導の改善の為に役立てようというねらいがうすれてしまうことを恐れるものである。

高等学校（英語）

1 調査結果の概観

「問題作成方針は、学習指導要領に示されている「聞く」「話すこと」「読むこと」および「書くこと」の四つの領域にわたって、それぞれの比重に応じて出題し、特に英語の運用能力をみることに重点をおいて、学力の実態を把握できるようにした」。（文部時報２月号）。

さて本土と沖縄を全日制、定時制課程別にその平均点を比較してみると、第９図のようになる。すなわち全日制は本土の48.3点に対して沖縄は33.8点となつており、その差は14.5点である。定時制の場合は本土28.1点に対して沖縄は25.9点となっており、その差はわずか 2.2点であって全日制ほどのひらきがない。

「全国平均は全日制のＰ（15単位履修者）の水準50点程度と期待していたが、58.9点という結果は期待を上回つている。」（文部時報２月号）という本土の結果に対して沖縄の全日制のＰの点数は46.6点で、50点の期待点にあとひとふんばりというところでとどまっている。これを33年度の調査結果と比較してみると次のとおりである。

	33年	36年	伸長度
本土	49.4	58.9	9.5
沖縄	33.7	46.6	12.9

左の表から本土の伸長度 9.5に対して沖縄は12.9の伸びを示している。この結果からみると沖縄は本土よりも向上の度合は高いとはいえるが、全般的にみるといまだしの感が強い。

それでは具体的にはどういう面（領域）に問題があるか。各領域別に本土と比較しながらその問題点と対策について考察してみよう。

2 領域別、問題別にみた問題点と対策

1 「聞くこと」問１

第 9 図

各領域別の正答率

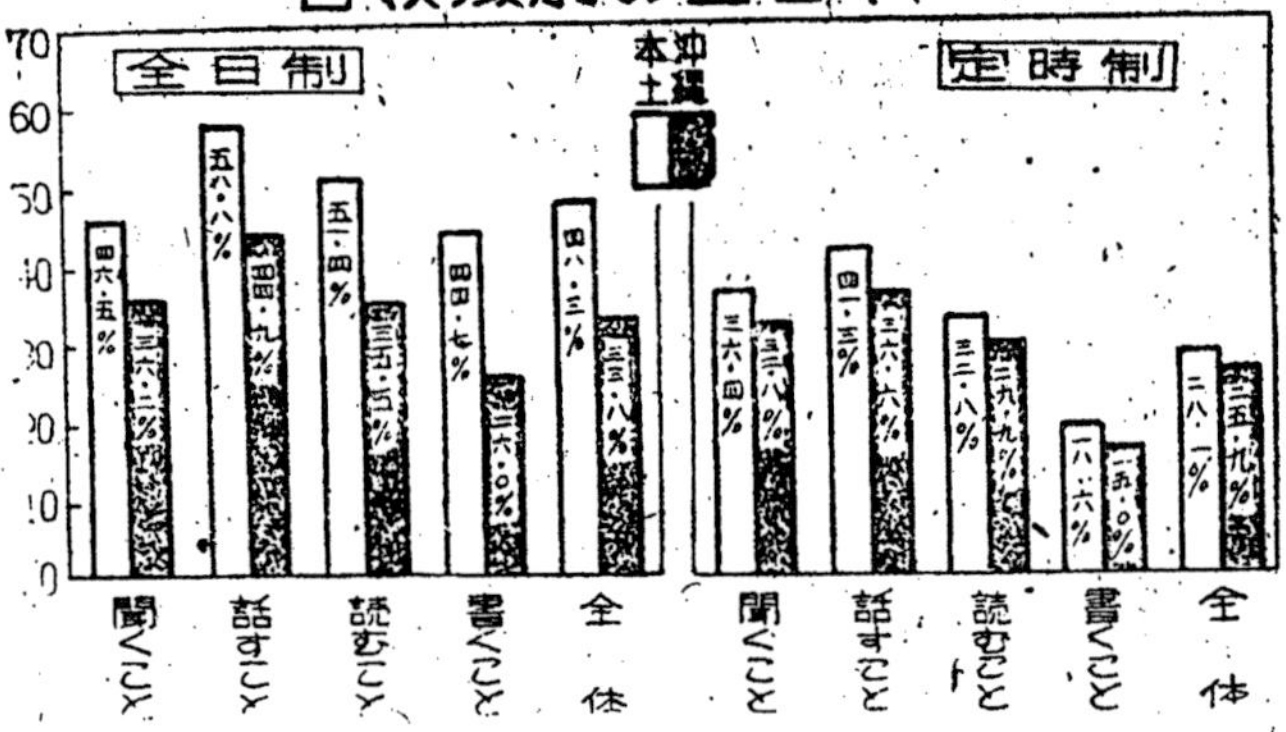

この問題は英語放送を聞いて内容を理解し、質問に答える問題であるが、これを本土と比較してみると、本土の46.5%の正答率に対し、沖縄のそれは36.2%となつており、その差は10.3%となつている（全日制）定時制の場合は本土36.4%に対して沖縄32.8%でわずかに 3.6%のひらきがみられるだけである。

aural comprehension test（聞いて理解するテスト）を取扱つた **hearing test** は英語学習の第一段階として極めて重要である。ここでは言語的手段で英語を使用した **true-falsetest**（真偽テスト）や **multiple-choice test**（選択法）、**question-answering test**（質問法）等の型であるが、こういう基本的な問題において本土と比べて10.3%もの差があるということはいつたいどういうことだろう。どのような要素が原因となって伸びなやんでいるのだろうか？

英語の特徴の一つは構造は同じでも音声の如何によってその意志内容の伝達が左右されることは今更多言を要しない。またそれ以前に音声面からみた音素、そしてその結合によるアクセントの強弱や **pitch**（　　　）等の分析をして、日本語と英語の分析の結果から得られるものを指導上における **attention pointer**（　　　）はどれかということにしぼって、英語をとおして学ぶ場合にそれを生徒の学習の中に反映することによってとの欠陥は補えるものと考える。

2　「話すこと」問２、３、４

問２は単語を発音する能力、問３はアクセントをつけて発音する能力、問４は文を区切って読む能力をみる問題であるが、その正答率を本土のそれと比較してみると本土の58.8%に対して沖縄は44.5%となっており（全日制）、定時制では本土41.3%に対して沖縄は36.6%となっており、その差は全日制14.3%、定時制4.7%である。

さらに問題別に本土と比較してみるとその差は次の表のとおりである。

問題別	問 2		問 3		問 4		合計	
課程別	全日制	定時制	全日制	定時制	全日制	定時制	全日制	定時制
本土	49.7%	32.9	52.8	31.6	73.8	59.3	58.8	41.3
沖縄	38.2%	29.0	35.2	24.9	61.2	55.9	44.9	36.6
ひらき	−11.5%	− 3.9	−17.6	− 6.7	−12.6	− 3.4	−13.9	− 4.7

この表から全日制の場合、問３が平易な頻度数の高い基礎単語を使ってアクセントのテストをしたものであるが、正答率の差が17.6%もあり、もっとも低い正答率を示している。定時制を比較すると全日制ほど差は大きくない。この領域の結果から今後の指導の要点は非言語的手段の絵、図形、動作を教材に使ったり、音素の対立等を織り込んで指導し、**articulation**（　　　）を強調し、文章の中での運用練習に努めることが肝要である。

問４は **segment**（区切り）のテストであるが、全日制の場合その差は12.6%となっている。これは英語の基本の一つになっている **stress**（語勢）や **pitch**（　　　）に重点をおかないで文型練習させ、**suppersegment**（　　　）で問題にならない話すスピードに禍いされているきらいがないでもない。

制限時間内でリズムに合わせて、単純な文型から複雑な長文にしたり、またその反対の方法で学習するのも効果的な方法である。

第１０図 (1)

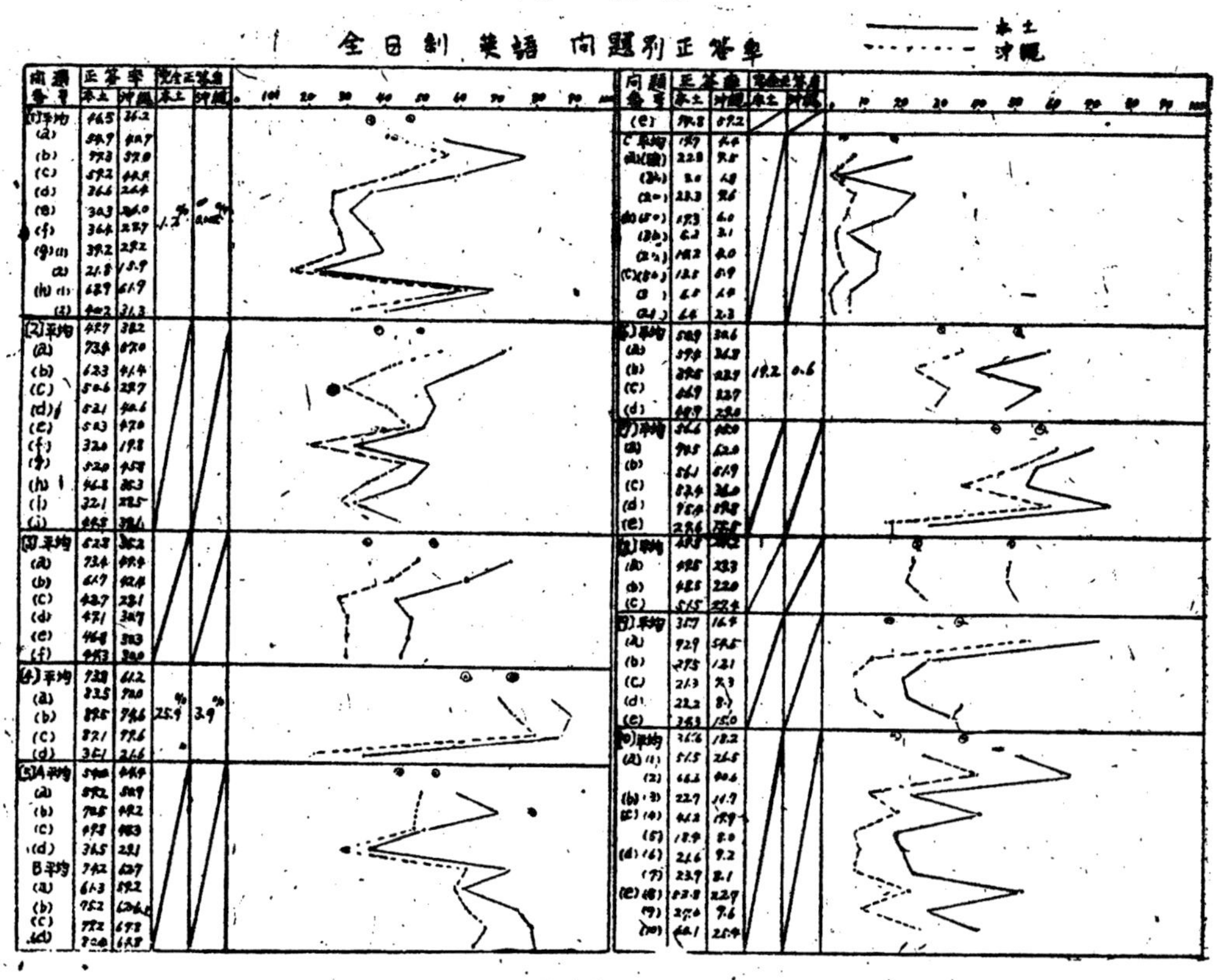

第１０図 (2)

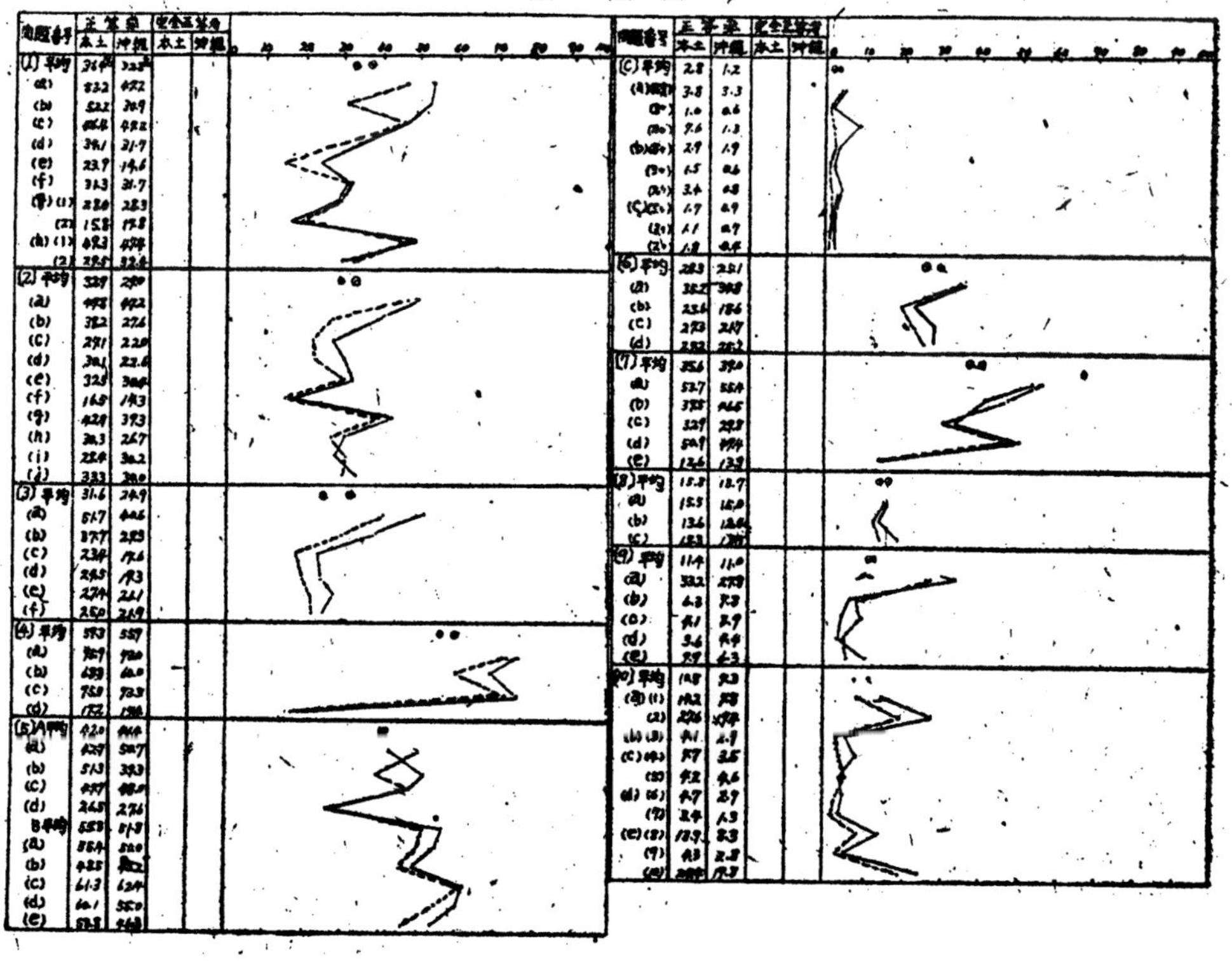

3　「読むこと」問5ABC、6

問5のAは英文を読んでその内容を理解し、言語的手段によつて日本語を使用した multiple-choice test (　　　)、Bは文の内容についての質問に yes と no で答える能力、Cは英文の意味を日本語であらわす能力、問6は二つの節を結合させて意味のとおる英文を構成する能力をみる問題であるが、正答率は全日制の場合、本土が 51.4%であるのに対して、沖縄は 35.5%となっており、その差は15.9%である。定時制では本土が32.8%に対して、沖縄は29.9%、その差は 2.9%となっている。さらに各問題別正答率および本土との差は次の表のとおりである。

問題別	問5のA		問5のB		問5のC		問 6		合 計	
課程別	全日制	定時制	全日制	定時制	全日制	定時制	全日制	定時制	全日制	定時制
本　土	54.0%	42.0	4.26	55.8	26.5	5.2	50.9	28.3	51.4	32.8
沖　縄	44.4%	41.4	2.7	51.8	4.4	1.2	30.6	25.1	35.5	29.9
ひらき	− 9.6%	−0.67	−11.5	− 4.0	−22.1	− 4.0	−20.3	− 3.2	−15.9	− 2.9

この領域でもっともひらきの大きいのは問5のCと問6である。問5のCについていうならば、このようなほんやく式のテストの成績が悪いのは、「聞くこと」「話すこと」が強調されている今日の傾向からみて、一応肯定もできるが、しかし全面的には賛同できない。何故ならば、オーラルアプローチ指導法でほんやく式を軽視したり、除去したりしようという傾向はみられないからである。ただ教師だけの立場でほんやく式の学習はいけないという点を強調しているに過ぎない。構造語学に基く口頭教授法としては多角的な立場から、これまで等閑視されていた oral と aural の面を強調したに過ぎないことに留意することが肝要である。

更にまた読解力を伸ばすには英語の副読本を多量に読ませることによって横文字に慣れさせ、生活化することが必要である。それと同時にテキストにある基本的文型を運用面まで学習させ、応用能力を伸ばす機会を与えることによってこの領域の欠陥が補えるのではないかと考える。

4　「書くこと」問7、8、9、10

この領域では問7は副詞、付加疑問文、動詞の時制、前置詞についての運用能力、問8は与えられた日本文の意味をあらわすようにして、英語の語句を並べかえて文を完成する能力、問9は文の中で名詞の複数形、形容詞の比較変化、動詞の活用の運用能力、問10は与えられた英文の意味を変えないで他の語に書きかえて文を完成する能力をみる問題であるが、4領域中一番成績が悪く、全日制では本土44.7%の正答率に対して沖縄26.0%となつて、その差は18.7%で本土とのひらきも他の領域に比べて一番大きい。定時制の場合は本土18.6%に対して沖縄15.0%でその差はわずか 3.6%である。各問題別の正答率およびその差は次の表のとおりである。

問題別	問 7		問 8		問 9		問 10		合 計	
課程別	全日制	定時制	全日制	定時制	全日制	定時制	全日制	定時制	全日制	定時制
本　土	56.6%	35.6	49.8	15.8	35.7	11.4	36.6	10.8	44.7	18.6
沖　縄	45.0%	39.0	24.2	15.6	16.4	11.0	18.2	17.3	26.0	15.0
ひらき	−11.6%	+ 3.4	−25.6	− 0.8	−19.3	− 0.4	−18.4	+ 3.5	−18.7	− 3.6

問7は multiple-choice test である。全日制は11.6%の差があるが定時制の場合は本土よりも沖縄が 3.4%だけ高い。これは文の内容と構造をテストする問題であるが、選択技の意味が理解されているならばほとんど完全に「書くこと」の能力をテストするものである。aural comprehension (　　　) に重点をおいて学習させることが効果的と考える。

問8は英語の語順をテストしている問題である。この問題の差は全日制の場合25.6%で全問題中一番大きなひらきがある。この結果から構造語学で強調されているものの一つである語順と文型練習の重要性についての比重が指導上軽く扱われていることになる。教材研究の三大要素の一つである母国語と外国語の分析という立場から日本語を話す人にとって英語を学習する場合の相違点、類似点、その他の部面を把握することが肝要である。その場合音声はもちろん、構造の面からの分析、検討が特に重要ではないだろうか。

問9は基本文型の運用面からみた確認の段階でのテストだと考えるが、その正答率の差は全日制で19.3%、定時制で 0.4%である。この面での指導は生徒の程度を考慮しながら語いと文形の両面からその強調点をフレイムルに入れてマシンガン学習法で指導することが効果的ではなかろうか。

問10は **completion test** で言語手段を用いたものである。正答率はそれぞれ 18.4%、3.5%の差がある。この結果から基本的な文型の練習から応用問題に拡充していく学習法をもっととり入れる必要があるのではないかと思考される。すなわち具体的なものから複雑な推理的な問題に移るまでの基礎訓練をする学習が実際になされることによってこの欠陥が除去されるのではないだろうか。

3　生徒の得点のひらき（第11図参照）

以上各領域別に問題点とその対策について考察したが、つぎに全体的にみた生徒の得点がどのようなちらばりをしているかをみてみよう。（第2図参照）全日制、定時制いずれも正常分布をなさず頂点が左に偏っている。本土と比べてみると全日制の場合頂点の位置は同じでも、高さ（生徒の数）において約2倍のひらきがあるということは注目に値する。定時制の場合にも位置は同じである。しかし高さは全日制ほどのひらきはない。

第11図 (1)

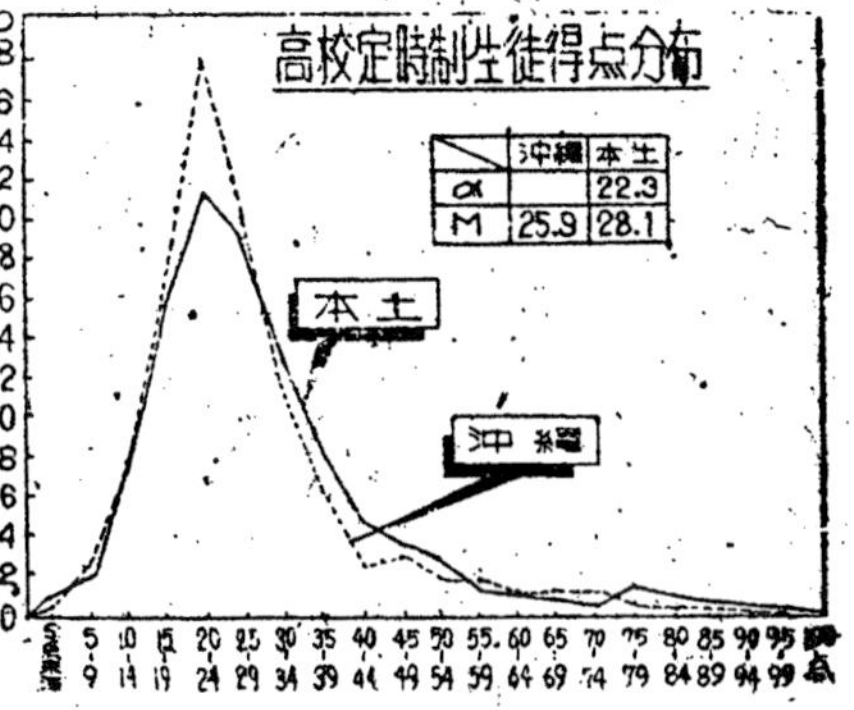

全日制の場合期待点に達しない生徒が全体の73%定時制の場合95%もいる。

本土の場合は56%と93%である。このことからいえることは全体としてのレベルを向上させることが今後の問題の中心であり、それをいかなる具体的な指導法によつて解決するかが今後の努力目標であるということではないだろうか。

第11図 (2)

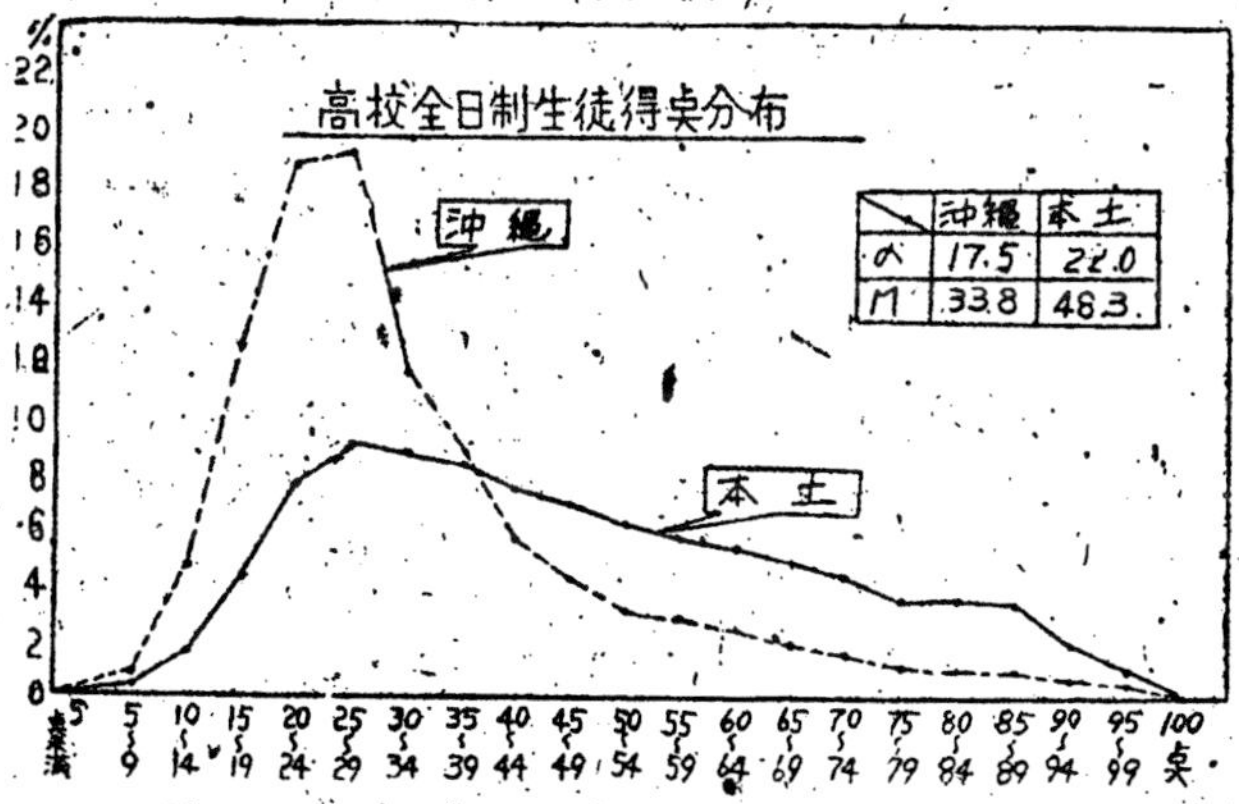

4　むすび

四技能の領域別に考察し、その正答率を比較すると、聞くこと、13.2、話すこと12.6、読むこと14.4、書くこと14.7のそれぞれの差で沖縄は本土より低い。書く技能がもっとも悪く、読む、書く、話すの順でその差は小さくなつている。（第10図参照）この結果からするとその曲線の配分の度合は不自然で偶発的な正答率を示していることになる。なぜならば聞くことを徹底することにより、話すことがそれだけ伸び、それから読む、書くといった順で均衡のとれた傾向線を示すならば、学習上の問題として一貫性のある系統学習につながるものと思うが、この結果ではそのような一貫性のある学習の結果であるとは考えられない。ただ聞く、話すと読む、書くに二分して、それぞれを比較すると結局聞きとって話すといった流れからみると運用面で悪く、また読む、書くといった面ではやはり「書く」が悪く、ここでも運用面に困難点がある。

極言すれば各領域において基本的なものをしっかり把握させ、それを運用ができる程度までドリルする学習の場が一時間一時間の教壇実践でありたいものである。

〔一〕

問い一　何の会の知らせでしたか。あっているものを一つ選んで、その番号を○でかこみなさい。

1　図書委員会
2　読んだ本について話し合う会
3　学級委員会
4　げんとうや人形しばいの会

問い二　会は、いつ、どこで、何時からはじまるのですか。あっているものをそれぞれ一つずつ選んで、その番号を○でかこみなさい。

{ 1 木曜日　2 金曜日　3 土曜日　4 日曜日 } に { 1 図書室　2 放送室　3 六年の教室　4 講堂 } で { 1 午前十一時　2 午後一時　3 午後一時半　4 午後二時 } から

はじまる。

問い三　この会に出たい人は、どうしたらよいでしょうか。あっているものを一つ選んで、その番号を○でかこみなさい。

1　金曜日の午前中に学級委員に申しこむ。
2　金曜日の午前中に図書係に申しこむ。
3　木曜日までに図書係に申しこむ。
4　木曜日までに学級委員に申しこむ。

正答率				
本土	55.9	61.3	48.6	57.8
沖縄	27.6	31.9	22.4	28.6

〔二〕

チ	製	工	へ	見	（	案	説
ヨ	造	場		学	い	内	明
コ					つ		
レ					た		
ー					）		
ト					。		

〔三〕

問い一　いまの話では、モノレールはどのように考えられていましたか。あっていると思うものを一つだけ選んで、その番号を○でかこみなさい。

1　モノレールは、西ドイツでりっぱに交通機関《きかん》としてつかわれているから、これからの都市の交通機関だ。
2　モノレールがこれからの都市の交通機関になるかどうかは、

正答率											
本土	57.6	60.4	17.3	66.2	76.5	71.1	62.1	52.7	54.2	54.2	31.0
沖縄	34.5	32.5	6.1	405.	57.9	47.3	43.4	23.9	24.7	34.3	24.8

これからの研究できまってくる。

3 モノレールはあらゆる点ですぐれているから、これからの都市の交通機関になる。

4 モノレールにはいろいろ問題があるので、都市のこれからの交通機関はやはり地下鉄《ちかてつ》である。

問い二 次の1から4までの中で、いまの話にでたものには○を、でなかったものには×を □ の中に書き入れなさい。

□ 1 モノレールは、レールからはずれたらたいへんだと心配する人がある。

□ 2 モノレールは、もしできても料金が高くなるといわれている。

□ 3 モノレールは一度にたくさんの人を運ぶことができないかもしれない。

□ 4 モノレールは空中を走るから、駅がつくりにくい。

問い三 いまの話に題をつけるとしたら、どれがよいでしょうか。いちばんよいと思うものを一つ選んで、その番号を○でかこみなさい。

1 モノレールの長所について
2 発達してきたモノレール
3 話題となってきたモノレール
4 モノレールと飛行機について

〔四〕 次の文章は、「けさ起きてから学校に来るまで」という題で書かれた作文です。この作文を読んで、あとの問い一、問い二について、いちばんよいと思うものを一つずつ選んで、その番号を○でかこみなさい。

正答率			
本土	54.3	77.4	44.6
沖縄	22.7	47.7	38.2

(1) 七時ごろ、わたしは、小鳥のなき声で目をさました。このあいだ、よそからもらったエスのことが、心配になった。見にいったら、クンクンないている。おなかがすいているらしかった。手を出すと、手をペロペロなめて、とてもかわいい。急いでミルクを入れものに入れてやると、ベチャベチャなめはじめた。早く大きくなればよいと思いながら、家にはいった。

(2) 顔をあらってごはんを食べて、かばんを持って家を出た。大橋のところまで走っていった。

(3) 並木通りで、なかよしの山田さんに会った。見ると、山田さんは、頭にぐるぐると、白いほうたいをまいていた。

(4) 父は、きのうの仕事でつかれたのか、七時半になっても、まだ起きてこない。父の会社は、このごろたいへんいそがしくて、ゆうべも九時すぎに家に帰ったようだった。

問い一 山田さんに会ったことを書いてある(3)の部分は、

1 作者がとくに書こうとしているところらしいから、もっとくわしく書いたほうがよい。
2 作者がとくに書こうとしているところではないらしいから、このくらいに書いてあればよい。
3 作者がとくに書こうとしているところではないらしいが、もっとくわしく書いたほうがよい。
4 作者がとくに書こうとしているところではないらしいから、けずってしまったほうがよい。

問い二 父のことを書いた(4)の部分は、

1 この作文のいちばん初めに置いたほうがよい。
2 (1)の部分の次に置いたほうがよい。
3 (2)の部分の次に置いたほうがよい。
4 このままでよい。

正答率		
本土	45.4	43.7
沖縄	46.8	29.5

〔五〕 六年一組の大木君が、自転車から落ちてけがをしたので、中川君がおみまいの手紙を書きました。先生にみていただいたら、「よく書けているが、ここのところを書きなおすと、もっとよくなります。」といって、線を引いてくださいました。どのようになおしたらよいか、考えてみましょう。

大木君、お元気ですか。君がけがをしたと聞いたとき、ぼくは、(1)えらくびっくりしてしまいました。先生が病院から帰って(2)きたので、ぼくたちは、すぐ大木君のようすを聞きました。そうしたら、先生は、「おれないで、はずれてまがったのだ。」とおっしゃいました。ぼくは、それを聞いて安心しました。落ちたところに、もし石があったら、もっとひどかっただろうとぼくは思っています。

ぼくも二、三年のころ、右うでを折ったことがあります。そのとき、ほんとうにいたかったことが、いまでも(3)わすられません。毎日、手をつって、なにもできず、一か月もつまらない思いをしました。大木君も、きっとつまらないだろうと思います。

いま学校では、ていきゆうをしたり、キャッチボールをしたりしています。先週の土曜日の体育のとき、ハンドボールの試合をやって、白にまけてしまいました。先生が(4)「赤、作戦が悪い。」とおっしゃいました。こんど学校全体で、ソフトボールの試合をやります。それまでには、君も元気になって学校に顔を見せてください。さようなら。

九月十六日　　中川春一

大木君

正答率	
本土	73.3
沖縄	55.6

問い一　(1)の えらく をどうなおしたらよいでしょうか。よいと思うものを一つ選んで、その番号を○でかこみなさい。

1 たいへん　2 かなり
3 すこし　4 むしろ

問い二　(2)の きたので、をどうなおしたらよいでしょうか。よいと思うものを一つ選んで、その番号を○でかこみなさい。

1 こられたので、　2 こられるので、
3 くると、　4 きませんので、

問い三　(3)の わすられません。をどうなおしたらよいでしょうか。よいと思うものを一つ選んで、その番号を○でかこみなさい。

1 わすれられませんでした。　2 わすれません。
3 わすれられません。　4 わすれませんでした。

問い四　(4)の「赤、作戦が悪い。」をどうなおしたらよいでしょうか。よいと思うものを一つ選んで、その番号を○でかこみなさい。

1 「赤も作戦が悪い。」　2 「赤より作戦が悪い。」
3 「赤が作戦が悪い。」　4 「赤は作戦が悪い。」

〔六〕 次の文章を読んで、あとの問いに答えなさい。

では、そのしつもんにお答えします。

まず、北側の地面から、十六メートルほどあがったところに入り口があります。

入り口をはいると、道は下り坂になります。これをうっかり歩い

正答率					
本土	88.9	74.8	49.7	79.8	64.0
沖縄	74.9	59.8	28.6	59.3	44.2

ていってはいけません。いつのまにかピラミッドのましたに行ってしまうからです。よくてんじょうを見ながら歩くと、とちゅうから、ななめ上に向かって道ができているのに気がつきます。この道をよじ登ってのぼり坂を歩いていくと、こんどは道が二つにわかれ、水平の方向に歩いていくと、王妃のへやに出ます。のぼり坂を歩いていくと、王妃のへやのまうえあたりにある王のへやにでます。

王のへやは、高さ六メートル、たて十メートル、横五メートルほどの広さです。まわりは、もちろん石でかこまれていますが、石のつなぎめもわからないくらいに、みごとにつみかさねられています。このへやに、王のミイラやそのほかさまざまな宝物がおさめられていたのでした。

この王のへやから、左右にななめ上に向かって、道のようなものができています。これは、人の通る道ではなく空気を通じるためのあなで、直径十五センチほどのものです。

ピラミッドの中の道が、ふくざつになっているのは、王のへやにある宝物を、どろぼうに取られないためでした。じつ、道のようすがわからない、どろぼうが、うっかりはいって道にまよってしまい、出口をさがしもとめて歩いたあげく、とうとうこの中で、うえ死にしてしまったという話もあります。

問い一　この文章は、しつもんに対する答えですが、そのしつもんは、次の1から4までのうちどれだと思いますか。いちばんよいと思うものを一つ選んで、その番号を○でかこみなさい。

1　ピラミッドの大きさは、どのくらいありますか。

2　ピラミッドの中は、どのようになっているのですか。

3　ピラミッドの中の、王さまのへやは、どのようになっているのですか。

4　ピラミッドは、いつごろ、どのようにしてつくられたのですか。

正答率		
	本土	61.1
	沖縄	41.3

問い二　下の図で、宝物はどのへやにありますか。

図の中のそのへやの番号を○でかこみなさい。

問い三　入口は下の図の(ア)(イ)(ウ)(エ)のうちどこですか。

図の中のその場所の記号を○でかこみなさい。

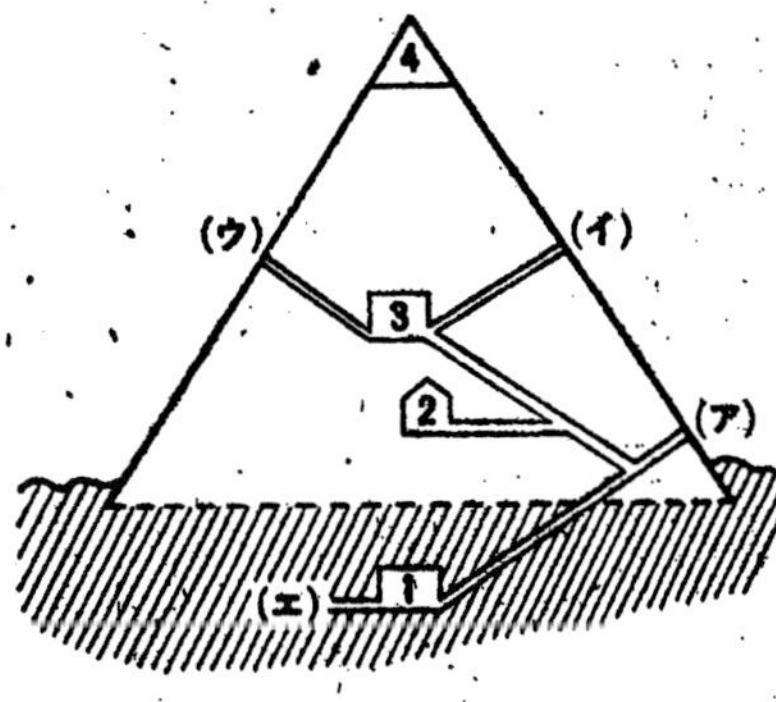

〔七〕

次の文章を読んで、あとの問いに答えなさい。

どんな人でも、生れたときには、ことばを話すことができません。話したり聞いたりする力はあるのですが、話せるようになり、聞いて意味がわかるようになるのは、［ア］くりかえしくりかえしことばを聞き、自分でも、かたことを言って、だんだんと練習をつんでからのことです。みなさんは、日本人だから日本語が話せると思っているかもしれませんが、そうではないのです。もしみなさんが、アメリカに生まれるか、あるいは、日本で生まれても、まわりにアメリカのことばを教える人だけしかいなかったとしたら、みなさんは、アメリカのことばだけしかおぼえないので、日本語はまったく知らないままで大きくなるのです。反対に、アメリカ人でも、日本人の間で育てば、日本語だけしかわからないままで、大きくなるので

正答率				
	本土	62.1	68.9	38.3
	沖縄	43.1	48.2	25.1

す。[イ] チンパンジーのあかんぼうと、人間のあかんぼうとをくらべてみると、ことばをおぼえる前は、チンパンジーのあかんぼうのほうがずっとりこうなのです。ところが、チンパンジーはことばが話せないでしょう。人間のあかんぼうは、だんだん、ことばをおぼえてきます。そうしてことばをおぼえるようになると、こんどは反対に、人間のこどものほうが、ぐんぐんりこうになって、チンパンジーのこどもとは、くらべものにならなくなるのです。昔からのいろいろのちえを、ことばで伝えられ、まわりの人からも、いろいろのことを、教わることができるからです。

問い一　この文章の全体を、三つの部分にくぎるとしたら、どことどこでくぎったらよいでしょうか。文章の中の**二か所**に」を入れて示しなさい。

問い二　文章の中の[ア][イ]には、それぞれ次の四つのことばのどれがいちばんよくあてはまるでしょうか。一つずつ選んで、その番号を○でかこみなさい。

ア
1　学校で
2　おかあさんから
3　日本人の間で
4　まわりの人から

イ
1　いうまでもなく
2　おもしろいことに
3　つまり
4　そうはいうものの

正答率			
本土	24.5	56.0	48.2
沖縄	10.5	40.7	38.5

〔八〕　次の□の中に漢字を、正しく書き入れなさい。

(1)　□□《キョウミ》がある。

(2)　□□《ソウダン》する。

(3)　正しく□《トトノ》える。

(4)　□《ヤブ》りすてる。

(5)　□《マズ》しい暮らし。

(6)　□《ニワ》の草。

(7)　船に□《ノ》る。

(8)　空が□《ハ》れる。

正答率									
本土	50.6	39.4	47.1	43.0	30.2	35.7	71.4	60.6	77.2
沖縄	34.7	27.4	30.6	28.6	20.2	21.8	50.3	43.3	54.8

〔九〕 次の文章を読んで、あとの問いに答えなさい。

大きなさざえのからにはいっているやどかりが、岩の上から、下にたくさん集まっているきしゃごを見おろして、「小さいな。」と思った。

「あいかわらずうじうじしていゃがる。」とはらで冷笑した。

かれは、いぜん自分がそのからの一つにはいってなかまのようにしていたことを思い出して、自分ながらよくもこんなに大きくなったものだとうぬぼれた。

やどかりは、いきおいよくきしゃごをおし分けて岩をかけおりると、一度ちゅうがえりして、どぶんと海の中へ飛びこんだ。

ワアーというきしゃごどもの笑いはやす声が聞こえた。

「ばかどもが。」こう思いながら、かれは大きな者だけが感じられる寛大な心持ちを味わいながら、海の底をのそのそと歩いていた。

かれは、わきに何かごりごりという音を聞いた。

見ると、それは自分よりも大きなさざえが、そろそろと岩をはい上がって行くところだった。かれは急にたまらないはずかしさを感じた。

かれは、さざえに見つからないように [ア] そこを退《しりぞ》いた。

ひとりになると、かれは急にむかむかとはらがたってきた。そして、すぐむりやりに自分のからをぬいでしまった。

砂地を今度はそろそろとおくびょうにはって行った。やわらかいしりが砂ですれてとても痛かった。

かれは苦しんだ。一日一晩苦しんだ。そしてやりきれなくなった時だ、ちょうどそこにひじょうに大きなほら貝のからを見いだした。それは、きのうかれをおびやかしたさざえよりも、さらにさらに大きかった。

かれは静かにしりのほうからその中にもぐりこんで、やっと安心した。

その貝は重く、かつ、かれのからだにはゆるゆるだった。が、かまわず、苦しいおもいをしてそれを引きずって歩いた。

かれはまた大きくなろう、大きくなろうという願いにもえた。

正答率	本土	沖縄
	34.1	27.8

問い一 文章の中の [ア] に、いちばんよくあてはまることばはどれですか。一つ選んで、その番号を○でかこみなさい。

1 どんどん　　2 かるい足どりで
3 ぬき足さし足で　　4 どしんどしんと

問い二 かれは苦しんだ。一日一晩苦しんだ。とありますが、なぜ苦しんだのですか。いちばんよいと思うものを一つ選んで、その番号を○でかこみなさい。

1 大きなさざえがおそろしいから
2 きしゃごたちをばかにして悪かったと思って
3 やわらかいしりが砂ですれて痛んだから
4 もっと大きくなれるか、大きくなるにはどうしたらよいか考えて

問い三 作者はここで何を書こうとしていますか。いちばんよいと思うものを一つ選んで、その番号を○でかこみなさい。

1 やどかりの苦心　　2 やどかりの安心
3 やどかりの願い　　4 やどかりのしくじり

正答率	問い一	問い二	問い三
本土	55.8	17.8	41.6
沖縄	38.3	16.3	34.9

〔十〕 次の文章を読んで、あとの問いに答えなさい。

人間は、とかく自分を中心としてものごとを考えたり判断したりするものである。自分中心の考え方からぬけ切っているといえる人は、広い世の中にも①じつにまれである。ことに、損得にかかわることになると、自分をはなれて正しく判断していくということは、非常にむずかしいことである。たいがいの人が、手まえがってな考え方におちいって、ものの判断がわからなくなり、自分につごうのよいことだけを見ていこうとするものである。

しかし、自分たちの地球が宇宙の中心だという考えにかじりついていたあいだ、人類には宇宙のほんとうのことがわからなかったと同様に、自分ばかりを中心にしてものごとを判断していくと、世の中のほんとうのことも、ついに知ることができないだろう。大きな真理は②そういう人の目には、けっしてうつらないものである。もちろん、日常わたしたちは、太陽がのぼるとか、しずむとか言っている。そして、日常のことは、それでいっこうさしつかえない。しかし、宇宙の大きな真理を知るためには、その考え方をすてなければならない。それと同じようなことが、世の中のことについてもあるものだ。

問い一 この文章を書いた人は、けっきょくどういうことをいおうとしているのでしょうか。一つ選んでその番号を○でかこみなさい。

1 人間は、自分のことは自分でしなければならない。

2 手まえがってな考え方をしていると、もののほんとうのすがたがわからなくなるものだ。

3 世の中のことを正しく知るためには、自分ばかりを中心とした考え方をすてることだ。

4 太陽がのぼるとか、しずむとかいうことは、いってもさしつかえないことだ。

正答率		
本土	46.[illegible]	63.9
沖縄	32.5	45.0

問い二 この文章の中の①じつにまれである。というのはどういうことですか。いちばんあっていると思うものを一つ選んで、その番号を○でかこみなさい。

1 非常に数が多いものである。

2 わりあいに少ないものである。

3 多いとも少ないともいえないものである。

4 非常に数が少ないものである。

問い三 この文章の中の②そういう人というのは、どういう人のことですか。いちばんあっていると思うものを一つ選んで、その番号を○でかこみなさい。

1 もののほんとうのすがたがわからない人。

2 自分中心にものを考える人。

3 大きな真理をめがける人。

4 地球が宇宙の中心だと考えている人。

正答率		
本土	28.9	35.4
沖縄	15.3	26.8

小学校算数調査問題

昭和36年度全国学力調査

問題	正答率 本土	正答率 沖縄
〔1〕 つぎの計算をしなさい。答えは □ の中に書きなさい。（商《しょう》は小数第1位までだしなさい。あまりがあつたら、あまりも書きなさい。）	53.6%	33.4%
① 26×3.14= □	63.1	50.9
② 0.83×9.6= □	55.1	40.0
③ 34.04÷4.6= □	52.4	27.2
④ 63.9÷7= □ あまり	43.9	17.1
〔2〕 つぎの数を大きいほうから順に下の □ の中に入れなさい。 1.05, 1, $1\frac{3}{4}$, 0, 0.9 ① □ ② □ ③ □ ④ □ ⑤ □	60.1	38.4
〔3〕 つぎの □ の中にあてはまる数を書き入れなさい。	44.6	26.2
(1) 1 m²= □ cm²	31.3	19.5
(2) 3.09 kg= □ g	57.0	32.9
〔4〕 つぎの計算をしなさい。答はできるだけかんたんな数にして □ の中に書きなさい。（答は約分できるものは約分し，仮分数になるものは帯分数になおして，書きなさい。）	63.9	43.2
① $\frac{3}{4}+\frac{5}{6}=$ □	60.8	37.5
② $4\frac{2}{7}-2\frac{3}{7}=$ □	68.4	47.8
③ $3\frac{3}{4}\times 5=$ □	62.6	44.3
④ $\frac{6}{7}\div 3=$ □	63.9	43.3
〔5〕 村の倉庫《そうこ》に，280俵《ぴょう》の米があります。これは4トンづみのトラック1台で，駅まではこぶことにしました。	22.1	5.2
① 1俵の重さは 68kg です。4トンをこえないようにすると，このトラックには何俵までつめますか。 □ 俵	24.8	5.8
② 上のようにすると，280俵の米はこのトラックでは，何回ではこべますか。		

回

③　1回にはこぶ俵数を同じにするには，1回に何俵ずつつめばよいことになりますか。

俵

〔6〕　長方形の土地がありましたが，すみが切りとられて，下のような形になりました。この土地の面積は何平方メートルですか。

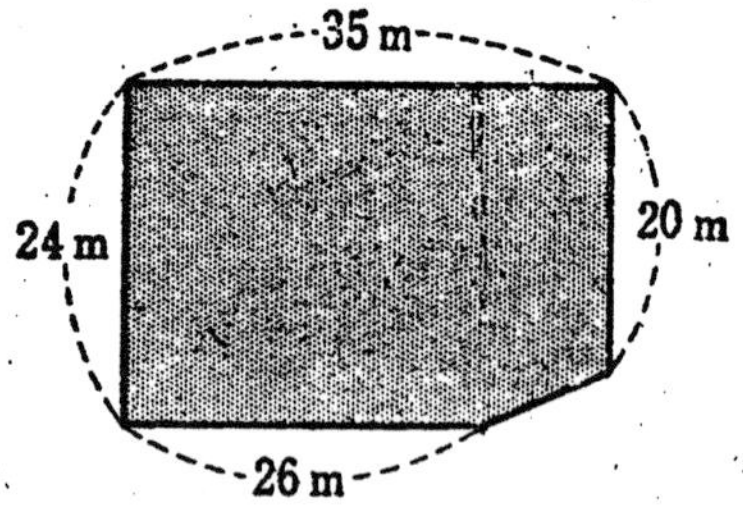

㎡

〔7〕　右の図は，かごにいれたたまごの重さをはかっているところです。かごの重さは200gあります。たまごだけの重さは何キログラムですか。

kg

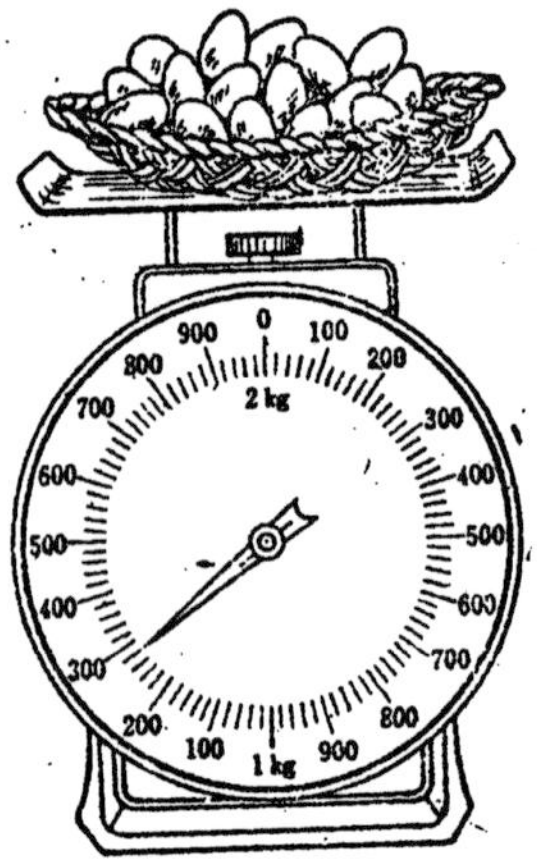

〔8〕　山田村で昨年生産したくだものの金額《きんがく》は2240万円になりました。

(1)　このうち，りんごは75％をしめています。りんごだけの金額はいくらですか。

万円

(2)　ことしは生産するくだものの金額を昨年の120％にしたいといっています。この計画では，昨年よりも，金額がどれだけ多くなりますか。

万円

〔9〕　つぎの問題を読んで，答えを □ の中に書きなさい。

(1)　Aの工場では，1日にテレビを2400台も作るといっています。この工場では，1日に8時間作業をしているとして，1時間に何台のわりでテレビを作っていることになりますか。

台

(2)　Bの工場では，「20秒に1台のわりでテレビを作っている。」と報告しています。

正答率	
本土	沖縄
26.8	7.2
14.7	2.5
29.3	8.3
34.0	11.9
23.9	5.6
32.1	8.5
15.6	2.6
59.8	40.7
67.2	40.2

Aの工場とBの工場とで，テレビを作る速さは，どちらが速いといえますか。つぎのうちで，正しいものを［　　］の中に○を書き入れなさい。

① ［　　］ Aの工場のほうが速い。

② ［　　］ Bの工場のほうが速い。

③ ［　　］ どちらも同じである。

〔10〕 1目が1cm の方眼紙に，下のような図形がかいてあります。この図形の面積をもとめなさい。

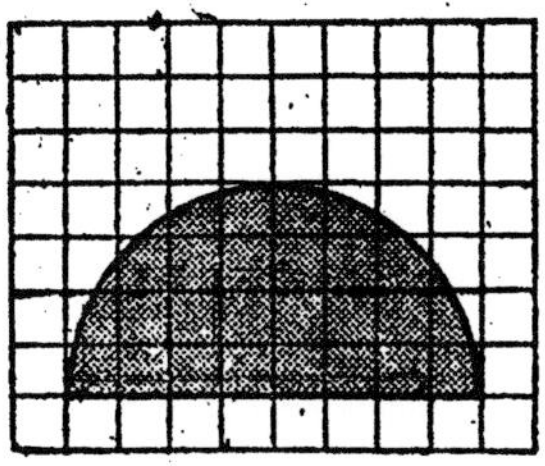

［　　　　　cm²］

〔11〕 うちのりで，たて8cm，よこ8cm，深さ12cmの直方体のいれものがあります。

(1) これに深さがちようど10cm になるまで水を入れました。いれものにはいつている水の体積はどれだけですか。

［　　　　　cm³］

(2) つぎに，この中へ小石を静かにしずめました。水面が前よりも6mmだけ高くなりました。この小石の体積はどれだけですか。

［　　　　　cm³］

〔12〕 正さんは，中学校を卒業した人たちの進み方について，A県の場合と，じぶんの近くにある中学校の場合とをくらべてみました。

(1) A県の高等学校進学者は，中学校卒業者全体の，およそどれだけといえますか。できるだけかんたんな分数で書きなさい。

〔A県の中学校卒業者の状況〕

中学校卒業者の数	18,235人
高等学校進学者数	12,057
職業についた者の数	5,516
そ の 他	662

［　　　　　］

(2) 正さんの近くにある中学校では，卒業者のうち高等学校へ進学する者の数は，つぎのとおりです。高等学校進学者の割合《わりあい》が，A県の場合よりも大きい中学校に○をかきなさい。

	中学校卒業者数	高等学校進学者数
山田中学校	150人	86人
川西中学校	240	173
宮村中学校	251	180

正答率	
本土	沖縄
52.3	41.2
21.0	5.9
35.7	15.8
47.1	25.1
24.3	6.5
10.8	3.2
11.1	3.2
10.4	3.3

答え
① □ 山田中学校
② □ 川西中学校
③ □ 宮村中学校

正答率	
本土	沖縄

〔13〕 つぎのような長方形の紙があります。A君は，これから正方形を作ろうと思つて，その対角線を折り目にして二つに折り，重ならない部分を切りとりました。

切りとった二つの三角形はちようど同じ大きさでした。

さて，切りとったあとの図形はどうでしょうか。つぎの答えのうち，正しいものを □ の中に○をつけなさい。

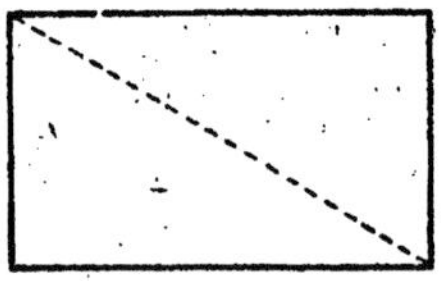

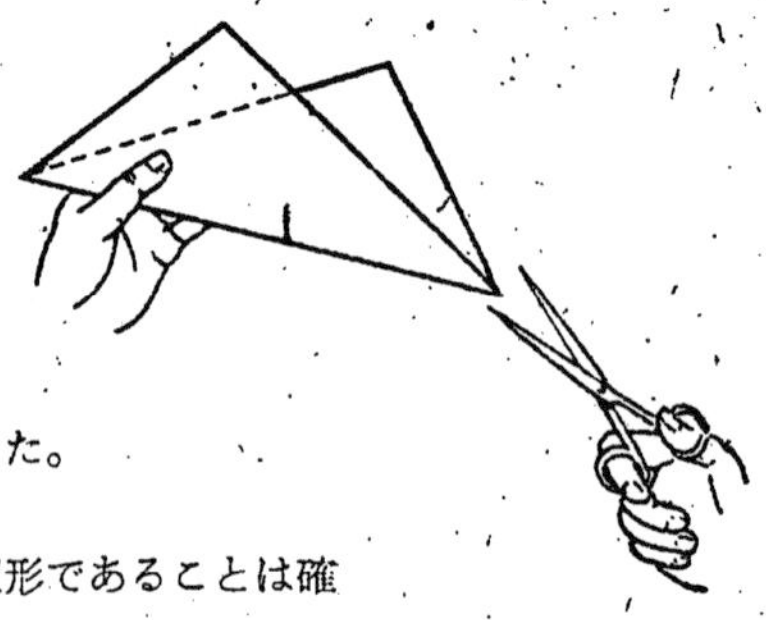

答え
① □ うまく正方形ができた。
② □ 正方形ではないが，ひし形ができた。
③ □ ひし形とはいえないが，平行四辺形であることは確かである。
④ □ 平行四辺形ともいえない。

本土	沖縄
29.0	30.6

〔14〕 直方体の箱《はこ》に，つぎの図のようにひもをかけました。下に示した図は，この箱の展《てん》開図です。

ひものかけてあるところを，この展開図に書き入れなさい。（えんぴつではつきりわかるように書きなさい。）

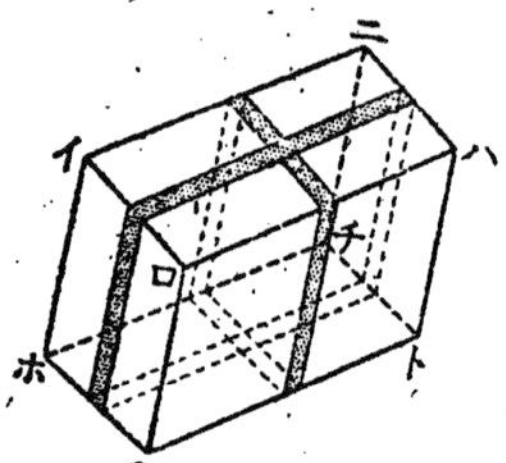

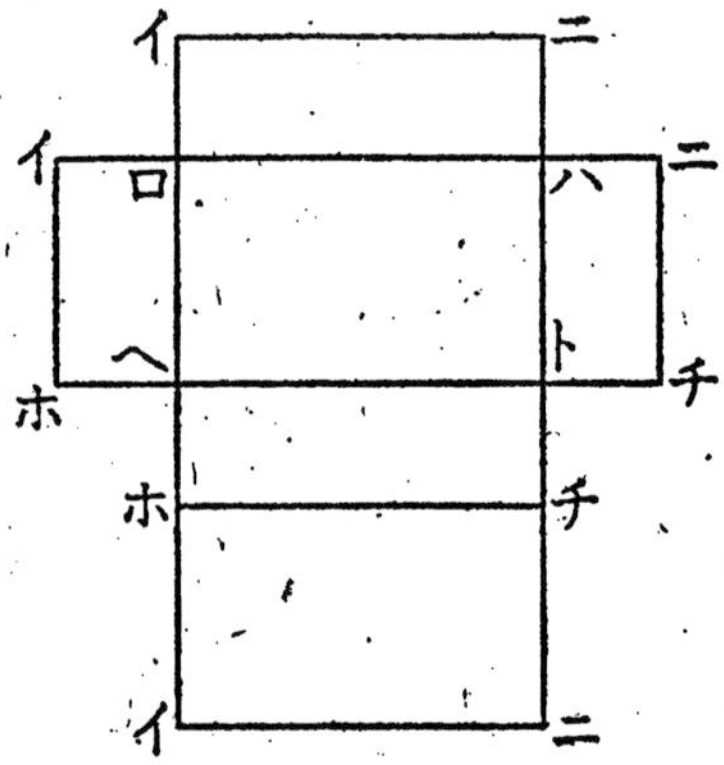

本土	沖縄
24.8	7.6

〔15〕 秋子さんたちは，学級園の手入れをしています。30分かかつて，ぜんたいの$\frac{2}{5}$ほどおわりました。このぶんでいくと，のこりのぶんはあと何分ほどでできますか。

□ 分

本土	沖縄
33.6	17.0

〔16〕 下にある三つの三角形の面積をもとめようと思います。いま，これらの三角形について，太い線で示した辺を底辺としてとりました。高さとして，それぞれどこの長さを用いればよいか，正しいと思われる線の記号を，それぞれの □ に書き入れなさい。

本土	沖縄
21.1	6.3

正答率	
本土	沖縄
32.3	21.3
36.7	25.6
27.8	17.0
30.7	19.2

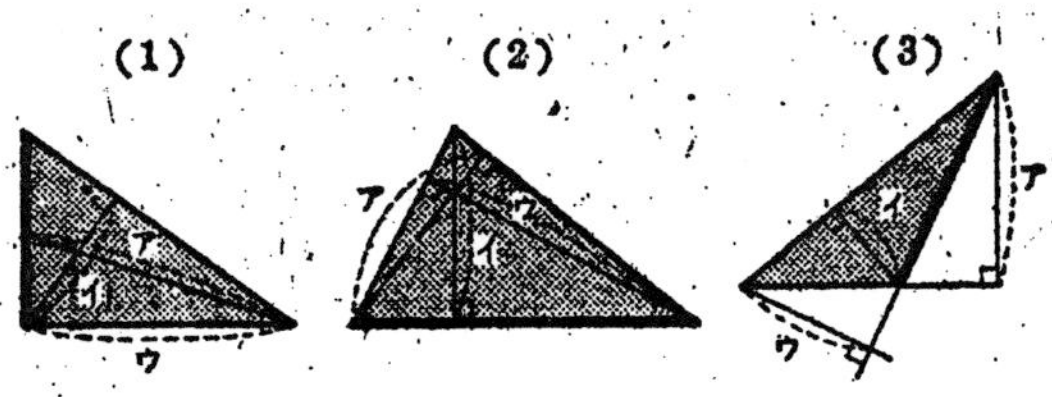

答え (1) □ (2) □ (3) □

〔17〕 ある商店で，品物を１個52円で40個仕入れ，１個について18円のもうけをみこんで売り値をつけました。

この品物を売り終わるまでに，X個だけはこわれて売れなくなつてしまいました。

さて，この品物で，どれだけのもうけがあつたかは，つぎのような考え方でもとめられます。

A ｜ぜんたいの売り上げ｜ − ｜仕入れにはらったおかね｜

B ｜売れた品物によるもうけ｜ − ｜こわれて損をしたおかね｜

下にあげた式から，上の考え方にあっているものをえらんで，その番号を □ の中に入れなさい。

① $(52+18)\times 40-(52+18)\times x$

② $(52+18)\times(40-x)-52\times 40$

③ $18\times(40-x)-52\times x$

④ $18\times(40-x)-52\times 40$

答え
- Aの式 □
- Bの式 □

〔18〕 つぎの二つの円グラフは，１年間に国民１人あたりどれだけのせんいを使っているかということ（消費《しょうひ》量《りょう》）について，せんいの種類別に戦前と戦後とをくらべてみたものです。

〔年間１人あたりせんい消費量〕

戦　前（１人あたり4.2kg）　　戦　後（１人あたり6.7kg）

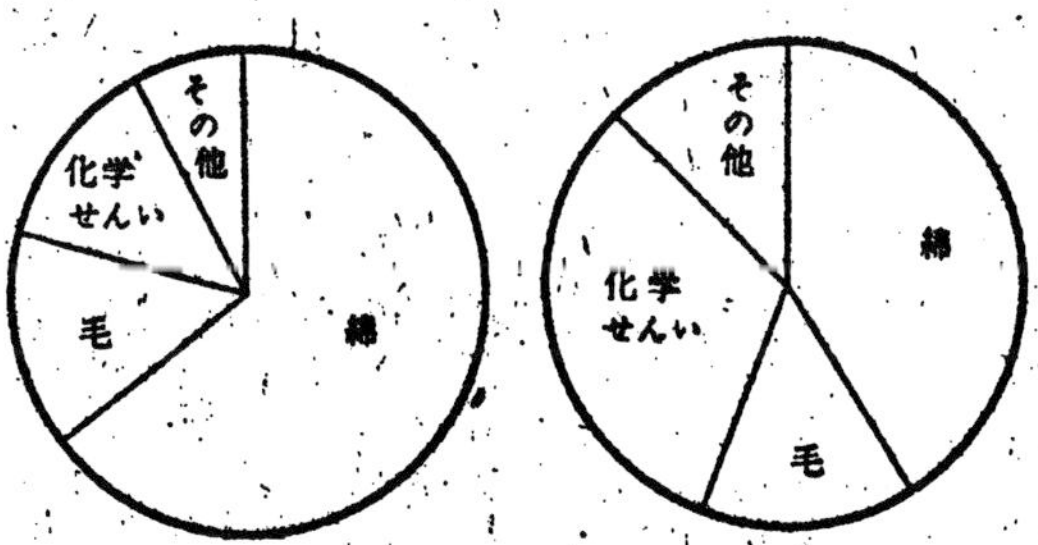

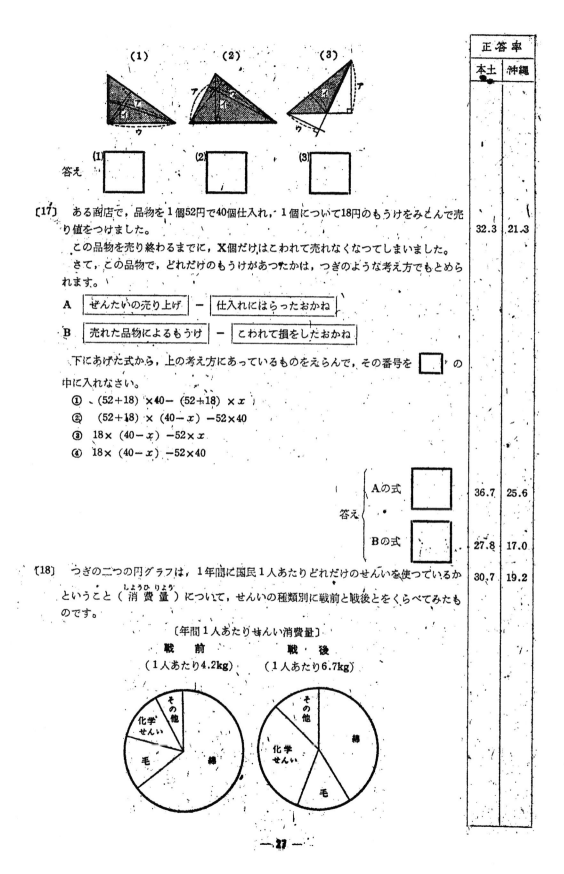

(1) つぎの□の中に，適当《てきとう》なせんいの名を，書き入れなさい。

上の二つのグラフから，つぎのことがわかります。

①□を消費する割合《わりあい》は戦前も戦後もだいたい同じであるが，戦後は，②□を消費する割合がへつているのに対し，③□を消費する割合がふえている。

(2) せんい全体について，戦前における１人あたりの消費量を１とみたとき，戦後はそのどれだけにあたるかをしらべなさい。その答えは，何倍といえますか。四捨五入して小数第１位まで用いて書きなさい。

答え □ 倍

(3) これまでのことから，つぎのことがわかります。よいと思うものを□の中に○を書き入れなさい。

上のグラフから，戦後，綿を消費する割合が，戦前のおよそ$\frac{2}{3}$になつていることがわかるので，１人あたり綿をじつさいに消費する量は，

①□ 戦後は，やはり，戦前よりもたいへん少ない。

②□ 戦前も戦後もあまり変らない。

③□ 戦後のほうが戦前よりもたいへん多くなっている。

〔19〕 つぎの表は，国内で生産された乗用車の台数を，年別にしらべたものです。

これを下のような用紙で，棒グラフで表わすことにしました。たてのじくには，目もりが20とれるようになっています。

１目もりが表わす台数を，どれだけにすると，つごうがよいでしょう。

乗用車生産台数

年　別	生産台数
昭和 29	14,472台
30	20,261
31	40,436
32	47,121
33	50,643
34	78,598
35	165,094

（通産省しらべ）

□ 台

正答率	
本土	沖縄
51.4	27.4
19.8	7.7
20.9	22.4
18.2	5.1

高等学校英語調査問題

昭和36年度全国学力調査

〔1〕 放送を聞いて答える問題

(a)～(k)の各問題について，答えはそれぞれ四つずつあります。放送をきいて，各問題ごとに解答欄の1～4の答えの中で，いちばん正しいと思うものを一つ選んで，その番号を○でかこみなさい。

	(a)	(b)	(c)	(d)	(e)	(f)	(g)		(2)	
							(h)	(1)	(1)	(2)
解答欄	1	1	1	1	1	1	1	1	1	1
	2	2	2	2	2	2	2	2	2	2
	3	3	3	3	3	3	3	3	3	3
	4	4	4	4	4	4	4	4	4	4

正答率	土本	沖縄
全	46.5%	36.2%
定	36.4	32.8

〔2〕 次の各組の語群のうち，左端の語の下線の部分と同じ発音を含む語を一つずつ選んで，その番号を解答欄に書き入れなさい。

		1	2	3	4
(a)	sea	great	head	cheap	breath
(b)	cook	wood	cool	moon	flood
(c)	know	mouth	cold	called	town
(d)	bags	bats	maps	books	horses
(e)	gate	sign	foggy	age	king
(f)	move	women	lose	hope	rose
(g)	about	couple	soup	shout	could
(h)	pen	paid	mail	brain	said
(i)	come	southern	doubt	sorrow	alone
(j)	think	dathe	though	youth	worthy

正答率	土本	沖縄
全	49.7	38.2
定	32.9	29.0

〔3〕 次の各組の語群のうち，最も強いアクセントの位置が，左端の語と同じ音節にある語を一つずつ選んで，その番号を解答欄に書き入れなさい。

		1	2	3	4
(a)	af-ter	with-out	al-ways	be-for	be-tween
(b)	en-joy	par-don	of-fer	com-fort	sup-pose
(c)	pa-per	ma-chine	gui-tar	or-ange	ho-tel
(d)	an-i-mal	pes-sen-ger	ba-na-na	mu-si-cian	con-di-tion
(e)	im-por-tant	op-po-site	i-de-al	dif-fi-cult	beau-ti-ful
(f)	in-tro-duce	con-si-der	re-mem-ber	im-i-tate	dis-ap-pear

正答率	土本	沖縄
全	52.8	35.2
定	31.6	24.9

〔4〕 次の英文を読むとき，とちゅうで1回だけくぎるとすれば，どこでくぎればよいか。〔例〕にならって，くぎるところの番号を解答欄に書き入れなさい。

〔例〕 I (1) am (2) very (3) happy (4) to (5) stuby (6) with (7) you (8) here.

(a) Do (1) you (2) know (3) the (4) boy (5) who (6) is (7) standing (8) over (9) there?

(b) He (1) taught (2) me (3) how (4) to (5) swim.

正答率	土本	沖縄
全	73.8	61.2
定	59.3	55.9

(c) I visited my friend every dav while he was in hospitai.
1 2 3 4 5 6 7 8 9 10

(d) What I know about it has nothing to do with the affair.
1 2 3 4 5 6 7 8 9 10 11

〔5〕 次の英文を読んで，（A）（B）（C）の質問に答えなさい。

A motor driver was stopped at a crossroads to let a circus go by. He suddenly saw tha roof of his car falling in. (a) An elephant was trying to sit on it. The circus-master came and made the elephant get off. He said that it had been taught to sit on a stool which was just the same colour as the car. (b) He then gave the driver a short letter to tell his insurance company how the car was damaged.

The driver drove on and carelessly passed a traffc light at red. A policeman stopped him. The driver said, "I'm sorry I was careless. An elephant sat on my cat, and I had a shock." The policeman didn't beleve his story. He said, "You must not be drunk while driving." It was not until the driver showed the letter that he was let to go. (c)

（A） 次の（a）～（d）の質問に対して，それぞれ答えが四つずつあります。いちばん正しいと思うものを一つずつ選んで，その番号を解答欄に記入しなさい。

正答率	本土	沖縄
全	54.0	44.4
定	42.0	41.4

（a） 運転手が十字路で止ったのは何のためか。
（1） サーカスにはいるため
（2） サーカスを見るため
（3） サーカスを通すため
（4） サーカスのそばに行くため

（b） 象が自動車に腰かけたのはどうしてか。
（1） 休むため
（2） 腰かけとまちがえたため
（3） 自動車に乗るため
（4） 自動車をこわすため

（c） サーカスの親方が運転手に与えたものは何か。
（1） 損害の内容をしるした手紙
（2） サーカスの切符
（3） 保険の申込書
（4） 会社へのわび状

（d） 運転手が放免されたのはどうしてか。
（1） 彼が警官にあやまったため
（2） 彼が酔っているとわかったため
（3） 彼が酔っていないとわかったため
（4） 彼が事故で頭がぼんやりしていたとわかったため

（B） 次の質問に対して，Yes または No で答えなさい。答えは解答欄の該当する欄に○印を記入しなさい。

正答率	本土	沖縄
全	74.2	62.7
定	55.8	51.8

（a） Was the elephant able to sit on a stool ?
（b） Was tde driver glad that the elephant sat on his car ?

(c) Did the driver wait till the itraffic light turned green ?

(d) Did the policeman at first think that the dr iver was drunk ?

(e) Do you think it safe to drive a motor-car while one is drunk ?

(C) 文中の下線の部分の意味を日本語で書きなさい。

正答答	本土	沖縄
全	17.7	4.4
定	2.8	1.2

〔6〕 次のA群の語句のあとに続くべきものをB群の中から選んで，その番号を解答欄に書き入れなさい。

〔A〕
- (a) Walk softly
- (b) It will not be long
- (c) You won't catch the train
- (d) I am in the habit

〔B〕
- (1) unless you run.
- (2) of rising early.
- (3) so that the baby may not wake up.
- (4) as quickly as can.
- (5) before autumn comes.
- (6) since he comes back.

正答答	本土	沖縄
本	50.9	30.6
定	28.3	25.1

〔7〕 次の(a)～(e)の日本文の意味を表わすよう， 下の英文の空所に入れるのに適当な語または句をかっこの中から選んで，その番号を解答欄に書き入れなさい。

(a) ラジオを消して下さい。
Please turn ( ) rhe radio.
〔(1) on (2) up (3) away (4) off〕

(b) その本をとつてくれませんか。
Hand me that book, ( )?
〔(1) shall you (2) will you (3) do you (4) are yoy〕

(c) 私はその計画を実行する決心をした。
I have ( ) my mind to carry out the plan.
〔(1) held ont (2) faken up (3) kept out (4) made up〕

(d) この前の日曜日から雨が降つています。
It ( ) since last Sunday.
〔(1) is raining (2) was raining (3) has been raining (4) has rained〕

(e) 彼は明朝9時までには，ここにまいります。
He will be here ( ) nine tomorrow morning.
〔(1) at (2) till (3) by (4) to〕

正答答	本土	沖縄
全	56.6	45.0
定	35.6	39.0

〔8〕 次の(a)～(c)のかつこ内の語句を並べかえて，下に示した日本語の意味を表わす英文を作りなさい。並べる順序を番号で解答欄に書き入れなさい。

(a) I will send 〔(1) as soon as (2) you (3) a telegram (4) to London (5) I get〕.
(ロンドンに着いたら，すぐ君に電報を打ちましよう。)

(b) Father said that 〔(1) to the concert (2) and asked (3) I wanted (4) if (5) he was going (6) to come with him〕
(音楽会に出かけるところだが，おまえもいっしょに行きたくはないか，と父が私に言いました。)

正答答	本土	沖縄
全	49.8	24.2
定	15.8	13.7

(c) I had [(1) half a mile (2) gone (3) in a shower (4) I was caught (5) not (6) when]
(半マイルも行かないうちに，にわか雨にあった。)

[9] 次の(a)～(e)の(　)の中の単語を正しい形に変えて，解答欄に書き入れなさい。

(a) There are a lot of (child) playing in the playground.
(d) It is (easy) for me to write English than to speak it.
(c) Would you mind (shut) the window ?
(b) Don't come in without (wipe) your shoes.
(e) I received a letter (write) in English yesterday.

正答率	本土	沖縄
全	35.7	16.4
定	11.4	11.0

[10] 次の(a)～(e)について，それぞれ上の文の意味を表わすよう，下の文の □ の中に語を補って完成しなさい。答は解答欄に書き入れなさい。

(a) He said to me' "I want to talk with you."
He told me that he [(1)] to talk with [(2)]

(b) I am sorry I cannot do it for you.
I wish I [(3)] do it for you.

(c) It seemed that she was anxious that her daughter should go.
She seemed to [(4)] anxious for her daughter [(5)] go.

(d) The stranger took off his hat, speaking to the little girl smiling.
The stranger took off his hat, [(6)] [(7)] to the little girl smiling.

(e) She was made uneasy by the strange sound.
The strange sound [(8)] [(9)] [(10)]

正答率	本土	沖縄
全	36.6	18.2
定	10.8	7.3

昭和三十六年全国学力調査報告

中学校の部

1 調査の概要

a 調査の趣旨

義務教育の最終段階である中学校の第2学年および第3学年の全生徒に対し，国語，社会，数学，理科英語について，一せい学力調査を実施し，そこにあらわれた学力の実態をとらえ次のような諸目的に役立たせるものとする。

1 文部省および教育委員会においては，教育課程に関する諸施策の樹立および学習指導の改善に役立たせる資料とすること。

2 中学校においては，自校の学習の到達度を全国的な水準との比較においてみることによりその長短を知り，生徒の学習の指導とその向上に役立たせる資料とすること。

3 文部省および教育委員会においては，学習の到達度と教育的諸条件の相関関係を明らかにし，学習の改善に役立つ教育条件を整備する資料とすること。

4 文部省および教育委員会においては，能力がありながら経済的な理由などから，その進学が妨げられている生徒あるいは心身の発達が遅れ平常の学習に不都合を感じている生徒などの数をは握し，育英，特殊教育施設などの拡充，強化に役立てる等今後の教育施策を行うための資料とすること。

b 調査の方法

1 調査の対象

全国の公立，私立および国立の中学校に在籍する第2学年および第3学年の全生徒を調査の対象とした。このうち，盲学校，聾学校および精神薄弱者の養護学校（特殊学校）の生徒は除いた。

2 調査した教科

調査した教科は第2学年および第3学年とも，国語，社会，数学，理科，英語の5教科である。

3 実施した期日とテスト時間

調査の実施期間は，昭和36年10月26日（木）であり，全国一せいに，同一問題によって午前9時から午後3時までの間に，1教科各50分で，次の時間割によって行なわれた。

	I 9.00～9.50	II 10.10～11.00	III 11.02～12.10	12.10～13.00	VI 13.00～13.50	V 14.10～15.00
第2学年 第3学年	国語	数学	社会	昼休み	理科	英語

c 調査問題の作成

1 基本方針

（a）問題作成のねらい

基本的事項について問題を作成するものとし，できるだけ理解の深さや応用力，考え方などを見ることができるように配慮した。調査は，ペーパーテスト，客観テストの方式によるので，その制約上，学習指導要領の要求するすべての学力にわたりえなかったが，その範囲内において基本的な学力についての調査を行なうことをねらいとした。

（b）出題の範囲と程度

調査する学年の前学年までに含まれる指導事項を原則とした。問題は全体として，平易なものとし，特別の準備を要しないものとしたが比較的やさしい程度の問題，普通の程度の問題および比較的むずかしい程度の問題を含めるようにした。

なお，問題の作成にあたっては，学習指導要領に示されている目標および内容の基本的な事項を分野，領域別に分け，ペーパーテスト客観テストの方式によって調査しうる範囲を検討した。

各問題案については，指導計画や使用教科書が学校によって異なる実情に応ずるため，大部分の使用教科書や，いくつかの都道府県の教育課程に関する基準の内容を分析し，その結果に基いて問題案を取捨，修正し，どの学校への生徒にも不公平にならないように配慮した。（以上文部省中間報告による）

II　調査結果の解説

(a)　平均点

第1表　　教科別平均点

対象／教科	第2学年			第2学年		
	a 沖縄	b 本土	差(b－a)	a 沖縄	b 本土	差(d－a)
国語	40.8	57.8	16.2	47.5	60.7	13.2
社会	33.9	50.9	17.0	41.9	53.7	11.8
数学	47.1	64.0	16.9	41.8	57.2	15.4
理科	44.0	57.5	13.5	41.6	53.2	11.6
英語	50.7	68.2	17.5	48.3	65.2	16.9

生徒の教科別学年別の平均点は第1表のとおりである。全国的にみて，本土では各教科ともに平均点50点を上回りかなり高くなっているが，このことについて文部省は次のように報じている「この調査が初年度でもあったため，問題をきわめて基本的な事項について平易なものとしたことや選志肢法の問題形式をとったことなども，平均点を高める大きな要因であったと考えられる」ところが沖縄の場合は各教科とも本土の平均点と10点以上の差があることは注目に値する。

学年別にみると，第2学年と第3学年の平均点に違いがあるが，これについて文部省は次のように報じている。「第2学年は新教育課程への移行措置の期間中であり，第3学年は従前の教育課程によっているという事情があって，出題の範囲や程度にかなり相違があったことを考慮に入なけれればならない。すなはち両学年の平均点の相違はあまり意味はない。」

各学年各教科とも平均点において本土と大きな差があるが特に英語は17点も差がついている。

b　問題別，分野，領域等別に見た結果

各学年，各教科の結果を問題別，分野，領域等別にみると，それぞれの正答率に相当のひらきがあることが見い出される。しかし個々の小問や分野，領域等別の正答率や平均正答率の高低は，問題のねらいや難易度によって大きく影響されるものであるので，その高低のみによって生徒の学力を判断することは妥当ではない。すなはち，指導の上に有効に役立てるためには，各正答率を問題のねらいや内容にてらして解釈することが必要である。以下教科毎に考察していく。

1　国　語

(c)　調査問題のねらい

(1)　第2学年

出題の範囲は，読むことを主とし，それに書くことも含めた。この範囲の中で，漢字の弁別力，語句の意味や用法の理解，文章の主題や要旨および構成のはあく，文脈の中での語句や文の意味や用法の理解，ことばのきまりの理解，文章の鑑賞力，文章を組み立てる力などをとるようにした。また，聞くこと，話すことについても配慮した。

なお，実際に話を聞かせたり，文字や文章を書かせたりすることは，一せい調査の制約上，含めなかった。

大問の番号	分野・領域等	ね　ら　い
一	読むこと，書くこと （文字と語句）	○ 漢字の弁別力 ○ 語句の意味や用法の理解
二	読むこと （文章の読解）	記録，報告類の文章について ○ 要旨のはあく ○ 文脈の中での語句の意味や用法の理解 ○ ことばのきまりの理解
三	読むこと （文章の読解）	説明，論説類の文章について ○ 要旨や構成のはあく ○ 文脈の中での語句の意味や用法の理解 ○ ことばのきまりの理解
四	読むこと （文章の読解と鑑賞）	物語，小説類の文章について ○ 主題のはあく ○ 文脈の中での語句や文の意味や用法の理解 ○ 鑑賞力
五	読むこと，書くこと （文章の構成）	○ 文と文との続きをとらえる力 ○ 文章を組み立てる力 （○ 会話の場面をとらえる力）

(2) 第3学年

出題の範囲は，読むことを主とし，これに書くことをも含めた。この範囲の中で，漢字の弁別力，語句の意味や用法の理解，文章の主題や要旨および構成のはあく，文脈の中での語句や文の意味や用法の理解，ことばのきまりの理解，文章の鑑賞力，文章を組み立てる力などをみるようにした。また，聞くこと，話すことについても配慮した。

なお，実際に，話を聞かせたり，文字や文章を書かせたりすることは，一せい調査の制約上，含めなかった。

大問の番号	分野・領域等	ね　ら　い
一	読むこと，書くこと （文字と語句）	○ 漢字の弁別力 ○ 語句の意味や用法の理解
二	読むこと （文章の読解）	記録，報告類の文章について ○ 要旨のはあく ○ 文脈の中での語句や文の意味や用法の理解 ○ ことばのきまりの理解
三	読むこと （文章の読解）	説明，論説類の文章について ○ 作者の考えや構成のはあく ○ 文脈の中での語句の意味や用法の理解 ○ 鑑賞力
四	読むこと （文章の読解と鑑賞）	物語，小説類の文章について ○ 主題のはあく ○ 文脈の中での語句や文の意味や用法の理解 ○ 鑑賞力
五	読むこと，書くこと （文章の読解と構成）	○ 作者の考え方を文脈の中で読みとる力 ○ 文章を組み立てる力 （○ 話し方に関する理解）

（b）分野領域等の正答率

（1）第2学年

中学校国語，分野領域等の正答率

分野領域等		小問	平均正答率			
			沖縄	本土	沖縄	本土
読むこと 書くこと （文章と語句）	○ 漢字の弁別力	② ⑤	33.0	48.0	38.9	58.1
	○ 語句の意味や用法の理解	①②③⑥⑦ ⑧⑨⑩	40.4	60.7		
読むこと （記録，報告類）	○ 要旨のはあく	※⑪ ⑭	25.1	30.4	39.8	48.1
	○ 文脈の中での語句の意味や用法の理解	⑫⑮⑰	44.4	56.9		
	○ ことばのきまりの理解	⑬ ⑯	47.6	63.7		
読むこと （説明，論説類）	○ 要旨や構成のはあく	※⑱※⑲	50.2	53.3	47.4	58.4
	○ 文脈の中での語句の意味や用法の理解	㉑㉒㉔	37.0	53.0		
	○ ことばのきまりの理解	⑳ ㉓	60.7	76.9		
読むこと （物語，小説類）	○ 主題のはあく	※㉕※㉖	54.1	5.55	49.8	59.3
	○ 文脈の中での語句の意味や用法の理解	㉗㉘㉙㉛	50.7	65.0		
	○ 文脈の中で情景や心情をよみとる力	㉚	39.5	52.2		
読むこと 書くこと （文章の構成）	○ 文と文との続きをとらえる力 会話の場面をとらえる力	5 Ⅰ※㉜	58.1	68.1	49.8	62.3
	○ 文と文との続きをとらえる力，文章の組み立て方についての理解と文章を組み立てる力	5 Ⅱ※㉝	41.4	56.4		

※の印は配点5のものである。

（2）第3学年

中学校国語分野，領域等の正答率

読むこと 書くこと （文章と語句）	○ 漢字の弁別力	② ⑨	32.0	46.7	42.6	58.1
	○ 語句の意味や用法の理解	①③④⑤⑥ ⑦⑧⑩	45.3	60.9		
読むこと （記録，報告類）	○ 要旨のはあく	※⑪	54.8	60.6	46.9	56.8
	○ 文脈の中での語句や文の意味や用法の理解	⑫⑬⑭ ⑯⑰	42.7	51.5		
	○ ことばのきまりの理解	⑮	60.0	76.0		
読むこと （説明，論説類）	○ 作者の考えや文章の構成のはあく	※⑱※⑲	44.9	51.7	50.8	60.5
	○ 文脈の中での語句の意味や用法の理解	㉑㉒㉓	59.6	76.1		
	○ ことばのきまりの理解	⑳ ㉔	43.5	55.0		
読むこと （物語，小説類）	○ 主題のはあく及び鑑賞	※㉕※㉖	58.4	67.1	63.0	73.3
	○文脈の中での語句や文の意味や用法	㉗㉘㉙㉚㉛	64.8	78.3		
読むこと 書くこと （文章の構成）	○ 作者の考えを文脈の中で読みとる力	※㉜	32.9	37.5	36.6	46.6
	○ 文章をくみたてる力	※㉝	40.2	55.6		

※印は，配点5のものである。

(c) 結果の概要

読むことを主として書くことを含めた問題であるが，２年の場合，本土の結果は平均正答率57.0%であるのに対して沖縄は40.8%でその差は16.2%である。３年は本土が60.7%，沖縄が47.5%で13.2%のひらきがある。

以下２年，３年の順に第１図および第２図によって領域別問題別に比較考察していく。

第２学年

第１図　中学校国語 問題別領域別 正答率（２年）本土……沖縄——

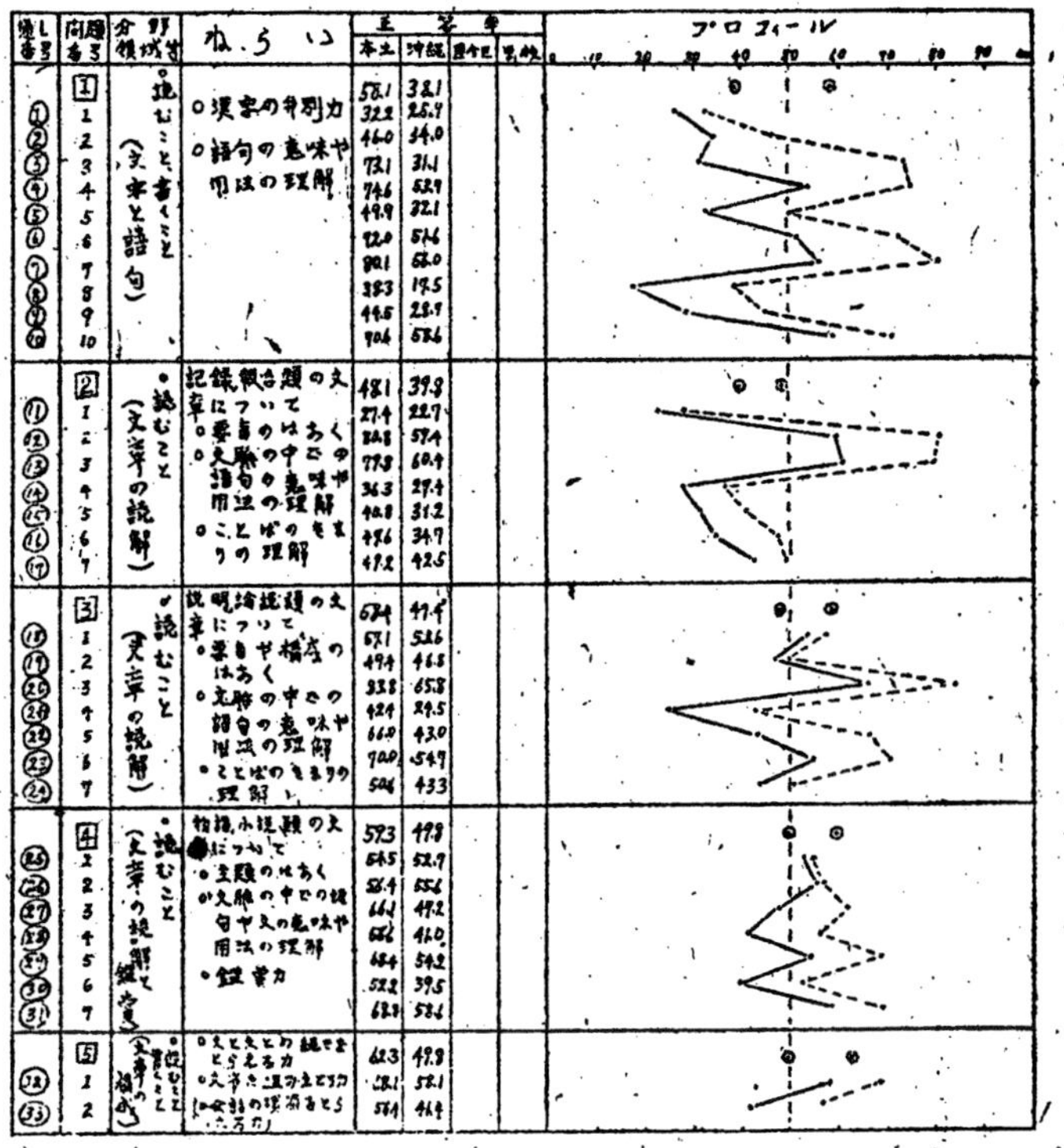

（ア）「読むこと」「書くこと」（文字と語句）

大問 1 （□で囲んである数字は大問番号を示す以下同じ）は文字や語句の理解および使用の力をみる問題である。その中の②，⑤（○で囲んである数字は小問の通り番号を示す。以下同じ）は主として漢字の弁別力に関するものであるが，その平均正答率は本土の48%に対して沖縄は33.0%である。その差15%。このことは漢字の指導が単に授業時間中の教材の中だけで行われていて，それが生活の中にまで浸透していかないからではなかろうか。①，③，④および⑥，⑦，⑧，⑨，⑩は主として語句の意味や用法の理解や使用の力をみるものであるが，その平均正答率は本土の60.7%に対して40.4%。その差が20.3%で大きくひらいている。各問題の内容をみるとその正解の語句は①気心，③予約，④判断，⑥顔向け，⑦絶対「安静」⑧いとも，⑨明言，⑩かけ離れた，のようなものである。（問題参照）③の正答率の差が42.0%，④が20.9%，⑥20.4%，⑦が24.1%，⑧が20.8%となっている（第１図参照）このような語句を生徒は読んだり，聞いたりすることはあっても，話したり，書いたりするのは少ないのではないだろうか。もちろん理解語と使用語の量には差はあるけれども，それにも語いの貧弱さをまざまざとみせつけられた思いがするといえばいいすぎだろうか。これを一口に沖縄の地理的宿命だとかたづけるのはあまりにも早計にすぎはしまいか。

(イ) 読むこと（文章の読解）

2 は記録，報告類の文章について読解力をみる問題である。その中の⑪⑭は要旨をはあくする力をみるものであるが，その平均正答率は本土30.4%に対して沖縄は25.1%である。「問題の程度からみても非常に低い」と文部省は発表している。文と文との関連を正しく読みとって，段落ごとの内容をまとめたり，また文章全体の要旨をはあくしたりする力を高める指導にいっそう努力する必要があろう。⑫，⑮，⑰は文脈の中で語句の意味や用語の理解をみるものであるがその平均正答率は本土の56.9%に対して，沖縄は44.4%で12.5%のひらきがある。⑬，⑯はことばのきまりの理解（文の成分の照応および指示する語句）をみるものである。その平均正答率は本土63.7%に対して沖縄は47.5%で14.2%のひらきがある。この問題で⑫の問は文中の語句の理解をみる問題とはいうもののもう少したんねんに読めば簡単に答えられる問題であるのに21.4%ひらきがあるということは大きな問題である。読書の態度の指導が望まれる。1時間1時間の授業の内容をいかに充実させるかによって効果が左右されるのではないだろうか。文法の指導もさらに努力する必要があるであろう。

(ウ) 3 は説明，論説類の文章について，読解力をみる問題であるが，その中で要旨をはあくする力をみる⑱，⑲の平均正等率は本土53.0%に対して沖縄は50.2%で，わずか2.8%の差である。この結果に対して文部省は「問題の程度からみてやや不満足な成積である」といっている。⑳，㉓はことばのきまりの理解（指示する語句および文の中の意味の切れ目と続き方くぎり付号の使い方）をみるものであるが，その平均正答率は本土の76.9%に対して沖縄は60.2%である。このうち⑳は指示する語句についての理解をみようとしているが，これと同じようなねらいの⑯に比べてはるかに正答率のよいことは，問題の文章の難易が影響しているものと考えられる。⑯と⑳の正答率をそれぞれ本土と比較してみると本土のそれが47.6%，83.8%であるのに対して沖縄は34.7%，65.8%である。二つの平均正答率は本土65.2%沖縄50.2%である。㉒は㉑とともに語句の意味の理解をみる問題であるが，33の小問のうち三番目に差が大きい。

(エ) 4 は物語，小説類について読解力をみる問題である。この中の㉕㉖は主題をはあくする力をみるもので，その平均正答数は本土の55.5%に対して沖縄は54.2%でである。その差わずか1.3%で33問中二番差の小さい問題である。次の㉗，㉘，㉙，㉚などの文脈の中で語句の意味や用法の理解をみるものの平均正答率は本土の65.0%に対して沖縄は522.5%でここでは12.8%のひらきがみられ，さらに㉚の文脈の中で情景や心情を読みとる力をみる問題は本土12.2%に対して沖縄39.5%の正答率で12.7%のひらきがみられる。このことから本土の生徒は文章の一とおり意味は理解していても主題の鑑賞はやや劣る，に対して沖縄の生徒主題のはあくや鑑賞はできるが文章の意味はばくぜんとしか理解していないということがいえるのではないか。さらにこの結果から沖縄の生徒の「考え方の傾向」もとらえられるのではないだろうか。

さらに 2，3，4 の問題に共通した主題はまたは要旨のはあくという点からみた場合，2 の記録，報告類の文章に比べて，4の物語，小説類の文章の正答率がよいということは沖縄の生徒は文学作品のような情緒的な文章，換言すればあまり論理的思考を要しない文章の理解においては本土の水準に達しているということがいえるのではないだろうか。

(オ) 5 は主として文章の構成に関する問題で会話文および手紙文から出題してある。㉜は文と文との続きをとらえる力，会話の場面をとらえる力をみるものでその正答率は本土の68.1%に対して沖縄は58.1%で10%のひらきがある。㉝は文と文との続きをとらえる力，文章の組み立て方についての理解と文章を組み立てる力をみるものである。その正答率は本土の56.4%に対して沖縄は41.4%その差は15%である。

(カ) 以上を要約すると出題の範囲は読むことを主とし，これに書くことを含めたものであるが，本土との差はすべての分野で大きい。各問題毎に本土との差の大きい順に並べると 1，5，3，4，2 の順になる。このことから沖縄の生徒は本土に比べて語いが貧弱であるということが考えられる。その原因の一つは言語生活の二重性である。このことは生活指導とも関連があり，沖縄における教育の重要な問題の一つである。しかし本土においても沖縄ほどではないにしても特定の地域においては言語の二重性は考えられる。国語科の指導が生活ともっと密接に結びつくよう計画，実践がなされることが要求されよう。次に 2，3，4，5 の問題の結果から論理的思考の態度という面がもっと強調されなければならないということがいえるのではないだろうか。国語科におけるこの面の指導は読書指導との関連においてなされることが望ましい。教室における1時間1時間の授業の中で，教材の内容によって読む態度をきめるというところからはじめらるべきであろう。

第3学年

(ア) 「読むこと」「書くこと」（文字と語句）

1 は「読むこと」「書くこと」にわたって文字や語句の理解および使用に関する力るみる問題である。その中の②，⑨は主とし漢字の弁別力をみるものであるがその平均正答率は本土の46.7%に対し

第2図　中学校国語 問題別領域別 正答率（3年）本土……沖縄——

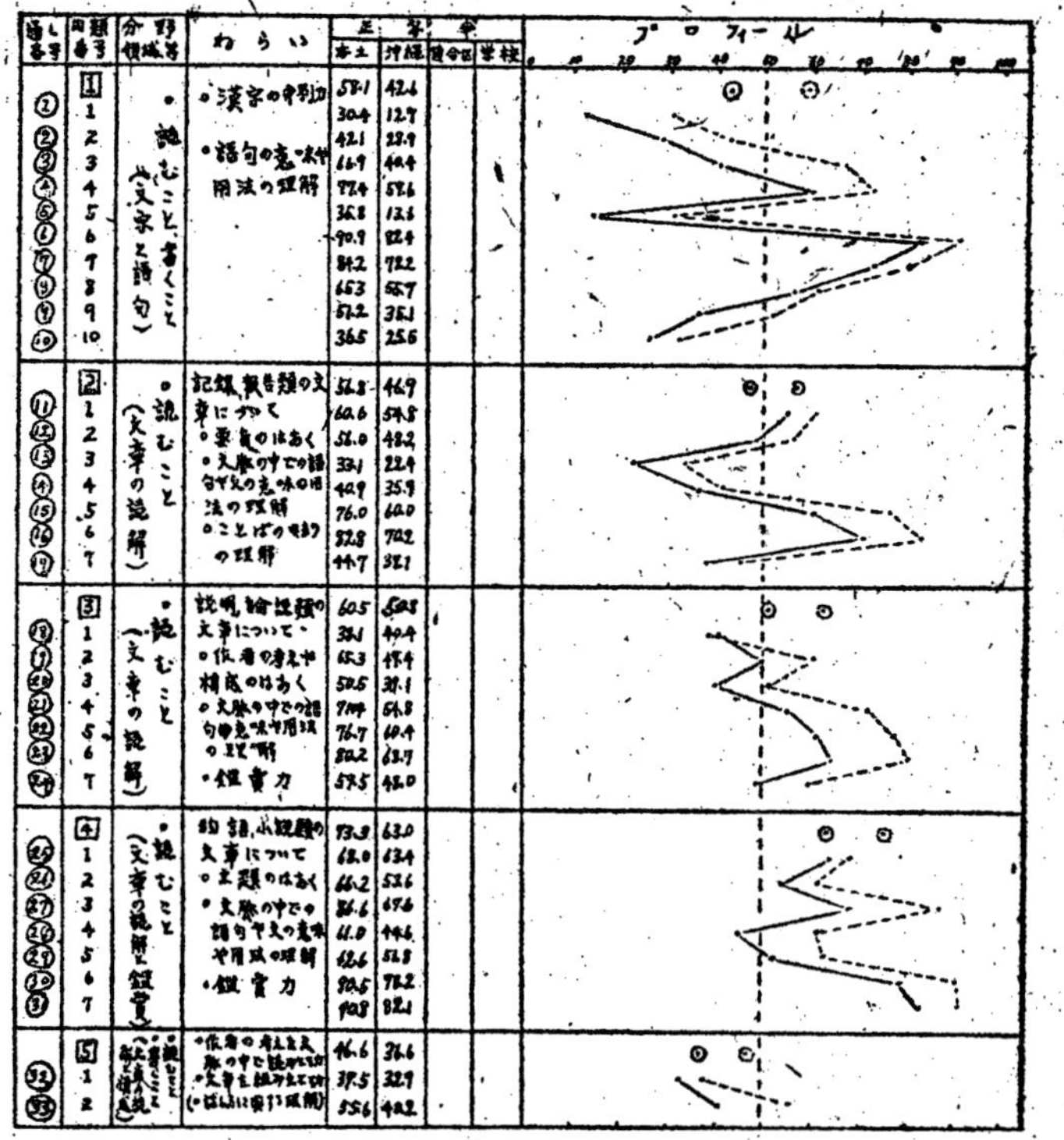

て沖縄は32.0%で14.7%のひらきがある。これについて，文部省は「問題の程度から見てもかなり低く，漢字に関する指導にいっそう留意する必要があることを示している。」と発表している。①，③，④，⑤，⑥，⑦，⑧および⑩は主として語句の意味や用法の理解および使用の力をみるもので，その平均正答率は本土60.9%に対して沖縄は45.3%で15.6%のひらきがある。この中で20%以上のひらきがあるのは③と⑤である。問題は③「奇跡」，⑤「おもわく」の語句を選択肢の中から選ぶものだが，③では「奇積」との混同が多かったのではないかと推測される。⑤の場合は「おもわく」の意味の理解が不充分なためだろうと思はれる。さらに①の正答率は特に低く，12.7%である。本土のそれも30.4%と低い，差は17.7%である。これに対し文部省は「文中の中の語句「人間」「困難なとき」「発揮される」などに対する理解のしかたによって，選択肢の選び方に差異が生じたのだろう。」と発表している。 1 は5問題のうち一番本土との差が大きく，ここでも語いの貧弱さということが指摘されよう。

(イ) 「読むこと」（文章の読解）

2 は記録，報告類の文章について読解力をみる問題である。この中の⑪は要旨をはあくする力をみるもので，その平均正答率は本土60.8%，沖縄54.8%で 5.8%のひらきがある。⑫，⑫，⑫，⑬，⑭⑯，⑰は文脈の中での語句や文の意味および用法の理解をみるものであるが，その平均正答率は本土の51.5%に対して沖縄は42.7%でいずれも要旨のはあくより低い結果になっている。ことに⑬，⑭はともに低いがこの2問は意味よりも語句の用法をみることに重点があるのであって，この点の指導をいっそう高める必要のあることが認められる。⑯はことばのきまりの理解をみるもので，その平均正答率は本土76.0%沖縄60.0%と高い結果を示している。

(ウ) 「読むこと」（文章の読解）

3 は説明，論説類の文章について，読解力をみる問題である。この中の⑱，⑲は作者の意図や考え方をはあくする力と文章の組み立てに即して，段落のまとまりをはあくする力をみるものであるが，その平均正答率は本土が51.7%，沖縄が44.9%で 6.8%の差がある。⑱の正答率は本土の38.1%に対して沖縄は40.4%となっており，2年，3年を通じて本土平均を上回る唯一の問題である。㉑，㉒，㉓は文脈の中での語句の意味や用法の理解をみるものであるが，その平均正答率は本土の76.1%に対して沖縄は59.6%であり，16.5%のひらきがある。これについて文部省は「出題がやさしいものであるので特によい成績とはいえない。」と発表している。⑳，㉔はことばのきまりをみるもので，その平均正答率は本土の55.0%に対して沖縄は43.5%で11.5%のひらきがある。このうち⑳の正答率が本土50.5%，沖縄39.1%とともに低いことが注目される。この文章は論説に近いものであるが，調査の結果は論説の要旨のはあくの指導および文の成分の照応と統一に関する理解の指導に努力する必要があることを示している。

(エ)「読むこと」（文章の理解と鑑賞）

4 は物語，小説類の文章について，読解力をみる問題である。この中の㉕，㉖は主題のはあくおよび鑑賞の力をみるものであるが，その平均正答率は本土67.1%，沖縄は58.4%で 8.7%のひらきがある。㉗，㉘，㉙，㉚，㉛，は文脈の中での語句や文の意味や用法の理解をみるもので，その平均正答率は本土が78.5%，沖縄は64.8%とよい成績である。ことに㉚，㉛は正答率が本土の場合90%を越えており，沖縄も78.2%，82.1%とかなり高い正答率を示している。文の内容が平易であり，また生徒の能力や興味，関心に適応した問題であったことによるのであろう。

(オ)「読むこと」「書くこと」（文章の解読と構成）

5 は主として文章の構成に関する力をみる問題である。その中の㉜は，文章の構成とともに作者の意図や考え方を文脈の中で読み取る力をみるものであるが，正答率は本土の37.5%に対して沖縄は32.9%でともに低い。㉝は文章を組み立てる力に，話し方に関する力をも含めてあるが，正答率は本土の55.6%に対して沖縄は40.2%で15.4%のひらきがみられる。5 の平均正答率は本土の46.6%に対して沖縄は36.6%で10%のひらきがある。

(カ) 以上を要約すると，出題の範囲は読むことを主とし，これに書くことを含めたものであるが，読むことの問題 2 ，3 ，4 のうち 2 の平均正答率が本土，沖縄それぞれ56.8%，46.9%で 3 4 よりも低い。このことから生活に必要な記録，報告類の説明的文章の指導にいっそうの努力が望まれる。要旨や主題のはあくは，3 ，4 では文脈の中での語句や文の意味および用法の理解よりも低い。2 は，文脈の中での語句や文の意味や用法の理解のほうが要旨のはあくよりも低いのは，ことに語句の用法の理解に関する指導をなお高める必要があることを示している，書くことは 1 ，5 にわたっているのであるが，調査問題の形式上の制限があるのでこの結果だけから能力の全体を判断することは適当でない。しかし沖縄の生徒は本土に比べて特に語いの貧弱さが目立つことは調査の結果からもはっきりしている。漢字や語句の指導にいっそうの努力がなされることが切望される。

2. 社　　会

(a) 調査問題のねらい

(1) 第2学年

出題の範囲は，地理的分野の内容を主とし，歴史的分野については古代までとした。

この範囲の中で，基本的な事項に関する知識や理解，地図やグラフを読む能力，総合的な思考力などをみるようにした。

大問の番号	分野・領域等	ねらい
1	地理的分野， 地図の読み方	○ 縮尺の大きな地図における，地図の記号と縮尺についての知識 ○ 等高線から地形の特色をはあくする力
2	地理的分野 ヨーロッパ諸国の自然，産業など	○ ヨーロッパのいくつかの国々の自然，産業，政治その他についての総合的な理解 ○ 各国の特色を比較考察する力
3	地理的分野 日本の工業都市	○ 日本のいくつかの工業都市の名称，位置，特色についての理解 ○ 立地条件，変遷，歴史的背景などの面から，工業都市の特色をはあくする力
4	地理的分野，歴史的分野 気候と生活	○ ナイル川下流地域における気候，歴史的背景，農業，開発事業，都市についての理解 ○ 気候に関するグラフを読む能力
5	地理的分野 日本の諸地域の特色	○ 日本の諸地域の特色についての総合的で具体的な理解
6	地理的分野 日本の貿易	○ 日本の主要輸入品の輸入先についての理解 ○ 統計地図を読む能力
7	地理的分野 日本の農業	○ 日本の農業の地域的特色についての総合的な思考力 ○ 農業統計の帯グラフと円グラフを読む能力
8	歴史的分野 原始・古代の文化と生活	○ 原始・古代の生活様式や文化の特色についての理解

(2) 第3学年

出題の範囲は，歴史的分野の内容を主とし，地理的分野および政治・経済・社会的分野については，歴史的分野の学習に関連する事項にふれる程度にとどめた。

この範囲の中で，基本的な事項に関する知識や理解，年表や歴史地図を読む力などとともに，上記3分野の知識や理解を基礎として，社会事象を総合的にはあくする力などをみるようにした。

大問の番号	分野・領域等	ねらい
1	歴史的分野 古代・中世における日本と中国	○ 古代・中世におけるわが国の歴史的な事がらと中国との関連について考える力
2	歴史的分野 文化の時代的傾向と人物	○ いくつかの時代の文化の傾向と人物とについて関連的に考える力
3	歴史的分野 古代・中世の時代の流れ 蒙古襲来の影響	○ 古代・中世のおもな政治のできごとについての年代的な理解 ○ 蒙古襲来がわが国に及ぼした影響についての理解
4	歴史的分野 土地制度の改革	○ わが国のおもな土地制度の改革の内容，結果などについての理解

5	歴史的分野 地理上の発見とそのころのアジアの様子	○ 地理上の発見やそのころのアジアの様子についての知識や理解 ○ 歴史地図を読む力
6	歴史的分野 近代民主主義の発達	○ イギリス，フランス，アメリカにおける民主主義の発達についての理解 ○ 民主主義の発達の明治時代における特色とその背景についての理解
7	歴史的分野，政治・経済・社会的分野，地理的分野 明治以後の工業と貿易	○ 明治以後の工業や貿易の推移についての歴史的な理解 ○ 工業の発達と貿易の推移との関係を総合的にはあくする力 ○ 帯グラフを読む能力

(b) 分野領域等の正答率

分野領域等			小問	平均正答率			
				沖縄	本土	沖縄	本土
第二学年	1 地理的分野 一郷土	(1) 縮尺の大きな地図の読み方	①②③④⑤⑥	40.8	55.0	40.8	55.0
	2 地理的分野 一日本	(1) 日本の工業都市	⑫⑬⑭⑮⑯	11.3	36.4	27.4	44.7
		(2) 日本の諸地域の特色	㉒㉓㉔㉕㉖	20.2	45.1		
		(3) 日本の貿易	㉗㉘㉙	29.9	47.3		
		(4) 日本の農業	㉚㉛㉜㉝㉞	32.9	51.1		
	3 地理的分野 一世界	(1) ヨーロッパ諸国の自然，産業など	⑦⑧⑨⑩⑪	34.5	43.6	39.6	48.9
		(2) ナイル川下流地域の気候と生活	⑰⑱⑲⑳㉑	44.6	54.2		
	4 歴史的分野 一原始・古代	(1) 原始・古代の文化と生活	㉟㊱㊲㊳㊴㊵	50.0	68.7	50.0	68,7
第三学年	1 歴史的分野 一古代・中世	(1) 古代・中世における日本と中国	①②③④	33.5	41.5	35.2	46.5
		(2) 文化の時代的傾向と人物	⑤⑥⑦⑧	34.4	53.6		
		(3) 古代・中世の時代の流れ，蒙古襲来の影響	⑨⑩⑪⑫⑬⑭	36.8	45.2		
	2 歴史的分野 一中世・近代	(1) 地理上の発見と，そのころのアジアの様子	⑳㉑㉒㉓㉔㉕	45.7	57.7	45.7	57.7
	3 歴史的分野 一近代	(1) 近代民主主義の発達	㉖㉗㉘㉙㉚㉛㉜㉝	58.3	68.5	46.5	59.1
		(2) 明治以後の工業と貿易	㉞㉟㊱㊲㊳㊴㊵	32.9	48.5		
	4 歴史的分野 一全時代	(1) おもな土地制度の改革の内容，結果など	⑮⑯⑰⑱⑲	41.5	52.3	41.5	52.3

(c) 結果の概要

学習指導要領の内容の区分に準じて，主として地理的分野に関する問題は地域別に3領域に，主として歴史的分野に関する問題は時代の配列にしたがって5領域に分けて上表に示してあるが，各領域ごとには問題の難易の程度が相違するので，領域間の正答率を比較して論ずることは，必ずしも適当でない。以下第3図第4図によって考察する。

(1) 第2学年

ア　地理的分野—郷土

縮尺の大きな地図の読み方についての 1 は，縮尺の大きな地団を読む力をみることをねらいとしている。本問の平均正答率は本土が55.0%でよい成績のようである。これに対して沖縄は40.8%で14.2%の差がある。特に，地図の記号と縮尺についての知識をみる①，②，③，④，⑤，⑥の平均正答率は本土が61.4%で高いが沖縄は44.8%で16.6%の差がある。

これに比べて，②の等高線から地形の特色をはあくする力はじゆうぶんでなく，本土が30.8%に対して沖縄は23.2%で差は7.6%となっている。等高線は地図の記号とは異なり，その対象物を現地で見ることのできないものであり，人間の知的思考力の産物であるだけに，地図指導上最もむずかしい事項の一つであるが，

第3図

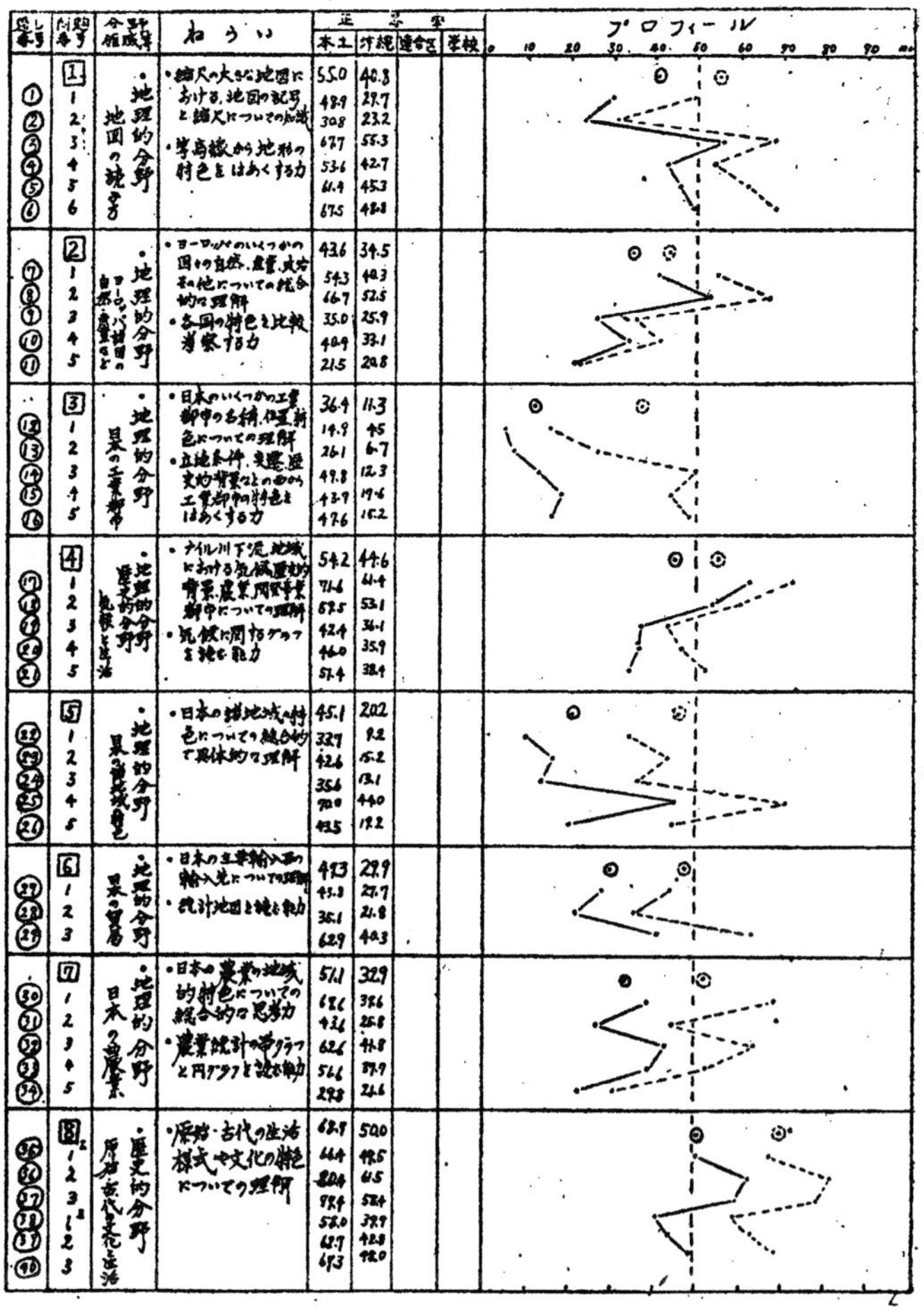

学習指導要領に示されている地図の指導について留意すべきおもな事項や，文部省編の「中学校社会指導書」74頁，75頁を再度参照して有効適切な指導にいっそうくふうを重ねる必要があろう。

イ　地理的分野—日本

(ア) 日本の工業都市についての 3 は，日本のいくつかの工業都市の特色をはあくする力をみることをねらいとしている。この平均正答率は本土が36.4%，沖縄は11.3%でその差は25.1%で八つの大問中最も低くなっており，その差も一番大きくなっている。平均正答率が低くなっているのは，採点の形式にも起因するであろう。すなわち，本問だけは，各問題文にあてはまる都市名（A群）と都市の位置（B図）との両者ともに正しくなければ，その小問の正答とみなさないことになっているからである。5小問中，延岡，岡谷の正答率が他の3小問に比べて，本土も沖縄も低くなっていることは，日本の工業地域に関する新しい動向や発展の方向についての指導がじゆうぶんでないことを示唆していると考えられる。なお沖縄の場合苫小牧の正答率が40の小問中その差が最も大きく，37.5%もあるということは大いに反省してみる必要がある点であろう。

(イ) 日本の諸地域の特色についての 5 は，日本の諸地域の特色をどの程度まで総合的，具体的に理解しているかをみることをねらいとしている。本問の各正答率は，北海道に関する小問㉕のそれが高かったことを除けば，全体としてはやや低くなっている。沖縄の場合その平均正答率の差は 3 について大きくなっている。今後，教科書の写真なども活用して日本の諸地域における生活，特に生産活動の特色，地域相互の関係，各地域が日本全体において果している役割などを理解させ，自然のよ

うすと人間の活動のすがたを総合して，具体的に理解する力を養うことが必要であろう。

(ウ) 日本の貿易についての 6 は，日本の主要輸入品の輸入先についての理解と，それに関する統計地図を読む能力をみることをねらいとしている。本問の正答率は本土が47.3%で沖縄が29.9%となっており，その差は17.4%である。文部省はこの47.3%の正答率を問題の程度から見て普通の成績と見ている。小麦㉘と綿花㉗の輸入先の識別は，石油のそれに比べてむずかしいようで，それらの正答率は石油のそれよりも低くなっている。これについては，小麦は温帯の産物であり，綿花は亜熱帯の産物であるというような，農業生産と自然的条件との関係についての基本的事項を本問の解答に応用することと，単に列挙的，平板的な知識の習得に終ることなく，地図の指導についても配慮があればもう少し高い正答率が得られたのではないかと考えられる。

(エ) 日本の農業についての 7 は，日本の農業の地域的特色について総合的な思考力と，農業統計の帯グラフと円グラフを読む能力をみることをねらいとしている。
本問の正答率は本土が51.1%，沖縄は32.9%でその差は18.2%でかなり大きい。特に新潟県㉚の正答率の差が30.0%で大きくなっている。岡山県㉞の正答率が本土も沖縄も一番低くなっている。

昭和32年度，昭和35年度の全国学力調査の結果を合せてみると，グラフを通して事象を総合的に思考する力は出題の難易の差があって正答率で比較することはむつかしいのであるが年を追って伸びてきているように考えられる。

ウ　地理的分野—世界

(ア) ヨーロッパ諸国の自然，産業などについての 2 は，ヨーロッパのいくつかの国々についての総合的な理解と，各国の特色を比較考察する力を見ることをねらいとしている。
本問の正答率はやや低く，本土が43.6%，沖縄が34.5%でその差は 9.1%で小さい。5小問の中ではスウェーデンとフランスの正答率が低い。その原因の一つは「峡湾（フィヨルド）」，「大陸性気候」のような基本的な術語，用語についての理解が確実でないことと，国々の地図上の位置関係が適確に理解されていないという点にもあると考えられる。それと地図を利用する態度や能力を日常の生活にまでおよぼしていくように指導していくことも合せて考えなければならないと思われる。

(イ) ナイル川下流地域の気候と生活についての 4 は，ナイル川下流地域における気候，歴史的背景，農業，開発事業，都市についての理解と，気候に関するグラフを読む能力をみることをねらいとしている。本問の正答率は本土が54.2%，沖縄が44.6%でやや高い結果を示しており，特にナイル川下流地域が古代エジプト文明の発祥地であることについての正答率が本土は71.6%，沖縄は61.4%と高くなっている。
なお，4分野の中でこの世界の地理的事象に関する分野が本土との差が一番小さくなっている。

エ　歴史的分野—原始・古代

原始，古代の文化と生活についての 8 は，原始，古代の生活様式や文化の特色についてその理解をみることをねらいとしている。本問の正答率は本土が68.7%，沖縄が50.0%で高くなっているが，その差は18.7%で4分野の中で一番大きくなっている。

各時代について時代名でたずねるⅠ（Ⅰ，Ⅱは中間の番号を示す。以下同様）と，その時代と関係の深いものをたずねるⅡとの正答率を比較すると，Ⅱの正答率が低い。

(2)　第3学年

ア　歴史的分野—古代・中世

(ア) 古代，中世における日本と中国についての 1 の平均正答率は本土が41.5%，沖縄が33.5%でいずれも低い。その差は 8.0%となっている。これはわが国の歴史を世界史的視野に立って正しく理解させ，それを通して国家，民族の伝統や日本文化の特質などのおもな歴史的事がらと，それに大きな影響を及ぼしたそれぞれの時代の中国のようすとの関連について考える力が，生徒に不足しているためと思われる。中でも，大宝律令の制定が，唐の制度の影響を受けて国家体制が成立していった事情の理解の程度をみる①の正答率は，本土が31.6%，沖縄が22.2%で，道元が宋から禅宗を伝えたことをみる④の正答率は本土が36.6%，沖縄が27.6%で，この二つは低くなっている。

(イ) 文化の時代的傾向と人物についての 2 の平均正答率は本土が53.6%沖縄が34.4%で本土は普通の成績のようであるが沖縄は低い。その差は19.2%で七つの大問中もっとも大きくなっている。

このたびの調査では，時代の文化の傾向を述べた文の中に，具体的な手がかり（たとえば，⑥天守閣など）が与えられているのであるが，各時代の文化の特質や主なる人物についての理解が足りなかったのではなかろうか。

第 4 図

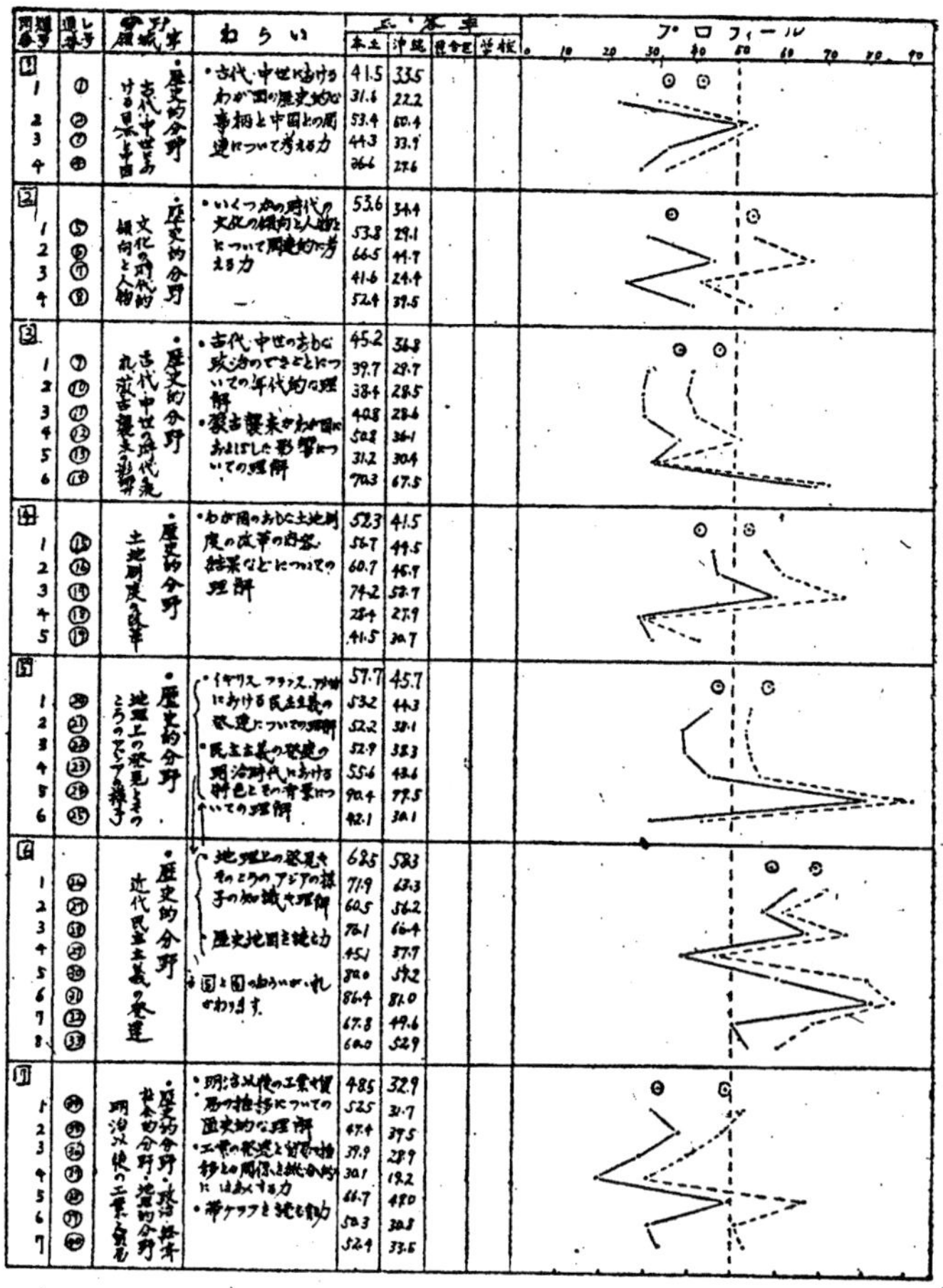

なお，室町時代の文化の傾向と世阿彌についてみる⑦の正答率と，江戸時代の文化の傾向と近松門左衛門についてみる⑤の正答率が⑥，⑧などに比べて特に低くなっている。

(ウ) 古代，中世の時代の流れ，蒙古襲来の影響についての 3 の平均正答率は本土が45.2%，沖縄が36.8%で，いずれも低くなっているのであるが，問題の程度からみれば，特に悪い成績とはいえない。中問Ⅰは，時代から時代の過渡期の乱や，事件について，年代的な理解をみることをねらいとしているが平均正答率は本土が42.4%，沖縄が30.8%で悪い成績である。歴史における各時代の概念を明確につかませ，歴史の移り変りを総合的に理解させるとともに，それぞれの時代のもつ歴史的有意を理解させる場合の指導に関してはさらにいっそうのくふうが必要であろう。中問Ⅱの平均正答率は本土が50.7%，沖縄は49.0%で差は小さい。これは蒙古襲来のわが国に及ぼした影響としてあげられるもの二つを選んで書くもので小問⑬，⑭の正答率に大きな差がみられるのであるがこれは二つの平均正答率をみるのが妥当である。

イ 歴史的分野―中世・近代

(ア) 地理上の発見とそのころのアジアの様子についての 5 の平均正答率は本土が57.7%，沖縄が45.7%でよい成績である。

中問Ⅰについては地図上の航路，人名および出題の形式がきわめて常識的なものであるにもかかわらず，沖縄の平均正答率が40.2%というのはもっと指導上のくふうと反省が必要ではなかろうか。中問

IIについては種ケ島の位置をみる㉔の正答率が本土は90.4%，沖縄が79.5%ときわめて高いのに対して，その頃のアジアの国名明㉓とムガール（インド）㉕の正答率が著しく低くなっている。このことについて，学習指導要領36頁の(5)近代世界の成立および文部省編「中学校社会指導書」116頁～122頁までの内容を再度参照してその指導方法をくふうする必要があると思われる。

ウ　歴史的分野一近代

(ア)　近代民主々義の発達についての 6 の平均正答率は本土が68.5%，沖縄が58.3%でかなり高い。

フランス革命の起った年代についての知識をみる㉙の正答率が本土45.1%，沖縄37.7%と低くなっており，基本的な年代が理解されていないことがわかる。また，本土の場合は政体や政治に関する特色をみる小問（たとえば，㉗，㉝）の正答率が他の小問（たとえば，㉖，㉘，㉚，㉛）の正答率よりもやや低く，今後の指導改善のうえで留意すべき点を示しているのに対して，沖縄の場合㉗，㉛，㉝の小問は本土との差が小さく，福沢諭吉の「学問のススメ」の思想㉚，わが国における政党結成の動き㉜の問題の正答率に大きな差がでている点は今後の指導改善に留意すべき点であろう。

なお，概して，わが国の明治時代に関するもの（㉚，㉛，㉜，㉝）の平均正答率が，イギリス，フランス，アメリカなどの外国に関するもの（㉖，㉗，㉘，㉙）の平均正答率よりもやや高くなっているが，各小問毎の正答率では，わが国に関するものにその差のむらが大きくなっていることも今後の指導上大いに改善する必要がある。

(イ)　明治以後の工業と貿易についての 7 の平均正答率は本土が48.5%，沖縄が32.9%で，その差は15.6%となって七つの大問中 2 について大きい。

第一次世界大戦のころの工業と貿易についてみる㊱の正答率や，日露戦争の前後の工業と貿易についてみる㊲の正答率が本土も沖縄も低くなっている。

このことについては今後歴史の流れの大筋をはあくさせるような指導の方法がいっそう必要であろう。

輸出と輸入のグラフをみくらべて，輸出品，輸入品の移り変りをとらえる㊴，㊵の問題が本土との差の大きい点も，今後の指導上に留意すべき点であろう。

エ　歴史的分野一全時代

おもな土地制度の改革の内容，結果などについての 4 の平均正答率は本土が52.3%，沖縄が41.5%である。

その中で地租改正についてみる⑱の正答率が本土は28.4%，沖縄は27.9%できわめて低い。班田収授の法についてみる⑰の正答率は，本土が74.2%，沖縄が58.7%で高く，生徒が班田収授の施行と蘇我氏の滅亡（大化の改新）との年代的な関係の理解をかなりもっていることがわかる。しかし一方，おもな土地制度についての年代的な理解をみる⑲の正答率が，本土は41.5%，沖縄は30.7%で低いことからみて，歴史の流れを大きくつかまえる力に欠けているように思われる。なお，問題の形式は異っているが，前述の 3 のIの場合と同じ傾向がみられる。ここに今後の指導にあたって，じゅうぶん留意しなければならない点があると思われる。

3. 数　学

(a) 調査問題のねらい

(1) 第2学年

出題の範囲は，数，式，数量関係，計量，図形の各領域にわたるようにした。この範囲の中の，基本的な事項の理解とその応用力，基本的な計算技能，数学的な思考力などをみるようにした。

大問の番号	分野，領域等	ね　ら　い
1	数 計　算	○ 分数，正の数，負の数の計算技能
2	式 文字を用いた式	○ 文字を用いた式の乗法，除法の表わし方についての理解 ○ 文字を用いて数量を表わす力
3	数量関係 比	○ 比および比の三用法の理解 ○ 比の三用法を用いる力
4	図　形 三角形の角，平行線	○ 三角形の角や平行線の性質についての理解
5	計　量 面積，体積	○ 図形の面積や体積を求める能力
6	数 正の数，負の数	○ 正の数・負の数の概念についての理解 ○ 正の数・負の数を用いる能力7式式の値
7	式 式の値	○ 文字を用いた式の表わし方についての理解 ○ 式の値を求める力
8	式 立　式	○ 等式の中の文字の値を求める能力 ○ 立式する能力
9	数量関係 比例関係	○ 比例・反比例を判定する力
10	数量関係 比例関係	○ 比例関係についての理解
11	図　形 作　図	○ 基本的な作図（角の二等分線）をする力
12	計　量 速　さ	○ 速さについての理解と計算
13	数 整数の性質	○ 最大公約数，最小公倍数についての理解 ○ 最大公約数，最小公倍数を求める力
14	図　形 平行・垂直	○ 簡単な展開図と直線や平面の平行や垂直についての理解

(2) 第3学年

出題の範囲は，数，式，数量関係，計量，図形の各領域にわたるようにした。この範囲の中で基本的な事項とその応用力，基本的な計算技能，数学的な思考力などをみるようにした。

大問の番号	分野，領域等	ね　ら　い
1	数 計　算	○ 正の数・負の数の計算技能
2	数 整数の性質	○ 最大公約数，最小公倍数についての理解 ○ 最大公約数，最小公倍数を求める力
3	式 立式，式の値	○ 文字を用いて数量を表わす力 ○ 式の値を求める力
4	数量関係 比の三用法	○ 比の三用法についての理解 ○ 比の三用法を用いる力
5	計　量 面積，体積	○ 図形の面積や体積を求める能力
6	図　形 合同・相似	○ 三角形が合同や相似になる条件についての理解
7	数 正の数・負の数	○ 正の数・の数の概念についての理解 ○ 正の数・負の数を用いる能力
8	式 文字を用いた式の計算	○ 文字を用いた式の計算技能
9	式 方程式	○ 方程式をつくる能力 ○ 方程式を解く能力
10	数量関係 比例関係	○ 比例関係についての理解
11	数量関係 式とグラフ	○ 一次式で表わされる関数関係についての理解
12	図　形 四角形の角，平行線	○ 四角形の角の性質についての理解 ○ 平行線の性質についての理解
13	図　形 三角形の合同	○ 三角形が合同になる条件や合同な三角形の性質についての理解
14	図　形 三角形の相似	○ 三角形が相似になる条件や相似な三角形の性質についての理解
15	計　量 縮　図	○ 縮図を用いて測定する力
16	数 有効数字	○ 有効数字についての理解

(b) 分野領域等正答率

(1) 第2学年

分野領域等		小問	平均正答率 沖縄	本土	沖縄	本土
数	数の計算	①②③④⑤⑥⑦	54.7	69.8	53.2	69.8
	正の数負の数	㉓㉔	53.8	77.8		
	整数の性質	㉟㊱	47.1	62.0		
式	式の値	㉕㉖	61.5	81.6	51.4	70.4
	文字を用いた式	⑧⑨⑩㉘	44.6	63.3		
	簡単な方程式	㉗	58.2	76.7		
数量関係	比とその三用法	⑪⑫⑬⑭	40.2	57.5	43.3	57.7
	比例関係	㉙㉚㉛㉜	46.5	57.9		
計量	速さ	㉞	30.7	43.0	39.5	58.0
	面積・体積	⑱⑲⑳㉑㉒	41.2	61.0		
図形	基本的な作図	㉝	65.6	76.0	46.9	61.4
	三角形の角と平行線	⑮⑯⑰	52.2	72.7		
	相線平面の平行・垂相	㊲㊳㊴㊵	38.2	49.2		

(2) 第3学年

分野領域等		小問	平均正答率 沖縄	本土	沖縄	本土
数	数の計算	①②③④⑤	58.7	73.6	43.1	58.3
	正の数・負の数	⑰⑱	24.5	36.8		
	整数の性質	⑥⑦	35.7	56.1		
	有効数字	㊵	16.9	29.7		
式	式の値	⑩	43.3	59.6	42.6	58.8
	立式	⑧⑨	44.8	61.0		
	文字を用いた式の計算	⑲⑳㉑㉒	51.7	67.5		
	方程式	㉓㉔㉕㉖	32.2	48.8		
数量関係	比の三用法	⑪⑫	44.1	61.2	36.0	50.7
	比例関係	㉗㉘㉙	29.8	45.1		
	一次式グラフ	㉚㉛㉜	36.8	49.2		
計量	面積体積	⑬⑭	36.5	53.2	42.8	60.2
	縮図	㊴	55.3	74.3		
図形	四角形の角	㉝	65.7	81.9	44.2	59.0
	平行線	㉞	22.6	26.8		
	三角形の合同	⑮㉟㊱	49.4	66.0		
	三角形の相似	⑯㊲㊳	39.0	55.0		

(C) 結果の概要

学習指導要領の内容の区分に準じて，「数」「式」「数量関係」「計量」「図形」の五領域から出題され，本土は各領域とも50%を上回る正答率を示しているのに対して沖縄のそれはほとんどが40%前後の低い正答率である。

以下，第2学年，第3学年の順に第5図，第6図によって領域別，問題別に考察していく。

第2学年

第5図

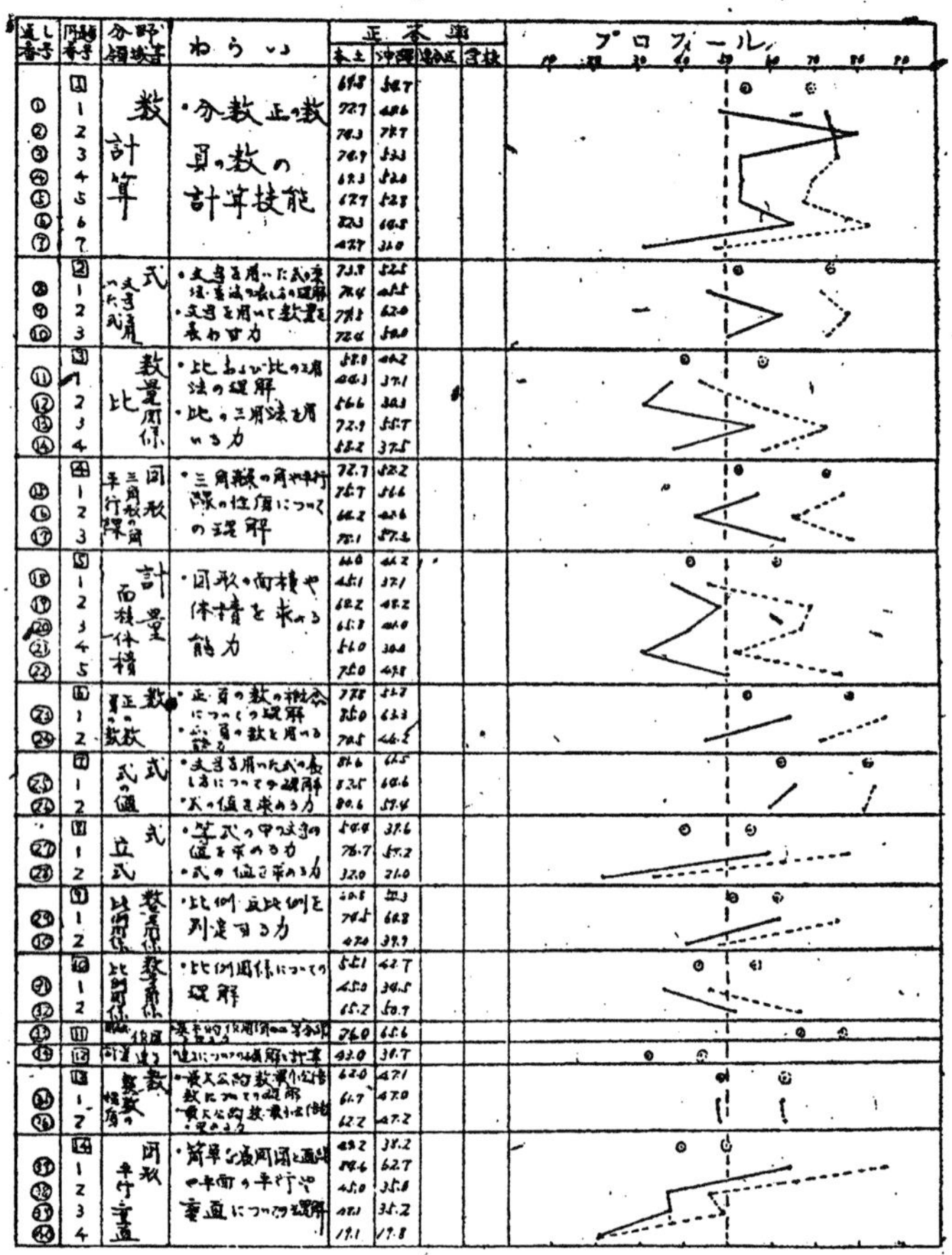

(ア) 「数」の領域

数の領域は数の計算，正の数・負の数，整数の性質，から出題され，これらの平均正答率は53.2%で比較的よい。

数の基本的な四則の計算技能をみる形式的な計算 1 および正の数，負の数，6 整数の性質 13 の基本的事項の理解については充分とは言えないが他の領域に比較してよい。

加法，減法についての問題の正答率が乗法のそれより20%ちかくも低いこと，および乗除混合の計算の正答率が基本的な計算に比べてかなり低いことなどは今後の指導に研究を要するところである。

(イ) 「式」の領域

「式」の領域は式の値，文字を用いた式，簡単な方程式から出題され，これらの平均正答率は51.4%で「数」の領域についで高いが，本土と約20%の落差がある。

式の値についての平均正答率は61.5%で高いが，これは出題した文字の値がすべて正の数であるためと考えられる。文字を用いた式では，簡単な事柄について数量を式に表わすことをみる⑧，⑨，⑩の平均正答率が50%をやゝ上回っているが，具体的な事がらを方程式に表わす能力をみる㉘では，正答率21%でいちじるしく低い。簡単な方程式の根を求める㉗の正答率は58.2%で比較的高いがこれは係数が簡単で，選択肢法の問題であるためと考えられる。これも本土と約20%の落差があるし，これらの点についての指導の研究がいっそう必要であろう。

(ウ) 「数量関係」

「数量関係」の領域は，比とその三用法，比例関係から出題され本土の57.7%の正答率に対して，沖縄のそれは43.3%で計量についで低い。

比とその三用法をみる⑪，⑫，⑬，⑭の平均正答率が40.2%でかなり低い。そのうちでも比の基本的な意味の理解をみる⑪が最も悪く，ついで比の第1用法，第2用法，第3用法の順になっている。以上のことから用語指導の徹底化，割合に関する計算技能の高度化（ドリルの強化），割合の意味の理解をたんねんに……等があげられる。パーセントについては，更に理解を深める指導が必要であろう。

比例関係では数表から二つの数量の比例関係を判定する㉙，㉚のうち，比例させることを判定させる㉙の正答率は60.8%でよい成績であるが，比例も反比例もしないことを判定させる㉚は39.9%で前者とのひらきが大きく（20%），又具体的な量について比例関係を判定する㉛は正答率34.5%で低く，具体的な場面における関数関係の指導には，いっそうの研究が必要であることを示している。

(エ)「計　量」

五領域中正答率39.5%でもっとも低い。

速さについての理解や計算，概数についての㉞は正答率30.7%で，いちじるしく悪い。この原因を考察すると，㉞は，文章題として出題されているため，文意を的確には握把出来ないこと，平均の速さの意味や求め方ができていないこと，結果を概数で処理することが出来ないこと等が考えられる。面積，体積のうち鈍角三角形の底辺の一部を三平方の定理によって求めてから求積する⑱の問題は正答率37.1%で本土，沖縄共に低い。⑲は上底，下底，高さが与えられた台形の面積を求める問題であるが，正答率48.2%は，他の領域に比較すると高いが本土と20%の差がある。求積公式，求積方法（計算技能）等の指導にいっそうくふうする必要があろう。簡単な平面図形および立体図形を分解して求積する⑳㉒の正答率は，それぞれ41%49.8%で，いずれも本土と25%近くの落差がある。

円柱の求積についての㉓は，直径および高さが与えられて，もっとも基本的な立体であると考えられるが正答率30%で低く，今後の指導にいっそうの研究が必要であることを示している。

(オ)「図　形」

図形の領域は基本的な作図，三角形の角と平行線直線，平面の平行垂直から出題され，本土の平均正答率51.4%に対して沖縄のそれは46.9%で低い。

基本的な作図（角の二等分線）についての⑮の正答率は65.6%で比較的よい，三角形の角と平行線についての⑮⑯⑰の平均正答率は本土の72.7%に対して沖縄のそれは52.7%で，基本的な事項は一応50%を越してはいるが，本土と比較するとその差が20%もあり，新学習指導要領には，図形の論証が新しくはいつたことにかんがみ，図形の基礎的な性質について，すじ道を立てて考へを進める面の指導を工夫する必要があろう。

直方体の展開図を通して空間における，直線，平面の位置関係をみる㉟㊳㊴㊵のうち，面の平行についての㊲は，本土84.6%，沖縄62.7%でともに高い。これに比べて直線と平面の垂直関係をみる㊳と二直線の平行についての㊴は正答率35%で低く，特にねじれの位置についての㊵の正答率は19.8%できわめて低い。これからみて空間概念を養う指導法の研究が望まれる。

第3学年

(ア)「数」の領域

数の領域は，数の計算，正の数，負の数，整数の性質有効数学から出題され，これらの平均正答率は本土の58.3%に対して沖縄は43.1で低い。

数の領域中，正の数，負の数の計算技能をみる大問1の平均正答率は58.7%で本土の73.6%には，およばないが比較的よい成績と云える大問1の④の減・乗・除混合の計算の正答率が基本的な計算にくらべてかなり低いことなどは今後の指導に研究を要するところである。

正の数，負の数の概念の理解とこれを用いる能力をみる⑰⑲の平均正答率は24.5%でいちじるしく低い，これからみると，表から数値を読みとり，測定値の大小や平均値を求めるような応用力と思考力を要する問題の指導法の研究が必要であると考えられる。最大公約数，最小公倍数についての理解及びその求め方をみる⑥⑦の平均正答率が35.7%で本土との差20%で，もっともひらきが大きい。有効数字についての㊵の正答率は，本土29.3%，沖縄16.9%で全問題中最低をマークし，この点の指導についてはいつそうの研究が望まれる。

(イ)「式」の領域

式の領域は，式の値，立式，文字を用いた式の計算，方程式から出題されこれらの平均正答率は本土の58.8%に対して沖縄は42.6%で低い。

第 6 図

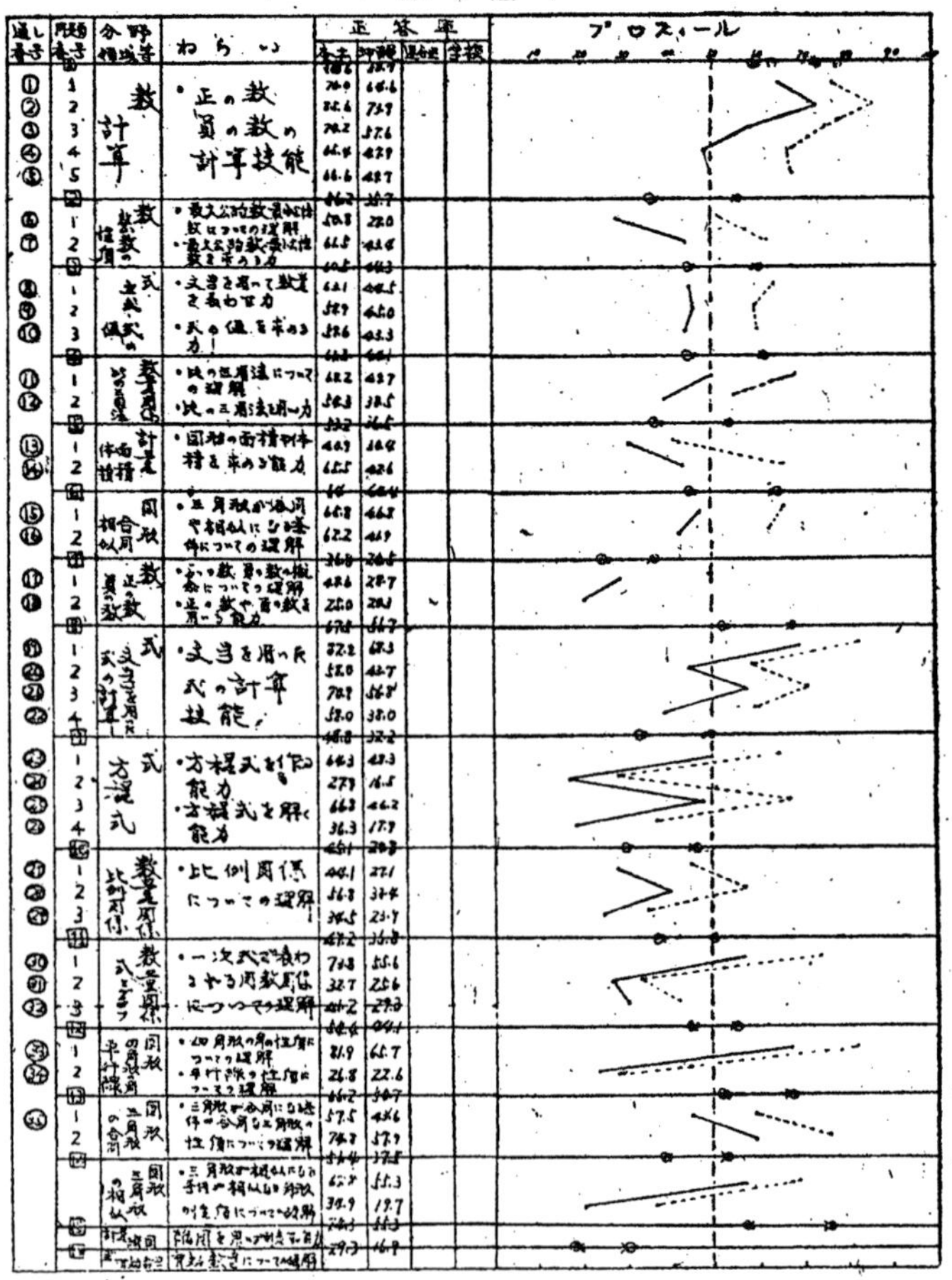

式の領域中式の値についての⑩の正答率は本土の59.6%に対して沖縄のそれは43.3%，簡単な事がらを文字を用いて式に表すことについての⑧⑨の平均正答率が本土では60%を越えるのに対して45%たらず，文字式の基本的な計算技能についての問8が本土の67.5%に対して沖縄は51.7%で本土が，いずれも60%を越える率を示しているのに対して沖縄の場合は45%前後で低い。文字の使用は中学校数学の最重要な一つの教材であることはいうまでもないが，それを如何に使えるようにし，そのよさを理解させるか（しかも落ご者のないように）が，今後の学習指導の課題であろう。

１次方程式と連立方程式の根を求める正答率は，それぞれ48.3%（本土64.3%）46.2%（本土66.8%）で，ほぼよいとして，やゝ複雑な事がらを方程式に表わす問題では，一次方程式についての㉕の正答率は16.5%（本土27.9%）でいちじるしく低く連立方程式についての㉖は17.9%（本土36.3）できわめて低い。これからみると思考力を要する問題を方程式に表わすことの指導法については第２学年同様研究が必要であると考えられる。

(ウ) 「数量関係」の領域

数量関係の領域は，比の三用法，比例関係，一次式とグラフから出題され，これらの平均正答率が本土の50.7に対して沖縄は36.0%で五領域中，最低をマークしている。

比の三用法の⑪⑫の平均正答率は本土の61.3%に対して沖縄のそれは44.1%で低い。このうち比の第三用法をみる⑫の正答率は第二用法をみる⑪の正答率より10%以上も低い，⑫は第２学年の⑬とおよそ同じであるにもかかわらず２年よりできが悪いことは今後の指導で注意すべき点であろう。比例関係をみる㉗㉘㉙の平均正答率は本土45.1%沖縄29.8%ともに数量関係の領域で最も低い，このうち直角三角形の面積を式に表す㉗の正答率は本土44.1%，沖縄27.1%で低く三角形の底辺と面積とを変量とみて考えることの指導に研究が必要であることを示している。また直角三角形の底辺と斜辺との関係をみる㉙の正答率は特に低い，このように変化する二つの量が比例するかどうかをみる㉘も成績はよくないが，そして，比例も反比例もしないことについて，思考をさせる指導については第２学年とれにも増同様研究が望まれる。一次式とグラフについては，点の座標についての㉚の正答率はやゝよい成績であるが，平均の変化率（変化率の割合）を求める㉛やグラフ上より直線の方程式を求める㉜の正答率はいちじるしく低い，新学習指導要領では関数関係の内容が充実されたことからも考えて，この点についての指導に一層の研究が必要であろう。

(エ) 「計量」の領域

計量の領域は，円錐，四角形の求積および縮図を用いて測定する問題より出題され，それらの平均正答率は本土の60.2%に対して沖縄は42.8%で低い。

縮図についての㊴の正答率55.3%は本土の74.3%にはおよばないが，問題構成の程度等を考慮にいれると比較的よいできであると云える。円錐の体積をみる⑬の正答率30.4%四角形の面積を求める⑭の正答率42.6%はかなり低く，この点についての指導の徹底が必要であろう。

(オ) 「図形」の領域

図形の領域は，四角形の角，平行線，三角形の合同，三角形の相似等から出題され，これらの平均正答率は本土の59.0%に対して沖縄は44.2%で約15%の差がある。四角形の角についての㉝の正答率は65.7%で高くこのような指導がかなりなされていることを示している。平行線についての㉞はやゝ複雑な直線図形について思考力を要するものであるので，その正答率22.6%は低いが，問題の程度からみればやゝ不良の成績と云えよう。すじ道を立てゝ考える態度が欠ける（図形をみて受ける感じだけで判断する傾向が強いのではなかろうか）三角形の合同については，合同になることをみる⑮の正答率が46.8%，合同条件を用いる能力をみる㉟の正答率は43.6%でいずれも成績はよくない。新学習指導要領には，図形の論証が新しくはいったことにかんがみ，中学校数学の論証の大部分が三角形の合同を基礎として進めている以上，この面の指導を一層徹底する必要があろう。

三角形の相似については相似になることをみる⑯の正答率41.9%，相似条件を用いる能力をみる㊲の正答率は55.3%で前者より13%も高い率を示している。相似三角形の面積について，面積比は相似比の二乗に比例することをみる㊳の正答率が19.7%でいちじるしく低い。三角形の合同条件および相似条件から導かれる簡単な図形の性質等は，中学校数の図形教材の中核となるし，今後の指導に一層の研究が望まれる。

以上，第2学年第3学年を通して共通に云えることは，各領域共，本土との学力差が大きく，又，全体として基本的な計算技能と基本的な事項の理解についての問題の出来も充分ではないが，比較的よい，応用力や思考力を要する問題の成績がいちじるしく悪くこの点の指導の研究がいっそう望まれる。

4 理　　科

（a）調査問題のねらい

(1) 第2学年

出題の範囲は，物理的，化学的，生物的，地学的の各分野にわたるようにした。

この範囲の中で，基本的な事項についての知識や理解をみるとともに，事象の観察力，実験を計画し，考察し処理する能力，基本的な原理や法則の応用力などをみるようにした。

大問の番号	分野・領域等	ね　ら　い
1	実験器具	○ よく用いられる実験器具についての知識
2	生物的内容 植物の生態	○ 発芽と環境要因との関係についての基礎的な理解 ○ 実験結果と実験の条件との関係を考察する力
3	化学的内容 溶液	○ 溶解度についての理解 ○ 表の数値を比較し，その意味を読み取る力
4	生物的内容 動物の形態，分類	○ セキツイ動物のおもな種類の特徴についての解理
5	化学的内容　酸・アルカリ 物理的内容　水の表面	○ リトマス試験紙についての知識 ○ 表面張力と毛管現象についての理解
6	地学的内容 地表の変化	○ 川のはたらきについての基礎的な知識や理解
7	物理的内容 水の圧力	○ 水の圧力の強さについての理解 ○ 圧力の伝達の原理についての応用力
8	生物的内容	○ 生物の分類，生態などについての基礎的な知識や理解
9	地学的内容 風化作用	○ 岩石の風化についての知識や理解 ○ 岩石の風化の様子についての観察力
10	化学的内容 気体	○ 気体の発生と性質やその実験法についての基礎的な知識や理解
11	物理的内容 測定	○ 水に浮ぶ物体の体積を測定する実験を計画し，考察し処理する能力
12	生物的内容 植物の形態，分類	○ 花の咲く植物の形態についての具体的な理解

(2) 第3学年

出題の範囲は，物理的，化学的，生物的，地学的の各分野にわたるようにした。

この範囲の中で，基本的な事項についての知識や理解をみるとともに，事象の観察力，実験を計画し，考察し処理する能力，実験結果から帰納する力，基本的な原理や法則の応用力などをみるようにした。

大問の番号	分野・領域等	ねらい
1	物理的内容 単位	○ 単位についての基礎的な理解
2	物理的内容 熱	○ 温度と熱量についての理解とその応用力
3	生物的内容 人体	○ 人の内臓や消化器官の位置についての基礎的な知識
4	生物的内容 植物の組織	○ 葉の組織と植物の通道についての知識や理解 ○ 組織とはたらきとを関連させて観察し理解する力
5	化学的内容 物質の組成	○ 単体，化合物，混合物，有機物についての基礎的な理解
6	地学的内容 気象	○ 天気図についての基礎的な知識 ○ 天気図から実際の様子を考える力
7	化学的内容 燃焼	○ 燃焼についての化学的な理解 ○ 実験結果に基づいて帰納する力
8	生物的内容 植物の生理	○ 光合成についての理解 ○ 実験の目的と方法とを関連させて考える力
9	物理的内容 電気	○ 電流回路についての基礎的な知識とその応用力
10	生物的内容 植物の形態，分類	○ 単子葉植物，双子葉植物の形態的特徴についての具体的な理解
11	化学的内容 気体	○ 二酸化炭素の検出法についての理解 ○ 目的に応じた実験装置を用いる力
12	地学的内容 気象	○ 乾湿計の原理についての理解 ○ 乾球，湿球の示度と湿度との関係を考察する力
13	地学的内容 岩石	○ おもな岩石の特徴についの具体的な理解
14	物理的内容 測定	○ 測定値の表やグラフから法則性を帰納したことを応用したりする力

（b）分野・領域等の正答率

(1) 第2学年

分野・領域等		小問	平均正答率			
			沖縄	本土	沖縄	本土
物理的領域	水の表面	⑬ ⑭	38.6	56.5	35.2	49.6
	水の圧力	⑳㉑㉒	31.1	42.8		
	体積（測定）	㉟㊱㊲	36.9	51.9		
化学的領域	実験器具	①②③④	72.2	88.3	44.7	58.7
	溶　解	⑦⑧⑨	32.5	46.4		
	酸・アルカリ	⑫	24.9	42.7		
	気　体	㉛㉜㉝㉞	31.2	42.5		
生物的領域	植物の発芽	⑤ ⑥	60.3	75.0	51.7	72.5
	セキツイ動物の特徴	⑩ ⑪	66.5	77.9		
	生物の生態・分類	㉓㉔㉕㉖㉗	46.5	53.5		
	種子植物の形態	㊳㊴㊵	44.7	75.0		
地学的領域	川のはたらき	⑮⑯⑰⑱⑲	39.8	50.0	39.6	49.8
	風化作用	㉘㉙㉚	39.3	48.7		

(2) 第3学年

分野・領域等		小問	平均正答率			
			沖縄	本土	沖縄	本土
物理的領域	単　位	①②③	51.1	72.6	47.1	63.5
	熱　量	④⑤⑥	37.6	53.8		
	電気回路	㉕ ㉖	47.6	60.2		
	弾性（測定）	㊳㊴㊵	52.1	66.3		
化学的領域	物質の組成	⑫⑬⑭⑮⑯	29.5	37.7	36.8	48.3
	燃　焼	⑳ ㉑	44.7	59.6		
	気体（実験装置）	㉚ ㉛	47.2	63.6		
生物的領域	人体器官の部位	⑦⑧⑨	48.6	59.3	41.6	53.0
	植物の組織	⑩ ⑪	32.4	42.5		
	光合成	㉒㉓㉔	42.0	58.2		
	種子植物の形態分類	㉗㉘㉙	40.3	48.5		
地学的領域	気象（天気図）	⑰⑱⑲	37.8	48.9	34.7	45.6
	気象（湿度）	㉜㉝㉞	28.7	38.3		
	岩石の特徴	㉟㊱㊲	37.6	49.5		

C 結果の概要

以下，第2学年，第3年の順に，第7図，第8図によって考察していく。

(1) 第2学年

調査の結果を領域別にみると，正答率の高いほうから生物的，化学的，地学的，物理的の領域の順となって本土の傾向も同じである。

ア 物理的領域の問題を水の表面，水の圧力，体積（測定）に分けてみると，水の表面に関する内容の本土の平均正答率は56.5%で，これに対して，沖縄は38.6%で，本土より17.9%も低い。これは表面張力や毛細管現象についての理解がふじゅうぶんで，これらの原理を日常生活の中に応用する力がおちることと，さらに理科用語の理解の不徹底が原因していると思われる。水の圧力の強さの理解をみる⑳，㉑，㉒の平均正答率は本土が42.8%であるのに対して，沖縄は31.1%で，このように量的に表わされた抽象的な概念の理解をみる問題は生徒にとってきわめて困難なことを示している。水に浮く物体の体積測定，㊱㊲や㉟の問題はやや思考を要する問題であるが，条件を分析して思考する態度がふじゅぶんであるために図説をみていきなり，比重計算と誤解することも考えられる。

第7図

通し番号	問題番号	分野領域等	ねらい	正答率 本土	正答率 沖縄	正答率 [illegible]	正答率 学校
① ② ③ ④	1 1 2 3 4	実験器具	○よく用いられている実験器具についての知識	88.3 95.6 92.8 95.6 89.2	72.2 84.9 78.1 53.6 72.3		
⑤ ⑥	2 1 2	生物的内容 植物の生態	○発芽と環境要因の関係についての基礎的な理解 ○実験結果と条件との関係を考察する能力	75.0 90.3 57.6	60.3 74.8 45.8		
⑦ ⑧ ⑨	3 1 2 3	化学的内容 溶液	○溶解度についての理解 ○表の数値を比較し，その意味を読みとる力	46.4 63.4 47.3 28.5	32.5 40.7 34.7 25.2		
⑩ ⑪	4 1 2	生物的内容 動物の分類	○セキツイ動物のおもな種類の特徴についての理解	77.9 91.5 64.2	66.5 63.9 69.2		
⑫ ⑬ ⑭	5 1 2 3	化学的内容 酸・アルカリ 水の表面	○リトマス試験紙についての知識 ○表面張力と毛管現象についての理解	51.9 42.7 52.7 61.2	34.1 24.9 30.9 46.4		
⑮ ⑯ ⑰ ⑱ ⑲	6 1 2 3 4 5	地学的内容 地表の変化	○川のはたらきについての基礎的な知識や理解	50.5 44.0 54.0 54.8 46.1 53.7	37.8 40.0 36.0 47.3 35.5 40.3		
⑳ ㉑ ㉒	7 1 2 3	物理的内容 水の圧力	○水の圧力の強さについての理解 ○圧力の伝達の原理についての応用力	42.8 55.3 52.3 40.5	31.1 33.5 37.9 21.2		
㉓ ㉔ ㉕ ㉖ ㉗	8 1 2 3 4 5	生物的内容	○生物の分類，生態などについての基礎的な知識や理解	53.5 54.8 61.8 57.9 44.3 58.3	46.5 57.1 56.5 47.6 24.9 45.6		
㉘ ㉙ ㉚	9 1 2 3	地学的内容 風化作用	○岩石の風化についての知識や理解 ○岩石の風化の観察についての観察力	48.7 43.9 54.9 48.4	39.8 44.1 34.7 40.2		
㉛ ㉜ ㉝ ㉞	10 1 2 3 4	化学的内容 気体	○気体の発生と性質や実験法についての基礎的な知識や理解	42.5 62.9 38.0 25.6 43.3	38.2 45.7 23.7 24.8 33.3		
㉟ ㊱ ㊲	11 1 1 2	物理的内容 測定	○水に浮かぶ物体の体積を測定する実験を計画し考察し処理する能力	51.9 56.3 57.3 40.1	[illegible] 42.9 18.4 25.5		
㊳ ㊴ ㊵	12 1 2 3	生物的内容 植物の形態分類	○花の咲く植物の形態についての具体的な理解	75.0 93.4 68.3 83.3	44.7 42.0 39.5 44.6		

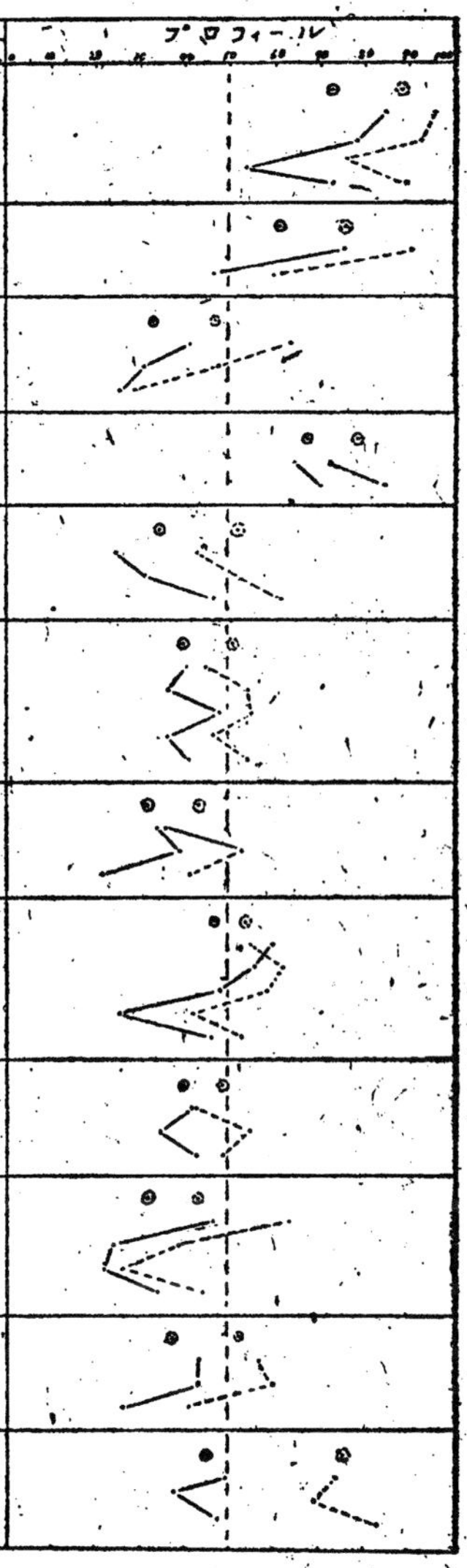

イ 化学的領域の問題を実験器具，溶液，酸・アルカリ，気体の四つに分けてみると，実験器具の正答率が本土は88.3%，沖縄は72.2%で最も高く，本土の場合，他はだいたい同じであるが，沖縄の場合は，酸アルカリ⑬の問題が24.9%の正答率で特に悪い。これは，アルカリ，酸性反応を理解できないというよりも，中性を示す塩基についての実験等の基本的な指導について問題点があると考えられる。溶解については，特に飽和の概念をみる⑨が低く，その正答率は，本土が28.5%沖縄が25.2%できわめてわるい。気体㉛，㉜，㉝，㉞，の問題については，いずれも基礎的な知識や理解をみる問題であるが，特に㉜，㉝については成績が悪い。改訂学習指導要領では，化学的領域の内容を充実したが，これらの結果は一つの反省資料となるであろう。

ウ 生物的領域の問題を植物の発芽，セキツイ動物の特徴，生物の生態，分類・種子植物の形態の四つに分けると，本土の場合は生物の生態，分類の正答率53.5%が低く，他は75%程度で同じであるが，沖縄の場合は，生物の生態・分類の正答率46.5%種子植物の形態の正答率44.7%が低く，他の二つは60%台である。植物の発芽については，発芽の条件と実験結果との関係を考察させるやや程度の高い問題であるが，セキツイ動物の特徴とともに高い正答率60%以上を示し，指導が徹底していると云えるが，本土のそれと比べるとなお10%以上の差を生じている。生物の生態，分類については，特に胞子でふえる植物㉘についての正答率が低く，本土が41.3%，沖縄が24.9%で生物的領域での最低であるばかりでなく，本土との差も一番大きく16.4%となっている。種子植物の形態は，花の特徴と葉の形についての具体的な理解をみる問題であるが，⑬の大問中本土との差が最も大きく30.3%もひらきがある。これらの生物の形態，分類については，種や科の特徴をはあくさせる代表的なものについては，観察の着眼点をおさえて指導するとともに，飼育，栽培にも今一般の関心をよせるべきである。

生物的領域の正答率が本土の72.5%に対し，沖縄は51.7%でその差が20.8%で四つの分野領域の中で最もひらきの大きいことは指導上の反省資料となるであろう。

エ　地学的領域を川のはたらきと風化作用に分けてみると，ほぼ同じ程度の正答率で本土が約50%，沖縄が約40%で10%の差がある。川のはたらきについては，その基礎的な知識や理解を調べるやさしい問題であるが，いずれも結果はよくない。このことは，沖縄の場合教材内容と直接結びつく自然環境としての代表的な河川がないために指導上困難な点であるが，納得のいくような指導法の改善が必要とされる。風化作用については，かこう岩のような生徒に親しまれている岩石の特徴についての知識や理解をみる問題であるが，正答率は本土が48.7%，沖縄が39.3%にすぎない。この領域の結果を全般的にみると，指導法にさらに改善を加えるべき点の多いことがうかがわれる。

(2)　第3学年

調査の結果を領域別にみると，高いほうから物理的，生物的，化学的，地学的の領域の順になっていて，本土との傾向は同一である。物理的領域が他の領域より，正答率の高くなっていることは教科書によって内容の学年配当が違っていることも考慮して，特にこの領域についてはきわめて基礎的な問題に限って出題したためであろうと文部省は説明している。

ア　物理的領域の問題を単位，熱量，電流回路，弾性（測定）の四つに分けてみると，本土では単位に関する内容の正答率72.6%が最も高く，熱量に関するもの53.8%が最も低い。沖縄は単位と弾性（測定）に関する内容の正答率が50%台で14の大問中で最も高いが，本土の72.6%や66.3%正答率に比べると14.2%～21.5%も差がある。熱量に関する④の問題は実験・観察経験のあるもので，筋道のとおった考え方のできる生徒なら誰でも解けるはずであるが，図説にとらわれて発問の何を答えるのか，その条件も見ずに早合点したのではないかと思われる。物理の基礎的数計算や処理力の養成が反省される。

単位については③の力の大きさの単位の正答率が37.8%なのは問題の程度からみて，よくない成績である。熱量については④が特に低く，温度と熱量についての最も基礎的な経験が不確実であることを示している。電流回路の問題は基礎的な知識とその応用力をみるきわめて単純な問題であるが，正答率の低いことは設備の問題と併行して実験内容の検討が必要であろう。弾性については，表やグラフを処理する力を調べているが，いずれもこの方面の指導が次第に改善されてきたことを示している。

イ　化学的領域を物質の組成，燃焼，気体（実験装置）の三つに分けると，気体の正答率が本土は63.6%沖縄が47.2%で高く，物質の組成（本土37.7%，沖縄29.5%）が低い。

物質の組成については，単体，化合物，混合物，有機物についての基礎的な理解をみるものであるが，いずれも悪く第2学年の結果とあわせてこの領域での基礎的な事項の指導についていっそうのくふうを要することが認められる。燃焼については，実験結果について帰納する力をみようとするものであるが本土との差が大きい。二酸化炭素を検出するための実験装置については，本土が63.6%，沖縄が47.2%でその差が16.4%もある。このことについては，簡易器具の製作利用をもっと進めて具体的な指導が必要とされる。

ウ　生物的領域を人体器官の部位，植物の組成，光合成，種子植物の形態・分類に分けてみると，人体器官の部位の正答率が高く，植物の組織が最も悪い。人体器官の部位は人の内臓や消化器官の位置についての基礎的な知識についてみたものであって，結果もよい。光合成の問題について本土との差が16.2%もあるということは，実験，観察の指導技術や施設に問題点がある。植物の組織の問題は，組織とはたらきを関連させて観察し，理解しているかどうかについて調べているが，この領域で最も悪いことは，今後の実験，観察の指導法に改善の必要があることを示している。種子植物の形態・分類についての具体的な理解をみる問題はやや悪い成績である。

エ　地学的領域の問題を気象（天気図），気象（湿度）岩石の特徴に分けると，湿度の正当率が本土38.3%，沖縄28.7%で特に低く，他の二つはほぼ38%で同じであることは本土の傾向とにている。天気図については基礎的な知識をみる⑰30.9%，天気図から実際の様子を考える⑲29.3%の二つは特に低い。記号や地図上の方位の示し方⑱について，本土より20.6%も低いことは，継続観察の実際指導や気象教材への関心が沖縄の地域性とともに身近な問題として反省させられる。湿度については，乾湿計の原理の理解および示度と湿度との関係を考察する力をみるようにしてあるが，正答率はいずれも低い，特に㉝は17.7%で悪い。

第8図

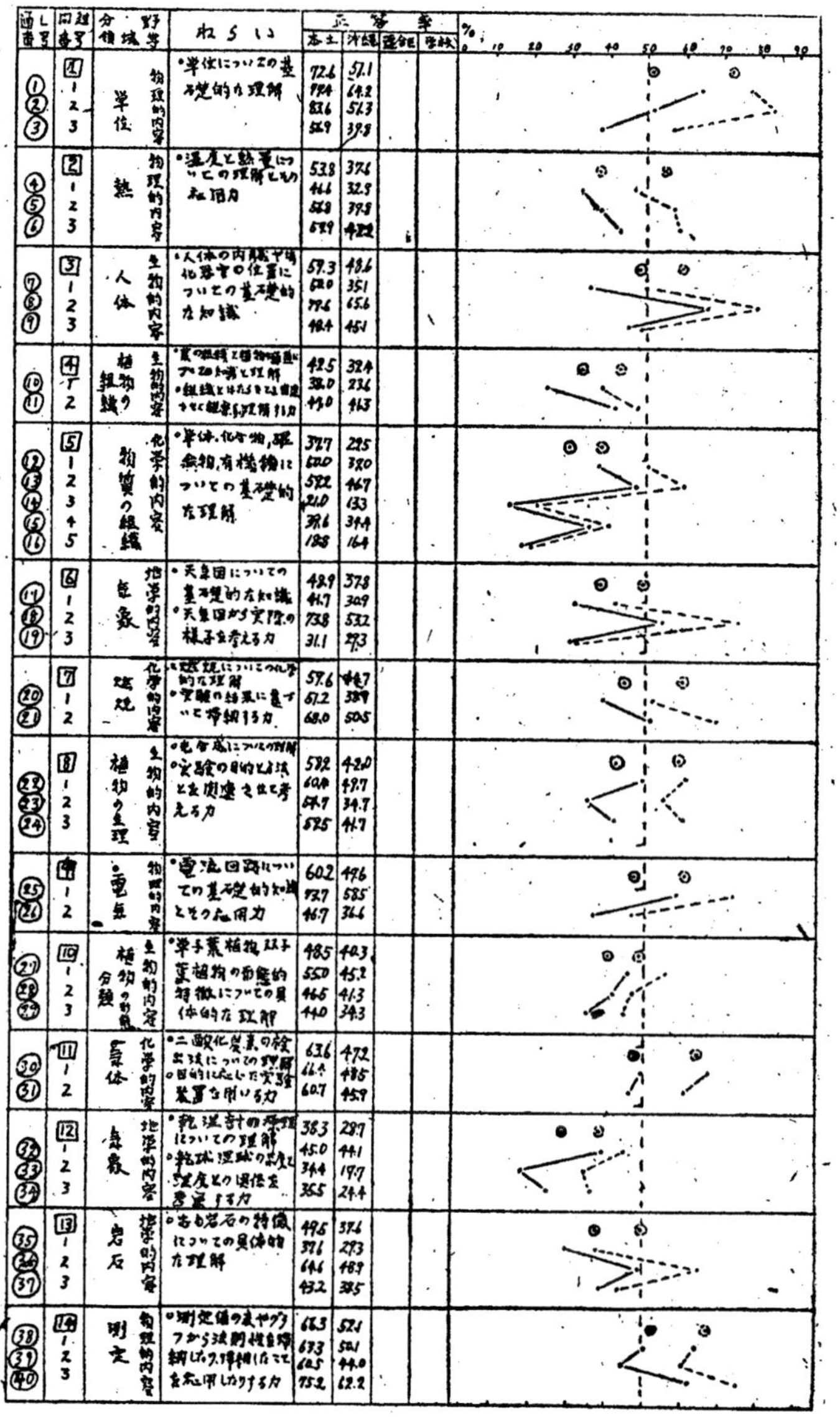

岩石の特徴をみる問題は，おもな岩石の特徴と具体的に理解しているかどうかをみるものであるがこの成績も悪い。特に石灰岩の性質実験は15.7%も差があることは，地域教材の理解の上から反省させられる。これらは乾湿計や岩石などの実物を通して基礎的な事項を具体的に理解させる場合に，今後いっそうのくふうを重ねる必要があることを示唆している。

5. 英　語

(a) 調査問題のねらい

(1) 第2学年

出題の範囲は，聞くこと，話すこと，読むことおよび書くことの各領域にわたるようにした。

この範囲の中で，聞くこと，話すことの領域では基本的な語の発音，アクセントおよび基本的な文のくぎりについての習熟，読むことの領域では基本的な語句や文の意味の理解，書くことの領域では基本的な句とう点の用法，基本的な文の転換や基本的な語形の変化などの能力をみるようにした。

なお，実際に，音声を聞かせたり，英語を書かせたりすることは，一せい学力調査の制約上，含めなかった。

大問の番号	分野・領域等	ね　ら　い
1	聞くこと，話すこと 発　音	○ 〔s〕,〔Z〕などの発音についての習熟
2	聞くこと，話すこと アクセント	○ 2音節の語のアクセントについての習熟
3	聞くこと，話すこと 文のくぎり	○ 簡単な文のくぎりについての習熟
4	読むこと 語，句の意味	○ 語，句の意味の理解
5	読むこと 文の意味	○ 簡単な文のまとまりについての意味の理解 ○ 文や文のまとまりに関する問いに対する答え方の習熟
6	書くこと 文の転換	○ 人称，数および文の種類を転換して書く能力
7	書くこと 句とう点の用法	○ 句とう点の用法についての習熟
8	書くこと 語形の変化など	○ 代名詞などの語形の変化や語の選択についての習熟

(2) 第3学年

出題の範囲は，聞くこと，話すこと，読むことおよび書くことの各領域にわたるようにした。この範囲の中で，聞くこと，話すことの領域では基本的な語の発音，アクセントおよび基本的な文のくぎりについての習熟，読むことの領域では基本的な語，句や文の意味の理解ならびに基本的な短縮形についての理解，書くことの領域では基本的な語形の変化や基本的な文の転換および基本的な文を書く能力をみるようにした。

なお，実際に，音声を聞かせたり，英語を書かせたりすることは，一せい学力調査の制約上，含めなかった。

大問の番号	分野・領域等	ね　ら　い
1	聞くこと，話すこと 発　音	○ 〔a：〕,〔ə：〕などの発音についての習熟
2	聞くこと，話すこと アクセント	○ 2音節以上の語のアクセントについての習熟
3	聞くこと，話すこと 文のくぎり	○ やや進んだ文のくぎりについての習熟
4	読むこと 語，句の意味	○ 語，句の意味の理解

5	書くこと 文型の運用	○ 疑問文など基本的な型の文を書く能力
6	読むこと 文の意味	○ 副詞句などを含む文のまとまりについての意味の理解 ○ 文や文のまとまりに関する問に対する答え方の習熟
7	書くこと 文の転換	○ 時制，態および文の種類を転換して書く能力
8	読むこと 短縮形	○ 短縮形についての理解
9	書くこと 語形の変化など	○ 動詞などの語形の変化や語の選択についての習熟

（B）　　中学校英語　　分野・領域等正答率

	分野・領域等		小問	平均正答率			
				沖縄	本土	沖縄	本土
第二学年	聞くこと話すこと	発音	①②③④	41.2	(%) 59.5	57.9	(%) 73.1
		アクセント	⑤⑥⑦⑧⑨⑩	62.9	74.1		
		文のくぎり	⑪⑫⑬⑭	67.1	85.3		
	読むこと	語，句の意味	⑮⑯⑰⑱⑲⑳	43.3	65.6	44.4	63.4
		文の意味	㉑㉒㉓㉔㉕㉖	45.4	61.3		
	書くこと	文の転換	㉗㉘㉙㉚㉛	41.2	60.0	49.4	67.2
		句とう点の用法	㉜㉝㉞㉟	63.0	81.3		
		語形の変化	㊱㊲㊴㊵	43.5	66.3		
		語の選択	㊳	59.2	68.9		
第三学年	聞くこと話すこと	発音	①②③④	40.6	51.3	48.7	60.2
		アクセント	⑤⑥⑦⑧⑨⑩	57.0	70.9		
		文のくぎり	⑪⑫⑬	42.6	50.4		
	読むこと	語句の意味	⑭⑮⑯⑰⑱⑲	50.5	73.6	57.3	76.9
		文の意味	㉓㉔㉕㉖	53.8	71.4		
		短縮形	㉜㉝㉞㉟	71.1	87.5		
	書くこと	文形の運用	⑳㉑㉒	39.6	50.4	41.1	57.5
		文の転換	㉗㉘㉙㉚㉛	48.1	68.1		
		語形の変化	㊱㊲㊴㊵	31.1	48.9		
		語の選択	㊳	51.1	59.6		

（C）結果の概要

出題範囲は「聞くこと」「話すこと」「読むこと」および書くことの各領域にわたるようにした。（文部省中間報告書）各領域とも基本的な能力をみる問題が出題されている。本土の得点平均は2年，68.2点，3年65.2点であるのに対して沖縄は2年が50.3点で3年は48.3点で差はそれぞれ17.9点，16.9点である。以下領別，問題別に比較検討してみよう。

Ⅰ　2年

第9図　中学校英語（2年）問題別領域別正答率　本土 ——　沖縄 -----

通し番号	問題番号	分野領域等	ねらい	正答率 本土	正答率 沖縄	正答率 [illegible]	正答率 学級
	1	聞くこと、話すこと 発音	○〔ʃ〕,〔ʒ〕などの発音についての習熟	54.5	41.2		
①	1			55.3	37.5		
②	2			62.5	42.5		
③	3			66.2	45.4		
④	4			54.1	39.1		
	2	聞くこと、話すこと アクセント	○2音節の語のアクセントについての習熟	74.1	62.9		
⑤	1			75.7	68.1		
⑥	2			70.1	62.4		
⑦	3			78.0	67.7		
⑧	4			72.7	60.2		
⑨	5			74.4	62.9		
⑩	6			46.2	66.1		
	3	聞くこと、話すこと 文のくぎり	○簡単な文のくぎりについての習熟	85.3	67.1		
⑪	1			89.5	72.7		
⑫	2			86.0	66.4		
⑬	3			85.9	65.7		
⑭	4			81.8	63.9		
	4	読むこと 語、句の意味	○語、句の意味の理解	65.6	43.3		
⑮	1			66.5	46.3		
⑯	2			57.1	37.4		
⑰	3			73.7	50.3		
⑱	4			59.2	27.9		
⑲	5			70.7	52.0		
⑳	6			66.1	46.2		
	5	読むこと 文の意味	○簡単な文のまとまりについての意味の理解 ○文や文のまとまりに関する問いに対する答え方の習熟	61.3	45.4		
㉑	1			71.7	50.4		
㉒	2			75.6	57.3		
㉓	3			78.2	58.9		
㉔	4			61.1	45.5		
㉕	5			40.8	29.2		
㉖	6			40.2	33.9		
	6	書くこと 文の転換	○人称・数および文の種類を転換して書く能力	60.0	41.2		
㉗	1			71.6	48.8		
㉘	2			57.6	38.4		
㉙	3			82.2	64.7		
㉚	4			58.3	38.2		
㉛	5			30.7	16.9		
	7	書くこと 句とう点の用法	○句とう点の用法についての習熟	81.3	60.3		
㉜	1			75.9	57.6		
㉝	2			72.1	57.1		
㉞	3			82.4	68.7		
㉟	4			80.9	68.7		
	8	書くこと 語形の変化など	○代名詞などの語形の変化や語の選択についての習熟	58.5	46.6		
㊱	1			85.8	68.9		
㊲	2			42.8	27.3		
㊳	3			68.9	57.2		
㊴	4			67.6	47.6		
㊵	5			50.7	30.2		

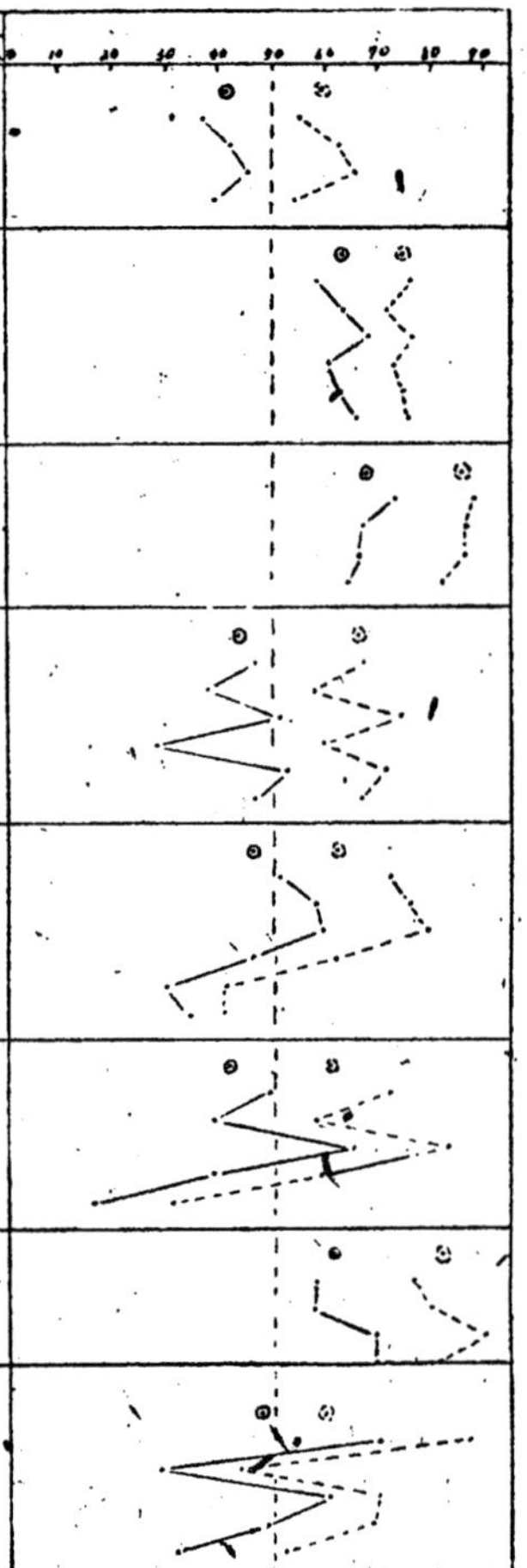

(ア)　「聞くこと」「話すこと」

1（口で囲んだ数字は大問番号を示す。以下同じ）は基本的な発音の力をみるものであるが，本土，沖縄ともにその平均正答率が最下位になっている。その理由は英語の発音が日本語の発音とまったく異なるということによるのだろう。しかし①（○で囲んだ数字は小問番号を示す。以下同じ）の語頭th—の発音〔ð〕と〔θ〕の区別が37.5%と最下位であることから基本的な語の発音練習が不充分であることがわかる。

2 はアクセントの力をみる問題であるが中でも⑤の正答率の低いことが注目される。本土の場合は⑥の ja—pan の正答率の低いのが目立つ。これらのことから日本語の中でかなりしばしば用いられる語のアクセントが，ややもすると日本語のようなアクセントになってしまう危険のあることを物語っている。

3 は簡単な文のくぎりについての習熟についての力をみる問題であるが正答率は本土85.3%沖縄67.1%とともに最上位になったのはもっとも基本的な文を出題したことによると考えられるが，⑭の正答率が本土81.8%，沖縄63.9%で4問中最下位になったことは，生徒にとって文の長さが，文のくぎりの困難の大きな要因であることを示していることから基本的なものを応用する力をつけることが望まれる。

(イ)　「読むこと」

4 は「読むこと」のうち語句の意味の理解力をみる問題である。本土の平均正答率が65.6%であるのに対して沖縄は43.3%であり，全問中一番大きいひらき（22.2%）を示している。6問中⑱の long の意味のわからない生徒が72.1%もおり本土とのひらきが31.3%で40問中一番大きいひらきがある。問の方法がその単語や語句の意味を日本語で答えるのではなく，反対の意味の英語で答えるという方法をとったのでその語の意味がわからないために成績が悪くなっただろうと推定される。単語や語句の指導は単にその語だけをとりだすのではなく他との関連においてなされることが特に英語においては要望されよう。

[5] は与えられた文を読んで問に答える問題で，文のまとまりや問に対する答え方の力をみるものである。全体の正答率は本土の61.3%に対して沖縄は45.4%で15.9%のひらきがあるがこれは8問中三番目にひらきの小さい問題である。その中でも与えられた文のある個所を指摘して答える㉑㉒㉓㉔において本土の平均正答率が71.4%であるのに対して沖縄のそれは50.3%で21.1%のひらきがある。それに比べて二者の年令比較を求める㉕や三者のうち最高年令者を求める㉖の正答率は本土の40.5%に対して沖縄は31.6%でその差は8.9%である。
このことから本土の生徒は一文ごとの理解はできているが，いくつかの文の意味の関係をとらえるほどには理解が深まっていないということがいえるのに対して沖縄の場合は本土とのひらきからみて反対のことがいえるのではないかと考えられるがどんなものだろう。少し理解に苦しむ結果である。

(ウ) 「書くこと」

[6] は文の転換の力をみる問題であるが，本土の平均正答率60.0%に対して沖縄は41.2%で18.8%のひらきがあり，これは8問中三番目にひらきが大きい。現在進行形の平叙文を疑問文に転換させる㉛の正答率が本土，沖縄ともに目立って低いことは基本的文型，語い，および文法事項の総合指導にいっそうの改善が望まれるところである。

[7] は句読点のつかい方の力をみる問題で極めて基本的な問題である。本土の84.3%の正答率に対して沖縄は63.3%で21.0%のひらきがあるがこれは第2番目に差の大きい問題である。すべての問題についていえることであるが，基本的な事項についての指導法を再検討する必要があろう。

[8] は語の形の変化および語の選択についての習熟度をみる問題であるが，本土の正答率は58.5%で8問中最低である，沖縄の場合は46.6%で2番目に小さいひらき（11.9%）を示している。
主語が三人称，単数，現在のことを述べる㊲の正答率が，本土，沖縄ともに最下位にあることは，この事項が基本的なものであるだけにさらに反復練習が必要であろう。

Ⅱ　3年

ア 「聞くこと」「話すこと」

[1] は基本的な発音の力をみるものであるが，他の問題に比べてその平均正答率は本土，沖縄ともに劣っている。②は動詞にdを加えてそのdの変化の仕方を判別させる問題であるが，その正答率は本土の64.6%に対して沖縄は42.5%となって22.1%のひらきがある，このような動詞が新語として教材で取扱われる場合，その都度これらの語の発音を矯正しても，散発的な指導法になるのであまり効果があがらないうえに生徒にとっても負担過重になることが多いのでもっとも基本的な母音，子音の有声音，無声音の区別をはっきりさせてから無声音の場合—edは〔t〕と発音するとか，有声音の場合は〔d〕と発音するといった点をしっかり指導することによってより効果のあがる指導がなされると考えられる。④は正答率が本土よりも3.1%だけ高いのは沖縄の生徒の可能性を示すものではなかろうか。

[2] はアクセントの力をみるものである。全体としては本土，沖縄ともに [8] についで高い正答率を示しているが，問題の内容が二者択一（⑤，⑥）や三者択一（⑦，⑧，⑨）の問題が多かったことによると考えられるが [1] の発音と [3] の文のくぎりの平均正答率が低いのは第3学年の指導において読むことの指導に重点をおくあまり「聞くこと，話すこと」の指導を軽く扱う結果だとみるのはあやまりであろうか。この領域では発音の力をみる問題特に④の〔a:〕と〔ɔ:〕との区別を求める問題等が本土，沖縄ともに40問中最低の正答率を示していることから発音練習の不足が指摘されよう。

[3] の文のくぎりの問題は大問9問中本土との差が一番小さい。

イ 「読むこと」

読むことの問題は 4 と 6 と 8 にまたがっている。 4 語句の意味を反意語で答えさせてその理解度をみる問題である。特に⑤の cone in の理解が悪く，次いで②の day が悪くその差は⑤が32.4%②が28.4%，でともに40の小問中差が一番大きい。このことは2年の場合も同様な結果がでていることから学習指導の面で根本的に考察し，改善する必要があろう。

6 は副詞などを含む文のまとまりについての意味の理解および文や文のまとまりに関する理解力をみる問題であるが，その平均正答率は，本土の71.4%に対して沖縄は53.8%で17.6%のひらきがみられる。

読解力を伸ばすにはまず基本的な英語を習熟させ，応用能力を高めるために副読本などを多量に読ませ，横文字になれさせるために生活化するまで指導することが必要であろう。

第10図　本土沖縄中学校英語（3年）問題別領域別正答率

本土 ——　沖縄 -----

通し番号	問題番号	分野領域等	ねらい	正答率 本土	沖縄	地区	学校
	1	話すこと聞くこと 発音	・[ei] [ai] などの発音についての習熟	51.3	40.6		
①	1			86.6	72.9		
②	2			64.6	42.5		
③	3			36.9	25.8		
④	4			18.3	21.4		
	2	話すこと聞くこと アクセント	・2音節以上の語のアクセントについての習熟	70.9	57.0		
⑤	1			87.5	74.4		
⑥	2			75.7	16.3		
⑦	3			66.3	53.5		
⑧	4			63.7	50.4		
⑨	5			68.7	57.8		
⑩	6			63.5	45.6		
	3	話すこと聞くこと 文のくぎり	・やや進んだ文のくぎりについての習熟	50.4	42.6		
⑪	1			73.4	60.2		
⑫	2			41.3	30.7		
⑬	3			36.5	36.9		
	4	読むこと 語句の意味	・語句の意味の理解	73.6	50.5		
⑭	1			69.2	48.0		
⑮	2			67.1	34.7		
⑯	3			89.2	73.8		
⑰	4			68.7	45.6		
⑱	5			82.2	49.8		
⑲	6			69.2	51.1		
	5	書くこと 文型の運用	・疑問文などの基本的な文を書く能力	50.4	39.6		
⑳	1			73.4	67.4		
㉑	2			31.8	24.0		
㉒	3			46.0	27.3		
	6	読むこと 文の意味	・副詞句などを含む文のまとまりについての意味の理解 ・文や文のまとまりの内容に対する答え方の習熟	71.4	53.8		
㉓	1			70.9	52.8		
㉔	2			82.5	66.7		
㉕	3			57.5	39.8		
㉖	4			74.5	56.0		
	7	書くこと 文の転換	・時制態および文の種類を転換して書く能力	68.1	48.1		
㉗	1			82.1	59.1		
㉘	2			70.3	47.8		
㉙	3			60.8	46.0		
㉚	4			66.2	46.7		
㉛	5			61.3	41.0		
	8	読むこと 短縮型	・短縮形についての理解	87.5	76.1		
㉜	1			86.8	72.1		
㉝	2			87.8	83.2		
㉞	3			80.4	66.1		
㉟	4			92.8	77.7		
	9	書くこと 語型の変化など	・動詞などの語形の変化や語の選択についての習熟	54.3	35.1		
㊱	1			52.4	34.6		
㊲	2			60.1	46.2		
㊳	3			57.6	57.1		
㊴	4			44.2	38.3		
㊵	5			38.3	24.1		

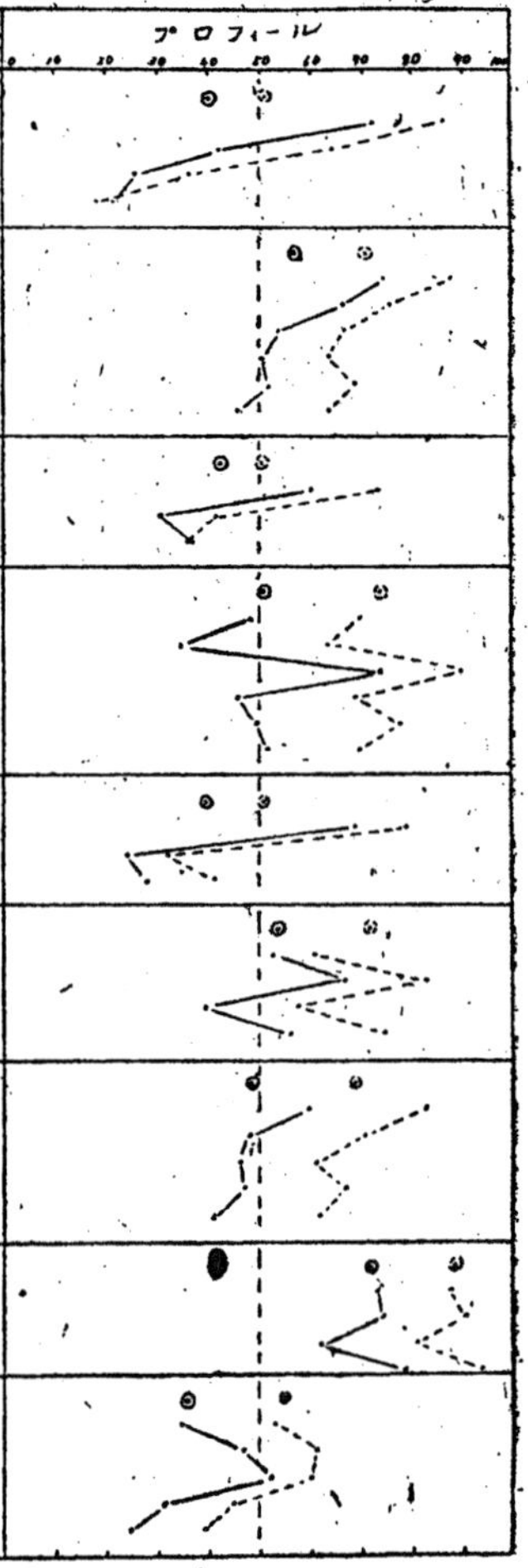

8 は短縮形についての理解度をみる問題であるが本土，沖縄ともに高い正答率を示している，特に㉟は本土92.8%，沖縄77.7%とともに最高の正答率を示しているのは問題が極めて基本的な問題であり，また生徒にとって興味のある内容でもあるためだろう。

ウ 「書くこと」

書くことの領域は 5， 7， 9 にまたがっている。

5 は文型の運用能力をみる問題である。⑳と㉑の正答率の差が大きいことが特に目立つ，このことは基本的な文型の暗誦や書取が不充分であることを示している。

7 は文の転換能力をみる問題であるが，その平均正答率の差は二番目に大きく20.0%を示している。中でも㉗の現在進行形になおす問題は本土が82.1%と高い正答率を示しているのに対して沖縄は59.1%で23.0%のひらきがみられる。これは40の小問中，四番目に大きなひらきを示している問題である。ここでも基本的な文型の転換練習が不充分であることを示している。

9 は動詞などの語形変化の力をみる問題であるが，沖縄の正答率は35.1%で9問中最低の成績である。中でも主語が2人称で現在完了の文における動詞の変化を求める㊵の正答率が本土38.8%沖縄が24.1%，さらに一般動詞の過去形の否定文における助動詞の形を求める㊴の正答率が本土44.2%，沖縄が31.3%とともに低いことは，このような基本的な動詞や助動詞の変化の暗記や，書取が徹底していないことを示している。

| 9 | は9問中三番目に本土とのひらきが大きい。

以上2年，3年の結果を本土と比較してみたが，プロフイールによると大体同じ傾向を示している。だが，そこに或程度の落差のあることは見のがせないし，今後の課題として，その向上策が痛感される。

(c) **生徒の得点分布**

得点別生徒数（比率）を教科別，学年別に図示したのが第11図である。なお得点別の生徒数の分布状況の詳細なる統計は，この報告書の末尾（統計表第　表）に示すとおりである。

第11図にみるとおり，本土では，第2学年の国語と理科（2年，3年）の分布がほぼ正規分布に近い形を示し，ほとんどの教科が頂点が高い点数の方に偏しているのに対して，沖縄の場合は，各教科とも点数の低い方に偏している。

以上は教科別にみた学年別の得点分布の傾向を示したのであるが，さらにこれらのひらきの度合を明らかにするため，学年別，教科別の標準偏差を表に示すと次のとおりである。

第 11 図

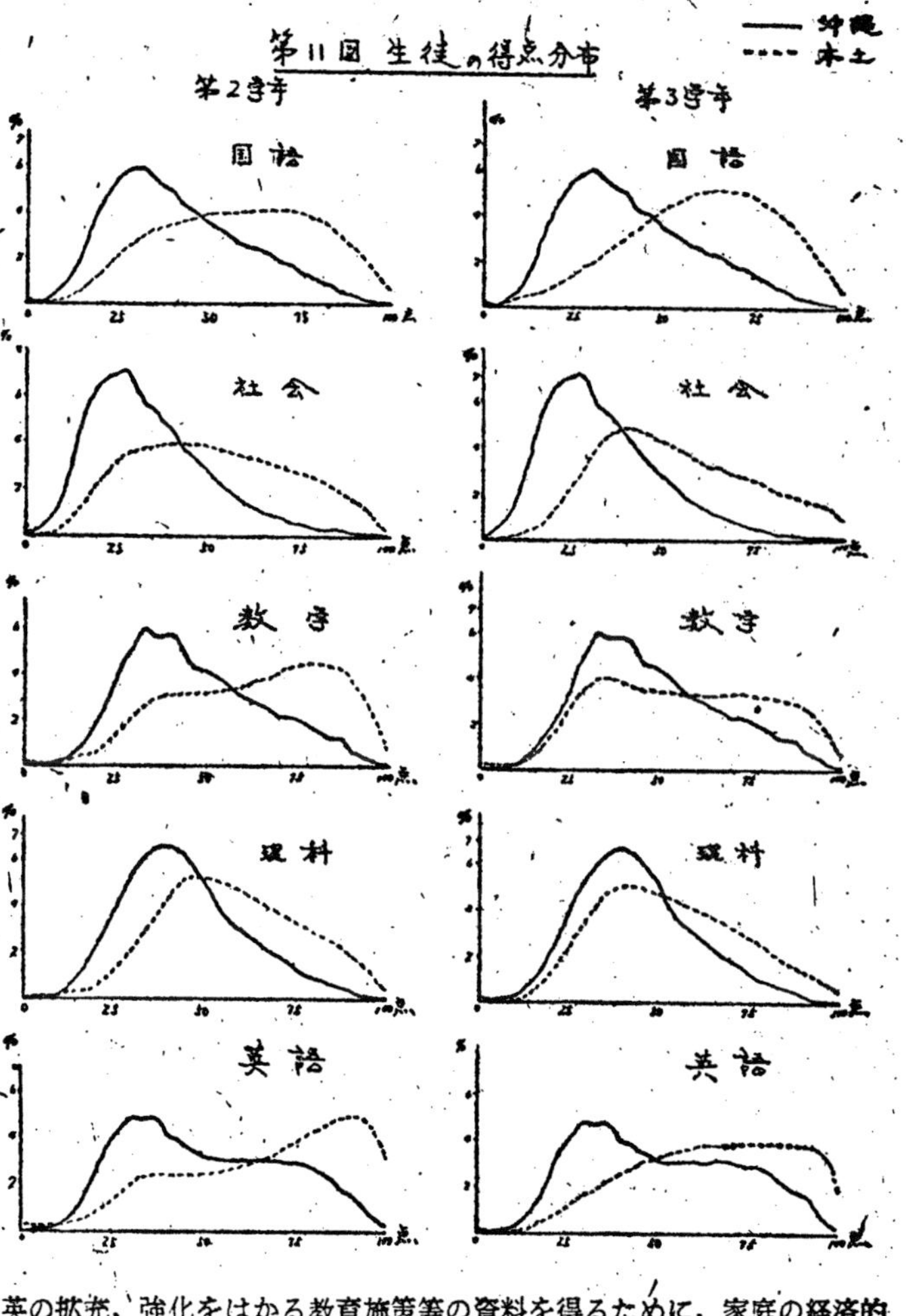

		国語	社会	数学	理科	英語
二年	本土	20.6	21.5	20.5	18.2	22.2
	沖縄	18.6	16.8	18.7	16.2	20.9
三年	本土	19.3	21.0	22.2	19.1	21.0
	沖縄	19.1	17.4	17.7	16.1	20.3

教科別にみると，本土沖縄ともに英語の標準偏差が比較的大きく，数学，社会がこれにつづき，理科は逆に小さい。各学年，各教科ともに本土の標準偏差は沖縄のそれより大きくなっている。

(d) **学力と個人的条件との関係**

1　全日制高校進学の経済的困難度と学力（5教科平均）

(a)　本調査の目的の一つである育英の拡充，強化をはかる教育施策等の資料を得るために，家庭の経済的条件別に生徒の学力の分布をみた。

なお，育英施策を具体的に検討するにあたっては，社会的，経済的条件等の差異を考慮して，この調査結果を調整して考察する必要があるし，さらにこの調査結果は学習の到達度を示すものであるから，他の資料とあいまって生かされることを期待するものである。

(b)　第3学年の生徒を家庭の経済的条件によって全日制高校への進学が支障のない者と進学が困難な者とに分類し，さらに進学が困難な者を要保護，準要保護生徒とその他の生徒に分類した。

それらの生徒数の割合は次のとおりである。

	全日制高校へ進むのに支障のない見込	全日制高校へ進むことが困難の見込			計
		要保護 準要保護	その他	小計	
本土	79.8%	6.4%	13.8%	20.2	100%
沖縄	80.4%	12.4%	7.2%	19.6	100%

(c) それぞれの５教科平均点の得点分布状況を示すと次の図の通りである。

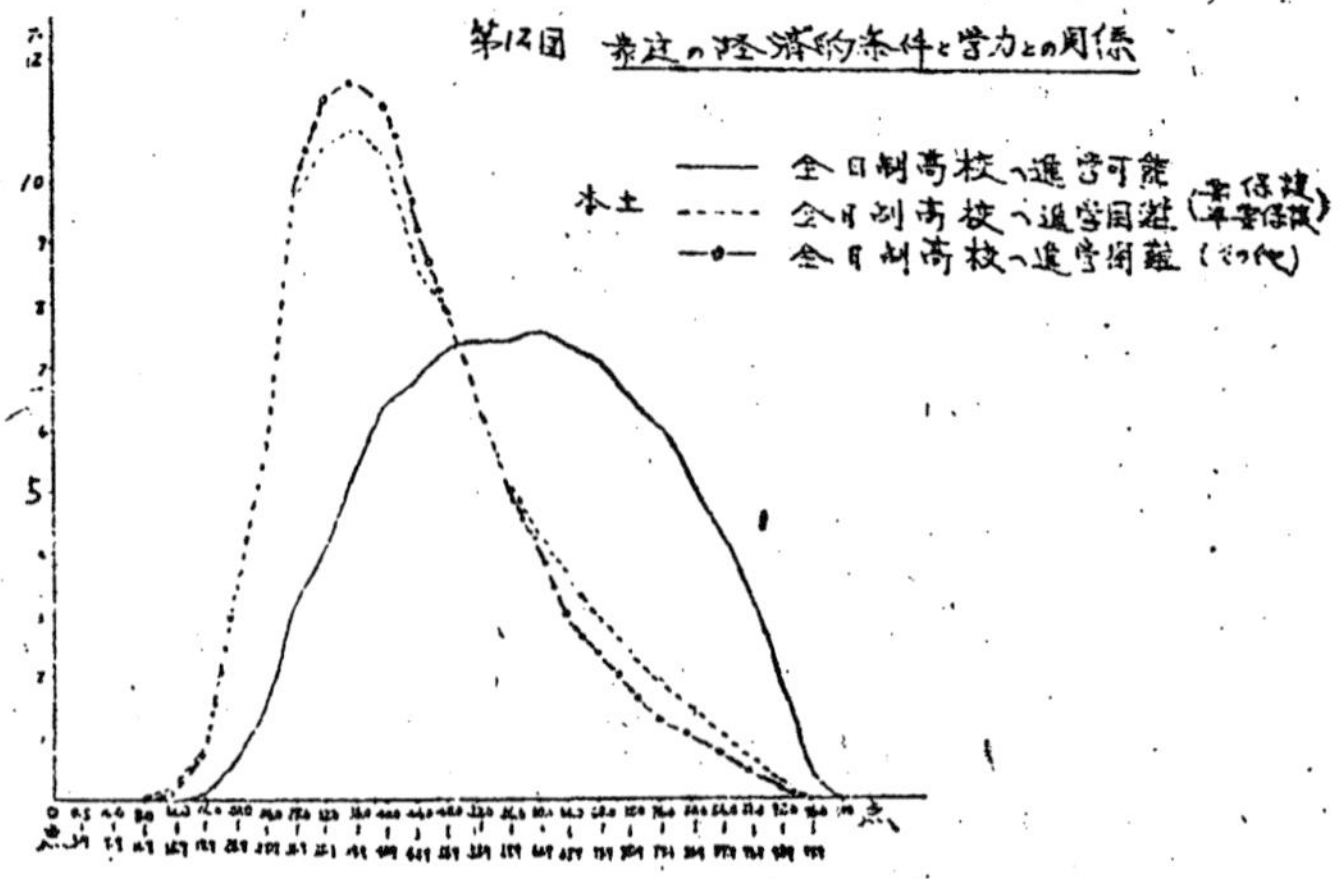

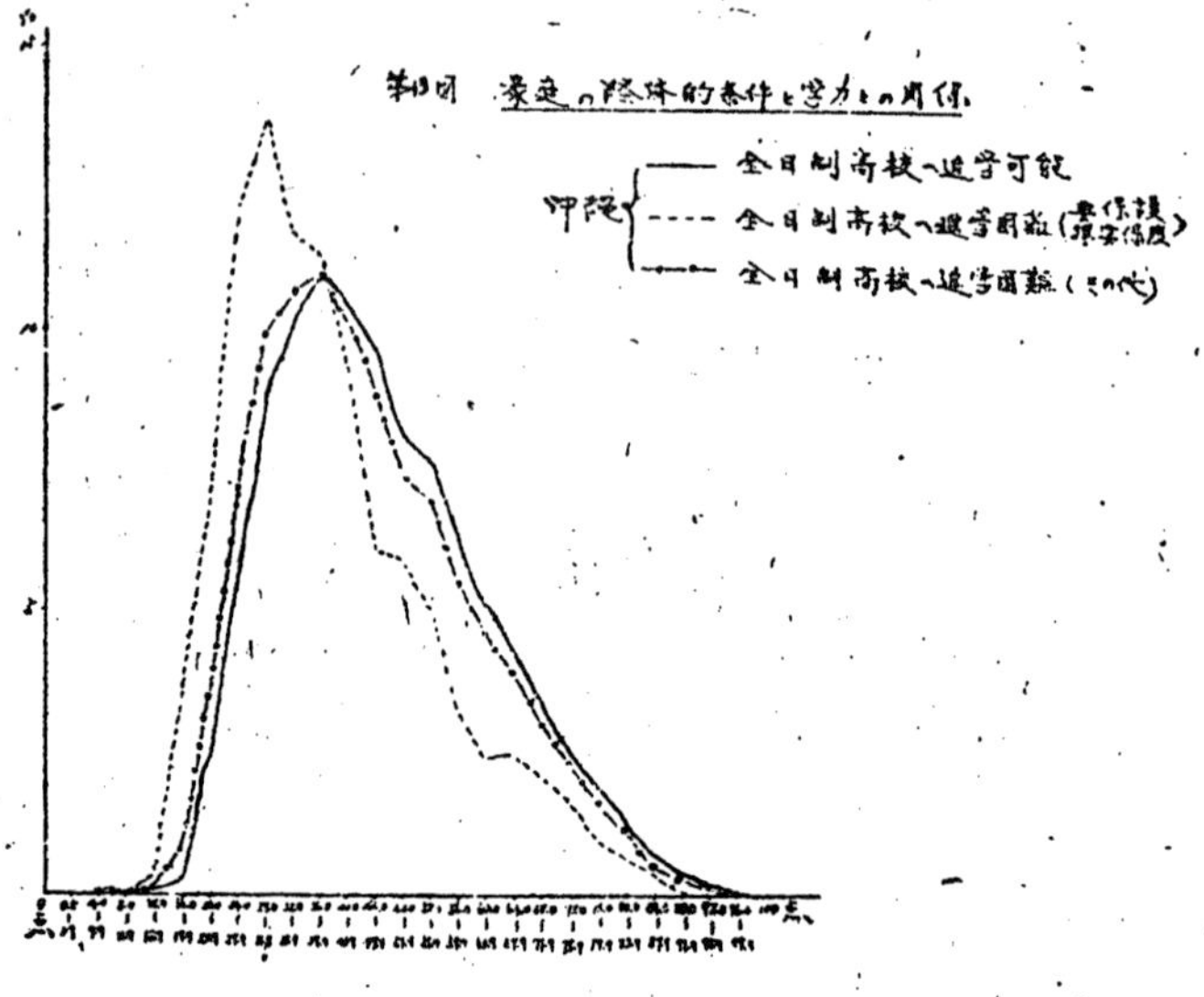

本土の場合をみると，進学に支障のない経済的条件にある生徒の得点分布はほぼ左右対称となっている，これに対し，進学が困難な経済的条件にある生徒の得点分布は，左右対称とならずに，低い点数の方へかたよっている。進学が困難な家庭の経済的条件にある生徒のグループにおいては，個人間の学力のひらきは比較的小さく，進学に支障のないグループにおける個人間の学力のひらきは大きくなっている。なおこのグラフからみると，家庭の経済的条件が比較的悪いとみられる生徒の学力は相対的に低くなっている。

沖縄の場合をみると，進学に支障のない経済的条件にある生徒の得点分布と，進学が困難な経済的条件にある要保護，準要保護以外のその他の生徒の得分点布はほぼ同一のカーブを示している。このことは学力を有しながら経済的条件の故に進学に悩んでいる生徒がかなり多いということがいえるのではなかろうか。また，要保護，準要保護の生徒の個人間の学力のひらきは比較的大きいようであるが全般的にみて低い点数の方にかたよっている。この調査の結果からみれば，家庭の経済的条件が比較的悪いとみられる生徒の学力は相対的に低くなっているが，その理由についてはさらに，今後の検討を必要とする。この反面に，家庭の経済的条件の悪い生徒のなかでも高い点数をとった生徒が相当おるし，逆に家庭の経済的条件の良い者のなかにも低い成績の生徒も少くない。

(d) 生徒を得点によって10段階に分け，さらに家庭の経済的条件によって再分類し，第３学年生徒総数を100として各々の比率を示すと次のとおりになる。

家庭の経済的条件と学力との関係（A）

得点段階	全日制高校へ進むに支障のない見込		全日制高校へ進むことが困難の見込						計	
			要保護，準要保護		そ の 他		小 計			
	本 土	沖 縄	本 土	沖 縄	本 土	沖 縄	本 土	沖 縄	本 土	沖 縄
90.0～100.0	3.1%	0.2%	0.0%	0.0%	0.1%	0.0%	0.1%	0.0%	3.2%	0.2%
80.0～89.9	9.0	1.9	0.2	0.2	0.3	0.0	0.5	0.2	9.5	2.1
70.0～79.9	12.7	4.8	0.4	0.5	0.6	0.2	1.0	0.7	13.7	5.5
60.0～69.9	14.6	9.0	0.6	0.7	1.2	0.4	1.8	1.1	16.4	10.1
50.0～59.9	14.9	14.3	1.0	1.3	2.1	0.6	3.1	1.9	18.0	16.1
40.0～49.9	13.4	19.3	1.5	2.3	3.5	1.1	5.0	3.4	18.4	22.7
30.0～39.9	9.1	20.8	1.7	3.7	4.0	2.4	5.7	6.1	14.8	26.9
20.0～29.9	2.8	9.9	0.9	3.2	1.9	2.3	2.8	5.5	5.6	15.4
10.0～19.9	0.2	0.2	0.1	0.5	0.1	0.2	0.2	0.7	0.4	0.9
0～ 9.9	0.0	0.0	0.0	0.0	0.0	0.0	0.0	0.0	0.0	0.1
	79.8	80.4	6.4	12.4	13.8	7.2	20.2	19.6	100.0	100.0

得点は5教科の平均点を示す。

この調査における第3学年の生徒の5教科の平均点は沖縄の場合44.3点であるが，得点40点以上の生徒の状況は次のとおりである。

すなわち得点40点以上は，全体の56.7%を占めている。この中には家庭の経済的条件により全日制高校へ進学することが困難であるとみられるものが全体の 7.3%含まれている。

逆に下位の得点の生徒についてみると，得点40点未満の生徒は，全体の43.3%あるがそのうち全日制高校への進学に支障のないとみられるものは全体の30.9%である。この結果から高い学力を持ちながら家庭の経済的条件が悪いために高等学校へ進学できない者が少くないし，逆に経済的条件はよいが，成績のよくない生徒が相当いることがわかる。

● 地域類型別にみた学力

地域類型の分類について文部省は次のように報じている。

「この調査の地域類型の分類は，調査結果の利用をより効果的にするために，従来のそれに改良を加えた。従来は学校の通学区によって「大中都市」と「小都市町村」にまず2分し，それを産業別人口構成によって11に分類したのであるが，今回の分類では，国勢調査による人口集中地区を基準として，学校の通学区を「人口集中地区である市街地」と「市街地以外の地域」とに2分し，これを産業別人口によって細分類するとともに，特に農業地域については「都市近郊農村」「農山村」「純農村」「普通農村」の四分類を加え，計14類型とした」

上述のように本土が昭和35年国勢調査の結果設定された区分によって地域類型が設定されているのに対して，沖縄では，そのような区分設定がなされていないので，当課が各学校からの報告にもとずいて分類したものである。それによると，「漁村」「山村」「小都市」「農山村」「純農村」「普通農村」「その他」「へき地（再掲）」に分類され，各地域類型別の生徒数の比率は次のようになっている。

各地域類型別の生徒数の比率

（第三学年の生徒数について）

地域類型		本土 4教科	本土 英語	沖縄 実数	沖縄 5教科
人口集中地区	1. 鉱業市街	0.4 %	0.4 %		%
	2. 工業市街	5.7	6.4		
	3. 商業市街	8.9	9.9		
	4. 住宅市街	13.4	15.7		
	5. その他の市街	14.3	15.8		
人口集中地区以外の地域	6. 鉱山	0.6	0.5		
	7. 漁村	1.5	1.2	210	1.5
	8. 山村	0.4	0.4	15	0.1
	9. 小都市	5.5	5.5	5,265	37.0
	10. 都市近郊農村	2.1	2.2		
	11. 農山村	8.3	7.2	261	1.8
	12. 純農村	10.0	8.3	4,235	29.8
	13. 普通農村	23.5	21.1	2,385	16.8
	14. その他	5.4	5.4	207	1.5
	へき地（再掲）			1,642	11.5
	計	100.0	100.0	14,220	100.0

各類型別の生徒の平均点を示すと次の通りである。

地域類型別にみた生徒の教科別平均点（第2学年）

地域類型 ＼ 教科	国語 本土	国語 沖縄	社会 本土	社会 沖縄	数学 本土	数学 沖縄	理科 本土	理科 沖縄	英語 本土	英語 沖縄
※住宅市街	64.2点	—	56.6	—	69.8	—	61.8	—	73.2	—
※商業市街	62.6	—	55.6	—	69.0	—	61.4	—	72.8	—
※その他の市街	59.9	—	53.2	—	66.6	—	59.1	—	70.3	—
※工業市街	59.7	—	52.1	—	66.0	—	58.1	—	68.8	—
小都市	55.9	46.4	50.6	37.0	63.7	50.8	57.4	47.6	67.6	54.4
都市近郊農村	54.7	—	48.9	—	63.6	—	56.8	—	65.7	—
※鉱業市街	54.5	—	47.4	—	60.4	—	55.3	—	66.1	—
その他	53.8	44.0	48.4	42.1	61.5	53.4	55.3	48.6	65.3	56.1
普通農村	51.6	38.2	47.4	31.8	60.5	45.2	54.9	41.2	64.8	48.4
鉱山	51.2	—	44.1	—	47.0	—	51.9	—	63.4	—
農山村	49.7	37.4	44.7	31.2	57.3	42.5	53.3	41.5	61.7	47.7
純農村	48.8	35.9	44.8	31.1	57.5	43.7	52.9	41.4	62.1	47.5
山村	47.6	37.8	41.8	29.9	55.3	44.1	50.4	42.3	57.2	48.8
漁村	48.5	34.2	41.9	32.6	54.0	43.2	50.1	37.3	57.5	50.4
へき地（再掲）	—	34.3	—	30.2	—	43.5	—	38.6	—	44.5

（注）※は人口集中地区

地域類型別にみた生徒の教科別平均点（第3学年）　　（注）※は人口集中地区

地域類型＼教科	国語		社会		数学		理科		英語	
	本土	沖縄	本土	沖縄	本土	沖縄	本土	沖縄	本土	沖縄
※住宅市街	67.4	—	59.5	—	64.4	—	58.6	—	69.1	—
※商業市街	65.8	—	59.0	—	63.1	—	57.8	—	69.0	—
※その他の市街	63.2	—	56.2	—	60.4	—	55.3	—	66.2	—
※工業都市	63.0	—	54.8	—	60.0	—	54.5	—	64.7	—
小都市	59.9	53.5	53.8	45.4	56.7	45.3	53.0	45.2	64.7	52.5
都市近郊農村	59.2	—	53.1	—	56.8	—	52.6	—	62.3	—
※鉱業市街	58.6	—	52.1	—	52.1	—	50.5	—	64.0	—
その他	58.5	51.3	51.7	45.1	54.8	45.1	51.4	44.0	62.7	54.6
普通農村	56.2	43.7	50.4	39.3	53.5	39.0	50.3	37.6	62.5	44.9
鉱山	55.8	—	48.7	—	50.2	—	47.6	—	62.0	—
農山村	54.6	45.3	47.8	43.3	49.7	37.3	48.0	38.2	59.8	47.6
純農村	53.7	42.4	48.1	38.7	50.2	39.2	48.1	39.4	60.6	46.3
山村	53.2	43.7	45.6	40.8	47.6	46.2	45.8	42.5	55.9	49.5
漁村	52.9	42.2	46.4	46.9	46.3	40.6	45.0	40.0	55.7	49.3
へき地（再掲）	—	39.9	—	37.4	—	36.3	—	37.3	—	43.8

本土の場合は市街地域の平均点は一般に他の地域に比して高い。市街地域の中では，1.住宅市街地域が最も高く，2.商業市街地域，3.その他の市街地域，4.工業市街地域の順位になっている。鉱業市街地域は，市街地域の中でも最も平均点が低く，英語を除くと各学年とも小都市地域，都市近郊農村地域よりも低い。

市街地域以外の地域では，小都市地域が最も平均点が高く，都市近郊農村地域がこれについでいる。これに対して山村，漁村地域の平均点は最も低い。

沖縄では，全般的に「小都市」「その他」の地域の平均点が高く，それ以外の地域は教科によって，順位が異っている。

上述の地域類型の比較は，各々の平均点によってみたものである。しかしながら同一の地域類型の学校間においてかなりの学力の差異があることに注目する必要がある。

第2表および第3表は，第2学年，第3学年の5教科の平均点数別の学校の分布状況を示し，同一の地域類型の学校間における学力差をみたものである。これによると，同一地域でも大きな学力差があることを示している，なお，へき地の学校では在籍5人以下の学校も含まれている。

第2表　　**地域類型別の学校平均点（5教科）の分布（沖縄）**　　（第3学年）

地域類型＼得点段階	58.9〜56.0	55.9〜53.0	52.9〜50.0	49.9〜47.0	46.9〜44.0	43.9〜41.0	40.9〜38.0	37.9〜35.0	34.9〜32.0	31.9〜29.0	28.9〜26.0	25.9〜23.0	22.9〜20.0	計
7 漁村		3校	校	2校	1校	校	1校	校	校	1校	校	校	校	8校
8 山村		1			1		1							3
9 小都市		2	3	5	5	5								20
11 農山村			1	1	4	3	2	5	1					17
12 純農村			1	6	12	19	14	14	6	3		1		76
13 普通農村				2	5	7	7	8	3		1			33
14 その他		1			1									2
15 へき地（再掲）		4		2	8	7	8	10	8	3	1	1		(52)
計		7	5	16	29	34	25	27	10	4	1	1		159

第 3 表　　地域類型別の学校平均点（5教科）の分布　　（第2学年）

地域類型 ＼ 得点段階	58.9〜56.0	55.9〜53.0	52.9〜50.0	49.9〜47.0	46.9〜44.0	43.9〜41.0	40.9〜38.0	37.9〜35.0	34.9〜32.0	31.9〜29.0	28.9〜26.0	25.9〜23.0	22.9〜20.0	計
7 漁村		1		2	2			1		1			1	8
8 山村				1			1	1						3
9 小都市		2	1	5	6	4	1	1						20
11 農山村			2		2	4	7	1	1	1				18
12 純農村		1	1		11	15	28	13	4	3				76
13 普通農村				4	2	7	8	7	2	3				33
14 その他			1	1										2
15 へき地(再掲)		1	1	4	4	7	10	13	4	8			1	(53)
		4	5	13	23	30	45	24	7	8			1	160

f　都道府県間の学力のひらき

1. 平均点数別の都道府県の分布を示すと次のとおりとなる。

第 4 表　　平均点数別にみた都道府県の分布

	第2学年					第3学年				
	国語	社会	数学	理科	英語	国語	社会	数学	理科	英語
点　点	県	県	県	県	県	県	県	県	県	県
72.0〜73.9			1		5					3
70.0〜71.9			1		7					6
68.0〜69.9			3		7	1				10
66.0〜67.9			7		9	1				5
64.0〜65.9	1		6	1	3	1		2		9
62.0〜63.9	1		8	2	9	6		5		7
60.0〜61.9	2		3	8	1	10	1	4		1
58.0〜59.9	5		7	3	1	8	3	8	3	1
56.0〜57.9	7	3	6	10	1	5	7	3	5	1
54.0〜55.9	11	4	1	7	3	8	6	6	7	2
52.0〜53.9	4	8	1	10		5	7	3	7	1
50.0〜51.9	7	3	2	2	•		7	7	8	•
48.0〜49.9	5	11		2			10	4	8	
46.0〜47.9	2	6	•	1		•1	2	1	5	
44.0〜45.9	1	5		•			2	2	1	
42.0〜43.9		3					1	1	2	
40.0〜41.9	•	2					•	•	•	
38.0〜39.9		1								
36.0〜37.9										
34.0〜35.9										
32.0〜33.9		•								
計	47	47	47	47	47	47	47	47	47	47

•印は沖縄を示す。

第4表によると平均点のもっとも高い都道府県と低い都道府県（沖縄）とでは，次に示すように，そのひらきのもっとも小さい第3学年の理科の場合でも，18点の差があり，最も差の大きいのは2学年の数学で26点の差がある。各学年，各教科ともに全国の最下位で特に，第2学年においては，各教科とも，全国最下位より1階級ないし2階級，離れた所に沖縄の平均点は位置している。

全国の平均点の最高と沖縄の平均点のひらき

	国語	社会	数学	理科	英語
第2学年	24	24	26	20	22
第3学年	22	20	24	18	22

第5表は沖縄の学校平均点の分布状況を示したものである。

第5表　**学校平均点分布**

学年 / 教科 / 得点段階	第2学年					第3学年				
	国語	社会	数学	理科	英語	国語	社会	数学	理科	英語
点　点	校	校	校	校	校	校	校	校	校	校
76.0～77.9					1					
74.0～75.9										
72.0～73.9										1
70.0～71.9					1					
68.0～69.9					1					1
66.0～67.9										1
64.0～65.9					2		1			1
62.0～63.9					4	1				
60.0～61.9			2		5	2	1			3
58.0～59.9			1		7	3			2	3
56.0～57.9			1	4	6	1		2		4
54.0～55.9	2		5	1	16	4		2	2	15
52.0～53.9			7	2	13	3	2	2	2	11
50.0～51.9	5	2	7	6	11	12	2	4	3	15
48.0～49.9	2		17	8	17	19	7	6	4	13
46.0～47.9	3		20	11	18	12	12	5	3	16
44.0～45.9	13	1	24	20	17	22	13	15	14	10
42.0～43.9	7	1	22	28	15	20	24	14	22	18
40.0～41.9	15	8	18	23	9	17	18	18	23	13
38.0～39.9	29	7	15	20	4	13	21	24	19	8
36.0～37.9	17	14	9	15	5	12	16	18	18	5
34.0～35.9	30	16	3	6	4	11	14	19	19	5
32.0～33.9	18	26	5	7	2	2	14	13	14	1

30.0～31.9	8	25	3	6		3	8	8	8	2
28.0～29.9	7	26		2			3	1	3	
26.0～27.9	1	19				1	3	3	1	
24.0～25.9	1	7			1			1	1	
22.0～23.9		2	1		1				1	1
20.0～21.9	1	4						2		2
18.0～19.9		1								
16.0～17.9		1								
14.0～15.9	1							1		
12.0～13.9								1		
10.0～11.9						1				

これによると平均点のもっとも高い学校と低い学校の間には次の表に示すようなひらきがある。

学校平均点の最高と最低のひらき

	国語	社会	数学	理科	英語
第2学年	40	34	38	28	54
第3学年	52	38	44	36	52

各教科とも学校間の学力差は大きく，特に英語のひらきは2年，3年とも50点以上のひらきがあり，国語，数学がこれにつぎもっともひらきの小さい理科でも28点，3年で36点のひらきがある。

第二学年　国語

1　次の1から10までのそれぞれの文について、ア、イ、ウ、エの中から最も適当なものを一つずつ選んで、その記号を答えのらんに書きなさい。

1　（ア　確信　イ　気心　ウ　信心　エ　自信）の知れた友だちと山に出かけた。

2　（ア　心辺　イ　身変　ウ　身辺　エ　心変）のできごとを記録する。

3　旅館にへやの（ア　予想　イ　配給　ウ　予約　エ　要求）をしておいた。

4　善悪の（ア　判断　イ　談判　ウ　関係　エ　班別）を誤らないようにしたい。

5　この会の出席者数は、ことしも昨年と（ア　対差　イ　体差　ウ　太差　エ　大差）がなかった。

正答率		①	②	③	④	⑤
本土	58.1	32.2	46.0	73.1	74.6	49.9
沖縄	38.1	25.9	34.0	31.1	53.7	32.1

6　世間に対して（ア　口ごたえ　イ　手かげん　ウ　顔向け　エ　足ぶみ）ができない。

7　医者に「絶対（ア　安楽　イ　安静　ウ　安心　エ　安全）にしなさい。」と言われた。

8　かれは、困難な仕事を（ア　いかに　イ　いずれ　ウ　いつか　エ　いとも）簡単にやってのけた。

9　それは事実であると、かれは（ア　明言　イ　名言　ウ　広告　エ　訓告）した。

10　交通や通信が発達したので、人々は、A地とB地との間に、昔ほど（ア　とび越えた　イ　かけ離れた　ウ　近くなった　エ　目だった）感じをもたなくなった。

2　次の文章を読んで、あとの1から7までの問いに答えなさい。
答えは、ア、イ、ウ、エの中から最も適当なものを一つずつ選んで、その記号を答えのらんに書きなさい。

正答率	⑥	⑦	⑧	⑨	⑩	
本土	72.0	80.1	38.3	44.5	70.6	48.1
沖縄	51.6	56.0	17.5	28.7	58.6	39.8

昭和三十五年度は全部で約六億二千百五十万枚の貨幣が造られた。そのうちわけは一円が最高で三億二千万枚、つづいて十円の一億八千七百二十万枚、次いで五円の五千八百三十万枚、百円の五千万枚、五十円の六百万枚の順。(1)平均して百七十万枚のお金が一日に造り出されているわけだが、このお金は造幣局《ぞうへいきょく》の産物である。

いまは全国的に一円と十円の硬貨がひどく不足している。一円はどしどし退蔵《たいぞう》されるためだ。十円は公衆電話、電車の切符、タバコ、チューインガムなどの自動販売機の普及、つまり生活の(2)オートメーション化が手伝って、流通する頻度《ひんど》が高くなったためである。

こうした状況をなくして通貨の流通をなめらかにするため、政府は三十六年度から三か年計画で造幣局の設備を増強することになった。老朽化した機械を能率の高い新鋭機に取りかえ、オートメーション化と並行した合理的な人員配置をするという。(3)ここにも技術革新の波が押し寄せたわけだ。

これで三十八年度末に硬貨の生産高をいまの五十パーセント増しにしようとねらっている。計画の第一年度は、とりあえず一円、十円の硬貨を(4)前年度より二、三十パーセント増産することになろう。

1 この文章全体をまとめて短い文で表わすとどうなるか。

ア 政府は、一円と十円の硬貨の生産高を増すための仕事を始めている。

イ 造幣局では、毎年たくさん、一円、五円、百円の貨幣を造っている。

ウ 世の中が進むにつれて、一円と十円の硬貨は、ますます必要になってくる。

エ 貨幣をたくさん造るためには、まず機械を新しくしなければならない。

2 昭和三十五年度の一年間に造られた十円の硬貨の枚数は何枚か。

正答率	⑪
本土	27.4
沖縄	22.7

ア 五千八百三十万枚　イ 一億八千七百二十万枚

ウ 三億二千万枚　エ 六億二千百五十万枚

3 傍線部(1)「平均して百七十万枚のお金が一日に造り出されているわけだが、」の上に「（造幣局は）」を補い、「造り出されて」を「造り出して」にすれば、次の傍線をつけたことばのどれを、「を」になおしたらよいか。

（造幣局は）平均して ア 百七十万枚の イ お金が ウ 一日に エ 造り出しているわけだが、

4 「いまは全国的に一円と十円の硬貨が」から、「流通する頻度《ひんど》が高くなったためである。」までの内容をまとめて表わすとどうなるか。

ア 自動販売機の普及　イ 通貨の流通の頻度

ウ 一円硬貨の退蔵　エ 硬貨不足の原因

5 傍線部(2)「オートメーション化が手伝って」に近い意味を表わすことばは、どれか。

ア オートメーション化の力も働いて

イ オートメーション化が結果となって

ウ オートメーション化といっしょになって

エ オートメーション化をひきおこして

6 傍線部(3)「ここにも」とは、何をさすか。

ア 自動販売機にも　イ 政府にも

ウ 造幣局にも　エ 新鋭機にも

7 傍線部(4)「前年度」とは、何年度のことか。

ア 昭和三十四年度　イ 昭和三十五年度

ウ 昭和三十六年度　エ 昭和三十七年度

正答率		⑬	⑭	⑮	⑯	⑰
本土	80.8	79.8	36.3	40.8	47.6	49.2
沖縄	59.4	60.4	27.4	31.2	34.7	42.5

3 次の文章を読んで、あとの1から7までの問いに答えなさい。答えは、ア、イ、ウ、エの中から最も適当なものを一つずつ選んで、その記号を答えのらんに書きなさい。

① 鉛筆は子どものころから、絵をかくのにいちばんしたしまれている材料で、だれでも知っているように、HとBの二種類がある。

② Hはかたいほうで、Hの数がますほどかたくなり、Bはやわらかく、Bの数がますほどやわらかくなる。そのかたさ、やわらかさの性質によって、現われてくる線なり、調子というものもちがい、かたいほうはかたさを生かした線描に適している。

③ もちろん鉛筆は、(1)どれも陰影と線描の両方に適しているのだが、かたいほうはどちらかというと、色の現われ方がうすくて、銀灰色に近く、やわらかいほうは黒味が多い。

④ このような性質をもった鉛筆は対象物の精細な観察に適していて、また、表わされるものがこまかくなり、(2)自然とその見方もこまかさに引き入れられていく。

鉛筆のもうひとつの特色としては、スケッチブックなどを使って、立っていても、かがんでいても描けるというふうに、(3)他の材料とちがって、かなり不安定な姿勢でも使うことができるという便利さがある。

水彩ならば、水を使うために安定した場所が必要だし、(4)油絵では画架を立てる場所の必要も生じるが、軽便な鉛筆とスケッチブックでは、どんな不安定な場所でも絵をかくことができる。したがって、たとえば旅行のときなど、これさえあれば、どんな偶然の場所でも、どんな不意の発見物でも描写できる楽しみがあるわけである。つねにこの鉛筆をもっていれば、あらゆる場所で、描画の体験を豊かにし、自然に対する [　　] を養っていくことができる。

正答率	
本土	
沖縄	

1 この文章で筆者が言おうとしていることは何か。

ア 鉛筆には、だれでも知っているように、HとBの二つの種類があること

イ 鉛筆は、油絵や水彩に比べて、自然の姿を美しくかくことができること

ウ 鉛筆とスケッチブックとがあれば、旅行で絵をかく楽しみがあること

エ 鉛筆は、絵をかく材料として、すぐれた特色をもっていること

2 この文章の初めの「鉛筆は子どものころから、絵をかくのに」から、中ほどの「こまかさに引き入れられていく。」までで、いちばん大事な意味を表わす部分はどれか。

ア ①の部分

イ ②の部分

ウ ③の部分

エ ④の部分

3 傍線部(1)「どれも」のどれは、何をさすか。

ア かたいほうの鉛筆

イ やわらかいほうの鉛筆

ウ かたいほうの鉛筆とやわらかいほうの鉛筆

エ かたいほうの鉛筆かやわらかいほうの鉛筆

4 傍線部(2)「自然と」とは、どんな意味か。

ア 自然現象の一つとして

正答率	1	2	3	4	
本土	58.4	57.1	49.4	83.8	42.4
沖縄	47.4	53.6	46.8	65.8	24.5

イ　そのままひとりでに
ウ　自然の風景として
エ　すなおな気持ちになって

5　傍線部(3)「他の材料」は、この文章では、何をさしているか。
ア　やわらかい鉛筆
イ　スケッチブック
ウ　水彩や油絵
エ　油絵で使う画架

6　傍線部(4)に、文の中の意味の切れ目を示すしるしの「、」を一つうつとすれば、どれがよいか。
ア　油絵では、画架を立てる場所の必要も生じるが
イ　油絵では画架を、立てる場所の必要も生じるが
ウ　油絵では画架を立てる、場所の必要も生じるが
エ　油絵では画架を立てる場所の必要も、生じるが

7　この文章の終わりにある□の中には、この文章全体から考えて、どのことばを入れたらよいか。
ア　描写力
イ　観察力
ウ　選択力
エ　選別力

4　次の文章を読んで、あとの1から7までの問いに答えなさい。答えは、ア、イ、ウ、エの中から最も適当なものを一つずつ選んで、その記号を答えのらんに書きなさい。

何人かの人々の乗り降りがすむと、ふたたび電車は駅をすべり出た。するとそのとき、(1)すこしこもった音色《ねいろ》で、

正答率	5	6	7
本土	66.0	70.0	50.6
沖縄	43.0	54.7	43.3

「ジリ、リ、リ、リ」
と、ベルが鳴り出した。

車内の人たちの目が、すぐそのありかを探り出して、そっちへ向く。中央の席で、ずっと居眠りをつづける、学生服の青年の膝《ひざ》にふろしき包みがのせてある。

目ざましどけいは、その中で鳴り出し、まだ鳴りつづけているのだが、(2)当の大学生は、たった今、正気に返ったばかりで、

「あれっ?」

といった、驚いた表情で、すばやく左右を見まわし、それからすぐ、頭の上の網だなをうかがった。

すべて、二、三秒に足りない動作でしかなかったが、自分の膝の上で鳴っているのだと、学生が気づくまでに、人々を腹から笑い出させるだけの、あわてさ加減であった。

場所ちがいで、鳴り出した目ざましどけいの、(3)正直すぎる働きも、人々の微笑をさそったのだが、

「しまった！ぼくのふろしきの中で、鳴っているんだった。」

そんな気恥ずかしさで、ふろしきの上から、あわてておさえにかかった学生の顔が、いっそう人々の笑いを明るいものにした。

小がらで、まるでにくげのない顔立ちだった。

まぶしそうな目で、笑っている人々を、ちらりと見てから、腰をもじもじさせ、ちょっと面《おもて》を伏せた様子《ようす》が、おとなでもなく、子どもでもない、無邪気な大学生といった感じであった。

斜め向こうの若い女客なぞは、とけいが鳴り終わってから、なおおかしさがこみ上げてくるらしく、身をこごめるようにして、忍び笑いをこらえていたのだから、(4)大学生がもじもじするのも無理はなかった。

大学生は、電車がスピードをゆるめだすと、窓の外をふり返り、ふろしき包みをオーバーの膝にかかえて席を立った。

「どうも、ぐあいが悪い……」

正答率	
本土	
沖縄	

といったかっこうで、駅へ降りた後ろ姿が、笑いものにした人々の心に、かすかな悔《く》いのようなものを残した。

1 この文章を読んで書いた感想として、最も適当なものはどれか。

ア 車内にいた多くの乗客のつめたい感情に対して反感を覚えた。

イ 思いがけない事件によって、車内に緊張《きんちょう》した空気がただよっているのを感じた。

ウ 思わず微笑したくなるような明るい車内の様子が目に浮かんだ。

エ 車内で学生が感じた気恥ずかしさに対し、強い同情心がわいた。

2 この文章の終わりにある「かすかな悔《く》いのようなものを残した。」というのは、どういう意味か。

ア 人々は、つまらないことを笑った自分たちの行為を反省して、恥ずかしいことだと、心の中で大いに後悔した。

イ 人々は、学生の後ろ姿を見て、学生に恥ずかしい思いをさせたように思って、心の中に後悔に近い感情をもった。

ウ 学生は、降りてしまってから、後ろをふり返り、なぜあんなにあわてたのかと、内心残念がった。

エ 人々は、大学生のあわてた様子がまだ頭の中に残っているように感じていた。

3 傍線部(1)「すこしこもった音色《ねいろ》」という表現から、どんな感じが受けとられるか。

ア 目ざましどけいのベルの、けたたましい音の感じ

イ ふろしきに包まれて、それほどすみきっていない音の感じ

ウ 目ざましどけいに、感情がこもっているという感じ

エ 車内に音がこもって、いつまでも鳴りひびいているという感じ

正答率				
本土	59.3	54.5	56.4	66.1
沖縄	49.8	52.7	55.6	47.2

4 傍線部(2)「当の大学生」とは、どういう意味か。

ア 本当の大学生　イ 学生服の青年

ウ その大学生　エ 普通の大学生

5 傍線部(3)「正直すぎる働き」とあるが、どんなことを正直すぎると表わしたのか。

ア 居眠りしているのを起こそうとして、忠実に鳴りつづけたこと

イ 一度鳴り出したら、途中でやめることができずに鳴りつづけたこと

ウ すこしこもった音色で、「ジリ、リ、リ、リ」と鳴り出したこと

エ 時がきたので、ところかまわずきちんと鳴り出したこと

6 この文章には、大学生はどんな人がらとして、えがかれているか。

ア 大胆《だいたん》な人がら　イ 小心《しょうしん》な人がら

ウ 短気な人がら　エ 純真《じゅんしん》な人がら

7 傍線部(4)「大学生がもじもじするのも無理はなかった。」とあるが、大学生がもじもじしたのはなぜか。

ア 車内の人々に大声で笑われたので、恥ずかしくて

イ 若い女客などが忍び笑いをこらえているのを見て

ウ 電車が下車駅に近づいたので、急いで降りようとして

正答率				
本土	56.6	68.4	52.2	68.8
沖縄	41.0	54.2	39.5	58.6

エ　とけいをとめようと、若い女客が身をこごめるようにしたのを見て

5

1　次の①、②、③、④、⑤と**ア**、**イ**、**ウ**、**エ**、**オ**とは、あるまとまった文章を、「会話の文」と「地の文」とに分けて示したものです。

会話の順序は、①、②、③、④、⑤のとおりですが、「地の文」の順序は変えてあります。もとの文章では、①の次に**ア**が続いています。

②、③、④、⑤の次には、それぞれどの「地の文」が続きますか。**イ**、**ウ**、**エ**、**オ**の中から最も適当なものを一つずつ選んで、その記号を答えのらんに書きなさい。

①「おい皆見ろ。どうだ。」

②「鏡《かがみ》を持って来てくれ。」

③「おまえにもかぶれる。」

④「なかなかいい。」

⑤「なかなかいい。」

ア　父は新調の帽子《ぼうし》を出してかぶった。

イ　と、かれの口真似《くちまね》をして逃げて行った。

ウ　娘《むすめ》はすぐそれをとって、父親へかぶせ、

エ　二番目の娘《むすめ》が笑いながら、化粧間《けしょうま》から手鏡を取って来た。

オ　父は子どもの中でいちばん頭の大きい、二番目の娘《むすめ》へそれをかぶせて見た。

正答率			
	本土	62.3	68.1
	沖縄	49.8	58.1

2　次の**ア**、**イ**、**ウ**、**エ**は、ある手続の一部分を四つの文に分けて、その順序を変えて並べたものです。

どんな順序にしたら、全体として意味のまとまった一つづきの文章になるでしょうか。最も適当な順序を、**ア**、**イ**、**ウ**、**エ**の記号で答えのらんに書きなさい。

ア　あれだけ書くのはだいぶ時間をとるに相違《そうい》ない。

イ　ぼくのためにそんな労力をついやさせたと思うと、なかなかたのもしい心持ちで、読みました。

ウ　きみはだいぶ長い手紙を書いて寄こしましたね。

エ　なにか不平でも気炎《きえん》でももらしたいときに、時間があったら、いつでもぼくのところへ言って寄こしてくれたまえ。

正答率		
	本土	56.4
	沖縄	41.4

中学校第三学年　国語

昭和三十六年度、全国中学校一せい学力調査問題

1 次の1から10までのそれぞれの文について、**ア**、**イ**、**ウ**、**エ**の中から最も適当なものを一つずつ選んで、その記号を答えのらんに書きなさい。

1 人間の｛ア 意見　イ 決意　ウ 本領　エ 本心｝は、困難のときに発揮《はっき》される。

2 工場に行って、実地に製造｛ア 過程　イ 家庭　ウ 仮定　エ 課程｝を見学した。

3 絶望だとみられていたが、｛ア 季節的　イ 奇積的　ウ 寄生的　エ 奇跡的｝に助かった。

4 かれは、｛ア 真剣　イ 熱情　ウ 熱心　エ 人情｝をこめて講演した。

5 品物の買い手がなく、売り手の｛ア おもわく　イ さしず　ウ 思い　エ 言いわけ｝ははずれた。

正答率		①	②	③	④	⑤
本土	58.1	30.4	42.1	66.9	77.4	36.8
沖縄	42.6	12.7	28.9	40.4	59.6	13.6

6 かぜをひいたので、二、三日家に｛ア ひきなおした。　イ ひきこもった。　ウ ひきつづいた。　エ ひきかえした。｝

7 ｛ア ようやく　イ やがて　ウ 近ごろ　エ 近日｝のうちに開店するということである。

8 きのうの会は、集まりが悪かったので、｛ア なしえ　イ みられ　ウ なりたた　エ はたされ｝なかった。

9 予言が｛ア 的中　イ 敵当　ウ 敵中　エ 敵対｝した。

10 電力開発は、この地方の生産の向上を｛ア うみだした。　イ とりだした。　ウ うながした。　エ うごかした。｝

正答率	⑥	⑦	⑧	⑨	⑩	
本土	90.9	84.2	65.3	51.2	36.5	56.8
沖縄	82.4	72.2	55.7	35.1	25.5	46.9

2 次の文章を読んで、あとの1から7までの問いに答えなさい。答えは、**ア**、**イ**、**ウ**、**エ**の中から最も適当なものを一つずつ選んで、その記号を答えのらんに書きなさい。

(1)昨年十月一日に実施された昭和三十五年国勢調査の結果の一部が、このほど概数として発表されました。

今度の結果で示されたわが国の人口概数は、九千三百四十万六千八百三十人で、過去五年間に約四百十三万人増加したことがわかりました。これを増加率でみると四・六パーセントとなり、前回昭和三十年国勢調査のときの過去五年間人口増加率七・三パーセントはもとより、戦前のどの国勢調査時の人口増加率よりも低下しています。

人口増加は、ご承知のように、出入国者の差と生死亡の差とからなっておりますが、過去五年間の出入国者数では、約九万人の出国者超ですから、今度の人口増加はもっぱら出生、死亡の差による(2)いわゆる自然増加によるものです。したがって、今度の結果に現われた人口増加率の低下は、最近の出生率の低下によるものということができます。(3)事実、戦前は人口千人につき三十人以上の出生率をほとんど毎年記録していましたが、昭和三十年以降は、(4)これが二十人を割り、十七人ないし十八人という戦前の半分近くまで下がりました。

これに関連して、最近死亡率の低下ということが、一般には平均寿命がのびたということで問題になっています。これもたしかに、戦前は(5)文字どおり平均寿命が「人生五十年」であったのが、最近では七十歳近くまで上がってきています。

この出生率と死亡率の減少から当然考えられることは、わが国の人口の老齢化ということで、これが今後わが国の経済問題、社会問題として大きな比重を占めることは、じゅうぶん予想されるところです。

1 この文章全体をまとめたものとして、最も適当なものはどれか。

ア 人口増加率の低下と人口の老齢化。

イ 国勢調査のしかたとその結果

ウ 過去五年間における人口の増加。

エ 最近における死亡率の減少

正答率	⑪
本土	60.6
沖縄	54.8

2 次のア、イ、ウ、エには、それぞれ意味の近いことばが集められている。傍線部(1)「このほど」の意味は、次のア、イ、ウ、エのどれに最も近いか。

ア たった今、現在、ただいま

イ この程度、およそ、だいたい

ウ やがて、近い将来、そのうち

エ ちかごろ、このごろ、今度

3 傍線部(2)「いわゆる自然増加」のいわゆるは、どんなときに使うか。

ア 「自然増加」のようなことばが、読者にむずかしくてわからないことばであるとき

イ 「自然増加」のようなことばが、読者に知らせたいたいせつなことばであるとき

ウ 「自然増加」のようなことばが、一般によく使われていると筆者が考えたとき

エ 「自然増加」のようなことばが、その文章では問題としなくてもよいと筆者が考えたとき

4 傍線部(3)「事実」の意味に最も近いことばはどれか。

ア 実際に起きたことは　イ その証拠《しょうこ》をあげると

ウ 以上述べたとおりに　エ 少しのまちがいもなく

5 傍線部(4)「これ」は、何をさすか。

ア 人口増加率　イ 人口

ウ 戦前　エ 出生率

6 傍線部(5)「文字どおり」とは、どんな意味か。

正答率	⑫	⑬	⑭	⑮
本土	56.0	33.1	40.9	76.0
沖縄	48.2	22.4	35.7	60.0

ア　そのことばのとおりそのままに
イ　きれいな字ではっきりと
ウ　文字をまちがえずに正しく
エ　なるべくそのことばに近い意味で

7　この文章の終わりの「これが今後わが国の経済問題、社会問題として大きな比重を占めることは、じゅうぶん予想されるところです。」と同じような意味を表わした文は、どれか。

ア　今後わが国の経済問題、社会問題は、出生率、死亡率の減少にともなって、ますます大きな問題になろうと予想されています。
イ　今後わが国の経済問題、社会問題の中で、人口の老齢化がたしかに大きな問題となるでありましょう。
ウ　今後わが国の経済問題、社会問題として予想されている問題がたくさんあります。
エ　今後わが国の人口の老齢化が、わが国の経済問題、社会問題となるかどうかは、まだよくわかっていないのです。

3　次の文章を読んで、あとの1から7までの問いに答えなさい。答えは、**ア**、**イ**、**ウ**、**エ**（2の問いについては**ア**、**イ**、**ウ**、**エ**、**オ**、**カ**）の中から最も適当なものを一つずつ選んで、その記号を答えのらんに書きなさい。

①　山は登るものであり、峠《とうげ》は越えるものである。だから、山の頂上に立つことと、峠にたどりつくこととは、目的がちがう。山はその頂上に登ることが目的なのだが、峠はその向こうの土地へ行くことが目的なのである。(1)二つの土地にくぎりをつけるのが峠である。

正答率	⑯	⑰	
本土	82.8	44.7	60.5
沖縄	70.2	37.1	50.8

②　山の好きな人たちの中には、「峠を越えるなんてつまらん。前と後ろしか見えないじゃないか。」と言う人がある。
③　なるほど峠にたどりつくまでは、自分が登ってきたところしか見えず、峠の向こうはどんなけしきかわからない。
④　しかし、(2)それだけに、峠にたどりついて(3)眼前にひらける景観に、鮮烈な気持ちを感ずることができる。
⑤　考えてみれば、人生はいたるところ峠である。
⑥　自分の(4)ふんできたことしかわからず、さきざきどんなことが起こるか、だれも知らない。
⑦　それなりに、興味もあり、期待もある。
⑧　その人の人生が山のようなもので、もう頂上に登ってしまった(5)という満足感があったら、あとの人生は下り坂だけである。
⑨　［　　　　］

1　⑨［　］は、⑧の文に続くもので、作者の考えを述べた文である。この文章全体から考えて、どの文を入れたらよいか。

ア　峠を下るのと同様に、下り坂の人生ほどつまらないものはない。
イ　人生は、さきがわからない峠を越えて行くようなところに味わいがある。
ウ　人生は山登りに似ているから、油断をすると道に迷いがちである。
エ　人の一生においては、汗を流して苦しみながら山道を登って行くような経験が必要である。

正答率	⑱
本土	38.1
沖縄	40.4

2　②から⑧までの文章を意味の上から二つの部分に分けるとすれば、どの文の終わりまでを一まとまりとしたらよいか。

ア　②の終わりまで　　イ　③の終わりまで
ウ　④の終わりまで　　エ　⑤の終わりまで
オ　⑥の終わりまで　　カ　⑦の終わりまで

3　傍線部(1)に、文の中の意味の切れ目を示すしるしの「、」を一つうつとすれば、どれがよいか。

ア　二つの土地に、くぎりをつけるのが峠である。
イ　二つの土地にくぎりを、つけるのが峠である。
ウ　二つの土地にくぎりをつけるのが、峠である。
エ　二つの土地にくぎりをつけるのが峠で、ある。

4　傍線部(2)「それだけに」とは、どんな意味か。

ア　登ってきたところが見えなくなっただけに
イ　山が好きでたまらなかっただけに
ウ　目的の土地が見えだしただけに
エ　峠の向こうが見えなかっただけに

5　傍線部(3)「眼前にひらける景観」とは、どんな意味か。

ア　峠の近くから遠くのほうへとだんだん広がっていく風景
イ　峠にたどりついて、ひらいて見る美しい風景の写真
ウ　峠にたどりついて、目の前にぱっと広がるけしきの美しさ
エ　峠から見おろす、次々と移り変わっていく絵のようなけしき

6　傍線部(4)「ふんできたこと」とは、どういうことか。

ア　いままでの経験
イ　身近なできごと
ウ　山道のけしき
エ　人生の興味

正答率	⑲	⑳	㉑	㉒	㉓
本土	65.3	50.5	71.4	76.7	80.2
沖縄	49.4	39.1	54.8	60.4	63.7

7　傍線部(5)「という」の使い方と同じような使い方がしてある文は、どれか。

ア　この庭に植えてある木という木は、みな梅である。
イ　この山のなまえはなんというのですか。
ウ　「あ、しまった。」と言う声が聞こえた。
エ　成功してほしいという願いをかれに伝えた。

4　次の文章を読んで、あとの1から7までの問いに答えなさい。答えは、ア、イ、ウ、エ、の中から最も適当なものを一つずつ選んで、その記号を答えのらんに書きなさい。

夜明けから、かけすが鳴きさわいでいる。

雨戸をあけると、目の前の松の下枝から飛び立ったが、またもどって来たらしく、朝飯のときは羽音が聞こえたりした。

「うるさい鳥だな。」

と弟が(1)立ちかかった。

「いいよ、いいよ。」

と祖母が弟を止めた。

「子どもをさがしているんだよ。きのうひなを巣から落としたらしいよ。きのうも夕方暗くなるまで飛び回っていたが、(2)わからないのかね。でも感心なものさ、けさもちゃんとさがしに来るんだもの。」

「おばあさん、よくおわかりになるわね。」

と芳《よし》子は言った。

祖母は目が悪い。茶わんもはしも手渡してやらねばならない。勝手知った家の中は手さぐりで歩くけれども、庭へひとりで出ることはない。

正答率	㉔	
本土	59.5	73.3
沖縄	48.0	63.0

(3)ときどきガラス戸の前に立っていたり、すわっていたりして、てのひらをひろげながら、ガラス越しの日ざしに五本の指をかざして、と見こう見している。

そんな目の悪い祖母が、かけすの鳴き声を聞いただけで、(4)目に見たように言ったので、芳子は感心したわけだった。

芳子が朝飯のあとかたづけに台所へ立つと、かけすはとなりの屋根で鳴いていた。

裏庭には、栗《くり》が一本と柿が二、三本ある。その木を見ると、細かい雨の降っているのがわかる。葉のしげりをバックにしないと見えないような雨である。

かけすは栗の木に飛び移って、それから低く地上をかすめて飛んだかと思うと、また枝にもどった。(5)しきりに鳴く。

母鳥が立ちさりかねているのだから、ひな鳥はこのあたりにいるのだろうか。

1 この文章を読んで書いた感想として、最も適当なものはどれか。

ア この家の庭に飛んでいるかけすの様子《ようす》がくわしく書いてある。木から木へと楽しそうに飛び回っているのが、おもしろい。

イ 姉や弟の会話のところが生き生きと書けている。祖母が口やかましく姉や弟をしかっているが、目の不自由な祖母のことだから、しかたがないと思った。

ウ からだの不自由な祖母に対する芳子の愛情が感じられる。祖母はかけすの母鳥のように芳子たちをかわいがっている。静かな家庭の様子がよく表現されている。

エ 祖母と芳子たちとの会話をとおして、目の悪い祖母のかけすに対する関心の深さや愛情が感じられる。かけすの動きや祖母の様子を描写した文章もうまい。

正答率	㉕
本土	68.0
沖縄	63.4

2 この文章の終わりのほうの「裏庭には、栗《くり》が一本と」から、「しないと見えないような雨である。」までで、作者は、主としてどんな感じを表わそうとしているか。

ア 静かな情景を細かく描写して、しみじみとした感じを表わそうとしている。

イ この文章のまとめとして、作者の強い感情を訴えようとしている。

ウ 雨がしとしと降っている様子をえがいて、うっとうしい感じを表わそうとしている。

エ 雨にぬれた木の葉をえがいて、植物の生き生きとした感じを表わそうとしている。

3 傍線部(1)「立ちかかった。」とは、何をするためか。

ア うるさいので雨戸をしめようとして

イ 鳥を追いはらおうとして

ウ 美しい鳥をながめようとして

エ ひな鳥をさがそうとして

4 傍線部(2)「わからないのかね。」と言ったのは、主としてどんな意味からか。

ア おまえたちは、かけすのひなに対する愛情がわからないのかね。

イ おまえたちに対するわたしの気持ちが、まだわからないのかね。

ウ かけすには、ひなが巣から落ちたことがわからないのかね。

エ かけすは、まだそのひなのいるところがわからないのかね。

5 傍線部(3)「てのひらを……五本の指をかざして、と見こう見している。」の文は、主としてどんな様子を表わそうとしているか。（「と見こう見」とは、「いろいろにながめるさま」、「さまざまの向きからながめるさま」をいう。）

正答率	㉖	㉗	㉘
本土	61.2	86.6	61.0
沖縄	53.6	67.6	44.6

ア　指の関節がかたくならないように、てのひらをひろげたりしている祖母の様子
イ　かすかになっていく視力をたしかめようとしている祖母の様子
ウ　強い光線が目に悪いので、てのひらをかざして、それをふせいでいる祖母の様子
エ　芳子に自分のてのひらを見せて、なにかを説明しようとしている祖母の様子
㉙

6　傍線部(4)「目に見たように言った」とあるが、何を見たように というのか。
ア　かけすの動きを　　イ　庭のけしきを
ウ　五本の指を　　エ　芳子たちの様子を
㉚

7　傍線部(5)「しきりに鳴く。」は、どんな様子を表わそうとしているか。
ア　かけすが元気にすばやく飛び回っている様子
イ　かけすがえさを求めて、いっしょうけんめいに飛び回っている様子
ウ　かけすがいつまでもひな鳥をさがし求めて、おちつかない様子
エ　かけすが栗の木の近くに、友だちを早く呼びよせようとしている様子
㉛

正答率		㉙	㉚	㉛	
	本土	62.6	90.5	90.8	46.6
	沖縄	56.8	78.2	82.1	36.6

5　1　次の文章の［　］に、ア、イ、ウ、エの中から最も適当なものを一つ選んで、その記号を答えのらんに書きなさい。

この世ではいろいろの仕事をしている人が、その仕事仕事でベストをつくすことで、世の中も進歩し、人類も成長してゆくのだと思っている。田の稲が一つ一つ最高のみのりを上げようと努力するから、田のみのりもふえるので、一つ一つの稲が生き生きしなかったら、どういうことになるか。皆が自分をほんとうに人間らしく生かしてゆくことができる世界を望むわれらは、［　］のは当然で、それこそ自然や人類が個人のぼくたちに望んでいることと思う。
㉜

ア　いっそう世の中を進歩させるために努力する
イ　まず自分を完成するために努力する
ウ　せめて最高のみのりを上げようと努力する
エ　ぜひ人間を人間らしく生かしてゆくように努力する

2　次のアの文とカの文との間に、イ、ウ、エ、オの文をどんな順序にしたら、全体として意味のまとまった一つづきの文章になるでしょうか。最も適当な順序を、イ、ウ、エ、オの記号で答えのらんに書きなさい。

ア　話というものは、口と舌とをもっている以上、だれでもできるのが当然であるのに、そこにうまいへたの別が生ずるのは、なぜであろう。
イ　わからせると同時におもしろさが必要であり、興味によっていっそう効果のあるようにするところまで進まなければならない。
ウ　しかし、わからせただけでは、単に用が足りるというだけのものである。
エ　さらに一歩を進めて、聞き手を感動させるところにいたって、その効果はいっそう大きなものとなる。
オ　普通の話は、まずよくわからせるということが第一で、これができると、話の第一目的は達したことになる。
カ　ここまで行かなければ、じゅうぶんとはいえないのである。
㉝

正答率		㉜	㉝
	本土	37.5	55.6
	沖縄	32.9	40.2

中学校第2学年社会

正答率	
本土	沖縄

1 右の地図を見ながら，次の文を読み，1，2，3，4，5，6のそれぞれについて，{ }でくくったア，イ，ウ，エの中から正しいものを一つずつ選んで，その記号を答えのらんに書きなさい。（正答率 本土 55.0 沖縄 40.8）

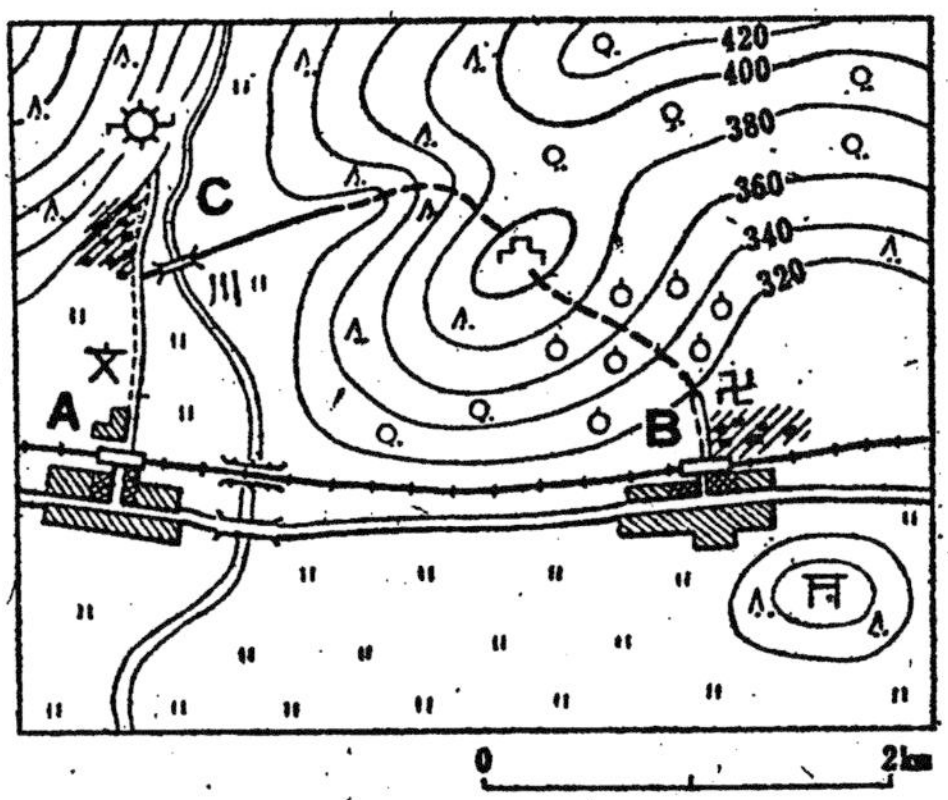

遠足のとき，わたしたちはA駅で下車し，学校を左に見ながら

1 {ア 草地 イ 荒地 ウ 桑畑 エ乾田} の間の道を通り，C 川を渡り，2 {ア 尾根づたい イ ふもとづたい ウ 谷づたい エ 線路づたいに} 山に登り，城あとに着いた。ここからC川の対岸を見ると，3 {ア 燈台 イ 病院 ウ 水車 エ 発電所} があり，南東には神社も見えた。地図でみると，城あとの高さと神社のある所の高さとの違いは，およそ 4 {ア 20m イ 60m ウ 100m エ 140m} であり，また，A駅からB駅までの直線距離はおよそ 5 {ア 2km イ 3km ウ 5km エ 8km} である。帰りには，6 {ア 果樹園 イ 広葉樹林 ウ 針葉樹林 エ 竹林} の中を通りB駅に着いた。

	本土	沖縄
1	48.9	29.7
2	30.8	23.2
3	67.7	55.3
4	53.6	42.7
5	61.4	45.3
6	67.5	48.8

2 下の表には，ヨーロッパの五つの国 1，2，3，4，5のそれぞれについて，ア，イ，ウ，エ，の四つずつの説明が記入してあります。しかし，どの国についても一つだけ事実と違ったことが書いてあります。その違っているものの記号を答えのらんに書きなさい。（正答率 本土 43.6 沖縄 34.5）

国名	自然	農牧林業	鉱工業	政治その他	本土	沖縄
1 イタリア	ア 地中海性気候	イ オリーブ	ウ 水力発電	エ 永世中立国	54.3	40.3
2 オランダ	ア 海面より低い土地	イ 乳牛，草花（チューリップ）	ウ ヨーロッパ第一の油田	エ ベネルクス	66.7	52.5
3 フランス	ア 大陸性気候	イ 小麦，ぶどう	ウ 鉄鉱	エ 植民地の独立運動	35.0	25.9
4 チッコスロバキア	ア 内陸国	イ 世界的な酪農国	ウ 重工業	エ ソ連圏《けん》（ソ連の衛《えい》星国）	40.4	33.1
5 スウエーデン	ア 多くの峡湾（フィヨルド）	イ 針葉樹林	ウ 良質の鉄鉱	エ 高い生活水準	21.5	20.8

問題	正答率 本土	正答率 沖縄
3 次の 1，2，3，4，5の文は，わが国の都市について述べたものです。それぞれの文にあてはまる都市の名まえと位置を，A群のアからキまでの中から，また，B図の1から7までの中から，それぞれ一つずつ選んで，その記号と番号を答えのらんに書きなさい。	36.4	11.3
1　豊富な水量と電力の開発により，硫《りゅう》安，レーヨン，ナイロンなどの工業が急速に発達し，工業都市として知られている。	14.9	4.5
2　昔から製糸業地として知られていたが，最近ではカメラ，とけいなどの精密工業が発達してきた。	26.1	6.7
3　パルプ工業や製紙工業がさかんで，わが国で生産される新聞用紙の大部分は，ここでつくられている。	49.8	12.3
4　室町《むろまち》時代のころ外国との貿易がさかんに行なわれ，今は紡績業や自転車，刃物などの機械器具工業が発達している。	43.7	17.6
5　リアス式海岸の入り江にのぞむこの都市は，鉄鉱の産地と製鉄で知られ，付近には漁港が多い。	47.6	15.2

A群（都市の名まえ）

ア　岡《おか》谷《や》
イ　堺《さかい》
ウ　釜《かま》石《いし》
エ　高《たか》松《まつ》
オ　苫《とま》小《こ》牧《まい》
カ　松《まつ》江《え》
キ　延《のべ》岡《おか》

B図（都市の位置）

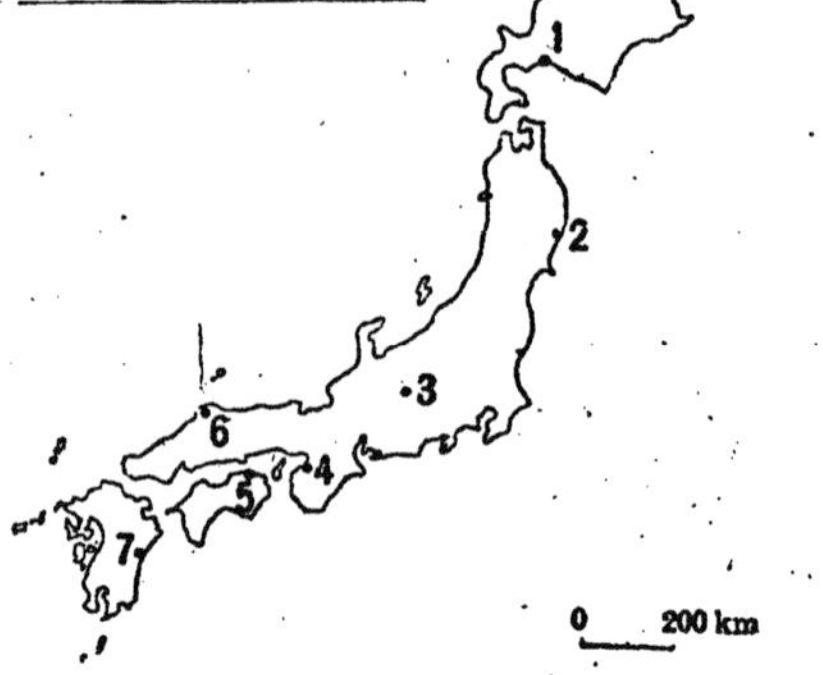

問題	正答率 本土	正答率 沖縄
4 ナイル川下流地域に最も関係の深いものを，次の 1，2，3，4，5のそれぞれについて，ア，イ，ウ，エの中から一つずつ選んで，その記号を答えのらんに書きなさい。	54.2	44.6
1　ア　インダス文明　イ　メソポタミア文明　ウ　中国文明　エ　エジプト文明	71.6	61.4
2　ア　バグダッド　イ　エルサレム　ウ　カイロ　エ　アテネ	59.5	53.1
3	42.4	36.1

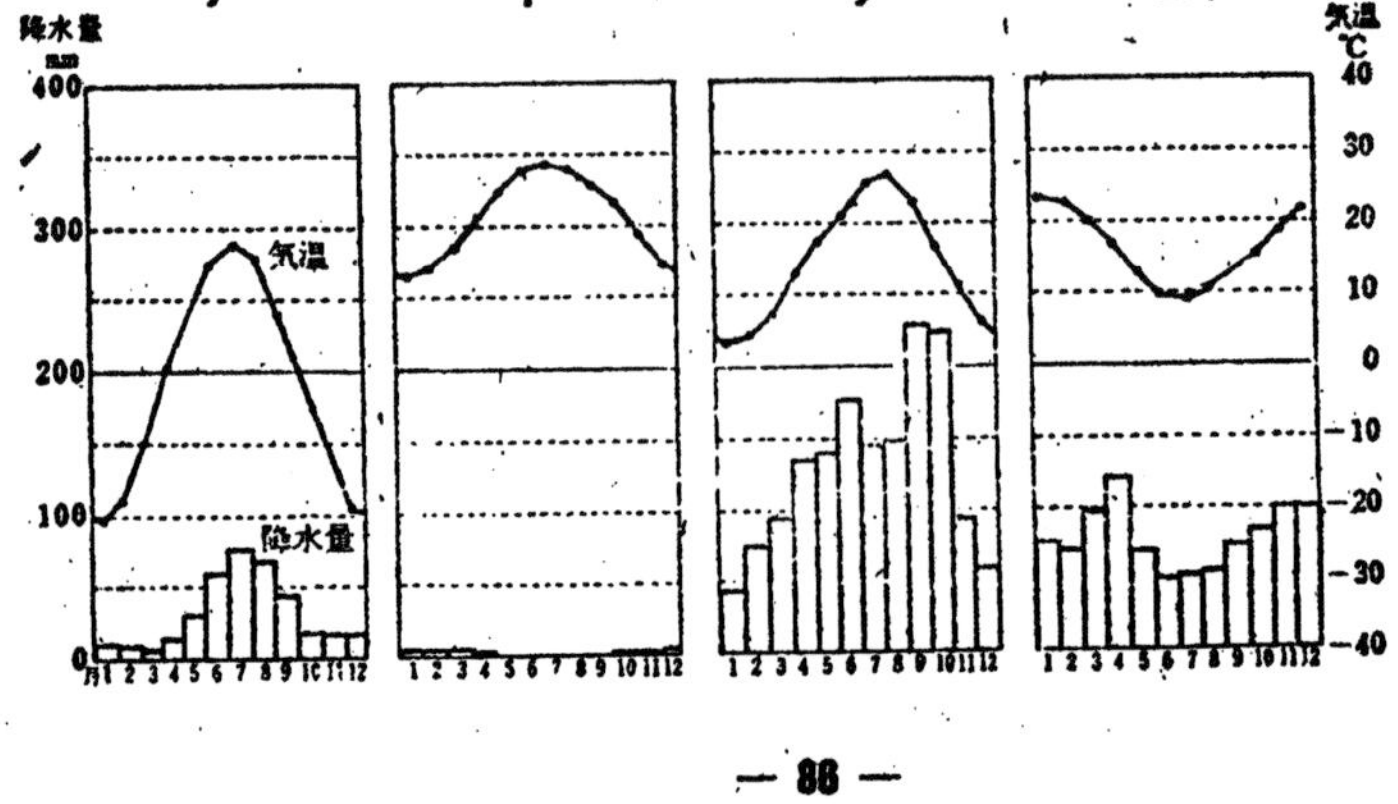

	正答率	
	本土	沖縄
4　ア　ほりぬき井戸（自噴井《じふんせい》）　イ　TVA　ウ　ボルガ＝ドン運河　エ　アスワンダム	46.0	35.9
5　ア　綿　花　イ　ゴ　ム　ウ　てんさい　エ　コーヒー	51.4	38.4

5　次の1，2，3，4，5の文は，右の地図の区間のうち，アからスまでのどれかに見られる風景などを述べたものです。それぞれの文に最もよくあてはまる区間の記号を，答えのらんに書きなさい。　45.1　20.2

1　さきほどまでは，からりと晴れた冬の日ざしをあびて麦ふみをする人々の姿が見えたのに，列車がループ式のトンネルを出たら，車窓からのながめは，どんよりくもった雪げしきに変わった。　33.7　9.2

2　列車はしだいに谷を登りつめていき，トンネルを出ると，広い盆地が開ける。この付近はぶどうの産地として知られ，遠く南アルプスの山々も見える。　42.6　15.2

3　列車は海ぞいの狭い平野をぬって走っている。かこう岩質の山地や島の斜面はよくたがやされ，みかん，ネーブルなどの果樹園になっている。沿線には花むしろ，たたみ表の産も多い。　35.6　13.1

4　ポプラの葉が風に光り，ひろびろとした牧場には乳牛や馬が放牧されている。そこここに，サイロのある家も見える。　70.0　44.0

5　見渡すかぎり広い水田には，かんがい用の水路があみの目のようにつくられ，ところどころに，はぜの木が植えられている。まもなく有名な炭鉱町につく。　43.5　19.2

6 次の 1，2，3の地図は，ある商品が，主としてどこからわが国に輸入されるかを示したものです。それぞれの地図にあてはまる輸入品を，下のアからオまでの中から選んで，その記号を答えのらんに書きなさい。

1
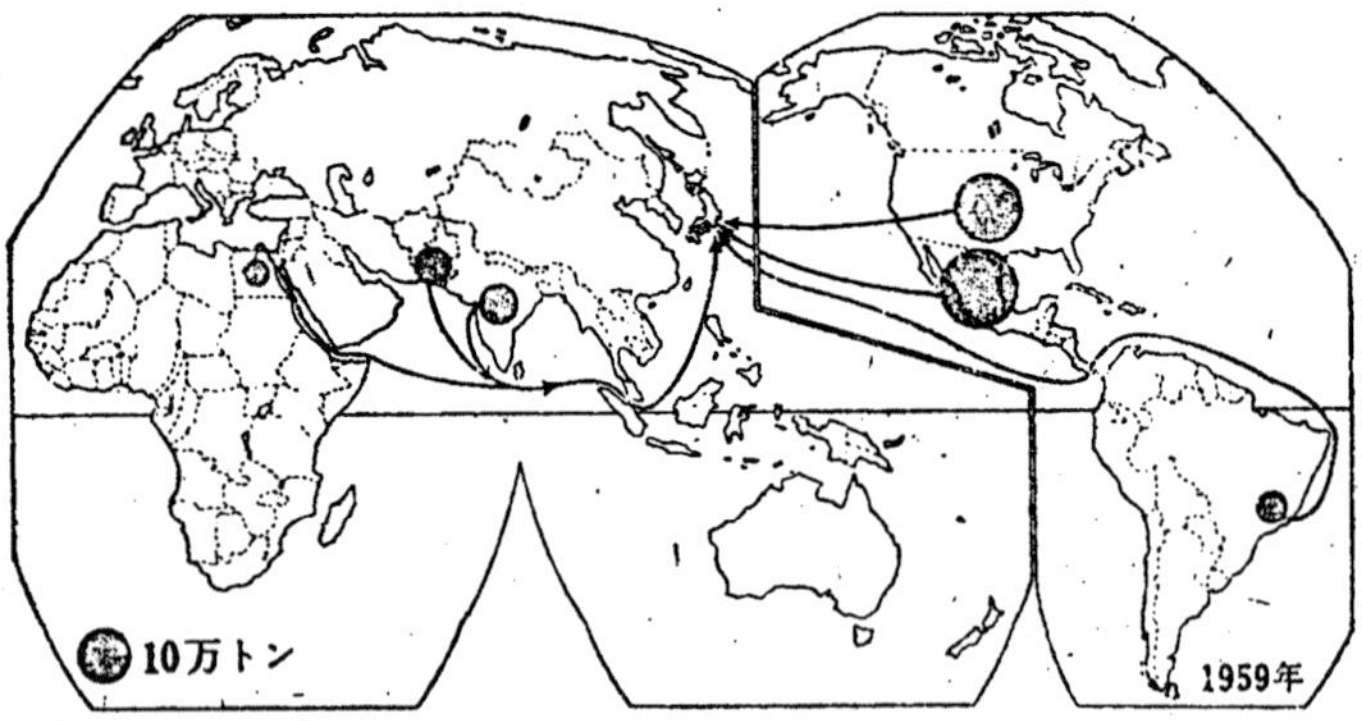

2
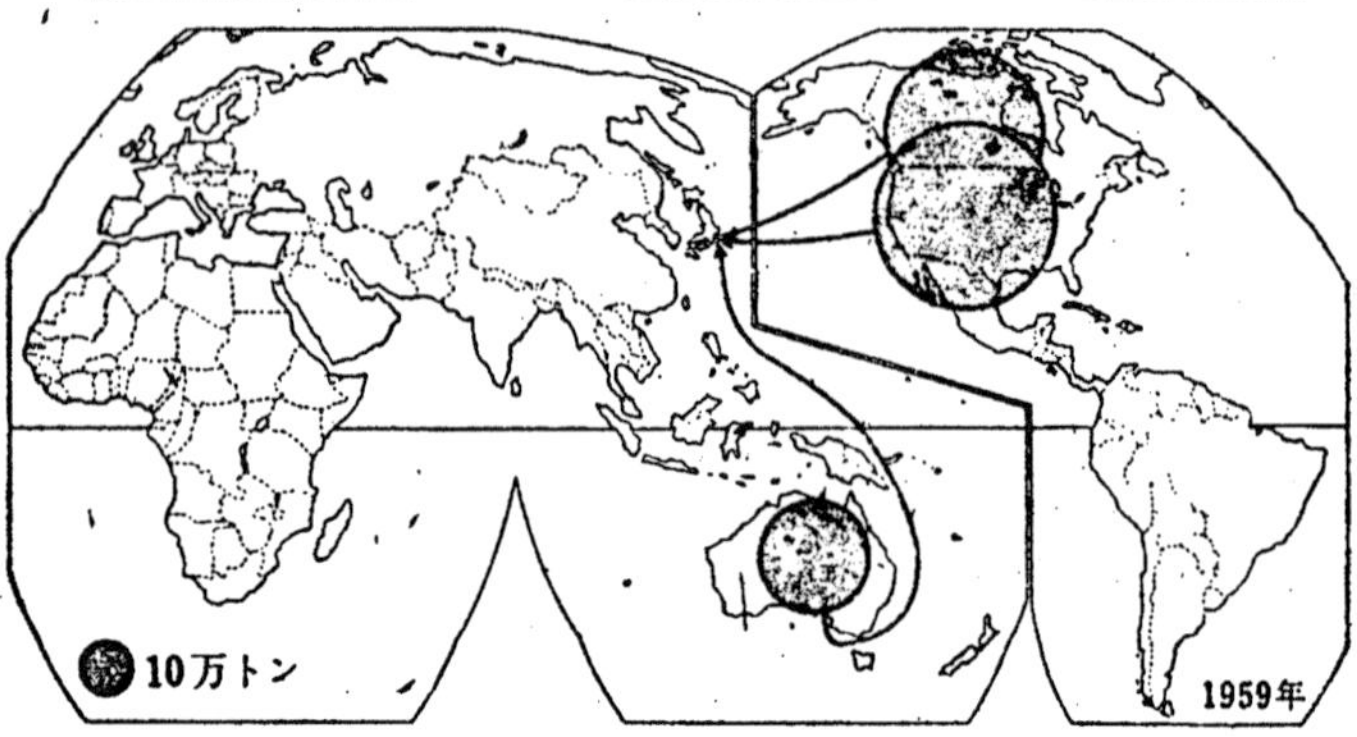

3
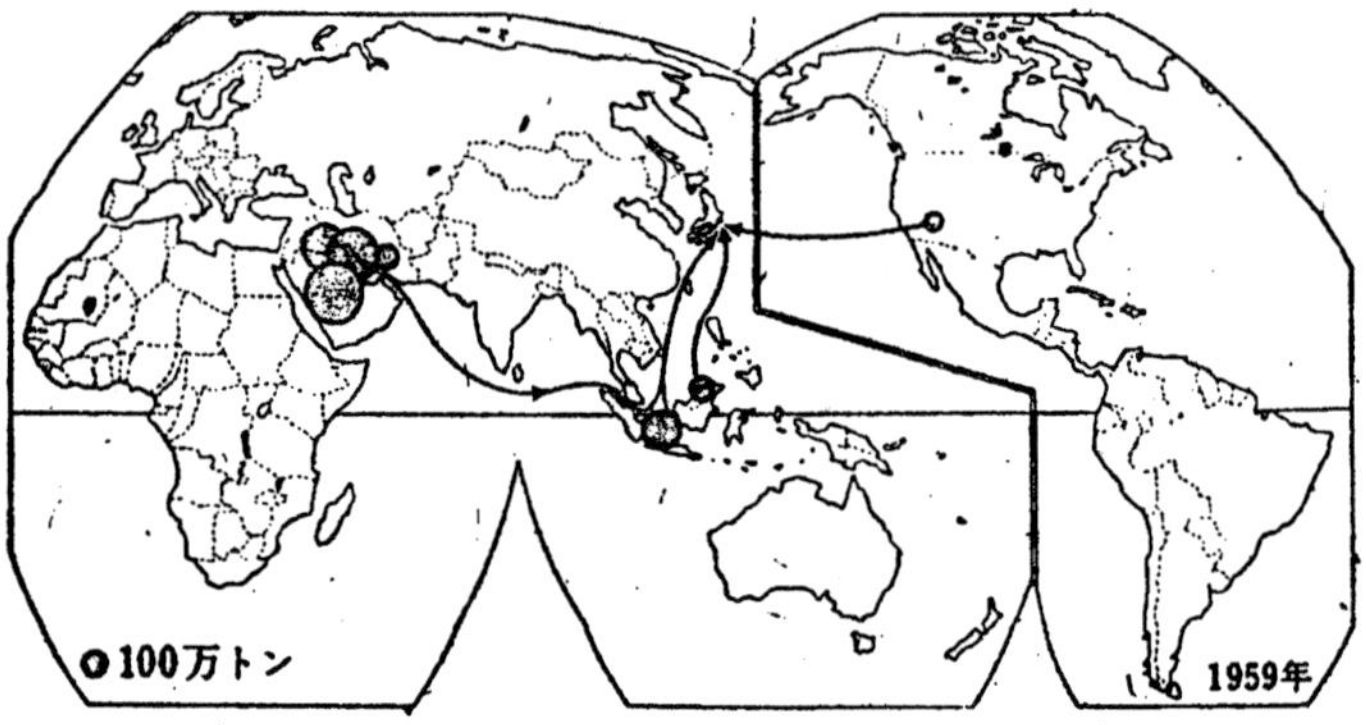

〔1959年（昭和34），日本外国貿易年表による。〕

ア 米　イ 綿花　ウ 小麦　エ 鉄鉱　オ 石油

	平答率	
	本土	沖縄
6	47.3	29.9
1	43.8	27.7
2	35.1	21.8
3	62.9	40.3

正答率	
本土	沖縄
51.1	32.9
67.6	37.6
43.6	25.8
62.6	41.8
51.6	37.7
29.8	21.6

7 次の 1，2，3，4，5のグラフは，下の**ア**から**カ**までの道や県のうち五つについて，それぞれの農作物の作付面積の割合と水田裏作の割合を示したものです。両方をよくみて，あてはまる道や県の記号を答えのらんに書きなさい。

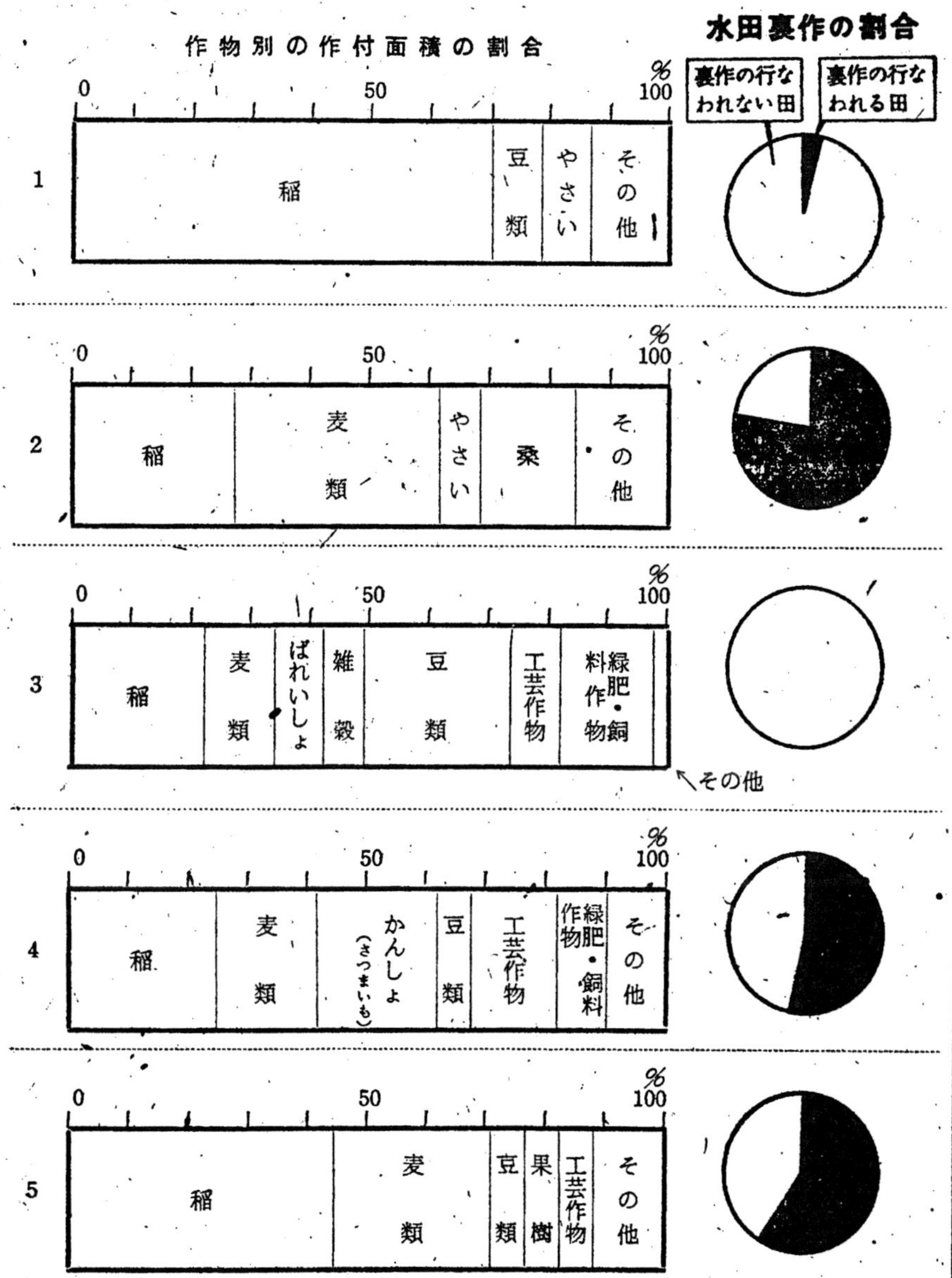

〔1959年（昭和34），農林省統計表による。〕

ア 青森県	**イ** 岡山《おかやま》県	**ウ** 鹿児島《かごしま》県
エ 群馬《ぐんま》県	**オ** 新潟《にいがた》県	**カ** 北海道

8 Ⅰ 次の1，2，3のそれぞれの文は，どの時代を表わしていますか。下の**ア**，**イ**，**ウ**，**エ**の中から最も適当なものを一つ選んで，その記号を答えのらんに書きなさい。

1 人々は狩りや漁《りょう》などをし，えものを追って生活し，自然をおそれうやまった。

2 農民は口分田《くぶんでん》を与えられたが，生活はらくではなかった。そのころ仏教は国の政治と結びついて栄え，大きな寺ができた。

3 朝廷や豪《ごう》族の力が強くなり，いろいろの形の大きな墓がつくられるようになった。

ア 奈良《なら》時代　**イ** 縄文《じょうもん》文化時代　**ウ** 古墳《こふん》時代　**エ** 弥生《やよい》文化時代

Ⅱ 上のⅠの1，2，3のそれぞれの文の表わす時代に最も関係の深い絵を，下の**ア**，**イ**，**ウ**，**エ**の中から一つずつ選んで，その記号を答えのらんに書きなさい。

ア　**イ**　**ウ**　**エ**

ア 高さおよそ33cm（群馬《ぐんま》県出土）　イ 直径およそ2.4cm（滋賀《しが》県出土）　ウ 高さおよそ42cm（鳥取《とっとり》県出土）　エ 高さおよそ25cm（東京都出土）

正答率	本土	沖縄
Ⅰ	68.7	50.0
1	66.4	49.5
2	80.4	61.5
3	77.4	58.4
Ⅱ	58.0	39.9
	62.7	42.8
	67.3	48.0

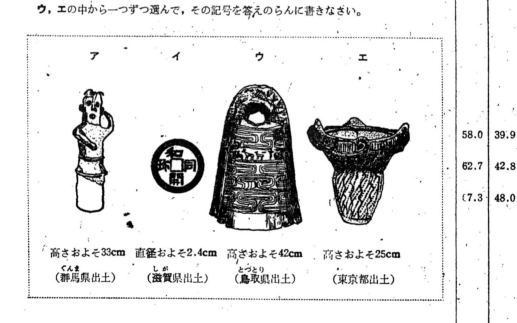

中学校第3学年社会

1 次の1，2，3，4のそれぞれの事がらと最も関係の深い中国の王朝名を，下の**ア**から**カ**までの中から選んでその記号を答えのらんに書きなさい。

1　大宝律令《りつりよう》が制定された。　①

2　聖徳《しようとく》太子が中国に使いを送った。　②

3　足利義満《あしかがよしみつ》が勘合《かんごう》貿易を始めた。　③

4　道元《どうげん》が禅宗を伝えた。　④

ア 漢《かん》	**イ** 清《しん》	**ウ** 隋《ずい》	**エ** 宋《そう》	**オ** 唐《とう》	**カ** 明《みん》

2 次の1，2，3，4の文は，歴史上のいいくつかの時文化の傾向を述べたものです。それぞれの文に最も関係の深い人物を，下の**ア**から**カ**まで中からひとりずつ選んで，その記号を答えのらんに書きなさい。

1　町人たちの好みにあった文化が上方《かみがた》にさかんになり，俳諧《はいかい》，浮世草子《うきよぞうし》，浄瑠璃《じようるり》などがもてはくされるようになった。　⑤

2　長い戦乱の世が終り，活気にあふれた文化が生まれ，また，天守閣《てんしゆかく》をもつ城が築かれるようになった。　⑥

3　文化が都から地方へと広がり，能学《のうがく》，狂言《きようげん》，お伽草子《とぎぞうし》などが武士や庶民に親しまれるようになつた。　⑦

4　都を中心に唐風《とうふう》の文化がさかんになり，仏教は国の保護を受け，寺や，仏像がたくさんつくられるようになつた。　⑧

ア 源頼朝《よりとも》	**イ** 豊臣秀吉《とよとみひでよし》	**ウ** 聖武《しようむ》天皇
エ 徳川慶喜《よしのぶ》	**オ** 近松門左衛門《ちかまつもんざえもん》	**カ** 世阿彌《ぜあみ》

3 1　次の略年表のうち，1，2，3，4のそれぞれにあてはまる事がらを，下の**ア**から**オ**までの中から一つずつ選んで，その記号を答えのらんに書きなさい。

900	1000	1100	1200	1300	1400	1500	1600	1700年

平安時代	鎌倉《かまくら》時代	室町《むろまち》時代	安《あ》土《づち》桃《もも》山《やま》時代	江戸時代
・このころ荘《しよう》園《えん》ひろまる ・院政はじまる ・［1］	・鎌倉に幕府をおく ・承久《しようきゆう》の変おこる ・［2］ ・蒙古《もうこ》襲来《しゆうらい》	・建武の新政 ・室町に幕府をおく ・［3］ ・このころ戦国大名各地におこる	・［4］ ・関が原の戦い	・鎖国《さこく》

正答率

	本土	沖縄
1	41.5	33.5
①	31.6	22.2
②	53·4	50.4
③	44.3	33.9
④	36.6	27.6
2	58.6	34,4
⑤	53.8	29.1
⑥	66.5	44,7
⑦	41.6	24.4
⑧	52.4	39.5
3	45.2	36.8
⑨	39.7	29.7
⑩	38.4	28.5
⑪	40.8	28.6
⑫	50.8	36.1

ア　刀狩《かたながり》おこなわれる	**イ**　武家諸法度《ぶけしよはつと》を定める
ウ　保元《ほうげん》の乱おこる	**エ**　貞永式目《じようえいしきもく》（御成敗式目《ごせいばいしきもく》）を定める
オ　応仁《おうにん》の乱はじまる	

Ⅱ　次の文のうちから，蒙古襲来のわが国に及ぼした影響《えいきょう》としてあげられるものを，次の**ア**，**イ**，**ウ**，**エ**の中から二つ選んで，その記号を答えのらんに書きなさい。

ア　幕府は，外国貿易を長崎《ながさき》と平戸だけに限るようにした。

イ　武士や庶民の間に，民族的な自覚が高まった。

ウ　北九州の防備を固めるため，防人《さきもり》がおかれた。

エ　幕府の財政が困難になった。

4　Ⅰ　次の１，２，３，４の下線を引いた文は，わが国の土地制度に関するものです。それぞれの下の**ア**，**イ**，**ウ**，**エ**の中には，一つだけ，下線を引いた文に述べてある事がらと関係のないものがあります。その関係のないものの記号を答えのらんに書きなさい。

1　貴族や社寺が多くの荘園《しようえん》をもつようになった。

ア　貴族たちは勢力を強め，ぜいたくな生活をおくった。

イ　中央集権の傾向がひじょうに強くなった。

ウ　朝廷の収入は，しだいに減少した。

エ　貴族たちは，荘園に国の役人がはいることをこばむようになった。

2　豊臣秀吉《とよとみひでよし》が検地を行なった。

ア　年貢《ねんぐ》納入の責任者がはっきりした。

イ　農民はかってに土地から離れられなくなった。

ウ　武士は農村に分散して住むようになった。

エ　田畑の広さ，よしあし，収穫量が明らかになった。

3　班田収授《はんでんしゆうじゆ》の法が行なわれた。

ア　6歳になると，一定の面積の田地が分け与えられるようになった。

イ　田地を与えられた農民は，租《そ》を納めることになった。

ウ　この班田収授の法と関連して，庸《よう》や調《ちよう》などの税制も整えられた。

エ　蘇我《そが》氏の勢力がますます強くなった。

4　地租改正が行なわれた。

ア　全国の土地に対して地価（土地のねだん）が定められた。

イ　政府の財政の基礎が固まった。

ウ　地租は地主がお金で納めるように定められた。

エ　多くの土地が，耕作する農民のものになった。

正答率	本土	沖縄
⑬	31.2	30.4
⑭	70.3	67.5
	52.3	41.5
⑮	56.7	44.5
⑯	60.7	45.7
⑰	74.2	58.7
⑱	28.4	27.9

Ⅱ 上のⅠの１，２，３，４の文に述べてある事がらのうち，いちばん年代の古いものを一つ選んで，その番号を答えのらんに書きなさい。

5 Ⅰ 次の地図の１，２，３は，15世紀から16世紀初めごろまでにおける，ヨーロッパ人の地理上の発見の航路を示しています。１，２，３のそれぞれに特に関係のある人物を，下のアからオまでの中からひとりずつ選んで，その記号を答えのらんに書きなさい。

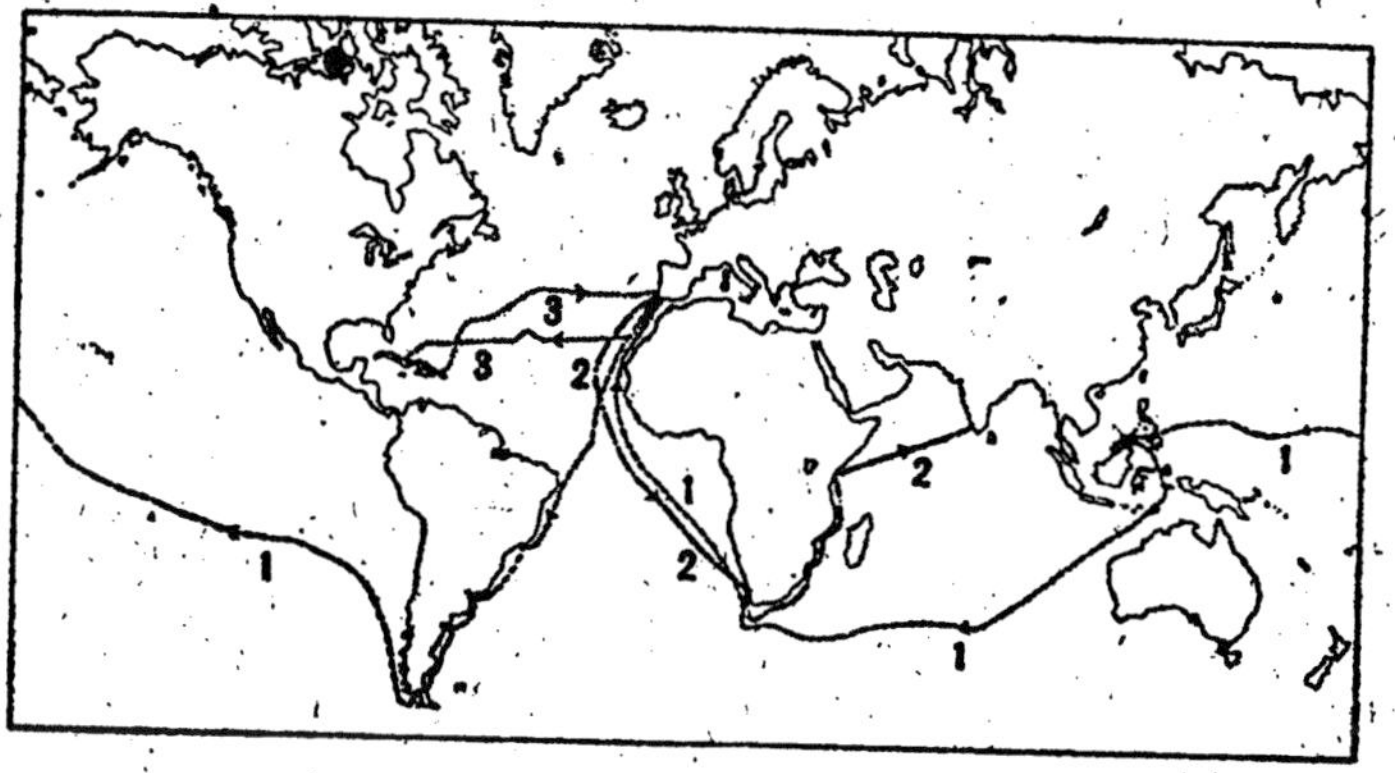

ア コロンブス	**イ** バスコ＝ダ＝ガマ	**ウ** ナンセン
エ マルコ＝ポーロ	**オ** マゼラン	

Ⅱ 次の地図には，ヨーロッパ人の渡米と関係のある，16世紀半ばごろの国名や地名が示してあります。地図の４，５，６にあてはまるものを，下のアからカまでの中から選んで，その記号を答えのらんに書きなさい。

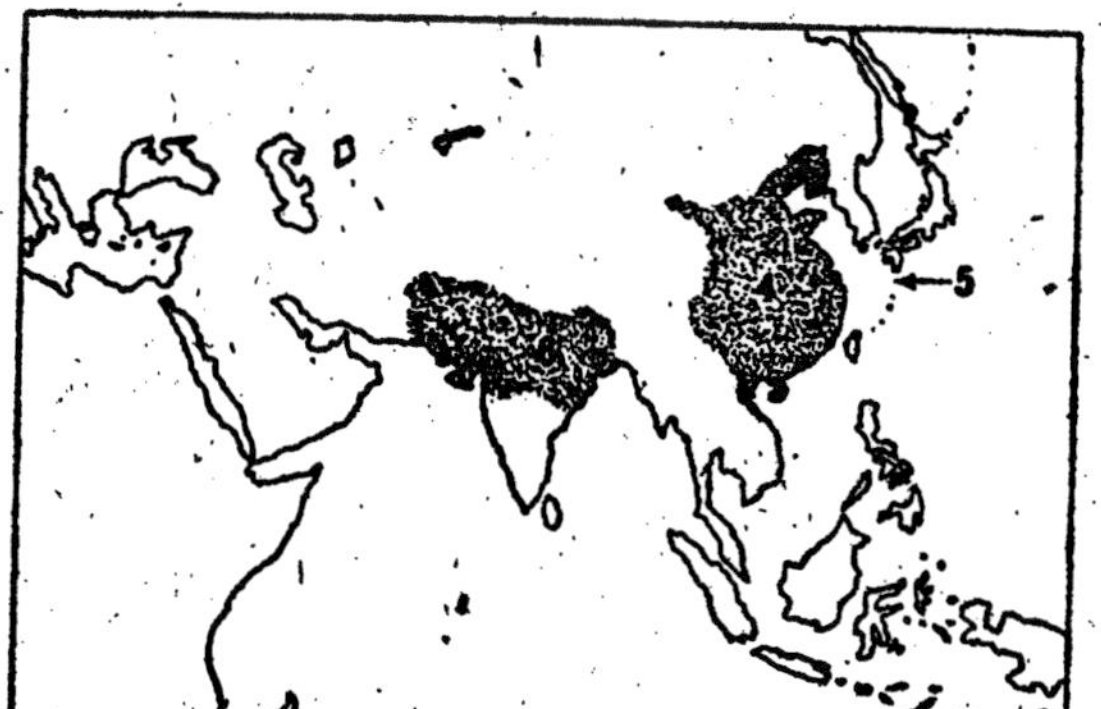

ア トルコ	**イ** 種子島《たねがじま》	**ウ** 元《げん》
エ 明《みん》	**オ** マカオ	**カ** ムガール

正答率	
本土	沖縄
⑲ 41.5	30.7
57.7	45.7
⑳ 53.2	44.3
㉑ 52.2	38.1
㉒ 52.9	88.3
㉓ 55.6	43.6
㉔ 90.4	79.5
㉕ 42.1	30.1

正答率	本土	沖縄
	68.5	58.3
㉖	71.9	63.3
㉗	60.5	56.2
㉘	76.1	66.4
㉙	45.1	37.7
㉚	80.0	59.2
㉛	86.4	81.0
㉜	67.8	49.6
㉝	60.0	52.9
	48.5	32.9

6 次のⅠからⅥまでの文は，ヨーロッパや日本の近代民主主義の発達について述べたものです。1，2，3，4，5，6，7，8のそれぞれについて，{ }でくくった**ア**，**イ**，**ウ**，**エ**の中から最も適当な語句を一つずつ選んで，その記号を答えのらんに書きなさい。

Ⅰ イギリスでは，13世紀に 1{**ア** 権利章典《けんりしょうてん》 **イ** 大憲章（マグナ＝カルタ） **ウ** 治外法権 **エ** 元老院}がつくられて王権が弱まったが，16世紀になってふたたび王権が強くなった。

17世紀ごろには， 2{**ア** 貴族政治 **イ** 民主政治 **ウ** 武家政治 **エ** 専制政治}が長く続き，王は清教徒（ピューリタン）を圧迫したので，議会側と国王軍とがしょうとつして内乱がおこった。この革命の結果，議会側が勝ち共和制が樹立された。

Ⅱ 18世紀の半ばをすぎたころ，イギリスはフランスとの戦争によって多くの戦費を使った。このため，植民地のアメリカから費用を得ようとして経済的圧迫を加えたので，植民地の人々は立ちあがり， 3{**ア** 世界人権宣言 **イ** 平和宣言 **ウ** 独立宣言 **エ** 人権宣言}を発表した。このしげきもあって， 4{**ア** 1789年 **イ** 1914年 **ウ** 1776年 **エ** 1868年}にフランスでは大革命がおこった。

Ⅲ 明治の初めごろ，福沢諭吉《ふくざわゆきち》の「学問ノススメ」なども出版されて， 5{**ア** 社会主義の思想 **イ** キリスト教の精神 **ウ** 自由・平等の思想 **エ** 全体主義の思想}がひろまった。

Ⅳ 明治の初めごろ，板垣退助《いたがきたいすけ》を中心にして， 6{**ア** 平和運動 **イ** 条約改正運動 **ウ** 普選運動 **エ** 自由民権運動}がおこった。

Ⅴ 1881年（明治14），国会の開設が約束されたので， 7{**ア** 労働組合 **イ** 選挙管理委員会 **ウ** 政党 **エ** 農民組合}の結成がすすんだ。

Ⅵ 1890年（明治23），第1回の帝国議会が開かれたが，明治時代の政治では， 8{**ア** 藩閥《はんばつ》の力がまだ **イ** 政党人の力が圧倒的に **ウ** 実業家の力がきわめて **エ** 学者の発言力が特に}強かった。

7 Ⅰ 次の1，2，3，4，5の文は，明治以後の工業や貿易について述べたものです。それぞれいつごろのことについて述べたものですか。下の**ア**から**カ**までの中からあてはまるものを一つずつ選んで，その記号を答えのらんに書きなさい。

1　機械工業に従事する人口は，繊維工業に従事する人口よりも多くなり，機械類の輸出額が綿織物の輸出額を上回った。

2　政府経営の工場が各地につくられた。貿易では，生糸《きいと》，米などが輸出され，綿織物の輸入が多かった。

3　ヨーロツパの進んだ工業国の輸出が後退したので，日本の商品はアジア各地に進出し，また，アメリカ合衆国向けの生糸の輸出がふえた。

4　八幡《やはな》に政府経営の製鉄所がつくられ，重工業の発展の基礎ができたが，輸出では，生糸，綿糸，雑貨などが多く，輸入では機械類や工業原料が多かった。

5　工業用の原料やその他の物資が欠乏して工業生産がおとろえ，また，人々は食料が少なくて困り，大量の食料がアメリカ合衆国から輸入された。

ア　明治の初めごろ	イ　日露《にちろ》戦争の前後	ウ　第一次世界大戦のころ
エ　日華事変のころ	オ　第二次世界大戦の終わったころ	カ　現　在

Ⅱ　次のグラフは，わが国の輸出入品を下のア，イ，ウ，エ，オのように五つに分類し，それらの輸出品の輸出総額に対する割合，輸入品の輸入総額に対する割合の移り変わりを示したものです。輸出と輸入のグラフをみくらべて，グラフの中の1，2にあてはまるものを下のア，イ，ウ，エの中から一つずつ選んで，その記号を答えのらんに書きなさい。

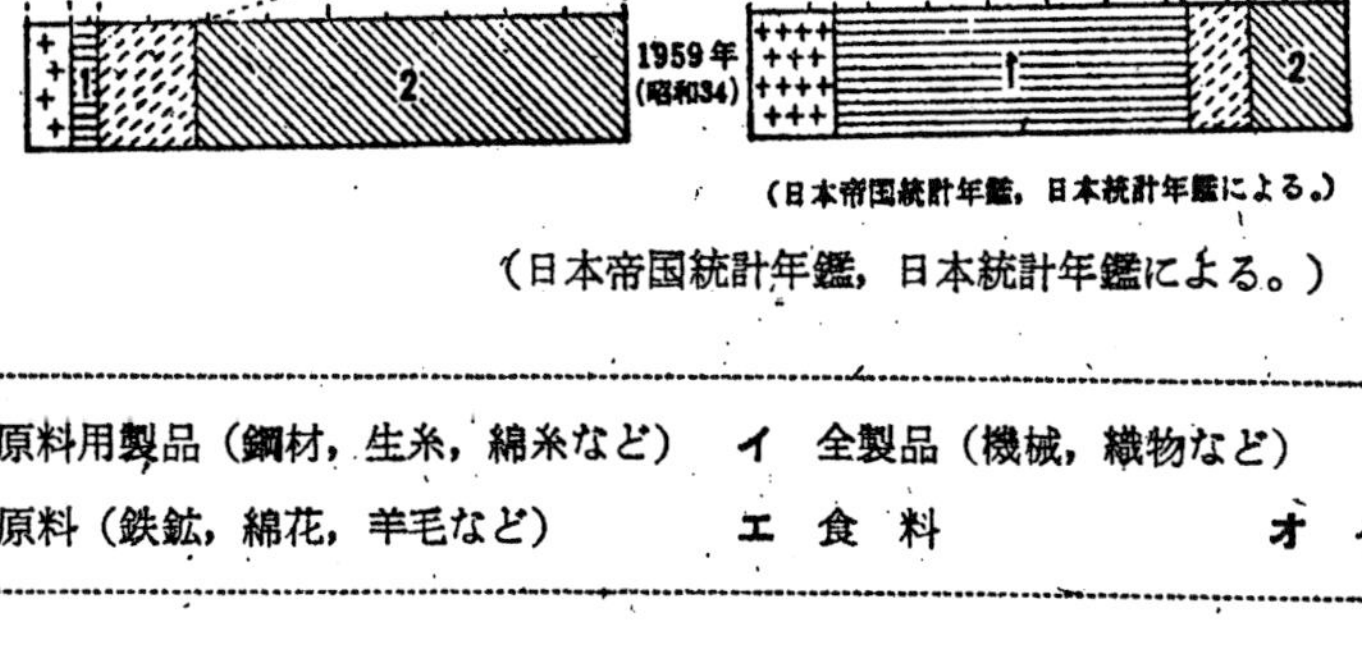

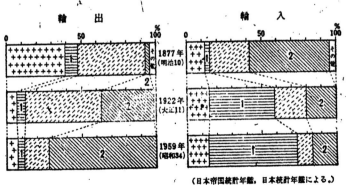

（日本帝国統計年鑑，日本統計年鑑による。）

ア　原料用製品（鋼材，生糸，綿糸など）	イ　全製品（機械，織物など）	
ウ　原料（鉄鉱，綿花，羊毛など）	エ　食　料	オ　その他

正答率	本土	沖縄
㉞	52.5	31.7
㉟	47.4	37.5
㊱	39.9	28.9
㊲	30.1	19.2
㊳	66.7	49.0
㊴	50.3	30.8
㊵	52.4	33.5

中学校第2学年数学

問題	正答率 本土	正答率 沖縄
1 次の1，2，3，4，5，6，7のそれぞれの式を計算し，答えをア，イ，ウ，エ，の中から一つづつ選んで，その記号を答えのらんに書きなさい。	69.8	54.7
1　$\frac{5}{9}+\frac{2}{15}$　ア $\frac{7}{45}$　イ $\frac{7}{24}$　ウ $\frac{19}{45}$　エ $\frac{31}{45}$	72.7	48.6
2　$2\frac{4}{7}\times\frac{7}{8}$　ア $\frac{3}{4}$　イ 1　ウ $2\frac{1}{4}$　エ $2\frac{1}{2}$	74.3	79.7
3　$1\frac{3}{4}\div 6$　ア $\frac{7}{24}$　イ $1\frac{1}{8}$　ウ $3\frac{3}{7}$　エ $5\frac{1}{2}$	74.9	53.3
4　$(-4)+(+7)$　ア -11　イ -3　ウ $+3$　エ $+11$	69.3	53.0
5　$(+8)-(-5)$　ア -13　イ -3　ウ $+3$　エ $+13$	67.7	52.8
6　$(+3)\times(-2)$　ア -6　イ -5　ウ $+1$　エ $+6$	82.3	64.8
7　$(-14)\div(+6)\times(-3)$　ア -7　イ $-\frac{7}{9}$　ウ $+\frac{7}{9}$　エ $+7$	47.7	31.0
2 次の1，2，3のそれぞれの問いの答えを，ア，イ，ウ，エの中から一つづつ選んで，その記号を答えのらんに書きなさい。	73.8	52.5
1　1個a円のみかんb個の代金を式に表わせ。 ア　(a−b)円　イ　(a＋b)円　ウ　ab円　エ　$\frac{a}{b}$円	71.4	45.5
2　男子3人はそれぞれm枚ずつ，女子5人はそれぞれn枚づっポスターをつくるときの全部の枚数を式に表わせ。 ア　(m＋n＋8)枚　イ　8(m＋n)枚　ウ　15mn枚　エ　(3m＋5n)枚	77.5	62.0
3　さとうがxkgある。そのうち3kgを使つて，残りをy人で同じように分けるときのひとり分の分け前を式に表せ。 ア　$(\frac{x}{y}-3)$kg　イ　$\frac{x-3}{y}$kg　ウ　$\frac{x}{y}$kg　エ　$(x-3\div y)$kg	72.4	50.0
3 次の1，2，3，4のそれぞれの問いの答ええをア，イ，ウ，エの中から一つずつ選んで，その記号を答のらんに書きなさい。	58.0	40.2
1　二つの数a，bがある。aの2倍とbの3倍とが等しいとき，bはaの何倍か。 ア　$\frac{1}{6}$倍　イ　$\frac{2}{3}$倍　ウ　$\frac{3}{2}$倍　エ　6倍	44.3	37.1
2　16kgは，64kgの何パーセントにあたるか。 ア　0.25%　イ　4%　ウ　25%　エ　40%	56.6	30.3
3　ある学校の3年生は96人で，2年生の8割である。2年生は何人か。 ア　77人　イ　80人　ウ　120人　エ　1200人	72.9	55.7
4　2000円を年利率（年利）5分でで1年間預けるとき，利息は何円か。単利として計算せよ。 ア　10円　イ　100円　ウ　400円　エ　1000円	58.2	37.5
4 次の1，2，3のそれぞれの図のx°は何度ですか。答えをア，イ，ウ，エの中から一	72.7	52.2

つずつ選んでその記号を答えのらんに書きなさい。

1

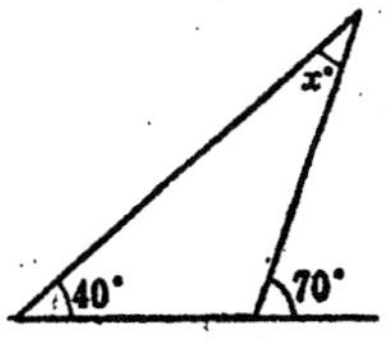

ア　20°　イ　30°　ウ　40°　エ　70°

2

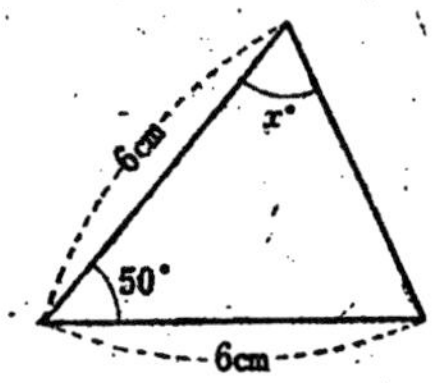

ア　50°　イ　60°　ウ　65°　エ　130°

3　下の図で，二っの直線a，bは平行である　。

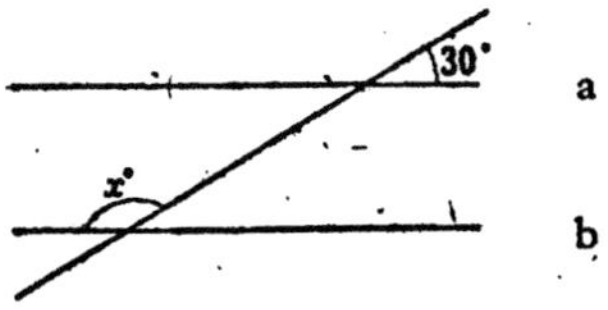

ア　60°　イ　120°　ウ　150°　エ　170°

5　次の1，2，3，4，5のそれぞれの問いの答えを，ア，イ，ウ，エの中から一つずつ選んでその記号を答えのらんに書きなさい。

1　右の三角形ＡＢＣの面積は，何平方センチメートルか。ただし，ＡＤとＢＤとは垂直である。

ア　180ｃ㎡
イ　195ｃ㎡
ウ　360ｃ㎡
エ　390ｂ㎡

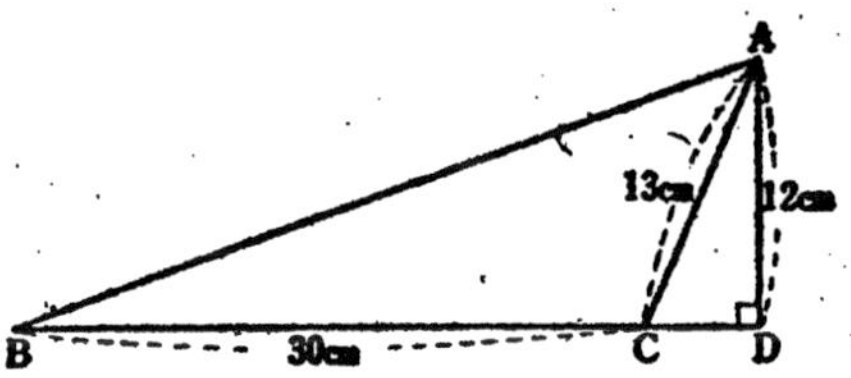

2　右の台形ABBCDの面積は，何平方センチメートルか。

ア　30ｃ㎡
イ　42ｃ㎡
ウ　54ｃ㎡
エ　84ｃ㎡

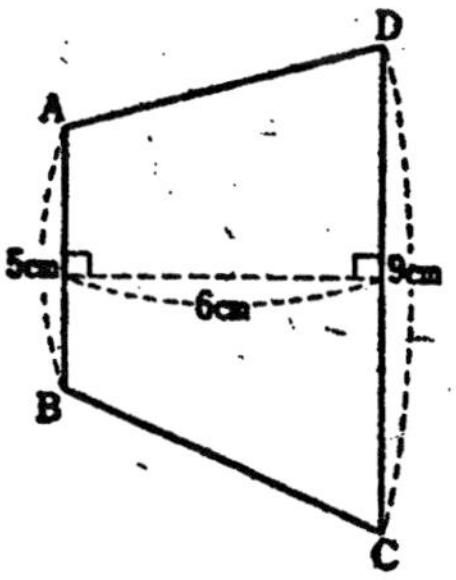

3　右の図形ＡＢＣＤＥＦＧＨの面積は，何平方センチメートルか。方眼のひと目盛りの長さは１ｃｍとする。

ア　25ｃｍ　イ　26ｃｍ
ウ　27ｃｍ　エ　44ｃｍ

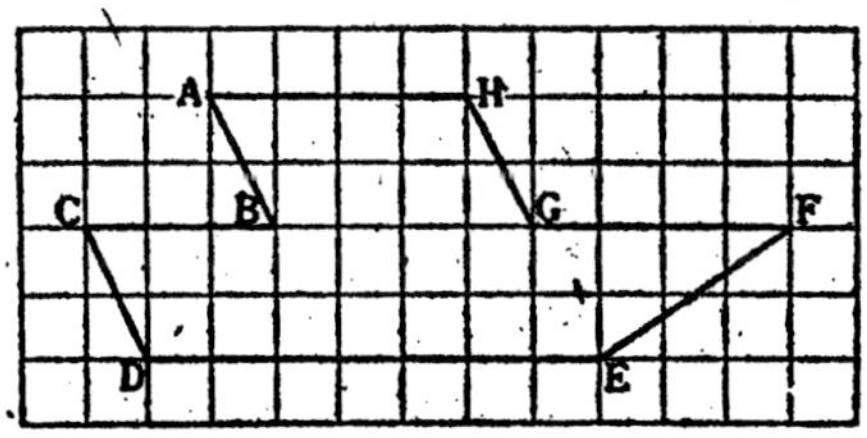

正答率	
本土	沖縄
75.7	56.6
64.2	42.6
78.1	57.3
61.0	41.2
45.1	37.1
68.2	48.2
65.8	41.0

正答率（本土　沖縄）

4　底面の直径が20 c mで高さが10 c mの，右の図のような円柱の体積は，何立方センチメートルか。円周率は3.14として計算せよ。

ア　314 c m　　イ　628 c m

ウ　3140 c m　　エ　12560 c m　51.0　30.0

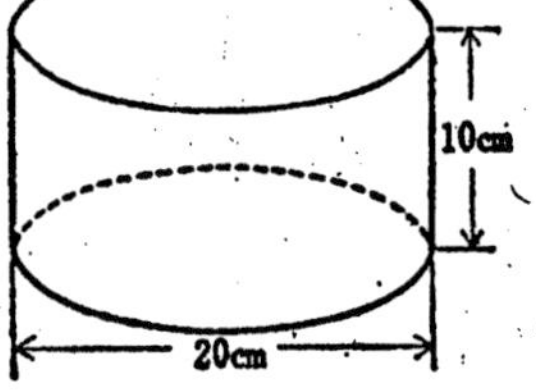

5　右の図のような立体（二つの直方体を重ねたもの）の体積は何立方センチメートルか。

ア　80 c m

イ　96 c m

ウ　128 c m　75.0　49.8

エ　16 c m

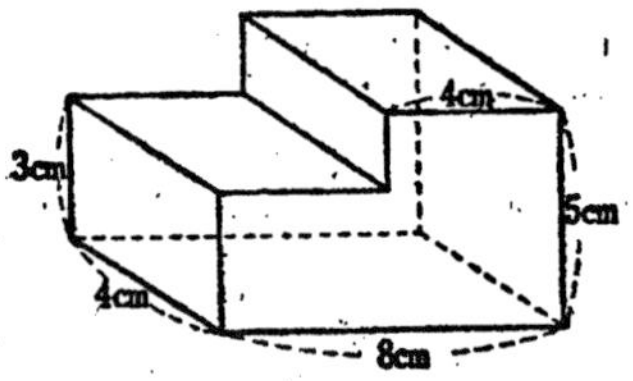

6　5人の生徒A，B，C，D，Eの身長を測りました。C君の身長150 c m を基準にして，これと他の生徒の身長との違いを示したものが下の表です。基準より大きい場合は正の数で小さい場合は負の数で表わしてあります。　77.8　53.8

生　　徒	A	B	C	D	E
高　低（cm）	＋2	－5	0	＋4	－1

次の1，2のそれぞれの問いの答をア，イ，ウ，エの中から一つずつ選んで，その記号を答のらんに書きなさい。

1　E君の身長はどれだけか。

ア　148 c m　　イ　149 c m　　ウ　150 c m　　エ　151 c m　85.0　63.3

2　D君の身長は，最も低い生徒よりどれだけ高いか。

ア　1 c m　　イ　4 c m　　ウ　5 c m　　エ　9 c m　70.5　44.2

7　次の1，2のそれぞれの値を計算し，答えをア，イ，ウ，エの中から一つずつ選んで，その記号を答のらんに書きなさい。　81.6　61.5

1　$x=2$，$y=3$，$z=4$のときのxyzの値。

ア　9　　イ　10　　ウ　14　　エ　24　82.5　64.6

2　$a=4$，$b=6$，$c=5$のときの$\frac{(a+b)c}{2}$の値。

ア　22　　イ　25　　ウ　27　　エ　50　80.6　58.4

8　次の1，2のそれぞれの問いの答えを，ア，イ，ウ，エの中から一つずつ選んで，その記号を答のらんに書きなさい。　54.4　39.6

1　$2x-3=9$のxの値を求めよ。

ア　3　　イ　6　　ウ　12　　エ　24　76.7　58.2

2　1本のひもがあった。そのひもから全体の長さの$\frac{3}{5}$よりも12 c m多く切り取ったら，残りは60 c mとなった。切り取る前のひもの長さをx c mとして，xについての式をつくれ。

ア　$\frac{3}{5}x+12=60$　32.0　21.0

イ　$x-\left(\frac{3}{5}-12\right)=60$

ウ　$x-\left(\frac{3}{5}x-12\right)=60$

エ　$x-\left(\frac{3}{5}x+12\right)=60$

正答率	
本土	沖縄
60.8	50.3

9　次の1，2の表は，伴って変わる二つの数量x，yの変化を示したものです。xとyとの関係は，1と2についてそれぞれ右のア，イ，ウの中のどれですか。その記号を答えのらんに書きなさい。

1

x	3	4	5	6	7	8	…
y	9	12	15	18	21	24	…

2

x	1	2	3	4	5	6	…
x	6	5	4	3	2	1	…

ア　比例（正比例）する。
イ　反比例する。
ウ　比例（正比例）も反比例もしない。

74.5　60.8

47.0　39.9

10　次の1，2のそれぞれの問いの答えは，ア，イ，ウ，エの中のどれですか。その記号を答えのらんに書きなさい。

55.1　42.7

1　三角形の面積が一定のとき，底辺と高さとの関係はどれか。
　ア　比例（正比例）する。
　イ　反比例する
　ウ　比例（正比例）も反比例もしない。

45.0　34.5

2　yがxに比例（正比例）していて，x＝2のときy＝6である。xが5になると，yはいくらになるか。
　ア　3　イ　9　ウ　15　エ　30

65.2　50.9

11　次のア，イ，ウのそれぞれの図と文は，角AOBの二等分線OPをかくために，点Pを求める方法を示したものです。OAの長さとOBの長さとは等しくないものとします。ア，イ，ウの中から正しいものを一つ選んで，その記号を答のらんに書きなさい。

ア
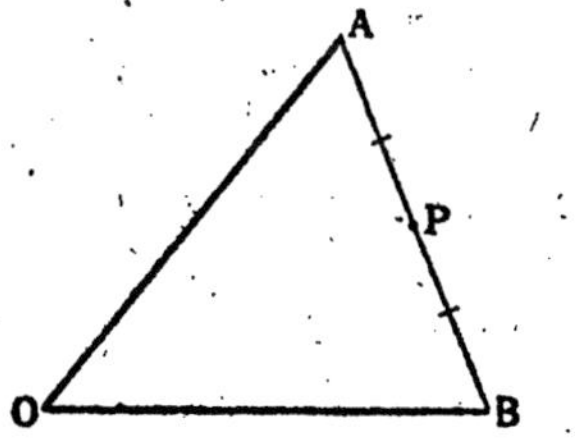

AとBを結び，ABの中点をPとする。

イ
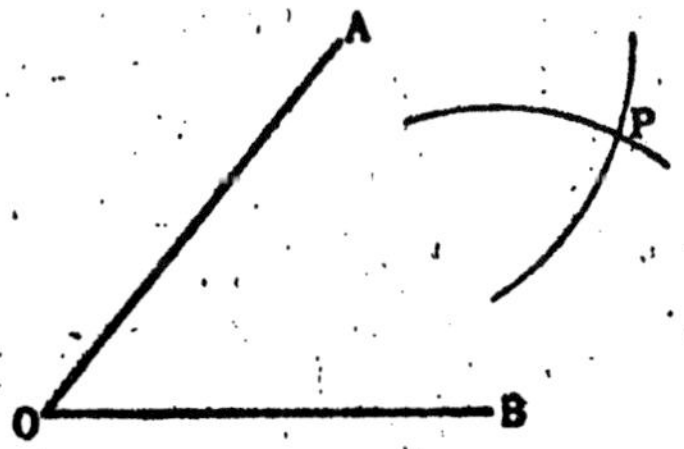

A，Bを中心として，等しい半径の円を二つかき，の交点をPとする。

76.0　65.0

正答率
本土　沖縄

ウ

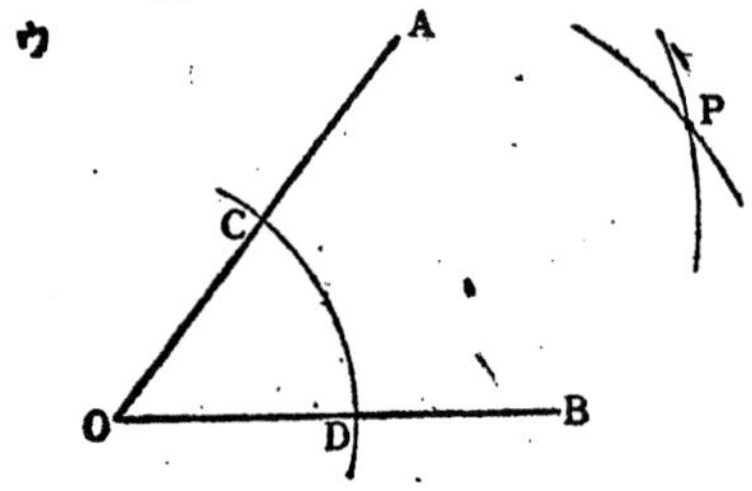

Oを中心として円をかきOA，OBとの交点をC，Dとする。C，Dを中心として等しい半径の円を二つかき，その交点をPとする。

12　マラソンのA選手は，42.2kmを2時間30分で走りました。また，B君は自分の家から4.1km離れているおじさんの家へ自転車で15分かかって行きました。

A選手とB君の自転車との1時間の平均の速さを比べると1時間につき何メートル違いますか。それに最も近いものをア，イ，ウ，エの中かな一つ選んで，その記号を答えのらんに書きなさい。　43.0　30.7

ア　300m　　イ　500m　　ウ　700m　　エ　900m

13　次の1，2のそれの問いの答えを，ア，イ，ウ，エの中から一つず選んでその記号を答えのらんに書きなさい。　62.0　47.1

1　二つの数12，30の最大公約数を求めよ。

ア　2　　イ　6　　ウ　60　　エ　360　　61.7　47.0

2　二つの数18，42の最小公倍数を求めよ。

ア　6　　イ　126　　ウ　252　　エ　756　　62.2　47.2

14　次の図は直方体の展開図で，面①，③，⑤，⑥には図のように対角線がひいてあります。　49.2　38.2

この展開図からつくった直方体について，次の1，2，3，4のそれぞれの問いの答えを，ア，イ，ウエの中から一つずつ選んで，その記号を答のらんに書き入れなさい。

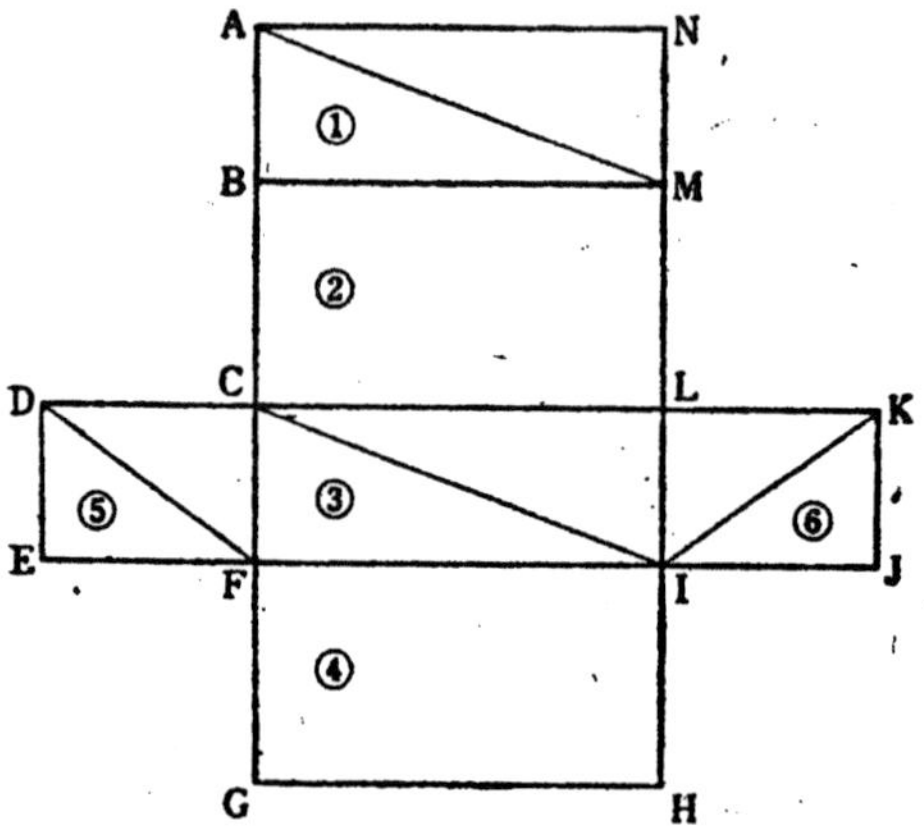

1　面②に平行な面はどれか。

ア　面②　　イ　面③　　ウ　面④　　エ　面⑤　　84.6　62.7

2　辺ABと垂直な面はどれか。

ア　面②と面④　　イ　面②と面⑤　　ウ　面③と面④　　エ　面④と面⑥　　45.0　35.0

3　DFとKIとは，どのような関係にあるか。

ア　平平行でさる。　　イ　垂直である。　　ウ　平行でも垂直でもない。　　48.1　35.2

4　AMとCIとは，どのような関係にあるか。

ア　交わる。　　イ　平行である。　　ウ　交わりもしないし，平行でもない。　　19.1　19.8

中学校第3学年数学

1 次の 1，2，3，4，5のそれぞれの式を計算し，答えをア，イ，ウ，エの中から一つずつ選んで，その記号を答えのらんに書きなさい。

1	$(-6)-(-4)$	ア -10	イ -2	ウ 2	エ 10
2	$(-7)\times(-5)$	ア -35	イ -12	ウ 2	エ 35
3	$\frac{3}{5}\div\left(-\frac{2}{3}\right)$	ア $-\frac{9}{10}$	イ $-\frac{2}{5}$	ウ $\frac{2}{5}$	エ $\frac{9}{10}$
4	$2\times(-4)-16\div(-8)$	ア -10	イ -6	ウ 6	エ 3
5	$-(-2)^3$	ア -8	イ -6	ウ 6	エ 8

2 次の 1，2 のそれぞれの問いの答えを，ア，イ，ウ，エの中から一つずつ選んで，その記号を答えのらんに書きなさい。

1 右の二つの数a，bの最小公倍数を求めよ。 $a=2^2\times3\times5$， $b=2\times3^2\times5$

ア 30 イ 60 ウ 180 エ 5400

2 二つの数40，64がある。そのどちらを割っても4余る数のうちで，最も大きい数を求めよ。

ア 6 イ 8 ウ 12 エ 18

3 次の 1，2，3のそれぞれの問いの答えを，ア，イ，ウ，エの中から一つずつ選んで，その記号を答えのらんに書きなさい。

1 水そうに水がaリットルはいっている。これに水を毎分bリットルずつ10分間入れたときの水そう中の水の量を式に表わせ。

ア $(a+10b)$ リットル　イ $10(a+b)$ リットル
ウ $10b$ リットル　エ $10ab$ リットル

2 ある学級で，遠足に参加した人はpで 参加しなかった人はq人であった。参加した人数の学級全員に対する割合を式に表わせ。

ア $\frac{q}{p}$ イ $\frac{p}{q}$ ウ $\frac{p}{p+q}$ エ $\frac{q}{p+q}$

3 $x=4$，$y=-3$ のとき， $2x-y^2$ の値を求めよ。

ア -1 イ 2 ウ 14 エ 17

4 次の 1，2 のそれぞれの問いの答えを，ア，イ，ウ，エの中から一つずつ選んで，その記号を答えのらんに書きなさい。

1 70mの1割4分は何メートルか。

ア 0.98m イ 9.8m ウ 50m エ 98m

正答率	本土	沖縄
1	73.6	58.7
①	76.0	64.6
②	85.6	73.9
③	74.2	57.6
④	65.4	47.9
⑤	66.6	49.7
2	56.2	35.7
⑥	50.8	28.0
⑦	61.5	43.4
3	60.5	44.3
⑧	63.1	44.5
⑨	58.9	45.0
⑩	59.6	43.3
4	61.3	44.1
⑪	68.2	49.7

正答率	
本土	沖縄

2　ある町の選挙で，投票率はちょうど８割で，投票者数は7232人であった。有権者は何人か。　⑫ 54.3　38.5

ア　904人　　イ　5786人　　ウ　9040人　　エ　90400人

5　次の１，２，のそれぞれの問いの答えを，ア，イ，ウ，エ の中から一つずつ選んで，その記号を答えのらんに書きなさい。　53.2　36.5

1　底面の直径が20cmで高さが12cmの，右の図のような円すいの体積は何立方センチメートルか。円周率は3.14として計算せよ。　⑬ 40.9　30.4

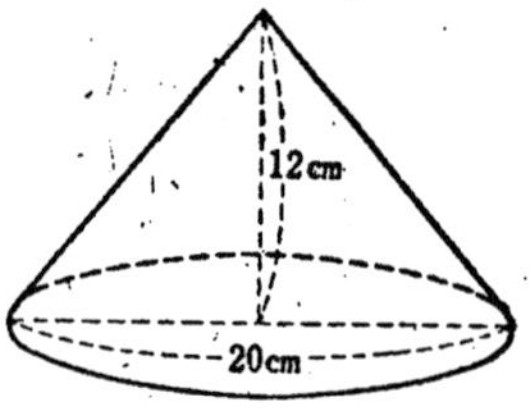

ア　1256c㎥　　イ　1884c㎥　　ウ　3768c㎥　　エ　5024c㎥

2　下の左の図のような長方形の紙ABCDのたての長さを８cm，横の長さを14cmとする。この紙を折って，右の図のように頂点Bが辺AD上にくるようにしたとき，図形AECDの面積は何平方センチメートルか。　⑭ 65.5　42.6

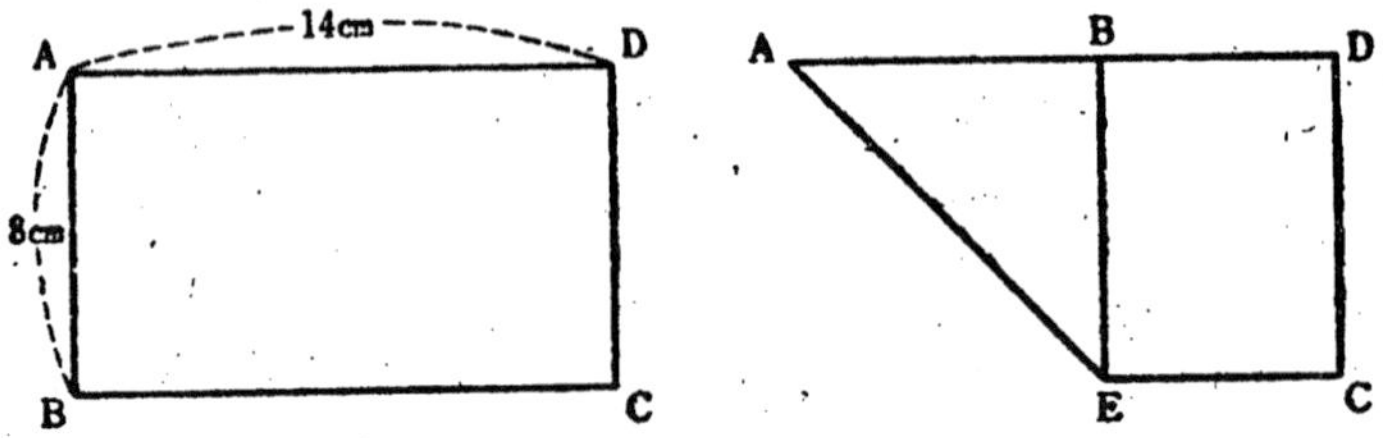

ア　48c㎡　　イ　80c㎡　　ウ　112c㎡　　エ　160c㎡

6　次の１，２，のそれぞれの問いの答えを，ア，イ，ウ，エ の中から一つずつ選んで，その記号を答えのらんに書きなさい。　64　44.4

1　右の三角形は下のどれか。　⑮ 65.8　46.8

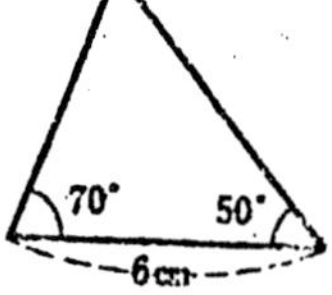

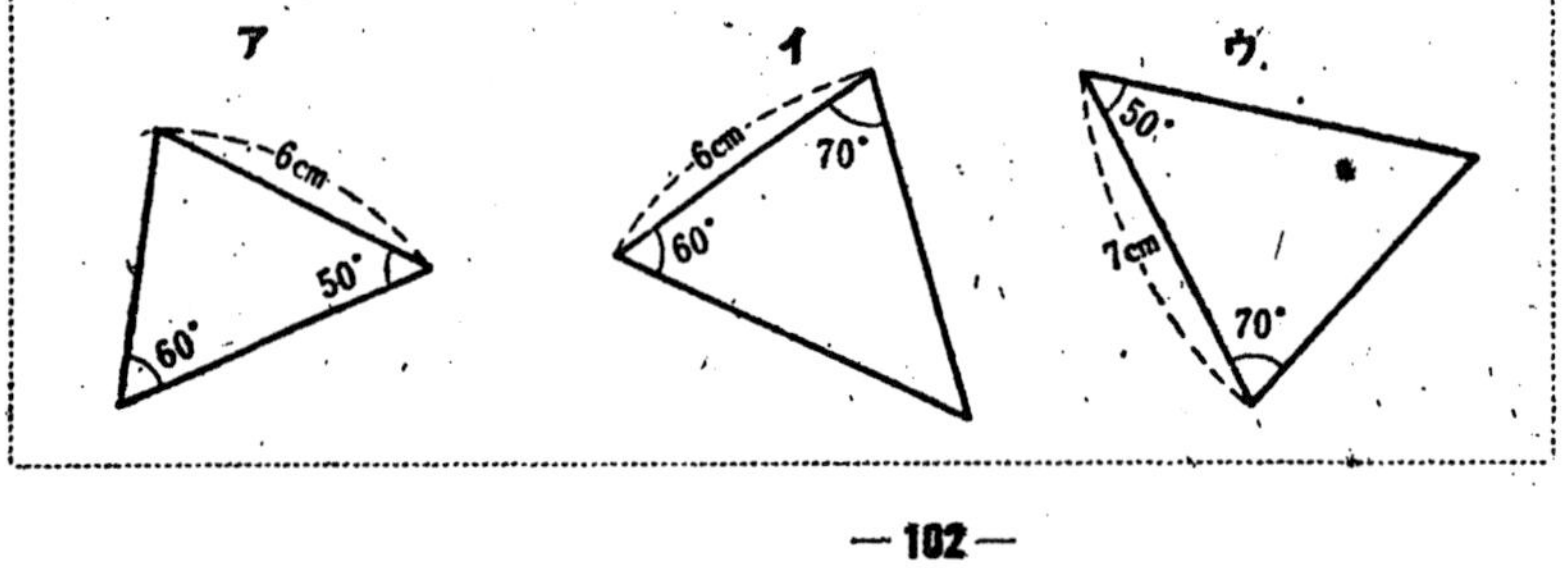

正答率	
本土	沖縄

2　右の三角形に相似な三角形は下のどれか。　⑯ 62.2　41.9

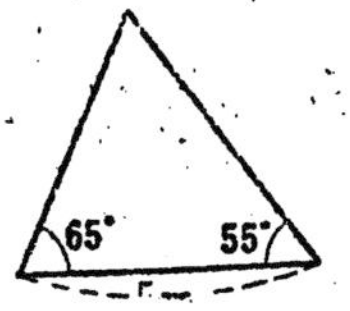

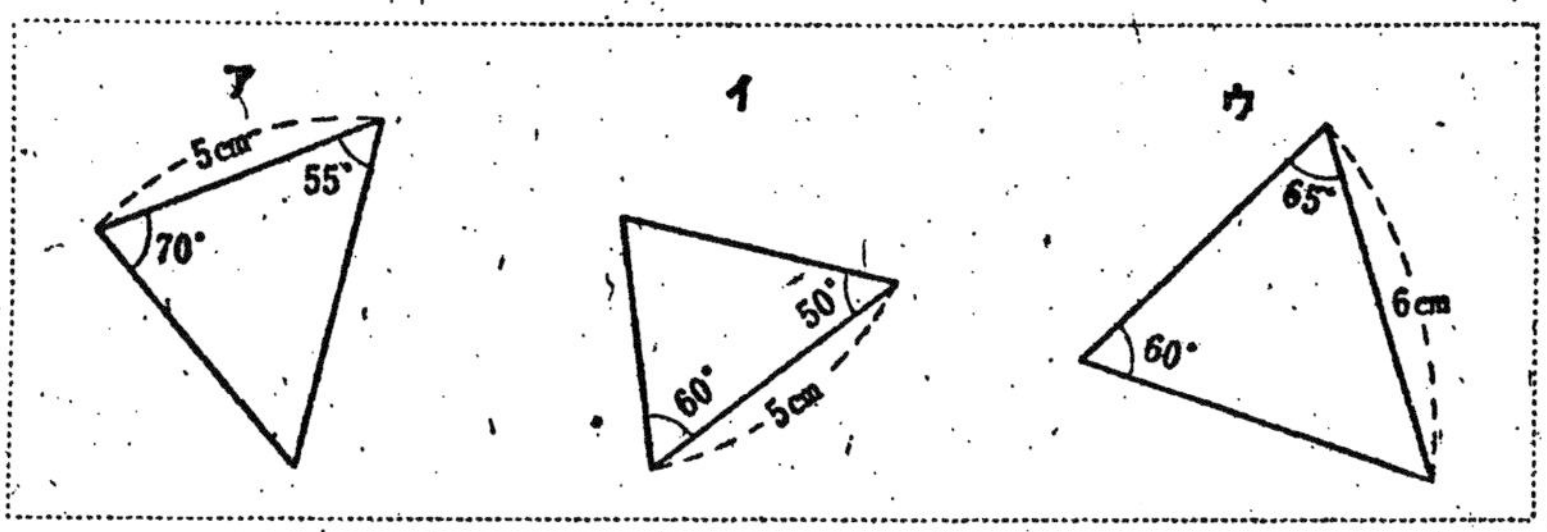

7　５人の生徒Ａ，Ｂ，Ｃ，Ｄ，Ｅが，１本の棒の長さをそれぞれ測りました。320cmを基準にして，これと５人の測定値との違いを示したものが下の表です。基準より大きい場合は正の数で，小さい場合は負の数で表わしてあります。　36.8　24.5

生徒	A	B	C	D	E
基準との比較 (cm)	－ 1.0	＋ 0.3	－ 0.1	＋ 0.7	－ 0.4

次の１，２のそれぞれの問いの答えを，ア，イ，ウ，エの中から一つずつ選んで，その記号を答えのらんに書きなさい。

1　５人の測定値のうちで，最も大きいものと最も小さいものとはいくら違うか。　⑰ 48.6　28.7

ア　0.3cm　　イ　0.8cm　　ウ　1.1cm　　エ　1.7cm

2　５人の測定値の平均は，320cmより何センチメートル小さいか。　⑱ 25.0　20.3

ア　0.1cm　　イ　0.5cm　　ウ　1.0cm　　エ　2.5cm

8　次の１，２，３，４のそれぞれの式を計算し，答えをア，イ，ウ，エの中から一つずつ選んで，その記号を答えのらんに書きなさい。　67.5　51.7

1　$4a-6a$　　ア　$-2a$　イ　$2a$　ウ　-2　エ　2　⑲ 82.9　68.3

2　$(-x)^2\times x^3$　　ア　$-x^5$　イ　x^5　ウ　$-x^6$　エ　x^6　⑳ 58.0　43.7

3　$8b^6\div 2b^2$　　ア　12　イ　$4b^3$　ウ　$4b^4$　エ　$4b^8$　㉑ 70.9　56.8

4　$(2a^2+7a)-(a^2-3a)$　ア　$a^2=4a$　イ　$2+10a$　ウ　$3a^2+4a$　エ　a^2+10a　㉒ 58.0　38.0

9　次の１，２，３，４のそれぞれの問いの答えを，ア，イ，ウ，エの中から一つずつ選んでその記号を答えのらんに書きなさい。　48.8　32.2

1　方程式　$16-5x=4$　の根を求めよ。　㉓ 64.3　48.3

ア　-4　　イ　$-2\frac{2}{5}$　　ウ　$2\frac{2}{5}$　　エ　4

正答率	本土	沖縄
	㉔ 27.9	16.5
	㉕ 66.8	46.2
	㉖ 36.3	17.9
10	45.1	29.8
	㉗ 44.1	27.1
	㉘ 56.8	38.4
	㉙ 34.5	23.9

2 兄弟ふたりがA，B両地間を，兄は毎時5 km，弟は毎時3 kmの速さで歩いたところ，弟は兄より2時間多くかかった。A，B 両地間の距離を x kmとして，x についての方程式をつくれ。

ア $5x-3x=2$　　イ $\frac{x}{3}-\frac{x}{5}=2$

ウ $\frac{x}{5}-\frac{x}{3}=2$　　エ $\frac{x}{5-3}=2$

3 連立方程式 $\begin{cases} 3x+y=2 \\ x-2y=10 \end{cases}$ の根を求めよ。

ア $\begin{cases} x=-4 \\ y=2 \end{cases}$　イ $\begin{cases} x=4 \\ y=-2 \end{cases}$　ウ $\begin{cases} x=-2 \\ y=4 \end{cases}$　エ $\begin{cases} x=2 \\ y=-4 \end{cases}$

4 修学旅行の費用ひとり分1720円を，おつりはあとで渡すことにして集めた。1800円を出した人と2000円を出した人が合わせて18人いた。この18人に払うおつりの総額は2640円であった。1800円を出した人数を x 人，2000円を出した人数を y 人として，x と y についての方程式をつくれ。

ア $\begin{cases} x+y=18 \\ 1720\ (x+y)\ =2640 \end{cases}$　イ $\begin{cases} x+y=18 \\ 1800x+2000y=2640 \end{cases}$

ウ $\begin{cases} x+y=18 \\ 280x+80y=2640 \end{cases}$　エ $\begin{cases} x+y=18 \\ 80x+280y=2640 \end{cases}$

10 次の図で，ABとBCは垂直で，ABの長さは4 cmです。点PがBC上をBからCに向かって動きます。BPの長さは x cmとしたときの三角形ABPの面積を y c㎡とします。次の1，2，3 のそれぞれの問いの答えを，ア，イ，ウ，エの中から一つずつ選んで，その記号を答えのらんに書きなさい。

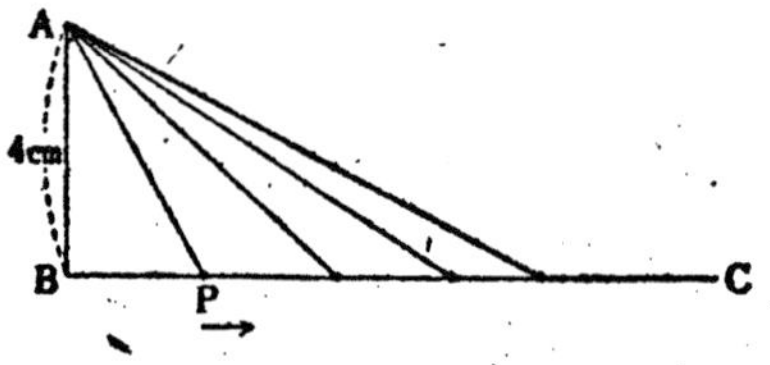

1 y と x との関係を式で表わせ。

ア $y=\frac{1}{2}x$　　イ $y=2x$　　ウ $y=3x$　　エ $y=4x$

2 y と x との関係はどれか。

ア 比例（正比例）する。 イ 反比例する。 ウ 比例（正比例）も反比例もしない。

3 BPが長くなればAPも長くなるが，BPの長さとAPの長さとの関係はどれか。

ア 比例（正比例）する。 イ 反比例する。 ウ 比例（正比例）も反比例もしない。

正答率	
本土	沖縄
49.2	36.8
㉚ 73.8	55.6
㉛ 32.7	25.6
㉜ 41.2	29.3
54.4	44.1
㉝ 81.9	65.7
㉞ 26.8	22.6

11 下の直線のグラフについて，次の1，2，3のそれぞれの問いの答えを，ア，イ，ウ，エの中から一つ選んで，その記号を答えのらんに書きなさい。

1 点Pの座標を求めよ。

ア (−2，−3)

イ (−2，3)

ウ (2，3)

エ (3，−2)

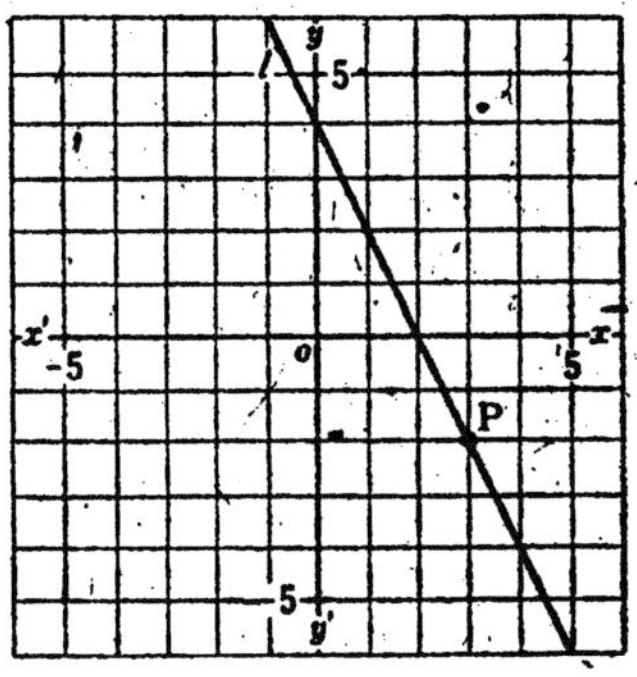

2 直線Lのグラフで，xが1だけ増すごとに，yはどのように変化するか。

ア 2ずつ増す。 イ 2ずつ減る。 ウ $\frac{1}{2}$ずつ増す。 エ $\frac{1}{2}$ずつ減る。

3 直線Lをグラフとする式を求めよ。

ア $y=\frac{1}{2}x+4$ イ $y=-\frac{1}{2}x+4$ ウ $y=2x+4$ エ $y=-2x+4$

12 次の1，2のそれぞれの問いの答えを，ア，イ，ウ，エの中から一つずつ選んで，その記号を答えのらんに書きなさい。

1 右の四角形の$x°$は何度か。

ア 80°

イ 90°

ウ 100°

エ 110°

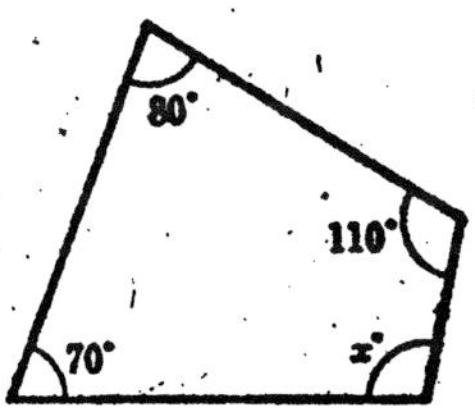

2 右の図で，∠A=75°，∠=B=29°∠∠APB=76°，∠D=29°，CP=CQ，ER=EFである。これらのことから，どの二つの直線が平行であるといえるか。

ア ABとCD

イ CBとED

ウ CDとEF

エ ABとEF

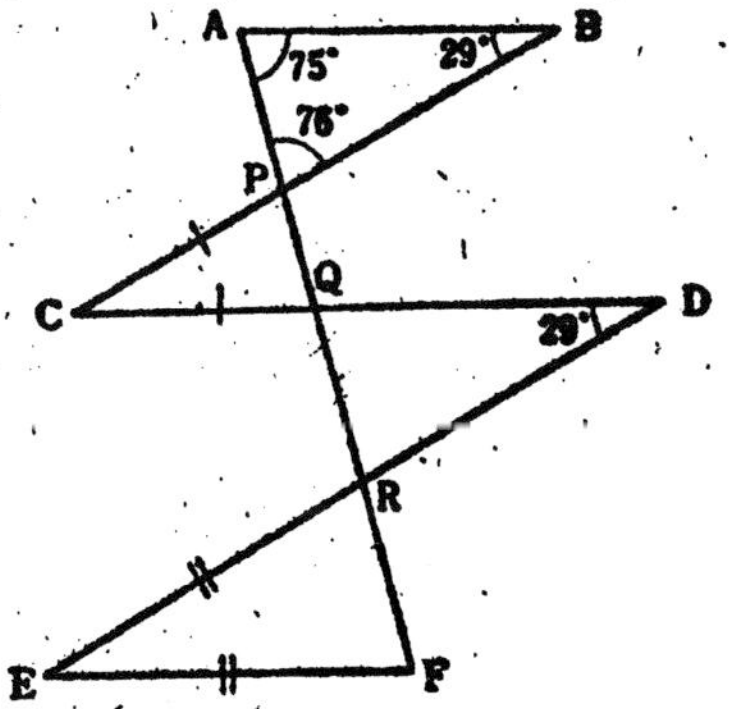

13 右の図の正三角形ABCで，$AD=\frac{2}{5}AB$，$BE=\frac{2}{5}BC$，$CF=\frac{2}{5}CA$となっています。

次の1，2のそれぞれの問いの答えをア，イ，ウ，エの中から一つずつ選んで，その記号を答えのらんに書きなさい。

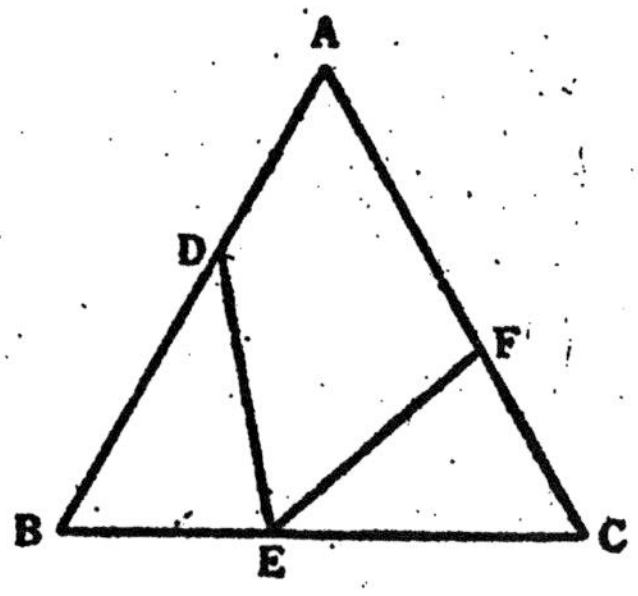

1 三角形BEDと三角形CFEとが合同であることを説明するのに，次の合同の条件のうち，どれを用いるか。

ア 一つの辺とその両はしの角がそれぞれ等しい。

イ 二つの辺とそのあいだの角がそれぞれ等しい。

ウ 三つの辺がそれぞれ等しい。

2 角BEDに等しい角はどれか。

ア 角DEF　　イ 角BAC　　ウ 角CFE　　エ 角EFA

14 右の図について，次の1，2のそれぞれの問いの答えを，ア，イ，ウ，エの中から一つずつ選んで，その記号を答えのらんに書きなさい。

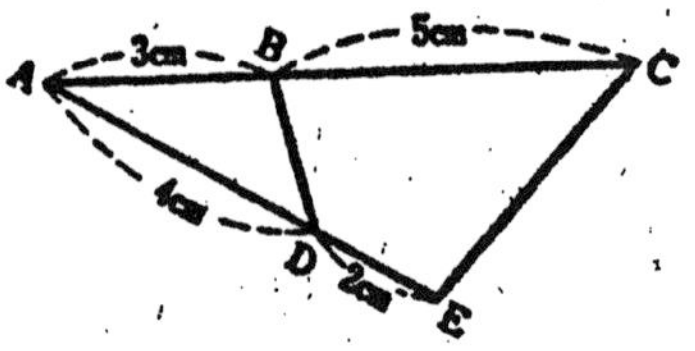

1 三角形ABDと三角形AECとが相似であることを説明するのに，次の相似の条件のうち，どれを用いるか。

ア 二つの角がそれぞれ等しい。

イ 二つの辺の長さの比とそのあいだの角がそれぞれ等しい。

ウ 三つの辺の長さの比が等しい。

2 三角形AECの面積は，三角形ABDの面積の何倍か。

ア 2倍　　イ $\frac{9}{4}$倍　　ウ 3倍　　エ 4倍

15 次の図のように，池をはさんだ二地点A，B間の距離を測ろうとして，C地点に平板をおき，AC，BCの距離を測ったら，それぞれ45m，63mでした。平板にCD=15cm，CE=21cmにとって，DEを測ったら25cmでした。二地点A，B間の距離を求めなさい。答えはア，イ，ウ，エの中から一つ選んで，その記号を答えのらんに書きなさい。

正答率	
本土	沖縄
66.2	50.7
㉟ 57.5	43.6
㊱ 74.8	57.9
51.4	37.5
㊲ 67.8	55.3
㊳ 34.9	19.7
㊴ 74.3	55.3

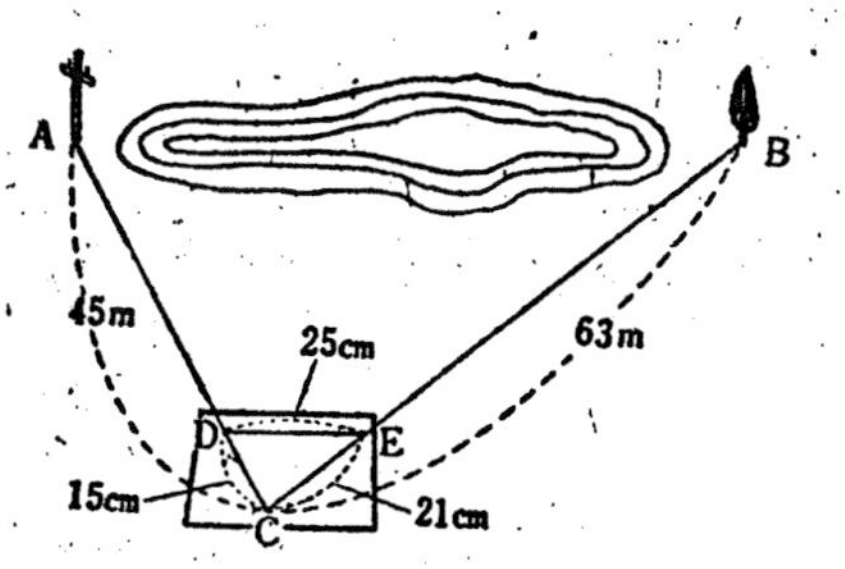

ア　25m　　イ　50m　　ウ　75m　　エ　100m

正答率	
本土	沖縄
㊵ 29.3	16.9

16　長方形の土地のたてと横の長さを測ったら，それぞれ42.2m，58.3mでした。この土地の面積を有効数字がわかるかき方で表わしなさい。

ただし，42.2×58.3=2460.26 です。答えをア，イ，ウ，エの中から一つ選んで，その記号を答えのらんに書きなさい。

ア　2460.26㎡　　イ　2460.3㎡　　ウ　2.460×10^3㎡　　エ　2.46×10^3㎡

中学校第2学年理科

昭和36年度全国中学校一せい学力調査問題

正答率	
本土	沖縄

1　下の図に示したアからクまでのものは，理科の実験によく用いられる器具です。これらの中から次の1，2，3，4の名まえのものをそれぞれ一つずつ選んで，その記号を答えのらんに書きなさい。　88.3　72.2

1　試験管立て　　2　上《うわ》ざらてんびん　　3　漏斗《ろうと》　　4　ビーカー

①　95.6　84.9
②　92.8　78.1
③　75.6　53.6
④　89.2　72.3

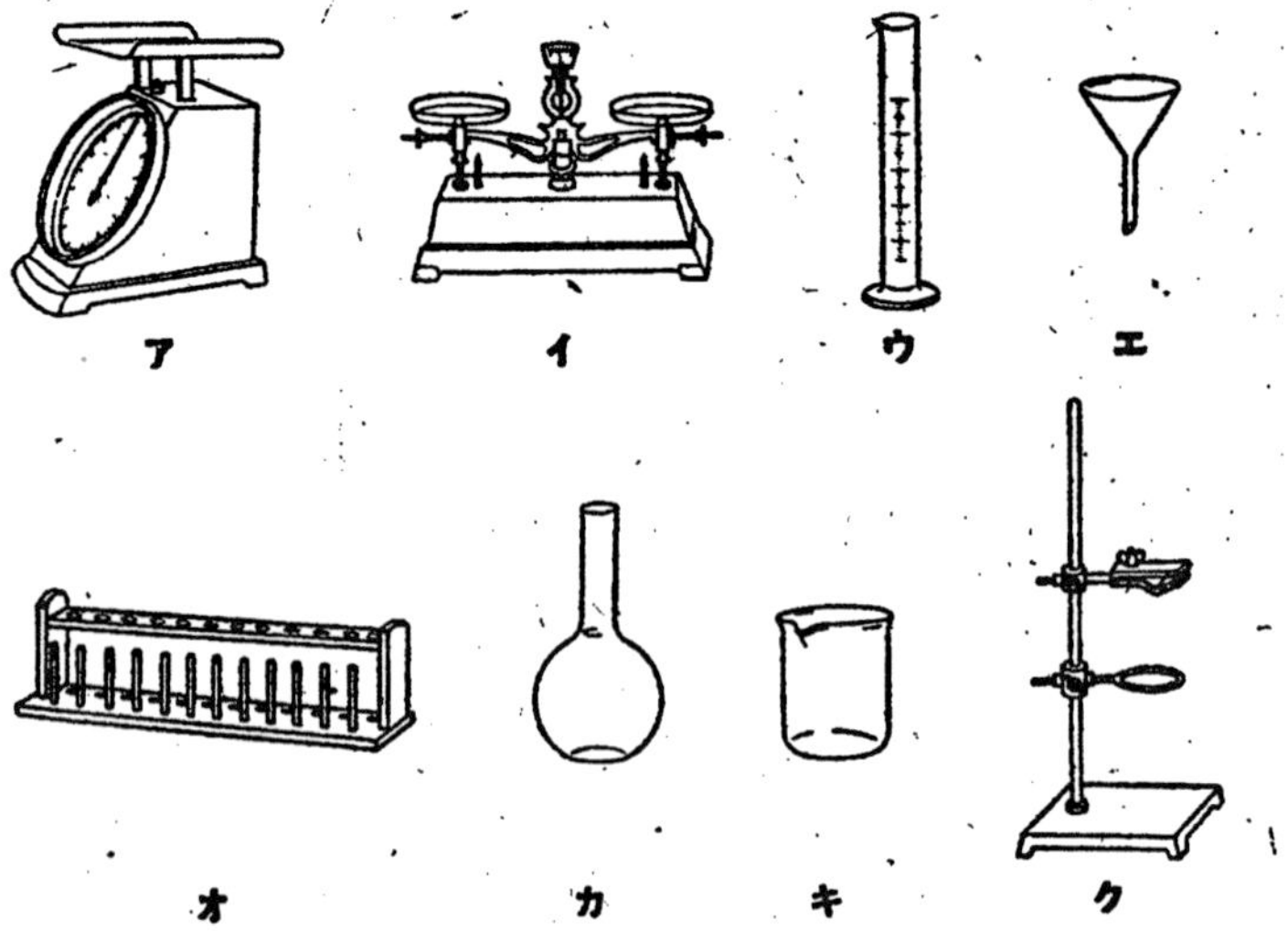

2　次の表は，ダイコンのかわいた種子を用いて，いろいろな条件で発芽するかどうかを調べたときの記録です。この表をもとにして，1，2のそれぞれの問いの答えを，下のア，イ，ウ，エの中から一つずつ選んで，その記号を答えのらんに書きなさい。（次の表の「シャーレ」とは，ガラスのさらのことです。）　75.0　60.3

実験	容器	種子をおいた状態	温度	結果
(a)	シャーレ	しめったわたの上におく	20 °C	発芽した
(b)	シャーレ	かわいたわたの上におく	20 °C	発芽しない
(c)	広口びん	水の底に沈めておく	20 °C	発芽しない

1　実験（b）で発芽しない理由は何か。　⑤　90.3　74.8

2　実験（c）で発芽しない理由は何か。　⑥　59.6　45.8

ア　温度が低いから　　イ　空気が不足しているから
ウ　光があたらないから　　エ　しめりけがないから

3　下の表は，ホウ酸や食塩などが，ある温度で100gの水にどれだけ溶けるかを，重さ(g)　46.4　63.4

物質＼温度	0 °C	20°C	40°C	60°C	80°C	100°C
ア ホウ酸	2.6g	4.8g	8.0g	12.9g	19.1g	28.7g
イ 食塩（塩化ナトリウム）	35.5〃	35.9〃	36.4〃	37.0〃	38.0〃	39.2〃
ウ 消石灰（水酸化カルシウム）	0.18〃	0.16〃	0.14〃	0.12〃	0.09〃	0.08〃
エ ミョウバン	3.0〃	5.9〃	11.8〃	24.5〃	54.7〃	15.4〃

（昭和36年理科年表による。）

で表わしたものです。この表を見て，次の１，２，３のそれぞれの問いに答えなさい。答えは記号で答えのらんに一つずつ書きなさい。

正答率	
本土	沖縄

1　温度が高くなるにしたがって，溶ける量の増加する割合が最も大きいのは，どの物質か。上の表のア，イ，ウ，エの中から選べ。

2　表にある４種類の物質をそれぞれ30gとり，別々に60°Cの水100gに入れてよくかきまぜたとき，残らず溶けてしまうのは，どの物質か。上の表のア，イ，ウ，エの中から選べ。　47.3　31.7　⑦

3　次のようにして，水にホウ酸を入れてA液，B液をつくった。A液に溶けているホウ酸量は，B液に溶けている量に比べてどうか。下のア，イ，ウの中から選べ。　⑧　28.5　25.2

> A液：20°Cの水 100gにホウ酸10gを入れて，よくかきまぜてつくった液（溶液の温度は20°C）
> B液：20°Cの水 100gにホウ酸15gを入れて，よくかきまぜてつくった液（溶液の温度は20°C）

ア　A液に溶けている量は，B液に溶けている量より多い。
イ　A液に溶けている量は，B液に溶けている量より少ない。
ウ　A液に溶けている量は，B液に溶けている量と等しい。

4　セキツイ動物は五つの種類に大別できます。下の表は，この５種類のセキツイ動物の親の特徴の一部を示したものです。次の１，２の動物は，この表のどの種類にあたりますか。アからオまでの中から一つずつ選んで，その記号を答えのらんに書きなさい。　77.9　66.5

1　ニワトリ　⑨　71.5　63.9
2　カエル　⑩　84.2　69.2

種類	体温	卵・胎《だい》生	呼吸器
ア	恒《こう》温（定温）	胎生	肺
イ	恒温（定温）	陸上に卵をうむ	肺
ウ	変温	陸上に卵をうむ	肺
エ	変温	水中に卵をうむ	肺・ひふ
オ	変温	水中に卵をうむ	えら

5　次の１，２，３のそれぞれの問いの答えを，ア，イ，ウ，エの中から一つずつ選んで，その記号を答えのらんに書きなさい。　51.9　34.1

1　次の中で，青色リトマス試験紙を赤色に変えるものはどれか。
ア　蒸留《じょうりゅう》水　**イ**　食塩水　**ウ**　水酸化ナトリウム（カセイソーダ）水溶液
エ　うすい硫《りゅう》酸　⑪　42.7　24.9

2　次の中で，おもに水の表面張力によって起こる現象はどれか。
ア　水が高い所から低い所へ流れる。
イ　容器の中の水の表面が水平になる。
ウ　水滴が球状になる。
エ　船が水に浮く。　⑫　51.7　30.9

3　次の中で，おもに毛管現象によって起こる現象はどれか。
ア　スポイトで水が吸い上げられる。
イ　吸取り紙でインキが吸いとられる。
ウ　ポンプで水が吸い上げられる。　⑭　61.2　46.4
エ　噴水の水が上がる。

6　次の図は，ある川がA（山）からB，C，Dと流れてE（海）に注ぐ経路を，模式的に　50.5　39.8

示した断面図です。下の文の①から⑤までのそれぞれにあてはまる最も適当なものを，下の**ア**から**キ**までの中から一つずつ選んで，その記号を答えのらんに書きなさい。

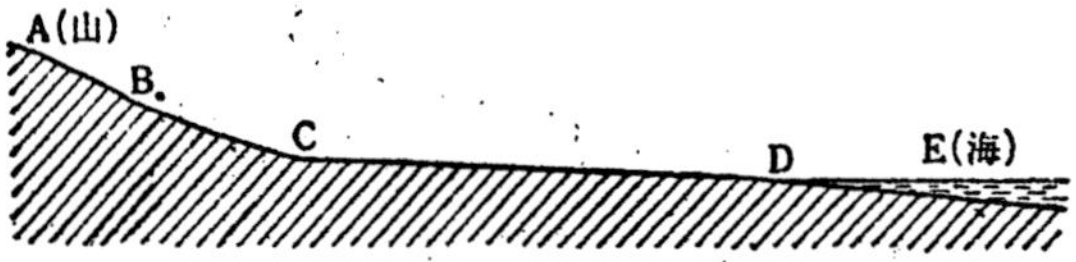

Bでは川の流れが急で①作用が大きく行なわれるので，②ができることが多く，Cの地点のように流れが急にゆるやかになる所では，運ばれてきた土や砂は③して，④ができることがある。また，川がゆるやかにE（海）に注ぐD（川口）では，⑤ができることがある。

ア 運ぱん	**イ** 浸《しん》食《しょく》	**ウ** たい積	**エ** V字形の谷
オ 三角州《す》	**カ** 砂　州	**キ** 扇《せん》状地	

7 底面積が20c㎡と100c㎡の二つの円筒形の容器A，Bは，第1図のように管Cでつながれており，水が入れてあります。これについて次の1,2,3 のそれぞれの問いに答えなさい。答えは**ア**，**イ**，**ウ**，**エ**の中から一つずつ選んで，その号記を答えのらんに書きなさい。

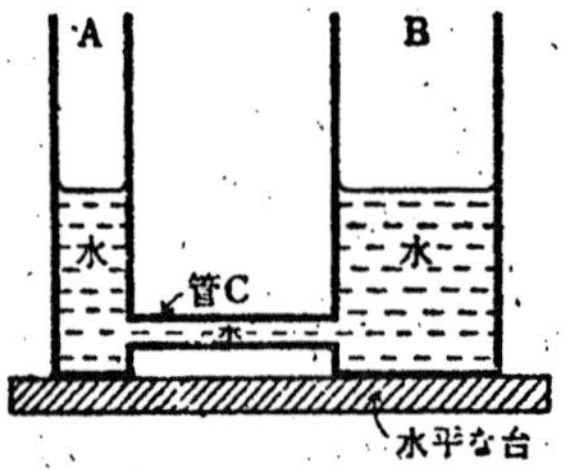

第1図

1　Bの底面における水の圧力の強さは，Aの底面における水の圧力の強さに比べてどうか。

ア　Aの場合より大きい。
イ　Aの場合より小さい
ウ　Aの場合と同じ

2　A，Bの円筒に第2図のようにピストンをはめ，Aのピストンを動かすとき，Bのピストンが動く距離は，Aのピストンが動く距離に比べてどうか。

ア　Aの場合より大きい。
イ　Aの場合より小さい。
ウ　Aの場合と同じ。

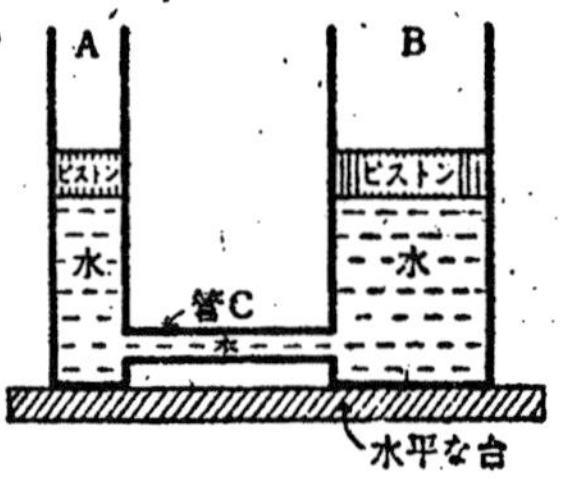

第2図

3　Aのピストンに 10kg のおもりをのせるとき，Bのピストンには何キログラムのおもりをのせれば同じ高さでつりあうか。（ただし，ピストンの重さやピストンと円筒とのまさつは，考えないものとする。）

ア　10kg　　**イ**　20kg　　**ウ**　50kg　　**エ**　100kg

8 次の1，2，3，4，5のそれぞれの問いの答えを，**ア**，**イ**，**ウ**，**エ**の中から一つずつ選んで，その記号を答えのらんに書きなさい。

1　頭，胸，腹の三つの部分が，はっきり区別できるものはどれか。

ア　クモ　　**イ**　ザリガニ　　**ウ**　セミ　　**エ**　ムカデ

2　おもに暖かい海流にすむ魚はどれか。

ア　ニシン　　**イ**　マグロ　　**ウ**　サケ　　**エ**　タラ

3　葉緑素（クロロフイル）のない植物はどれか。

ア　アオノリ　　**イ**　スギナ　　**ウ**　クロマツ　　**エ**　コウジカビ

4　種子をつくらないで，胞《ほう》子でふえる植物はどれか。

正答率

	本土	沖縄
⑮	44.0	40.0
⑯		
	54.0	36.0
⑰	54.8	47.3
⑱	46.1	35.5
⑲	53.7	40.3
	42.8	31.1
⑳	35.3	33.5
	52.3	38.7
㉑		
	40.9	21.2
㉒		
	53.5	46.5
㉓	54.8	39.1
㉔	61.8	55.5
㉕	57.9	47.6

正答率（本土　沖縄）

ア スギナ　　**イ** マツ　　**ウ** カエデ　　**エ** ジャガイモ

5　次の組になっている2種の生物で，共生の関係にあるものはどれか。㉖　41.3　24.9

ア キクとアブラムシ（アリマキ）　　**イ** アリとアリジゴク

ウ ダイズと根りゆう細菌（根りゆうバクテリア）　　**エ** イネとイナゴ　㉗　52.3　45.6

9 次の文を読み，1，2，3 のそれぞれについて，｛　｝でくくった**ア**，**イ**，**ウ**，**エ**の中から，正しいものを一つずつ選んで，その記号を答えのらんに書きなさい。　48.7　39.3

つぶの大きな，種類の違ういくつかの鉱物からできている 1 ｛**ア** 石灰岩　**イ** かこう岩　**ウ** 凝《ぎょう》灰岩　**エ** 安山岩｝のような ㉘　42.7　41.1

岩石は、地表で温度変化などによって長い間に鉱物の結びつきがゆるみ、2 ｛**ア** タマネギのようにはがれて　**イ** 大きくわれて　**ウ** ぼろぼろに　**エ** 水に溶けて｝㉙　54.9　34.7

こわれていくことが多い。このように、岩石がしだいに土に変わっていく現象を 3 ｛**ア** 浸食《しんしょく》　**イ** 溶解　**ウ** 風化　**エ** たい積｝　48.4　42.2

という。㉚

10 次の1，2，3，4のそれぞれの問いの答えを，下の**ア**，**イ**，**ウ**，**エ**の物質の中から一つずつ選んで，その記号を答えのらんに書きなさい。（同じ物質を2度選んでもよい。）　42.5　31.2

1　炭素が空気中で燃えるとき，できる気体は何か。㉛　62.9　45.9

2　亜鉛《あえん》にうすい硫酸《りゆう》を注ぐとき，出る気体は何か。㉜　38.0　23.7

3　下の第1図に示すような方法で捕集する気体は何か。㉝　25.6　21.8

4　下の第2図に示すような装置で水を電気分解するとき，試験管Aに集まる気体は何か。㉞　43.3　33.3

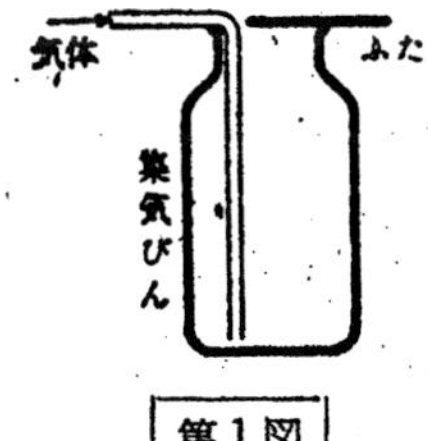

第1図

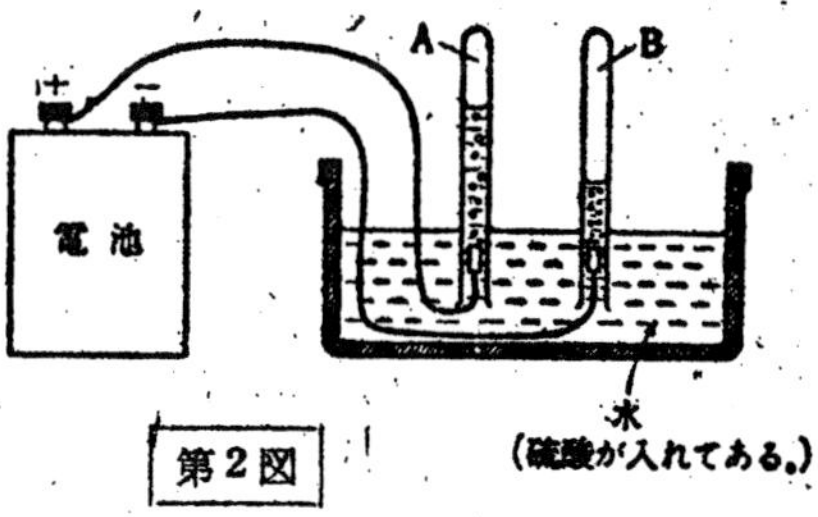

第2図

ア 酸素　**イ** 窒素《あつ》　**ウ** 水素　**エ** 二酸化炭素（炭酸ガス）

11 メスシリンダー（目盛り付き円筒）を使って，次の四つの実験を①，②，③，④の順に行ないました。これについて，下のⅠ，Ⅱの問いに答えなさい。　51.9　36.9

実験①　第1図のように，メスシリンダーに半分くらい水を入れたとき，水面のところの目盛りは100cm³であった。

実験②　第2図のように，コルクせんを水に浮かべたとき，水面のところの目盛りは104cm³

になった。

実験③ 第3図のように，コルクせんにおもりをつるし，おもりだけを水に沈めたとき，水面のところの目盛は110c㎥になった。

実験④ 第4図のように，コルクせんとおもりをいっしょに沈めたとき，水面のところの目盛りは126c㎥になった。

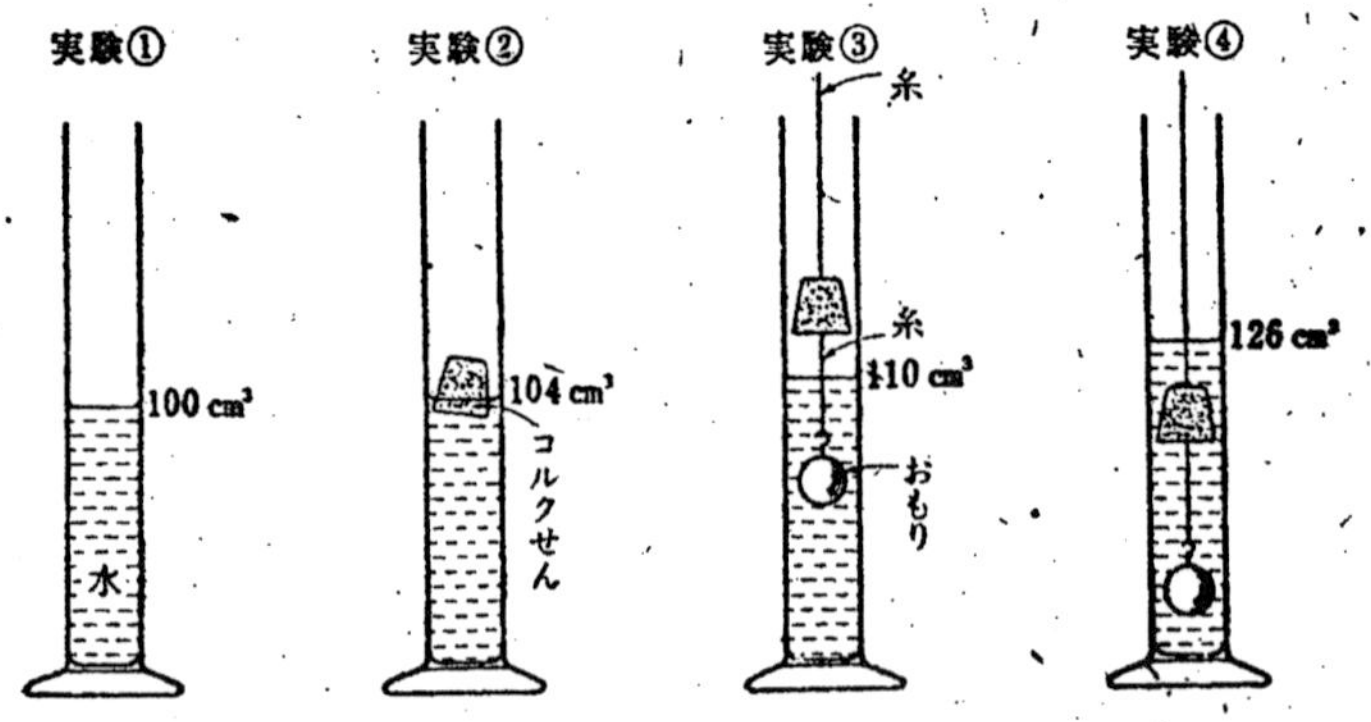

第1図　第2図　第3図　第4図

I　これらの実験のうちで，コルクせんの体積を求めるのに必要な実験を，ア，イ，ウ，エの中から一つ選んで，その記号を答えのらんに書きなさい。 ㉟

ア　実験②と実験③　イ　実験①と実験④　ウ　実験③と実験④　エ　実験①と実験③

II　これらの実験結果をもとにして，次の1，2の体積を求めると，それぞれいくらになりますか。答えを下のアからカまでの中からそれぞれ一つずつ選んで，その記号を答えのらんに書きなさい。

1　おもりの体積 ㊱

2　第2図で，コルクせんの空気中に出ている部分の体積 ㊲

ア　4c㎥	イ　6c㎥	ウ　10c㎥
エ　12c㎥	オ　16c㎥	カ　22c㎥

12　次のA群の1，2，3の花が咲く植物の葉を，B群のア，イ，ウ，エの中から，それぞれ一つずつ選んで，その記号を答えのらんに書きなさい。

A 群（花）

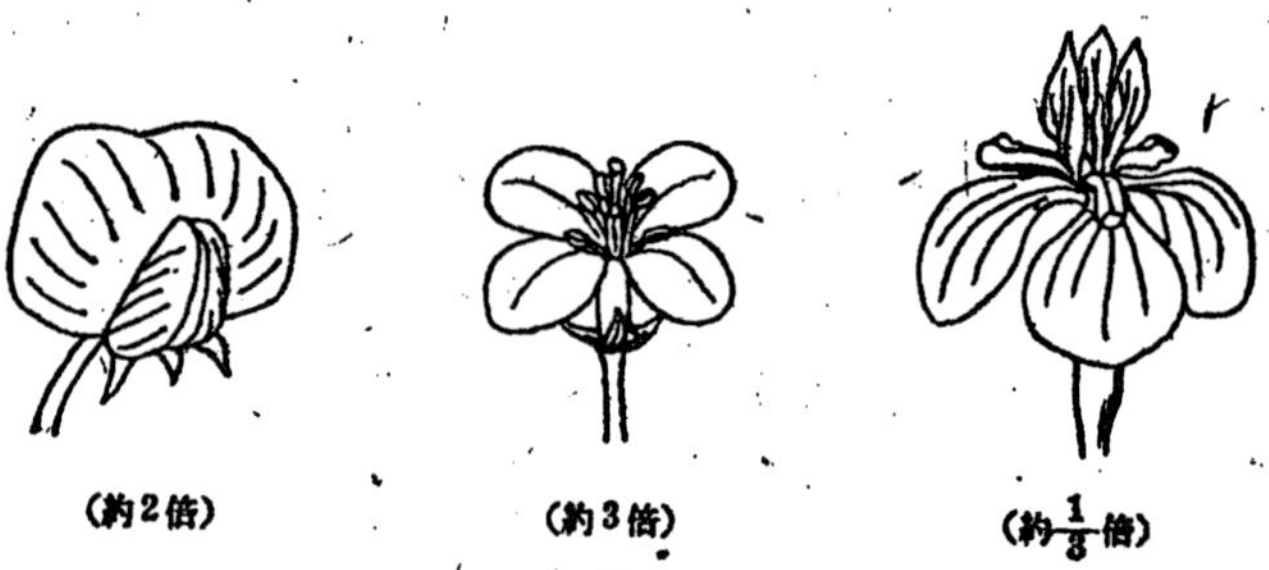

(約2倍)　(約3倍) 2　(約1/3倍) 3

㊳ ㊴ ㊵

正答率	本土	沖縄
㉟	56.3	42.7
㊱	59.3	42.4
㊲	40.1	25.5
12	75.0	44.7
㊳	73.4	49.0
㊴	68.3	37.5
㊵	83.3	4.76

B 群（葉）

（約$\frac{1}{3}$倍）

ア

（約$\frac{1}{4}$倍）

イ

（約$\frac{1}{3}$倍）

ウ

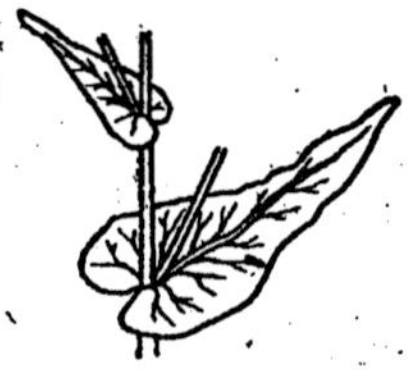

（約$\frac{1}{3}$倍）

エ

中学校第3学年理科

昭和36年度全国中学校一せい学力調査問題

問題	正答率 本土	正答率 沖縄
1	72.6	51.1
①	77.4	64.2
②	83.6	51.3
③	56.9	37.8
2	53.8	37.6
④	46.6	32.8
⑤	56.8	37.8
⑥	57.9	42.2
3	59.3	48.6
⑦	50.0	35.1
⑧	79.6	65.6
⑨	48.4	45.1

1 次の1，2，3のそれぞれにあてはまる量を，下のアからカまでの中から一つずつ選んで，その記号を答えのらんに書きなさい。

1 長さの単位の2乗で表わす量 ①

2 長さと時間の単位を用いて表わす量 ②

3 重さの単位を用いて表わす量 ③

ア 温度　イ 面積　ウ 体積　エ 速さ　オ 力の大きさ　カ 熱量

2 次の1，2，3のそれぞれの問いにあてはまる温度を，ア，イ，ウ，エの中から一つずつ選んで，その記号を答えのらんに書きなさい。（下の三つの場合，外部との熱の出入りはないものとします。）

1 第1図のように，20°Cの水 50c㎥をおよそ25c㎥ずつ2個の容器に分けたら，約何度になるか。 ④

ア 10°C　イ 12.5°C　ウ 20°C　エ 25°C

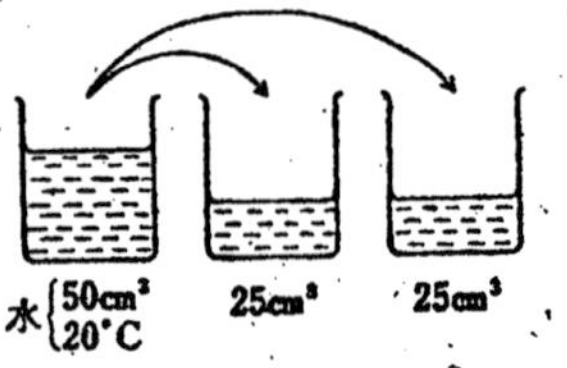

第1図

2 第2図のように，10°Cの水 25c㎥と，30°Cの水25c㎥を1個の容器に入れてかきまぜたら，約何度になるか。 ⑤

ア 10°C　イ 20°C　ウ 30°C　エ 40°C

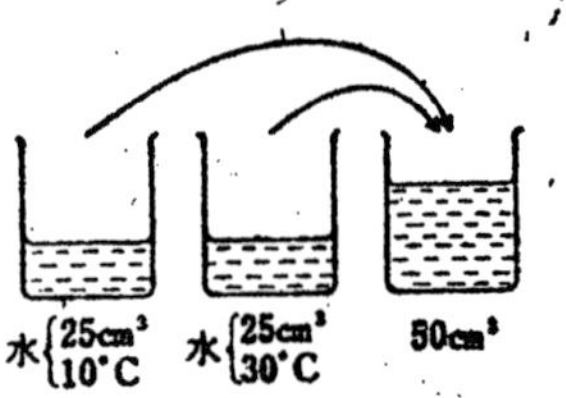

第2図

3 0°Cの氷10gに，ある温度の水40gを入れてかきまぜたところ，氷がすっかりとけて全部の温度が0°Cになった。最初の水の温度は約何度か。（ただし，氷1gがとけるのに8.カロリーの熱量を必要とする。） ⑥

ア 0°C　イ 2°C　ウ 20°C　エ 30°C

3 Ⅰ 人の内臓で，横かく膜の上方に位置している器官を，ア，イ，ウ，エの中から選んで，その記号を答えのらんに書きなさい。

ア 胃　イ 肝《かん》臓　ウ じん臓　エ 肺 ⑦

Ⅱ 次の模式図は，人の消化系を示したものです。図の1，2のそれぞれにあたる器官を，下のアからカまでの中から一つずつ選んで，その記号を答えのらんに書きなさい。 ⑧ ⑨

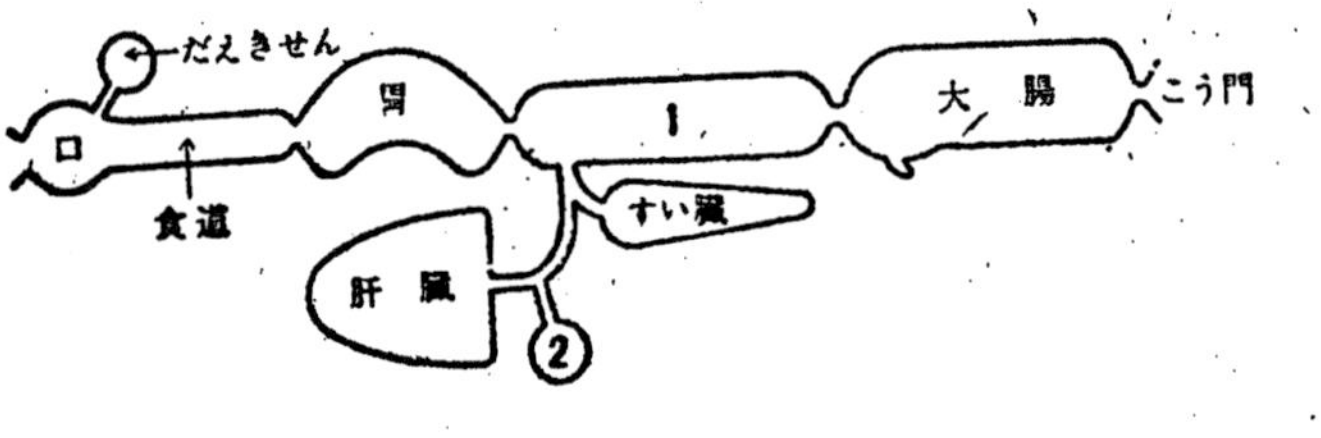

ア じん臓	**イ** ひ臓	**ウ** 小腸	**エ** 盲腸	**オ** たんのう	**カ** 肺

4 次の第1図は葉の表皮，第2図は葉の横断面を顕微鏡で見た図です。これらの図について，下の1，2のそれぞれの問いの答えを，第2図の**ア**，**イ**，**ウ**，**エ**の中から一つずつ選んで，その記号を答えのらんに書きなさい。

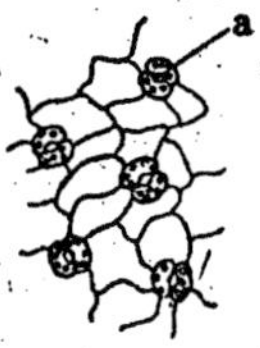

第1図

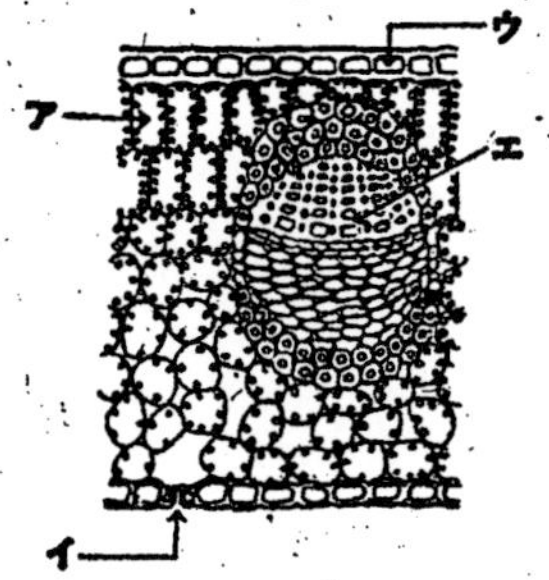

第2図

1　第1図中のaは，第2図の**ア**，**イ**，**ウ**，**エ**の中のどれにあたるか。 ⑩

2　葉のついた枝を，赤インキで着色した水にさしておき，あとで葉をうすく切って横断面を調べたところ，ある部分が特に赤く染まっていた。その部分は第2図の**ア**，**イ**，**ウ**，**エ**の中のどれにあたるか。 ⑪

5 次の1，2，3，4，5のそれぞれにあてはまる物質を，下の**ア**から**キ**までの中から一つずつ選んで，その記号を答えのらんに書きなさい。

1　1種類の元素からできていて，室温（常温）では気体となっている物質 ⑫

2　2種類の元素が化合してできていて，室温（常温）では液体となっている物質 ⑬

3　1種類の元素からできている物質が，2種類以上含まれている混合物 ⑭

4　炭素，水素，酸素だけを成分としている化合物 ⑮

5　窒《ちつ》素を成分の一つとしている化合物 ⑯

ア 二酸化炭素（炭酸ガス）	**イ** たんぱく質	**ウ** 酸素
エ 空気　**オ** 炭水化物	**カ** 炭素	**キ** 水

6 第1図，第2図を見て，次の1，2，3の問いに答えなさい。答えは，**ア**，**イ**，**ウ**，**エ**の中から一つずつ選んで，その記号を答えのらんに書きなさい。

1　第1図のA地点の風向は，次のどれか。 ⑰

ア 東　**イ** 西　**ウ** 南　**エ** 北

2　第1図のB付近の前線は，次のどれか。 ⑱

ア 温暖前線　**イ** 寒冷前線

ウ ていたい前線

3　第2図は，前線付近のようすを，模式的にかいたものである。第2図の**ア**，**イ**，**ウ**，**エ**の中で，第1図のC付近のようすを，東のほうからみて表わしたものはどれか。 ⑲

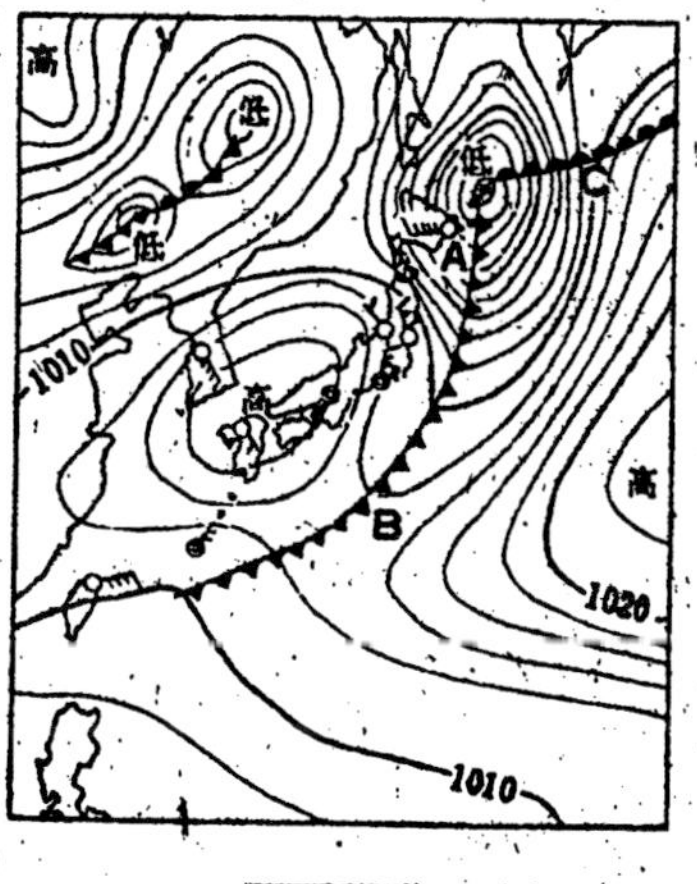

第1図

正答率		
	本土	沖縄
4	42.5	32.4
⑩	38.0	23.6
⑪	47.0	41.3
5	37.7	29.5
⑫	50.0	37.0
⑬	59.2	46.7
⑭	21.0	13.3
⑮	39.6	34.4
⑯	18.8	16.4
6	48.9	37.8
⑰	41.7	30.9
⑱	73.8	53.2
⑲	31.1	29.3

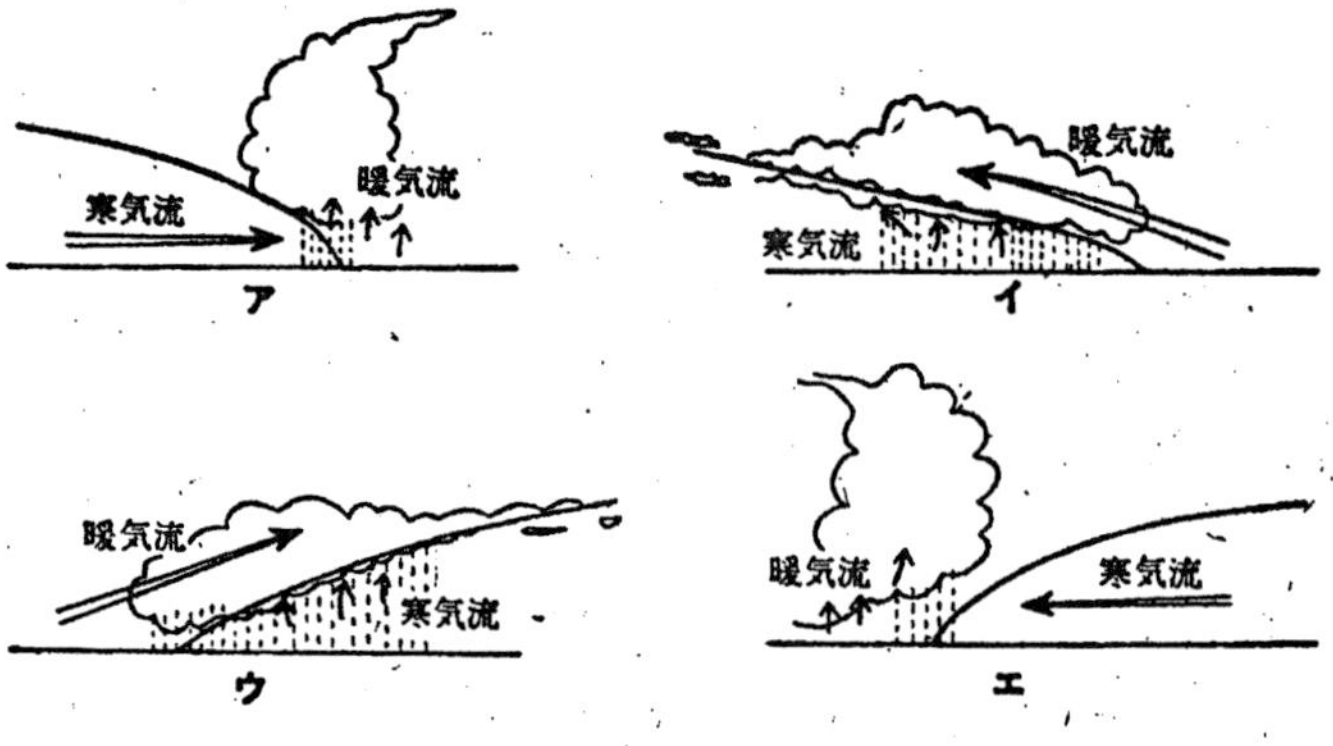

第2図

7 図のように，冷たい水を入れたフラスコの底にろうそくの炎をあてたら，細かい水滴がついてくもり，また黒くすすがつきました。次の1，2のそれぞれの問いの答えを，下の**ア**，**イ**，**ウ**，**エ**の中から一つずつ選んで，その記号を，答えのらんに書きなさい。

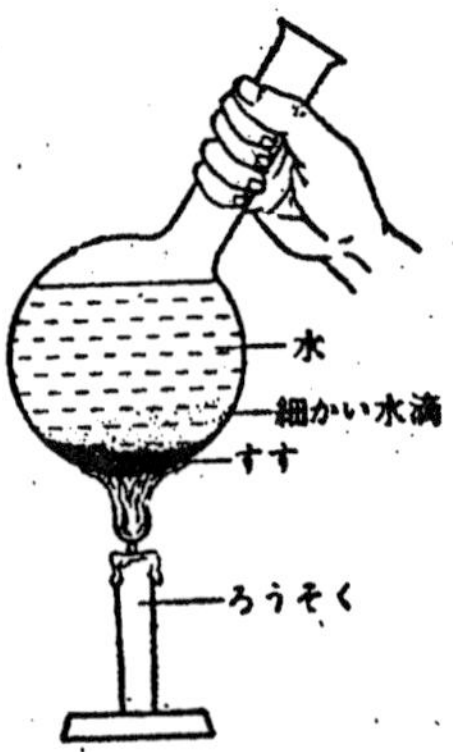

1 フラスコの底が細かい水滴でくもったのは，ろうそくのろうの成分として何が含まれているためか。 ⑳

2 黒くすすがついたのは，ろうそくのろうの成分として何が含まれているためか。 ㉑

ア 水素 **イ** 炭素 **ウ** イナウ **エ** 窒《ちつ》素

8 葉のふいりの部分は，白くなっていて葉緑素（クロロフイル）のないところです。ふいりのあるアサガオの葉に，朝早く暗いうちに第1図のように銀紙（アルミニウムのはく）をあてて，日光にさらしてから，午後3時ごろ葉をとりました。この葉の葉緑素をアルコールでぬいてからヨウ素溶液にひたしたところ，葉の一部が青黒く染まりました。この実験について次のⅠ，Ⅱの問いに答えなさい。

第1図 実験

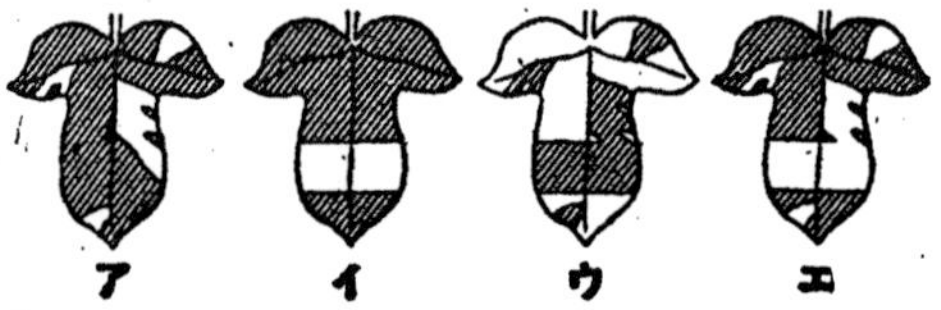

第2図 結果

Ⅰ 上の実験の結果どのように染まりましたか。第2図の**ア**，**イ**，**ウ**，**エ**の中から選びなさい。（染まった部分は，図では斜線で示してあります。） ㉒

Ⅱ 次の1、2のそれぞれの問いの答えを，下の**ア**から**オ**までの中から一つずつ選んで，その記号を答えのらんに書きなさい。

1 上の実験で，ふいりのある葉を用いたのは，何を調べるためか。 ㉓

2 上の実験で，銀紙で葉の一部に ㉔

ア 光合成（炭酸同化）には光が必要なこと。
イ 光合成には水が必要なこと。
ウ 光合成には二酸化炭素（炭酸ガス）が必要なこと。
エ 光合成には葉緑素が必要なこと。
オ 光合成の結果，酸素ができること。

正答率	本土	沖縄
⑳	59.6	44.7
㉑	51.2	38.9
	68.0	50.5
	58.2	42.0
㉒	60.4	49.7
㉓	54.7	34.7
㉔	59.5	41.7

おおいをしたのは，何を調べるためか。

9 電鈴A、Bと押しボタン①，②とを電池に図のようにつなぎました。次の1，2のそれぞれの問いの答えを，下のア，イ，ウ，の中から一つずつ選んで，その記号を答えのらんに書きなさい。

1 押しボタン①だけを押したらどうなるか。
2 押しボタン②だけを押したらどうなるか。

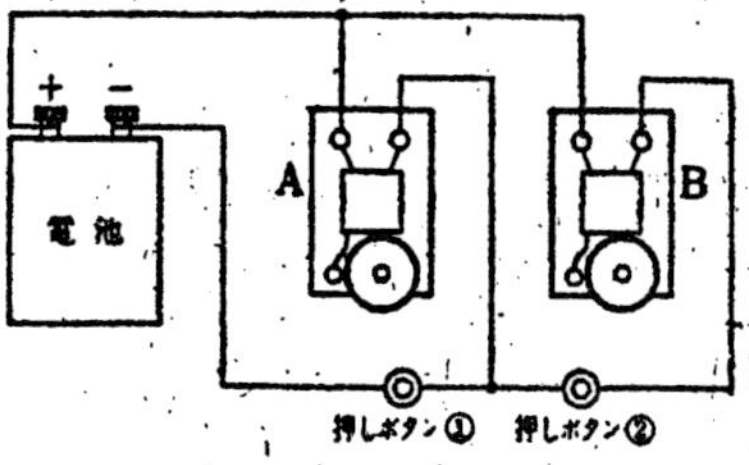

ア 電鈴Aだけが鳴る。
イ 電鈴Bだけが鳴る。
ウ 電鈴AとBが鳴る。
エ 電鈴AもBも鳴らない。

10 次の図を見て，1，2，3のそれぞれの問いの答えを，ア，イ，ウ エの中から一つずつ選んで，その記号を答えのらんに書きなさい。

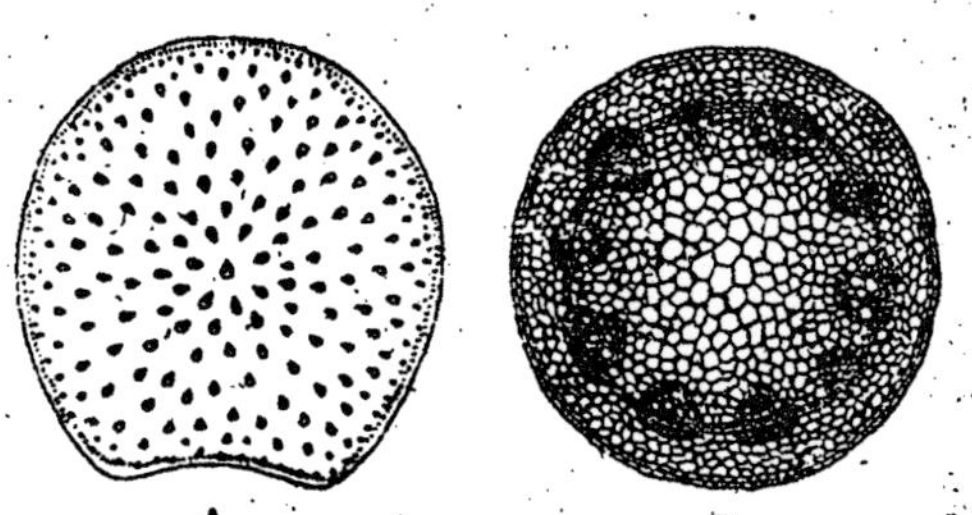

A　　B

第1図

①　②　③　④

第2図

1 第1図は，二つの違った種類の植物の茎の断面を示したものである。第1図のAのような茎をもっている植物は，第2図の根と葉のうちのどれとどれをもっているか。
ア ①と③　イ ①と④　ウ ②と③　エ ②と④
2 第1図のAとよく似た構造の茎をもっている植物はどれか。
ア ヤツデ　イ アブラナ　ウ マツ　エ イネ
3 第1図のBとよく似た構造の茎をもっている植物はどれか。
ア ユリ　イ タケ　ウ キク　エ アヤメ

11 人がはくいきと，吸ういきとのどちらに二酸化炭素（炭酸ガス）が多く含まれているかを調べるには，下図の四つの装置のうちどれが最も適当ですか。次の1，2のそれぞれの問いの答えを，図ア，イ，ウ，エの中から一つずつ選んで，その記号を答えのらんに書きなさい。（びんの中には石灰水が入れてあり，ガラス管のAの部分を口でくわえるものとします。）

1 はくいきを調べるには，どの装置が最も適当か。

正答率	本土	沖縄
	60.2	47.6
㉕	73.7	58.5
㉖	46.7	36.6
	48.5	40.3
㉗	55.0	45.2
㉘	46.5	41.3
㉙	44.0	34.3
	63.6	47.2
㉚	66.4	48.5

2　吸ういきを調べるには，どの装置が最も適当か。

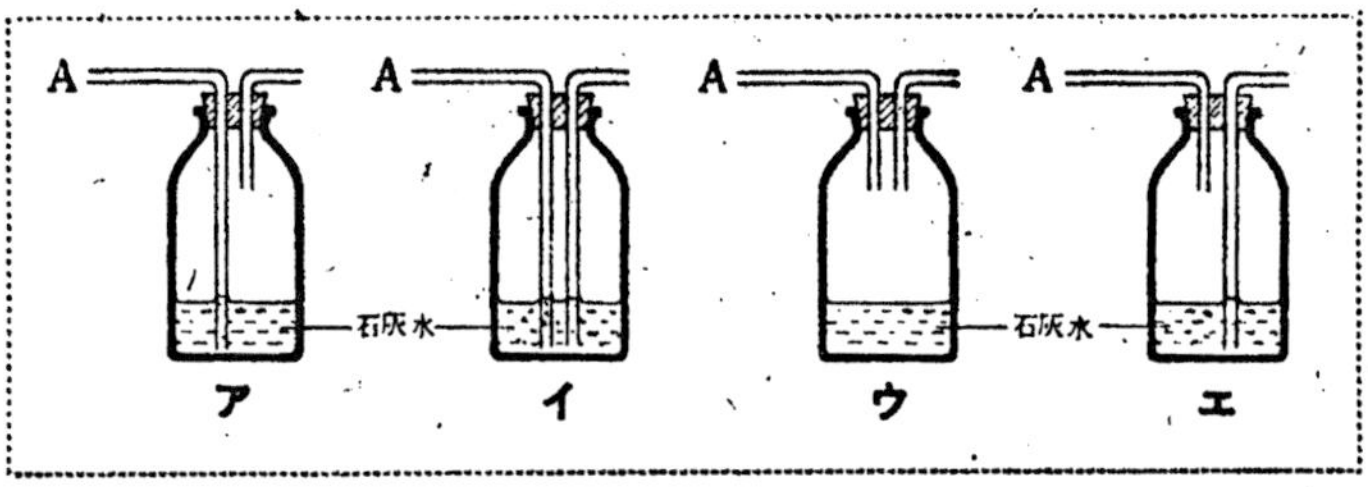

12　空気中の湿《しつ》度を測るのに，図のような乾湿計がよく用いられます。これについて，次の１，２，３のそれぞれの問いの答えを，**ア**，**イ**，**ウ**，**エ**の中から一つずつ選んで，その記号を答えのらんに書きなさい。

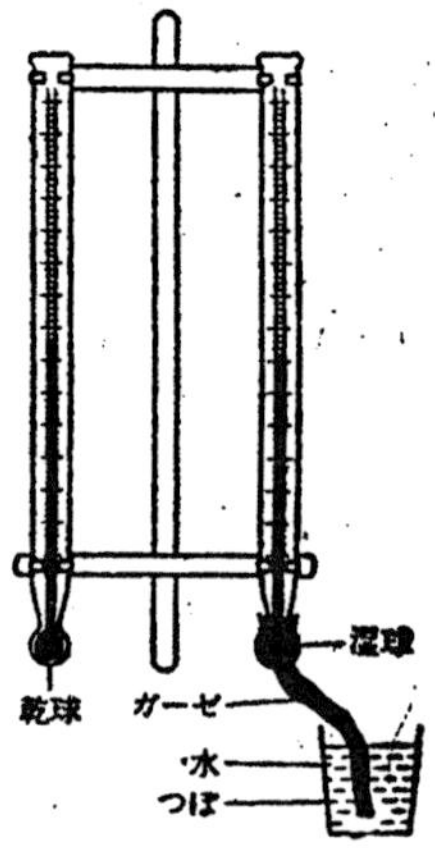

1　乾球と湿球との示度（水銀柱の上端の示す目盛り）に違いのできるのはなぜか。

ア　水は熱を伝えにくいから
イ　水は蒸発するとき熱をうばうから
ウ　水は比熱が大きいため暖まりにくいから
エ　湿球のガーゼが空気中の水分を吸うから

2　乾球と湿球の示度が同じになったときの湿度は，いくらか。

ア　0%　　**イ**　50%　　**ウ**　100%　　**エ**　湿度は，わからない。

3　ある日，湿度を２回測定したら，下の表のような結果になった。２回目のときの湿度は，１回目に比べてどうか。

ア　１回目のときより小さい。
イ　１回目のときと同じである。
ウ　１回目のときより大きい。

	乾　球	湿　球
１回目	16°C	14°C
２回目	18°C	14°C

13　下の**ア**から**オ**までの文は，岩石を調べたようすを述べたものです。次の１，２，３の岩石はそれぞれどれにあたりますか。その答えを，下の**ア**から**オ**までの中から一つずつ選んでその記号を答えのらんに書きなさい。

1　かこう岩
2　石灰岩
3　玄武《げんぶ》岩

ア　灰白色をしていて，ナイフでたやすくきずがつき，うすい塩酸をかけたら，あわがでた。
イ　小さな砂つぶの集まりで，光沢がなく化石を含んでいた。
ウ　あらいつぶの３種類の鉱物が，たがいにかみあったようになっていた。白っぽい色をした鉱物は，きらきらと光って見えた。
エ　細かいしまもようがあり，たたいたら片状にわれた。
オ　黒っぽい色をしたちみつな岩石で，つぶのあらい鉱物がばらまかれたようにはいっていた。

14　次の第１図のように，20cm のつるまきばねにいろいろな重さのおもりをつるして，それぞれの場合のばねの長さを測ったら，次の表のようになりました。この表とこれからつくったグラフ（第２図）とを見て，下の１，２，３のそれぞれの問いに答えなさい。答えは**ア**，**イ**，**ウ**，**エ**の中から一つずつ選んで，その記号を答えのらんに書きなさい。

正答率	
本土	沖縄
㉛ 60.7	45.9
38.3	28.7
㉜ 45.0	44.1
㉝ 34.4	17.7
㉞ 35.5	24.4
49.5	37.6
㉟ 37.6	29.3
㊱ 64.6	48.9
㊲ 43.2	38.5
66.3	52.1

おもりの重さ	0	5g	10g	20g	30g
ばねの長さ	20cm	22cm	24cm	28cm	32cm
ねののびの長さ	0	5cm	4cm	8cm	12cm

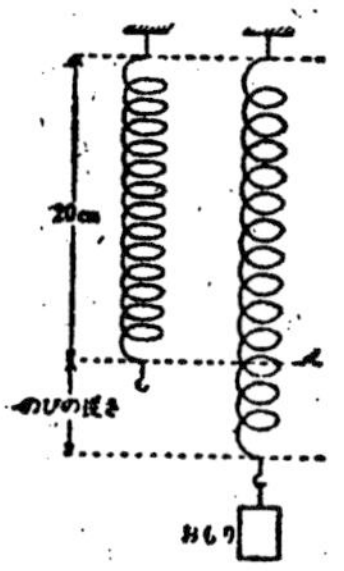

第1図

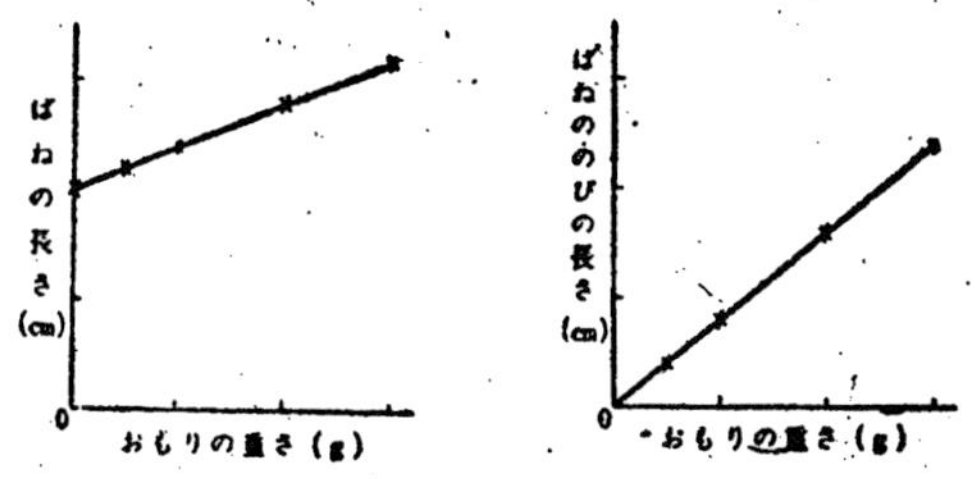

第2図

1　上の表とグラフから，どんなことがわかるか。

ア　ばねの長さとおもりの重さとは，比例（正比例）する。

イ　ばねののびの長さとおもりの重さとは，比例（正比例）する。

ウ　ばねの長さとおもりの重さとは，反比例する。

エ　ばねののびの長さとおもりの重さとは，反比例する。

2　15g のおもりをつけると，ばねののびの長さは何センチメートルになるか。

ア　5cm　　イ　6cm　　ウ　25cm　　エ　26cm

3　ばねの長さを30cmするためには，何グラムのおもりをつるせばよいか。

ア　25g　　イ　26g　　ウ　27g　　エ　29g

正答率	
本土	沖縄
㊳ 63.3	50.1
㊴ 60.5	44.0
㊵ 75.2	62.2

中学校第2学年英語

	正答率 本土	正答率 沖縄
1 (全体)	59.5	41.2
①	55.3	37.5
②	62.5	42.5
③	66.2	45.6
④	54.1	39.1
2 (全体)	74.1	62.9
⑤	75.7	58.1
⑥	70.7	62.4
⑦	76.0	67.7
⑧	72.7	60.2
⑨	74.4	62.9
⑩	75.2	66.1
3 (全体)	85.3	67.1
⑪	87.5	72.7
⑫	86.0	66.4
⑬	85.9	65.9
⑭	81.8	63.6

1 次の1，2，3，4のそれぞれに，単語が四つずつあります。それらの単語の下線をひいた部分の発音が，一つだけ他の三つと異っています。その異なっている単語をア，イ，ウ，エの中から一つずつ選んで，その記号を答えのらんに書きなさい。

1 ア that　イ three　ウ there　エ they　①

2 ア dogs　イ doys　ウ desks　エ girls　②

3 ア bat　イ hand　ウ name　エ cat　③

4 ア time　イ like　ウ fiye　エ With　④

2 次の1，2，3，4，5，6のそれぞれの単語を読むとき，最も強く発音する部分をア，イ，の中から一つずつ選んでその記号を答えのらんに書きなさい。

1 morn — ing　(morning)　⑤
　ア　イ

2 Ja — pan　(Japan)　⑥
　ア　イ

3 break — fast　(breakfast)　⑦
　ア　イ

4 eve — ry　(every)　⑧
　ア　イ

5 Mon — day　(Monday)　⑨
　ア　イ

6 a — bout　(about)　⑩
　ア　イ

3 次の1，2，3，4のそれぞれの文を，1か所だけ，くぎって読むとすれば，どこでくぎりますか。くぎるところを，ア，イ，ウ，エの中から一つずつ選んでその記号を答えのらんに書きなさい。

1 Is this a desk or a table?　⑪
　ア　イ　ウ　エ

2 She has a book in her hand　⑫
　ア　イ　ウ　エ

3 After scool we play baseball.　⑬
　ア　イ　ウ　エ

4 There are two Pictures on the wall.　⑭
　ア　イ　ウ　エ

	正答率 本土	正答率 沖縄

4 次の左側の1，2，3，4，5，6のそれぞれの単語や句の意味と反対の意味をもっているものは，右側のどれですか。右側のアからクまでの中から一つずつ選んで，その記号を答えのらんに書きなさい。　65.6　43.3

1 first

2 young

3 go

4 long

5 stand up

6 go to bed

> ア high
> イ come
> ウ sit down
> エ last
> オ old
> カ play
> キ short
> ク get up

	本土	沖縄
⑮	66.5	46.3
⑯	57.1	37.4
⑰	73.7	50.3
⑱	59.2	27.9
⑲	70.7	52.0
⑳	66.1	46.2

5 次の文を読んで，下の1，2，3，4，5，6のそれぞれの問いに対する答えとして正しいものを，ア，イ，ウ，エの中から一つずつ選んでその記号を答えのらんに書きなさい。　61.3　45.4

> Tom is an English boy.
> He is fourteen years old.
> He has two sisters, Mary, and Jane.
> Mary is sixteen and Jane is twelve.

1 Is Tom an English boy or an American boy?

ア Yes, he is.
イ No, he is not.　㉑　71.7　50.4
ウ He is an American boy.
エ He is an English boy.

2 How old is Tom?

He is { ア eleven / イ twelve. / ウ thirteen. / エ fourteen. }　㉒　75.6　57.3

3 How many sisters has Tom?

He has { ア one. / イ two. / ウ three. / エ four. }　㉓　78.2　58.9

正答率	
本土	沖縄

4 Is Jane Tom's sister ?

ア She is his sister.
イ She is not Tom's sister.
ウ yes, she is.
エ No, she is not.

	本土	沖縄
㉔	61.1	45.5

5 Is Tom older Mary ?

ア Yes, she is.
イ No, she is not.
ウ Yes, he is.
エ No, he is not.

	本土	沖縄
㉕	49.8	29.2

6 Who is the youngest of the three ?

ア Tom is.
イ Mary is.
ウ Jane is.
エ Yes, Tom is.

	本土	沖縄
㉖	40.2	33.9

6 次の1，2，3，4，5のそれぞれの文を，〔 〕内のさしずにしたがって書きかえたら，どうなりますか。ア，イ，ウ，エの中から，それぞれ正しい文を一つずつ選んでその記号を答えのらんに書きなさい。

	本土	沖縄
6	60.0	41.2

1 I have a pencil.

〔I を He にせよ。〕
ア He have a pencil.
イ He does a pencil.
ウ He is a pencil.
エ He has a pencil.

	本土	沖縄
㉗	71.6	48.8

2 This is a book.

〔These を These にせよ。〕
ア These is a book.
イ These is books.
ウ These are books.
エ These are a book.

	本土	沖縄
㉘	57.6	38.4

3 He is a teacher.

〔「……ではありません。」という否定の文にせよ。〕
ア He not is a teacher.
イ He is not a teacier.
ウ He is a not teacher.
エ He is a teacher not.

	本土	沖縄
㉙	82.2	64.7

	正答率	
	本土	沖縄

4 I like apples. ㉚ 58.3 38.2

〔「……ではありません。」という否定の文にせよ。〕

ア I do not like apples.

イ I not like apples.

ウ I like not apples.

エ I am not like apples.

5 Your brother is playing tennis.

〔「……していますか。」という問いの文にせよ。〕

ア Does your brother playing tennis ?

イ Are your brother playing tennis ? ㉛ 30.7 15.9

ウ Is your brother play tennis ?

エ Is Your brother playing tennis ?

7 次の1，2，3，4のそれぞれの（　）の中に入れるのに最も適当なしるしを下の［　　］の中から一つ選んで，ア，イ，ウの記号で答えのらんに書きなさい。（同じものを2度選んでもよい。） 81.3 60.3

1 Is this a ball （　） ㉜ 75.9 57.6

2 Go to the door （　） ㉝ 79.1 57.1

3 "Good morning （　） Tom." ㉞ 89.4 68.7

4 What is your name （　） ㉟ 80.9 68.7

.	,	?
ア	イ	ウ

8 次の1，2，3，4，5のそれぞれが正しい文となるように，ア，イ，ウ，エの中から単語を一つずつ選んでその記号を答のらんに書きなさい。 58.5 46.6

1 This is {ア my / イ me / ウ I / エ we} book. ㊱ 85.8 68.9

2 Tom {ア can / イ go / ウ going / エ goes} to school with his sister. ㊲ 42.8 27.3

3 I have breakfast { ア in / イ on / ウ at / エ to } seven.

4 Jane's mother { ア do / イ does / ウ am / エ are } not like dogs.

5 Where { ア is / イ does / ウ do / エ are } you going?

	正答率	
	本土	沖縄
㊳	68.9	59.2
㊴	67.6	47.6
㊵	50.7	30.2

中学校第3学年英語

昭和36年度全国中学校一せい学力調査問題

	正答率 本土	正答率 沖縄

1 次の1，2，3，4のそれぞれに，単語が四つずつあります。それらの単語の下線をひいた部分の発音が，一つだけ他の三つと異なっています。その異なっている単語を，ア，イ，ウエの中から一つずつ選んで，その記号を答えのらんに書き入れなさい。

問題		本土	沖縄
1			51.3	40.6

	ア	イ	ウ	エ	答	本土	沖縄
1	much	teach	school	chair	①	86.6	72.9
2	called	talked	played	opened	②	64.6	42.5
3	now	how	know	down	③	36.9	25.8
4	large	work	bird	learn	③	18.3	21.4

2 次の1，2，3，4，5，6のそれぞれの単語を読むとき，最も強く発音する部分を，ア，イ，ウ，エの中から一つずつ選んで，その記号を答えのらんに書きなさい。（本土 70.9　沖縄 57.0）

	音節	記号	単語	答	本土	沖縄
1	win－ter	ア イ	(winter)	⑤	87.5	74.4
2	to－day	ア イ	(today)	⑥	75.7	66.3
3	fam－i－ly	ア イ ウ	(family)	⑦	66.3	53.3
4	Sat－ur－day	ア イ ウ	(Saturday)	⑧	63,7	50.4
5	Sep－tem－ber	ア イ ウ	(September)	⑨	68,7	51.8
6	A－mer－i－ca	ア イ ウ エ	(America)	⑩	63.5	45.6

3 次の1，2，3 のそれぞれの文を，1か所だけ，くぎって読むとすれば，どこでくぎりますか。くぎるところを，ア，イ，ウ，エ，オの中から一つずつ選んで，その記号を答えのらんに書きなさい。（本土 50.4　沖縄 42.6）

	文	答	本土	沖縄
1	The (ア) dog (イ) saw the (ウ) man (エ) and ran (エ) away.	⑪	73.4	60.2
2	All (ア) the boys (イ) and girls (ウ) in our (エ) class can (オ) speak English.	⑫	41.3	30.7
3	I (ア) got (イ) up (ウ) at five (エ) yesterday moring.	⑬	36.5	36.9

4 次の左側の 1，2，3，4，5，6 のそれぞれの単語や句の意味と反対の意味をもっているものは，右側のどれですか。右側のアからクまでの中から一つずつ選んで，その番号を答えのらんに書き入れなさい。（本土 73.6　沖縄 50.5）

	単語・句	答	本土	沖縄
1	hot	⑭	69.2	48.0
2	day	⑮	63.1	34.7
3	look up	⑯	89.2	73.8
4	large	⑰	68.7	45.6
5	come in	⑱	82.2	49.8
6	ask	⑲	69.2	51.1

ア big
イ go out
ウ small
エ c od
オ answer
カ white
キ night
ク look down

正答率	
本土	沖縄

5 次の1，2，3のそれぞれについて，下に示した本文の意味を表わす英文とするには，イ，ウ，エ，オの単語をどのようにならべかえたらよいですか。（例）にならつて，その記号を答えのらんに書きなさい。 50.4 39.6

（例） This book a is
　　　ア イ ウ エ
　　　これは本です。

(例)	ア	エ	ウ	イ	.

1 Who boy is that
　ア イ ウ エ
　あの少年はだれですか。

1	ア				? ⑳

78.4 67.4

2 I there to want go
　ア イ ウ エ オ
　わたしはそこえ行きたい。

2	ア				. ㉑

31.8 24.0

3 Fath r us story a told
　ア イ ウ エ オ
　父はわたしたちに話をしてくれました。

3	ア				. ㉒

41.0 27.3

6 次の文を読んで，下の1，2，3，4のそれぞれの問いに対する答えとして正しいものを，ア，イ，ウ，エの中から一つずつ選んで，その記号を答えのらんに書きなさい。 71.4 53.8

> Last Sunday Tom got up at Seven.
> It was a fine day.
> After preakfast he studied English and French for three hours.
> In the afternoon he went to see his friend Bob. Then they went out to the park. They played tennis there.

1 Did Ton get up at seven last Sunday?
ア He got up at three.
イ He got up at seven.
ウ Yes, he did.
エ No, he did not.

㉓ 70.9 52.8

2 What did Tom study in the morning?
He studied
ア English.
イ how to play tennis.
ウ French.
エ English and French.

㉔ 82.5 66.7

3 Was it fine last Sunday ?
ア It was a fine day.
イ No, it was not.
ウ It was not a fine bay.
エ Yes, it was.

㉕ 57.5 39.8

	正答率	
	本土	沖縄
㉖	74.5	56.0
7	68.1	48.1
㉗	82.1	59.1
㉘	70.3	47.8
㉙	60.8	46.0
㉚	66.2	46.7
㉛	61.3	41.0

4 Where did Tom and Bob play tennis ?

They played tennis
- ア in the park.
- イ at Bob,s honse.
- ウ at Tom,s house.
- エ in Tom,s room.

㉖

7 次の1，2，3，4，5のそれぞれの文を，〔　〕内のさしずにしたがつて書きかえたら，どうなりますか。ア，イ，ウ，エの中から，それぞれ正しい文を一つずつ選んで，その記号を答えのらんに書きなさい。

1 He reads a book

〔「……しているところです。」という現在進行形の文にせよ。〕

ア He is reading a book.

イ He read a book.

ウ He is not reading a book.

エ He has read a dook.

㉗

2 She opens the door.

〔「……しません。」という否定の文にせよ。〕

ア She opened the door.

イ She did not open the door.

ウ She does not open tbe door.

エ She is not opening the door.

㉘

3 Tom saw a dog.

〔「……しましたか。」という問いの文にせよ。〕

ア Can Tom see a dog ?

イ Will Tom see a dog ?

ウ Does Tom see a dog ?

エ Did Tom see a dog ?

㉙

4 Mary made this doll.

〔「……された。」という受身（受動態）の文にせよ。〕

ア This doll is made by Mary.

イ This doll is not made by Mary.

ウ This doll will be Mary.

エ This doll was made by Mary.

㉚

5 There are seven.

〔上の文が答えになる問いの文をつくれ。〕

ア Are there seven months in a year ?

イ How many days are there in a week ?

ウ How many months are there in a year ?

エ Are there seven days in a week ?

㉛

8 次の１，２，３，４のそれぞれの文の下線をひいたところは，単語の一部分を省略したものです。省略しないもとの単語は，右側のどれにあたりますか。右側の**ア，イ，ウ，エ，オ**の中から一つずつ選んで，その記号を答えのらんに書きなさい。

1 It,s very fine today. ㉜
2 It isn,t my pen. ㉝
3 Let,s play baseball. ㉞
4 I,m a Japanese girl. ㉟

ア ns
イ am
ウ is
エ not
オ was

9 次の１，２，３，４，５のそれぞれが正しい文となるように，**ア，イ，ウ，エ**の中から単語を一つずつ選んで，その記号を答えのらんに書きなさい。

1 My father {ア speak / イ speaks / ウ speaking / エ spoken} English very well. ㊱

2 My sister is {ア stand / イ stands / ウ sits / エ sitting} on the chair. ㊲

3 Tom gave a pencil {ア to / イ by / ウ on / エ in} me. ㊳

4 I {ア am / イ was / ウ do / エ did} not go to school last Sunday. ㊴

5 Have you {ア write / イ wrote / ウ written / エ writing} a letter? ㊵

正答率	本土	沖縄
8	87.5	76.1
㉜	86.8	72.1
㉝	89.8	73.2
㉞	80.4	61.1
㉟	92.8	77.7
9	54.3	35.1
㊱	52.4	34.6
㊲	60.1	46.2
㊳	59.6	51.1
㊴	44.2	31.3
㊵	38.8	24.1

あ と が き

◎ 今年もまた夏がやってきた。涼を求めてこどもたちは海や川に集まる。新聞はもはや水難事故を報道しはじめた。こどもを水魔から守るためにみんなで心をくばろう。

◎ 新聞は学力向上の警鐘を鳴らしつづけている。みんなして耳をかたむけて聞こう。

◎ 鹿児島県教育調査団の報告会が連日各地で盛会を極めている。地域社会の関心も高まりつつある。

◎ 各連合教育区，各教育委員会では学力向上対策委員会の結成に異状な盛りあがりをみせている。

◎ 少し時機は逸したが昭和36年度全国学力調査の結果のまとめをお送りする。充分なる活用を期待する。

◎ 全国学力調査はこれで5回目。本土との落差は依然として大きい。その原因は多々あると思うが今次学力調査の結果を素直に受け取り，現状に立っての一段の努力が必要であろう。一日も早く全琉の学力水準が本土並に引きあげられるよう望むや切。

◎ 「モシモシ**研究調査課**ですか。」

「こちらは**教育研究課**です。」

「教育財政の係の方，お願いします。」

「教育財政，基本調査，教育統計などは調査広報室が担当しておりますのでそちらへお願いします。」

◎ 機構改革に伴い従来の研究調査課が**教育研究課**（電話政府２６４番）と**調査広報室**（電話政府２６１番呼出）に分かれた。教育研究課は教育の基礎的，実証的研究を通して現場へのサービスをモットーにして研究をすすめている。本報告書は教育研究課発足後最初の報告書である。

一九六二年六月二十五日 印刷
一九六二年六月二十七日 発行

文教時報

（特集号） （非売品）

発行所 琉球政府文教局 教育研究課

印刷所 新光社 那覇市久茂地町一ノ八八 電話(8)二六八〇番

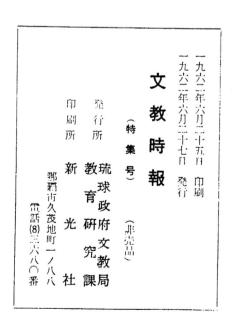

一九六一学年度

高校長・教頭研修会

全体会議記録

第一日目　全体会議

一　開会のあいさつ　職業教育課長

二　文教局長あいさつ

（要旨）

1　年々高校教育が充実発展した労苦に感謝する。

2　昨年四月、政府移管が無事終了し今年三月初の大々的な人事移動がスムーズに出来た。教員移動の根本方針であつた適材適所の配置に学校長側が協力してくれた事に感謝する。

3　学校教育における人間形成の教育は第一義として考えねばならない。その上に学力の向上、技術の向上を考えていくべきだ。すなわち少なくとも社会に害毒を及ぼさない人間をつくること。

4　教科教育の面では特に英語科教育が遅れている。英語の必要性、有益性を強調することによる英語教育の充実を計つてもらいたいこと。

5　技術教育については高校卒はタイプ、洋裁、自動車学校に行かなくても済むような学力、技術を身につけさせるような事を目標に努力してもらいたい。

6　協力して学校経営の諸問題を協議して、この三日間を有意義にしてもらいたい。

三　キンカー部長あいさつ、（ロビンソン氏代理、通訳翁長氏）

（要旨）

1　キンカー部長がキャラウエイ弁務官代理として出かけたので出席出来なかつた。

2　このような会合の機会は、各学校のいろいろの問題を持寄つて協議する事により、他の学校の内容を知る又他の学校長との接触の機会を得るし、又関係当局の意向も伺うことが出来る。

3　協議内容を見るとアメリカと多分に共通する問題ばかりである。

4　教育上では財政、人事、学生、その他地域社会との間の問題は極めて重要である。

5　アメリカでも施設の面で沖縄同様劣つている学校もかなりある。

6　こゝで現代教育の傾向についてまとめてみたい。

イ　学校教育は全人教育を目ざして生徒の精神衛生、健康の発達、社会性、適応性、希望等を関係づけて生徒を伸ばしてゆかねばならない。

ロ　高校教育は現在及び将来において人生、社会が要求する方向にすゝめていかねばならない。

ハ　学校と地域社会との相互作用

ニ　能力に応ずる技能、技術の教育

ホ　趣味、必要、目的に応じた教育課程の編成

7　同じ年令のすべての青年に同等の機会、同等の援助、注意を払うことは不可能であろうと思うが、必要ある者については充分に援助と注意を払う事は当然ではなかろうか。一考を要する。

8　今後の高校の行政運営について少しでも手を借りたい事があつたらその協力をおしまない。

四　行政主席あいさつ

1　この会合に出席でき、あいさつすることが出来た事を嬉しく思う。

2　校長、教頭は管理職として、その技能、責任と自覚し、教育の中立性のもとに部下職員と協力してやつていただきたい。

3　主席の台湾での警察官養成所、経営の思い出話。

4　自律精神の涵養を教育の場で充分考えていただきたい、他力本願は個人、民族をほろぼすもとになる。私達の祖先の海外勇飛の歴史をかえり見ていただきたい。

五　文教局次長所管事項説明

1　六二年度の予算中の教育予算は約百万弗で全体の三三・四％程度である。

2　従事の職業教育備品は、今年は中校、大学へ廻した。高校では現在までに約五〇％になつているので、ここ二、三年はこの出来た、施設、備品の活用の方に力をいれていただきたい。

3　北部製糖の高校卒採用についての話

①　ねばりが足りない。

②　給与の高い割に辞めるのが多い

③　実習のあり方に検討を要する。

4　人事移動は我々としては約八〇点位の出来だと思つているが、係の努力を買つて、結果を最大限に利用して学校に清新の気を高めていただきたい。

5　連合区統合の問題

①　理由―現在の連合区は地理的に

細分しすぎている。財政面の効率化をはかる。市町村の教育費は漸減しているのが世界的傾向である（沖縄では逆）、指導主事を増して指導行政の徹底をはかりたい。

② 進路指導主事の設置、生活指導進路指導の専門的分野を司る。

6 育英会に関すること。

① 日円の二〇〇〇万円程度、特奨制として、大学入学前に銓衡して学資貸付けを約束する。全琉各学年一五〇名程度。

② 育英寮を東京に設置、この寮には本土の学生も一〇～二〇名程度入れて、沖縄宿におちないようにしたい。

六 文教局各課長所管事項説明

(1) 施設課長

1 施設面で、本土と比較すると、新設校（昭和三〇年度以降設置の学校）では当地と大体同じで、特別教室などは、教科によってはむしろこちらの方がよいような感じがした（家庭科）

本土では特に工業科の方に相当力を入れているので、我々としてもこの面の努力を要する。

2 校舎の高校基準面積と現有面積プリントで説明しているが、全体的には五八％の達成率となつている。先ず教科教室を重点におき、漸次、管理室、図書館、保健室等と進めてゆきたい。

(2) 庶務課長

1 政府立学校における会計事務の要点

a 授業料

学校長は職務上で徴収官として任命されている。従って毎月一日に在籍を確認して、徴収すべき人数を決定せねばならない。徴収の際は書記の一人と収納担当官として任命し、仕事を行なわせる。

b 現金の払込みについては、出納官事務規定の通り行なつていただき、出来るだけ現金を持たないようにすること。

C 月報の方はよく履行されている。

d 源泉所得税は銀行から俸給受取りの際、差引いて受取つてもらいたい。

e 実習品の売却代金の取扱いは生産物規程を遵守すること。

f 前渡資金制を取っている費目すなわち俸給、雑費、役務費等の支払い決定の責任は学校長にある。

g PTAの会計は原則として書記に取扱わさせないこと。

2 学校長は会計に対する指導管理を一層強化していただきたい。

(3) 保健体育課長

1 教育課程の作成に当たつては生徒の実態を充分は握してもらいたい

2 指導案は出来れば最低週案までは作成させ、学校長の検閲を行なつてもらいたい。

3 学校保健、学校給食について

4 施設の充実、整備の年間計画

5 健康管理、健康手帳の作成

6 学校行事の持ち方

7 選手強化対策及び総合競技場建設に対する理解と援助

質疑応答

1 授業料徴収について、先月のなかばから休んでいる生徒についての徴収はどうなるか。（宮農）

（答） 人員決定後の変更は事後調整で処理してもらいたい。

2 保健体育科の備品の予算は保健体育課か、職業教育課か（前原、翁長）

（答） 職業教育課の一般備品の中に含まれている。

3 去年十一月に保健体育課より各学校に保健主事をおくようにとの助言があつたがその内容について（前原上地）

（答） 去る十一月の中教委で決定。学校保健に関する企画を主として行なう。出来れば教師か又は上席の教諭を当ててもらいたい。

4 ① 小・中校では養護教諭が配置されているが高校ではどうなつているか。

② 学校給食は高校に行なわないか

③ 学校給食に要する施設計画を伺いたい。

④ 全日制のミルク給食の炊事婦の賃金について

（答） ① 養護教諭は現在二五％で年間二〇名位しか養成されていないので、当分は高校には手が廻らないだろう。

② 学校給食は現在の段階では義務教育が行なつている学校のみ適用、実施している現状。

③ 現在定時制の課程を有している学校について年間計画を立ててすすめている。

④ 全日制は受益者負担という原則の元に保護者負担にしてもらいたい。定時制の方は予算に計上してある。

七 昼食

八 職業教育課所管事項説明

(1) 人事について　笠井

(2) 予算について　玉城(盛)

(3) 指導一般について　仲宗根

(4) 職業科 備品について　玉城(深)

(5) 教育課程について　前田

(6) 進路指導について　宮里

九　質疑応答

1　カウンセラー講習会の計画を承りたい（石川、教頭）

（答）　五月中旬頃行ないたい。

2　カウンセラーの任命は学校でやつてよいか。（読谷教頭）

（答）　現在各学校に〇・五人分のカウンセラーの教員を配置してあるが、その任命については、職員の性格、教科等を考慮して学校長が任命してよい尚、カウンセラーは去る一月の中教委で進路指導主事と改名された。

3　教育課程に関する本研修会分科と教育課程研究協議会との関係（名護校長）

（答）　別個である。こちらで研究した事柄は資料として研究協議会に出される。

4　新教育課程に伴なう定員増は考えているか。（名護高校長）

（答）　六三年度予算編成のときは考慮したい。

5　ボール類は備品か消耗品か。（前原教頭）

（答）　消耗品である。

6　カウンセラーが進路指導主事と改名されたのはいつか。又現場への通達は何故なされなかつたか。（知念校長）

（答）　一月の中教委で条項がそう入された。現場に連絡しなかつた点は済まないと思つている。

7　六二年度の予算は六一年に比べて備品費が大巾に削減されている事由（南農校長）

（答）　六二、三、四年は中校、大学の備品充実に廻し、この間は高校では出来た備品の有効な運営面に力を注ぎたい。

8　机、腰掛は現品ではなく現金支給の方法を取るように内政局へお願いしたいという話だが、職業教育充実費の方も、そのような措置がとれないか。

（答）　職業教育充実費は現段階ではちよつと無理である。

9　校長教頭研修会に立法院議長のあいさつも入れてもらいたい。（首里高校長）

（答）　考慮したい。

十　日程変更について

先きに要望があつた、本研修会に講師を招いて講演を開くことについて、そのため日程を次の様に変更したいから了承してもらいたい。

二日目の三・一〇ー五・〇〇の分科会を分科会のまとめに繰上げる。

三日目の九・〇〇ー一〇・三〇の分科会のまとめを全体会議に切替えて講演会をもつ。

第三日目　全体会議

一、開会のあいさつ　講師の紹介　比嘉課長

二、赤嶺利男先生（琉大）の講演

講演の要旨

1　学校におけるガイダンスの目標（原則）

(1) ガイダンス計画の目標は学校の教育目標と一致したものでなければならない。

(2) ガイダンス計画に対する学校の責任は学校における教科計画における責任と全く同じ比重をもたさねばならない。

(3) ガイダンスは生徒の個人別の自己指導、自己機制を目標として考えなければならない。

(4) ガイダンスの責任の限界はあくまで学校の権限、責任、能力の及ぶ範囲内に限定されなければならない。

(5) ガイダンス活動は、医師、養護教師、カウンセラー、社会福祉司等の専門職の援助を必要とする。

2　これをはばむ要因として考えられるもの、

(1) 教科中心主義が濃厚になつてきた。

①　学力低下の問題や大学入試の問題等のため高校は大学の予備校化しつつある現状にある。

②　アカデミズムの台頭

(2) 人間的発達が、とかく外観的なリーダーシップの面にのみ注がれている。

(3) 道徳教育、倫理教育に問題点をもつ。

①　知識中心主義になりつつある

②　かといつて行動的になりすぎると割り切つた行動として現われる。

③　①②のかみ合わせが微妙であり、うつかりすると人間の感情否定にもなりかねない。

3　ロングホームルームの取扱い

(1) 週一、二時間のロングホームルームを教師がもてあますのはふにおちない。

(2) ホーム・ルームは私事的人間関係の場して考えられなければならない。管理的事務は副次的なもの。

(3) ホーム・ルーム計画における年間、月間、週間計画作成の一長一短について

①　計画性は諸目標をよく連けいさせる（長所）

②　ホーム・ルームは社会的場で

あるので、教師の支点の違いによりその目標がずれる恐れがある。（短所）

③ ホーム・ルーム活動が不活発のとき①が強く打出されるべき活発のときは、かえって②の短所が現れやすい。

4、非行生徒の問題

(1) 高校生は、中校、大学に比べて非行生徒は比較的少ないと思われる。ホーム・ルーム及び躾教育の徹底

(2) 非行生の種別

① 社会的不適応

攻撃的性格、自分を誇示したがる外向型

② 心理的不適応

自閉症―自殺行為

外の非行は①に比べて少ない。

(3) 非行者の大部分は殆んど学校の先生と個人的接触を持たない。(もち得ない)

(4) 非行生の早期発見について

① ペーパーテストによる、牛島式ペーパーテンソルの評定尺度

この場合教師がよく生徒を観察しておかねばならない。

② 着眼点

イ 個人の現在の行動

a 服装、言語等の外観的行動

b 学業成績不振（知能検査と学力検査との関係）

c 反抗的な態度をとる。（口答え、無意味な云い逃れ、冒険、茶目）

d 怠休（欠席、欠課、ちこく、宿題等の遅延、不提出）

ロ 個人の今までの非行歴

ハ 交友状況、通信状況

③ 生徒の非行傾向を発見したとき

イ 名前や所属等を早く覚える

ロ 接触の努力をもつ

ハ 外の先生との連絡

ニ 家庭保護者への連絡（この際、親の問題への適応能力をよく考えるべき）

5 進路指導について

(1) 進学するか、しないかを人間価値判断の基準としてはならない

(2) 有名校への殺倒、理工科専制主義をいましめねばならない。

(3) 合格主義も充分考えるべき

(4) 立身出世主義も問題

(5) 高校生になってからは、家庭の収支に関する大まかなことは知っておくべき

(6) 学資の問題、どの学校はいくらかゝるか等

(7) 奨学資金制度

(8) 入試ブローカーに注意する

(9) 大学のふん囲気になれず悲観するものが多いが、高校において、このような事のないように独立性をもたすよう指導すべき

(10) 学科の選択（合格主義の弊害）

琉大では一年生ですでに転科希望者が多数いる。

三、質疑応答

1、ガイダンスにおける集団指導、個人指導について

（答） 琉大のカウンセリングを例にとると生徒数二、五〇〇名中、過去八カ月間に延一、一八二名の事例を扱っており、そのうち三五七名が集団指導等、八二五名は個人指導となっている。集団指導は少なくて三名、多くて七、八名程度、高校においては集団指導の場としてホーム・ルーム、クラブ活動があるが、どちらも各個人の消極的思考活動の場合が多いので余り効果がない。

普通の集団指導の場合は多くて二〇名位で、この場合教師は資料の提供者、話題の提供者でなければならない。（指導者意識をもたぬこと）

2、道徳教育の立場から見たとき週訓などの程度の実践効果をもつものであるか。

（答） 京大におけるゼミナーの発表例では殆んど効果がない

3、自閉症の治療について

（答） 1、外界から殻とやぶる（物理療法）

2、外から餌を見せて自分の力で殻を破って出ていくような指導をする。

自我の表現を伸ばす。（激励する）

三、分科会のまとめ発表

1、第一分科 進路指導　発表者 石嶺首里教頭

2、第二分科 人事、財政、法規　〃 福里商業教頭

3、第三分科 生活指導　〃 石垣南農教頭

4、第四分科 教育課程　〃 友利名護校長

5、第五分科 施設、備品、事務　伊是名工業教頭

全琉高校長、教頭研修会各分科会のまとめ

第一分科

テーマ　適性に応ずる進学就職の望ましいありかたについて

一、進路指導の問題点と対策

1　進路指導の考え方について

進学指導　就職指導

2　進路指導は十分なされているか

a　中学校において

進路指導主事の活用

b　高校において

政府予算による定期的な諸検査の実施職員生徒の話し合う場と雰囲気をつくる進路指導票の作製

3　就職についての問題点と対策

イ　職場について

a　職場の内容（経理・労務）を十分知る。

・取引銀行で調査する。

・沖縄出身者で本土職安勤務者の協力を得る。

・本土商工会議所との連絡（校長協会、文教局）

・文教局で資料をあつめる。

b　本土就職者の職場開拓と定着指導

c　女子課程の職場開拓の必要

売子、銀行の窓口、ガイド、秘書、托児所、美容、看護婦見習

d　本土で就職の世話、調査、補導する係が必要

ロ　就職する生徒にどういうことをどんな方法で指導するか

a　職場に対する理解の徹底

b　父兄生徒の啓蒙

c　労務に対する理解

d　就職後の心得についての指導

給料の高い方に移りたがる、義理・人情がわからない。縁故者の言に動揺させられないようにする。

プライドが高すぎる。

e　勤労精神の育成

校内作業による「ねばり強さ」の養成

f　実習の強化（学校・職場）

g　規律の訓練

h　礼法・作法の教育

4　進学についての問題点と対策

イ　学校選択について

本人に適した学校・学部が選択されているか

a　政府予算による定期的な諸検査の実施

b　学校情報の提供（学校手引き）

c　父兄・生徒との懇談（能力・体力・適性・経済力）

d　首都中心の学校選択の是正

ロ　実力の養成について

a　図書館等を利用する自学自習の励行

b　授業の充実

c　テストの強化

d　必要に応ずる課外指導

二、進路指導と年間計画について

文教局の資料（年間計画）と各高校の年間計画の資料を総合して各学校の計画を再樹立する。

三、大学入試に対する問題点について

時期

1　琉大入試時期に関しては学校行事とも関連するので教頭会で再検討して欲しい。

2　琉大と看護学校の入試は別々の期日にするよう文教局高校長協会で折渉してもらいたい。

琉大入試問題の内容

高校長協会の進学委員会で対策検討してもらいたい。

四、国、自費学生と育英会規定について

1　国・自費学生の募集要項を早期に発表してもらいたい（九月頃）

2　国・自費学生の義務履行について（制度を永続させるために）

a　受験時に各高校で注意徹底させる。

b　育英会理事会に要望する。

高校長・教頭研修会日程

第一日目（四月二十七日水曜日）	
10.00—10.15	開会のあいさつ（職業教育課長）
10.05—10.25	文教局長あいさつ
10.25—10.35	行政主席あいさつ
10.35—10.55	キンカー部長あいさつ
10.55—11.05	文教局次長（所管理事項説明）
11.05—12.05	庶務、施設保健体育課長説明
12.05— 1.05	昼　食
1.05— 2.40	伝達事項説明（職業教育課）
2.40— 3.00	質疑応答
3.00— 3.10	休　憩
3.10— 5.00	班別研修会
7.00— 8.30	主席招宴（主席公舎）
第二日目（四月二十八日金曜日）	
9.00—11.00	班別研修会
11.00—11.10	休　憩
11.10—12.00	班別研修会
12.00— 1.00	昼　食
1.00— 3.00	班別研修会
3.00— 3.10	休　憩
3.10— 5.00	班別研修会
第三日目（四月二十九日土曜日）	
9.00—10.30	各班まとめ
10.30—10.40	休　憩
10.40—11.50	各班まとめ報告
11.50—12.00	閉会のあいさつ（職業教育課長）

第二分科

テーマ　学校運営における教育財政や関連法規について

（四月二十七日）

司会　最初に研究テーマの時間配当について話し合つていただきたい。玉城主事に案があるようですので、これを中心にして検討していただきたい。

玉城　1教育予算　2P・T・A予算の合理的運営　3給与　4地位の改善　5政府公務員法　6産休・結休・年休・病休・承認休の取扱い　7校長の任期　8勧奨退職制度　9人事管理　10教育公務員特例法の早期立法要請の十項目ありますが、今日1、2の二項目をやり後は明日、三日目にまとめるということにしたらどうか。

祖慶　教育予算が一番重要であるのでこれは後廻しにして3番以降を先にしたらどうか、

会員　賛成

司会　それでは三項以降を先にして予算はじつくり時間をかけることにしたい。

司会　給与の問題に入りますが、問題点を挙げてこれによつて話を進めた方がよいと思うかどうか。

局の提案理由を説明してもらいたい。

与世田　政府は六二年度予算において、給与表の改善がなされることになつているが、小・中校と高校の給与表は一応別表になつてはいるが本質は一本建になつている。これでよいか、

次に調整号俸の問題であるが、校長は二号、教頭、教員は三号調整する方針のようであるがそれでよいか、

第三に定時制主事の二級格付を陳情中であるが現在の主事は学校の都合や教科の関係で任命されている方もいるので二級職にすれば当然このまゝではいかないと思うがこの問題はどう考えられるか、

第四に事務職や作業職の格付が低いためすぐ頭打ちになる者が出てくる、特に作業職の最高は三七・四〇で高校卒の二、三年後の給料と同じである。

第五に技術教員と免許状との関係等である。

笠井　法規上「校長免許状」で小・中と高校の区別がないためこれが根拠となつて同一頭打ちになつていると考えられる、しかし実際問題としては基礎資格を考えないで例えば、小・中校の免許状しか持たない人が高校長にはなれない。

阿波根　問題が大きいので高校長の給与対策委員会にも附託して研究したい。

教職員会は小・中校と高校が対立するので好ましくないと云つているので慎重に研究したい。

与世田　下級教育職や二級一般事務職、作業職の問題も一しよにして陳情した方がよい。

佐久本　事務職員は調整給がないので五時以後はすぐ帰える。助手は二号俸調整給があるのでといい出す。学校内の給与の不統制になる。

司会　今の問題点をしぼると教員は小・中校と高校が同一頭打ちでは不合理であるので高校教員の頭打ちを引上げるよう陳情することがよいということになるがそういうことに決定してよいでしようか。

全員　賛成

司会　二級一般事務職の職員は政府の一般事務職とは仕事の量も責任の度合もちがうので学校事務職員の職位を新設して格付をあげ（主任級業務）頭打ち引上げるよう要請する、給仕（作業職）についても頭打ちを上げるよう要請することにしてよいでしようか。

全員　賛成

祖慶　技術職員は早目に学校に入つた者は頭打ちが早く来るので四十才台で頭打ちとなつている、もつと延ばせないか。それに人材が得にくいのでもつと待遇をよくすべきであると思う。

阿波根　技術職員であるために同じ大学卒業して待遇がちがつては学校経営上困らないか。

与世田　同じ工科を出て工務交通局に入つた者と教育職になつた者との間にも大きい差が現に出来ているからよいではないか。

笠井　根本的解決論は教育職を人事委員会からはずすことが一番よいと思う。

祖慶　技術手当を支給すれば解決すると思う。

王城　日本では「産業教育に従事する者の給与に関する規定」に定められている。

司会　「産振法」を早く立法してそれに基いて支給すべきであるが時間がないので研究問題として保留したい。

祖慶　政府は人員を減らしてもつと事務を簡素化すべきだ、人が多過ぎて捺印が多過ぎるために事務がおくれている

司会　これは政治問題でここで論じても何にもならない。

今日の問題は全部人事委員会に陳情することになるのでどのような方法で陳情するかはまとめの所ですることにして次にうつることにします。

笠井　産休・結休については教育公務員特例法が立法されるまで臨時措置法を作つて軍へ提案したが軍でけられた、理由は「特例法」を早く立法すべきで一時的なびほう策をする必要はないと

いう考え方によつてである。年休・病休については今度局長権限が大きくなつたので校長権限をどこまで延ばすかを研究していただきたい。

上地　校長権限を一週間以内とする方がよいと思う。

宮水　その他賛成

笠井　一週間以上は診断書が入るので六日以内とする方がけじめがはつきりしてよい。

全員　この案に賛成

宮水　発令されても勤務の日から給与は支給するということで宮古に赴任する職員は非常に気の毒だ、これを何とか「赴任準備の期間も勤務と見做す」ことはできないか。

阿波根　宮古、八重山、久米島等も同条件であるので要請したい。

宮水　宮古の者でも宮古に来たがらない両先島は戦前と同じようにへき地勤務手当を支給出来ないか。

佐久本　研究問題としたらどうか

司会　それでは時間になりましたので今日はこれで閉会します。

四月二十八日

司会　今日は予算の問題で一番重要な問題ですのでこれととつ組みたい・後のものは時間があれば取り上げるようにしたいと思うがどうですか。

全員　賛成

司会　まず問題点を説明して下さい。

玉城　六二年度予算案の内示によると先ず賃金が足りそうにない、超勤手当は入試超勤は今年程度には支払い出来ると思うが来年は今年より受験生が三千人程度多くなる予想である。定時制の超勤は足らない、又事務職員等の超勤も全然とれない職員旅費も去年よりは五八八$増となつているが号給の増加に伴つて支給額が増して来るので実質的には全然増額になつていない。

消耗品は「事務用」と「教授用」に分れるわけですが生徒の試験用の用紙代さえ充分でないと。又備品費も少ない消耗品と備品は増額と同時に費用を文教局費の中に入れるよう要請してもらいたい。

阿波根　予算については何時も主張している通り教育向上のために格本的問題で公立高校を政府に移管した大きな理由は

一　予算の増額

一　人事の適正配置

があげられる。

人事については去る四月局と高校長の協力によつて八十点と評されるような配置換が実現された。しかし予算については、全然向上がないので一般にもよびかけ各協力して獲得に努力していきたい。

なお、この席上で充分でない時は全校長に協力してもらつて検討していきたい。

司会　只今玉城主事から今年度の予算案について増加をはかりたい費用の説明がありましたが、これに基づいて話し合つていただきたいと思います。

阿波根　沖縄の教育費と日本のそれとよく比較しているがプール制にして比較しているのでこれをもつと具体的に出来ないか、即ち運営費は少なくて学校建築とかその他の施設設備のように臨時的な経費が多くなつていると思うがそういうことを考えずにひつくるめて比較すれば数のゴマかしにならないか。

全員　たしかにそういう面があると考えられる。

佐久本　移管以前（公立当時）の五〇%位しか現在の運営費はない都市地区の立場も考えてよくしてもらいたい。

阿波根　政府の第一次査定に対して文教局はどの程度の熱意を示したか又職業教育課はどういう復活要求をしてその結果はどうなつているか。

玉城　プリントに示したように要求しているが殆んど認められていない。

西平　運営費の一つ一つの問題について検討していつた方が進行が早くいくと思う。

司会　その予定であるがその前に根本的な問題を話し合つている。

祖慶　後四か年は教室作りに大きな金が入るので仲々増額は出来ないと思うが後は運営費に廻つて来てよくなつてくると考える。

玉城　そうばかりも云えない。昨年より今年の校舎建築費は少なくなつている予算増は人件費だけである。

阿波根　高校の全力を結集して熱意を傾けて当たれば予算の獲得は出来るということは今年の超勤手当の例で立証されている予算問題はどうしても全高校が全力をあげて増額運動をしないと実現出来ない。

司会　この線に強力におし進めるようにしたいと思いますがよろしいですか。

全員　異議なし

司会　次は各費用について漸次検討したい。

饒波　非常勤職員手当の増加理由は何か

玉城　教員の補充を非常勤で間に合わせたいという意図が含まれている。

司会　賃金は局案の復活要求額通り要求するという線でよいか

全員　異議なし

司会　次は超勤にうつります。

玉城　現在超勤は一番不足しており定時制の超勤さえ一月以降ストップしてこれを捻出するのに苦労している。

六二度は三七、六二八$に復活してもらえば何とか足りる。

阿波根　最低線でこれだけか

玉城　その通りである。

司会　それではこの三七、六二八$の復活を要求するということに決定してよいでしょうか

全員　賛成

司会　次は職員旅費にうつります。

玉城　復活要求の二九、八八八$とした場合は修学旅行引率旅費及び家庭訪問旅費も何とか出せるが、内示額では校長と事務職員の事務連絡のための最低線のみがくまれている。

司会　それでは局案の復活要求額を要求するようにしてよいか。

全員　賛成

司会　次は消耗品と備品費の問題ですがこれは一番重要な費用である。

玉城　これは是非強力に要請していただきたい、理科は今年「理振法」の十二%購入出来たが他の一般教科例えば社会科は掛図さえ買えない現状である。

上地　復活要求額を要求したらどうか

宮水　前からの懸案になっている費用を文教局予算にうつし換えすることも要求した方がよい。

玉城　この問題は三年来の要求であるのでぜひお願いしたい。

阿波根　備品費は当初予算額を要求したらどうか

宮水　元からの政府立は図書が全然ないので当初予算額にして図書も購入出来るようにしたい。

司会　通信費も復活要求額の線でゆくことにしてよいか

全員　賛成

玉城　研究奨励費も全教員の問題であるので小・中校とも一しよになって要求したらどうか。

阿波根　高校でもやり全教職員でもやるというように多方面からやった方がよい。

上地　金額はこれでよいか

玉城　充分積算基礎があるので要求額でよい。

司会　それでは八、九三一$要求することにしてよいか。

全員　賛成

司会　一応運営費についてはこれでよろしいですか

全員　異議なし

司会　それでは午前の日程はこれで終ります。

司会　午後の日程に入ります。庶務課長も出席しましたので午前中に研究した事柄について要望事項等をお伝えしたいと思います。

阿波根　過去一か年間六一年度予算が少ないために窮屈な思いをして来たが六二年度予算案でも期待の費用が増加になっていないこれでは同じ苦しみをくり返すことになり、政府立になっての喜びが一つもないがどうしてこうなったか話してもらいたい

庶務課長　ザツクバランに行政府が立法院に予算案を送付するまでのあらましを申し上げます。

行政府に出す予算案は中央教育委員会の承認を受けて出すわけでありますがヤマをかけての予算見積りではなく合理性のあるものを作ろうと考え、

1　国民所得に対する教育費の割合

2　日本本土の児童生徒一人当教育費に沖縄の児童生徒数をかけ、加えるに建築備品等の臨時的支出を考慮し又物価指数を加味する。

というように計算して初めの教育費総額一、三〇〇万$が打ち出されて地方の負担額を計上した。この額を総額として詳細な積算をして局案と中教委で承認を受けて提出したその後この案を五日間にわたつて内政局は説明を主席公舎で主席、副主席、内政局長に二日間にわたつて説明した。

相手はこれに基いて第一次内示を決定し示達して来たので、局は検討して復活要求をした。

第二次の内示額が示達されたが一部の教員異動だけで全般的にはプリントの原案と殆んど同じである。

全般的に八九七、〇〇〇$ふえて始めて今年は一千万$をこえる。しかし内容はベースアップに廻わされているので実質的増額ではない

政府全体の予算に対する%は作年三三%今年は三四%になつている。

人員増も政府立学校で九六名要求したが五名しか認められていない。

阿波根　中央教育委員会が各高校を廻つて視察調査した時に要望したのはこの予算の問題であつたが今年度の予算も昨年と変りがないがこの予算案に対してどう考えているか、

庶務課長　もち論行政府査定に対しては不満で行政府の予算案とは別に中教委の案も立法院に送付している。

阿波根　政府立学校費は復活要求しても何ら変つていないが局全体として認められないのか、政府立学校費のみか。

庶務課長　局全体として特殊のもののみが認められていない。

阿波根　今年から単位給が削除されているがこれに対する局の考え方はどうか

庶務課長　単位給については、これは布令時代のもので現在は法的根拠が全然ないことを今まで何回となく人事委員会からも指摘されて来ていたが、局として既得権であるとして押し切つて

来た。公立学校については大学単位についてのみ二、〇〇〇$政府立はこれと準じて四〇〇$の予算が計上されている。この積算基礎は今年度修得した単位についてのみ（一年限り）単位給を支給しあうという考え方である。

笠井 今まで話し合つた復活要求額は大体二十万$ということになる。

司会 それでは運営費の問題はこれで終つて次は職業教育充実費その他にうつることにします。

阿波根 この職員旅費はどういう旅費か

玉城 委託実習や就職指導あつせん等の旅費が主である。

宮水、垣花 これが足りないため非常に困つている、何とか増額をお願いしたい。

司会 それでは旅費も復活要求することにしましょう。

この外に備品費、役務費、修繕費、施設費もそれぞれ文教局の要求額を復活要求することにしたらと考えますが如何ですか。

全員 異議なし

垣花 宮水の実習船建造をお願いしたいが……

司会 額が大き過ぎるので政治的解決以外に道はないと思うのでひかえたい。

一応これで予算についての話し合いを終ることにします。

司会 次は、職業教育課の課名変更について話し合いをお願いします。

職業教育課の課名を変更する方がよいと考えられるかどうか、

全員 賛成

司会 それでは課名変更についての理由を話し合つてもらいたい。

西平 職業教育課という名称は普通高校も全部政府に移管された今日、高校全部を所管する課名に職業教育という課程の一部だけの名称を冠することは不適当であると考える。

祖慶 「高等学校教育課」が適当であると思う。

西平 一般の人や教員でさえ職業教育課というのは何をする所かよく分らない人が多い。

笠井 職安と間違う人もいる。

福里 大学も所管しているので「高等教育課」はどうか

笠井 将来琉大も政府立になる場合が考えられるからその方がよいように思う

司会 将来のことも考えて「高等教育課」がよいという意見が多いようですが、そう決定してよいでしょうか、

全員 賛成

司会 それではそういうふうに決定します。

◎まとめ

㈠ 給与と地位の改善について

1 小・中校と高校の頭打ちが同一になつているので、これを免許状相当に差をつけてもらうように要請する。

2 今回の新しい給与表制定に伴つて人事委員会は、調整級を教員三号、校長、教頭二号とするような案を持つているようですが次の理由からこれを全部三号とするよう陳情する。

理 由

イ 給与の大勢を乱し学校運営上好ましくない

例 現在の教頭と教員は同級の場合 教員が一号上になり更にこの教員が教頭になる場合は一号昇るので二号差がつくことになる。従つて現在の校長・教頭をぎやくたいすることになる。

ロ 高校長も教員の欠員や欠勤、出張の場合は授業を持つている

この問題は小・中校との関係がありますので一応高校長教頭会として陳情し必要に応じ小・中校の校長とも連けいをとつて強力に陳情する。

3 定時制主事の格付（二級高校教育職）は現在陳情中であるがこれが早期実現を期す。

この場合、現在の主事は資格等で主事から はずされる 者が 当然出てくると考えられるがこれは止むを得ない。

4 事務職の格付改善について

高校の書記は、責任の度合、職務の複雑さ等から考えて、政府の一般事務職より非常に重い。

従つて人員を増加してもらうとともにせめて主任級業務位には格付してもらうよう要請し、更に頭打ちを延ばしてもらうよう陳情する。

5 作業職について

給仕の最高は三七・四〇で高校卒の二・三年後の給料が最高額となつているので頭打ちを引き上げてもらうよう要請陳情する。

6 技術教員と免許状との問題

(イ) 初任級を上げると他の学部出身者の関係で好ましくない

(ロ) 技術手当を支給することが好ましいが

現在、法的根拠がないので「産振法」を立法してこれに基いて支給することになるが「産振法」を立法することも高校側が不利になることが考えられる。

等の理由から「継続研究」ということにした。

㈡ 産休・結休・その他の休暇について

1 産休・結休について

産休・結休については教育公務員特例法が立法されるまで臨時措置法を

作つて軍まで行つたが軍から承認されなかつた。その理由は「特例法」早期立法せずに一時的なひほう策をすることは好ましくないということにある。しかし、いろいろな理由から特例法の立法は早期に臨めないのでこの臨時措置法を早急に立法してもらうよう中央教育委員会及び文教局長に要請する。

2　年休・病休について

去る中央教育委員会で休暇の許可に閉する局長の権限が大きくなつたので事務の簡素化という意味からこれを校長に再委託したいということで校長の権限をどの位の日数にするかについて話し合つた。

その結果一週間以上病休をとる場合医師の診断書が入るのでけじめがはつきりするから六日以内が適当という結論になつた。

3　「勤務」ということの解釈について

現在の給与法によると発令されても実際に勤務した日からしか給料は支給されないことになつているので、宮古、八重山、久米島等のような離島地区に赴任する教員は一週間位の給与はなくなり二重の損をしている。赴任準備もあることであるからこの赴任準備の期間は勤務と見做して給料を支給するように要請する。

㈢　予算について

1　政府立学校運営費について

政府立に移管して予算が非常に窮屈なため過去一ヶ年間さんざん苦労して来た。六二年度予算案を見ると少しもこの面が増額されてないので全高校の力を結集して増額運動を展開したい。

イ　賃金　政府案一〇、四六五弗を
一八、五七〇（復活要求額）に

ロ　超勤　〃　一八、六八四を
三七、六二八（　〃　）に

ハ　職員旅費　〃　一四、五五〇を
二九、八八八（　〃　）に

ロ　消耗品費　〃　六、二五〇を
四二、二二〇（　〃　）に

ホ　備品費　〃　二五、〇〇〇を
一六四、一四四（当初予算額）に

ヘ　通信費　〃　四、六七四を
九、九六九（復活要求額）に

ト　研究奨励費　〃　四〇〇を
八、九三一（　〃　）に

増額を要請陳情する。

なお、消耗品費、備品費は内政局の用度課予算から文教局予算へうつしてもらうよう要請する。

この問題は三年来の懸案であり、この際増額と同時に是非実現を期したい。

2　職業教育振興について

次の費用の増額を要請する

イ　職員旅費　三、五三九を
一四、二四三（復活要求額）に

ロ　備品費　二五、〇〇〇を
一五〇、〇〇〇（　〃　）に

ハ　役務費　九、九四八を
一三、六八一（　〃　）に

ニ　修繕費　一〇、五一〇を
一三、二〇〇（　〃　）に

ホ　施設費　一、七七一を
二、二七一（　〃　）に

3　その他

全国高校長協会参加費を全額削除してあるのでこれを文教局の積算四〇〇$計上じてもらうよう陳情する。

公立高校が政府立に移管されて一年今まで黙して何とか学校運営をして来たが、都市地区の場合等は委員会時の半額にも足りない経費で非常に学校運営に支障を来している。今年このまゝ我慢すれば後はどうにもならなくなる。そういう意味で今年は一番増額要請するのに絶好のチャンスである。政府立になつてよくなつた学校もあると思いますが都市地区の立場を考えてこの際歩調をあわせてこの運動を強力に押し進めていただくよう特に都市地区の先生方から要請のあつたことを附記しておく。

㈣　職業教育課の課名変更について

職業教育課という名称は普通高校も全部政府に移管された現在高校全部を所管する課名として「職業教育」という課程の一部の名だけを冠することは不適当であると考えられる、ということで課名変更については全員賛成

「職業教育課」は労働局、経済局にあると考えたり教員でさえ何をする所か知らない人が非常に多い、又、職安と間違えたりする人さえいる。それではどういう名が適当であるかという話し合いになりまして

「高等学校教育課」「高等教育課」という二つの線が出たが、大学も所管しているし将来官立の大学を所管するということも考えられるので「高等教育課」がよいという結論になつた。

なお　問題が非常に多くしかし重要な事柄ですので残された問題は高校長協会の「法規対策委員会」に付託して研究して載くようお願いしたいという意見であつたことを附記しておきます。

以上

第三分科

テーマ

高校生の望ましい生活指導について

問題の意義

生活指導に関する問題はこれまで機会あるごとに討議されてきたが、討議結果の徹底と、教師の指導力の面で不充分なところがあるので、今回再びとり上げ、この問題を具体的に究明することにした。

問題の解決

各学校から提出された具体的資料にもとづき、望ましい生活指導の領域を決め、次に各領域ごとにとり上げられる項目ごとに望ましいあり方を検討し、その実践策を講ずることにした。

一、校内での生活指導

生活指導の場をホーム・ルーム、教科活動、生徒会クラブ活動、学校行事等の五つに分けた。

1 ホーム・ルーム

生徒の登校から下校までの校内生活の中から、教科活動、生徒会、クラブ活動、学校行事等を除くすべてをこの項でまとめてとり扱うことにした

(1) 登校について

A 望ましい登校時間

始業前一〇分前（始業とはホーム・ルームを指す）

B 実践策

(イ) ホーム・ルーム主任は職員朝礼前にホーム・ルームを巡視する。

(ロ) ホーム・ルーム並びに生徒週番活動を強化する。

(2) ホーム・ルームについて

A ホーム・ルーム活動の内容

ショートタイム

出欠点検、伝達事項、生徒の健康観察　その他

ロングタイム

共同生活の問題、望ましい生き方についての問題　進路の選択についての問題　健康安全についての問題　レクレーションについての問題

B ホーム・ルーム活動を活発にするための実践策

(イ) ホーム・ルームの意義を生徒によく理解させる。

(ロ) ホーム・ルームの年間、月間週間計画等を作成する。計画作成はホーム・ルーム主任と生徒と共同で行なう。

(ハ) 各ホーム・ルームの細案を作る。その資料として必要に応じ生徒からアンケートをとる。

(ニ) 面接指導を強化する。

(ホ) 役員の指導訓練を実施する。

(3) 休憩について

A 休憩の内容

教室移動、次の準備、休養

B 実践指導

ホーム・ルームで休憩時間を有効に活用するよう指導徹底をはかる。

(4) 昼食について

A 昼食の望ましいあり方

会食を実施すること。これによって生徒間並びに生徒と職員間の意志の疎通がはかられ、さらに食事中の躾指導もできる。

B 実践策

(イ) 全職員、生徒の弁当持参を励行させる。

(ロ) 校外で食事をとる生徒の指導を強化する。

(ハ) 会食の趣旨徹底をはかるため父兄との懇談会をもつ。

(ニ) 新しい食事作法を研究する。

(5) 環境整備について

A 望ましいあり方

(イ) 美化清掃と整理、整頓がよくなされていること

(ロ) 教室内外（教室、備品、花園）の管理が徹底していること。

(ハ) 騒雑音の排除について考慮されていること

(ニ) 公共物の愛護がよくなされていること

B 実践策

(イ) 師弟同行の実践

(ロ) 勤労意欲の昂揚をはかる

(6) 下校について

A 望ましい下校時間

日没までに帰宅できるように各学校で規定する。

B 実践策

(イ) ホーム・ルームでの指導の徹底をはかる。

(ロ) 家庭との連絡を強化する。

(ハ) 週番勤務者による督励。

(ニ) ホーム・ルーム主任の下校時の教室巡視。

2 教科活動

A 望ましいあり方

(イ) 時鐘と同時に授業が受けられる態勢を整える。

机の整理、整頓、定位置につくこと等。

(ロ) 学習効果があがるような態度を堅持する。

特にあいさつ、言語、服装、無断離席等に注意する。

(ハ) 学習準備をよく整えて授業にのぞむ

B 実践策

(イ) 教師は時鐘とともに教室にのぞむ。

(ロ) 教師の教材研究とその準備を充分にする。

(ハ) 学習態度の躾、訓練に留意する

(ニ) 教室内の授業態勢がととのつてから教師は授業を進める。

(ホ) 教師としての信念と愛情をもつてのぞむ。

3 生徒会活動

A 望ましいあり方

(イ) 規則正しい生活実践と、よい校風をつくる。

(ロ) 集団生活への積極的な参加と正しい民主的行動の実践をはかる。

(ハ) 自主的能力と公民としての資質向上をはかる。

B 実践策

(イ) 生徒会の年間計画に対する、学校側の綿密な指導計画を作成する。

(ロ) 生徒役員のリーダーシップの養成と、会運営技術の強化をはかる。

(ハ) 生徒会活動の意義の理解徹底をはかる。

特に生徒会活動は校長の委任を受けて、運営し、決定事項は学校長の承認を経て実施することの確認徹底をはかる。

(ニ) 生徒会補導委員を任命し、その指導助言をはかる。

(ホ) 校長の生徒会指導方針にのつとつて、教師相互の指導理念の統一をはかる。

(ヘ) 応援団活動については、次のように実施することが望ましい

。生徒会組織の中に位置づけ、学校長の方針によつて、応援団運営規定をつくらす。

。応援歌練習は地区予選の一週間前から実施し、必ず顧問教師の指導を受ける。

。平日は選手と役員のみ参加する。

。自由参加を原則とする。

(ト) 生徒会の連合体組織及び政治活動について。

。生徒会は学校内での諸問題に限つて、これが改善解決に努めるとともに、その解決の過程を通じて民主的な考え方や行動のし方、公民としての資質を養うのがねらいであるので、学校生活の範囲を越える連合組織を結成することは、生徒会の分を越えるものである。

。生徒会活動は、前述の学校における、自分たちの生活の改善や福祉をねらいとするのでどこまでも教育課程の一環として、校長、教師の指導のもとになされねばならない。従つて、校外における連合体組織に参加することは生徒会の本質にもどるものである。

4 クラブ活動

A 望ましいあり方

(イ) 健全な趣味、豊かな教養、個性の伸長

(ロ) 心身の健康な助長、余暇の利用

(ハ) 自主性の育成、集団生活における協力。

以上の目標を達成する活動が望ましい。

B 実践策

(イ) 全員参加

(ロ) 生徒の趣味並びに個性に応じたクラブ編成を実施する。

(ハ) クラブ活動に必要な施設、設備の充実をはかる。

(ニ) クラブ活動の年間指導計画の作成。

(ホ) 顧問教師の適正な配置と、教師の指導技術の強化をはかる。

5 学校行事等に対する態度

A 望ましいあり方

全琉高校長、教頭研修会

日時場所

1、四月二十七日〜二九日

2、場所 商業高等学校

参加者

テーマ 適性に応ずる進学就職の望ましいありかたについて

司会者 金城校長（知念）

記録係 福地（読谷）

校長参加者 糸満、普天間、那覇、八重農

教頭参加者 名護、首里、中央

局職員参加者 ○仲宗根、松田（州）学校教育課長

テーマ 学校運営における教育財政や関連法規について

司会者 阿波根校長（首里）

記録係 福里（商業）

校長参加者 北山、工業、久米島、前原、宮水

教頭参加者 コザ、那覇、普大間

局職員参加者 ○笠井、玉城（盛）庶務課長、与世田、上原、渡慶次

テーマ 高校生徒の望ましい生活指導について

(イ) 自主的、積極的に学校行事に協力する。
(ロ) 規律正しい態度でのぞむ。

B、実践策

教師はそれぞれの行事の目標にそうように、綿密な計画を作成して指導する。

二、校外での生活指導

A 望ましいあり方

(イ) 生徒心得をよく守って、行動を律する。
(ロ) 正しい交友関係をもつこと。
(ハ) 高校生としての本分を自覚し、不必要な外出をさける。

B 実践策

(イ) 教育隣組の組織化をはかる。
小中、高校の父兄による組織で、生活補導委員等を設ける。
(ロ) 交友関係についての適切な指導をする。
(ハ) 校外巡回指導の強化（学校ごとの）をはかる。
(ニ) 小、中校との連けいを緊密にする。
(ホ) 高等学校補導組織を強化する。

三、家庭での生活指導

A 望ましいあり方

(イ) 計画的な時間生活が実施されている。
(ロ) 父兄の子どもへの関心が高く、家庭での学習環境がよく整備されている。
(ハ) なんでも話しあえる民主的な家庭。

B 実践策

(イ) 父兄の子どもに対する監督を強化すると共に家庭での躾教育を徹底させる。
(ロ) 父兄と学校とが常に緊密な連絡をとる。そのため次のことを実践する。
。家庭訪問を多くもつ
。父兄の学校訪問の機会を多くつくる。
。父兄の啓蒙（家庭での生活指導について）。

四 生活指導についての教師側の問題

1 生活指導を行なうための望ましい教師のあり方。

(イ) 日常の問題を正しく処理している教師
(ロ) 定められた規則をよく実践している教師
(ハ) 仕事を通じて社会に貢献している教師
(ニ) 積極的で自発的に実践している教師
(ホ) 地域社会と学校とを一つのものとして関係づける教師
(ヘ) 他人をよく尊重する教師
(ト) 生徒に望ましい経験を与える教師
(チ) 教授資料や教材を研究整備し、活用している教師
(リ) 校長の教育方針に協力している教師
(ヌ) 同僚と協調的である教師
(ル) 生徒や父兄、社会から信頼されている教師

2 教師の生活指導技術を高めるにはどうしたらよいか。

(イ) ホーム・ルーム主任、生徒会顧問の研修会を多くもつこと、これらの研修会はできるだけ年間行事におりこむ。
(ロ) モデル・ホーム・ルームを設定して共同研究を行なう。
(ハ) 教員養成機関における、生活指導面の教授、実習の強化をはかる。
(ニ) 新卒の生活指導に関する研修を実施する。
(ホ) 校長による個人指導の強化をはかる。

司会者 新屋敷校長（コザ）
記録係 石 垣（南農）
校長参加者 中農、辺土名、中央、宮農、沖水
教頭参加者 北農、宜野座、沖縄
局職員参加者 ○宮里、金城順一
保体社会課長

テーマ 教育課程と学習指導について

司会者 友利校長（名護）
記録係 新 城（石川）
校長参加者 商業、読谷、八重高、沖高
教頭参加者 辺土名、北山、沖水、糸満
局職員参加者 ○前田、城間
研究調査課長

テーマ 校地校舎、施設、設備備品の年間計画について

事務の能率増進について

司会者 仲田校長（南農）
記録係 伊是名（工業）
校長参加者 宜野座、宮高、北農、石川
教頭参加者 中農、前原、知念
玉深、吉田、砂川
富山
局職員参加者 施設課長 渡慶次

第四分科

テーマ

教育課程と学習指導について

教育課程が学校教育において重要な領域を占めるものであり、しかも教育が時代と共に進み、時代に先んじなければならない以上、時代の進展に即応し、教育課程もこれに即応せねばならぬ事。改訂された新教育課程が昭和三十八年度から実施されること、それに改訂教育課程について、資料も少なく、研究や理解が乏しい事などで、研究討議をどのようにすべきかを暗中模索状態で困難を極めたが討議の結果、次のような事項を検討することにした。

1 新教育課程についての理解と、沖縄において、これをどう取り入れるべきか
2 現行教育課程実施上の問題点
3 現行教育課程の問題点が改訂教育課程ではどのように改善されているか
4 評価の方法の問題点について
5 高校の各科研究会の組織について
6 学習指導上の問題点について

以上の六項目にしぼって次のように研究討議を進めた。

第一項の新教育課程については先ず文教局主事前田先生に一応の説明をしてもらい、次のように理解した。

一 改訂のねらい
① 小中校の新教育課程改訂に伴ってその基礎の上に小・中・高校教育課程に一貫性をもたせる。
② 三十一年度改訂の精神を一層徹底せしめる。
③ 時代の進展に即応するよう、教科科目の構成、内容を改める。

二 のねらいを達成するためにとられた基本方針
① 生徒の能力、適性、進路に応じて適切な教育を行なうこと
② 教育課程に類型を設け、その何れかを選択履修させるようにしたこと
③ 教科のかたよりを少なくするために必修科目を多くした。
必修科目が多くなったことに伴ってその内容を精選充実し、基本的事項の学習に力を入れるようにした事。
④ 基礎学力の向上と科学技術教育の充実をはかること。
⑤ 道徳教育は教育諸活動を通して行なうがこれを一層充実強化するため「倫理道徳」をおくこと、
⑥ 芸術については原則として、一科目以上を課すこと
⑦ 教育課程の領域として、学校行事等を設けて、適切な指導が出来るようにしたこと。

その他今回の改訂において、従来と大きく変つた点
(1) 各教科科目の単位数については標準単位を示したこと
(その学校の課程編成に弾力性をもたせる為)
普通科における基本類型として、A・Bを示し、この類型は一週間の授業時数を三十四時間におさえて、必修科目を中心に単位数を配当し、更に増加単位学校の必要と裁量によって、教科科目、特活授業に適宜増加が出来るようにしたこと、
(2) 普通科に職業科目を履習させるようにしたこと
(3) 生徒の能力、適性、進路に応ずるため、科目(古典、世界史、日本史数Ⅱ、物理、化学)によって、A・Bを設けたこと
(4) 地学を普通科において必修にしたこと
(5) 女子に家庭一般を必修にしたこと
(6) 他教科との関連、内容の重複をさけるため、教科目の履修学年を指定したこと

などである。それ以上のくわしい検討は時間的に不可能でしたが、今後も継続的に改訂教育課程については資料をあつめ、研究を進めるべきである。

以上の説明から改訂教育課程を沖縄にと入れた場合、実施上の問題点として、
1 基礎学力の水準が沖縄は本土に比して相当のギャップがあるか増加の単位と教科、科目をどう考えるべきか。
2 科学技術教育の充実 基礎学力の向上の点から現段階としての設備備品を活用し、効率的指導をいかになすべきか
3 現行でも道徳教育は学校教育全体を通じ又社会科、社会において取扱うことになっているにもかゝわらず不振の状態にあるのに、改訂の方針にそってH・Rや、倫理社会において、どのように強化すべきか
4 沖縄では類型をどのように考えるべきか

などか話し合われた。

第二項 現行教育課程については

現行教育課程を実施してみて困難を感じている問題点
1 個人差による選択科目の履修は規模の小さい学校では生徒の選択にむらがあり人員の調整がむつかしく、職員組織との関連において困難を感じている。又生徒の選択が必要性をみとめて、選択するというよりも安易な選択が流れる傾向がある。
2 科目の学年配当及び単位数など学

校差があるので転校に不便である。

3　理科の中、地学は教師の問題及び受講生が少ないため殆んどの学校が実施していない。

4　数学に六単位と九単位のクラスがあるため、二年において同じ内容をもつ数　を履修するのに学習指導に一貫性がなく困難である。
九単位履修に一本化した方がよい。

5　保健はその内容が生物に関連があるが、現行では一年での生物と併行して、一年、二年に履修させているので、取扱いが不便である。
一年生物で基礎的なものを履修させた後、二、三年で取扱う方がよい。

6　二学年以上にまたがつて分割履修する教科科目の単位数記入の方法が現行では不便である。

7　沖縄においては本土の教育課程にない一般職業課程を設けてあるが、その性格について検討する必要はないか

第三項の改訂された新教育課程において以上の問題点がどのように満足されたかについては問題点の中、大部分は改訂教育課程を取入れることによつて解決されるが、尚、残される問題として

1　個人差による選択科目の履修については、必修科目の増加によつて、選択の幅が狭くなつたとは言え、まだ問題が残される。

2　地学の履修についても沖縄の現状からその指導に困難が予想される。早急に検討し、適切な措置を講ずる必要がある。

3　一般職業課程の性格についての考え方は今後の研究課題である。

4　教育課程実施については特に重要で強調されなければならぬことは教員の養成と組織の強化である。

評価の問題点

1　客観的に評価が行なわれるよう、テストの問題作成の技術や妥当性、回数、テスト以外の評価資料を多くすると考究されるべきである。

2　沖縄においても単元ごとの標準問題を作成して提供する機関の設置が望ましい。

3　評価の基準については一九五八年教頭会の申合わせ事項の通りでよいか。修正の方法を比例式にすることや、欠課時数を評価に影響させるための公式については検討の要がある

4　卒業、進級、単位の認定については、

(イ)　評価の結果、その目標達成に著るしく遠いものに対しては父兄との話合いの上で原級留置をする。

(ロ)　進級の保留については全琉統一した一応の基準をもつ必要はないか。

(ハ)　卒業保留の期間について制限を設ける必要はないか。

第五項　高校の教科研究会組織について

高等学校研究会組織の早期設置が提唱された。その理由は教科研究会組織としては小・中・高校、又は中・高校による同好会はあるが高校教育という独自の立場から研究会組織がないので、教師の研究活動を活溌にし、生徒の学力向上に寄与するためにもぜひ全琉的な教科研究組織が必要であることが強調された。

その結成については後日、教頭会で審議の上結成することになつた。

第六項　学習指導上の問題点

1　教師の学習管理の強化が必要とされ、生徒の実態は握にもとづく生徒観、指導観の確立、実態に即した指導技術の研究が強調される。

2　学習指導年間計画表の作成、及び計画に止まらず、日々の実践記録を綿密にとるなどの方法で時間数の確保に努めること。

3　校内研修を盛んにして、教員の自己研修を活溌にし、雰囲気を高めること。

4　現段階における設備、施設を高度に活用し、学習の効率化に努めること。

5　簡単な日案や、週案でもよいから指導案をもつことは必要で、ぜひ実践に移すこと。

以上の通りであるが時間的制約があつて、充分な討議が出来なかつたにしてもこれを契機として継続的な研究としてやつていきたい。

昭和三六年度全国中学校一せい学力調査実施要綱

一、調査の趣旨
義務教育の最終段階である中学校の第二学年および第三学年の全生徒に対し、国語、社会、数学、理科および英語について一せい学力調査を実施し、そこにあらわれた学力の実態をとらえ、次のような諸目的に役立たせるものとすること。

二、調査の対象
公立、私立中学校の第二学年および第三学年の全生徒

三、調査する教科
第二学年および第三学年とも次の五教科とする。
国語、社会、数学、理科、英語、ただし英語については現に履修していない生徒を除く。

四、調査の実施期日および時間割
調査期日は昭和三六年十月二六日(木)とし、全国一せいに同一問題によつて午前九時から午後三時までの間に一教科各五〇分で行なう。

第五分科

テーマ

1　校地、校舎、施設、設備、備品の計画について

2　事務能率の増進について

▲校地について

㈠　校地の条件

1　校地面積は将来予想される生徒数課程数に対処して予め確保しておく必要がある。

2　校地は校舎敷地、運動場、実験実習室その他にそれぞれ適当な面積、形状、関係位置がとれることが必要である。

3　校地は日当たり通風のよいことが必要である。

4　排水のよい高燥な土地で運動場は雨がやんで短時間後に水がたまらないことが望ましい。

5　良質の飲料水が得られるところがよい。

6　静かで風紀のよい環境のところが望ましい。

㈡　校地基準について

高等学校設置基準（一九五九年十二月八日中央教育委員会規則第四二号）は下記の通りである。

生徒数480人まで	1人当り　30㎡
480人を超えた数について	1人当り　10㎡

但し実習地を含まない

運動場　12,000㎡

㈢　不足校地の獲得方針

不足校地の獲得方法は下記の方針に基づいた方がよい。

1　購入予算の分は至急購入する。

2　予算の足りない場合は賃借の方法を講ずる。

3　不足度の高い学校から買つてゆく

㈣　校地拡張方法

校地拡張の方法については下記の事項が考えられる。

1　土地購入委員会を作る（P・T・A同窓会、地域社会の協力者）

2　学校に協力する団体及び個人の資金造成による購入方法

3　地主に対して代替地を準備して拡張促進する。

4　地主に対して教育的立場をよく理解させて進める。

㈤　各高校の校地概況

学校名	現有面積(㎡)	基準面積(㎡)
糸満	31,986.9	31,200
知念	29,294.1	30,000
那覇	26,850.71	35,600
首里	18,707.7	35,600
普天間	59,594.7	32,400
読谷	29,365	28,800
前原	28,600	31,200
コザ	55,892	33,600
石川	30,346	27,600
宜野座	26,000	38,256
名護	52,872	32,400
北山	22,991	26,000
辺土名	34,927	27,600
久米島	29,623	26,000
宮古	43,629	27,600
八重山	25,740	26,000
北農	12,453	31,200
中農	6,748	31,200
南農	6,186	31,200
宮農	6,403	27,600
八重農	6,602	27,600

建物面積基準

（一九五九年一二月八日公報第九八号）

（建物の基準面積）――人当り―

校舎	屋内運動場	寄宿舎
4,752㎡	0.792㎡	10,758㎡

（屋内運動場）

1人～　299人	0.858㎡増
300　～　449	0.528　〃
450　～　599	0.264　〃
600　～　899	0.132　〃
990　～1.099	
1,200　～1,499	0.099㎡減
1,500　～以上	0.132㎡減

（寄宿舎）

1人～　35人	2.838㎡増
36　～　71	1.221　〃
72　～　143	0.396　〃
108　～　143	
144　～　以上	0.363㎡減

（学科の補正）

農業及び工業に関する学科		5,082㎡増
水産	〃	1,419　〃
商業	〃	0.363　〃
家庭	〃	0.264　〃

商業	5,430	27,600
工業	23,552	34,980
沖水	4,500	30,000
宮水	6,432	26,400

㈥　校地に対する将来への要望事項

1　現在の基準はもつと引上げられねばならない。

2　現在の基準は普通高校と専門課程を置く高校とが同一基準になつているがこれは不合理で是正されねばならない。日本においては下記の通りである。

普通課程	70㎡（1人当り）
農・工・水	110〃
商・家	70〃

▲校舎について

㈠　校舎の基準について

校舎の基準は一九五九年十二月八日公報第九八号（教育関係法令集のＰ1042）

の校舎暫定最低基準をよく研究し、新
設の校舎に対処してもらいたい。
㈡　校舎の配置について
1　学習上、保健上、安全上最もよく機能を発揮出来るよう考慮する。
2　校舎配列形式は分散式と閉鎖式の何れがよいかを校地の状態とにらみ合わせて研究しなければならない。分散式を原則とするが校地の状況によつては閉鎖式とすることもある。
3　各種科目の教室は教育上特に関連の多いものを一群とし綜合的に便利に利用出来るよう考慮する。
4　特別教室と附属室の関係も連絡および教具の活用に便利なようにする
5　管理部は学校規模に応じて学校管理上適当な種類規模、位置で外部との連絡もよいことが必要である。
6　校舎は方向性を充分考慮しなければならない。沖縄では夏は涼しくなるよう配慮し、東西を軸に一二度前後南に向ける方がよい。
7　緑地帯を合間に設けるよう配慮すべきである。
8　既設建物を再検討し、将来作るべき校舎及び配置の永久計画を樹立しておくべきである。
㈢　校地、校舎の保全について

高等学校（普通課程のみ）校舎の暫定最低基準の算定基礎表
（文部省の基準と同じ）

施設区分	学級数	3cl	6cl	9cl	12cl	15cl	18cl	21cl	24cl
	生徒数	150人	300人	450人	600人	750人	900人	1,050人	1,200人
	一般教室	140	210	420	490	630	770	1,050	1,190
教室部分	社会科教室	—	84	84	168	252	252	336	336
	〃付属室	—	28	28	28	42	56	70	70
	物理教室	84	84	84	108	108	108	108	108
	〃付属室	28	35	56	56	56	70	70	91
	地学教室					84	84	84	84
	〃付属室					—	—	28	42
	化学教室				84	84	84	84	192
	〃付属室				56	56	56	56	77
	生物教室		108	108	108	108	108	108	192
	〃付属室		35	56	70	70	70	70	84
	保健教室								
	〃付属室								
	音楽教室	—	—	80	80	80	80	80	80
	〃付属室	—	—	18	24	24	40	40	40
	美術教室	65	65	108	108	108	108	108	108
	〃付属室		25	28	42	42	56	56	56
	工作教室						144	144	144
	〃付属室								
	家庭科　被服教室	—	63	63	72	117	117	117	117
	家庭科　洗タク室	—	18	18	24	40	40	40	40
	家庭科　調理教室	63	63	63	117	117	117	117	117
	家庭科　研修室	—	—	30	68	77	98	98	98
	家庭科　準備室	—	—						
	図書館	30	30	60	84	112	114	162	180
	〃付属室					28	28	54	54
管理部分	校長室					24	24	30	36
	応接室	36	60	90	100				
	事務室、放送室					24	24	30	36
	職員室					72	88	96	108
	会議室	—	—	—	—	—	—	30	48
	生活指導室	—	—	—	—	—	32	32	40
	保健室	12	16	24	28	36	36	36	40
	生徒会室	—	—	—	—	—	36	36	48
	購売部	—	—	—	—	—	—	—	—
	宿直室	9	9	12	12	12	16	16	16
	警備員室								
	給仕室（用務員室）整備員室	12	24	24	24	30	36	36	45
	給湯室等								
	倉庫、物置等	16	30	40	48	57	64	69	79
	便所、洗面所	20	45	60	75	90	105	120	135
	ロッカー室	—	—	—	—	—	—	—	—
	昇降口	20	40	60	80	100	120	135	150
	廊下	179	357	535	713	890	1,071	1,250	1,428
計		714	1,428	2,142	2,853	3,570	4,282	4,996	5,711
1人当り	平方米（坪）	4.76 (1.44)							

給　食　室
生　徒　会　室

1　教師に対する校地校舎、校具、教具管理の徹底化
2　生徒に公共物愛護の精神をもつと徹底させねばならない。特にH・R活動で充分取扱う。
3　防災計画を樹立しなければならない（防風、防火、病虫害、浸水、盗難等）
4　建造物の定期的検査
5　校地整備の強化（特に排水、土止め）

㈣　その他の施設について
1　照明、動力、給水、視聴覚施設等は校地校舎の綜合計画と併行して計画を樹立しなければならない。
2　その他の特殊施設に留意しなければならない。（プール、飼育施設、塵あい、汚水処理施設、車輌置場、更衣室シャワー室その他教科に関する特殊施設）

㈤　校舎に対する要望事項
1　校舎の小修理に対する経費は前渡資金制度にしてもらいたい。
2　修繕費の増額をしてもらいたい。
3　給食室は基準以外に算定して設置してもらいたい。
4　小規模の学校においても職員室を設けるべきである。生徒生活指導室生徒会室を含めてぜひ設けてもらいたい。
5　学校当事者、専門家が集まつて研究会を持ち、文部省からも講師を招いてもらいたい（単位講習会とは別）

▲備品について

㈠　備品購入計画の留意点
1　購入計画は教育課程と関連させ使用頻度の高いものから順に買う。
2　購入計画をする時には各課程間の共同使用を考慮する。
3　maker 及び after service の面をよく研究する。
4　附属品の供給の難易を考慮する。
5　図書の充実計画をする。

㈡　備品管理について
1　いつ使用されてもその機能を十分発揮出来るよう完全に保管しておく。破損したものはいつでも使えるよう修理しておく。
2　常に所在をあきらかにして何時でも使えるようにしておく。
3　明確な管理組織により各係に責任をもたせて保管させる。
4　備品台帳をよく整理しておく。
5　教育課程との関係を明らかにしておく。
6　使用簿を作成し、活用する。
7　使用しやすいように配置しておく
8　定期検査をなす。（物品会計規則第四四条による）
9　非常時の管理計画を樹立しておく

㈢　備品に対する要望事項
1　基準は現在第一次目標額であるが第二次目標額に持つていつてもらいたい。
2　校具、教具、備品費を増額してもらいたい。
3　教室用備品の中の机、腰掛の予算増額と学校への前渡資金の制度化を促進してもらいたい。
4　机、腰掛の規格、材質、仕上並びに、検収をげん格にしてもらいたい
5　図書購入費の予算化をしてもらいたい。

○事務能率の増進について

㈠　事務の種類

A　生徒に関する事務
1　入学事務
2　転入事務
3　出欠席休業に関する事務
4　要保護生徒に関係
5　学級編成

B　指導内容に関する事務
1　教育課程
2　生徒指導
3　日課表週計画
4　教科書及び教材
5　指導要録及び通知表

C　学校保健、学校給食
1　身体検査
2　伝染病
3　学校給食
4　結核の定期健康診断

D　施設設備
1　校地校舎
2　校具教具消耗品

E　教職員の人事
1　任用（採用、昇給、降任）
2　分限懲戒
3　退職
4　服務
5　研修

F　経理厚生
1　給与
2　退職金
3　学級会計
4　共済会教職員会計
5　公務災害

G　学校運営
1　学校行事
2　職員会
3　学年会
4　教科研究会

H　学校備えつけ表簿
1　学校管理に関する表簿
2　教職員管理に関する表簿
3　学校財政の表簿

I　社会教育
1　P・T・A
2　同窓会
3　各種団体

㈡ 事務能率の増進策について

1 事務処理を日常化すること

2 学校行事の簡素化

3 事務組織を簡素化すること。

a 組織が復雑であると責任の所在も明確でなく処理に時間がかかる

b 適材適所主義に分担させる。

4 事務能率を上げるに適する環境を作ること。

事務室の設置、採光、清潔、通風、爽快な室内事務用の備品消耗品の整備

5 計画的に予定表を作る。

定期報告物、学期始め年度末の事務の処理計画

6 書類を整理しておく

a 書類収受発送簿の作成

b 部類別に書類を作っておく

c 処理、未処理の区別をつけておく

d 分類別に戸棚に入れておく

7 経理上事務の専任を強化する

a 経理事務専任を強化することによって教職事務が能率化する。

8 事務を科学化すること

a 日々の教育活動の各種調査統計結果などの資料を活用する。

b 緩急事務、重要度の事務の研究処理

9 事務の改善の方法を研究すること

a 職員会議、学年打合会、などに提案研究して衆知を集める。

10 事務研修

11 関係者に分担、応援をさせる。

a PTA会、生徒会などの活動を協力利用して能率化する。

日々の出席、諸調査、経理事務一般

㈢ 事務処理に対する要望事項

1 公文書の明確化

2 事務職員の優遇

3 事務用品の迅速支給

4 印刷、刊行物で共通するものは統一を図る。

5 計画外の行事の縮少

6 定時制、課程のある学校への公文二部送付してもらいたい。

研修方法

A 研究班テーマ

1、適性に応ずる進学就職指導の望ましいありかたについて。

。進学指導の実情
。進路指導の年間計画
。入試に関すること
。就職指導の実情調査
。国、自費学生と育英会規定
。職場開拓年間計画
。問題点と対策等
。職業に対する正しい認識

2、学校運営における教育財政や関連法規について。

。教育予算
。PTA予算の合法的運営。
。給与の問題
。地位の改善
。政府公務員法
。産休
。結休、年休、病休、承認休暇取扱い
。兼任校長の任期
。勧奨退職制度
。人事管理

3、高校生の望ましい生活指導について

。生徒会
。クラブ活動
。応援団のあり方。
。一日の生活のあり方。
。整理、整頓、躾（食事、服装、態度、あいさつ等）
。校内外の補導
。授業態度
。人間形成のよりよい家庭環境等
。カウンセラーの活動状況（科学的考察）

4、教育課程と学習指導について。

。現行教育課程の問題点
。新教育課程について
。評価の問題（進級、卒業の認定等）
。高校の各教科研究会の組織について

5、イ 校地、校舎施設、設備備品の年間計画について

ロ 事務能率の増進について

。校地校舎の永久計画
。施設、備品の年間計画
。会計事務
。文書事務
。学級事務等

B、各高校の研究資料

1、学校経営の諸問題

2、学習指導上の諸問題

3、教職員管理指導上の諸問題

4、学校行事の年間計画について

5、予算執行状況（才入才出）について

無から有を生む努力

沖縄盲学校長
与那城　朝　惇

△高等部をめぐつて胎動二年▽

特殊教育がもつている深さ、また重大性がどれほど政治家や世人にわかつてもらつているか、『かわいそう』ぐらいで簡単に片づけられていることが多いと言われていることは、現実の冷厳さを見せつけられていることから判断して、肯定せざるを得ないことであろう。跛行的な教育の一つの断層をここで端的にみせつけられているからである。盲、ろう生は中学部を卒業してみたものの、さてこれから社会に生きてゆくための十分な知識、技能をなんら身につけていない。身体的にハンディのみならず、様々な社会的ハンディをかかえているのであるから、住みにくい社会に生きていくには、よほどのことでないと、危険な泥沼にどんどん落ちこぼれていつてしまう深刻さがある。身体障害者だからこそ、今日とちがう明日がやつてくる世間情勢の流れの外にあることはできない。社会に順応して生きぬけるように、本人の長い人生を考えて深く思いをやる必要があろう。教育機会均等の大原則からも、このまま放任できるものではない。無職、徒食者を無くし、将来自立自活し、健全な社会生活を営み得る人間形成のために、この子たちに明日をめざす職業教育の場を与える高等部設置は政治的にも人道上からも、急務であることをあらためて考えないわけにはいかなかつた。

文教局・学校・PTAによるこの運動の矢がつるをはなれて満たされない心の悩みは実に胎動二年、暗い財政の谷間に軽くあしらわれ、いつも願望ときびしい現実との板ばさみの中で、話は二転三転し、青空はいつ仰がれるやらこの願いは釘ずけにされ失望は極めて大きかつた。ただどうせばよいのか、とあせりと不安の気分をもてあまして苦しんだ。このように雲をつかむような空転のうちに一回の卒業生を送り、悩みの中に二回目の卒業生を出すことになつた。卒業生の中にはどうにもならない現実にあい、郷土での進学に愛想をつけ、一人へり又一人へりして日本〃土に渡つた。郷土に踏みとどまつた者は早や職場で働きいくらかの賃金にありついた。あれほど高等部設置の希望に燃えた彼等や父兄であつたのだが、今では教育への情熱や意欲までもすつかり捨てたように、わずかの賃金を愉ぶようになつたのが数名出たのには、寂しさと驚きで胸をしめつけられる思いがして、誰を恨んでよいか学校は当惑した。歯が一つ一つこぼれかかつた櫛のようになつた現実にあい、不安の波は遠慮なく高くおしよせてきたのである。

△歓　声　の　渦▽

だが学校・生徒、父兄がひたすら祈り念じてきた高等部の開校は一九六一年四月中央教育委員会・政府の理解と父兄の努力により、いろいろ悪条件を克服して感激の入学式を終え、遂に形あるものに実現された。まさに『曇後快晴』、長いうつとうしい冬を送り、心躍る春光を浴びたのである。大きな夢と希望に胸をふくらませて、生徒たちは夢をのせて明日へと新しく出発した。尊いひとすじの光明であり、将来への明るい希望の灯である。心に灯がともり明るく勇みたつとき人は幾倍でも力がでて飛躍成長するものではなかろうか。まことに心をゆすぶりほのぼのとさせる慶ばしい琉球での特殊教育の新しい前進である。社会の誰からも平等にかわいがられるということが、子どもを幸にすると思う。

立ちおくれではあつたが、学校は満足と安定をとりもどして、新たな感激で今までにない活気と希望が、校内によみがえつている。生徒たちの愉びと歓声はやがて、『自分たちもこれから社会に役立つ』と、いう自覚まで高め、学習意欲となつて強く表われることであろう。本校もいよいよ脚光を浴びて新しい門出である。この感激を踏まえ新路線にのせたこの教育を、教師、生徒、父兄の協同体をつくり、意欲をもりたてて、これから先の努力で着実に積みあげて進めていく体制をつくり、これを基底としてその中で子どもたちの明日への幸福な成長に、層一層責任をもつて奮起したい。こうして無から有を生む苦難をへた満足は、始めて味わえる本校の最大な笑顔の一つである

△望まれる教育予算財政の裏づけ▽

めぐまれない子どもたちを彼等に適した職業的訓練を施して生活に対する実力を養成し、堂々と晴眼者や普通人と太刀うちできる自信をもたせるために、たしかな学校を築きあげなければならない。そのためには足もとの現実をふまえて、よき社会人としての一般教養を施して資質向上を計り、職業教育をはつきり画き強力な施策が要求されよう。さて教育で先行するものはわかりきつたことだが、よりよき恵まれた教育予算財政の裏づけであろう。この裏づけがない限り合理的（むりのない）能率的（むだのない）発展的（むらのない）な教育活動は期待で

きない。特に職業教育には必要な基礎的施設・設備と、必要な優秀教員数確保の教育二大条件が具備されなければならないといわれている。

教育の実質的向上に直接つながることから、どうしても良心的予算措置が必要になろう。高等部は創設当初のこととて道はけわしく長い、その完全運営は幾多の困難さが待つている。この財政の貧困さがもたらす施策は致命的なカベになつて、悩みが尾をひいている昨今ではあるが、この欠陥をのり越えるのに熱意だけでは克服できない。しかしこの現実のまずしさは、当分職員の和でカバーし、創意工夫、最高度に煮つめられた教師の熱情で、根気強く体当りする外道はないようだ。そして年間計画で常に設備の拡充に努力することが、当面の教師の責任である。そうしていつかやつてくる春の愉びを待とう。

△父兄の負担軽減▽

『貧乏は狼だ』といわれているが、特殊学校の父兄の家庭は二、三を除き大方下の生活力で、年中この狼と斗つて心を痛めているのが実情である。この特有な家庭貧困さの問題を抱えているので、いきおい高等部への就学に、こどもたちの世界にもちこまれて、教育に暗い影を投げかけている。義務教育でないからかまつておれない という 教育観点を ぬきにして、身体障害者であり貧困の親であること、そして彼等の教育への願いと要求を権利として実現するよう特別に見なしてもらいたい。就学奨励費、舎費の政府補助増額、交通費・教材費等、父兄負担の教育費をいく分でも軽減して、就学の支えを与えることによつて、この子たちの高等部が期待を未来にかけることになると思う。日本々土ではすでに実施されていることからみても、このことは親や学校のたつての願いである。高等部の明日への発展のために、父兄の負担軽減は是非解決してもらいたい問題である。そこではじめて国民平等の生存権、生活権の観点から、一人の落伍者もなく福祉国家が実現されよう。

教育指導委員K先生

今帰仁小学校
渡久地　繁

ある日の午後、子ども達の帰りの話しあいに、おもしろいことを発見しました。

「あしたはな、K先生が教えてくれるよ。」

「ぼくたちはな、昨日教えてもらつたが、とてもおもしろかつたよ。」

「K先生は とても やさしい 先生だろう。」

「先生の ことばを よくきいて ごらんよ。すばらしいぞ。」

「べんきようのときもな、にこにこしておもしろいよ。」

下校時に、とりかわすやんちやな男の子達の風景である。この一時を見てもK先生の御授業がいかに子どもたちに、魅力があるか、また、いかに先生が子ども達の中にとけ込んでおられるかがよくわかると思います。

教育は人間を作るのだと、日頃人間教育をさけんでいるが、魂と魂のふれあいが、こうも簡単になされて、子どもの心に素直にとり入れられていくことは、先生がほんとの人格者でなければ、子ども達にすぐこのような反応を示すことは、むずかしいことではないか。一つの仕事を遂行するためには、それ以前という準備がある。それを身につけていないとすべてのことが、うまくいかないのではないか。子どもの鋭い観察は、先生のそれを見ぬいていることと思います。子どもがどのように先生を見ているか、四年生の作文を紹介致します。

四年生　運天啓次

めがねをかけて「にこつ」とわらつたK先生、新しく本土からいらつしやつた先生だ。うけ持の教とう先生から」「今度本土の方から、国語のおべんきようを教えていただく、本土でも有名なK先生が私たちの学校にお見えになります。この半年しつかり、先生についてお勉強しましよう。」といわれた。とたんにぼくは本土の先生つて、いつたいどんなかただろうと心の中でいろいろ考えた。

「よしぼくのすきな国語だ。しつかりやろう。」「学校の帰りも、そればかりが気になつてむねがわくわくしました。いよいよ十月二十六日朝礼の時に校長先生のおとなりに、両手を前にくみ、めがねをかけてとてもやさしいそうな先生という感じがしました。

「早く何かをおつしやつてくださればいいがなあ。」

先生の一言はお正月のたこよりも、まちどおしかつた。八百六十名の目は、K先生の方へとひきつけられました。いつもの朝礼とはまつたくちがつて「しーん」としていました。校長先生のあいさつも終り、いよいよK先生の番だ。何をおつしやるだろうかとみんなの目、顔、体までがいつものようすとは、かわつていました。わたしが思つたとおり、やさしい

声でした。それから毎日先生とお会いしております。先生は頭の毛がうすくはげています。いつもていねいに、あぶらをつけておられる一本のみだれ毛もみえません。

遠い本土の方から私たちの学校に、こんなりつぱな先生がいらつしやるとは、ゆめにも思いませんでした。学校に行く時も、遊ぶ時も空をみあげると、うすい白雲の中にK先生のお姿を見ることがあります。

先生がおいでになつて、もう四ヵ月にもなりました。おべんきようもおしえてもらいました。先生とのお勉強は、けつして忘れることができません。教とう先生は、「K先生は三月の終りごろお帰りだといわれました。」先生は、いつまでも私たちと一しよに、おることはできないかな。」

三月はこない方がよいと思います。おかあさんも先生方も、とても残念がつておりました。私も一しようけんめい勉強して、先生のようにえらくなつて、人々のためになるような人になりたいと思います。私たちお友達は、いつか先生とお勉強した日のことを今でも話し合つています。

K先生に対する子どもの気持がよく表現されていると思います。

○余韻を残す授業

余韻を残す授業とはK先生のような授業ではないでしょうか。子ども達の心の底にくい入るような印象づけをしていく。余韻のある授業と口には言いやすくなかなかむずかしいことです。子ども達に余韻を残しておくと勉強の楽しさが倍加し、学習意欲なども心配することも、またすべてのことが解決されるのではないでしょうか。くどい取扱いは、子どもの頭を混乱させるだけです。

「教材研究は深く、指導は平易に」これがいつも先生のいわれることです。気をつけなければならないことは、余韻を授業の終りに残すのでなく、一時間の教壇の流れの中で、各所に余韻を残すことだといわれています。即ち毎日の授業に感激を持たすことだと。

K先生は授業中の発問について、よく注意している方だと思います。

時代の進歩は、教育の方法を次々と変えさせていく。視聴覚教育の方法はその一例でありましよう。だが、どんなに時代は進歩しようとも、われわれの教室からことばが消えていくことは考えられないことでしよう。消えるどころか、世の中が機械化するにつれて、教育上、直接子どもらの目の前に立つている教師のことばのはたらきは、ますます重要な役割を果すことだと思う。この意味で教師最大の武器であることば、わけても発問のくふうは、子どもの思考力をのばし、心情を培う根本となるのではないかと、先生は常に指導されています。

。相手によくわかる発問

相手の程度にあわせて、個人差を考えること。

。必要にして最小限のことばで

ことばにみがきをかけ、鋭くしていること。とかく教師は言語過多症であるという。心すべきこと

。発展性を持たせること。

一問一答式のものは、発展性があるとはいえない。一問多答、討議へと発展していくもの……むずかしいことです。故に勉強することだと。

。発問には間をとること。

答えもしないのに教師はあせつて、次から次へと発問していく。子どもに考える時間を与えること。発問に対して反射的に解答してくるとは限らないからである。

。学習内容、学習の場によつて発問はかわらねばならない。

問題解決的場、練習の場、情操陶冶の場等それぞれ特色ある発問のくふう。

。易から難へといくこと。

その間に断層の飛躍があつてはならない。

。子どもの質問をどうとりあげていくか

まず質問してきた勇気と、学習に対する意欲は無条件に認めてやらねばならない。質問には解答を与えて終りというのでなく、それを拡充深化させていく方向にもつていきたい。

発問は教師が行なうものである。とすると子どもはいつも受身になつて問いを受けることになる。だから子ども達からも問題が出て、子ども自ら思考するような発問ということが大事なことではないでしょうか。さまざまな子どもの実態に即した発問、相互に考え合う発問、いろいろあると思います。

ある日、先生は本校で二年生の授業をなさいました。その時二人の子どもが真向から意見が対立しました。一人の子は自己の主張に相当の裏づけを持つているようだし、他の一人の子どもも、自分なりのしつかりしたものをつかんでの発表であります。この二人の子どもの処理をどのようになさるか、興味をもつて見ていました。K先生はこの二人の子がどちらも納得がいくように、二人の意見をとり入れて解決をしていかれるところは、見事なものでした。このことを考えてみると不断の自分の授業が強く反省させられました。

子どもの幸福を願わない教師といつては一人もいない。私たちの日常の発問がどれだけ子どもたちに、ひびきのあるこ

とばとして、受けとられているだろうか。静まれといつて静かにならない。動くなといつて動いていたり、動けといつて動かない。こんな経験は毎日あることです。教壇に立つて、毎日せい一ぱいの努力をしている。それにもかかわらず毎日空砲ばかりを打つているのではないかと考え、教師の発問が悪いのか、子どもの頭が悪いのか……。

　効果のある授業は、たしかに有意義な発問により進められている。しかし有意義な発問を出し続けるだけで、効果のある授業であるといえるか、それも……。K先生の授業の一部を出してみましよう。完全なものとして出すことができないことを断つておきます。

十一月二四日

二年生の授業

てがみの　とどくまで

。はるおさんは手紙をかきましたね。

だれに
。何の手紙を書いたの。

。お礼の手紙を書きました。

。お礼の手紙を書いてポストに入れましたね。

。ポストに入れておくと、どうなるでしようね。とどくと思いますか。

。ほんとうにとどくか、どうだろうか。ご本を読んで調べましよう。

。てがみがとどくか、どうかを読んでもらいましよう。

。てがみとどきましたかね。

。もう一ど読んでもらいましようね。みんなは、口だけは、あの人にまねてね。

。では今のところを先生のこえをきいて、大きな声で、いつしよに読んでいきましよう。

（絵を見させて）

。何かとりだしている人がいるね。だれでしよう。

。あの中に春夫さんの手紙が入つているかね。

。そうですね。自転車にのつていくのはだれかね。

。だれか部屋の中で何かしていますねよく見てよ。これはだれでしよう。汽車もついているようだが、そこはどこでしようか。

。それからどこへ。

。ゆうびんきよくからどこへ。

。ゆうびん局を□でかこみましよう。

先生はあとでちよつと用がありますからこの下に「が」を入れます。

。ゆうびん局も□にしてね。

。かこんでしまつたら読んでください。

。えきが二つあるが、まちがいではないかね。これはどこのえきですか。

どの町の駅でしよう。

。こちらはどこの駅でしよう。

。おじさんの町の駅はどれでしよう。

。こちらは
。春夫さんのだした手紙は→で示していく。こんなにして、とどいていくのですね。

。ゆうびんやさんがポストから何をどうしたの。ご本をよみなさい。

。そうしてゆうびん局にどうしますか
。春夫さんの手紙だけしか運びませんか。大事なことがぬけていますよ。

（助詞に気づかせる）

。ゆうびんきよくでは何をしていたかね。

。何にスタンプをおすの。

。あて先によつてどうするの。

。春夫さんの手紙は何に入れられますか。

。どんな袋ですか。

。この袋はどこに、持つていくのかわからないの、では先生がよみます。

。えきでは何につみこみますか。

。それから誰のいる駅へ行くの。

。ゆうびんきよくには一人でいくの。

本をよんでごらん。絵を見てごらん
何で運ばれていますか。

。そしてゆうびんやさんが、どうする……。

。運ぶことをまたなんといいますか。

[はいたつ]（ことばを知らす）

。そして、どこへとどいた。そうそれでやつととどいたのですね。

。では今日のおけいこをもう一回やつてみましよう。（フラッシュカードを使用）

[つみこみます]

このカードを、あそこ（板書）のどこにおいたらいいでしようか。

[とどきました]　[はこばれます]

[はこびます]　[はいたつにでかけます]

（これを前のようにして、板書にあわせて、はつていく）

板書事項

[ゆうびんやさん] が
ポストから
ほかの
ゆうびんきよくに ←
[ゆうびんきよく] では
スタンプを
あて先によつて
ふくろに ←
[えき] では
ゆうびん車に

れつ車のたび
→ えき についた——は
→ ゆうびんきよく に ゆうびんやさんが
→ おじさんの家 に はいたつ

低学年における発問、さらにむずかしいことではないか。ことばも多く使うほどていねいで親切で行届いた指導をしていると、錯覚しがちなのである。要するに、ことばをえらんで、みがくこと。最小限のことばで、目的が達成できる学習指導が、最上の学習指導ではないか。漠然としたいい方はさけましよう。私たちは、どこまでもことばをみがいて、子どもらの前に立つようにしたいものです。

かなづかい談義

伊波　政仁

新かなづかいに、なつてから久しい。だのに、「新かなづかいとは、どんなものですか」に「助詞の は・を・へ をのぞいて発音通りにかくのだ」と誤解している先生方の多いのには驚く。趣意書にはどこにも「発音どおりにかく」とはうたつていない。どこからこの誤解が生じたのだろう。おそらく「かなづかい」と「発音表記」をはつきりと区別しないところからきたんじやないだろうか。

故橋本進吉博士の「表音式かなづかいはかなづかいにあらず」といい切つた有名なことばは深く考えさせられる。

では趣意書にはどういうことばでいい表わされているか。「現代かなづかは現代語音に基づく」とうたつている。「現代の音声」ではなく「現代語音」である。「かなづかい」は発音記号ではなくして正字法である。だから「私は」「私を」「私へ」でかまわないのであつて、決して発音どうりにしようとしてはいないのは、注目にあたいする。私なども助詞の「は」「を」「へ」を「わ」「お」「え」としたらとまどい抵抗を感ずる。だが子供たちの中には抵抗を感じないのも中にはおる。「私わ行きました」などと平気でかく。ではこれは矯正すべきであるかどうか先生方にうかがつてみた。罰点をくれて矯正すべきだと若い先生方はおつしやる「なぜ発音通りに表記するのだつたら「わ」でもいいじやないか。助詞の「は」「を」「へ」をむかしのままのこした理由は?」には説明のつけようがないらしい。

さて趣意書にはどうかかれているか「ただし助詞の「は」「を」「へ」はもとのままかくことを本則とする」とある。「教員は同一校に七か年が原則だ」。だが八か年も十年もつとめておられる先生方もおられる。それは原則であつてそれ以上でも事情によつては許されるわけである。それと同じで本則とするであつてかならず「は」とかかねばならないというわけではない。ここに読解の必要さが生れてくる。「は」を「わ」とかく子がいるからといつてチョンチョンではしのびない。この条項を読まれてないから「わ」「え」と書いてもゆるされるわけだのに誤答として取り扱われる。

教科書のほうにでているものの外はみなチョンチョンでは能がなさすぎる。新かなづかいの精神に反するものだ。

もしも「は」を「わ」と書かれているのが目ざわりの方は

□の中のじからえらんで（　）の中に入れなさい。例

友だち（　）あそびにきました。等

の問題を数多くして救う道を講じたらよい。国語教育の本道は小、中、高を通じて顔というものは「かほ」ではなく「かお」だと成長する間におぼえさすことにあると私も思う。

さてこの条項の原案は「わ」を本則として許容案では「もとのまま書いてもよい」となつていたらしいが大新聞の委員側から強硬につつぱられて本則と許容案が入れ替わりになつたということであるので一々「わ」を「は」に直さなくつてもいいように思える。

言語は急激に改革はできない。まあ前の条項のように「は」を「わ」にかえるには、おとなには抵抗を感ずるかも知れないが今の子どもたちの時代には「は」が「わ」にとつてかわるかも知れない。

（伊波小学校教諭）

〃沖縄文化〃の愛読をすすめる

郷土の史学者が協力して昭和二八年二月以来とだえた〃沖縄文化〃を復刊することになり、既にこの第一号が同好の士の手許に頒布されている。年五百円（B円）、隔月発行、五〇頁程度、郷土の諸先輩の貴重な研究が連載されていて、ぜひひろくおすすめしたいものである。

発行所は、

東京都杉並区上萩窪一ノ五七

沖縄文化協会

代表委員　外間守善

（登川）

尚敬王の時代
―十八世紀の社会経済史―

饒平名　浩太郎

目　次

はじめに

われわれの生活の中には今尚封建的なものがいろいろな形で残っている。近代的民主的なものと微妙に交り合いながら、われわれの気のつかないところに生きている。そうした封建的なものをはっきり見分け、克服していくためには、それを確立した尚敬王の十八世紀時代の真相を知らなければならない。どんな時代でもそれが成立していく過程には建設的な動きがある。この動きの推進力をになっていたのが法司蔡温であり、蔡温の時代感覚が封建社会確立の動きとなっているのである。その意味で蔡温の出した諸法令（特に農事に関する）を知ることによって沖縄の封建社会の状態がわかれば本稿の目的は達せられたということができる。沖縄の封建社会は公儀が百姓からその全余剰労働を貢租夫役として搾取することを意図するのみならず、その実現の為にあらゆる努力を傾けており、しかもその意図は必ず実現されている。公儀をかこむ諸大名は百姓に対する土地緊縛の法令をしばしば出すと共に、組制度、共同連帯責任制度を通じて百姓を強力に土地にしばりつけ、他方においては苛政（百姓のいたむ命令）と見られる原因を排除することによって、百姓経営の維持を図っていくのである。しかし百姓の余剰労働力を搾取する以上百姓経営をいかにうまくやっていっても、夫役が制限され、免租が適正に決定されても、単純再生産以外に営むことのできない個々の百姓たちは、自立経営を維持しながらあらゆる納入を完全にし得るものではない。凶作、災害、病気等に起因して貢租未進の百姓が出現することは必然であるといえる。特に琉球では公儀納入のみに止らず薩摩への世上米や、上木税が重なっているから尚更である。それでもなお公儀側の政策はただ村落支配者層である地頭・おえか人の田畑確保と一般百姓の耕作確保ということのみで終始している。にも不拘冠船渡来、薩摩江戸への上国、貢租によって財政が危機に頻すると、いよいよきつい指令や達しとなって百姓を奴隷においこむものである。しかも財政の危機にもとずく収奪の強化はかえって貢租の減少を生み、危機が倍加すると、かえってはね返って悪循環をつづけるのである。

百姓が甘蔗の栽培によって漸く活路を見出すと、とたんに私売は法度だと制限を加えてしまう。売るものは作ってもよいが、買って消費することはできないという、都合のよい作物を保護奨励して、指導にもつとめるが生産物が商品化して行くことに制限を加える。いわば保護しつつ制限するという矛盾した政策をとっている。

山林も木材利用が増大してくると、山林を重視して杣山とし杣山法式帳によって種々の制限を加え、肥料をとるにもその下草の利用のみを農民に許すというようなのが多い。だから個人有林というのは発達しない。たといあるにしてもそれは模合山であり、山年貢を出さねばならぬ代物である。

蔡温は独物語に「衣食は年々人々の働きで需要を充すことはできる。これから先当時二十万人の人口が三十万、四十万に増えても農耕方式通り行い皆が家業に励みさえすれば、国中の人民衣食の不足をすることはないが、材木の方はそうはいかない。人口増加による家普請、船作、諸道具その他による需要に応ずるのは大へんである。特に王城の改築、唐船の建造に必要な木材にはぜひとも山林造成が必要である。」といって、自分の農耕方式の最もすぐれていることを買いかぶり、材木仕立ての為に山林造成の必要を強調するのである。以上あらゆる面で緊縛されるのであるから貢租完納のためには、お授け地である百姓地をも質入する。或は自らの家族を年期奉公人たらしめるという百姓が負わされた年貢完納義務の必然的結果が発生する。又身売をも強要する。しかしいかに人身売買は度々法度によって差止められても年期奉公人の年期についての制限が存在しない限り年期奉公人雇入と称して事実上の人身売買が存続する事態は否定し得ないのである。農村の過剰労働力の離村もあったから必要労働力の減退も当然あった。それは直ちに田畑の荒廃とならなければならなかった。過剰労働力の吸収力には限りがあり都市が最大の吸収地ではあっても、大部分の離農者、奉公人は都市の賤業者とならざるを得なかった。これが十八世紀の農村社会であったのである。

㈠　琉球黄金時代への道

沖縄の十八世紀は蔡温の時代ともいう

べき世紀であり、琉球の黄金時代である。政治、経済、文化が一時に興隆し開花した時代であつたが、その推進力となつたのが実に蔡温その人であつたのだ。

蔡温は久米邑の出身、明の洪武年間に来琉した閩の三十六姓中の名門蔡崇からの出、千江長史梁嵩七世の後、鐸氏の孫である。父蔡鐸は中山世譜を編述し、歴代宝案の編集者として知られ、政治的にもその事績が高くかわれ、数度の中国進貢使節として、又朱子学者として名声を得た人物である。蔡温はその二男（嫡妻葉氏の長子、長男淵は異母兄）父鐸から朱子学を学び、国吉親雲上の指導啓発を受け、二十七才存留通事として柔遠駅逗留中湖南の処士某氏から実学の指導を受け、又新江の凌雲寺に出入して一切経を繙読しているのであるから余程勉学の環境に恵まれていたと見なければならぬ。家庭にあつては賢母の庭訓によつて人間蔡温ができたといわれている。正徳元年（一七一一）蔡温三十一才のとき尙敬の師傅に任命されたが勤勉、誠実な温は、国王の師傅として倦まず惇々として道を説いて教育に当り、尙敬から絶大なる信頼をかち得たのである。尙敬に進講したのは、かつて中国滞留中学んだ実学の秘録、実学真秘であつた。実学とは朱子学と陽明学の長をとり、迷蒙を去つて利用厚生の実績をあげることを目的とする学問で、その内容は「墾荒、均田、興水利」にあつたが、蔡温が政治家として最も注目し実行したのは興水利の道であつた。即ち蔡温執政中行われた那覇港の浚渫（享保元年一七一六）羽地川の開修（享保一九年「七三四）各地の護岸工事（享保二十年一七「七）農務帳の発令（享保一九年一七三四）杣山法による水源涵養（元文二年一七三七）等がそれである。

夙にその非凡な政治的天才は国師拝命当時から現われ、特に尙敬の冠船当時に発揮した政治的才能がかわれて享保十三年四十七才で三司官に陞つたのである。

事実蔡温が積極的に国家経済の確立に努力したのは享保四年からであつた。享保四年といえば冊封使が来琉した年である。勿論これまでの例によつて冠船渡来の諸準備はその数年前からとりかかつていたのである。が、さて来朝して滞りなく尙敬の冊封はとり行われたが、このとき来琉した唐人が冊使以下六百五十人の多数で、こんな盛大な規式は曾て行われたことがなかつた。だから国をあげて冠船踊りに陶酔したのであつた。しかしながら来琉した唐人たちは中国の任命によるものではなく、公募によつて参加した人々で、禄や旅費が給せられたのではないから、彼等はその携行品を売りつけるのが目的であつた。又琉球でもこの携行品を買いとつてやるというのが接待の一儀礼であると心得慣行になつていたのであるから、ちよつとやそつとの国費では賄いきれなかつたであろう。規式がすんで携行の品物評価査定に入つたが、何と二千貫目という莫大な数量に上つた。これは琉球役人の想像した数量とは驚く程の誤差があり、かねて準備された唐人の品物買入銀は僅かに五百貫目分しかない。この事情を唐人に具申したところが唐人たちの立腹は大変なもので喧々ごうごう琉球の誠意を疑うといいだした。彼等の言い分では「琉球は少くとも王国である。いかに貧国と雖も七、八千貫目の品を購入する位の銀はあると考えられる。今に至つて五百貫目購入の銀の保有しかないというのは以ての外だ。これは確かに琉球側が唐人を迷惑させてやろうという企みに違いない。」とあつて強硬な談判に及んだ。こうなると政庁側でも捨ておき難い問題だとあつて、急拠前後策を講ずることにした。惣役の程順則、識名親方を始め三司官役職協議を開いた結果、問題とりまとめ役として、国師であり・冊封の儀礼を指導した蔡温の出馬を乞はねばならなかつた。

程順則や識名親方が、三司官でもない一介の学究蔡温に目をつけたのは、父鐸が宮中に於て大きな治績を残した学者であり、父の薫陶を受けた蔡温ならば先づこの危機をまとめる役として恰当だとにらんだのであろうか、にも不拘温が久米邑出身の学才であり、国王の師傅として絶大な信頼を得ているという事情からその人物を高く評価したからに他ならなかつた。温は果してその請を容れ、久米邑の寓居で日夜前後策について研究した。果たせるかな唐人たちは温の出馬ときいて、その欝憤を副使徐葆光に托して皮肉つてきた。

「中郎才品過無倫、両鬢青々映紫巾
柳檻春風陪講席、星しよう金葉講皇綸
覇汀碑文嘱文麗、首里坊辺賜宅新
最羨神筆聯錦帯、朝向又奉白頭親」

これに対して温は即日其の韻を用いて一首を賦謝して酬いている。

「先生声望本超倫、愧我傭才列紫巾
鳴鳳池承帝沢、　浮さごう島棒皇綸
詞聯錦繡呉綾燦、筆掃竜蛇神筆墨新
最喜良縁深受誨、　春風座裏相親。」

それでもなお冊使からは種々琉球の越度を指摘してきたが、温は筆談を以て一々申開きをなし・やつと彼等を下の天妃宮に招いて買銀五百貫目以上は到底不可能であることを説き、認識させることができた。さてこの思いがけない国際問題が漸く落着はしたものの、唐人に多額の貨物を持皈せば彼等に莫大な損失をもたらすことは必定であると思つている矢先、たまりかねた冊使等は国相法司を呼びだして再考を願い又々面倒な交渉が始つた

琉球にしても或はこれがひいては、従来の国交にひびを入れないとも限らないとあつては大変である。二かちやの世では愈々琉球の生死に関するという重大な問題であるだけに国相たちは万止むなき策として、国中の老若男女の髪差並に家々持合せの銅錫を取集め、これを銀にして、百貫目ばかりの買物をしてやつと危機をとりつくろうという醜体を演じたのであつた。全く危機一発というところである。ところがこの折衝の舞台裏ではどうであろうか。彼等一行に対して八月十五日夜の中秋の宴だの、九月九日の重陽の宴、餞別の宴、拝辞宴、望舟の宴などと前後七回の宴が催され、摂政三司官からは名所旧跡への案内があつたり、或はその私邸に招待があつたり、その招宴の歌舞、演劇、は竜舟競漕・煙花の打揚に興をそえ、料理は正副使に毎度毎度二十種程、以下資格に応じて十六種程度の中国料理が従人にまで給せられる。その餐応の後にはその都度引出物も出る。その費用は大変な額に達したであろう。元来彼等一行の滞留中の宿館は天使館であるが、天使館には都通事と紅帽の秀才が二十人常勤して、彼等の用を弁しているが、その外に天使館では七司をおいて館務司が庶務を、承認所は館中の工事、堂牲所は羊豚鶏鴨等、供応所は酒、米、蔬菜等の供給、書簡司は書帳の往来理宴司は宴会、評価司は交易とそれぞれの事務を分担し、各司所には大夫一人紅帽官三人雑役二十人をおいて久米村の総理がこれを監理し万事遺漏なきを期したから、天使館詰の役職人だけでもざつと一九〇人が詰めていることになる。それに唐人が六五〇人しかもこの度は九か月に及ぶ滞在であつてみれば、その間の全員の食料その他全部沖縄側の負担であるから容易ならぬ額であつた。だから数年前から物資を準備貯蓄しなければならなかつた。綿羊、鶩鳥のような沖縄にいないものは特に農家に飼育させ、又魚貝もかねて濫獲を禁じて養殖し、魚貝類も一定の場所に飼養し、果樹はその年に結実をよくさせるために二、三年も実をつけないようにして樹力を養つておくなど、あらゆる方法を講じた。そのための全体の費用が総じて正銀三千五百貫目に上り、現銀千二百貫目から千七百貫目に達したといわれている。こんな華やかな場をくり広げて彼等を待遇するという如才ないことをやつてのけているのであるから誠におめでたい人々である。

その上彼等唐人の私物品の購人が大変であるから、今度のような国際問題まで持上るのである。

副使の徐葆光が記述したという中山伝信録には、

「凡兵役随身行李貨物、毎人限帯百斤、按歴来封舟、過海兵役等皆有圧鈔貨物、帯往市易旧例、万暦七年巳卯、冊使長楽謝行、有日東交市記、後有恤役一条、言自洪武間許過五百人、行李各百斤、与琉人貿易、著為条例、」

とあり、一人百斤としても六五〇人で六万五千斤の品物になるが、もともと商利を目当にやつてきた唐人達であるから一人百斤どころではない。その二、三倍も持参するというから決して誤差ができない筈はない。そもそもその品物全体を買取ることを接待の慣例にしたということが、この破綻となつたのである。それにもかかわらず蔡温はこの度の折衝の功によつて、享保十三年（一七二八）三司官に推挙されたのである。こうした難関が横たわつていることを実際に当つて知つた蔡温の政治的活躍がこの年から始つたのである。蔡温には最早や身後の計や立身出世などというぶざかしい考えをもつ余猶とてなかつたのである。常に沖縄を如何にして経営すべきかという問題だけで一杯である。あらゆる本をよみ、あらゆる事物に対して彼の知識はよく消化されていつた。そうして思い切つて所信を断行していつた。その間彼は政治的信念を堅めた。「国土の儀眼前の小計得にては絶て安ど之治罷成不申積に候。依之政道と申すは必国土長久之御為に、大計得を第一に心掛相働申由聖人彼ニ教置ニ候。」といい、沖縄の政治は「くち手綱でかん馬を御する様なものだ」と評している。しかも彼の所信断行に大きなバックとなつた尚敬王と良相識名親方に会遇したことが蔡温の政治に大きな力を与えたのである。封建社会はいずれの国でも同じことであるが、社会の全生産に於て農業が主要生産であり、自然経済が支配的である。かゝる状態が封建社会経済の基礎をなしている。しかも農業においては農奴的制度が行われねばならなかつた。それは階層的な封地関係が行われたからである。階層的な支配者は家族主義、団体主義、伝統主義、格式尊重、祖法墨守、形式主義であつて彼等は農民に対する誅求を加重し、小作の発展と相俟つて農民を貧窮化せしめる過程をたどるのである。蔡温の政策もこの例にもれるものではない。享保一九年と二十年に出された農務帳、林政による水源涵養令、羽地川改修による興水利政策、各地の護岸工事、河川巡視による溜池設置等農業に関する政策は、最もよくそれを物語る注目すべき政策であつた。続いて国家財政の窮乏から従来皮革、鍛冶、裁縫、表具、彫刻、畳職も地方農家の副業か平民の専業であつたものを停止させ、首里那覇、泊、久米の住民に限つて許可をする方針を打ち出し、農民は専ら農を専一にすることを命じている。特に那覇では

那覇四町久米の二、三男で細工勝手のものを久茂地新地に移して手工業を奨励し扶持人に模合組合を作らせて冗費を省かせ、葬礼の華美の風を改めさせるなど封建社会の基礎づくりは続々やってのけたのである。農業政策面では、尚貞時代に発せられた令達を更に強化するというのが原則であったらしい。

△元禄十年（一六九七）中頭法式帳によると

当国之儀御国元より御検地の後水旱の損失高大分引入故、康熙八年仕明の訟申上相違し、それ以来漸々開来候。然共本高には抜群不足候得共、山野大粧仕明仕候はば、採薪牛馬飼不如意罷成畢意諸人の為不成儀に候間、康熙二十八年より召留候猶以可被得其意、尤海辺にて不障所は百姓引合の上致免許来候へ共、その辺あだん、すすきの類生茂り、別て重宝に相成地も訴訟之人最前内々依申合、乍勝手無是非致領掌置、表方より引合之砌も弥其通請合候方有之様、風聞候間、仮令百姓領掌候共、各見届牛馬飼採薪之重宝罷成地に候はば、差免間敷事。」とあり、享保十九年続谷山間切農務帳によると、

一、田畑の境草内無之故、田に上流落、双方の為に不罷成候について、畠地の内より草内三尺相除き、芋入置候間畠作召留双方にて格護致し、破損有之節は早速修補相調、双方より少も鬮爾之儀無之様堅く申渡、来年六月中限首尾可申出事。

一、平地田の畔、平地より一尺壇上り迄の所は、畦広さ一尺、且つ二尺壇上りは畔広さ一尺五寸、且三尺より四尺までの所は畦広さ二尺に相定候。其上の壇上りは見分を以て畦度置候間弥其の通にして畦相直させ帳に記置、来年正月中限首尾可申出候事。

一、坂の所に有之畑、見分次第土不流様に土留幾通と立札に相記、右土留一つにつき一尺五寸ずつ相除き竿入置候間、すすき植付申すべく候。尤平地とても壇上りの所は是又立札にて相記置候間其通りすすき植付、来年二月限首尾申出べき事。

一、田畑の儀自分以後境目正しく紛無之様印植付置、何原何番地と相覚え候儀題目の事に候間、耕作当にて百姓中へ毎月堅可申付候。若し致二大形一地面忘却仕、番付原名不覚に有之候はば、対各成可為越度候。

一、田畑に相係り差通置候溝之儀、水力の強弱見分溝程相究立札に記置候。右立札通り帳に委細書留おき、自然水損有之節は則々修補可申渡候。

一、今度竿入候田方畦数並広さ畠方土留数並広の儀自今以後増減不仕様に堅可申渡事。

一、山野境大土手並小土手の儀、土手涯より一尺五寸相除き竿入置候間、其分は相除作職可仕候。尤右大土手致破損候はば、則々修補可仕候事。

とあり、田畑耕地保管の方法について委細指示し、如何にすれば生産の増収を図ることができるかに腐心している。享保十九年中頭田地方農務帳によれば

田畑之儀時々割直為二指究一主付無之模合持の筋に仕置候に付て、地方の格護大形相成、地位漸々薄く相成不宜候依之地割申付、永々授置候条、堅く得二其意一此心得専大切に存じ格護可有之事。

こうして各地方の仕明地竿入さえ始められるのである。

享保十九年恩納間切恩納村帳内原に有之候佐渡山親雲上面付三万三千四百二十三坪七分之内、

濡二万八千二百六坪七分、安富祖村帳内アフリ原（地名）に有之候百姓模合地、

二千三百八十二坪九分之内　濡千七百十七坪。

右当年竿入年限。

右廻勤の砌致竿入候間、頭役、惣耕作当共にて不図取寄、竿試にて物成候分は杭木相立、当月十五日限その首尾可被申出候、自然現場見分の砌杭木相立置候跡形無之候はば、各にも越度相成筈に候間、右様可被レ相心得レ候。此段致問合候。

以上

田地奉行

同農務帳の指示では享保十九年田畑の境界を整理せよと令達し、

「地境致混乱候はば入組に成候儀も可出来候間、樹木立石溝様にて境目正しく可致置事。

野山の 境目 正しく無之候はば 致二明地一、亦は仕明場などへ切添、後々は余地も無之様に可成行候。然は牛馬飼薪の不自由に相成、百姓可差迫候間溝又は樹木を 以て 境分明に 相見得候様可レ仕事。

享保二十年

百姓地高に相かけ候浮得税牛馬出米並に地頭遣夫、さばくり御免夫は諸切同前相掛候。

とし、同年美里間切公事帳によると、地頭作得より貢租へ直収手続として左の通り令達している。

地頭作得知行物成の内より御物へ、直収納被仰付候刻、捉証文は番所へ取置き、左の通り蔵当さばくりより相調差出候事。

証　文

一、米何石起

一、麦何石起

右当年より何某御作得の内直上納被付一得其意候。御手形次第無遅々上納可仕候。若し相違の儀共御座候はば其沙一被仰は候。

享保二十年（一七三五）中頭具志頭間切公事帳によると、夫役銭上納手続を定め夫役のことまで取りきめている。

一、雑物代銭被下候手形相済候段取納座より触有之次第請取相調、取納座へ持参、奉行端書申請、同役より諸上納銭引合書取添、銭御蔵へ持参、上納銭引合書の通り、取納座宛書の請取をとり、取納座へ相届、取納座より右の上納相済候、請取申請候事。

一、右上納銭引合残分現銭請取、取納奉行封之印にて間切へ持下り、村々配分の帳相調、於村々は百姓中家内配分帳相調させ、其首尾取納座へ申出候得ば、取納座役人差越、百姓中相集め配分の通り相済候事。

一、悴者諸知行夫銭の儀、毎月無滞相納次月五日限払通村々掟、番所へ持参候へば、夫銭引合帳引当、則々見切の印形仕候事。

一、日用銭半分宛六月、十二月両度諸知行夫諸悴者賃銭毎月皆納いたし、右の証文正月限り取納座へ差出候事。

一、夫銭納期諸地頭遣夫銭六月十二月両度に半分づつ相納候事。

又夫役銭割について中頭方取納座定手形には、

一、美里越来具志川勝連与那城読谷山六カ間切は九分夫の事。

一、粟国、渡名喜、久米島、慶良間は六分夫の事。

享保二十年（一七三五）西原間切に対しては、

日用銭半分づつ六月、十二月両度諸知行夫諸悴者賃銭毎月致皆納、右の証文正月限り取納座へ差出候。証文左の通り

「去年中御蔵日用銭並諸知行諸悴者夫銭上納御模月限之通皆済仕申候。若し於後日相違之儀共御座候はば、其沙汰可被仰付候。

以　上

地頭代　大さばくり印

右之通相違無御座候也

又西原間切公事帳には日用銭浮得銭納期について、

「日用銭浮得銭六月、十二月年々両度上納の御法様に候へ共、大分の銭高調へかね候に付、上納高月割を以て、毎月致取納番毎方へ相納通り申請　百姓中へは掟にて銘々へ通相渡候事。

一、慶良間座間味間切の公事帳には享保二十年地頭遣銭を定め、

諸地頭惣夫の儀、男女十五才より五十才まで可召遣候。夫銭取納の節は男一人、賃銭一貫文女一人賃銭五〇〇文宛可相納事。

一・悴者並諸免夫の儀部下の所も一人にて一か月に五日宛可召遣事。

享保二十年渡嘉敷間切公事帳には納期を定め、

一、地頭地、おえか地は諸間切並上納相掛候事。

一、右上納米雑石取本立帳前以て相調へおき、穀物出来次第村々掟へ申調させ御模月限りの通り積登致上納、取納座請取来り候はば、掟へ通相渡支配帳地頭代奥書を以て勘定当へ相渡候事。

一、麦は四月より六月限り皆済のこと。

「・米、粟、黍六月より十月限り皆済のこと。

一、夫銭すべし年に四度皆済の事。

一、日用銭浮得並同代銭半分六月限り半分は十二月限り皆済の事。

こうして穀物引合量まで定め水ももらさぬ監視と収奪振りである。

一、菜種子一石に付増三斗五升。

一、白大豆一石につき二斗五升。

一、本大豆一石につき一斗二升五合。

真黍は米粟同断

大豆、小豆、黒偏豆は下大豆同断。

白ごま黒ごまは米粟同断。

右の通り引合方相定置候間弥右の通り引合致すべき事。

（中頭方取納座定手形）

又貢布代付を右の通り定めている。

一、拾七升自紬 一反（長入尋 巾一尺六寸）

代米五斗九升ー浅黄縞　水色縞　王

色縞　青縞紬　同断

一、紺染縞紬一反　長八尋巾一尺六寸

代米＝八斗二合五勺

五斗九升　白地代

一斗二升七合　紺代

八升五合　染賃

一、拾七升雲絣紬一反　長さ八尋巾一尺六寸。

代米一石九升七合合五勺

一、藍雲絣紬一反長巾同様

代米一石二斗二升五合

一、拾七升縞織紬一反長巾同様。

代米六斗七升五合

一、拾六升白紬一反　長巾同様。

代米六斗三升七合

一、拾五升白紬一反　長巾同様。

代米六斗八升四合

「・拾六升縞紬一反　長巾同様。

代米七斗二升二合

一・拾五升縞紬一反　長巾同様。

代米七升六斗九合

一、同かすり紬一反　長巾同様。

代米一石一斗九升一合五勺

一、拾四升白紬一反　長巾同様。

代米七斗二升一合

一、同縞紬一反　長巾同様。

代米八斗一升六合

一、拾三升絣紬一反　長巾同様。

代米一石二斗三升八合五勺

一、もて縞紬一反　長巾同様。

代米七斗三升三勺

一、拾七升藍縞絣紬一反　長巾同様。

代米一石二斗二升五合

一、拾五升青縞絣紬一反　長八尋巾一尺六寸。

代米一石三斗一升九合

一、拾五升青縞紬一反　長巾同様。

代米八斗九升六合五勺

一、拾八升白紬一反　長巾同様。

代米五斗四升三合

一、拾七升細もて縞紬一反　長巾同様。

代米八斗六升一合

一、拾七升紺縞青縞絣紬一反　長巾同様

代米一石二斗二升五合

○浅黄地、水色月白地、玉色地、青地縞紬も同様。

一、拾七升紺染地縞紬一反、長巾同様。

代米一石七升二合五勺

一、拾七升香色紬一反　長巾同様。

代米六斗三升二合五勺

一、拾七升花織紬」反　長巾同様。

代米一石一升二合五勺

一、同畦紬一反　長巾同様。

代米八斗一升

一、大島一反　長巾同様。

代米八斗九升

貢布の代米をどのような評価で徴したか確かな史料を得ることは困難であるが恐らく織布の工程と材料から勘案をしたであろうと思われる。

年貢搾取の原則は百姓の余剰労働搾取を本質としている。だから小百姓のつかれ（疲弊）がでているということを蔡温自ら指摘しながらも、それを土地のせいにして、土地の厚薄ができたが故だと押し切っているところに蔡温政策の無慈悲さを曝露している。従って政庁は百姓つかれざる様にといましめながら豊作に際しては恣意的に百姓より年貢を徴収する意図を以て備荒貯蓄を奨励している。即ち芋の切干やそてつの調理法蔬菜栽培の方法等を強制伝授させたりしているのはそれを物語っているのである。

砂糖税取立については一層苛酷な法令を以ってのぞんでいる。

○享保二十年中頭美里間切公事帳

一、砂糖焼出候節砂糖当夫地頭大さばくりの中二人村々より検者一人づつ焼主取一人づつ確なる者見合書付相調、銘々印形仕検者次書申請、九月中限両惣地頭奥書にて砂糖座へ差出候事。

一、砂糖焼近より候へば砂糖座で斤量例合候事。一砂糖焼出候儀何日より取付候段村々掟より申出候へば、検者焼入主取村々掟、砂糖焼取候間は、砂糖屋へ詰込入念焼調候事。

一、砂糖焼仕舞番所へ首尾申出候はば砂糖当両人差越一々相調、斤量打究樽封之印仕通帳に番付を以て掟したけ、砂糖座へ相納候事。

○又中頭具志川間切公事帳には

一、砂糖代銭諸上納引合残銭現銭請取、取納座持参封之印申請、間切へ持下り番所に致格護村々百姓中家内配分の帳相調取納座へ首尾申出候はば、取納座役人差越、百姓中相集配分の通西々へ相渡候事。

一、諸間切焼過砂糖の儀、不足の間切間切に売渡候様申渡置候処、其通にては御用支相成候間、早々砂糖座へ相納候様被申渡候、左候て右代銭の儀焼不足の間切間切へ割合を以てきつと納方為致、其首尾可被申出候。　以上

そうして各諸帳簿掟書は左の日限通り提出するよう命ずるのである。

五月中限―古米取払帳。

十月中限―米粟取払帳。

六月中限―麦同代請銭菜種子取払帳。

十二月中限―下大豆並同代請銭黍粟籾取払帳。

次年正月中限―　両惣地頭遣夫銭　取払帳浮得取払帳。

右諸帳地頭代奥書を以て肩書日限通り取納座へ差出候事。

全く寸分の隙もないのである。雑右まで横流しがない様な取締りでのぞむ。

雑石取納帳二月中限米取納帳四月中限仕立置く、穀物出来次第御手形表無滞様手当仕候事。

○中城間切公事帳によれば

一、菜種子三月中限相納、皆済証文四月限取納座へ差出候事。

一、麦並同代請銭四月中限相納、皆済証文五月限取納座へ差出候事。

一、米粟黍八月中限相納、皆済証文九月限取納座へ差出候事。

一、豆並同代請銭十一月中限相納、皆済証文十二月限取納座へ差出候事。

○美里間切公事帳には、

一、米粟黍八月中相納、皆済証文九月限取納座へ差出候事。

一、豆並同代請銭十一月限相納、皆済証文十二　限取納座へ差出候事。

年貢未納を特に厳重な達しをしたことについては次のような事項が考えられる。㈠元来搾取源としての百姓経営の増大によって封建地代を出来得る限り多量に獲得せんとしたこと。㈡百姓の年貢が国家経済の基礎をなしていたこと　㈢薩摩への仕上世米が到底猶余ができなかつたこと㈣冠船渡来の際の費用を賄うために常々余分の貯えをしなければならなかつたこと、㈤欠藩身売の百姓がでて土地を荒廃させては到底既定の税を請取ることが困難であつたこと。㈥人口の増加による過剰労働力のはき場がないこと。

享保二十年西原間切公事帳によると、百姓未納督促について令達は以上の事実を如実に示している。

一、不作の時上納不足仕者於有之は、親類並に地方の組合人数にて差足し置き返弁方漸々請取、身不売様に可肝煎旨掟、村蔵当熟談仕候様に申付候事。

同様な諭達は同年羽地間切仰渡帳にも示されている。
耕作については組合で貢租未納の忠がない様諭達す。

一、百姓地組合を以て田畑相授置候に付ては、其組合の者共常々睦まじく取合い、相互に農事を談合致し、各助力を以て相働く可く候。年貢及不納者於有之は、其の組合中弁に申付候故、若大形候はば厄害に相成、組合の詮も無之間、万事熟談致し 互に引進み 可相勤事。

とあり、慶良間座間味切公事帳には貢租未納者には利付をすると令達する。

不足物麦は二月穂祭内月小三わり相掛け、祭過候はば月三割相除き年に大三わり、米粟は五月穂祭り限り、豆十月限り菜穂子三月限りにして、麦同様に利相掛け弁済申付く、尤も銭不足の時は前三わりの事。

従つて貢租をでも私借するような者は処分することとし、

「諸上納物百姓中よりは致取納附届候者抑留候はば 早速相中 より 披露申出、致ニ其仕付一家財にて相納むべく候、若披露延々大粧成立家財にて不足候はば相中弁済に相定め置事。

この貢租納付の 責任単位と なつた 組合
※（相中）とはどんな仕組になつていたであろうか。

組は互助共済共同担保にあたるのが結成の目的であつた。向象賢時代には相、中、といつて専ら談合によつて農耕に精出す仕組であつたが、蔡温は従来のィーマールー組を中心として庶民組織に重点をおいて結成せしめた。新しく村建をした新村では前、中、後或は上、中、下とし、血族団体で はその 屋 号を使つて組とした。組には組頭がおかれるのであるが、村掟がそのまゝ組頭として任命される場合と本屋の戸主(祭杞のときのオコデ)が頭となる場合がある。頭は間切地頭代からの指令や村内法を組員に通達し、その組員の代表となる。勿論近隣集団であるが、その拘束力は因なり家族に及ぶのが通例である。

頭は村揃、村吟味、村寄合に地頭代からの指令をよみ聞かせ衆知させた。地頭代からの指令は多く農耕、肥料造成、山仕立、授け地の手入模合畑の手入、年貢納入の心得が含まれているが、道義的教化的規定をも含み日常細部に亘る庶民自治一般の規範が盛られている。

以上は蔡温によつて出された農務の指令であるが、これは元禄期の農務仕法をより細目にわたつて作られたものであると思われるから、元禄期の農務仕法を掲げて見よう。

元禄十年中頭法式帳

当国之儀御国元より御検地の後水旱の損失高大分引入故、康煕八年仕明訟申上相達し、それ以来漸々開来候。然共本高には、抜群不足候へ共、山野大粧仕明仕候はば、探薪牛馬飼不如意罷成畢竟諸人の為不成儀に候間、康煕二十八年より召留候。猶以可被得其意、尤辺海にて不障所は、百姓引合の上致免許来り候へ共、その辺アダン、ススキの類生茂り別て重宝に相成地も訴訟之人最前内々依申合、乍不勝手無是非致領掌躍、表方より引合之砌も弥其通請合候方有之様風聞候間、仮令百姓領掌候共、各見届牛馬飼採薪之重宝罷成地に候はば差免間敷事。

とし、又同年宅地に変更した田畑は免租しない事として次の通り指令を出している。

諸人屋敷並出家衆隠居所、田畑より依訴訟被下方も有之、引高仕り不可然候尤頃日より隠居所は無引高上納被申儀に候へ共、漸々田畑致減少儀、百姓迷惑可仕候間、屋敷隠居所被下儀康煕三十三年より召留候。弥以て可被得其意事。

元禄十年農耕奨励のために私有を許した仕明地でも年貢を滞納する者の土地は間切有として取上げることにし、しかも仕明地を首里、那覇、泊へ売渡すなど指令を出している。

仕明請地売買の訟於有之は双方の書付
遂ニ披露一、名寄帳並手形可相直候。尤帳直入目買手の方可申付事。諸間切より首里、那覇、泊へ売却の儀堅く禁止の事。

同年人頭割で樹木を植えさせる指令には

国頭中頭方漸々焼山沢山請仕明候については、至比日は御用木達し兼、御不勝手の方に候。依之 高奉行へ詮議申渡に付、存寄の趣きは毎年間切中罷越刻、右通仕明仮御法度の由雖申渡、山中広遠にて一々見届き申儀不罷成、間切へ造成者両人山当申付、毎月見届候はば相守可申由に付其仮惣地頭へ申渡置候。至各も弥如ニ此中可レ加ニ下知一事。」附中頭方より下諸間切従ニ跡々一有来候。松山アダン山、伐絶仕明田畑召成に付、還て本々の田畑の為にも不罷成其上 薪木 取所 無之不勝手の由候間、間切中被見届、竿入相応の地男女「人に付小松一本づつ植付させ首尾可被申聞事。

同じく地頭地の地目変更の費用は地頭が弁償することとし、

請地頭所副地替地並田より畑に成、畑より田に成砌名寄帳直し入目、訴訟の方え可申付候。新規に地頭所組立被下候方は可為別条事。

（中頭法式帳）

農村に対しては荒地を複旧せよと命じ、

田畑欠荒地の義同年見究引高雖有之往々風雨の節地主致不念候はば、猶以破損可有之候間、随分相働水順行候様可相心得候。乍其上破損有之修補之義二十人、下は地主可為手前、前夫二十一人より上は可為加勢夫、此時は地主方より夫十人可出之、百人より上加勢夫の節は地主方より夫二十人可出之、此上引高於相究は其間切中に替地仕明いたし、欠荒地は可相除、尤替地無之及難儀、百姓痛成候はば 其段 可致披露事。

そしておえか地に荒地を生ずる時は百姓地より代地を渡し仕明地は適宜の処置をせよと令し、荒地免租高は所在の間切村の高に割増すようにせよと命じている。

元禄十年中頭法式帳によると諸間切田畑代下げについて訴があるときは次の通りさばくり、頭貿議の上高高奉行に申出るよう命じている。

諸間切田畑再検地並代下げの訴有之においては、その間切中さばくり、頭々貿議の上、両惣地頭、穿鑿仕り、高奉行へ申出候はば、其所の百姓引合、田畑相試の筋於無相違は、披露仕可請差図事。

同年諸雑物、納入の際の諸注意として、

諸雑物の儀諸村より相払い候砌、払所の受取はさばくりにて受取、品物相払い候、当人へは不相渡年中積其後、何分と割懸申由候。右の通にては百姓中無二覚束一可存候間、一村に通帳一冊宛、百姓へ相渡おき、品物相払い候は・ば、別々何某と書記、捌理方へ写帳仕置、年中相済候はば、早速さばくりにて総帳相調差出日用銭引合候共、現銭受取候共百姓勝手能き様に可仕事。

として百姓の便宜を考え融通のできる政令を出している。

○元禄十年農具修補料賦課ついては、

諸間切農具為二修補料一、百姓一人につき米一升五合づつ為二出米一、半分は公儀、半分は鍛冶細工へ、雖相渡、百姓疲入故、康熙六年末より右出米免許令諸間切へ鍛冶細工一人づつ立償夫引合被定置事。

以上諸法令の比較対照によって尚貞期の農事に関する諸法令を、蔡温の時代（享保期）にじりじりと強化して農民への強制策としたものと考えられるのである。

尚貞時代は蔡鐸の政策確立の時代であり尚敬の時代は蔡鐸の農政強化時代であったとも考えられる。蔡温の活躍は学者として政策の立案確立にあったが蔡温はその強化実行にあったと見てよいと思う。

蔡鐸の年譜をたどって見てもその学問上の理論が年毎に生かされ活用されていることがわかる。

天私二年（一六八二）鐸は進貢の通事として福州に赴き貞享之年（一六八四）公事を終えて帰国するや、三度長史職につき、翌二年（一六八五）から太子聖廟を修め、こえて一六八八年正議大夫となり元禄五年（一六九二）から申口取次座に抜てき起用され、久米村総役に任ぜられているから、その政治的手腕が高くかわれていたに相違ない。この年鐸は紫冠を戴き志多伯村の惣地頭となり、志多伯親方と称した。この頃から鐸は王孫尚益の師傅となり、尚益は度々鐸の家を訪れている。元禄十年（一六九七）命を受けて歴代宝案四十九冊を重修し又四月三十日には中山鑑を校訂し漢文で綴って中山世譜と名づけた。こえて元禄十六年（一七〇三）鐸は先輩程順則や蔡応瑞と共に位階制及中山王府官制を編纂しているのであるから、府中における学究としても絶大な信任を受けていたと察せられるのである。

この年子の温が国師職に任ぜられ、己れは法司座に陞って政治上の要職についた。温の国師職は王に対して侍講侍読を申講するのみならず、全人格の教授訓練を行う役職である。温はこのとき「任職の重さを以て恐惶措く無し然れども匠の道、言の辞す可き無く、謹みて其の職に任ず。而して心を尽し力をつして或は之を導き或は之充い、或は之を弼け、或は之を承け昼夜孜々淵谷に臨むが如し、是れ誠に人匠重位にして百世の栄誉なり。」と自記しているから、温にして見れば身に余る光栄であり、蔡家にとっては、破格の恩典に浴したといえよう。これが即ち蔡温にとっての政治家としての門出であり、この試練によって官中、府中はばかる者なく政道に身をうち込むことができたと思われるのである。（以下次号）

「図書紹介」

講座教育診断法（全七巻）

講座教育診断法全七巻をおすすめしたい。この本は東京学芸大学の阪本一郎、佐藤正、品川不二郎の三教授助教授が責任編集したもので各巻は次のとおり、

1知能の診断　2学力の診断　3個性の診断　4身体の診断　5問題児の診断　6環境の診断　7人間関係の診断

この図書は学校教育現場の先生方が是非一度は眼をとおしてほしい本である。というのは、わたくしたちが子どもを導びいていこうとするときは、どうしても科学的、客観的な診断にもとづいておこなわれなければならない。その意味で、総合的な診断のあり方や具体的な実例などをとりあげてあり、しかも読みやすい本だと思う。勿論この本で十分というのではなく概論的なものであるが、実際指導や診断のいとぐちをつかもうとするときに、その基盤をつくってくれる図書となろう。（平良）

雪国

東京都新宿区立
四谷第四小学校
伊波英子

──研究教員だより──

いよいよ研究生活もあと一か月に迫り、最後の思い出の旅にまだ見ぬ東北の雪国へと大きな夢をむける事にした。沖縄では味わえない事を本土で充分に身につける事も生きた社会科の勉強になると思い一週間のお暇を戴き、十四日から出かける事にしたのである。幸い私の下宿先の方が秋田県横手市の方なので冬休みにかまくらの事を話したら「それは横手市の有名な子供の行事だから冬休みに行かずに二月の十五日に行ったらどう?」とおっしゃり、子供の頃の思い出話や雪国の生活について色々と面白く話して下さったのでそれまで待つことにしたのである。私は前からかまくらが見たくて是非実現しようと意気込んでいたので、横手から冬休みを利用して遊びに来ていた時「二月には行くからよろしく」と約束し、胸をおどらせつつ一日千秋の思いでその日の来るのを待ったのである。

二月十四日（火）

子供が楽しい遠足や運動会でも待つようにすっかり大人になってしまった私なのに、夕べはさすが私もねつかれず、珍しく六時に起床、すっかり支度を終え、発車に間に合わすべく八時にタクシーで上野駅へ。同伴者は下宿先の坊ちゃん（Mとする）

上野発九時三十五分の鳥海号にて雪国秋田へ向かう。横手着が十九時なので、およそ九時半も列車に揺られることになる。長い汽車の旅はもう米きている頃だが、然し今回は別。ごみごみした都内を過ぎると広い枯田と麦畑をぬけ、列車の中も温かくなり出し、天気もよい故かまるで夏のような気温である。

外の景色にも見米きて眼が疲れてくると、きまって食べたくなるのが汽車の旅である。包の中からデパートで求めた菓子を取り出しここで楽しい口の運動が始まる。すると次はいや応なしにねむ気がさして来て、うとうとするが、ねるのも勿体ないので何かよい室内遊びはないものかと考える。

白河でちよぴり雪が降り、いよいよ福島に着く。そこから山形の米沢へぬける線が最も雪が深く、県境の板谷ではさすが急行も一時間おくれた。上り列車が救援車をよんだ為私達は板谷の雪の中で四十五分も待たされた。列車の外側はツララがたれ下がり、内側の窓も凍りついてしまった。ここでのりまきを食べる。白一色、ホームも雪で埋り、屋根まで積って入口だけがあいている。僅かばかり見える茶けた杉の葉が重そうに雪をもたげている。赤湯で日が暮れ出し、列車の窓からは真白な積雪と半ば埋れかかった屋根が家らしく見えるのみで、こんな雪深い所にどうして人間が住めるのかと思う程、まるで別世界の感じのする所である。いよいよ目的地横手に一時間半遅れて到着した。急行で二時間も遅れた時は急行料金は払い戻すことになるらしく「どうせ遅れるならあと三十分は…」とMはこぼしている。

出迎えの方もずい分待たされたとか、早速タクシーに乗せてもらい中田宅へ案内された。中田はMさんのおばあさんの家で炭屋さんを経営し、電話一本で箱橇で配達に出かける。ヘドロッコという指先のおおわれたわらぞうりをはいて風呂へ行き、秋田のおいしいりんごを御馳走になり、旅の疲れを休めた。

二月十五日（水）

いよいよ今日はかまくら祭りの日。道は自然に高くなってしまい、国道といわれている中田の前の道は両側に雪が屋根の高さまで積み上げられてしまい、車が一台漸く通れる位道巾がせまくなってしまった。どの家も出入口だけあいて、雪の段を数段おりて家の中へ入って行くのではら穴の中へでも入って行くようである。午前中は吹雪の中をわざわざ小路へ入り込み、思いきり雪を味わった。馴れてない故か幾度となく足をすべらし、ふわふわとした雪の中へめり込んでしまう。オーバーはまたたく間に吹雪で白くなり、肌の表われている顔面だけが寒さ、冷たさを通り起してヒリヒリし、遂にかゆくなり出した。

午後は市内の雪の芸術を見るため再び外へ、Mさんはもういやだと弱音をはているが、私は二度と味わえないであろう雪国の空気を存分に吸うためとび出したらしぶしぶついてきた。横手市最大の学校といわれる南小学校の「国体をめざして」の第一位をみる。四年生以上の生徒によって作られたこの作品は巾が百米余。市内にも一般の作品があって道行く人の眼を楽しませてくれた。

そろそろ四時。中学と高校の男の子が帰って来たのでかまくらを作ることにした。先ず道の側に積み上げられた

―― 研究教員だより ――

かまくら　雪の中はあん外あたたかく子供の好きなおまつりです

雪をほりぬいて数人坐われる程度の部屋を作り、とり出された雪は箱橇にのせ、おじさんとMさんと私の三人で交代で近くの小川へ捨てに行くのであるが埋もれて小川の面影は全くない。ふわふわとした雪を水にとかして凸凹の所にぬっていき、水神と書いた神をはりつけ、奥に棚を設けてそこへ御馳走をお供えする。

いよいよかまくらが出来上ると雪の上にござをしいて火鉢をおき、家族揃つて白い湯気のたつ甘酒を飲む。このかまくらは水神を祭る行事で三百年も前から行なわれたとか、昔、水に困つていた横手は村を流れる小川の水を飲み、その川を大事にし、今日に至ったとか聞いた。横手に作られるかまくらの数は凡そ二千にも及び、「はーえ、お参りに来たんす」「よく来たんすこと」「甘酒飲んでたんせ」などと子供等はかまくらまわりをして、キュッキュッと凍った雪が足音を立てる。冬枯れの小枝はこごえているがかまくらの中はあたたかく、お燈明の灯が白い雪をほのぼのとそめて、小供達の笑い声とともに雪道に流れる。全く夢の国に出てくるような情景か寒い北の国にくりひろげられる。

横手市観光協会と商工会議所との共催でモデルかまくらが作られ、PRに力こぶを入れ観光客の目をひいている。

八時頃中田のおじに連れられて案内されたが「はるばる沖縄からとは珍客だ」と好きでもない甘酒をすすめられる。観光客は遠く大阪、東京、北海道にまで及び、こんもりとしたかまくらの中の笑い声は夜の更けるのも知らず続けられていく。今晩も相変ずいやな吹雪だ。

二月十六日（木）

今年の雪は十六年振りとあつて、どの家も屋根の雪おろしで忙しそう。もうすでに三回も雪おろしをしたとか言つていたが、人夫を四～五人頼んでその雪をトラックに積み、市の中央を流れている旭川へ捨てに行くのである。屋根にも一米位積るのだから、これに耐え得るだけの丈夫な家が立ち並んでいる。道行く人もマントにくるまり、若い者は雨靴を年寄りは、サンペーというわら靴をはき、子供達は竹をまげた簡単な橇を雨靴の上につつかけ道をすべつている。歩くのではなしにすべるのである。子供や女は赤いほつぺをしているが、ひどいのになると紫色に変じている人もいる。町の大通りには雪の上での露店が開かれ、野菜類、魚肉類一齊の食料品が並べられ、吹雪の中の店開きも又辛い仕事だと思つた。凍りついた魚が雪の上にごろごろとおかれ、自然冷蔵庫とでもいおうか、赤くひびきれた太い手に雪国の冬の辛さが忍ばれる。

箱橇で楽しむ

午後、藤沢というMさんのおばさん宅へ招かれ、一日中たきつぱなしのストーブがあるためか部屋の中は二十度を越した温かさである。夏のうちに冬中の食料品燃料を用意してあるので、こたつの中や、いろりの側でさまざまな漬物や、おいしい果物を御馳走になる。テレビもあったが、チャンネルが二つしかなくつまらないので沖縄の話に花が咲いた。

毎食変つた漬物をいただき、食料品の貯蔵法の豊かさには感心させられた。春の野山でとれたわらび、ぜんまい、ふき、それに秋のしいたけ、まつたけ、ひめじのようなきのこに至るまで、冬中の食料が貯えらいれてる。雪

学校へ行く子ども達

の中に埋れた半年の生活。

いろりの側で熱いお茶つこを飲んでは冷たい漬物を食べたりして短かい冬の夜のとばりは吹雪とともにおりてくる。

二月十七日（金）

横手市にはかまくらと共に大人の祭梵天（ぼんでん）がある。各町内で梵天が美しく作られ、町の若者から元気のある壮年や男まさりの婦人達によつてかつがれ、市の中央部から約四キロもある町はずれの旭川岡神社へ奉納するお祭である。町の中を勢よく裸になつた若者がかけ声勇しく先を争つて小高い神社へと急ぐ。道の両側や二階の窓から眺める人、物好きな私のように神社までついていく者もいる。

横手市の人口は約五万。かまくらの引き続きの客もあつてか、市内では立錐の余地もない程だが次第に行列も減つて行く。体はほかほかとして汗でチリチリしはじめ、運動神経のにぶい私は幾度ころんだことだろう。広い田は白く果しなく続き、ぶどう棚はすつかりかくれ、りんごの梢がちよつぴり黒くそのかせ、電柱も低い。橋にさしかかると、おまわりが整理をし、らん干のないせまい橋から落ちないようにもみがらが散かれていた。

二時間も歩き続けただろうか、いよいよ一人づつ森へのぼるわけだが、婦人だけで持つていた梵天はおい越されて一番後になつたらしい。一番乗りはその年の開運が授かるという縁起はどこの祭にもあることである。

今年は牛にちなんだ梵天が多く、昨日の審査の結果、中田宅の八軒町は特選であつた。三間位の杉丸太の先に布で包んだ大きな坊主頭を取りつけて、この頭に相撲の横綱程の太い鉢巻をさす。鉢巻から下には色模様の布を幾巾にも垂らして長い銅を作るわけだが、ちよつと江戸の火消が持つ纒のばけものみたいなものである。特選の梵天は金紙ではりつけられた牛はりこが所得倍増の文字もよろしく首がニヨキニヨキ動くアイデア秀れた作品であつた。

その日は、小学校もお休みで、子供達は玩具の梵天を買つてもらい、一昨日のかまくらから今日の梵天祭に至るまで横手の子供達にとつてはまさに天国といえよう。

午後四時頃からその疲れをよそに、

勢揃いしたぼんでん　手前のべるが特選

横手公園の裏山へスキーに出かけた。子供達はそれぞれスキーを持ち、科目の中にも組まれているとの事であつた。明日から秋田のスキー大会があるとかで、ジャンプ台が作られ、選手らしい学生が盛んに足ならしをしていた。私は一月にも信州の霧が峯のスキー場でやつたことがあつたが、やれやれすべつたと思つたとたんに尻もちをついてしまう。ころんだが最後起き上がるのに一苦労する。それは、あせればあせるほどスキーがひとりでにすべつてしまうからである。三十分も遊んでいると、吹雪の為か暗くなり出し、カメラにおさめる余裕もなく、帰ることにしたが、みんなは帰り途もすべつているのでなかなか速い。公園をおりる頃は日もとつぷりと暮れてしまつた。アイスクリームがほしく、スキーをかついでとことこ町の中を歩きまわつたがとうとうありつけなかつた。

二月十八日（土）

六時五十七分横手発の横黒線にのりこみ雪の都横手に別れを告げた。横黒線は横手から、岩手の北上へ出る列車でスチームもなく再びのる気が起らない。これから東北本線で平泉へ行き中尊寺を見ることにした。

五月雨の　降り残してや　光堂

かの有名な芭蕉の句を口ずさみながら雪の細道月見坂をのぼつた。

二月十九日（日）

──研究教員だより──

夕べは松島で一泊、冬は客も少なくて、ひつそりとしていたが、サービスはよく、午前中は旅館に案内していただいた。海に浮ぶ五大堂、福浦島、そして国宝の瑞巌寺を見て、海岸近くの組合でとりたてのなまのかきを御馳走になつた。日本三景の一つ松島湾からのり、かきの養殖を見、さまざまの形をした面白い島を眺めながら芭蕉の奥の細道を思い出してみた。

そもそも、ことふりにたれど松島は……高校時代の文学が今役に立つたのだといえよう。仙石線で仙台へ出、五時十分の急行、みやぎのにて帰宅。六日間の旅も無事終え、上野へ二十三時四十五分着。

まさに百聞は一見に如かず。読者の中でまだ雪にありつけない方、是非東北までいらしてみてはいかがでしょうか

魚肉ソーセージ

配校置
千葉県立安房水産高等学校
勤務校
宮古水産高等学校
田場安寿

沿革

魚肉ソーセージは現今では煉製品の代表的な水産加工品であるというても決して過言ではないでしょう、最近まで煉製品の王座をしめていたのは蒲鉾《かまぼこ》であるゆえ、先ず蒲鉾の沿革について述べる事にします。

蒲鉾が発明されたのは甚だ古く神功皇后が三韓征伐の時、生田の森の中で魚肉を摺つて串につけて焼いて食べたのが蒲鉾の起りだと伝えられています。その形が植物の「カマノホコ」に似ているので蒲鉾という名がつけられたそうである。

してみると蒲鉾の起りは、現今日本で広く利用されている竹輪（ちくわ）である事がわかる。

徳川時代に入ると板につける事が考えられた、板につけると竹輪の半分となるので「ハンペン」という名がつけられた。

焼く事から湯煮、油で揚げたりして今日利用されるようになつた。

時代が進むにつれて嗜好も発展し食生活も向上し、ここに魚肉ソーセージが誕生したわけです。魚肉ソーセージが市場に出現したのは最近の事で、大きく脚光を浴びたのは一九五五年頃といわれている。もつとも研究は大正の末頃に各地水産試験場で行われていたとのこと。

魚肉ソーセージのねらい

魚肉ソーセージは獣肉製品を目安において創められたようである。魚肉特有の味を生かすためには、魚肉独特の製品に発展せしめなければならないがこの種の製品には蒲鉾という製品があるので、これを単にライファンに詰めただけでは保存期間が少しばかり延ばせるというだけで外に意味はない、またパン食にマッチさせ新世代の嗜好にマッチさせる為、或はソフア的、インスタント的にするために油をいれたり香辛料を使つたりして製造されている。

魚肉の摺身は幸いにして加熱湿度を高くしても「アシ」を落す事なく、むしろ高くした方が「アシ」が出る、よつて思い切つて高い湿度にした方が保存の点で有利で三十〜三十五°C度の温度でも約三十時間保存出来る。

原料「マグロ」について

マグロ、カジキ類は元来高級な魚でお刺身やスシの材料として貴重なものであり、沖縄では輸出水産物として利用されている貴重な水産物であるだけに魚肉ソーセージの原料として用いる事は問題である。マグロ及びカジキ等を原料として製造すれば勿論最上の製品が出来る。

煉製品は魚種を問はない故むしろ安価な魚を原料にすべきだと思う、マグロを用いるのは単独に利用するのでなく「ツナギ」肉として利用すべきである。又油の多い部分は加熱の時に肉崩れするおそれがあるので気をつけなければならない。

校舎全景　洋上より

沖縄近海で漁獲されるカツオについて述べますと、カツオも魚肉ソーセージの原料に利用出来るが酸味が強く又カツオ独特な臭気を有するし、かつアシが弱いから配合用としか利用出来ない。

では白身の肉はどうか、白身の肉では魚肉ソーセージは製造出来ないとされていたが、どうして利用されないど

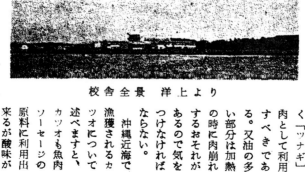

ころか広く利用されている、其の利用程度は魚肉ソーセージ原料の七割から八割である。代表的な魚がサメ肉である本校でもサメ肉を原料にして製造しましたが市販品に勝るものが出来た。

実習船若千葉丸（287屯）

サメ肉を原料にする場合注意しなければならない点はNH_3が多いから鮮度に注意しなければならない。

製造方法

採　肉

採肉は蒲鉾を製造する場合と同様で、イワシ、サンマ、アカムロ等を機械的に採肉する時は内臓及び鰓、鱗を除去し機械中にいれ肉を採集する。サメ、マグロ、カジキ等の場合は適当な大きさに切断して機械中にいれ採肉する。人工的に採肉するには三枚に卸し採肉する。血合肉及び筋肉は出来るだけ除去する。

採肉した肉はチョッパーにかける

香辛料添加

チョッパーにかけたなら、食塩、胡椒、オールスパイス、ニクズク、丁字、ニンニク、玉ねぎ等の香辛料を加え貯蔵しておく、貯蔵温度は凍らない程度にするが五度〜八度がよい、貯蔵の目的は、香辛料を加えてすぐ製造すると香辛料の浸透が悪くなるので時間をかけ香辛の浸透を、まんべなくしようというわけである。

香辛料は、あくまで嗜好であるため好みによつて、地方によつて多少異なる、基準配合量は最後に示す。

すりつぶし（調味）

蒲鉾の場合は擂れば擂る程良好な製品が出来るが魚肉ソーセージの時はそ

3700冊を誇る図書館

れが異なる。理想的な方法はするのではなくたたき切るのですからすり潰の程度は経験するより仕方のない事でしる。すり潰と同時に調味を行なう。

調味料は片栗粉、白砂糖、豚脂、味の素、紅、防腐剤等である。

澱粉は魚肉の足を補給する意味で加えられるのであるが、澱粉を加えると普通其の二倍量の水を加えなければならないから増量剤ともいえる。澱粉を加えると、加える程味が低下するから少ない程よい、多くてもせいぜい十%位にした方がよい。

七一〇人を収容し得る講堂

澱粉は水で溶いて入れるのがよいがすり潰中氷を入れた場合は粉のまゝいれる氷をいれるのはすり潰操作中に魚肉の鮮度が低下モドリを生じ足が弱くなり加熱しても肉崩れを生じ失敗の原

因となるからである。沖縄のような気温の高いところでは氷を用い魚肉を低温に保持して製造した方がよい製品が出来る。

ケーシング

ケーシングとはある一定の袋に肉詰することである。

ケースはライフアンと呼ばれるもので、これは塩酸ゴムの一種のもので、加熱すると収縮する性質があるので非常に都合がよい。

ケーシングはスタツフアーという機械で行われる、この機械はシリンダーの中に肉をつめピストンで押し出すようになつている、一端を綿糸でしばつて、ケースを肉の出口パイプに差し込んでおくと肉が充填されて出て来る、出て来たライフアンの口を前と同様綿糸でしばる。

ケーシング操作は早くしなければ足が低下するおそれがあるので注意を要す。

実験室

加熱

加熱の方法は蒸煮又は湯煮でもよい、何れにしても各一本一本に熱が行きわたるように工夫する。多くの製品を積み重ねて加熱し、それが静止しているような場合には、中の方に積まれたものには熱が廻らないから加熱不足になる。

ライフアンは高い温度で急に加熱すると収縮が激しく製品の形が揃わない場合があるから、始めは七十度〜七十五度Cで十分加熱した後所定の温度まで上昇せしめる方法もある、しかし魚肉ソーセージ用原料魚肉は、あまりアシの強いものは用いてないから、低温で、ぐずぐずしていると「モドル」おそれがあるので加熱は急激に行なつている。

加熱温度と時間の関係は、温度は八十五度〜九十度Cで時間は製品の種類によつて差が生ずるが、要するに中心温度が加熱温度に達してから約六十分程度でよい。中心温度は中心温度計を魚肉ソーセージの中心に押入して計る。加熱は、たんに蒸煮するだけでなく殺菌の意味も含有されているのでその点についても注意する必要がある。

冷却

加熱が終つたならば直ちに冷却する。この場合は、タル又は、水タンクを準備しておいて水を満たし（出来るだけ流水となす）この中にいれ冷却する。

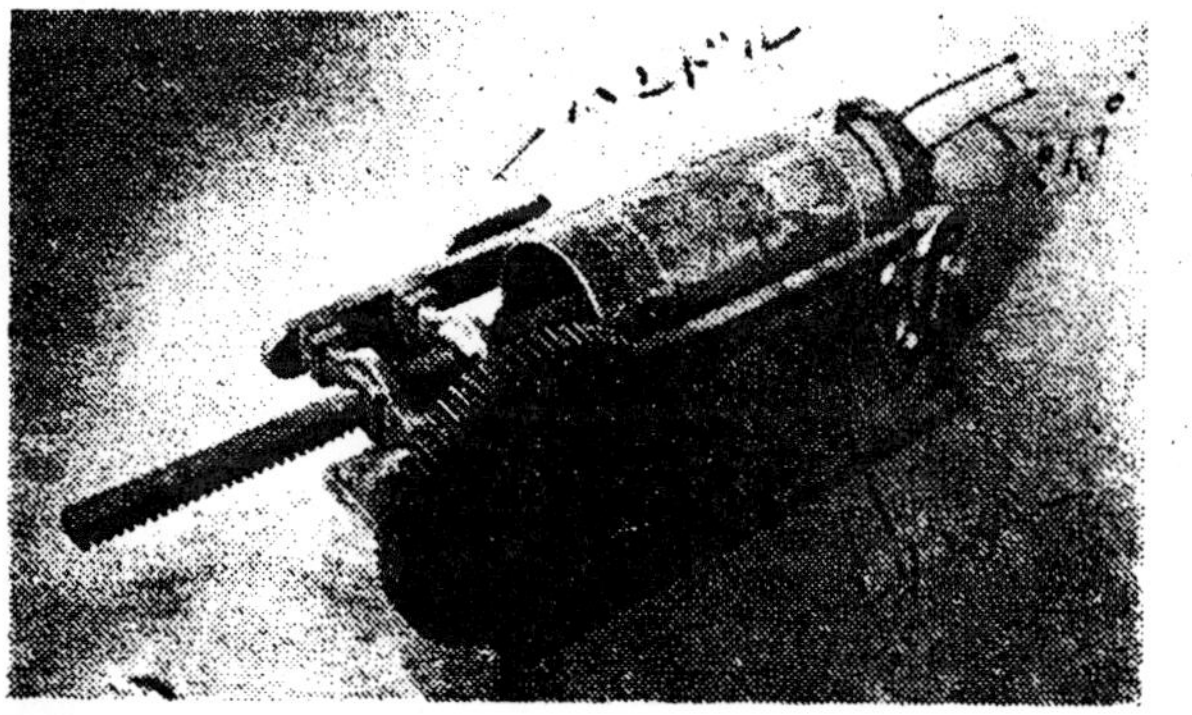

↑
スタツフアー
右の頭の方にパイプを取付るようになつています

採肉場面です、 人工採肉
← 手前に白くみえるのはサメの頭肉から採肉しています

冷却しているとライファンの方にシワが出来、最初は水中に浮いているが冷却されることによつて各一本一本が沈むようになる。沈むようになれば冷された事を意味する。時間的にみる場合は三十分〜四十分で取り揚げ水切をなす。

シワ戻し

冷却されたものは前記したように袋にシワが生じているので、これをもとさなければならないがその方法は、九十〜九十五度のお湯を準備しておいて、魚肉ソーセージを湯中に二分〜三分間ひたせばよい。ライファンは湯中にいれることによつて収縮するから今まで伸長していたライファンが加熱することによつてシワがなくなる。しかる後再度水冷してとりあげ水切して製造を終了する。

魚肉ソーセージ工程と配合

(一) 採肉

筋肉は出来るだけ除去する

(二) ミンチ(チヨツパー)にかける

(三) 香辛料添加

※採肉十キロに対し

(イ) 食塩　二三〇グラム

(ロ) 胡椒　二〇グラム

(ハ) オールスパイス　四グラム

(ニ) ニクズク　四グラム

丁字　二グラム

(ヘ) ニンニク　少量

(ト) 玉ねぎ　四五〇グラム

(四) 貯蔵

五度〜八度で十二時間

(五) すりつぶし調味

※すりつぶしは十分〜二十分

(イ) 片栗粉　五〇〇グラム

(ロ) 白砂糖　三〇〇グラム

(ハ) 味の素　一〇〇グラム

(ニ) 防腐剤　少量

(ホ) 紅　一〇四号一%二〇cc

(六) ケーシング(スタッファー利用)

(七) 湯煮殺菌

八五煮〜九〇度Cで一時間

(八) 水冷

(九) モドス(シワのばし)

(十) 水冷

(十一) 水切

日本の国語教育をどうするか

—石森延男先生の講演とその感想—

配属校　焼津市立小川中学校
研究教員　上原政勝

二月二日、静岡市教委の指導主事本多忠一先生から「市内城内中学校で、石森先生の国語講演があるが参加したらどうだ」という通知が届いた。研究教員としての挨拶を述べに行つたのが機縁となつて、たえずものやわらかな温かい言葉でもつて私を激ましてくださつたり、このように通知を下さつたりするのである。ところが、いまだに言葉をもつて感謝の気持を満足に述べることのできない私である。

さて、私はこの通知を手にして飛び立つ思いであつた。というのは、今さら私が一々申すまでもなく石森延男先生は、今回の改訂指導要領の編集委員長(小学校)をつとめられた方である。また作家としても広く知られた方で、特に少年少情の魂をゆすぶつた「コタンの笛」は先生の代表作の一つともいうべきものである。

このように国語教育者としても、作家としても著名な先生の御けいがいに接することができるのかと思うと、しみじみと研究教員としての身の幸福を覚えたものだつた。

当日、私は最前列に陣取つた。一言一句も聞き洩らしたくなかつたということと、心配している先生にできるだけ接触したいという気持でいつぱいだつたのだ。

本多先生の紹介の言葉のあと、いよいよ石森先生の登壇、小さな体躯ながらその顔にみなぎる精気、そしてどこかに芸術家肌らしいきりつとしまりのある感じはとても六十三歳とは受け取れない。

しかし、先生は意外なほど重苦しいまでに沈痛な表情で語り出された。

「きようは、皆さんと共に日本の国語教育をどうするかについて考えてみたい。

いろいろなことが私たちの周辺に起つている。そのいろいろなことの中には、もちろんよいこともあるがそれよりも、あゝ、困つたということが多くなつてきているのである。

昨夜(二月一日)は、中央公論社長の嶋中さんの夫人と女中さんが刺されたという記事がでていた。そして今朝は犯人がつかまつたという。犯人は十七歳というから高校の二年生くらいだろう。

先の浅沼さんの時もそうだつたが二人とももものをいわないで、自分の意志を表現したという。これは動物的と思わないか。人間と動物の違いは言葉を享有しているかいないかの違いだと思う。私達人間が言葉をもつているのに、一大事な行動にものを言わずして移つたということは、

どういうわけだろう。話し合えばわかつてもらえたにちがいないのに…ところで皆さん、国語教育における「話すこと」は向上していると思うか。私は日本の国語教育の成果は絶対にあがつてはいないと断言したい。

これは由々しい問題です。国語教育はきれいごとではなくなつたのだ。やたらに研究会が多いようだ。受講者が多く集れば盛会で何よりだつたと主催者は手離しにめでたがつている。会のあとは、きまり文句のように歌を歌い、奇声をあげている。日本人はまつたくおめでたい人種です。

私は、そういうことよりも少年少女の胸の中にくいこんでいくような自覚の下に教育は行われなければならないと思う。それなくくしては砂上に楼閣を築くのと同じことだ。とくに、昨日のような事件（島中）があつては……。浅沼事件以来、再びこのようなことを起さぬよう互に戒めあつた筈のものが、日ならずしてまた起つたのだ。外国人は、今度の事件で『日本人のいうことはあてにならない』と思つているだろう。

今の少年達は「言葉」を拒否しているのです。これは国語教育は失敗だつたということを意味するのです。現場をより一層、冷静に見つめてみなさい。

やれ、あの子は漢字がよく読める、よく書ける。やれ、この子はペーパーテストが百点だ……こういうことは教育の本質的なものではない。

傾きつつある、窒息しつつある時に、われら何をなすべきか、これを根本的に考え、徹底的に究明していくべきだ。

個人的な話で恐縮だが、実は昨晩家内の姉が札幌で亡くなつた。当然私も駈けつけるべきだが、きようこの集りの約束があるので清水にいる弟を昨夜の中に羽田からとばせた。個人としては大切な時間をもつてきたわけだ。

ここで私が、この「大転換の時期に立つ日本の国語教師にひしと叫びたいことは、今までのように撫でているような、あいまいな、自己陶酔の国語の授業であつてはならならないということだ。ほんとに子供達の心情をゆすぶるような実のある教育であつて欲しいのだ。

きよう、ここへお集りの中には中学校の先生も大分おられるようだが、中学校の子は国語科を軽蔑しているのを知つているでしようか。彼等は学校にあつても家庭にあつても、数学や英語の勉強はよくしているが、国語となるとまるでしようとしない。教室にあつてすら、国語教科書を立て、カーテンがわりにして、そのかげで、こそこそ、英語の字引きを引いたり、数学を解いたりしているのである。

彼等は国語教師を心の中で軽蔑しているのだ。それでよいのだろうか。しかし、現状は国語科は足蹴にされ、先生自身も仕方のないこととして、半ば諦めかけて、職業的に教えているのがあまりにも多いのです。

日本の国語教育は、今沈みつつあるのだ。

一本のマッチをもつて全山を火にすることができる。あなた方は、この一本のマッチになつてもらいたいのだ。

こんなことはめつたに言つたことがない。しかし、直感がひしひしと身に迫つてくるので申しあげたのです。」

〔私の感想〕

日本の国語教育の現状と将来を憂えた先生の言葉は一語一語が沈痛そのものだ。私は直面的に先生のお顔を見ることができず、ただ、大きく頭をたてにふるだけだつた。大きくはないが、何にかに激しく叩きつけるような先輩のこの言葉に、人間形成の目標云々…をしながらも、いつとはなしに、それがぼやけて、指導技術等の小手先の器用な教師になりつつあるわが身を恥かしくさえ思つた。

今一度、改めて、国語科の目ざす第一目標を考えてみたのである。

「生活に必要な国語の能力を高め、思考力を伸ばし、心情を豊かにして、言語生活の向上を図る」この目標が日々の一時間一時間の国語の授業で見失われない限り、浅沼、島中の両事件も起らないであろうし、まして、国語科やその教師が軽蔑されることもないであろう。撫でているような…あいまいな…自己陶酔の授業から抜け出して、真に国語科のもつ意義が認識され、すべての人々に愛される科目となるよう、全国国語教師が目ざめ決起すべきであると思つた。

○

さて、今まで申しあげてきた事柄の支えになる次のことについて述べてみたい。

まず、最初に「命をあわれむようにしなければならない」ということである。

人によつては、話の主題が国語教育からかけ離れているというかも知

れないが、私は今よりもっと根の生えた国語教育はそこまでおろせといいたいのである。

今、この二階の会場への階段を登ってくる時、掲示板に「刃物も持つな」というポスターが貼られていた。この学校だけでなく街の中いたるところ「刃物を持つな」である。こうやたらに貼られ、使われてくると、たちまちにして、流行語、即ちハヤリ言葉となっていく。そして人々は次第にこの言葉に免疫になっていく。私はもっと言葉というものを大事にしたい。言葉の乱用は逆効果を生むことを知るべきである。

それでは「刃物を持つな」などの言葉はどうすればよいかというと、視覚に訴える形だけでなく、生命をあわれむということを第一義に考えていきたいものである。

私は、一昨年ジュネーブへ行った。そこの公園に行ったのは十月頃であった。プラナタスや栗の木が紅葉していて、たいそうきれいだった。非常に静かな公園なので、私はベンチに腰かけて、しみじみとした気分で旅情を味わっていった。とそこへ一羽のシジユウカラがとんできて、私の足もと近くまで寄ってきたのである。日本ではシジユウカラは人をおそれて、めったに近よることはしない。私はこの小鳥に言葉が通じるような錯覚を起して、むしように、なつかしくじっと見ていた。やがて小鳥はピョンと私の短靴の上にとまった。なんという鳥だろう。「ようこそ」と見上げるような顔……今度は翼をパット拡げてひざの上に止ったのである。クリクリ頭をして、かわいい目で私をみつめているのである。手をのばせば、つかめそうな距離にあってだ。

野鳥が人をおそれないで、近寄りそして、飛んでいった……という小さいできごと。

私はこの自分の眼で、野鳥が人に親しみ近ずくという実際の様をみたのである。特に日本では警戒心が強く憶病なあのシジユウカラがだ。

このように人をこわがらなくなるには、おそらく、十年、二十年いやもっと先の昔から、この国(スイス)の人達に愛し続けられてきたのだろう。つまり、生き物をあわれむという純粋な美しい人間性が一人の旅人の心を慰めてくれたのである。

文明というものは、建物、交通機関等にも見ることはできるが、それを人間の心に見るとするならば、小さなものにまで愛情をふりかけるといった、人の心の奥深く沈んでいる人間性の深さだと思う。

国語で文学作品や詩を読ませるということは、その根本において筆者の人間性に触れることを意図しなくてはならない。ほんとうの文学鑑賞はそこにあるのだといいたい。つまり、人間と人間の魂の触れ合いなのである。人間性に触れ得ずしての鑑賞はあり得ないのである。このような鑑賞が進められてはじめて、人間らしい人間が培はれていくのである。

○

〔私の感想〕

〃魂と魂の触れ合い〃なんと美しい言葉であろう。

今まで、幾度となく耳にしてきた言葉であるが、今日は強い印象となって私の耳朶に響いてくるのであった。

ジュネーブでの小鳥の話は、児童文学者らしい先生のテーマだが胸打たれる話である。

日本人が〃畜生〃などとよんでいる小鳥にさえ、人間の愛情をしみとおらせているスイス人、いかに床しい国であろうか。それにひきくらべ、人間が人間を刺し殺す日本、ああ、おそろしいことだ。

この筆舌に尽し難い昨今の人間性の喪失はいったい何が起因しているのであろうか。もちろん、その責任はひとり国語教育だけに被せられるものではないが、その一端が、国語教育の欠陥にあることを、すなおに認め反省の色をあらわすべきであろう。

次に、文学作品の読解指導においても、ただ単に書かれた事柄を、読み、そして、解くだけであってはならないと思う。国語の時間は、作品を通しての作者の魂と、読むものの魂の触れ合いの時間だ。そして、作者の精神を中心に、教師と生徒との、また生徒と生徒とが、飾らず、偽らず自分自身を素裸にしての魂と魂の触れ合いの時間である。そこから、もくもくと盛りあがってくる精神こそ〃命をあわれむ〃へ通じる道であり、国語科が人生不可欠の科目たる所以でもあるのだ。

○

二番目は「日本のよさを子供達にわからせたい」ということである。

戦後は、日本の文化や歴史、伝統は関心がもたれずないがしろにされあるいは抹殺されたかのような感さえ受ける。そのような戦後の虚脱状態からはもう立ち直ってもよいのではなかろうか。ヨーロッパ十六カ国を訪問して感じたことは、同じ戦後とはいえ日本の目ざめの遅さにはあ

きれるばかりである。日本は戦後の甘さがいまだに残つており、自己陶酔にひたつているのだ。

世界は、特にヨーロッパの国はどこへ行つても、国力の充実で張り切つている。生産を国として高めているのだ。国を富ますということが真剣に考えられ、実行に移されているのだ。私がめぐつたこれらの国のうちで、強く心をひかれた国はイスラエルというユダヤ人の国だつた。広さは日本の四国位だが、復興の意気はすごいまでに、燃えている。

御承知のようにイスラエルという国は三十年程前にイギリス領地から解放されて、現在のような共和国になつたわけだ。さらに歴史をひもとくと二千年も前にローマ帝国に滅ぼされている。つまり、それ以後はユダヤ人として、二千年近くも国を持たず、迫害を受けながらも、方々で生き続けて来たわけだ。

そして、やつと国をもつようになつたユダヤ人は世界各地からもどつてきた。国家という背景をもたず頼るものをすべて失つた彼等が金銭に対する執着心が人一倍強かつたのも無理からぬことである。

よくも、二千年も追放されて、人類が絶えなかつたものだと、つくづく感心させられる。

もしも、日本が神武天皇の時代にイスラエルと同じ運命にあつていたら、二千年後に純粋の日本人としてもどつてこれるのはいつたいどのくらいだろうか。

ユダヤ人の中にはアインシュタインを始めとする世界的な科学者、芸術家がでている。

祖国を失つて、他国で活躍していた人々が国の再生によつて、喜び勇んで、国に帰り復興にとりくでいるのである。しかし復興といつてもイスラエルの国土のそのほとんどが砂漠である。岩山と石ころだけである。「石をもて人をうつ」という言葉がバイエルにあるが、全くうなずかされる、ほとんど茶一色のイスラエルである。そのような国を彼等は農業国にする為に一生懸命になつている。大学は農業が何より重んぜられている。農業の仕方はソ連のコルフオーズに似ている。私はガルエア湖の Kibuitz（キブツ）を見てきた。これは実に盛んだ。ソ連の経営は国家に握られ画「的だがキブツは個性的だ。従つてコルフオーズよりおもしろいわけだ。どのキブツでも優先され大事にされているのは学校であり、子供達であるのには、頼もしい印象を受けた。言つてみればそのどれもが、国家再建へつながるものである。こういう点など日本で行わせたらどんなに子供達は幸福を享受することだろう。

今申しあげていることは、ほんの一例にすぎないのであるが、これでもうかがえるようにヨーロッパの国々は自分の国を繁栄させる為に協力し合つているのである。よい意味での国家ということを口にすることすらはばかるような日本、そして、労働争議の絶えない日本と、西欧諸国の実状を較べてみて、われわれは時代逆行の意味でなく、よい意味での国の発展ということを真剣に考えるべきと思つた。

また、詩歌や物語（日本の）等は外国でも尊ばれている。

私がフランスのある一小学校長が私に見せてくれた本に「短歌フランス」というのがあつた。内容は四行詩になつていたが日本の短歌から学んだということであつた。

ところがお国元の日本では中野好雄さんや、桑原武夫さんなどが「第二芸術論」なるものを唱えて、日本の伝統である俳句や短歌は衰退し、はては滅びていくであろうなどといつている、私は決してそうは思わない。他国ではこのように日本文化を高く評価しているのである。帰国して詩人の木俣修さんにその話をしたら、大層よろこんでいた。

外国では古典との結びつきがすばらしい。小学校の頃から教材として取りあげているのである。

ドイツではゲーテやハイネの詩、フランスではラフオンテイーヌの寓話や随筆、デンマークではアンデルセンの童話が重んぜられるといつた調子だ。おとなの平常の生活における話し合いでも、古典の一句が引用されたり、共通話題になつたりするそうだ。

日本の小学校では教材としては出てこないが、話してあげることによつて、だんだんとその素地を養つておくようにすれば、子供達は祖先の残していつた精神的な泉によつて幸福になつていくであろう。

中、高校においても、わが国のよさを教材を通して知らせ、愛着を感じさせたいものである。

私は日本の子達に分自の国を尊重させたいのである。

それは、自分を自分で尊重せずして、他人から愛され尊重される道理がないからである。その例として、聞くところによると、外国に住む日

本の子弟は抜きん出て、学業成績が優秀だそうだ。このことは日本人のもつて生れた知能程度が高いことを立証するもので、日本人として喜ばしいことに違いはないが、この他国に住む日本人と同程度のＩＱを持ちながら、国内にあつては一向冴ないのはどういうわけだろう。

かつて、私はスペイン大使館にいる与謝野さん（鉄幹の身内）と歓談のひとときを過したことがあるが、たまたま話がスペインの小学校に通つている娘さんの話に及んだ。例に洩れず入学当初から抜群の成績とのことなので、祝福の言葉を申しあげると、「成績はよいのですがうちの娘は、少しも他人から尊敬されないのです」という意味のことを深刻な表情で母親が話していた。その理由は、日本人のくせに日本のことを知らない、他国の子には尊敬されないのだそうだ。なるほど大きくうなずかさされた次第である。

○

〔私の感想〕

祖国を愛する先生の情熱が随所に見られる講演であつた。このような話にはきまつて、かつての全体主義的、あるいは国家主義的な匂いを感じ、眉をひそめたくなるのであるが（正直なところ私もそうであつた）しかし、現代の世相を冷静に見つめ判断していつた時、先生の言われる祖国愛の欠如が混屯とした世情を作り出しているように思われる。祖国を愛することはいけないことなのか、決して、そうではない筈である。それが行き過ぎて神州不滅をきめこんだり、排他的になるのがいけないのである。自分の生命を愛し、いとおしむような心をもつて、国を愛することは、非常に大切なことなのである。

そのような意味で私は石森先生のお話を諒解できたし共鳴もしたものである。

そのような観点に立つて古典の意義を考えた時に、温故知新の意義が生きてくるのではなかろうか。

とくに、祖国と切り離されて、母る国のふところのぬくもりを知らぬ沖縄の子の将来にとつては、このことは大きな問題である。

われわれ沖縄の教師は、国語を通して、祖国日本の美しい伝統を身につけさせたい。そして、精神的な結びつきをより一層はかりたいものである。

○

終りは独創力（オリジナリティ）を育ててあげたいということについて申しあげたい。

国語の読む、書く、話す、聞くの四つを通してねらつているのは独創力だ。この四つは個々バラバラのものではなく、有機的な関係において密着しているのである。指導の場合は、その教材の目標によつて、ウェイトのおきかたが違うだけである。従つて、このつながりが、何をめざしているかを考え、指導の仕方も独自の発見に向けられるべきである。今日のような危機感のある時代では子供の独創心を養うことが何より大事だと思つている。

一つの詩から子供が何かを発見したり、教室における話し合いから、その子供らしいのが発見されたりしたら、皆で大事にしてあげたい。自分の力による発見くふう、生み出しは最も望ましい姿である。

最近の話だが、ある雑誌社から児童の作文コンクールの審査を頼まれたことがある。厳選の結果、私が一等賞に推薦した作品が盗作だということで、ある教育委員会から抗議を申しこまれ、選者は誰だといつて詰問されたことがある。私もこれには驚いたのであるが、これからコンクールに応募してくる作品が、まして純粋であるべき子供の作品が盗作とは夢想だにしなかつたのである。それにしても私は詫びる以外になかつた。

盗作してまでも入選しようとするこの子供の心理は努力して入選のよろこびを味わいたい気持はまつたくなくて、賞品欲しさがそうさせたのではあるまいか……などと考えたりしたが、よく実態がつかめないのでかかる弊害をもたらす、コンクールは以後全廃したらどうかと進言した次第である。

子供の世界ですら、こういう有様だから大人の世界に至つては何をかいわんやである。他国の著作権の侵害Trade Markの盗み合いである。国際信義も何もあつたものではない。イギリス等、最も日本を警戒している国の一つだ。日本という国は昔からこのような国ではなかつた筈だ。結局、煎じつめて考えれば独創力の欠如ということではあるまいか。

では国語教育でこの独創力を作るためにはどうすればよいかというと、それは自分の感情、思想を自分の言葉で表現する習慣をつけさせるということである。このような習慣形成ができたら、自然に「自分のものも、大事だが、他人のものも大事にしなければならない」という気持

が作られ、著作権の侵害問題などは起らないと思うのである。

きょうは、作文についてくわしく触れることはできないが一つだけ申しあげると、作文を成功させる秘訣は、一つの文章をひつくりかえし、ひつくりかえし、なおさせることにあると思う。そうすれば、文章も整うし、愛着を感じるようになる。私は作文のじょうず、へたを云々するよりは、自分の書いた作文に対して愛着を感じるようになつたかを大事にしたい。

そのようなことから、他人の書いた文章に対しても愛着をもち、ひいては読書へもつながつていくのである。作文教育の効果をそこまで高めていきたいのが日頃から私の念願するところだ。

小学校などで、とびきり文才のある子を天才と称してチヤホヤし、先生自身も得意になつているようだ。そういう教師に限つて、他の子の作文を軽視する傾向があるが、これは大変な思い違いである。なるほど小学校の頃から文才のある子は天才といえるであろうが、それは、文字通りの天才であつて、その天才を作りあげたのは教師であるとする考え方は、その教師の錯覚である。そういうことでウツツをぬかすよりは、どの子にもわけへだてなく私＝文の気持を会得させてやることが大事だと思う。

この子にはセンスがないとか、感動が書きたりないとかは第二、第三だ。たとえ、素朴で、おろかとよばれる子であつても、それなりに、自分の文章を大事にする心ができた時には満点というべきだ。

ある学校の作文授業の参観の折に見たのであるが、先生に丹念に赤ペンで批評してもらつた作品を、席へもどる途中でビリビリ引き裂いている子を見た。

先生のせつかくの努力を足蹴にするような、せつかく書きあげた自分の作品に愛着を感じないような生徒をつくらぬようにして欲しい。

結びとして申し述べたいことは、ヨーロツパにあつては、政治革命がおこるまでには、宗教革命、教育革命の二つの段階を通つてくるのが通常の歴史に見られる例だが、日本の場合は、いきなり政治革命の様相をおびてくるからたまらない。

われわれは、宗教の人生にもたらす意義をもつと真剣に考えるべきであるし、教育についても形式主義の打破などといつた。もつとも根本的なところから、出発しなおす必要があるのではなかろうか。日本に文芸復興を必要とするなら今だ。

全国教師が目ざめなければならない。

――○――

〔私の感想〕

先生の講演は終つた。

全く、息もつかせぬ痛烈な示唆をこめた批判だつた。どうやら、私もたえず根無し草のように、四方八方から囁やかれる指導技術面のみに心を奪われ、肝要な人間育成の根本理念を忘れていたようだ。

今日のお話には、啓発されるところが多かつた。

批判がましいいろいろなことについては、今書きたくない。なぜか？先生の話を自分なりにすなおに消化してみたいからだ。

批判精神も大いに結構だが、たまには、すなおに受けとつてみるのも、批判に勝る場合があるのだ。

命をあわれめ！

日本のよさを知れ！

独創力を育てよ！

寒空の下を帰途についた私はくり返しくり返し、口の中でつぶやいたのだつた。

昭和三六年度学力調査
実施要綱

一、調査の目的

小学校、高等学校の児童生徒の学力の実態をとらえ、学習指導、教育課程および教育条件の整備改善に役立つ基礎資料をうる。

二、教科と期日

教科　小学校　国語　算数
高等学校　英語
期日　昭和三六年九月二六日

三、調査対象

小学校　第六学年児童全員
高等学校　全日制　第三学年
定時制　第四学年

四、問題作成の方針

1 問題の程度と範囲は学習指導要領を基準とし、出来る限り広い領域が含まれるようにする。

2 単なる知識理解のみでなく、広く能力、態度もみられる問題を作成する。

3 できる限り各領域ごとに比較的むずかしい程度の問題、普通の程度の問題および比較的やさしい問題が含まれるようにし、各問題ごとに結果に対する期待度を明らかにする。

4 できる限り前回の調査の領域分類を尊重し、前回の調査結果と比較考察することも出来るようにする。

5 英語、国語についてはその一部にラジオ放送を利用する。

高校生の寄生虫調査について

コザ高等学校　一年　南　庸雄

一　目　的

一　沖縄は風土環境が亜熱帯的要素をおびているため日本における寄生虫症の最も濃厚な地であると言われていたが今次大戦を契機として衛生状態も戦前より良くなり、特に一九五七年の夏に行われた寄生虫の集団駆除以後は都市及び農村に於ても本土や奄美大島よりも浸淫状態が低率（特に蛔虫）になっていることが報告されている。（佐藤八郎他6名著：沖縄における寄生性蠕虫類及び糸状虫について）所が浸淫状態が低率になっていると報告されている前記文献の内容をみてみますと調査の対象になったのは高等学校関係では那覇高等学校と知念高等学校のみなので中部地区の高等学校でもその例にもれないかどうかを私の学校を対象として調査したいというのが目的の一つであります

〃　沖縄人は本土より平均して体力的に劣るとか或は学力が劣るとかよく言われるけれども、もしかりにそれらのことが寄生虫障害による一因だとすればそれを早く取り除くことが必要と思われます。松崎義周氏（横浜市大医学部教授）の著した「鈎虫による体力・作業能率及び学力の低下と経済的損失」の中には明かにその因果関係が認められるからであります。それで私は幾人かの生徒を調査してもし検出されたらそれを知らせてやりたいと思いました。この二つが主な目的ですが或るなにかを実験観察してまとめてみたいという趣味の欲望をみたすのも大いに手伝っておりますので第三の目的とも言えると思います。

二　調査観察に使用した器具及び薬品

スライドグラス　三〇〇枚　顕微鏡八台　カバーグラス　三〇〇枚
マッチ棒　一〇〇本　マスク　八
シャーレ　一〇　バケツ　二　水槽（手洗い）二　マジック　二　クレゾール液（三%）　石けん　二

三　調査及び観察方法

A　調査人員　一〇〇名（男四〇名　女六〇名）

※調査人員一〇〇名というと非常に少ない数字ですけれども一〇〇例からは研究資料として認められるときいておりますので、時間の関係、テーマの内容からくる色々な難点を考え一〇〇例としました。

B　観察方法

観察方法として　(イ)直接塗抹方法　(ロ)浮游集卵法　(ハ)沈澱集卵法　(ニ)ろ紙培養法などが色々な文献に紹介されていますがその中で最も簡便な方法であります直接塗抹方法を採用致しました。

方法

a　最初にスライドグラスの両側（中心部の一ケ所でもよい）に米粒大の糞便をおく

b　カバーグラスで覆い軽く指圧する

c　検鏡倍率は六〇〜一〇〇倍でよい

d　一人の人の材料を三つづつ作って三名で一人のものを観察した

観察をする時に注意すべき点

(1)　採取された糞便は二〜三日以内に調べなければいけない。もし時間が経過して少しかたくなってしまったり、或は採取されたじきのもので糞がかたい時は蒸留水を少量滴下した方がよい。

(2)　観察中は常時マスクを使用し、必ず消毒液を用意しておく方がよいと思った。思いきって仕事ができるからである。

(3)　集団検便法として最もよいと言われているのはろ紙培養法（特に鈎虫の場合）だと言われています。私の用いた塗抹法は蛔虫の検出率は高いが、鈎虫の検出率は低いと言われますので両者を併用すれば理想的なのですが、初めての試みですので簡便法だけにとめました。

※腸管寄生虫には蛔虫、鈎虫（十二指腸虫）、鞭虫の他に糞線虫、蟯虫、ラグヂチス等がありますが私は前の三種を対象としました、これら三種がよく発見されやすいとのことだからです。

四　結　果

コザ高校

蛔虫卵保持者	二名	二%
鈎虫卵　〃	二一名	二一%
鞭虫卵　〃	一三名	一三%

知念高校の例

鈎虫卵保持者	四五%
鞭虫、蛔虫〃	低率

那覇高校の例

鈎虫所保持者　二二・四%
鞭虫、蛔虫〃　低率

※知念高校及び那覇高校の例は一九五七年十月琉大鹿大共同学術調査に際して調査されたものから引用したものです。因みに沖縄全島の例を記してみると次のとおりとなつております（高校生は一五～一九才の欄に含まれるとする）

年令	被検査	蛔虫		鞭虫		鈎虫	
0～4才							
5～9〃	850名	42名	4.0%	28名	3.2%	138名	10.2%
10～14〃	1410〃	49〃	3.4%	41〃	2.8〃	605名	42.8〃
15～19〃	1018〃	20〃	1.9%	19〃	1.8〃	375〃	3.68〃
20～29〃	1〃	0〃	0〃	0〃	0〃	0〃	0〃
30～39〃	1〃	0〃	0〃	0〃	0〃	1〃	100〃
40～49〃	2〃	0〃	0〃	0〃	0〃	1〃	50〃
50～59〃	1〃	0〃	0〃	0〃	0〃	1〃	100〃

私の調査の結果と上に記したその例と比較してみますと次のようなことが言えると思います。即ち高校生の場合は全島的に大体同じ検出率であると言えると思います。何如ならば蛔虫、鞭虫、鈎虫についてそれぞれ全島の一・九%、一・三%、三・六%の前後になつているからであります。しかしここで一つ注意しておかなければいけないことは、私のやつた方法は蛔虫検出には最もよいけれども、鈎虫については余りよくないということですから、実際はコザ高校の場合は全島の検出率の三六・三%に近づくものと思われます。

五　腸寄生虫の特徴

	種類	長径u	短形	形	色
1	蛔虫受精卵	45—75	35—50	楕円	褐色
2	蛔虫不受精卵	88—93	38—44	長楕円	褐色
3	ヅビニ蛔虫	56—65	34—37	楕円	無色
4	アメリカ蛔虫	64—73	36—40	楕円	同上
5	鞭虫	50—54	22—23	チョウチン形	褐色

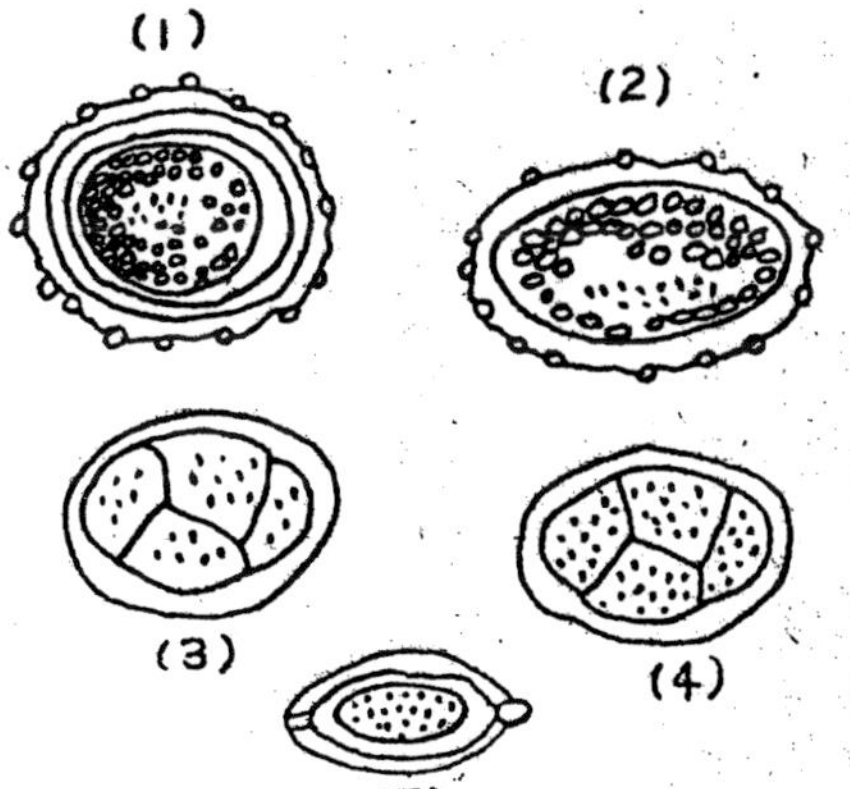

特徴は上の表又は図のようになっていますが蛔虫の方では両方（一、二）観察できましたが、鈎虫の方は区別できませんでした。又実際鈎虫の場合は虫卵だけでは種別の判定はむつかしいといわれています。鞭虫もや〻はつきり観察することができました。

六　結び

検出の結果私達の学校が沖縄全島の検出率とほゞ同じであることがわかったので、なにかしらほつとしたような気持でありますが、内容が糞便をとりあつかうものなので最初はやりとうせるかどうか、疑問だつたけれどもクラブ員の協力、保健所に勤めておられる先輩の温い御指導並に材料を提供して下さつた生徒の気持の励ましによつて、どうにかこぎつけることができました

厚く感謝申し上げたいと思います

調査観察法の所でも言いましたように、私のやつた方法は必ずしもよい方法だと言えませんので、今後は二、三の方法を採用して広範囲にわたつて実施し一日も早く私達の社会から、少くとも学園内からでも寄生虫なるものを撲滅したいものです。

7　調査期間

自　一九六〇年一一月一日
至　一九六〇年一二月二七日

八　参考文献

琉球衛生検査学会報（第一号）　琉球衛生検査協会発行

沖縄に於ける寄生性蠕虫類及び糸状虫症について状虫　佐藤八郎他六名著

新しい寄生虫の集団検便法の実際　佐々学（東大伝研所）著

鈎虫による体力、作業能率及び学力低下と経済的損失　松崎義周（横浜市大）著

※尚参考のために寄生虫の人体に及ぼす影響（学力及び体力との関係）を附記しておきます。

A：鈎虫寄生者と学力との関係（茨城県桂村）

	鈎虫寄生者				非寄生者			
	例数	上	中	下	例数	上	中	下
岩船小	104	17(16%)	57(55%)	30(29%)	221	54(24%)	120(54%)	47(21%)
沢山小	77	19(25〃)	31(40〃)	27(35〃)	349	111(32〃)	154(44〃)	84(24〃)
北方小	23	4(17〃)	14(61〃)	5(22〃)	168	44(26〃)	103(61〃)	21(13〃)
計	202	40(20〃)	102(50〃)	62(30〃)	738	209(28〃)	377(51〃)	152(21〃)
岩船中	83	15(16〃)	45(54〃)	23(28〃)	127	39(31〃)	64(50〃)	24(19〃)
沢山中	44	6(14〃)	17(39〃)	21(48〃)	192	61(32〃)	100(52〃)	31(16〃)
計	127	21(17〃)	62(49〃)	44(35〃)	319	100(32〃)	164(51〃)	55(17〃)

B：マラソン競争に於ける比較

4KMマラソン参加人員	鈎虫寄生率	上位14名中	
		陰性者	寄生者
70 名	25 %	14	0

※上記表は松崎義周著：鈎虫による体力、作業能率及び学力の低下と経済的損失より引用したものです。

蝶の幼虫から成虫への外部形態の変化

那覇高等学校二年　伊波敏男

序　一昨年の夏に各地で大量に発生したムモンウスキチョウの幼虫をみつけ、飼育しているうちにみんなからいやがられている虫の中で、特に蝶の幼虫に親しみを感じ、これまで種々の幼虫を飼育してきましたが、昨年の九月頃より形態の変化に興味あることをみつけ、手始めに十月頃より外部形態の変化について調べることにしたが、季節はずれで幼虫の種類と個体数の少ないことに悩まされ、あまり思わしい結果はだせませんでしたが、おおまかなことがわかりましたので発表しておきたいと思います。

。外部形態概要

Fig 1

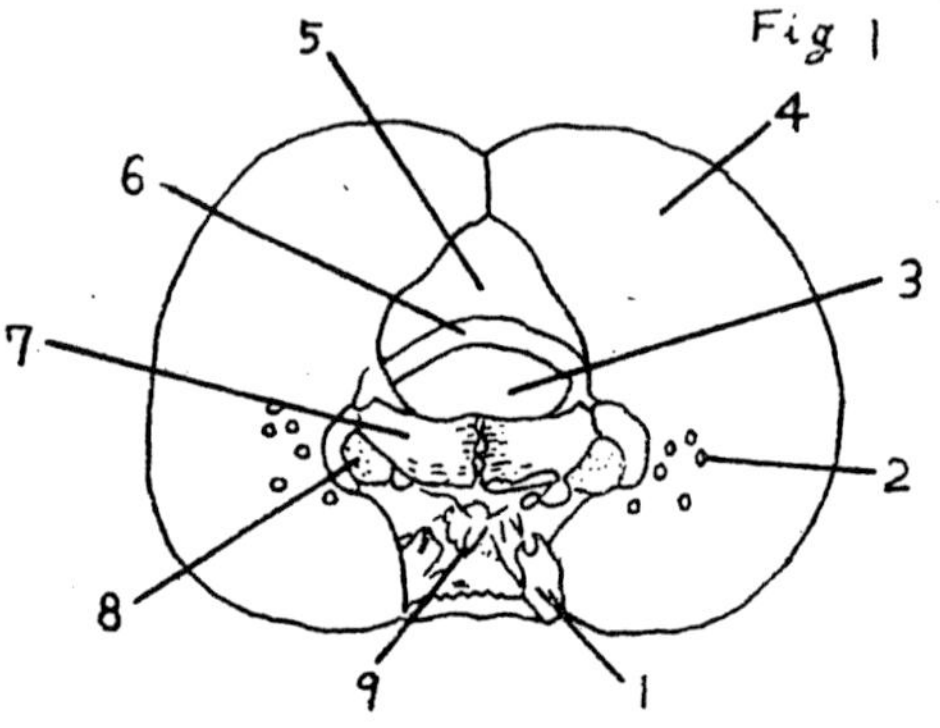

頭部前面図　幼　虫

1小顎　2単眼　3上唇　4頭蓋　5前頭　6頭楯　7大顎　8触角　9下唇ひげ

Fig 2

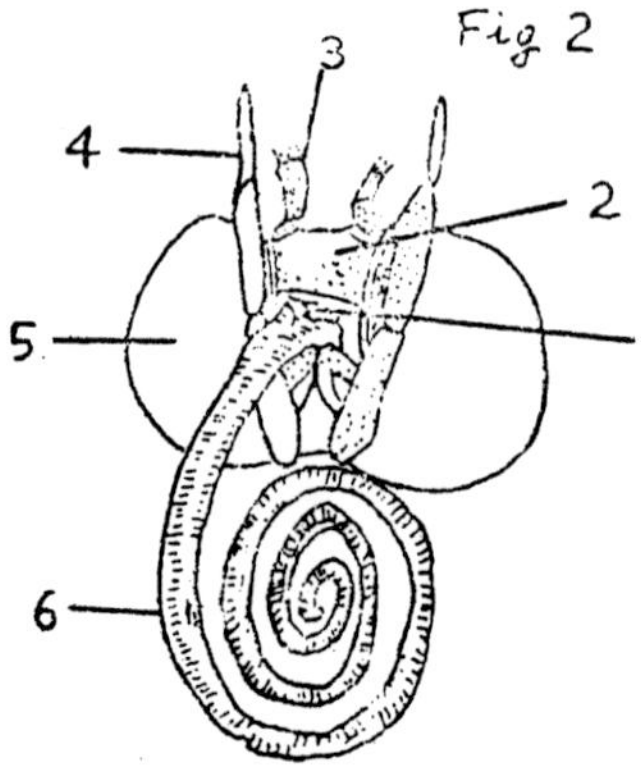

成虫

1上唇　2頭楯　3触角　4下唇ひげ　5複眼　6口吻（小顎）

昆虫の実験（小山長雄著）より

幼虫全形

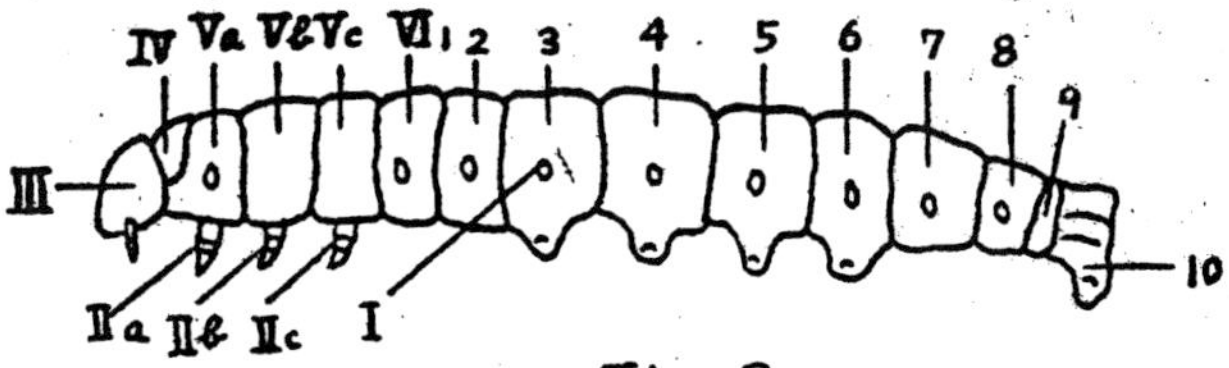

Fig 3

Ⅰ 気門 Ⅱ a：前胸脚、b：中、c：後
Ⅲ 頭部 Ⅳ 前胸硬皮板 Ⅴ a：前胸 b：中胸
c：後胸 Ⅵ 1～10腹環節

頭部と一三の胴部環節からなり、頭部に続く三環節は胸部で、節のある胸脚を各環節一対ずつ持つ、残り一〇環節は腹部である。

。実験の大意

幼虫の時に主だった器管が成虫では退化して無用なものとなるものもあり、また働きが少なくなるものもあるでしようし、逆に幼虫の時には役にたたなかつた器管が発達して成虫の重要な器管となるのも数多いことであろう。

それらの変化するもののうちでその変化が外部にあらわれるものを次の七項目に分けて調べてみた。

一、眼 二、触角 三、口吻 四、足 五、突起 六、翅 七、その他

実験に使用した器具と薬品を記しておく

器具

先突ピンセット ハサミ カミソリ
柄付針 ルーペ アルコールランプ
顕微鏡 飼育用シャーレー 定温器

薬品

七〇％アルコール ペニシリン軟こう

以下文中にでてくる器具および薬品は上記のものをさす。

眼

幼虫の単眼配置

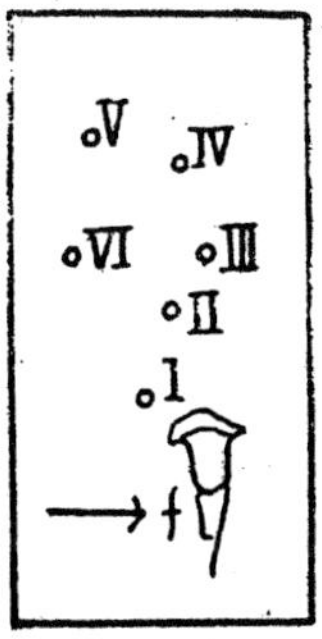

シロオビアゲハ（右）

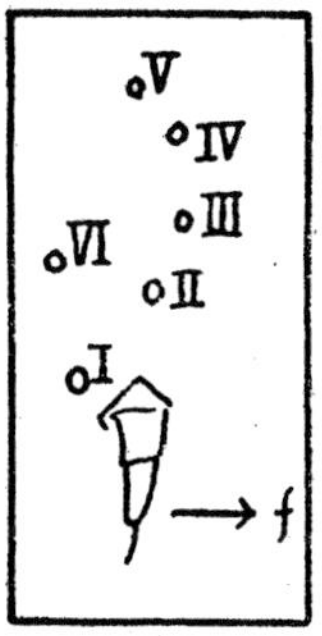

アオスジアゲハ（右）

単眼の向き Ⅰ下向き Ⅱ側向き
正面と側面との中間 Ⅳ正面と上向きとの中間 Ⅴ上向き Ⅵ後方向き

上記のごとく単眼六個で全面がみえるようになっている番号は私が便利にするためにつけたものである。

。目的

成虫の複眼と幼虫の単眼との関係はどんなだろうか。

。実験

1 右眼Ⅰ、Ⅱ、Ⅲ、Ⅳ、Ⅵの部分を突きし表皮および内物も少し取る

2 右眼ⅠⅡⅢ

2 右眼ⅠⅡⅢⅣⅤの部分を焼きつけた

3 右眼ⅠⅡⅤⅥを焼きつけⅡⅣも少し焼けた

4 右眼ⅢⅣⅤⅥを焼きつけた

5 右眼ⅠⅡⅢⅣⅤを焼きつけたⅥも少し焼けた

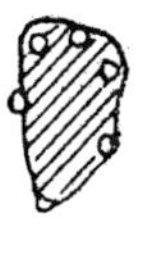

。準備

シロオビアゲハの幼虫 一五頭
アオスジアゲハの幼虫 二頭
内一頭死す。

器具、薬品

。結果

1 ※正常な位置および形で縮小した複眼ができた。（右眼）

2 3 4までいずれも正常な位置および形の複眼ができた（右眼）

大きさは3＜2＜1＜4となつている

5 あるべき複眼が完全に消滅している

※正常な位置および形とは

実験でできた複眼の中心が正常の復眼の中心と同位置で形が同じであることを意味する。但し、大きさは変る。

その他に一口頭はいずれも単眼の表面を焼きつけまたは切除したがいずれも成虫の複眼には何の変化もみられなかつた。

特記

上唇と前楯をその神経と共にとつた個体の複眼が縮小している。

。考 察

幼虫の単眼は 成虫の 複眼の 原基である。

どの単眼を破壊しても正常な位置、形の複眼になるのでみえる範囲はさほど変わらないだろう。

幼虫の単眼から複眼になるには単眼の時のレンズはなくてもよく視神経が破壊されない限り複眼はできる。

上唇および頭楯を除いた個体の眼に変化がみられたのはおそらく、そこへ行く神経が視神経に近いために影響を受けたのであろう。

。反 省

単眼を一個ずつ破壊して調べるつもりでしたが、単眼のある範囲が狭くできなかつた。

。備 考

単眼（幼虫の）のことを複眼原基と呼ぶこともある。

触 角

。目 的

成中の触角と幼虫の解角との関係

。準 備

ハモンウスキチョウの幼虫

シロオビアゲハの幼虫

一〇頭内一頭死す 器具、薬品

。実 験

1 右触角をひきぬく、一緒に神経もぬけた

2 左触角をひきぬく、一緒に内物もわずかとれた

3 右触角を焼け針でさした

。結 果

1 右解角が根本より消滅す

2 左触角が少し短くなつている。

3 右触角が少し（2以上に）短くなつている。

その他の六頭は外部にでている所のみを除いたのでいずれも成虫の触角には変化がなかつた。

・特 記

眼、大顎、前頭、頭楯の項の個体は触角に変化があるので次に記しておきます。

眼――どの部分を焼いても5mm前後の触角がある

大顎―2mm弱短くなつている。

頭楯―2.5mm 弱短くなつている

前頭―3mm位短くなつている

。考 察

実験結果から言えることは、幼虫の触角は成虫の触角には関係なく単に、刺激を伝えるのが働きではないだろうかということ、

特記の事実と解剖によつて調べた成虫の触角の通つている所は次の図のごとく眼の上の頭蓋におくおさまつている。

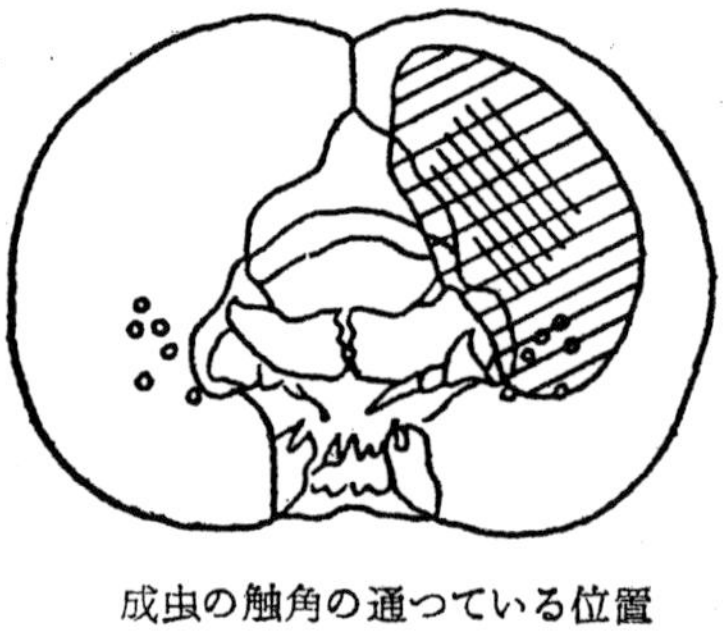

成虫の触角の通つている位置

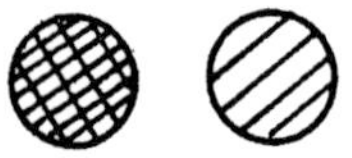

の部分が触角の神経が通つている所

の部分は特に密集している所

左も同様

※終令幼虫を解剖するといろいろなことがわかる。

。反 省

焼きつけたり、突きさしたりする時、近くの器管にきずつけたりしないように、手ばやくやらないとりつぱな結果はえられない。

。備 考

幼虫の触角は食草をみわける動きがありそれを切除した場合いままで食べなかつた食草もたべるようになり選択する働きがにぶくなる。

口 吻（小顎）と大顎

。目 的

小顎の発達と大顎の退化

。準 備

ツマベニの幼虫 三頭

シロオビアゲハの幼虫 三頭

内四頭死す 器具、薬品

。実 験

1 幼虫の右小顎を切除

2 幼虫の左小顎を切除

3 右小顎の切除

4 左右両小顎の切除

5 右大顎の切除

。結 果

1 右口吻のない蛹ができた腐れて死す。

2 左口吻のない蛹ができた傷跡にかびが生え死す。

3 右口吻のない成虫

4 口吻の無い成虫

5 変化は蛹の時に傷跡がわかつたので成虫ではわからない。

。考 容

幼虫の小顎が口吻になることがわかつ

た。

幼虫の時に重要な役を果していた大顎は成虫になるとどこにあるのかわからないほど退化して、かわりに小顎が非常に長くなり口吻となる。

。反　省

保管がまずく四頭も殺したのは残念なことだ

傷跡にカビが生じたり、蛹が腐ったりしたのはシャーレー内での飼育の欠点である湿気が多いためであろう、たまには外の乾気にあてることをわすれてはなるまい。

。備　考

口吻は一つのように見えるが実は二本の吻がくっついて一本のようになっているのである、

幼虫時代のようにかんで消化する型を咀嚼型、成虫のように口吻で液を吸う型を吸収型という。

足

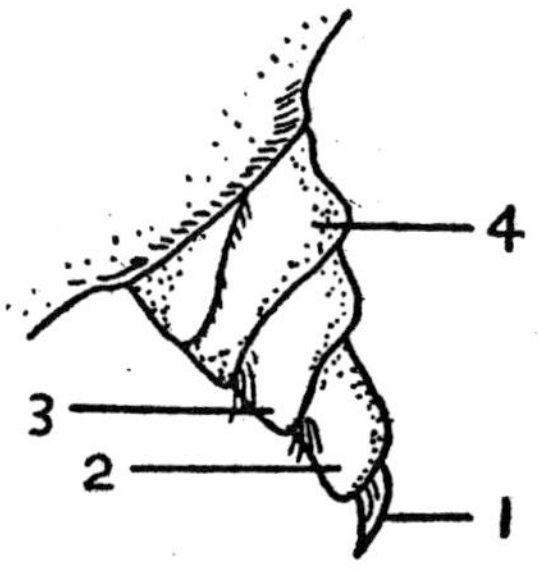

1、爪　2、蹠節
3、脛節　4、腱節

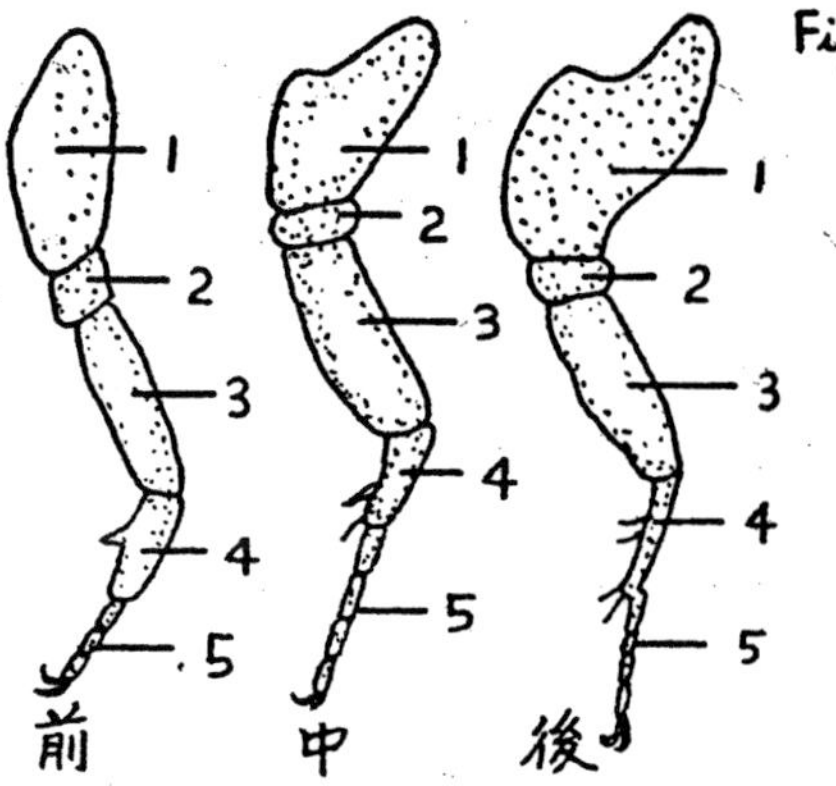

1 基節　2 転節　3 腿節
4 脛節　5 跗節

。目　的

成虫の足と幼虫の胸脚との関係を調べる

。準　備

△モンウスキチョウの幼虫　一一頭

器具、薬品

。実　験

幼　虫

1 右前足腱節の中間を切断
2 右前足蹠節以下切除
3 右中足蹠節から脛節にかけて斜めに切断
4 右中足腱節基部より完全に切除
5 右後足脛節以下切除
6 右後足脛節をわずか含み蹠節以下切除

。結　果

成　虫

1 右前足脛節の $\frac{1}{3}$ 位より消滅す
2 完全な足ができた
3 脛節 $\frac{3}{4}$ 以下消滅す
4 右中足が完全消滅す
5 右後足の約 $\frac{1}{3}$ 以下消滅す
6 右後足跗節中間以下が消滅す。

その他予備的に五頭に行った終令幼中の解剖

。考　察

幼虫の胸脚は成虫の足の原基というべきものであり、蛹化する時少し再成する。

。反　省

切り取った足はプレパラートにしておくと都合がよい。

この実験は蛹化二日前位に行なわなければ成虫の五節と幼虫の三節の関係をあきらかにすることは困難である。

。備　考

蛹化ホルモンが分泌されると足は長くなり始め、腹線から上腹線の部分に縮まっておさまっている。

突　起

。目　的

マダラチョウ科の突起は成虫体とどのような関係があるか。

アゲハチョウ科の臭角は成虫体にどのような関係があるか

幼虫体上の各線名称

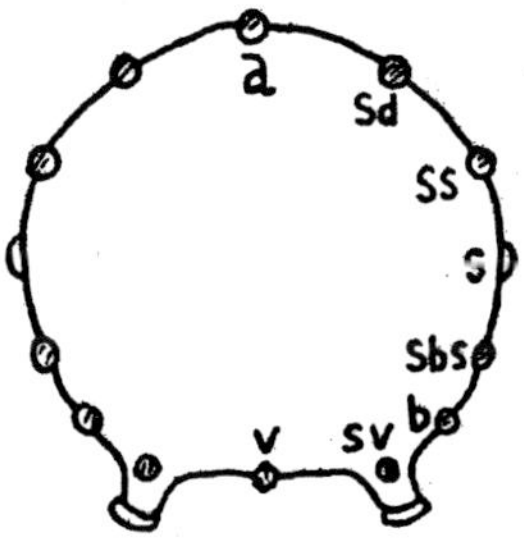

a	背線
sd	亜背線
ss	気門上線
s	気門線
sbs	気門下線
b	基線
sv	上腹線
v	腹線

。準　備

カバマダラ幼虫　九頭

シロオビアゲハ幼虫　三頭　内四頭死す、器具、薬品

。実　験

1 ※第一突起根本より切断
2 第一突起根本より焼き切る
3 ※第二突起を根本より焼き切る。
4 第二突起を根本より切断
5 ※第三突起を根本より焼き切る
6 ◎シロオビアゲハの臭角を糸でく

くりつけた

。結　果

1 出血が多く蛹化二日後に死ぬ

2 完全な成虫で突起の痕跡はわからない。

3 完全な成虫突起の痕跡はわからない。

4 出血が多く死す

5 完全な成虫で突起の痕跡はわからない。

6 完全な成虫ができた

その他六頭はいずれも上記のどれかに同じ結果なので省略します。

。考　察

幼虫の突起や臭角は成虫の外部器管には関係がない。

突起の痕跡は蛹まではみられても成虫になるとわからなくなる。

。反　省

時季はずれで実験した幼虫が各種なのは淋しい。

切断にすうと出血がひどく成功するのが非常に少ない。

。備　考

※カバマダラ幼虫の突起に第二胸節と第二腹節および第八腹節に各一対ずつあり、第二胸節の突起を第一突起とし、他をそれに順じらせた。

◎シロオビアゲハの臭角は叉状の肉質で前胸背面にあり刺激を与えると突出し悪臭放つものである。

翅

。目　的

幼虫時代にみられない翅はどこからできるか

。準　備

ツマベニ幼虫　四頭、器具、薬品

。実　験

蛹化前の幼虫を解剖することによりその原基および発達してゆく順序がわかる。

。考　察

原基は第二胸節と第三胸節に各一対ずつありそれぞれ前翅後翅となる。

蛹化までの変化は幼虫体内の第二胸節および三胸節において※気門上線あたりから※上腹線までの間に縮まつて発達してくる。

。反　省

大型幼虫終令が少なくその原基をみることができなかつた。

。備　考

翅の原基は気管の洗端の方にある（昆虫の実験より）

※Figの　を参照

その他

前頭の焼きつけによる破壊

頭楯の焼きつけによる破壊

頭楯および上唇の抜きとり

吐糸線の抜きとり

総　評

幼虫時代に主体だつた器管の大部分が成虫になると退化して幼虫時代に役にたたなかつた器管が成虫になると発達して成虫の重要な器管となるものが数多くある。

以上が自分がこれまで調べてきた外部形態の変化についての報告であります。

なお詳しく調べたら良い結果おもしろい事実が次々と判明してくるでしよう。

唯蝶を採集するだけでなく幼虫を飼育する、また幼虫の飼育のみにとどめず形態、習性などにつつこんでいくとます〳〵す興味ある楽しい研究となるでしよう。

参考文献

小山長雄著　昆虫の実験　（陸水社）
昭和二七年七月二五日四訂判

日本昆虫図鑑　（北隆館）
著者代表　河田党

日本幼虫図鑑　（北隆館）

教育相談に役立つ参考図書及び用具紹介

	書　名	円	発行所
1	T A T 心理診断法双書	一、四〇〇	中山書店
2	問題児指導の実際	二一〇	文部省・明治図書出版K・K刊
3	ロールシャハーテスト　人格診断法	五五〇	金子書房
4	T A T　絵画統覚検査図版（解説書）	一、〇〇〇（二五〇）	
5	C A T　幼児児童画統覚検査図版（解説書）	一、五〇〇（三〇〇）	
6	カール・ロジャース　遊戯療法 集団療法　（友田不二男訳）	三〇〇	岩崎書店
7	ソショーメトリック理論と実際（田中熊次郎）	六〇〇	明治図書
8	新しい少年指導　非行の防止となおし方（小川太郎　外三人）	三〇〇	一粒社
9	クレペリン精神作業検査 解説（新訂増補）（横田象一郎）	二〇〇	金子書房
10	生徒指導用内田クレペリン検査法（内田勇三郎）	三五〇	日本精神技術研究所
11	改訂増補　臨床的人格診断検査　改訂　ロールシャツハ検査	四八〇	臨床心理研究会
12	W I S C　知能診断検査　用具と解説	四、八〇〇	日本文化科学社
13	親子関係診断テスト		日本文化科学社
14	教育相談（品川不二郎）		
15	心理療法の技術（鈴木清）	五五〇	日本文化科学社
16	改訂　性格の診断（外林大作）	五八〇	牧書店

から分析を試みて見たところ次のようになつております。

（a）教科別成就指数について

教科成就指数段階別生徒数の表を御覧下さい。

教科別、成就指数段階別生徒数と比率

段階／教科	不振	普通	向上
国語	74 (51%)	51 (34%)	21 (15%)
数学	108 (74%)	27 (19%)	11 (7%)
英語	55 (38%)	67 (47%)	20 (15%)

学習不振生徒数は断然数学に多く第一位となつていることが注目されます。国語、英語がその次の順になつております。又学力向上生徒数は国語、英語が稍高率で第一位を占め、数学は、はるかに少い数字であります。

系統を重んずる教科でこつこつとした努力の要求される数学科の成績が不振であるという事実は生徒達の基礎学力が不徹底であり、且つ勉強の時間にむらの多いことを物語ついてると考えるべきでしよう。

10年間に高度の科学技術陣を17万人、中程度の科学技術者を40万人養成しなければ世界の科学技術レベルに遅れをとると騒がれている祖国の実情を思うとき私達は数学科の学習不振の解決に一段と創意工夫を働かさねばならないことを痛感する次第であります。

（b）課程別考察について

次に普通科、職業科、家庭別に知能、学力、成就指数を表記し、科別の比較検討を行つて見ましよう。表を御覧下さい。

○知能偏差値

課程別　知能別段階別生徒数と比率

段階／課程	中上	中中	中下	劣	平均
Oコース 76人	12人 (16%)	33人 (43%)	30人 (40%)	1人 (1%)	47点
Gコース 32人	2 (6%)	23 (72%)	5 (16%)	2 (6%)	47
Hコース 40人		12 (30%)	24 (60%)	4 (10%)	42

知能偏差値ではOコース、Gコースは共に全国高校の中段階にあつて差別は見らませんが、Hコースが少々低く中の下段階にあることがわかります

○学力偏差値

課程別　学力段階別生徒数と比率

段階／課程	中上	中中	中下	劣	平均
Oコース 79人	7人 (8%)	26人 (35%)	42人 (52%)	4人 (5%)	45点
Gコース 32人		1 (3%)	17 (53%)	14 (44%)	36
Hコース 41人			18 (44%)	23 (56%)	35

学力偏差値はOの生徒がはるかに上位でG、Hはいづれも同点下位にあります。知能偏差値ではOの生徒とさして変りのない。Gの生徒が学力偏差値では、はるかに劣つているという事実は見逃せない問題点ではなかろうか。

教科課程編成の問題やガイダンスの問題、進路指導の問題等色々の問題がGには内包されていることが予想されるし、その解決の急務なることを示唆していると思われます。

○成　就　値

課程別学力の実態を成就値に基いて分析判断して見ましよう。

課程別　成就指数段階別生徒数と比率

段階／課程	不振	普通	向上
Oコース 75人	29 (39%)	31 (41%)	15 (20%)
Gコース 32人	28 (88%)	3 (9%)	1 (3 %)
Hコース 40人	30 (75%)	10 (25%)	

学力不振生徒はGコースに殊の外多く、HコースOコースの順になつていることがはつきりと読みとることが出来ます。これは前に述べた結論を具体的に裏付けた資料とみなせましよう。

尚知能がやゝ低位である上に学力がそれに比べてはるかに低い生徒達のいる事実に私達は十二分に関心をよせ、不適応問題の解決と指導助言に極力努めねばなりません。

以上が本校3年生の知能偏差値と学力偏差値の実態であり、学力を知能のレベルまで、もしくはそれ以上の線まで引上げるために教育活動を強化することが今年の大きなねらいであるわけであります。その方法として平常授業の充実、補修授業の実施、全生徒に対する面接指導適正なる家庭訪問等の対策樹立と実践に邁進するは勿論、その他の条件、整備にも腐心し、目標達成の最短コースを走破したいと念願するものであります。

しかし乍らこのことは我々の力のみで不十分であり皆様方の格別なる御理解と御協力があつてこそ実現されるのであります。約500の全生徒が日々充実した生活を送るためにも、卒業と共に希望する職場と希望する大学へ、就職、合格するにも、その職場と学校に適応し、よりよき社会人に成長し、成功するためにも今こそPとTが協力一致し、学力向上を目ざしてスクラム前進すべき好期であります。

学力向上への道

八重山高等学校

従来どの学校においても学力の向上が叫ばれております。学力の向上に関する問題は単に教師、生徒、父兄が一体となつて当たらなければ真の解決はできないものであります。その為には教師自身が父兄に対し、生徒の学力の実態を科学的資料に基づいて理解させることが必要であります。

次に学力の向上を第1の目標とし、可能な限りの方法を傾注して父母と生徒の熱願をかなえてやりたいと努力しておられる八重山高等学校長池村恵興先生のＰＴＡ総会において父兄へお配りになつた科学的資料を御参考までに提供いたします。（研究調査課　糸数長芳）

学力向上という言葉は他人より成績をよくするとか、大学進学者の数を増すとかいう意味に使われ、又解釈され勝ちでありますが、その真の意味は個々の生徒が自分の素質（知能）以上に学力を高めることであると私は考えております。

従つて学力が向上しているか、低下しているかの判定のため能率的、合理的な努力を傾注するためにも標準的学力テスト、標準的知能テストの実施が不可欠の条件であると思うのであります。

知能と学力との釣合いがとれているか、いないかを判断するには、学力÷知能×100 の計算で算出した数字言謂、成就指数なるものが広く用いられております。それが 110以上であれば知能以上に学力がある。即ち、良く勉強していることであり、90～10 9であれば知能なみの学力がついていること、いわばよくもなし、悪くもないということであります。

89以下は不勉強の証明であります。

知能と成就指数に基いて個々の生徒の進路決定を助言し、心身の欠陥を発見する手がかりとなし、生徒に鼓舞激励を与え、必要とあらば欠損教科の補充を行つて成就値を 100以上に高めるよう措置を講ずることが真の意味の学力向上対策と云えましよう。

国、自費、琉大、看護学校等の合格者の増大、就職希望者の適在適所配置等はその結果として獲得できる筈であります。

このような意味の学力向上を本年度努力目標の第一に据え、既に知能学力の両テストを3年、2年に実施致しました。

3年生については知能、学力、成就値を綜合し分析、結論を得ましたのでそのあらましを御報告致しましよう。

（イ）知能について

高校生基準の知能は最優、優、中の中、中の下、劣、最劣の七段階からなつておりますが、本校受験生 148名の平均点は45.8で中の中の段階にあり、本土高校の標準並みという所であります。

その内訳を見ますと

中上…14名、中中…68名、中下…59名、劣…7名となつており、知能については上下の差は少い方であります。いわば平均に近い生徒が大部分であることを意味しています。

（ロ）学力について

152名の受験生に関する英語、数学、国語の綜合点は40.0でありましてこれは、中の下の段階に相当致します。

その内訳は、中上－7名、中の中－27名、中の下77名、劣－41名という成績であり、下の段階に多くの生徒が集まつていることが目立ちます。

これだけを以てしても学力不振の生徒が如何に多いかが伺われます。

尚、詳細を知るため成就指数を計算して見ました。

（ハ）成就指数について

知能テスト、学力テストの両方を受験した 147名の生徒について成就指数を計算し、その中89以下を－、90～109を０、110以上を＋として区分して見ました。それによりますと

－……87名　0……44名　＋…16名となつており百分比に換算すると

－……60%　0……30%　＋…10%となつております。

言葉を変えて述べますと不勉強生徒が60%、普通生徒が30%、勉強生徒が10%いるということでありまして大多数の生徒が不勉強であることを物語つております。このことは学習指導上注目すべき問題だと憂慮する次第であります。

低下の原因を探求するため教科別と課程別の両面

校長に送付すること。

本土は「原本保存主義」をとつており、転学先の学校にはその写しを送付しているので、特別に本土転学の場合に限り、これに準じて取り扱うこととした。

3　転入学の場合

(1)　校長は、児童が転学してきたばあいにおいては当該児童が入学した旨、およびその期日をすみやかに、前に在学していた学校の長に連絡し、当該児童の指導要録の送付を受けること。

(2)　転入学した旨、連絡をうけた学校の長は、指導要録の転学退学等の欄の（　　）内に、その児童が学校を去つた最終の期日および転入学を受理した日の前日を（　　）の下の年月日欄に記載し、その児童に係る証明書等を添付し、転学先の長にすみやかに送付しなければならない。

4　編入学等の場合

(1)　校長は、児童が外国にある学校などから編入学した場合においては、編入学年月日以後の指導要録を作成すること。できれば、外国にある学校などにおける履修状況の証明書や、指導に関する記録の写しの送付をうけることが望ましかろう。

(2)　校長は児童が教護院（実務学園をふくむ）から移つてきた場合においては、院長（園長）の発行した証明書または、指導要録に準ずる記録の写の送付をうけ、移つた日以後の指導要録を作成すること。

(3)　校長は、就学義務の猶予または免除の事由がなくなつたことにより就学義務が生じ、児童が就学した場合においては、就学した日以後の指導要録を作成すること。

※なお(2)と(3)に係る児童等の旧指導要録はあわせ保存すること。

連合区別長期欠席児童生徒調査　(1960学年度)　1961年3月現在

連合区	小学校 男	小学校 女	小学校 計	小学校 全長欠児に占める比率	小学校 在籍に占める比率	中学校 男	中学校 女	中学校 計	中学校 全長欠児に占める比率	中学校 在籍に占める比率
北部	63人	76人	139人	11.32%	0.55%	35人	38人	73人	10.47%	0.94%
中部	174	137	311	25.33	0.68	99	82	181	25.97	1.33
南部	104	111	215	17.51	0.99	38	43	81	11.62	1.27
那覇	251	217	468	38.11	1.03	123	82	205	29.41	1.57
宮古	20	21	41	3.33	0.29	55	27	82	11.76	1.82
八重山	32	22	54	4.40	0.51	33	42	75	10.77	2.52
計	644 52.44%	584 47.56%	1228 100.00%	100.00	0.75	383 54.95%	314 45.05%	697 100.00%	100.00	1.44

1959年度児童生徒の年令別発育統計表　(1959年5月現在)

		年令	6	7	8	9	10	11	12	13	14	15	16	17	18
身長	男子	沖縄	108.7	113.6	118.4	122.9	127.3	131.8	136.6	142.5	148.8	157.0	159.3	160.7	161.0
		本土	111.3	116.6	121.6	126.5	131.2	135.9	141.0	147.9	154.3	160.6	163.2	164.5	164.0
	女子	沖縄	107.7	112.7	117.7	122.6	127.6	133.2	138.9	143.4	146.4	148.8	149.1	150.0	151.6
		本土	110.3	115.6	120.8	126.0	131.5	137.6	143.6	147.6	150.3	152.6	153.3	153.6	152.9
体重	男子	沖縄	18.4	20.3	22.2	24.2	26.3	28.7	32.0	36.6	41.5	48.7	51.1	53.8	54.0
		本土	18.8	20.9	23.1	25.4	27.8	30.5	34.3	39.4	45.0	50.6	53.8	55.9	56.0
	女子	沖縄	18.0	19.7	21.6	23.9	26.4	29.6	33.9	38.4	42.4	45.5	47.1	48.0	50.8
		本土	18.4	20.4	22.5	25.1	28.0	31.9	36.5	41.4	46.1	47.8	49.5	50.4	50.8
胸囲	男子	沖縄	56.4	58.3	59.8	61.5	63.2	64.9	67.1	70.5	74.2	79.4	80.5	83.1	83.7
		本土	56.4	58.2	60.1	62.0	63.9	66.0	68.4	72.1	76.1	79.8	82.5	84.0	84.6
	女子	沖縄	54.7	56.4	58.0	59.8	62.0	64.4	68.2	72.1	75.0	78.2	79.2	80.3	80.8
		本土	54.8	56.5	58.4	60.4	62.9	66.0	69.7	73.7	76.7	78.6	80.0	80.8	81.7

をかけない。きまりや規則を理解して守る。進んで力を合わせて人のためになる仕事をする。など

○「積極性」

積極的に行動しようとする傾向

○「情緒の安定」

情緒が安定している傾向

記 入 例

3 所 見	全体的な特性を記入する。評定Cについては具体的な理由や指導方針等を記入する。		
第1学年	何ごともひかえ目であるがニコニコしている。	第4学年	体も健康になってきたが、明るさも増してきた
第2学年	ほがらかである。しかられてもくよくよせず、すぐ元気になる。	第5学年	ユーモアを理解し常に明るいふんいきをつくりだす
第3学年	ものごとの考え方はやゝ幼稚なところがあるが、きわめて誠実である。	第6学年	他人の人格を尊重し、友人から常に信頼をうけている

記入上の注意

1 「児童の全体的な特性」を記入するものであり「事実の記録」が累加的な行動の記録、「評定」が特性の分析的記録であるのに対して、全体的総合的な児童のはあくをねらっている。

分析的な児童の見方だけでは、ともするとばらばらな特性のはあくになりがちであり、その各項目の関連が見失われたりして、人格の全体的な理解の貴重な資料に欠けるおそれがあるので、この欄が活用される必要がある。

2 評定でCとされた項目については、具体的な理由や指導方針を記入することが望ましい。なぜCとされたのかの理由と、今後どのように指導してゆけばよいかということが記入されていることによって、指導に役立つ指導要録という性格が生きてくるといえよう。

記 入 例

標準検査等の記録	標準化された検査でこれを正確に実施した場合記入する。	
学年	検査年月日	検査の名称・結果・備考
3	36.6 .3	田研B式知能検査（偏.4 3）テスト中腹痛を訴える。
5	38.10.20	田研標準学力検査　算数（偏58）国語（偏52）

記入上の注意

1 標準検査とは、標準化の過程を経て作成されたもので、標準的な問題で構成された検査の意味ではない。

したがって「ワーク・ブッ式」の学力検査等は記入されないことになる。

2 全国学力調査も標準化換算表を示すことになっているので、それによって記録する。（粗点を記録するのではない）

3 記録は指数や偏差値または百分段階点で記入し、なお検査結果の理解や利用に役立つよう具体的に記入することが望ましい。

4 また検査時において、特定の児童が病気などによって、不適当な条件にあったばあいは、その要点を記載しておく必要がある。

5 標準検査の欄が一面から二面に移ったのは、組み合せによるものであろうが、学習の記録、または行動および性格の記録等を、あわせて検討するには、むしろ活用、利用の点で効果的である。

取り扱い上の注意

指導要録の作戦、送付および保管については、次のような事項に留意すること

1 進学の場合

(1) 学校は児童が小学校より中学校へ進学する場合においては、当該児童生徒等の指導要録を進学先の校長に送付するとともに、その作成に係る指導要録の抄本を作成しなければならない（学校教育法施行規則）第９条第２項参照）

(2) 抄本の記載事項は、おおむね下記の事項をふくむものとすること。

ア 学校名、校長名、担任名

イ 児童の学籍の記録

ウ 第6学年の各教科の記録の写し

エ 第6学年の行動および性格の記録の写し

オ 学籍の記録ならびに出欠の記録の備考、健康の記録および標準検査等の記録に記載されていて必要と思われるもの

2 転学の場合

(1) 校長は児童生徒が転学した場合においては、当該児童生徒等の指導要録を転学先の校長に送付するとともに、その作成に係る指導要録の抄本を作成しなければならない。（学校教育法施行規則第９条第４項参照）

(2) **なお本土へ転学する児童生徒については、本土の取り扱いに準じて、その作成に係る当該児童生徒等の指導要録の写しを作成し、それを転学先の**

記入例

2　評定	A・B・Cの3段階で記入する。全項について評定し、記入することを原則とする。もし特徴のとらえられない項目欄には斜線をひく。		
項目　学年	1	2	3
基本的な生活習慣	B	B	B
自主性	B	A	B
責任感	B	B	A
根気強さ		B	B
自省心	B	B	B
向上心	B	B	B
公正さ	A	A	A
指導性	B	B	B
協調性		B	B
同性心	A	A	A
公共心	B	B	A
積極情	B	B	A
情緒の安定	C	B	B

記入上の注意

1　この欄は児童の特性を、13項目の観点から、分析的に理解しようとする意図をもつものである。

2　かかげられた13項目のうち①から⑪までは価値的なものをふくんでいるが、「積極性」「情緒の安定」の2項目は、生れながらの性格的な面を、程度の差によつて評定するものである。

3　空白の欄には、かかげられた項目以外に特に必要な項目がある場合に、新に追加してよいことになつているが、一部の学級、学年のおもいつきで項目をきめることはさけなければならない。

4　評定のしかた

かかげられた項目ごとにA・B・Cの3段階で記入する。

Aが特にすぐれたもの、または程度の著しいもの、Bは普通、Cは特に指導を要するものを意味する。

なおこれらの項目は学年末に評定されるが、年間を通して評定の資料を収集しておかないと、評定直前の目だつた行動にげん惑されてあやまることのないよう留意されたい。

各項目については、各学校の研究によつて行動評価の基準を作成することが望ましい。同じ項目でも低学年と高学年とでは、その意味するところが異なるばあいもあるので、その点の留意を忘れてはならないであろう。

※この欄に掲げられた項目は次のような趣旨のものである。

○「基本的な生活習慣」
健康を増進し、安全の保持に努める。礼儀作法を正しくする。身のまわりを整理・整とんする。ものをだいじにし、じょうずに使う。きまりのある生活をする。など

○「自主性」
自分で計画し、進んで実行する。自分の正しいと信ずるとろに従つて意見を述べ、行動する。など。

○「責任感」
自分の言動に責任を持つ。自分の果たすべき義務は確実に果たす。など

○「根気強さ」
正しい目標の実現のためには、困難に耐えて最後までしんぼう強くやり通す。ねばり強く仕事をする。など

○「自省心」
自分の言動について反省するとともに、人の教えをよく聞く。自分の特徴を知り、長所を伸ばす。わがままな行動をしないで、節度のある生活をする。など

○「向上心」
常により高い目標に向かつて全力を尽くす。創意くふうをこらして生活をよりよくしようとする。常に研究的態度をもつて、真理の探究に努める。など

○「公正さ」
正を愛し、不正を憎み、誘惑に負けないで行動する。自分の好ききらいや利害にとらわれずに公正にふるう。だれに対しても公平な態度をとる。など

○「指導性」
指導力があつて、人から信頼される。など

○「協調性」
自他の人格を尊重する。互いに信頼しあい、仲よく助けあう。など

○「同情心」
人の立場を理解し、広い心で、人のあやまちをも許す。だれにも親切にし、弱い人や不幸な人をいたわる。など

○「公共心」
公共物をたいせつにし、公徳を守り、人に迷惑

○「ものを作る」

美しく創造的にいろいろなものを作ることができる。

○「鑑賞する」

造形作品の美しさを鑑賞することができる。

家　　庭

○「技能」

日常生活に必要な被服・食物・すまいなどに関する初歩的、基礎的な技能を身につけている。

○「知識・理解」

日常生活に必要な被服・食物・すまいなどに関する初歩的、基礎的な知識を身につけている。

○「実践的な態度」

習得した知識・理解や技能をもとにして、仕事を計画し、手順を考え、創意くふうにより積極的に実践しようとする。

体　　育

○「健康・安全への関心」

日常生活における自己や他人の健康・安全に積極的な関心をもち、また、常に健康・安全に注意して運動する態度を身につけている。

第５学年および第６学年においては、保健についての初歩的な知識をもち進んで健康・安全な生活をしようとする。

○「運動の技能」

各種の運動のしかたを理解して正しく運動ができ、走、跳、投、懸垂などの基礎的な運動能力を身につけている。

○「公正・協力・責任などの態度」

運動やゲームにおいて、進んで約束やきまりを守り、互いに協力して自己の責任を果たそうとする。

記　入　例

3　備　考	各教科の学習について特記すべき事項を記入する。		
第１学年	学習意欲がなく，注意散慢 国語ひろいよみ程度	第４学年	理科は得意であるが音楽は劣っている。
第２学年	学習への興味がわいてきて、全般的に向上した。	第５学年	実習を好み、作業はきわめて熱心である（家庭）
第３学年	算数の基礎知識が欠けている。 図工に特に興味をもつ。	第６学年	内踵により左脚切断 体育の実技については評価しない。

記入上の注意

1　こゝでは各教科の学習について、学習態度等特記すべき事項があれば記入す。

2　全部の教科を通じてみられる学習態度でもよいし、また一つ一つの教科についてでもよい。

3　なお学校教育法施行規則第20条（児童が必要の状況によつて履修することが困難な各教科は、その児童の心身の状況に適合するように課さなければならない）により、履修困難な各教科について特別な処置をしたばあいは、当該教科のみ特別な扱いし、その事由をこの欄に記入する。

※体育などにはこうした特別扱いをすることが必要なばあいがあろう。

行動および性格の記録

記　入　例

1　事実の記録	学校生活の全体・特に教科の学習以外の活動状況などを記入する。「趣味・特技」等もここに記入する		
第１学年	おもしろいことをしてみなを笑わせる、明るい性格。 ミルク係とクラスの世話をみる。	第４学年	児童劇で主役として、特技を発揮。 水泳に興味をもつ
第２学年	当番や係のしごとに責任をもち、クラスのふんいきをあかるくしてくれる。	第５学年	学習準備係として学習の前後の連絡をして、準備と始末をよくする。
第３学年	機械をいじることが好き。動物の世話をよくみる。 工具係として、その保管に万全を尺す。	第６学年	学級委員として、いつも仲間はずれのものができないように苦心して、みなをよくリードした

記入上の注意

1　行動および性格に関して、事実自体を文章記述するのである。

2　その範囲は学校生活の全体にわたるものが特に各教科の学習以外における、児童の活動状況について顕著なものを具体的に記入するのである。したがつて各教科以外の、道徳、特活、学校行事等の領域はもちろんであるが、休み時間や放課後の状況もふくまれるわけである。

また児童を理解するために、家庭や地域でおこつた顕著な行動をも記入することができるようになつている。

3　記入にあたつては、指導上の資料という角度から具体的に記録する。

たとえば

「学級委員に選ばれた」という記録よりも、委員としてどのように行動したか、その事実を記録するのである。

4　なお趣味、特技についても目だつものがあれば記入する。

のであるが、同じ観点でも学年の段階に応じてその意味する具体的内容が多少ずつ異なるから、小学校（中学校）学習要領に示す学年目標をじゅうぶん参照すること。

小　学　校

国　　語

○「聞く」
正しく話を聞く態度や技能を身につけている。

○「話す」
正しくわかりやすく話をする態度や技能を身につけている。

○「読む」
正しく文章を読む態度や技能を身につけている

○「作文」
正しくわかりやすく文章に書く態度や技能を身につけている。

○「書写」
文字を正しく書く態度や技能を身につけている

社　　会

「社会事象への関心」
社会の諸事象について積極的な興味・関心をもち、進んで問題を発見したり、集団生活への参加・適応に努めようとしたりする

○「社会事象についての思考」
社会の諸事象をなりたたせている諸要因や諸条件に目を開き、その社会的意味や事象相互の関連などをよく考えることができる。

○「知識・理解」
社会生活についての基礎的な知識・理解をもち資料の作成・利用のしかたなども身につけている。

○「社会的道徳的な判断」
社会生活についての正しい理解を基礎として、集団生活における自他のあり方について適切な判断ができる。

算　　数

○「数量への関心」
数量や図形に積極的な興味関心をもち、進んで数量を用いて事がらを表現したり問題を処理したりしようとする。数量の適用やその処理において、創意くふうする態度がある。

○「数学的な考え方」
位取りの原理などをよく理解し、それをもとにして計算の方法を考え出すなど、数学的な考え方がよくできる。数量関係の複雑な問題について、よく解決の方向を見通し、すじ道の通った判断ができ、手順のよい計算の方法などを見つけ出すことができる。

○「用語・記号などの理解」
算数における用語や記号の意味をよく理解し、的確に用いることができる特に、数量や図形について基礎となる概念については、単にその用語を知っているにとどまらず、その意味を明確にとらえている。

○「計算などの技能」
形式的な計算や測定などがよくできる。

理　　科

○「自然の事象への関心」
自然の事物や現象に積極的な興味・関心をもち自然から直接学ぼうとする。

○「科学的な思考」
事実に基づき、すじ道をたてたり、処理したりすることができる。

○「実験・観察の技能」
実証的な態度をもつて、実験、観察を計画し、実験観察に必要な機械・器具を目的に応じて取り扱い、その結果を正しく処理することができる。

○「知識・理解」
生活に関係の深い身近な自然科学的な事実や基礎的原理を理解し、これらに関する知識を身につけている。

○「自然の愛護」
自然と人間生活との関係を考えて自然を愛護しようとする。

音　　楽

○「鑑賞する」
音楽の美しさを鑑賞することができる。

○「歌を歌う」
正しく創造的に歌うことができる。

○「楽器を演奏する」
正しく創造的に楽器を演奏することができる。

○「旋律を作る」
簡単な旋律を作つたり書いたりすることができる。

図画　工作

○「絵をかく・版画を作る」
美しく創造的に絵をかいたり、版画を作ることができる。

○「彫塑を作る」
美しく創造的に彫塑を作ることができる。

○「デザインをする」
美しく創造的にデザインをすることができる。

という用語で表現するならば、つまり、相対評価を原則とするが、そのふつごうな点を除くため、目標に照らすという絶対評価的な考え方をもつて若干の調整をするものだということができよう。

記入例

2 各教科の学習についての所見　その児童自身の特徴を○×印で記入する。「進歩の状況」は総合的」に見て著しい場合○印で記入する。

教科	観点＼学年	1	2	3
国語	聞く	○	○	
	話す			
	読む			○
	作文			
	書写	×		
	進歩の状況		○	
社会	社会事象への関心			
	社会事象についての思考	×	○	○
	知識・理解			
	社会的道徳的な判断			
	進歩の状況			○
算数	数量への関心	○		
	数学的な考え方			○
	用語・記号等の理解			
	計算などの技能	×	×	
	進歩の状況			
理科	自然の事象への関心			
	科学的な思考	○		
	実験・観察の技能		○	
	知識・理解			
	自然の愛護	×		×
	進歩の状況			
音楽	鑑賞する			
	歌を歌う		○	○
	楽器を演奏する			
	旋律を作る	×	×	
	進歩の状況			○
図画・工作	絵をかく・版画を作る			
	彫塑を作る			
	デザインをする			
	ものを作る			
	鑑賞する			
	進歩の状況			
家庭	技能	／	／	／
	知識・理解	／	／	／
	実践的な態度	／	／	／
		／	／	／
	進歩の状況	／	／	／
体育	健康・安全への関心	○		
	運動の技能		○	○
	公正・協力・責任などの態度			
	進歩の状況		○	

記入上の注意

1　評定欄が相対的な地位を記入するものに対し、この欄は個人個人の特質や、学習の進歩の状況を知るためのもので、他の児童との比較ではなく、その児童自身についての特徴を記録することを主眼とするのである。

こゝに比較というのはその個人のもつている特質相互の比較であるということに注意されたい。

したがつて5の評定されたものでも×印がつくわけですべてが○印ということにはならない。

また評定2でも1でも○印がつくこともありうるわけである。

なお○印×印のない場合はその児童個人として、めだつて特徴をしめないことを意味するものである。（記入例参照）

2　余白欄は地方の事情によつて記入できるようにしたものであるが、ここに記入する所見の観点が個々の児童個々の学校によつて異なることは望ましくない。

3　「進歩の状況」は当該学年においてその当初と学年末と比較し、総合的にみて進歩の著しいばあいに○印を記入する。（なお進歩のいちじるしいものの認めがたいばあいには、しいて記入する必要はない。（記入例参照）

注　進歩の状況を入れたのは改訂指導要録の中でも一つの特徴である。

前学年の評定が3であつたものが、今学年で4になつたというように、学年にわたつてみるのではない。同一学年中で1学期、2学期、3学期とみて進歩のいちじるしいばあいに○をつける。したがつて1学期からとおして3と評定されたものでも学年末に上位の3になつた場合は○印をつけることになる。

つまり評定自体は3であつても、その子どもとしての進歩の状況がわかることになる。

◎なお進歩の状況は総合的にみるのであるから、所見の観点の個々について進歩を考えるのではないことに留意されたい。

4　観点の性格

各教科の観点は学習指導要領の目標を参照し指導上に役だてるために設定したもので、すべての要素を列挙したものではない。そこで同じ観点でも学年の段階に応じて、その意味する具体的内容が多少ずつ異なるから、指導要領の学年目標をじゆうぶん参照することが大切である。

※各教科に掲げられた観点は、次のような趣旨のも

第4学年	姿勢わるく、脊椎の異常とわかり静養(36.6) 10月より登校、当分運動をひかえさせる。
第5学年	やゝ元気がでて血色もよくなる。 軽い運動を注意しながらはじめさせる(37.5)
第6学年	特記事項なし

記入上の注意

1　教師の日常観察による児童の健康状態ならびに特に指導上必要な事項について記入する。

2　学年初めに行なわれる身体検査の結果について特に留意すべき事項があればその指導処置等について記入する。

3　日常観察によるものとして
たとえば
。疲労の状態　。姿勢　。運動機能　。り病状況
。その他健康上特に留意すべき事項など

4　身体検査の結果によるものとして
たとえば
。視力　。色神　。聴力　。むし歯
。ツベルクリン反応　。その他疾病異常で特に留意すべき事項など。

5　記入事項がないときは空欄にしないで、「特記事項なし」と付記する。

6　記入の時期は大体補助簿に記載しておいて学年末に整理するのが普通であろうが、いずれにせよ、原則として、その事実が認められたときに記入し必要ある場合は、記録事項を認めた月を記入する。

各教科学習の記録

記　入　例

1　各教科の評定　5，4，3，2，1，の5段階で表示する。3は普通程度をしめす。

学年＼教科	国語	社会	算数	理科	音楽	図画工作	家庭	体育
1	4	4	5	4	3	3	／	4
2	3	4	4	4	3	3	／	3
3	4	3	3	4	3	3	／	3
4	4	4	3	3	3	3	／	3
5	4	3	4	4	3	3	3	4
6	5	4	5	4	3	4	3	3

記入上の注意

1　各教科ごとに5段階で評定し、その表示は記入例にしめすとおりである。

2　「評定」のしかた

「小学校学習指導要領に定める各教科の教科目標および学年目標に照らし、学級または学年において普通程度のもの3とし、3より特にすぐれた程度のものを、5、3よりはなはだしく劣る程度のものを1とし、3と5または3と1の中間程度のものを、それぞれ4、もしくは2とすること」とした。

このことは、相対評価をすることを意味するわけであるが、前段で述べているように、教科目標、学年目標に照らして、2と1との差のつかない場合などに、数の上から無理に1にしなくてもよいというような意味をもつものといえよう。

つまり学級または学年において、はじめから5段階の箱を用意して、その収容人員を機械的に割り当てるというのではなく、学習指導要領の目標の成就度に照らしてみて、割りふりを調整するというやり方である。したがつて目標成就度からみると2としてもよいのに、1が全然いないでは困るからというので1を機械的にはめこむというような不合理なことをしなくしてもよいということである。

また一般の学校では普通程度が大部分で、5と1は少数にとゞまるであろうが能力別編成学級など特別のばあいは、教科目標、学年目標に照らして学習の到達度がすぐれているものが多数を占めることもあろう。ところで、その児童の評価集団内では、集団内の地位のみに着目すれば3と評定されるものでも、目標に照らして4に移すことも可能であるということである。

さらに児童数の僅少のばあいは、5から1まで位置づけることが困難な場合もあろう。したがつて目標に照らして、5つの段階のいずれかひとつ以上をかくこともありうるであろう。

このようになつたからといつて教師がむやみに点をあまくして、1や2をなくするということは慎まなければならないであろう。

評定にあたつては、少なくとも同一学校内においては、学級担任間で事前協議というようなことをし、児童相互の間に不均衡なことがおこらないよう配慮することが望ましい。

以上要約すると

評定集団内における、相対的地位を、正常分配理論のみによつて機械的に処理する、きうくつさをさけ、学習指導要領という調整弁を使うことができることとしたのであつて、相対評価、絶対評価

記　入　例

備　考	
1，家庭，社会環境中必要事項 2，生育歴中特記事項 3，分校に在学している場合等	父兄健在　教育への関心あり 借家住い。5人兄弟中長男、 新聞配達を始める（36年 6月記） 周辺一帯特飲街（36.6記）

記入上の注意

1　この欄には、家庭環境、社会環境、生育歴等で指導上とくに必要な事項について記入する。

2　たとえば、戸籍上の問題、父母の死亡、保護者が異姓をなのる場合、住所が異なる場合など。

3　記入に際しては、その年月日、学年を（　　）書きで記入しておく。

4　外部の証明等に用いる場合は、その取り扱いについてとくに注意する必要がある。

記　入　例

出　欠　の　記　録			
区分＼学年	1	2	3
授業日数	233	239	248
出席停止・忌引き等の日数	0	6	3
出席しなければならない日数	233	233	245
欠席日数	0	4	0
出席日数	233	229	245
備　考 1，出席，忌引きの特記事項 2，欠出の理由 3，遅刻，早引きの状況 4，転入学前の出欠状況	○○小学校在学中 出席79 欠席なし 転入学のため	感冒 学級閉鎖 欠席 腹痛 ちこく 6	忌引き ちこく 8 早引き 5

記入上の注意

1　「授業とは」学校において編成した教育課程を実施することである。

「教育課程として実施する」ということは

◦年間計画の中に予定されていること

◦全員参加の体制にあること

この二つの条件がみたされたものであることを前提とするのである。したがつて、夏季休業中の児童の出校日等も、それが教育課程として実施したものでなければ授業日とはみなされない。

2　「授業日数」は、児童の属する学年について授業を実施した年間の総日数で、原則して、同一学年のすべての児童につき同日数である。ただし、転学、または退学等、編入学等の児童については個人によつて授業日数には多少の相違があろう。A校からB校に転学した児童についてみると、A校で受けた授業日数とB校で受けた授業日数を加えたものがその児童の授業日数となり、転学のために要した日数は含まれない。（この場合A校でうけた授業日数ならびに欠席日数はB校に「出欠の記録」として送付されなければならない。）編入学等の場合は、編入学等をした日以後の授業日数が記入されることになる。

3　「出席停止、忌引きの日数」この欄には、個人的に出席しなくてもよいとみられる日数を記入するが、これには、

◦学校教育法第27条による出席停止を命ぜられた場合の日数

◦学校伝染病予防規則による学校閉鎖、昇校禁止制限等による場合の日数

◦学校教育法施行規則第41条による場合の日数

◦忌き日数（基準が明記されていないので恒例によらねばらないだろう）

なお通学途上の橋が落ちたなどの非常変災等で、児童または保護者の責に帰すことのできない理由で欠席した場合や、伝染病の予防上保護者が自己の判断で児童を出席させなかつた場合で、校長が出席しなくてもよいと認めた日数がふくまれている。

4　「出席しなければならない日数」「出席日数」「欠席日数」「備考」の欄については、記人例を参照されたし。

記　入　例

健康の記録	日常観察等による健康状況，たとえば，疲労・姿勢・病気等について，指導上特に必要な事項等を記入する。
第1学年	偏食、野菜をこのまない。 虚弱体質、はげしい運動をさける。
第2学年	う歯（乳歯）ぬく、偏食ややなおる。 貧血しやすい。強度の学習や作業は休ませる
第3学年	近視（左0.2　右0.3）座席考慮　メガネ使用 懸垂力全くなし　学習中、つかれて持久性乏し

員会の通知にもとづく入学期日は、校長がその子どもの入学に関する通知をうけた日と一致すべきであるが、連絡不充分のため、入学期日以後にその通知を受けた場合は、その間における児童数の計上に限り、その児童の入学がなかつたものとして、計上してさしつかえない。

たゞし通知をうけた日以降は、委員会の通知した入学期日以降を在学者として、その児童に関した一切の表簿を整理する。そこで委員会の指定した日に入学しないで、実際には何日かおくれて入学したような場合は、その間の日数は欠席して取り扱うことになる。けれども万やむを得ない事情のばあいは、校長の判断で、この間の日数を授業日数から省いてよい。

3　なお余白には転入学の理由（実際には転学の理由と一致する）を付記する。こゝでは「原本送付主義」をとるので転学先の学校および所在校を記入する必要はない。

転学の場合の記入例

転学・退学等	（昭和36年 9月29日）…学校を去つた日 昭和36年10月 3日…受入れた日の前日 ○○中学校…第3学年に転学

記入上の注意

1　「転学」とは他の小学校に転校する場合をいいそのために児童が学校を去つた年月日を、（　）内に記入し、下の年月日の欄には転学先の学校が受け入れた年月日の前日を記入する。

例えば

太郎君がA校で最後に授業をうけた日（またはあいさつに来た日でもよい）が36年の 9月だとする。……この場合は（昭和36年 9月29日）と（　　）内に記入する。

B校が10月 4日に太郎君を受け入れたという通知があつたとき下の年月日欄に昭和36年 3月と記入し、こゝではじめて太郎君はA校から除籍されたことになる。

このことは学校を去つた月から除籍月（つまり書類の送付も同月になされるであろう。）までは、前の在学校が形式上の責任をもつという立場を明らかにしたものである。その責任のもち方は、指導監督下にあるばあいはちがつてくるが、先方の学校から受入れの通知がないときなどは、連絡をとる責任を負うものである。

退学の場合の記入例（その1）

転学・退学等	（昭和　年　月　日） 昭和○○年11月30日 学令超過のため退学（またはハワイの学校に入るため退学）

記入上の注意

1　「退学」とは、外国の学校などにはいるために学校を去るばあいと、学令を超過している児童が学校をやめることを校長が認めたばあいがあるが、この日付けは下の（　　）外の年月日欄に記入し、その事由を付記する。

2　なお就学義務の猶予、免除、または教護院（実務学園をふくむ）に入院するばあいとか、児童の居所が1ヶ年以上不明であるばあいが考えられる。この場合は、潜在的には学籍があり、正式の退学ではないが在学しないものと同様に取り扱いその指導要録は別に整理して保存しておかなければならない。

この場合在学しないものとして校長が認めた日付けを（　　）内の年月日欄に記入し、その事由を付記する。

退学の場合の記入例（その2）

転学・退学等	（昭和○○年10月 5日） 昭和　　年　月　日 居所不明のため在学しないものとして取扱う（または、就学義務免除のため在学しないものとして取扱う）

卒　　業	昭和　　年　　月　　日

1　校長が卒業を認定した年月日を記入する。（卒業証書に記載された年月日）

2　この認定は3月末が適当であるといつているが月末とは3月31日をふくむ数日前と解釈して差しつかえなかろう。

3　しかし認定を 3月31日以前に行なつたとしても指導監督の責任は 3月31日までは負うべきであろう。

進 学 先	○○区立○○中学校

1　こゝでは、児童の進学した中学校名を記入する

2　原本は中学校で保管されるので、あえて住所を記入する必要はない。

の休養中、または、研修教員の研修中、臨時的任用の教員が担当したような場合なども、その氏名を記入すること。

4　押印は併記したすべてのものが行なうのではなく、記載事項の責任を負うという意味で押すものである。

5　氏名はゴム印を使用してもさしつかえない。

6　校長印を使用する。

学籍の記録

記入例

児童	ふりがな 氏名	川《かわ》島《しま》文《ふみ》男《お》	(男) 女
		昭和20年9月15日生	
	本籍	沖縄県島尻郡豊見城村字山内5番地	
	現住所	那覇市久茂地町1丁目88番地	

記入上の注意

1　学年当初と異動の生じたときに記入する。

2　この欄は学令簿等に記載されたとおりに正しく記入すること。

3　記入については記入例を参照されたい。

4　本籍と現住所が同一の場合には「上に同じ」と略記してよい。

5　転居等によって現住所が変更した場合は抹消して余白に記入する。
この場合抹消部に押印する必要はない。

記入例

保護者	ふりがな 氏名	川《かわ》島《しま》春《はる》美《み》			
		職業	農業	児童との関係	父
	現住所	児童の欄に同じ			

記入上の注意

1　氏名は児童に対して親権を行うものを記入する

2　民法上では、父母の両者が親権をもつわけであるが、これも学令簿の記載によって記入すればよい。

3　親権を行うものがいないときは、後見人を記入する。(学令簿に準拠して)。

4　児童との関係は、たとえば「父」「母」と記入し、そのあとへ(長男)(長女)等と記入する必要はない。後見人の場合は、後見人(伯父)(祖母)(叔父)(兄)等と記入する。

5　現住所は記入例によるが、もし保護者の住所が異なる場合は、実体に即して記入する。

記入例

入学前の経歴	昭和35年4月から昭和36年3月まで ○○区立○○幼稚園に在園

記入上の注意

1　小学校に入学するまでの教育関係または保育関係の略歴を記入する

2　記入の要領は記入例によるものとする。

3　幼稚園、保育所は認可されたものを原則とするが、区の経営する、これに類するものに毎日通園しておれば記入してもさしつかえない。

記入例

入学・編入学等	昭和　年　月　日　第1学年入学 第　学年編入学

記入上の注意

1　「入学」とは児童が第1学年にはいることをいい。年月日は区教育委員会が通知した入学期日のことである。

2　なお期日におくれて出校した場合にも、指定の入学期日とすること。……その間の取りあつかいは欠席ということになるが、その事由が万やむを得ない事情にあつた場合は、出校しなかつた日数を授業日数から除くことにする。

3　「編入学」とは、第1学年の中途または、第2学年以上の学年に、外国の学校などからうつる場合、あるいは教護院(学令内のもので実務学園にいるものもふくむ)、からうつた場合、または就学義務の猶予、免除の事由消滅により就学義務が発生した場合は、退学したものとしての取扱いはしていないので、編入学に準じた扱いをする。この際編入学の年月日、学年および、その事由等を記入し、「第1学年入学」の文字は横線で消すこととする。

記入例

転入学	昭和36年10月4日 第3学年(父転勤のため)

記入上の注意

1　「転入学」とは他の小学校から転校してきた場合のみをさすので、前記、編入学のものと混同しないように注意すること。

2　転入学年月日は委員会が指定した月である。委

改訂指導要録の記入要領

研究調査課　主事　徳　山　清　長

はじめに

改訂指導要録については、さきに説明会をもつて、その趣旨徹底をはかつたのでありますが、その後いろいろと問題点があつたかと思料されます。そこで実際の記入例を提示し、さらに補足を加えて記入要領をまとめましたので、記入上の手がかりとしていただくようご一読を願います。

記入上の全般的注意事項

1　児童に関する原本であり、証明のための原簿であから、正確な資料にもとづいて記入すること。

2　指導に役立つものであるという観点にたつて記入すること。

3　記入の時期については、学年はじめ、学年末、その都度、記入しなければならない場合もあるので、事務の能率化を考えて、処理するようにすること。

4　記入については次の点に留意されたい。

(イ)　ペン書きでインクは青、または黒を用いること

(ロ)　数字は算用数字を用いること。

(ハ)　文章は口語文で、当用漢字、現代かなづかいによる。

(ニ)　記入欄が不足の場合は付箋をはりたして記入すること。

5　記入事項の変更については、すべて押印の必要はない。

例えば　住所変更があつた場合は、前の住所は横線で抹消し、新しい住所にかきかえることになるがその際抹消個所に押印する必要はないということである。

6　ただし誤記の訂正、成績評価の訂正については、訂正者の認印を押すこと。

7　訂正は前に書いてあつたものが読みとれる程度に横線を引くこと。

記入例

学校名および所在地	○○教育区立○○小学校 ○○市字○○　100 番地

記入上の注意

1　学校名を略記するのはよくない。

2　できるだけ、下に余白をのこすように配慮すること。

3　ゴム印を使用してもさしつかえない。

4　分校に在学している場合でも本校名、本校の所在地を記入し、分校名、分校の所在地は「学籍の記録」の備考の欄に記入しくおく。

5　学校の統合（または分離）されたため、校名および所在地の変更がある場合、または転学ならびに転入学の場合は、新しい学校名、所在地を記入し、前記学校名記入例所在地は横線で抹消する。この際抹消部分は見えるようにしておく。

記入例

区分＼学年	1	2	3	4	5	6
学　級	2	1	6			
整理番号	10	25	1			

記入上の注意

1　この欄には学年の所属学級と、その番号を記入することになるが、転学、転入学児童については補助簿との関連において、事務の能率化を考えて整理番号をつければよい。

区分＼年度	昭和36年度	昭和37年度	昭和38年度
学年	1	2	3
校長氏名印	大山　信二㊞	大山　信二 山里　八郎㊞	山里　八郎㊞
学級担任者氏名印	前田　三郎㊞	下田　米子㊞	原田　芳子㊞ 仲井　健二 （5月8日～6月20日）

記入上の注意

1　校長氏名、担任氏名は年度はじめに記入すること。押印は年度末、または児童の転学退学のときに認印で行う。押印は記入の責任を明確にするためである。

2　同一年度内に校長または学級担任者が変わつた場合には、そのつど後任者の氏名を併記し、前任者の氏名は抹消しない。なお変つた年月日も付記しておくてよい。

3　女子教員の産前産後の休暇、ならびに結休教員

C 「ビーンつて音がする」

C 「よくきこえないよ」

C 「ぼくのは、いい音がでます」

T 「はじいたとき、ゴムや糸は、どうなつていますか」

C 「ブーンとゆれています」

C 「まん中がたくさんゆれて、はじは小さい」

C 「だんだん、はばがせまくなる」

T 「そう音はどうしてでるのでしよう」

C 「……」

T 「音がでているとき、ゴムが働いていますね、ほつぺたや口びるをゴムにさわつてごらんなさい」

・ほほや口びるにふれさせ、振動をたしかめさせる。

T 「Y君、ことのゴムをはじいたらどんな形になつたか、前にでて話してください」

C 「（手で形をしめして）こんな形になつています」

T 「M君、君の作つた笛よくなりますか、前にでてならしてみてください」

・ならしてみる

T 「笛は、どうして音がでるのかな」

C 「セルロイドが、ふるえてなります」

C 「こんなふうに、しびれています」

T 「ことも、みんなの作つた笛も、ゴムや、セルロイドがふるえて音がでることがわかりましたね」

4 ふえ、ことにわかれてならしてみる。

5 整 理

T 「ことや、ふえを作つて勉強しましたね。家にかえつてもつと工夫できる人は、作つて先生に見せてください」

▲反 省

① 第二次の目標達成について

a 第二次は、こと（輪ゴム）を中心として、あらかじめ、家庭で工夫したことからの取り上げと、製作工夫を通じて、音に関心をもたせること、振動の現象に目を向けさせることがねらいであつた。
しかし、児童の輪ゴムのことへの考えが、輪ゴムの数を多くし、本当の楽器のことの模倣へといつてしまつたので、輪ゴムの振動を音と関連づけて深く観察させることができなかつた。

b 輪ゴムのことは、一たんならし終えると、興味がなくなり、全員でゴムの振動に着目させる段階の前に、笛作りに転向する者が多くなり、目標達成が中途半端に終つた。

c 第二次は、材料を輪ゴムのことにしぼり、振動する現象を十分観察させたのち、家庭、課外にその後の工夫の余地など指導した方がいいと考えた。

② 指導法について

a 全般的にみて、児童の心理の動きが浅かつたため、授業が同時に二つの事柄を行う結果となり、折角作つた児童の賞讃も行きわたらず、また、家で一度作つた児童のうち数名が遊んでいる結果になつた。

b 各自で用意してきた材料を中心に授業を進めたので、セロハンテープで固定した児童もあり、条件を変えて、振動のようすを観察させることに困難があつた。

c 授業終了前に、ふえ、ことにわかれてならさせてみたが、共鳴の少ないこともあり、無意味な活動であつた。

③ 材料について

a 工夫ということについて考えてみた学習であつたが、材料は単純なもので、ゴムの数なども少なくし一つの事柄に集中できるような指導であつた方がよかつたように思われる。

い、みんなも、作る人は、注意しないとあぶないですね」

このほか、「うちのおとうさんが紙をもつてきてくれたので、その紙を切つて作つた紙笛」。

「ママに竹の皮をもらつて笛を作たつ子」の説明をきく。
2　製作及び、よくなるように工夫する指導
T　「これから、みんな用意してきたものを使つて作りましよう。先生のところにも、セルロイド、わゴム、きぬ糸、ボール紙、画用紙が用意してあります。いるものがあつたらきてください。
。児童各自必要なものをとりにくる。

。ことを作る予定であるもので変更して笛作りになつたものが、8名ほど急にふえる。

。セルロイド板、画用紙のきりぬきに手間どる。
T　「ことの勉強をしたかつた人で、用意のできていない人は、先生のまわりに集まつてください」
。集めて、下じき、筆箱などを利用することを指示する。

。製作・工夫してよくなるようにする作業を続ける。

。机間巡視。

。こと作りの児童を中心として指導する。

。いい音がしないという児童に、ことじ（ボール紙）を渡したり、はり方をかえる指導をする。
T　「たいへん、おもしろいのがありますから見せてあげましよう。これはI君のです。まん中に穴をあけて、ほんものみたいですね。みんなもよくなるように工夫しましよう。

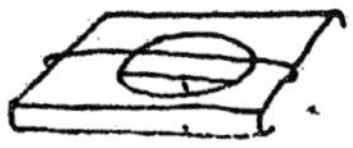

。この児童は、その後5分ほどして笛つくりに転向。
。しばらく個別指導を続ける。
T　「Kさんのを見てみましよう。これは、下じきと箱にあなをあけたので作つてあります。おはなししてもらいましよう」
C　「下じきと、ゴムわと、はこでことを作りました。ゴムが、ちがう音がでます」
T　「U君、君のをお話ししてください。」
C　「下じきの上に筆箱をななめにおいて、わゴムをはつたらいい音がでました」

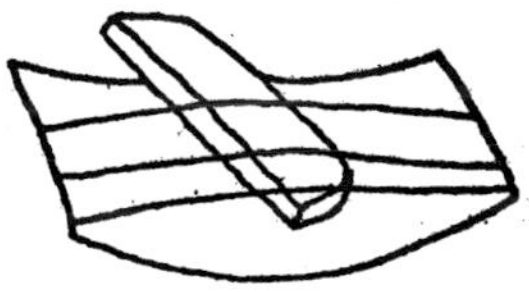

T　「M君もなかなかいい工夫をしています。みんなにおはなしをしてあげてください」

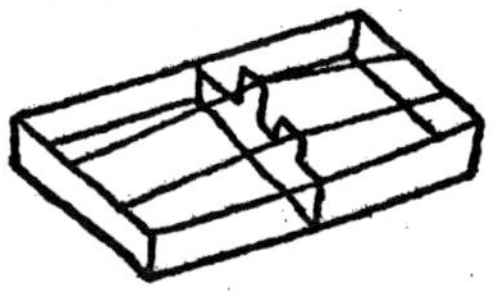

C　「ぼくは、こんなに箱の中に紙を立てて、なかなか立たなかつたけれど、糸が長いと、ひびきが大きい音がでるということに気がついたので作りました。
まだ糸でやるのです」

。このあと3分ほど製作および、よくなるように工夫させる。
3　よくなるとき、ならないときのちがいを話しあう。
T　「また笛を作つている人、ことを工夫している人があるようですが、よくなるとき、どんなときかみんなでしらべてみましよう。」
T　「ことの人、ゴムや糸をはじいてごらんなさい、どんなになつていますか。」
T　「耳を近づけて音を聞いてごらんなさい」

▲指 導 の 実 際

T……教師。　C……児童

1　家庭で作つたり、工夫したりしたことの発表

T　「この前の時間、みんなと一しよに笛を作りました、家に帰つて、先生のあげたもので作つた人がだいぶいるようですね。……そのほか、先生が見せてあげたふえやことを見て工夫した人もあるようです きようは、はじめ、家で作つた人のお話を聞いてみましよう。N君前にでてお話してください」

C　「おかあさんからおりばこをもらつて作りました」

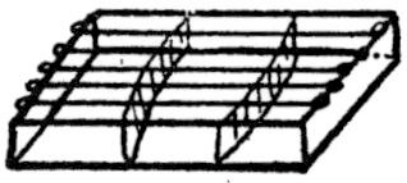

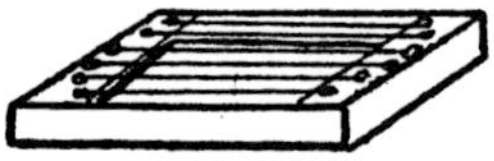

T　「たいへんよくできましたね、ならしてみてください」

T　「どこを作るのにたいへんでしたか」

C　「このふちのところに、がびようをさすのがたいへんでした」

T　「ずいぶんくろうをして作つてありますね、こちらの方は、ゴムの長さがかえてあるのですね、ならべてみましよう」

T　「こんどはSさん、あなたのを見せてあげてください」

C　「オルゴールの箱に、ゴムをかけました。ふたをしめたり、あけたりしていろいろな音がでるようにしました」

ならしてみる。

T　「おもしろいことを考えましたね、先生がならしてみましよう。こうやつてだんだんあけると、ほら音がかわります。
あいだに、指を一本いれてはじいてみましよう。こんどは2本。3本入れと、こんな音になりますね」

T　「Oさん、あなたのは、どうですか」

C　「わたしは、どうぶつの箱みたいのがあつたので、箱をみつけてやりました」

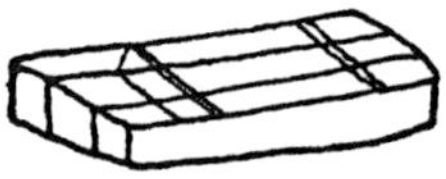

T　「ゴムをささえるところを作つてありますね、ならしてみてください」
（しばらくひいてみせる）

T　「ここに、おもしろい、ふえを作つた人がいますね、M君でてきてお話をしてください」

C　「ぼくは、おかあさんに、うめぼしのたねをもらつて、たねをと石でこすつて作りました」

T　「どうやつてならすの」

ならしてみる。

T　「作るのに、どのくらいかかつた」

C　「30分ぐらい」

T　「よく工夫して一生けんめい作つてありますね、でも、このふえで注意しなければならないことがありますね、だれかわかりますか」

C　「きれいにする。……」

T　「いきをすうとき、気をつけないと、のどの方に入つてしまいますよ、ならすとき気をつけてくださ

。ぴん、ぴんならす。

T 「この次は、ふえ、紙のふえ、ことなんか、みんなのおうちにあるものを使つて、ならしてみましよう。」
「この次まで工夫できる人は、もつてきてもいいです。みんなで勉強しましよう。」

T 「工夫するもの、なにがあつたけ」

C 「ふえ、こと……」

。この後、教師が作つたものを見に集まつてきた。

4、反　省

A 第一次の目標達成について

a 作つた笛でよくなるように工夫する点では、全部の児童が活発に作業を行つた。特にリードの位置、笛の吹き方、吸い方については、友人ともくらべあつて、問題を解決しようと努力していた。

b いきのだし方、吸い方を強くしたり、弱くしたりして加減することによつて、音のでるときは、どんな吹き方、吸い方がよいか考えが深められたように思う舌先などで直接に感じとつていた。

c 笛で音のでるとき、リードが振動することが、指、舌先などで直接に感じとつていた。

第一次の目標については、笛と振動を結びつける指導を行つてみたが、製作物がはじめての経験であることもあつて、興味深く学習が進められたように思う。ただし3人の子は終りに至るまで、持続的に音をだすこと（任意のとき吸つてならす）がうまくいかなかつた。

B 指導法について

a 導入の際、もつと楽器の実物をもつて来て音の出方を考えさせた方がよかつたように思う。

b 笛の製作につて、　画用紙を丸める作業は簡単にできるが、糊づけと、セロハンテープによる接着にやや技術的な困難を認めた。

c 画用紙を巻いた管の口を45°近くに切りとる作業は困難であろうと予想したが、出来あがりの作品に段階はあつても、技術的に困難とは、思われなかつた。

d セルロイドを切つてリードを作ること、これは、案外に困難であつた。特に切り口と同じ程の大きさに小さく切ることは、むずかしかつた。教師の手助けを要した児童は5人。

e リードをとりつける時、細かい作業を要し、出来ばえがやゝ粗雑なものが多かつた。

F リードをとりつけたあと、管の切り口と、リードのとりつける角度（おりまげ方）の位置関係にやゝ困難を認めた。

g 製作がやゝ高度であつたため、製作に時間をとり、いろいろな角度から、吹いたり、吸つたりして、なる、ならないの条件を見出すことが不足したように思う。

C 材料について

a 画用紙で管をつくることは、材料的にみてあまり問題はないが、セルロイドのリードは一般的でなく問題があつた。予備実験のとき使用した経木、アルミ箔で行つた方が改良。発展への足がかりを広めるためによかつたように思う。

▲本時の展開

期日	指導過程の概略	指導の要点
一月十七日	1 家庭で作つたり、工夫したりしたことを発表をさせる。 2 製作および、作つたものをよくなるように工夫させる。 3 よくなるとき、ならないときのちがいを話しあいさせる。 4 ふえ、ことなどにわかれて、ならせる。 5 持ち物を整理させる。	・笛をもう一度作つた子。ちがつた材料で作つた子の経験を話させ、工夫と苦労を感じとらせる。 ・こと、その他実物を見せながら発表させ、構造などを説明させる。 ・材料の強弱を考えて仕事をさせる。 ・出きあがつた児童は、他の材料ではどうか工夫させる。 ・吹いたから、吸つたから、はじいたから音がでたという浅い理解の解答でなく。振動に結びつけさせる。 ・騒音にならないよう注意させる。

T　「この子、どうして笛がなるのかな。わかる」
T　「あなた、ふいたの、すつたの」
C　「すつたの」
C　「なるのはね、このセルロイド板がね、ふるえる」
T　「みんな、こうやつて指のところさわつてごらん」

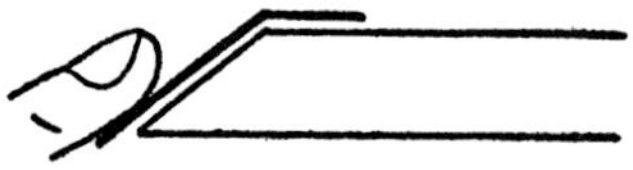

C　「びりびりするね」
C　「くすぐつたいよ」
C　「先生ならなくなつた」
C　「おさえるとだめだよ」
。二人目の子に
T　「ふいてならしてごらん」「もう１回」
T　「すつてならしてごらん」
T　「この子はよくなるね、こんなに上手に切つてあるとよくなります」

。　黒板で、わるい例 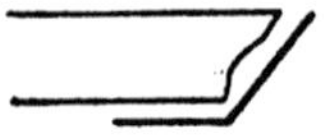 の説明

T　「みんなで吹いてならしてごらん」
T　「ちよつと口さきだけで、吹いてごらん」
C　「わあー、くすぐつたいよ」
C　「電気みたい、びりびりしてる」
C　「先生、つよく吹くとならないよ」
T　「じようずにできたから、みんなにもう少し、この板を上げましようね。家で工夫してごらん」
「竹の葉、竹の皮でもできますよ」
「うまくできた人は、このつぎ、もつてきてください」

第二次（A）工夫のための相談

T　「先生、これから何をする、よくみてごらん」

。 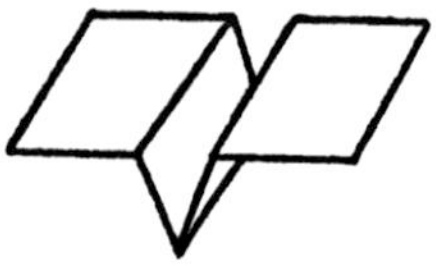 をとりだす

T　「ワン、ツウ、スリー、シユー」
C　「穴をあけないとだめですよ」
C　「やつたことあるもの」
C　「小さい穴、大きい穴つくるといい」
C　「本にでていたもん」
C　「先生、すえばなるよ」
C　「あれー、へんだな」
C　「あ、あなが大きすぎるんだ」
C　「画用紙じや、だめかな」
T　「みんなよく知つているね。これも工夫してごらん」
。ボール箱（ハンカチの入つていた）に絹糸をはつたことを出す。

∘セルロイド板を切つて渡す、　1人に（3cm×4cm）位

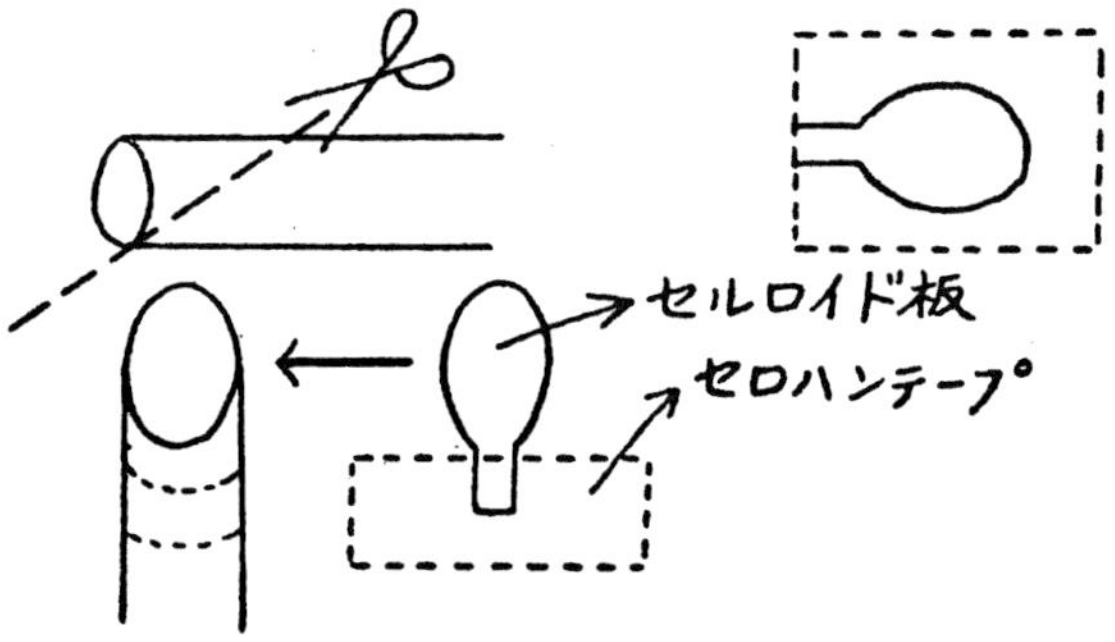

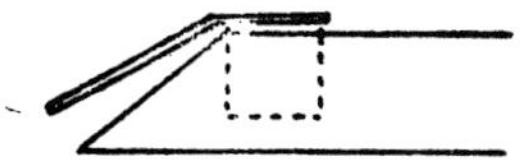

製作中の主な質問等、困難点
筒……「切るのどこでもいいの」「どのくらい切るの」「切るとつぶれる」
特別なおそい子（2人）をのぞき、問題なくできる。
リード……形が小さいので、筒の切り口と同じようにきるのが、むずかしいようだつた。

セロハンテープをつける部分がうまくいかない。

笛とリードの接合……大体問題なし。

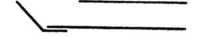

反対側につけた子　（2人）

∘ はじめて、1人目がなりはじめる 製作開始より21分目
∘とりつけたけれど、ならない子がでてくる。
∘鳴る子と2人くらべ合せて考えさせる（5組）
C　「なつた、なつた……」教室内、笛の音が高くなる。
T　「できた人は、おともだちのを見てあげなさい」
C　「みせて——」女の子が多くあつまる。
C　「できた」「できない」「頭がぼーつとしちやつう……」など
∘できない子に、あせりが見えはじめる。
C　「なつた……うれしいわ」「：…大成功」……
∘この間に、5人を除いて、ほとんど鳴る。
∘最初にできた子より約12分後にほとんどできあがる。
T　「では、一かい席につきましよう」
C　「先生、できないつけて」
C　「あれ、あれ、はんたいに吹いてできる。じゆん子ちやん、はんたいでできる。
∘吹いたり、すつたりしている子は前からあるが、この子には新しい発見
T　「みんなで、1，2，3，でならしてみましよう。」
∘1，2，3でならす。
T　「ふえをおきなさい。」
　「この子のを作つていますから、ちよつと待つてね」
C　「先生、こんな紙どこで売つてるの」
∘静かになる。
T　「君と二人でていらつしやい。みんなの前でならしてごらん」

おなじになる」
∘教師ポケットからびんをとりだす。
∘少さなびんを児童の一人に前でならさせる。
時々ヒーツと小さな音がでる。
C 「もう少しはならかすんだよ」「強すぎるよ」 etc 「ほーら なつた」
∘教師 大きなびんをとりだしてふく。
C 「船のあれみたい」「きてきみたい」
「大きい方がすごいや」「先生がふいたんだもの」
T 「みんなのもつているもので、なるものはないかな」
C 「サツクでなるよ」
C 「だめだよ、ならないよ」
T 「先生がならしてみよう」
C 「はんたいにするといい」——よくならない——
C 「あなたがふいているからだよ」——ならない——
C 「そう、下からでちやうよ」
C 「それじやあ、できないよ」
C 「下からおさえるといいよ、かんたんにでちやう」
∘ビニール製のキャツプで、なかなか音がでない。
C 「ほら、いつたとおりだろう、音なんかでないもん」
∘時間の経過で、キャツプ、ビンの笛終了。
T 「みんなは、自分でふえだとか、音のでるもの作つたことある。」
T 「では、これしつている。」竹笛を出してみせる。
C 「知つている」 半数以上
T 「自分で作つたことのある人」
C 「友だちとなら作つたことある。」
「竹でね、中に、こう……前の方に三角に切つて、竹の節のところにつめてならした」
C 「ぼく、ないな」
C 「ぼく、まわりができたけど、中ができなかつた」
C 「先生ならしてみようね」 いろいろな鳴らし方をする。
C 「赤ちやんみたいだ」「牛みたいね」「かえるだ」
T 「どうしてなるのかな」
C 「セロハンをはつて、びらびらするの、風を中に入れやすくしないようにするの」
∘これから作る。画用紙で作つた笛をみせ、竹と比較させる。
T 「どこが同じだろう」
C 「形」ほとんど全員
∘製作説明（作りながら）

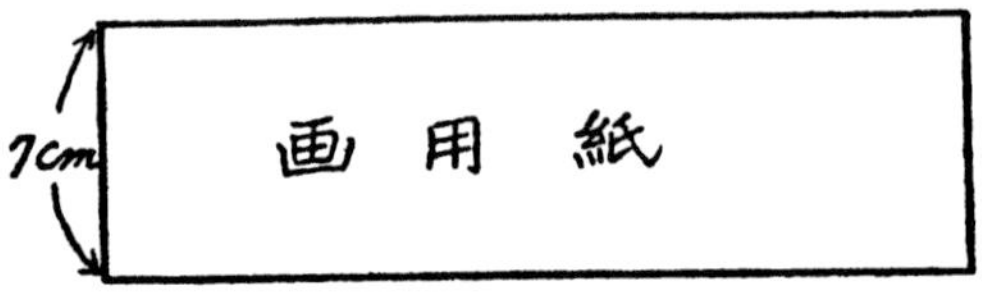

∘えんぴつを中にしてまく
4回ほどまいて余分は切る。
∘巻きおわりの部分をのりづけする。

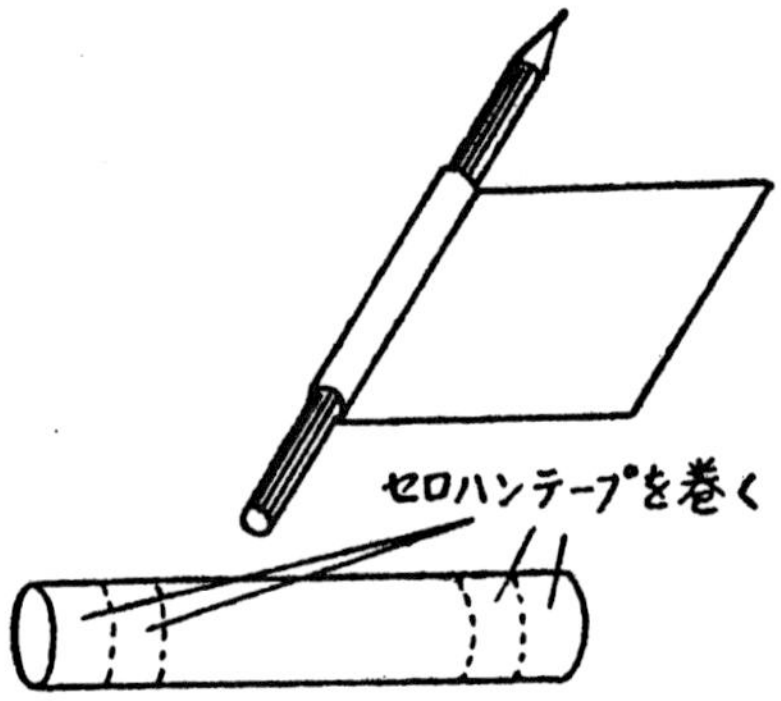

C　第一次の経過。　第二次への話し合い。

日	指導経過の概略	指導の要点
一月一四日	｡音楽の時間につかつた楽器の名称について話し合つた。 ｡各々の楽器はどこから音が出るか話し合つた。 ｡色々なびん、えんぴつのサックをならし、音色のちがいを聞きとらせたり、ならし方を観察させた。 ｡教師の作つた竹笛、紙笛の音を聞いたり、作り方の概略を説明した。 ｡紙笛を製作した。 ｡どんな形にリードをつけるとよくなるか工夫させた。 ｡どうしてなるか、リードに指をふれさせたり、舌のさきで、感じとらせた。 ｡家での工夫の余地を話しあつた。	｡たたく、ひく、足でふむ等の低次の発言を、どこから音がでるのかという問題に高める。 ｡自分たちのもつているサックなどで実際にふかせる。 ｡作る順序を実演しながら、特に、気をつける点を板書しておく。 ｡筒の切り方、リードの切り方 ｡はりつけ方。 ｡大体、でき上がつた頃に、もう一度、リードのつけ方を大きい模型でたしかめさせる ｡よくなる児童のリードの付け方を観察させる。 ｡２人～３人組にして目でも観察させる。 ｡リードのセルロイド板を家にもつてかえらせる。他のものでも作れることの展示説明
一月一六日	｡笛について工夫したこと、遊んだことを話し合つた。 ｡教師の用意した紙笛、箱にゴムをはつたこと、糸をはつたことを観察させたり、音をきかせた。 ｡笛・ことなども、次の時間に作つたり、工夫したりすることを話し合つた。	｡リードの振動についても、まとめる。 ｡児童にもすぐできそうなものを用意する。 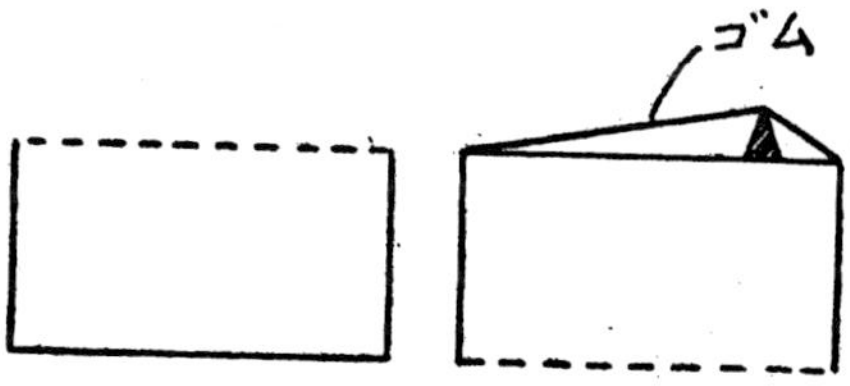 を用意する

3、指導経過の記録の大要

｡はじめのあいさつ

｡音楽の時間につかつたことのある楽器の名称についての話し合い。

T　「ハーモニカは、どこで音がでるのかな」

C　「吹いた時に、色々声を出すときなんか空気がでるみたいになるでしよう。あれは、空気の中に声が入つていて、それでもつて、それが、ハーモニカの中に入つてくれば、ハーモニカの中にある鉄のはつてある板みたいなところに、ひびけてなるんだと思います。」

T　「ピアノは」

C　「けんばんをおしたときにね、中の糸がひびいてなる。」

T　「オルガンはどうかな」

C　「下にふむところがあるでしよう。あれ、こうやると音が出る。
……忘れちやつた」

C　「ペタルで空気を入れてね、けんばんをおすと、その空気がでる。そのおしたところからでて、ふえと

調査結果

① 家にかえつて笛を作つた。　作らない。

作つた	男	10名	女	14名
作らない		10名		10名

② どんな笛を作つたか、（20名のうち）

- ∘父にカレンダーをもらつて作つた。　(1)
- ∘母に竹の皮をもらつて作つた。　(1)
- ∘細い竹に穴をあけて作つてもらつた。　(1)
- ∘はとふえを父と一しよに作つた。　(1)
- ∘竹をもらつて作つた。　(1)

以上の5名が、別の材料で、あとの15名は、学校と同じものを作つた。

③ 笛のほかにやつたことがあるか書く。

∘ことを作つた　男　8名　女　14名

（各種の材料のことを含む）

∘梅ぼしのたねをすつて作つた。　男　1名

∘ことも、笛も作つているもの　男　8名　女　12名

④ あしたやりたいこと。

男子　20名

- ∘ゴムことで、曲を作りたい。　(1)
- ∘誰が一番大きい音を出せるか、くらべたい。　(1)
- ∘梅ぼしにあつた紙をまいて吹くことを考えたい。　(1)
- ∘楽隊みたいにやりたい。　(1)
- ∘ゴムことを空箱で作りたい。　(1)
- ∘その他　ことを作りたい。　(8)
  - 笛を作りたい。　(2)
  - こと、笛を作りたい。　(2)
- ∘無答　(3)

女子　24名

- ∘ゴムことを作りたい　(1)
- ∘おことをならしてみたい　(1)
- ∘ことを皆でならす　(1)
- ∘おことの音を調べたい　(1)
- ∘音楽会みたいにやりたい　(1)
- ∘何か　ひいてみたい　(1)
- ∘誰が一番きれい音を出すか、ことやふえで競争したい　(1)
- ∘その他　∘ことを作りたい　(12)
  - ∘笛を作りたい　(1)
  - ∘こと、笛を作りたい　(1)
- ∘無答　(2)

以上の予備調査を第二次の主な学習活動の際に参考にしようと考えた。

2、実　施

① 本時までの経過

A 予備調査（第一次指導に入る前）

a 笛を自分で作つたことのあるなし

。紙　笛　18名　。草　笛　3名　。竹　笛　なし

b 笛を父母または、兄弟関係、友人に作つてもらつたことのある、なし、

。紙　笛　5名　。草　笛　4名　。竹　笛　2名

c 輪ゴムでことを作つたことのある、なし

。あ　り　2名　。な　し　35名　。不　明　4名

d 製作する笛の困難度

本単元で一齊に製作させるリードのある笛は、地域的に見て、竹の少ない土地であることを考え、紙を用いることを考えた。

次に、工作能力も都市部の児童として、やゝ程度の高いものを要求できるだろうと考え、画用紙を丸めたものにリードをつけることを考えた。

第三に、製作に若干の困難を深めても、製作物として十分楽しめ、理科的にも意味のあるものであれば一応、実施してみてよいと考えた。

以上の点を予想しながら、他紙の児童3名に教師の指示通り、製作させ、製作所要時間、難易度、問題の発見等の項目を調査した。

調査結果

A 所要時間（材料をそろえてから）

A児（男）　20分　B児（女）　24分　c児（女）　31分

B 難易度

全般的に、リードの切り方、つけ方に苦労していた。特にセルロイドを与えた方は切り抜きから、はりつけ迄14分を要した。セルロイドではなく、アルミ箔を与えた児童は、二枚重ねの作業もあつたが、約12分で切り抜きから、はりつけまでを完了した。

C 問題の発見

三名ともリードを調節しているうちに、リードがうまくふるえる時、音が出ることに気づいた。但しC児だけは、教師の手伝いによつて、始めて、うまくなるようになつた。

以上の調査から、画用紙にリードをつけた笛を授業に取り上げ、更に、音がでているとき、リードが振動すること、リードがうまく振動するように工夫すれば、音が出ることを第一次に扱うことにした。

B 予備調査（第二次に入る前）

36年1月16日（火）

質問紙法によつて調査

① 学校で作つた笛を、家に帰つて作つてみましたか、

（つくつた）　（つくらない）

② 作つた人は、どんなものを作つたかかいてください。

絵

③ ふえのほかに、やつたことがあつたらかいてください。

絵

④ あしたの理科のとき、なにをしますか

。もつてくるもの（　　　　　）

。やりたいこと　（　　　　　）

新らしい素材の中には、低学年の児童の製作活動の材料にとりあげ得るものがある。これを注意してとりあげ、学習の効果をあげるくふうが必要である。

C　家庭学習のあり方

家庭学習のあり方は、学校での学習の展開に応じて異つてくる。

(1)　児童の基礎的経験を拡大する。

児童は、自然の事象に対する関心の深まりは、それらに接した経験の多い程深まり、又、調べたり、知ろうとする気持が、学習に即してたかまる。

(2)　理解したことを基本にして発展したくふうをする。

学校の学習では低学年の児童にとつては、じゆうぶんにくりかえしておこなう程の時間的余裕を欠く。これを補うものは家庭学習である。

家庭学習で児童に対する親の在り方が問題になる。

児童の作業の幼稚さから、つい全面的にかぶさつてしまい勝であるが、かえつて、児童のくふうを障げる場合が多い。

これは、ただ作業の方向を示唆し、指示するものに止め、一歩さがつて児童の活動をあたたかく見守るように、教師との協力を要望したい。

1、展　開　計　画

配当時間　　　3時間

目　　標

① 簡単な笛や、ことなどを作り、よくなるように工夫する。
② 笛や輪ゴム、糸で作つたことなどは、吹き方、はじき方によつて音の出方がちがうことに気づく。
③ 音がでているときは、物がはやくふるえていることに気づく。

	目　　標	主な学習活動	時間
第一次 70分	◦自作の笛で、よくなるように工夫できる。	◦音のでるものにはどんなものがあるか、どうすると音がでるかの話し合い。	5分
		◦キャップ、びんなどをふいて、大きさ、形などによつて、音の出方にちがいがあることを調べる。	5分
	◦笛は、ふくものや、吹き方にちがいのあることに気づく。	◦画用紙を丸め、リードをつけ笛を作る。	30分
		◦リードの形、つけ方、吹き方を調べあう。	20分
	◦音がでている時は、べんがはやくふるえていることに気づく。	◦リードのふるえるようすを調べる。	10分
第二次 50分		◦前時のまとめ ◦いろいろな音のできるものを工夫する相談 教師の用意したこと、ふえなどを見る。	5分
	自作の工夫したこと、笛をよくなるように工夫する。	家で工夫したものの発表	10分
	◦輪ゴム、糸で作つたこと、笛などは、はじき方吹き方、によつて音の出方にちがいがあることに気づく。	◦各自で用意したものを中心として、作つたり、ならし方を工夫する ◦よくなる時、ならないときのちがい、音のでているときのようすについての話し合い	30分
	◦音がでているときは物がはやくふるえていることに気づく。	◦学習のまとめと整理	5分

うべきある。

(3) くふうや確かめをはつきりさせる。

低学年の児童のくふうや確かめをはつきりと意識的に行い、そのくふうの合理性、確かめの実証性が客観的に明確なものでなくてはならない。くふうはある見通しをもつてしなくてはならないが、児童のあるものは、考えずにただいたずらにいじつている間によく動いたり、うまくできることがある。これをそのままにせず、その過程を省りみ、確めることが必要である。

たとえば、やじろべえはうまく立ち、こまはよくまわらなければ、学習のねらいも、児童の興味も満足できないであろう。

製作の過程ではこのねらいにそつていろいろくふうされる。うまくできた時にねらいも完遂されたのであるが、それは、ある時には意識されない偶然によることがはいつているかもしれない。更に、そのような状態に達する条件を確かめて理解が深まるものである。

(4) 模倣と創造

児童のくふうは成人の段階から見れば幼稚で素朴なものであるが、児童の心身の発達には重要なものである。

そのくふうの中には、友人や教師のものの模倣が多く存在する。これは一概に斥けるものでなく、模倣を通して、極く僅かな部分でもその児童の独自のくふうが発見できる。これをとりあげ、発展させ、はじめて創造することができる。

B 低学年の製作活動における材料と工具のえらび方

低学年の製作活動における材料について次の諸点に配慮したい。

児童のもつ心身の諸機能は未熟であるから、その点の制約を常に考えねばならない。一方、指導する教師の全面的な負担になることは極力さけなければならない。

そのために

(1) 工作しやすいものでなければならない。

（a） 材料の面から

児童は造形的に技術的巧緻性が未熟であるので、材料をその性質に応じて自由に使いこなすものは質的に制約がある。

学習指導要領、図画工作で各学年毎にその使う材料や工作法、工具をあげていることは、理科の学習においてじゆうぶんに考えねばならぬことである。

又、材料の質をよく知つておくことが指導の効果をあげ、自然の事象の理解を深める。

たとえば、破れやすい質の紙は、落下さんを作るのに不適当であるし、乾きのおそい糊では、こまの心棒がじゆうぶん固着するまでの長い時間、まわすことができない。

材料は、児童が使いこなし得る限度で強いものであることが必要で、再三の使用に耐えないものは児童にいく度かくりかえして扱い得ず、確かめる意欲を失わせる。

得やすい、身近かに得られる材料を使うことが、学習でも必要であるし、児童が自主的に製作を通して自然の事象を確かめる意欲をたかめる。家庭の廃品や廃材、野山にある植物などを児童と共に探し利用したい。

（b） 工具と工作法の面から

低学年の児童の製作活動では、特に危害防止に万全の準備と配慮を必要とする。たとえば使用するはさみは、先丸のものが望ましく、切出し小刀は使用されない。錐は、やむを得ない場合、はさきの短いものを用意するなどの配慮がいる。

材料は工具の面からも制約される。低学年の児童の僅かの力でも工作できるものであることが必要で、木材、竹等、特別な場合以外無理である。

もし、竹等を使用する時は、児童が工作する必要がないように、適当な長さに切つたり、刃を入れておく。

一方、教師の全面的な負担にならぬようにする。

（c） 新しい材料に対して

3、指　導　計　画

(イ) 指導の態度

指導要領に示された。

(ア) 簡単な笛を作り、よく鳴るようにくふうし、音の出方に関心をもつ。

(イ) 紙を吹いたり、輪ゴムなどをはじいたりして音を出し、それがふるえていることに気づく。

の内容を、次のように構成した。

・中心を、自作の笛におき、経験の少ない、楽器製作に興味をもたせるとともに、よく鳴るように工夫させながら、音のでているときリードがふるえていることに着目させる。

・輪ゴムなどを利用し、簡単なことを工夫させ、笛と同じようにゴムの振動によつて音がでることに気づかせる。

以上を、第一次、第二次にわけて指導するよう考えた。

第一次の笛作りにおいては、笛作りに適当な材料の選定、また、その笛がどの程度、科学的な見方を深め得るか、製作能力に無理はないか、家庭にての工夫改良の余地を残すものか等の面を考える資料とする。

第二次の輪ゴムのこと作りは、一齊に教室で作るのでなく、家庭での工夫を前段階にし、工夫の限界教室指導への利用、笛との関連まとめ等を考える資料とする。

以上、第一次、第二次において、見方、考へ方、扱い方の能力を高める製作物の程度と範囲。工夫の実態と指導、家庭学習（作業）の在り方が問題となるよう指導計画を立案した。

4、ま　と　め

本学習指導でとりあげた諸点についてまとめる。

A　低学年の製作活動における工夫の実態と指導法

・低学年の製作活動にとりあげられるものは、風車や水車のように、はたらきがはつきり、きまり従つて、その形も、はたらきをもとにして考えられ、児童のくふうは、いかによくはたらかせるかという点から加えられる。このような対象は、製作したものによつて、風の力なり、水の力に目をむける。

また、やじろべえやこまのように、そのもののもつともよく働く状態に、近ずくように、つくりをいろいろくふうし、その条件をみいだすように扱うものもある。

中学年はこれらが発展して、基本的な原理の理解を、いろいろのものの製作を通して深める。

例えば、ゴムの弾力を使つてうごくおもちやや電気の回路を使つて懐中電灯を作ることや、作ることによつて、そのものの中に見られる基本的な原理を見出すような水でつぽうなどがある。

高学年では、ばねのように自然の事象そのものをよく確かめるために実験の装置をつくる活動に発展する。

低学年の製作活動の指導について

(1) 製作を意図するものをはつきり提示する必要がある。

児童は経験や知識の狭さから、製作しようとするものについてじゆうぶんに知らない場合がある。簡単なつくりであり、単純なしくみのものでも、接したことがない児童にはよくそれらをとらえがたい。

このためには、

（a） しくみやはたらきを明かにする。

（b） 製作の過程をはつきりと示す。

製作しようとするものを使つたり扱つたりして示すと共に、児童自身に使わせたり、又、分解しながら、部分や、つくりを明かにする。半成品を用意して′その過程を示すことによつても、児童は理解のたすけとなる。

(2) 学習のねらいをはつきりとらえて扱う。

児童はものを製作すると、それが出来上ると学習から解放された気分になり、楽しく遊んで、学習本来のねらいからはずれることがある。そのためには、ねらいをはつきりととらえさせることが必要である。

たとえば、風車を作り、それが動くようにくふうして、まわつてもそれはねらいの半分を達したのでその動くようすが風の向きや強さによつて違うことに気づいて全うしたことになる。

学習は風車ができ上つただけでは半ばなので、それによつて風に対する関心と理解を深めるように扱

低学年の製作活動についての諸問題

（文部省教材等調査委員会理科小委員会議事録より）

おことわり

小学校理科第二学年の指導目標にも遊びや作業などの活動を通じて、簡単な自然科学的事実に気づきこれに関連した新しい事実の正しい見方、考え方が出来るようにする。」とあるが、これらの展開の一例として「文部省、教材等調査委員会理科小委員会」の議事録よりその一部を抜萃した。ご一読をお薦めします。（学校教育課　松田　正清）

1、研　究　主　題

実験・観察を基礎的なものにしぼり、指導計画をたて、実際指導にあたることは、極めて重要なことであろう。特に製作活動を伴うものは、目標を達成するに必要でかつ十分な条件設定を考えなければいけない。目標にもとづいて

製作能力、材料、設計（問題を発見しやすいもの）、指導の流れ等、基礎的な諸条件を考え、更に、指導を通して発展教材の考慮、工夫改良への問題等も同時に考えなければならない。

ここでは、私たちが日頃、実際指導に当たり問題となる次の三点を低学年製作活動の実際よりえらび、授業を通して解明に当ろうとした。

A　低学年の工夫の実態と指導法

B　低学年製作活動における材料、道具のえらびかた

C　家庭学習のあり方

Aの工夫の実態と指導法は、教師の指導意識が過剰で、表面に立ちすぎ、児童の創意、工夫が生かされない場面が往々見られる。この反省に立つて、児童の創意、工夫を授業の中にどのように生かしたらよいか。

Bは、目的を達成するためには、いろいろな材料のうち、適切なものを選ばなければならない。特に、児童が日頃の遊びや家庭にあつても、学校での学習を応用して、自分自身の手で作り得るようなものを考えることも必要であろう。興味があり、新しい問題の発見に役立ち、なお、自作の容易なものは何か、この点を授業の一例をとつて考えてみたかつた。

Cについて、本来、学校の仕事を家庭に持ちこまないということは、基本的には、必要なことであろう。しかし教師の手をはなれて、しかも、児童自身の意慾の高まりが、家庭作業を能動的に行うことも多い。

家庭において工夫したり、考えたりしたことが、学校での授業で素直に生かされることも、学習効果を高める一つの手段となりうると思われる。この点の効罪と限界を考えてみたかつた。

以上が研究立案の趣旨である。

2、研　究　立　案（計画）

① 単元名　　音がでるとき

② 単元をとりあげた理由

各領域中の内容に「……遊びを工夫したり、」「使い方を工夫し……」「それがよく動くように工夫して遊び……」等、製作の工夫とか、使い方、動かせ方、の工夫を示している。これは、自然事象の事実にとりくみ、これをもとにして、そこにある原理、法則等をとらえる過程の中に観測、思考、処理能力を培うよう期待している。

研究主題にもとずいて、単元「音の出方に関心をもつ」をとりあげたのは、上にのべた製作の工夫を中心に、原理の理解、及び、そのものの働きに気づかせるに、適当であり、研究主題を追求するのに、いくつかの問題点を提起できるからと思われたからである。

単元名に「ふえとこと」「ふえつくり」等とせず、「音がでるとき」としたのは、単に、「ふえとこと」の遊びに終ることのないよう、着眼点、学習の主題は、いつも音のでるときは、どのようになつているか教師も児童も考えておくことの必要性を認めたからである。

特殊学級に入室適当と思われる児童はいない、保護者の関心の度合はわり合いに高い。

三月のできごと

一日　南風原小校実験学校体育科経営の研究発表

五日　ガールスカウト新館落成（那覇市松川区ニヌ原）

沖縄タイムス、琉球放送主催第三回文春沖縄講演会（講師田川博一・曾根綾子・中村光夫・今東光の各氏）

区教育委員選挙（那覇は九月）

六日　真和志中校家庭科の公開授業（指導者小池絹恵指導委員）

七日　大阪に集団就職した島袋美智子（読谷中校卒）さんは国鉄関西線杭全町ふみ切りでとび込み自殺をとげた

慶応義塾大・一橋大・東洋大の計九十四人の沖縄親善訪問団来島

八日　東洋大学混声合唱団の沖縄公演（於那覇高校体育館）

国際自由労連の招きで本土の沖縄労働使節団一行七人空路来島

十日　糸満連合区主催本土就職の合宿訓練実施（三日間）

明大ワンダーフォーゲル一行九人来島

琉球大学第九回卒業式

教職員会主催校長部大会

十一日　育英会は南方同胞援護会よりの戦没遺児奨学生（高校生）百三十五人の氏名を発表

十二日　那覇教育委員選挙、定員四人に対し立候補者十一人

十五日　屋部中校・家庭科研修会と家庭科実習教材の展示開催

宜野座中校農業科指導の研究発表会

緑の羽根募金運動（一か月）はじむ

文教局指定豊見城上田小学校ＰＴＡ研究発表会

職業教育課は六一年度から六五年度までの高校の実験学校、研究学校を指定

一六日　第二次西表調査団一行六人日航機で来島

一七日　那覇教育事務所では連合区は校長会を開催、六一年度の努力教育目標決定、各校特殊学級設置について示唆

一八日　春の中校野球開幕

一九六一年度高体連の行事決定

沖縄の文芸復興に功績をのこした故山城正忠氏の記念歌碑除幕式

沖縄柔道、剣道、空手道の三連盟主催慰霊演武大会

一九日　第十回記念全国農村青少年クラブ実績発表大会で沖縄代表の上原朝吉君模範発表者に選ばれる

今年度就職団一陣神戸へ着く（高校卒九九人・中校卒一三人）

二〇日　那覇連合区各学校カウンセラー補導主任連絡会議

知念地区理科同好会主催自作理科実験器具展示会（於与那原中校）

琉球育英会は本年から六〇〇人を対象に（琉大・高校生ら）本土育英資金援助による奨学金を給与する旨発表

ブラジルに移民団五十九人たつ

二二日　第四回春の中校野球大会で寄宮中校初優勝

文教局、学校教育課今年度の努力目標を発表

北海道大獣医学部の大学院在学中の金城俊夫氏獣医学博士となる。獣医学博士は沖縄で初めて

春の選抜高校野球大会へ招待見学のために三君出発、引率者首里高校新井隆男氏

二三日　指導委員を囲んでの座談会「沖縄教育見たままを語る」主催文教局於教育会館ホール

首里高校柔道チーム・鹿児島新人大会参加のため出発

二五日　那覇区教委会、同区奨学生を発表

那覇区教委会、委員長に西平守由、副委員長に大城三郎氏選ばる

琉大は付属実験学校として中校十二学級として来春設置する旨発表

二六日　第十回婦人大会（於婦連会館）大会後物価値下げ運動のエプロンデモを行なう。

二七日　一九六一年度国費・自費合格者の配置校決定、文部省から内報届く

教育指導委員一行十八人帰日

春の高校野球開幕

二八日　屋我地大橋着工

那覇教育区は街頭補導の結果補導児にローティーンの問題少年が多いと発表

学校教育課では国際婦人会の依頼で混血児の実態を調査

二九日　大阪の柏里小学校教師による沖縄調査団一行五人来島

那覇保健所では四月から六月までに管内の小・中・高校の結核集団検診を行なうと発表

那覇造形教育研究会（於前島小学校）

琉大は、学生デモ・授業ボイコットなど学内外で騒ぎを起した学生五人を懲戒処分にすることに決定

三十日　沖展開幕

第三回教職員会婦人部大会

国民指導員・親泊政博、下地寛信、富川盛秀氏ら新聞関係者三氏帰沖

三一日　那覇市の浄水場問題は民政府の泊拡張案で結着

一九六一年六月十三日　印刷
一九六一年六月十五日　発行

文教時報
（第七十五号）（非売品）

発行所　琉球政府文教局
研究調査課
那覇市三区十二組

印刷所　ひかり印刷所
電話(8)一七五七番

文教時報

76

1961. 8　　No.76

琉球　文教局研究調査課

はしがき

中学校義務教育の三ケ年の課程を学校生活の最後として、一生を職場に托して生き抜いていこうとする青少年の諸問題は、労働行政及び文教行政の上からいろいろと対策がたてられまた実践されてきたのであるが、特に中学校においては、職業教育及び進路指導が教育の重要な一環としてとりあげられ、実業高校の充実と相まってその方面の関心と実践をたかめつつある。

今学年度は十一学級以上の独立中学校に進路と生活指導の両面を専門とする進路指導主事がおかれ、更に教育課程の改訂に伴って従来職業家庭科の第六群の中に包含されていた進路指導が学級活動として特別教育活動の中に位置づけられ、また指導担当者も学級担任教師の手に移されることになっている。

現に中学校の教育について進学指導偏重の声さえ聞くとき、中学校生活を最後として、職場に向う青少年に対して一層の関心と教育的意欲を盛り上げるべき時に到来した感を深くする。

青少年の広範囲な職場として今後とも期待されている本土就職青少年の実状を視察し、本土各県職安の動きや、労働省の中学卒青少年に対する貴重な教育を受ける機会を得、更に本土における中学校の進路指導の一端をうかがうことができたことは時宜に適したことであったことを痛感する。

この報告書は一行七名の目にうつり、心に映じた数々の事象を整理した資料の一部を抜すいして、まとめたものであり、更に今後青少年の本土就職についての対策と要望を添えたものである。

三週間の予定は二十七日間におよび、不馴れた土地の事情を克服して連日のように駈けずり廻わつた七名の汗の結晶とも云える。

この報告書が今後の該指導に対する足場として充分に活用されることを望むとともに、関係各位の率直な御批判を仰ぐことができれば幸いである。

一九六一年六月二十八日

本土就職青少年職場視察団
文教局学校教育課指導主事 松田州弘
名護中学校進路指導主事 仲村秀雄
コザ中学校進路指導主事 幸地清祐
寄宮中学校進路指導主事 大浜安平
南風原中学校進路指導主中 花城清弘
平良中学校進路指導主事 池村恵祐
石垣中学校進路指導主事 本盛茂

視察期間 自 一九六一年五月三十日 至 一九六一年六月二十五日

目次

第一編　本土における新規学校卒業者の職場決定及び補導に関する機能的体制

一、労働省通達に示された基本方針

1　新規学校卒業者の職業紹介の基本方針について

新規学校卒業者の職業紹介に当っては、すべて次の二点を基本とするよう所属の職員に対し十分な指導を行なわれたいこと。

(1)　新規学校卒業者が職業経験のない年少者であることにかんがみ、その職業紹介に当っては、本人の有する能力及び本人の希望条件を中心とした特別の配慮によるものでなくてはならないこと。

(2)　紹介対象の求人の選定に当っては、前項の本人の有する能力及び希望条件を尊重しつつ、新規学校卒業者の就職後、及び将来の生活の安定を図るに最も適した労働条件を有する求人を選定するよう努めること。

2　需給調整について

新規中学校卒業者の職業紹介については、昨年より需要供給の不均衡から生ずる質的及び量的な地域的偏在を是正し、需要、供給各県における無用の混乱を防止するため、全国的に統一された方針のもとに、需給調整を実施してきたところであるが、昭和三六年度においては、三五年度の取扱方法に改善検討を加え、更に前項の基本方針を基調とした別添「新規中等学校卒業者需給調整要領」を定め円滑な調整を図ることとしたこと。

3　職業紹介年間計画について

新規学校卒業者の需給調整及び職業紹介を円滑に行なうためには、職業安定機関及び学校、その他の関係機関、団体等の連絡、その他すべての業務が計画的に実施されることが必要であるので、別添「昭和三六年度新規学校卒業者紹介業務年間計画」を参考にして、各都道府県の実情に即した年間計画を作成し、管轄公共職業安定所を指導するとともに、学校その他の関係機関等の協力を得ること。

4　学校との連けいの強化について

中学校における進路指導は昭和三七年度から全面的に改定になり、学級活動を中心として三年間を通じ、教育の一環として計画的かつ継続的に実施されることとなるので、学校に対する職業安定機関の職業指導についての協力、援助についても現状について検討を加えるとともに、必要に応じて今後の状況に即応した協力体制に改め、学校卒業者に対する職業指導、職業紹介の実を高めるよう配意することが肝要である。

したがって、昭和三六年度以降の学校との連けいにあたっては職業安定機関は特に次の諸点に留意するものとすること。

(1)　職業指導協力体制の強化

職業指導、職業紹介に関する業務の基本的方針、業務計画等の策定及びその実施については、都道府県は都道府県教育委員会と常に連けいを密にし、それぞれの地域的事情等を考慮に入れ、公共職業安定所と学校との協力関係について協議し、両者の適切な指導によって、第一線機関における協力関係が円滑に推進されるようその体制を強化すること。

(2)　学校の行なう職業指導に対する協力、援助

公共職業安定所が学校に対して行なう協力、援助については所管の市(区)町村教育委員会と連けいを保ち、これを早期に開始できるよう配意し、第三学年以前の学年に対しても、学校の行なう職業指導に協力して、職業情報(職業指導カラースライドを含む)あるいは職業適性検査器機等の貸与等を行なうとともに必要に応じて職業講話等の集団的指導による援助を行ない第三学年に対しては学校が行なう個別的な指導への協力、援助を行なうとともに特に学校自体が行なう職業適性検査、職業情報の提供、就職希望者の予備相談、父兄との就職懇談会及び職業相談票の記入等は、公共職業安定所が行なう職業相談前に出来るだけ実施できるようその地域及び学校の実情に応じて必要な援助、協力を行なうこと。

(3)　学校に対する情報の提供

新規学校卒業者については、公共職業安定所が行なう職業相談前に、各種職業及び労働市場に関する知識、理解の拡大を図ることが、爾後の職業紹介業務の円滑なる運営上不

可欠の要件であるので、公共職業安定所はこれに関する資料を整備し、学校に対してその職業指導計画にあわせて、継続的に提供し、その周知徹底を図ること。

なお、職業相談前に学校に提供すべき資料は大略別添「職業情報の種類と内容」のとおりである。

5 求人者指導と求人受理について

二の新規学校卒業者の需給調整の実効確保のためには、雇用主に対する本措置の趣旨の徹底及び求人受理に際しての適切な指導が必要であるので、次により措置されたいこと。

(1) 事業主に対する周知徹底

三六年度新規学校卒業者(特に中学校)を雇用しようとする事業主に対しては、三六年四月以降実施する就職後の補導、雇用主懇談会及び雇用訪問等事業主と接触するあらゆる機会を利用し、また必要に応じて打合会を開催して、新規中学校卒業者の需給調整の趣旨について周知徹底を図るとともに、新規学校卒業者に関する求人動向調査、労働条件の向上、早期求人申込み及び管轄公共職業安定所への求人申込みの励行について協力を要請すること。

(2) 求人受理に際しての指導新規学校卒業者を対象とする求人の充足を可能にし、また新規学校卒業者をより良い労働条件で就職させるためにも、求人受理に際して賃金、労働時間、休日その他の労働条件について適切な指導を実施することが必要であることは、職業安定法第一六条の規定においても明らかであるが、特に次の事項に重点をおいた強力な指導を実施するとともに、職種その他の条件からみて、中高年層求職者をあてることが適当な求人については、極力これ等求職者を採用するよう指導すること。

(イ) 求人条件

求人条件の指導に当っては、別添「新規学校卒業者対象求人条件指導基準」によることとするが、このほか、特に中小企業に対しては昭和三五年九月三〇日職発第九三九号基発第八二八号「中小企業における労働条件向上のための職業安定、労働基準監督両機関の協力について」通達に基づき労働基準監督機関と緊密な連絡のもとに集団指導あるいは個別指導を通じて適切な指導を実施すること。

(ロ) 採用人員、採用希望地

新規学校卒業者を対象とする求人、特に他県より採用することを希望している求人については、その採用人員及び採用希望地について、自県内求人求職の状況及び全国的需要・供給の状況(別添「需給調整要領」の中の「予備調整結果」等)を勘案して指導することが必要であるが、この場合、次の点に留意し、水増し求人等の是正に努めること。

- A 採用人員
  - a 過去三年間の減耗率及びこれに基づく減耗補充数の積算の内訳
  - b 新規増設、設備拡充等における設備内容と必要人員積算内訳
- B 採用希望地
  - a 過去三年間の採用希望地別採用数及びその定着状況
  - b 採用希望地が新規の場合にはその採用希望地選定の理由

(ハ) 求人申込安定所

求人の申込みは原則としてその事業所を管轄する公共職業安定所に行なうよう強力に指導すること。

(ニ) 現地選考求人に対する措置

現地選考方法を採用する求人については、選考に当って連絡された求人数以上の求職者を採用することのないよう強力に指導すること。

6 職業相談の実施方法

学校の行なう職業指導に対する協力、援助については、「四、学校との連けいの強化について」において示したとおりであるが　職業安定機関において実施する新規中学校卒業者に対する職業相談の実施方法は次によることとし、特にその重点を後期職業相談に置くよう、計画の策定、職員の機動配置、予算の執行に当って配意すること。

なお、この職業相談の時期については、「昭和三六年度新規学校卒業者需給調整要領」の(10)によること。

(1) 前期職業指導

(2)の後期職業相談以前に個人情報を入手し、また職業情報を提供したり就職希望の志向の状況を確認するために行なわれる職業相談をいう

が、特に爾後における職業紹介の円滑な確進を図るために、就職希望の明らかなものに重点をおいて実施すること。

(2) 後期職業相談

具体的求人に基づき、紹介予定者を内定にするまでの職業相談及び紹介開始後における就職未定決定者に対する再相談をいうがこの職業相談はすべての就職希望者に対し、最低一回の相談が完了するよう計画的に行なうとともに、出来るだけ学校の教師、父兄等の意見を充分聴取する方途を講ずること。

なお、法第二五条の二及び三の高等学校卒業者のうち公共職業安定所の紹介により就職することを希望する者に対しても、極力以上の方法により職業相談を実施すること。

7 紹介について

職業紹介に当っての基本的態度については、一、新規学校卒業者の職業紹介の基本方針において示したとおりであるが、このほか紹介に当っては次の事項についても充分留意すること。

(1) 求人条件及び求職者の有する能力、希望条件を的確に把握し、再者の条件が最も合致した求人求職の選定に努めること。

(2) 求職者を紹介する場合は応募希望者をただ漫然と紹介することなく、求人数に照して必要とする範囲内の求職者を紹介するよう努めること。

(3) 紹介の結果不採用となったもの等については、その求職者の条件に適した他の求人に出来るだけ多く紹介するよう努めること。

8 就職後の補導について

昭和三六年度新規学校卒業者に対する就職後の補導については特に次の事項に留意して実施すること。

（就職後の補導に関する調査等については目下のところ特別の計画を予定していない。）

(1) 就職後の補導は、新規学校卒業者の就職先事業所を管轄する都道府県及び公共職業安定所が主体となって実施すること。

(2) 供給地県職員（公共職業安定所職員も含む）が必要に応じて需要地県に出張して補導を行なう場合は、事前に需要地県と連絡協議し、需要地県の行なう就職後の補導の一環として実施すること。

なお、学校の教師による就職後の補導についても、事前に充分学校と連絡をとり、効果的な補導が実施されるよう配意されたいこと。

（別　添）

9 「新規学校卒業者対象求人条件指導基準」

(1) 賃金関係

(イ) 基本給は、所定労働時間内の労働に対応する賃金額が明確にされていること。

(ロ) (1)の基本給のほか、諸手当、割増賃金、昇給、賞与を含む賃金体系が明確にされるとともに社会保険料等の控除額及びこの控除額を差引いた手取額が明らかであること。

(ハ) 賃金は毎月一回一定期日に全額支払われるものであること。又食事代金を賃金から控除する場合は、その評価額が適正なものであること。

(ニ) 同業種の賃金水準に比較して低くないこと。

(2) 労働時間、休日、休憩関係

(イ) 一日八時間制の原則に則って具体的に始業、終業の時刻、休憩時間等が明確に定められていること。

(ロ) 住込（主として商店等）労働者を雇用する業種においては、起床から就寝までの時間中に自由時間、拘束時間及び労働時間の別が明らかであること。

(ハ) 休日については、労働基準法に準拠して具体的に定められていること。

(3) 社会保険

失業保険、健康保険、労災保険、厚生年金保険に加入していること。（当然適用事業所は勿論、任意適用事業所の場合も極力加入していること）

なお、健康保険の場合は健康保険法、国民健康保険法によるほか共済制度等によるのも差支えない。

皿 その他

(イ) 当該事業所において労務管理の体制が確立されていること。但し中小企業等の事業所においてはその所属する団体等に労務管理の担当者が居ること。

(ロ) 住込求人の場合は、従業員専用の独立した寄宿舎又は従業員専用の部屋を有し、かつそれが良好な居住性と非常の際の安全性を有しているものであること。

なお、木造の建物内にある場合は三階以上に居住することのないよう特に指導すること。

(ハ) 退職金制度については、中小企業退職金共済法に基づく制度に加入しているか、又はこれに代る制度を有するよう指導すること。

（別添）

10. 昭和三十六年度 新規学校卒業者職業紹介業務年間計画表

	4月	5月	6月	7月	8月
労働省	○新規学校卒業者就職対策打合会（全国）		イ.求職動向調査（取纒及び予備調整作業） ロ.求人動向調査（取纒及び予備調整作業） 15日 報告	○新規学校卒業者、求人・求職情報交換会（全国・求人・求職動向検討）	（求人団体予備調整）
都道府県	新規学校卒業者就職対策打合会（都道府県内）	都道府県内主要雇用主懇談会（本省の方針を伝達）	イ.求職動向調査（取纒及び検討） ロ.求人動向調査（取纒及び検討） 報告	自県内における予備調整（PESO及び15日） 大口求人者指導）ー主として需要地県ー	大口求人者の求人先について予備調整指導
公共職業安定所	新規学校卒業者就職打合会（学校教師対象）	管内雇用主懇談会（本省の方針を伝達）	イ.求職動向調査（学校別に検討） ロ.求人動向調査	管内の予備調整 ー主として需要地ー	求人受付前及び受付時における求人先の指導
	第二学年から継続		適性検査並びに職業講話の実施（PESO職員・学校教師による）	前	期 職

11 職業情報の種類と内容

この表は、主として中学校の在校生に対して特別教育活動その他の時間に提供されるべき情報のうち、職業安定機関が作成、提供することが好ましい情報の概要をまとめたものである。

情報の種類	情報の内容	情報の作成担当者 本省	都府県	安定所
（統計的情報）				
1 中学生の進路状況	(1) 中学校卒業生の帰する状況	○	○	○
2 労働力の状況	(1) 人口、労働力人口、雇用と失業の状況	○	○	
3 産業と職業の状況	(1) 産業構造の推移	○	○	
	(2) 産業別労働者の推移	○	○	
	(3) 中学卒業者の産業別就職状況	○	○	○
	(4) 中学卒業者の事業所規模別就職状況	○	○	○
	(5) 中学卒業者の職業別就職状況	○	○	○
4 中学卒業者の労働市場	(1) 中学卒業者の産業別求人求職状況の推移	○	○	○
	(2) 中学卒業者の職業別求人求職状況の推移	○	○	○
	(3) 中学卒業者の就職状況の推移	○	○	○
5 中学卒業者の労働条件	(1) 中学卒業者の性別、産業別（職業別）事業所の規模別初給賃金状況	○	○	○
6 中学卒業者の就職後の状況	(1) 中学卒業者の就職後の定着状況	○	○	○
	(2) 中学卒業者の離職原因別状況	○	○	○
	(3) 年少者の災害発生状況	○	○	

（解説的情報）				
1 職務解説	(1) 産業分類			
	(2) 主要産業の解説	○	○	
	(3) 職業分類	○		
	(4) 主要職業の解説	○	○	
	(5) 中学卒業者の就業できる職業	○	○	○
	(6) 学歴と職業（就職に必要な教育訓練）	○	○	
	(7) 免許や資格を必要とする職業	○	○	
	(8) 雇用条件（求人情報）			○
2 労働行政に関する解説	(1) 行政機関とその機構			○
	(2) 労働保護法規	○		○
	(3) 職業安定関係法規	○		○
3 進路選択に関する解説	(1) 職業選択の仕方	○		○
	(2) 職業適性と職業	○		○
	(3) 身体障害と職業	○		○
	(4) 訓練所、各種学校養成所の紹介	○		○
4 就職に関する解説	(1) 選考基準			○
	(2) 就職の準備、受験上の注意			○
5 職業生活に関する解説	(1) 職業生活の心構え	○	○	○
	(2) 就職後の不適応事例	○	○	○
	(3) 産業安全	○		
	(4) 能率、生産性の向上	○		
	(5) 職業病			

備　考

職業情報作成上の留意点

(1) 職業情報は提供する対象、提供する時期、提供する目的によって、多種多様であるので、これらの条件に応じて、具体的であり、かつ、適当な内容にとりまとめ、その提供にあたっては、理解を容易にするため、図式化、図表化する方法について、考慮することが好ましい。

(2) 全国的情報に対応する地方的情報の作成に当っては、都道府県間、またはその地域間の比較検討ができるよう留意するとともに、具体的、事例的表現、解説に努めること。

(3) 職業情報の全国的資料は大略次のとおりであるが、都道府県市町村の状況についてはそれらに準ずる資料のほか、それぞれの関係機関の調査結果、情報のうち、権威と信頼のある資料を活用すること。

(4) 職業情報には職業指導運営上の参考となる指導者向け情報を考慮する必要がある。

(統計資料)

1 労働省、職業安定局「職業安定業務月報」「労働市場年報」
2 労働省、職業安定局「失業保険事業月報」「同年報」
3 労働省、労働基準局「産業安全年鑑」
4 労働省、婦人少年局「年少労働統計資料」
5 労働省、統計調査部「職種別等賃金実態調査」
6 労働省、統計調査部「労働異動調査」
7 総理府統計局「事業所統計調査」
8 総理府統計局「労働力調査」
9 文部省調査「文部統計速報」
10 〃 「学校基本調査」
11 その他学卒離職状況調査、就職後の補導調査等の調査統計資料

(解説資料)

1 労働省篇「職業小辞典」
2 〃 「産業名索引」
3 労働省職業安定局編「職業の手引」
4 労働省職業安定局編「職業の知識」
5 労働省職業安定局編「年少者の職業指導指針」
6 労働省職業安定局編「カラースライド　われらの職業I〜III」
7 労働省職業安定局編監修「カラースライド　私たちは就職する」
8 労働省職業安定局編「カラースライド個性と職業」
9 労働省職業安定局編「職業講和集」
10 労働省職業安定局「労働総覧」
11 その他の関係刊行物および諸資料

二　新規中学校卒業者需給調整要領

I 趣旨

昭和三六年度における新規学校（中学）卒業者の求人、求職の質的、及び数的な地域的偏在を是正し、供給地及び需要地における無用の混乱を防止するとともに、新規学校卒業者に対してはより適した職業に、より良い労働条件で就職せしめ、また求人者に対しても労働条件の向上指導とその充足確保を図ることによつて、新規中学校卒業者の適正な職業紹介を図ることを目的とする。

II 基本方針

新規中学校卒業者（以下「卒業者」という。）の需給調整は、全国的に同一方針の下に運営されることが必要であり、したがつて、この方針に即応して、需給各県における職業指導、職業相談、求人者指導及び紹介が適格に実施されることによつて、その実効が確保されるものであることにかんがみ次の基本方針によつて本業務の推進を図るものとする。

(1) 職業安定機関及び学校はその連けいを密にし、各機関の行なう業務内容を再確認すると同時に、その分担業務の内容の充実を図ることによつて、卒業者の帰すう見込み、特にそのうちの雇用労働希望者の的確な把握とこれに対する職業指導、職業相談の効果的実施を図ること。

(2) 求人者に対し早期求人申込みを勧奨するとともに、その採用予定者数、採用希望地及び労働条件の向上について的確な指導を行なうこと。

(3) 以上(1)、(2)の措置に基づき把握された需要、供給の状況に応じ、「卒業者」を中心とした需要の全国的な調整を図ること。

III 業務取扱方法

「卒業者」の需給調整に伴う一連の業務の取扱方法は次のとおりである。

(1) 「求職者」の把握

「卒業者」中雇用労働希望者の把握が爾後における職業紹介、特に需給調整を円滑に実施するための基礎となるものであるから、その取扱いは次により出来るだけ正確に把握されたいこと。

A 求職者の取扱予定数

労働省は、昭和三六年度卒業者及びそのうちの雇用労働希望者特に公共職業安定所（以下「安定所」という。）において取り扱う予定

数を各都道府県別に試算し、四月初旬開催する「新規学校卒業者職業紹介業務打合会」においてこの予定数を各都道府県に示し協議することとする。

B　求職動向調査（職業安定法第一四条参照）

四月初旬開催する「**新規学校卒業者職業紹介業務打合会**」開催後、各都道府県は労働省と協議した(A)の求職者の取扱予定数について、各安定所との間で協議し、特に縁故就職希望者のうち、安定所が取り扱うことが適当であると認められる者等の取扱いも考慮し、雇用労働希望者特に他県への就職希望者を調査、検討し、別表一「**新規中学校卒業者求職動向調査**」によって、六月二五日までに労働省雇用安定課に到着するよう提出すること。

なお、この動向調査は時期的に若干尚早とも思われるが、過去の実績等を参考として、その時期において、出来るだけ的確な数を計上するよう努力すること。

(2)　求人見込みの把握（法第一四条参照）

求職動向調査とあわせて、各都道府県及び安定所は、集団求人団体、産業別団体、商工会議所等あらゆる関係機関、団体等との接触及び雇用主訪問等を通じて求人の見込状況を調査し、別表二「新規中学校卒業者求人動向調査」に基づき、六月二五日までに労働省雇用安定課に到着するよう提出すること。

(3)　予備調整

前記(1)のB及び(2)の報告を基礎に労働省は、全国的な需要、供給の見込みを把握するとともに必要がある場合はその地域間の不均衡を是正するための調整を行ない、昭和三六年度「卒業者」の需要、供給の見込みを示す情報として、この「昭和三六年度新規学校卒業者予備調整結果」及び各都道府県別の求人、求職動向調査を七月初旬開催する「新規学校卒業者求人、求職見込情報交換会」において各都道府県に提示する。

なお、この動向調査及びその予備調整結果表は、その後において実施する求人受理の際の求人者指導及び学校の行なう進路指導、安定所の行なう前期職業相談の際の基礎資料とするためのものであって、爾後における需給調整を拘束する性格のものではない。

(4)　新規学校卒業者を対象とした求人の受理に当っては、その求人条件採用人員及び採用希望地等について所要の指導を行なうことは当然であるが、特に需給調整を計画的に実施するためには一定期日までに受理することが必要であり、また安定所における管轄外求人の取扱いと同様、学校における県外求人の取扱いについても制限を附することが必要であるので次の措置を講ずることとする。

(A)　求人受理期限

卒業者を対象とする求人は次の期限毎に受理することとし、この期限を設定した趣旨を充分求人者に徹底して出来るだけ第一期受理期限までにすべての求人を受理出来るよう求人者を指導すること。

第一期受理期限　八月三一日
第二期　〃　九月三〇日
第三期　〃　一〇月三一日
第四期　〃　十一月三〇日

(B)　学校における求人受理（職業安定法第二五条の二第二五条の三同法施行規則第一七条の二、第一、六、九項）

卒業者を対象とする人の指導、卒業者の需給調整の実効確保等の必要性から、学校における求人受理は次によることとし、県及び市町村教育委員会に対し、本措置の必要性を充分説明するとともに、学校に対しても文書をもって伝達し再確認すること。

(イ)　職業安定法第二五条の二の規定により安定所に卒業者の職業紹介を全面的に依存している中学校においては、法律の規定どおり、いかなる求人の受理も行なわせないこと。

(ロ)　職業安定法第二五条の規定に基づき、安定所の業務の一部を分担している中学校においては、県外の求人（通勤範囲内の求人を除く）は一切受理せしめないこと。

(ハ)　以上の措置の実効を確保するため、学校との打合会、協議会等においての趣旨を充分徹底しておくこと。

(5)　求人状況調及び求職状況調

安定所は各求人受理期限までに受理した求人及び各求人受理期限と同じ日現在において把握した求職見込みを別表「新規中学校卒業者求人、求職状況調」に基づき、次の規限までに管轄都道府県に報告し、各都道府県は「他県就職希望者」(通勤範囲内の他県を除く）及び「他県より採用を希望する求人」（通勤範囲内の他県よりの採用求人を除く）を次の方法及び期日までに労働省雇用安定

課に報告すること。

(A) 安定所が各都道府県に報告すべき期限

第一期分　九月七日
第二期分　一〇月七日
第三期分　十一月七日
第四期分　十二月七日

(B) 各都道府県が本省に報告する方法及び時期

(イ) Aの期限までに電話又は電報により労働省、雇用安定課に報告すること。

第一期　九月十日
第二期　十月十日
第三期　十一月十日
第四期　十二月十日

(ロ) 本報告の正文は、各期需給調整会議に出席の際、本省に提出すること。ただし第四期分以降については、電話又は電報による報告は不要で、本報告の正文をそれぞれ十二月十五日、一月二〇日、二月十五日までに労働省雇用安定課に報告すること。

(6) 求人の殺到率

(5)のBの(イ)により、所定の数の報告をうけた労働省は、その期における各職種群毎の求人殺到率を計算し、各期の月の十五日（九月十五日十月十五日、十一月十五日）までに電報にて各都道府県に連絡するものとする。

この連絡をうけた各供給地県は後記(7)により需要地県より送付された求人一覧表に指定された自県向け求人及び未指定求人のうちから、求職見込状況調べで報告した、自県における「他県就職希望者」の各需要地県別、職業群別希望者数にその倍数を乗じて得た数に相当する数の求人を選別し、需給調整会議に出席すること。

(7) 求人一覧表の送付

需要地安定所において受理した求人を、如何に適切に供給地安定所に連絡するか、又供給地安定所は卒業者の希望する求人を如何に適切に連絡をうけ、かつその数が、需給調整の上から適切であるかということは、爾後の職業紹介、及び需給調整を円滑に推進するための必要欠くべからざ要件である。したがって本省が開催する需給調整会議前に、求人一覧表を供給地県に送付せしめ、連絡をうけるべき求人を事前に選別せしめると同時に次の措置をとることとする。

(A) 需要地県及び安定所は、各求人受理期限までに受理した求人について、連絡すべき求人、及びその連絡先を求人者の希望及び予備調整結果等を充分勘案して職業安定機関の内部で協議のうえ決定し、別表「新規中学校卒業求人一覧表」の様式に基づき作成すること。

なお、連絡先供給地県を決定した場合、（すべての求人について、決定することがのぞましく、連絡先未決定の求人を極力なくされたい、このことは縁故を奨励する意味ではない。）は、その連絡先供給地県名を、該当欄に記入して、各月十五日までに供給地県に到着するよう送付すること。

(B) Aの求人一覧表の送付をうけた供給地県は、労働省より別途連絡された各職種群別求人殺到率を自県卒業者中「他県に就職することを希望する者の数」（通勤範囲内の他県希望者を除く）に乗じて得た数に相当する求人数を各需要地県別に選別し、求人一覧表にその旨を表示して、需給調整会議に持参すること。

(8) 需給調整作業

卒業者の需給調整の基本方針はIIで説明したとおりであるが、具体的には、次の手順によって進められることとなる。

A 予備調整作業

求人者の指導及び職業相談のための基礎資料となる予備調整作業の内容は(3)において説明したとおりであるが、この予備調整が出来るだけ有効な結果をもたらすためには、求人及び求職動向調査が可能な限り広汎に、かつ事実に近い調査が実施されることが必要であり、またこの動向調査に基づく予備調整作業が適格に行なわれ、かつ有効に使用されることが必要である。

(B) 本調整作業

この調整作業の内容は、求人、求職状況調の報告後、すなわち予備調整後の一連の過程（(4)、(5)、(6)、(7)）をいうものであるが、特にこの作業の中心となるものは、需要地県にあっては、受理した求人を選別し、連絡先を予備調整結果に出来るだけ即応するよう決定すること。また供給地県にあっては、自県内の卒業者のうち、他県就職希望者（職種群別に）に、労働省より連絡される各職種群別の求人殺到率を乗じて得た数を各需要地県別に算定し、その数（これが自動的にその期の調整数となる）の範囲内で、求人一覧表の中より選別し、需給調整会議に臨ん

でその交換を受けていく作業である。

したがって、各都道府県は、需給調整の主体性をもって作業を進める必要があり、労働省は需給調整の方針の決定及び指導に当ることとなる。

なお、第四期分以降の需給調整作業の方法は、その時の実情に応じてその都度指示することとする。

(9) 需給調整会議

卒業者の需給調整会議は大別して次の三つに区分される。

(A) 本省の開催する需給調整会議

この会議の開催要領は次のとおりである。

(イ) 開催回数　合同会議一回、東西ブロック会議二回　計三回

(ロ) 開催予定期日

第一期分　九月二五日、二六日

第二期分　十月二五日、二六日

第三期分　十一月二七日、二八日

第四期分については別途指示

(ハ) 開催予定地

Ⅰ 合同会議は東京

Ⅱ ブロック会議はその都度指示

(ニ) 業務内容

Ⅰ 求人、求職状況調の提出と調整数の確認

Ⅱ 求人一覧表による求人の交換成立と確認、及び求人票の授受

Ⅲ 未成立求人及び不足求人の交換

Ⅳ 交換成立数及び交換成立結果（求人一覧表に表示）の報告

(注) したがって、需要地県は、会議出席の際、求人一覧表の余備を持参しなければならない。

(B) 都道府県の開催する需給調整会議

各都道府県が開催する需給調整会議には「通勤範囲内の他の都道府県との需給調整会議」と「県内公共職業安定所を召集して開催する需給調整会議」の二つに区分されるが、その開催要領は次のとおりである。

(イ) 他の都道府県との需給調整会議

この会議は、通勤範囲内の他の都道府県との間において、通勤可能の他県からの採用を希望している求人についてのみ調整するための需給調整会議で、この会議を開催する必要のある需要地県は次の内容を含む計画を事前に策定し、関係都道府県と協議のうえ、本省の承認をうけて開催すること。この場合はその実積を労働省雇用安定課に報告しなければならない。

Ⅰ 開催期日及び回数

Ⅱ 参集範囲

Ⅲ 取扱予定求人数、（関係府県別、職種群別）

Ⅳ 開催場所

(ロ) 公共職業安定所との間の需給調整会議

この会議は、本省の開催する需給調整会議で交換成立した求人及び自県内求人について、管内公共職業安定所を招集して行なう需給調整会議であるが、その開催要領は次のとおりである。

Ⅰ 開催回数三回（但し各都道府県の実情に応じて回数を増加しても差支えない。）

Ⅱ 開催予定期日

第一期分　九月二八日～十月五日

第二期分　十月二八日～十一月五日

第三期分　十一月三〇日～十二月五日

第四期分は別途指示する。

Ⅲ 業務内容　各期本省主催の需給調整会議において連絡された求人、及び自県内調整し、求人の連絡を行なう。

(10) 職業相談の実施

学校の行なう職業指導に対する協力、援助の内容及び方法と、安定所の行なう職業相談の内容、及び方法は、別途指示されたとおりであるが、安定所が行なう職業相談の時期は次のとおりとし、特に後期職業相談に重点をおいて実施することとし、そのための予算の執行、職員の機動的配置等について特に配意すること。

(A) 前期職業相談

始期は可能な限り早くすることとし、おおむね、九月末日頃まで

に実施されることがのぞましいが、必要によっては若干おくれることも差支えないこと。

(B) **後期職業相談**

おおむね十月初旬より必要な時期までとすること。

(11) **求人の連絡**

求人の連絡はすべて労働省及び各都道府県の開催する需給調整会議において連絡するものとするが、その具体的交換方法及びその処別は次のとおりである。

(A) 労働省が開催する需給調整会議においては、先に送付されている求人一覧表によって、交換を図るものとするが、交換成立が確認された求人については、需給調整会議最終日までその求人票を連絡すること。

したがって、需要地県は、予め求人一覧表に記入されてある求人票副本全部を作製しておき需給調整会議に出席の際にこれを持参する必要がある。なお、文書による連絡は一切認めないので爾後において求人票副本を送付する等のことのないよう厳に留意されたいこと。

(B) 供給地県は、本省の開催する需給調整会議終了後翌月五日までに県内公共職業安定所による需給調整会議を開催し、連絡を受けたすべての求人、及び県内求人のうち調整の必要ある求人について調整交換すること。

但し、第四期分以降の求人の連絡については別途指示するものであること。

(12) **連絡求人に対する紹介見込**

連絡をうけた求人のうち、返戻の必要がある求人、及び充足可能の求人等に対する処理は次によること。

(A) 紹介見込のある求人（一部又は全部）

安定所が連絡を受けた求人を持参して職業相談を実施し、その求人の紹介見込が判明したものについては、次期又は次々期の労働省の開催する需給調整会議の席上関係都道府県に連絡すること。

(B) 紹介見込のない求人の処理

(イ) 各都道府県が労働省の開催する需給調整会議において連絡をうけた求人のうち、各都道府県の開催する需給調整会議の結果、巳むを得ず返戻せざるを得ない求人についてはその理由を附して、各十月、十一月、十二月の十日までに連絡を発した需給地県に求人票を返戻すること。なお、この求人の返戻を行なった場合はその都度連絡発県別、職種群別、求人件数及び求人数を本省に報告すること。

(ロ) 各都道府県の開催する需給調整会議の結果、安定所に連絡された求人のうち、職業相談の結果、返戻を必要とする求人については、次の期間までに連絡を発した需要地県に求人票を返戻すること。

第一期分求人　一一月一〇日

第二期分求人　一二月一〇日

第三期分以降の求人については、期間の制限は附さないが、出来るだけ早く返戻すること。

別表 1

新規中学校卒業者求職動向調査

新規中学校卒業者求職状況調（第　期分）

男・女　　　　　　　　　　都道府県名

希望職種群 / 就職希望県	A 計	B 書記的販売的職業 販売及び類似職業	C 奉仕的職業 対人奉仕職業	D 技能、半技能、単純技能職業 繊維製品製造職業	加工繊維の製造職業	金属加工職業	電気機械器具製造職業	その他の製造職業	E BCDに含まれないその他の職業	F 希望職業未定のもの
イ 総数										
ロ 自県内希望										
ハ 他県希望	（　）	（　）	（　）	（　）	（　）	（　）	（　）	（　）	（　）	（　）

○○県	（　）	（　）	（　）	（　）	（　）	（　）	（　）	（　）	（　）	（　）
	（　）	（　）	（　）	（　）	（　）	（　）	（　）	（　）	（　）	（　）
△△県	（　）	（　）	（　）	（　）	（　）	（　）	（　）	（　）	（　）	（　）
××県	（　）	（　）	（　）	（　）	（　）	（　）	（　）	（　）	（　）	（　）
希望県未定のもの										

別表2

新規中学卒業者求人動向調査
新規中学卒業者求人状況調（第　期分）

男・女

都道府県名

職種群 ／ 採用希望地	総計	イ 自県内	ロ 他県	ハ 採用希望地 ○○県	××県	△△	未定	不問
A 計		（　）	（　）	（　）	（　）	（　）		
B 書記的販売的職業　販売及び類似の職業		（　）	（　）	（　）	（　）	（　）		
C 対人奉仕的職業　対人奉仕職業		（　）	（　）	（　）	（　）	（　）		
D 技能・半技能・単純技能職業　繊維製品製造の職業（合化センの職業）		（　）	（　）	（　）	（　）	（　）		
加工繊維製品製造の職業		（　）	（　）	（　）	（　）	（　）		
金属加工の職業		（　）	（　）	（　）	（　）	（　）		
電気機械器具製造の職業		（　）	（　）	（　）	（　）	（　）		
その他の職業		（　）	（　）	（　）	（　）	（　）		
E BCDに含まれない職業		（　）	（　）	（　）	（　）	（　）		
備考		（　）	（　）	（　）	（　）	（　）		

新規中学校卒業者求職動向調査記入要領
〃　求職状況調

1　本様式は、六月中に行なわれる「求職動向調査」並びに九月以降各期毎に作成される「求職状況調」の両方に使用するものとする。標題は、前者を「新規中学校卒業者求職動向調査」とし、後者は「新規中学校卒業求職状況調」とすること。

2　「求職動向調査」並びに公共職業安定所の職員による職業相談の行なわれない以前の「求職状況」は生徒の希望が一定せず、意志が固ってない者が多い（「希望職業未定のもの」「希望県未定のもの」の欄に記入される数が多い時）ので、次の算式によって、各公共職業安定所の推計数を算定して差支えない。

（推計数算式方式）

A　卒業生数の推計

昭和三五年五月一日現在学校基本調査（文部省）にあらわれた数のうち第二学年在学数を把握し、下記計算により卒業生数を推計する。

第二学年×卒業率（過去の実績から二年後に卒業するものの割合を算出）

B　雇用労働希望者数の推計

Aによって算出した卒業推計数×雇用労働希望率（前年度実績若しくは一〇月一五日現在調査の求人、求職見込調にあらわれた雇用労働希望率）により、雇用労働希望者数を推計する。

C　職種別都道府県別希望者数の推計

前年度就職者を本報告の職種群別に分けて、その割合をみると同時に就職先都道府県別にもこの割合をみる。

Bによって算出された雇用労働希望者数×（上記の率）によって、職種群別都道府県別希望者数を推計する。

3　公共職業安定所の職員による職業相談が行なわれた後の「求職状況調」

せ、その職業相談の結果を分類して記入すること。なお同上職業相談の際は出来る限り、職業未定のものがないよう指導することが望ましい。

4 就職希望県（後欄）の配列は、北海道、青森、岩手等の県より順次記入し、大分、宮崎、鹿児島等南の県で終るよう記入すること。

5 各欄の職種群別の職業の内訳は、別表にしめすとおりである。

6 「ハ、他県希望」欄及びその内訳欄の（ ）内には、通勤範囲内の他県への就職希望数をその他の県への就職希望数の外数として計上すること。

新規中学校卒業者求人動向調査
〃 求人状況調 記入要領

1 本様式は、六月中に行なわれる「求人動向調査」並びに九月以降各期毎に作成される「求人状況調」の両方に使用するものとする。

標題は、前者は「新規中学校卒業者求人動向調査」とし、後者は「新規中学校卒業者求人状況調」とすること。

2 六月中に行なわれる「求人動向調査」は前年度若しくは前々年度PESO（学校も含む）利用の全事業所を対象として、文書若しくは、電話訪問等適宜な方法により調査し、これを集計して記入することが望ましいが調査時期が早期のため、事業所においても見込みがたたないむきも考えられるので、その場合は、当該業界の組織を通して「その産業は前年の何割増又は減」の見込みを聴取し、前年の実績等を参考として推計してもよい。

3 「求人状況調」の場合は予めしめされた時期までに申込まれた求人を、都道府県別職種群別に区分して記入する。

4 求人予定県欄の配列は北海道、青森、岩手等北の県より順次記入し、大分、宮崎、鹿児島、沖縄、で終るよう記入すること。

5 各欄の職種群別の職業の内訳は別表にしめすとおりである。

6 「ロ他県」欄及び「ハ採用希望地」欄の（ ）には、通勤範囲内の他県に連絡する求人数を他の県への連絡求人数の外数として計上すること。

職業分類別の職業内訳

職業分類	職業のうちわけ
販売及び類似の職業	百貨店店員、魚屋店員、八百屋店員、食料品店員(販売)衣料品店員(販売)、洋品店店員、パン屋店員（販売）、菓子屋店員（販売）等
対人奉仕職業	美容師見習、理容師見習、バスガイド等
繊維製品製造の職業（化学製品製造の職業のうち化繊関係）	靴下編立、織機調整工、織布工、紡績工、（混打綿工、綿工、連粗紡工、精紡工、仕上工、（紡糸、合糸、撚糸）認工）製糸工（選繭工、煮繭工、操糸工、揚（繰）返工、束装工（カセ）括工）毛紡績工（調紡工、選別工連紡工、精紡工、仕上工、認工）等 （化学製品製造の職業） 化繊工（紡糸工、再操工、精練工、選別工）等
加工繊維製品製造の職業	婦人子供服縫製工、洋服仕立工、ミシン工、等
金属加工の職業	旋盤工、フライス盤工、ボール盤工、機械組立工、機械仕上工、板金工、鋳造（鋳物）工、熔接工、プレス工、研磨工等
電気技能者電気機械器具製造の職業	電工、配電工、小物電気部品組立工、電球製造工、配線工、テレビ組立工、ラジオ組立工等
その他の職業	「技能、半技能、単純技能職業」のうち、上記四職業に含まれない職業を「その他の製造職業」とする。」

求人一覧表

○○都府県○○公共職業安定所

中学—（男・女）
高校—（男・女）

番号	求人者名	生産営業品目	規模（従業員数）	職種	求人数	給与（手取額）	その他の条件	連絡予定県及交換成立先県 第一回 全需給調	第二回 〃	第三回 〃	第四回 〃
						通 住 円					

通 住	〃 〃	〃 〃	〃 〃	〃 〃	〃 〃
円	〃	〃	〃	〃	〃

作成要領

1 本表は、第二回需給調整会議より第四回需給調整会議まで継続して使用するものである。

2 中学、学校別、男女別に、それぞれ別葉で作成すること。なお職種は、出来れば調整職種に区分して別葉で作成することが望ましいが、それが出来ない場合は、本表に同一職種群を区分して作成すること。

3 同一求人者の求人を二県以上に連絡する場合は、連絡先県の数だけ欄を分けて記載しても差支えない。

記載要領

1 「番号」欄は、求人受付番号を附することとし、なるべく若い番号より順次記載していくこと。

なお、上記二の場合に附する番号は、例えば一のイ、一のロ、一のハの如く記載すること。

2イ 「連絡予定県及び交換成立先県」欄には、求人者の求人申込後、PESOにおいて連絡先予定県を決定した場合は、その県名を当該欄に記入しておき、後刻需給会議の席上で、成立結果を各都道府県によって記入(連絡先訂正も含む)するものとする。

ロ 第一回需給調整会議の際の成立求人が、その後返戻された旨(様式別添)需給地県から通知あった場合は、その欄を×印で抹消し、第二回以後の会議で交換できる体制を整えておくこと。なお第二回以後の返戻求人についても同様の取扱いとする。

ハ 上記ロの措置による返戻求人の、その後における成立結果は、その会議の都度、各都道府県によって当該欄に書き改めていくこと。

返戻求人通知表(中学・高校)

各都道府県職業安定課長 殿

○○都道府県職業安定課長

第　回全国需給調整会議で交換成立した求人のうち、下記求人は、その後返戻されてきましたので通知致します。

管轄公共職業安定所名	番号	返戻求人数 男	返戻求人数 女	管轄公共職業安定所名	番号	返戻求人数 男	返戻求人数 女

記載要領

1 「番号」欄には需給調整会議提出した求人一覧表の「番号」欄の番号を記入すること。

2 「返戻求人数」欄には、返戻された求人を男女に分け、その数をそれぞれの欄に記入すること。

3 本表は第二回目以降の求人一覧表に添付して送付すること。

三 公共職業安定所と学校との連繫

B 中学校の職業指導

中学校における職業指導は、従来職業家庭科第六群を中心として取りあつかわれてきたが、昭和三三年八月、学校教育法施行規則の一部改正に伴い、中学校学習指導要領が改訂され、進路指導として昭和三七年度より全面的に実施されることになった。なお移行措置として三四年

度は第一学年のみ、三六年度は第一学年第二学年を対象として実施することになった。

1 中学校の教育課程

中学校の教育課程の全体構造は四つの領域、即ち各教科（必修教科と選択教科に分かれる）、道徳、特別教育活動および学校行事等からなり、その授業日数は第一表のようになっている。

第一表 昭和三七年以降における中学校学年別時間配当

区分		第一学年	第二学年	第三学年
必修課目	国語	一七五（五）	一四〇（四）	一七五（五）
	社会	一四〇（四）	一七五（五）	一四〇（四）
	数学	一四〇（四）	一四〇（四）	一〇五（三）
	理科	一四〇（四）	一四〇（四）	一四〇（四）
	音楽	七〇（二）	七〇（二）	三五（一）
	美術	七〇（二）	三五（一）	三五（一）
	保健体育	一〇五（三）	一〇五（三）	一〇五（三）
	技術家庭	一〇五（三）	一〇五（三）	一〇五（三）
選択教科	外国語	一〇五（三）	一〇五（三）	一〇五（三）
	農業	七〇（二）	七〇（二）	七〇（二）
	工業	七〇（二）	七〇（二）	七〇（二）
	商業	七〇（二）	七〇（二）	七〇（二）
	水産	七〇（二）	七〇（二）	七〇（二）
	家庭	七〇（二）	七〇（二）	七〇（二）
	数学	—	—	七〇（二）
	音楽	三五（一）	三五（一）	三五（一）
	美術	三五（一）	三五（一）	三五（一）
道徳		三五（一）	三五（一）	三五（一）
特別教育活動		三五（一）	三五（一）	三五（一）
学校行事				

（注一） 表に示された授業時数は、年間の最低授業時数である。

（二） 授業時習の一単位時間は五〇分となっており、（ ）内の授業時数は年間授業日数を三五週とした場合における週当りの平均授業時数である。

2 職業指導の内容と方法

中学校の職業指導は、主として特別教育活動で取りあつかわれる。

(1) 特別教育活動の目標と分野

① 特別教育活動の目標

特別教育活動は、生徒会活動、クラブ活動、学級活動などを行うものとし、その主要目標は次のようになっている。

生徒の自発的、自治的な活動を通じて、楽しく規律正しい学校生活を築き、自主的な生活態度や公民としての資質を育てる。

健全な趣味や豊かな教養を養い余暇を活用する態度を育て個性の伸長を助ける。

心身の健康の助長を図るとともに、将来の進路を選択する能力を養う。

特別教育活動の分野

生徒会活動	主として学校における生徒の生活改善や福祉を目ざす活動その他を行う。
クラブ活動	学年や学級をはなれて、同好の生徒をもって組織し、共通の興味、関心を追求して、文化的体育的または生産的などの活動を行う。
学級活動	学級としての諸問題の話合いと処理、レクリエーション、心身の健康の保持、将来の進路の選択などに関する活動を行う。

(2) 職業指導の内容

将来の進路の選択に関する活動においては、次の事項について指導（進路指導）を行う。

自己の個性や家庭環境などについての理解

自己を分析したり、諸検査の結果を検討したりして、各自の個性や家庭環境を理解すると共に、それらの学習や、進路との関連、学習や進路の計画、相談の必要進路選択の一般的めやすなどについて

理解すること。

職業　上級学校などについての理解

職業については、産業との関連を考慮して、仕事の内容、社会的な役割、資格その他の諸条件、就職の機会などの概要について理解すると共に、上級学校や学校以外の教育施設などについては、将来の職業との関連を中心にして、それらの内容を理解すること。

就職（家事、家庭従事者を含む）や進学についての知識

求人申込の状況、事業所の要求、事業所の選び方、進学先の特色と選び方、採用試験、卒業者の進路状況などについて知ること。

将来の生活における適応についての理解

職業生活と学校生活との相違、将来の生活への適応のしかたなど

について理解すること。

(3)　職業指導の授業時間

学級活動は毎学年三五単位時間以上実施するが、このうち進路指導に関しては、毎学年計画的に実施し、卒業までの実施時数は四〇単位時間を下ってはならないことになっている。

学級活動における進路指導においては、一方的な知識の注入に陥らないように留意し、生徒の自主的な活動を促すとともに、できるだけ具体的な事例に即して指導を行うなど効果的な方法で行う。

(4)　職業指導の担当者

学級活動の指導は、学級担任の教師が担当することを原則とするが、進路指導などの場合には、その内容に応じて適当な教師の協力を受ける場合がある。

(5)　旧要領による職業指導との比較

	新要領	旧要領
教育課程の編成	職業指導は主として特別教育活動における学級活動の時間で取りあつかうようになり、また職業指導を進路指導と呼ぶことにした。	職業家庭科の第六群において取りあつかっていた。 職業家庭科 第一群　農業 第二群　工業 第三群　商業 第四群　水産業 第五群　家庭

第六群　職業の知識、理解

	新要領	旧要領
内容	1　自巳の個性や家庭環境などについての理解 2　職業、上級学校の理解 3　就職や進学についての知識 4　将来の生活の適応に解する理解	1　産業と職業—産業とその特色 2　産業と職業—職業とその特色 3　職業と進路—学校と職業 4　職業と進路—個性と職業 5　職業と生活—能率と安全 6　職業と生活—職業生活と適応
授業時間	毎学年計画的に三ケ年で四〇単位時間以上実施	必修三五時間以上実施
指導者	各学級の担任教師を原則とする。	職業家庭科教師が担当する。

3　この改訂に伴う安定所との関係

職業安定担当者、職業指導主事は従来通り、学校職業指導の全般を総括することになっているので、実質的には、学校職業指導は変りないと思われる。

しかし、今回の改訂により、職業指導は、全校的組織に向いつつあり、組織化されることは進歩であるが、過度的には、その真の機能を発揮させるまでに至らない場合もありうると考えられる。

従って安定所は、管内各学校の組織、体制を十分理解しておくことが勘要である。

職業安定機関は、教育機関どますます連繫を密にし、学校が必要とする諸情報等の提供その他の協力を行い、学校卒業者に対する職業指導ならびに紹介あっ旋の実をあげるよう努めなければならない。

B　公共職業安定所の職業指導及び対学校活動

1　新規学校卒業者職業指導の特徴

新規学校卒業者の職業指導は、一般的職業指導の場合に比して、次の特徴

があるため、ここに於て用いられる方法、技術には特別なものが考えられなければならない。

長期間（一年又はそれ以上）に亘り継続して且つ計画的に行い得ること↓（時期的段階による指導の段階がわかれる）

主として学校教育という場に於て行われること↓（学校教育の一環としての職業指導学習教科との関連、学校行事との兼合）対象者の種類が一様で且つ多人数であること、↓（職業経験、社会的経験に乏しく、年令が低い）

個別指導のほか、集団的に指導し得る範囲が広いこと。

対象者が職業経験なく、且つ弱年令者であるため個人的特性を十分に考慮しなければならないこと。↓（個人的特性の把握に特別な方法を用い且つ長期間を必要とする）

個人の特性にうとい安定所と、労働市場雇用動向にうとい学校とが共同して行わなければならないこと。（学校と安定所との連けい）

職業指導をうける生徒と、職業指導を行う学校又は安定所の外に保護者、父兄という第三の強力な指導力があること。

安定所が直接生徒に対して行う指導には大なき制約があること。

2 新規学校卒業者職業指導の区分と目標

新規学校卒業者の職業指導を大きく区分すると次の三つに分けられる。

前期職業指導

職業相談、職業決定、紹介のあっ旋

就職時の職業指導、就職後の補導

(1) 前期職業指導（学校主体）

前期職業指導は職業指導の開始から職業相談職業決定に至る直前までの段階に於て行われるものであって、この間に求職者に対して払らわれる全ての努力は「求職者が自主的に正しい職業の選択を行い、適切な職業計画を樹立する」に必要な知識能力を身につけるよう指導、助言、援助することを根本方針として行なわなければならず、その主な目標は

正しい職業観の啓培、職業的偏見の是正

自己の性格、能力、適性等に対する認識理解の向上（家庭環境に関するものを含む。）

各種職業、労働市場に関する認識理解（知識）の拡大向上さらに求職者に対して行われる援助指導ではないが、父兄に対する助言指導が求職者本人に対するそれと同じ位に重要な問題である。

以上の前期職業指導が十分に行われない場合は正しい職業選択、適正な就職ができない卒業者が多くなるばかりでなく、爾後の職業紹介事務にも重大な支障を来し、スムースな業務の進歩を阻害する結果となる。

不完全な前期職業指導によって生ずる支障は、

よい職業選択が出来ない、（正しい職業意識、選職の心構えが出来ておらず、正しい選職の方法を身につけておらず必要な労働市場情報を持たないため。）

適職決定のための職業相談が労多くして効果の少い結果となる（非常な時間と労力をかけ骨を折っても相談がスムースに進歩せず一回の相談で適職決定まで到達できないため）

適職決定後の希望変更が多くなる。求職取消者も増える（①堅実な自覚と十分な考察検討を経て、希望が決定するのでない場合は些細な事象、動機、（例えば友人の希望に雷同したり、大事業所の求人申込に引づられる）から希望変更が発生する。②父兄の意向も希望変更の大きな原因となる、特に前期職業指導の段階において父兄との連絡、意志疎通が十分行われていない場合にはこれが甚しい。）

(2) 職業相談、選職、紹介あっ旋、就職時の職業指導

これは職業相談から適職決定後就職するまでの段階において行われるものであって、生徒自ら職業を正しく選択し、面接選考、競争試験等を容易に通過して就職し得るよう助言し、又採用決定した事業所に現実に入り、適応してゆけるよう事前の助言援助を行うことを骨子とする。又不幸にして不適切な職業を選択している者、或いは当初決定した適職に就職し得なかった者に対する職業（変更）指導も、この段階の職業指導の重要な問題である。その主要目標は、

正しい職業の選び方、自己の個人的特性と職業の結びつけ方

不適切な職業を選択している者に対する変更指導

その他（就職の方法、訓練施設あっ旋されようとする又は就職しようとする事業所に関する認識、理解の向上。

選考試験の際の注意

就職赴任のさいの心構え、及び就職後の注意（職業人の社会的役割とその福祉保護に関する自覚と認識の向上に関する指導助言はこ

の中に含まれる）

未就職者の適職変更指導（これは前記一の(ハ)に準じて行われる）

さらに職業指導とは異るが、この段階においては学校と安定所との間の連絡について十分な考慮を払わねばならない、また求職者に対して行われる援助指導ではないが、父兄に対する助言指導が前期職業指導の段階と同じく求職者自身に対するそれと同程度に重要な問題である。

(3) 就職後の補導

就職後の補導は実際に就職した後の段階に於て引続いて行われる職業指導であって、就職者が職場に適応し発展してゆけるよう助言指導し、適応を阻害する如き事態が発生した場合は直ちにその解決に協力するものである。

その主要な目標は

激　励

適応を阻害する問題の解決に関する指導、助言、援助協力（これは就職者に対してのみならず、雇用主に対しても行わなければならない場合が多い。）

3 公共職業安定所の職業指導施策

以上は段階的に区分された職業指導の主な目標であるが、この職業指導を円滑、効果的に実施してゆくためには直接的、間接的な種々の問題を一つ一つ解決してゆかなければならない、特に前期職業指導及び個々の面接相談は学校が学校教育の一環又はその延長として行っているものであって、安定所はこれに援助協力するのが建前になっており、又実情からみても安定所が直接生徒に行い得る指導援助は安定所に来所する学卒者を除けば精々年一〜二回の巡回職業講話乃至巡回職業相談程度で、それすらも種々の大きな制約があり、徹底した直接指導は行い得ずその大部分は学校の活動努力にまたねばならぬ現状にある。従って如何にして学校に十分且つ効果的な職業指導を実施してもらうかが最も重大な問題となり、学校が十分な職業指導をなし得るよう必要な援助を与えるのは勿論、職業指導をなし得るよう必要な援助を与えるのは勿論、職業指導が十分行われていない学校については、これが充実を図るよう、学校その他の機関団体に積極的に働きかけ誘導して行くことが安定所の重要な任務の一つとなる。

これらの問題点も含めて安定所が新規学校卒業者の職業指導に関し、積極的に対策を樹立し推進しなければならない事項をあげれば。

(1) 学校職業指導に対する各種の援助に関すること。

① 事務処理に関する指導打合せ

年間計画の樹立及び調整

一部分担及び安定所依存校の事務処理（法規趣旨の周知を含む。）

相談票、求人票記入及び連絡要領

統計報告作成要領、備えつけるべき諸帳簿、台帳等、産業分類職業分類、安定所との連絡方法、法規関係条項手引の要点

② 職業指導技術の向上に関する援助、協力（情報資料の提供を含む）

職業指導（特に前期職業指導）基本原理に関すること

自主性の助長とその具体的方法（動機づけタイミング）

家施上の具体的問題に関すること。

自己分析　適性

環境分析

職業、労働市場

職業選択

(イ)〜(ロ)以外で教師の知っておかねばならない事項現象

職業相談（適職決定のための）

情報資料（教師が生徒に提供する場合の注意事項安定所が学校に提供すべき情報、その方法）

③ 前期職業指導の実施に関する援助協力

職業適性検査、その他の検査の実施に関する援助

職業講話

見学実習のあっせん

巡回職業相談

④ あっ旋、就職時の職業指導と学校との連けい、協力

⑤ 就職後の補導

不充分な学校に対する働きかけに関すること。

る働きかけに関すること。

C 年間計画の樹立及び学校との間の調査

1 計画の基本線

計画は大きく四段階に分けられる。

前期職業指導	中学	前からの継続	四月〜八月
	高校	前からの継続	四月〜六月
職業相談	中学		九月〜十二月
	継続		一月〜五月
	高校		七月〜九月
	継続		一〇月〜五月
あっ旋就職時の指導	中学		一月〜三月
	継続		四月〜五月
	高校		一〇月〜三月
	継続		四月〜五月

就職後の補導　中学｝四月～六月
高校｝継続　七月～九月

計画は生徒自身の職業計画の樹立及び準備（計画の実現）の自主的進歩のテンポと丁度合うよう、且計画事項が互に有機的に関連するよう構成されねばならない。

2 計画樹立上の注意

(1) 計画は早期（旧年度中）に樹立し、学校に提示（旧年度末又は新年度初）とする。

(理由)

前期職業指導は前年度から継続され、生徒が三学年にはいれば、なるべく早期に完結させて個別的相談に入れる体制になることが望ましい、特に学校の場合は三年の四月に初めて指導を開始するのでは遅い。

学校の年間事業計画は概ね四月頃初に決定されるので学校の職業指導計画もこの年間計画との調整から同時期に作成されることが望ましい。

(2) 安定所は他の関係計画（本省、県の計画、安定所の事業計画、学校の職業指導計画、学校の年間計画等）と粗々のないよう作成する。学校職業指導計画と粗々のないよう作成するには、

四月にその年度の学校職業指導年間計画を入手し、検討しておくこと。

前年度の経験、実情（前年度の実施状況）を参照する。

（このためには、前年度計画書の中にその実施状況を朱記しておくとよい。）

学校職業指導教師の意見を聞いておく、（打合会等の席上又は来所の際）

(3) 計画事項は生徒の就職準備の自主的進歩度と丁度合うように構成することが望ましい。すなわち、年間計画の中に含まれる職業講話や職業情報の提供、テスト、実習等は互に無関係に行われるべきものではなく、生徒が職業計画を自主的に樹立し、且つ正しい進路決定のために一歩一歩実現して行くことを助成し、リードするように各計画事項が互に有機的に関連するよう構成されなければならない。

(4) 細部的注意点

父兄に対する働きかけのうち、父兄の出席を求めて行う講話、相談等は家事繁忙期（例えば農繁期）等を避け且つ、なるべく早期に開始するよう計画すること。

学校の行う職業相談は安定所の行う巡回職業相談までに一応完了するよう計画されることが望ましい。

中学　七～八月

高校　五～六月

(5) 作成された計画の点検

学校が作成した年間計画は安定所に於て一校毎に点検し、矛盾の調整を行うこと、その際は学校側に手数のかからぬよう、十分注意しなければならない、そのためにも安定所の学校の年間計画が確定してしまわないうちに、早期に調整を行わなければならない。

安定所が作成した年間計画も、同様県においても検討し、不備な点を是正せしめること。

D 前期職業指導段階における活動

1 前期職業指導の基本原則

職業指導は、前述の如く生徒が自主的に職業計画を樹て必要な準備を整えて就職し、さらに職場に適応してゆくよう援助することを原則とし、そのために安定所、学校は職業講話やテスト、職業情報の提供等を行っているが、次の点に関する考え方、指導の行い方の不徹底な安定所、学校が少なくないように見受けられる。

(1) 生徒の自主性の啓発

従来生徒の「自重性の尊重」という言葉で強調されて来たことであるが、現実には消極的に尊重するだけでは指導効果はあまり望まれず、積極的に生徒の自主性、即ち職業計画の樹立、準備等自らすすんで真剣に考え、解決してゆこうとする意慾を刺戟し引出し伸張させてゆくことを基本的とし指導が行われなければならない。具体的なやり方としては次のことを常に念頭において行われなければならない。

(2) 実施上の具体的問題

動機づけと時間性

① 動機づけ

動機づけとは、生徒に「①来年卒業すれば就職するのだ」、「②そのための計画準備を進めておこう」、とする意欲とを喚起させること、従来職業指導の原則として行われて来たことと何等変りはない、ただ次の点を考慮して行えばよい。

上記の二点をあらゆる機会、（講話、相談票の記入、テスト、情報提供、職場見学職業相談、その他）に繰返し強調する。

何故そうしなければならないかを生徒がよく納得するよ

う適切な資料情報を提供する。

できるだけ早い時期（遅くとも最終学年初）から開始する。

時間性と行事相互間の関連に考慮を払う。

② 時間性と行事相互間の関連

例えば職業について関心の起らない時期に労働市場の詳細な情報をあたえても生徒はピンと来ず聞き流してしまうだけである。それでテスト相談票記入、情報提供等々の指導行事は、「イ、動機づけ」により生徒に強い関心が起っている時にその関心の対象となっている問題に関する行事指導を実施するように配慮せねばならない。

(イ) から必然的にテスト、相談票の記入、職業講話等の指導行事の実施順序、時期的組合せが重要な問題となってくる。例えば父兄との話し合いを職業相談の際に初めて行っても混乱するばかりで、これは生徒に対する職業情報の提供の前に行っておいた方がよい。又自己分析、テスト等は各種職業の内容に関する職業情報を提供し職業の複雑性、多様性に関する認識を与えてから行った方が生徒も真剣に考えるようになるのであろう、このように考えてみると指導は相前後する各指導行事が有機的に関連づけられていなければならないことが明瞭となる。その意味において次の如き順序で行うのは一法と考えられるが、とられるべき行事の内容や、その順序は実情に応じて異ってくる筈である。

また実施に当っては、その地域的社会、労働市場の状況、学校教育編成と職業指導活動の状況、学校と安定所との距離的関係、担当職員その他の理解と熱意技術的方法など各種の条件によって規制されることも当然ありうる。要はそれ等の諸行事が一つの連鎖的関係において実施されるべきで、単に形式的断片的実施になったのでは、効果がないことを銘記すべきである。

2 職業講話

(1) 時期及び講義内容に関する安定所と学校との分担職業講話は大略

前期職業指導の行われる　四～七月頃

職業相談の行われる　九～一一月（学校は六～八月頃）

赴任前（三月）頃

に行われるもので、その時期と目的によって内容はいろいろ類別されるであろうが、主要なものをあげると、

① 前期職業指導で行われる講話

就職意識の確立、正しい職業観の啓培（職業的偏見の是正）

職業選択方法の指導

職業選択の重要性と、適職の意味に関する認識を高めさせ、職業計画樹立の意欲を起させる。

職業情報（職務情報、産業経済知識、労働市場情報、その他就職の方法、訓練施設等の情報）を致え、自主的職業選択、及び職業計画設計の道しるべとさせる。

自己の職業的能力に関する認識を高めさせ、その分析評価、（自己分析）について方向を与える。

上述の綜合として適職を自主的に選択する方向をあたえる。

父兄との相談について指示を与える。

職業問題について父兄や保護者とよく相談し、話合うよう指示する。

話合う問題点を明示してやり、必要な資料、情報、（なるべく印刷物により）を与えて話合う際の参考とせしめる、話合いの結果得られた結論、或いは決定等の記録を学校に連絡（報告）するよう指示する。

② 職業相談の際に行われる講話

最近の労働市場情報、雇用（見込）情報を与える（求人申込状況賃金等の労働条件）

職業相談の際における注意事項を説明する。

相談後における注意事項を与える。

選考を受ける場合の注意

③ 就職赴任の際に行われる講話

社会人としての決意をうながす

勤務、上役、同僚等に対する心がけを準備させる。

職業生活における悩みに対する態度を説明する。

青少年として希望と長い職業生活への努力を説明する。

赴任にはどのような身の廻りの準

備をすべきかを注意する。

これらの三種の職業講話のうち、二、職業相談の際の講話及び三、就職時の際の講話の内容はそれ程複雑でなく、技術的にも比較的行い易いものであるが、一の前期職業指導としての講話は内容が広範囲複雑で安定所だけで、これを十分に行うことは不可能に近い、（それにもかかわらず学生、生徒の好ましい就職のためには、最も重要なものである）そこで安定所と学校との間に講話内容に関する分担とり決めが必要になってくる。

一般に安定所は、㈠に掲げる事項のうち、「職業選択方法」に関する総括的事項があくまで中心であり、就職意識の確立、正しい職業観の啓培及び生徒の心構えの確立、職業計画樹立の方針を与えることは、その前提として、あるいは関連的に述べる性質のものである。

ここで注意すべきことは、学校は、これらのあるものは特設教科（ホームルーム）として或いは課外に、或いは個別的に面接相談である種の内容は与えている場合もあるし、またできるだけ、学校教育の一環として行われるのが最も好ましいものであるということである。安定所の行う講話は、その必要性や効果がないということではなく、職業紹介機関の立場から、それを適切に行うことは、非常に大切であり、有効なものとなることは非常に大切であり、有効なものとなることは事実であるが実施に当つては、それぞれの学校の実情に即することが重要なことである。

なお学校に対して使用される参考資料や諸情報は勿論安定所が積極的に学校に提供しなければならないものが多い。

(2) 実施上の注意点

① 話し方に関すること、生徒又は父兄にわかり易く且つ強く、興味を持たれるよう話すこと。

よく聞きとれるよう話すこと。

むつかしい言葉を、言いかえて説明すること。

話の筋、内容が簡明にわかり易く構成されること。

時間を適当にすること。

適宜ユーモア、ゼスチユア等を入れて注意をひく。

② 話し方以外で講話効果を高める工夫をすること。

職業講話の掛図を作成すること。

講話内容の概要、又は特に重要な問題点、及び本人が講話後引き続き考えなければならない事項は印刷配布する。

③ その他

職業講話に父兄を同席させることは最も効果的である。

従って講話の時期は父兄の出席し易い時期をえらぶほか、学校を通じ極力父兄の出席を勧奨しなければならない、父兄が同席しなかった生徒は必ず講話内容について父兄に説明させ、父兄と話し合うよう指示しなければならない。

講話後適当な時期に次の事項について直接、又は学校を通じて調査を行い、その後の職業指導又は職業相談の参考とすることが望ましい。

講話の印象、理解の度

講話内容について自分でどれだけ考え、職業計画の参考としているか、

、自分の職業について父兄とどんな事を話し合ったか、父兄とどんな考えをもっているか、

職業講話に関する要望

(3) 講師（職員）の訓練及び講話内容の統一

管内の幾つかの学校に対し職業講話を行うのに学校から依頼のあった都度、手すき職員が臨時に出張することも多いと思われるが、それらが各職員がまちまちな内容の講話を行うのは職業講話の趣旨及び前後の他の指導行事との関連からみて好ましいことでない。又職員の中には始めて講話を行うものもあるであろうし、不慣れな職員が行うことも現実にはあり得る。安定所職員のうち学校において講話を行う最も適格者は所長又は業務課長である。しかし、その他の職員も学校を受持って講話を行う必要がある場合には職業講話の重要性にかんがみ、その訓練に意を用いなければならない。

即ち

講話内容については課、又は係で検討整理し、原稿、又は便概を作成し、各職員に配布しておく、

講話技術については、実施要領又は講話上の注意等適宜作成し、職員に配布しておくほか、頭初の職業講話の際は所長、又は課長が関係職員を同席させ講話要領を実際に見習わせ指導しなければならない。

講話効果の把握検討

折角工夫をこらし、時間と労力をさいて職業講話を行っても、その効果を確認し、その結果にもとずいて事後の指導内容を計画し、又講話技術内容の改善を図らなければならず、講話のやり放しは意味がない、講話効果の調査は講話後一～二カ月位経過した時期に質問紙調査法により生徒を対象とした調査と父兄を対象とした調査とが考えられ調査票をあらかじめ作成しておき学校を通じて調査するのが最も簡便である。この調査によって生徒の自主的職業計画の樹立がどの程度進んでいるか、又父兄の意向もどうか的確に把握できるから調査票の回収は、学校を通じて、できるだけ早急に行い結果を出す必要がある。

3 職業情報の提供……（職安の重点）

(1) 情報提供の対象

職業情報の提供は、ある目的を実現するために相手にある事実、意とする内意等、最も効果的に理解させて、その目的とする方向に向わせる手段として使用させる。

従って情報の種類は、提供する対象、提供する目的によって多種多様に分けられる。

提供対象

生徒

教師

父兄

校長会 教育委員会

P・T・Aその他の団体

雇用主

提供目的

職業指導

イ、職業指導の目的で生徒に提供すべきもの。

ロ、職業指導上教師自身の参考とすべきもの。子供の就職に関し、父兄が参考とすべきもの。

イ、職業指導上左の者の参考にすべきもの。

ロ、職業指導施策運営上左の者の参考とすべきもの。

イ、職業指導に関する理解と認識を高めるためのもの。

ロ 学校職業指導に対する援助協力上左の者が参考とするもの。

イ、学校職業指導の実態に関する理解認識を高めるためのもの。

ロ、学卒者採用上参考とすべきもの。

従って職業情報は、新規学卒者に関してのみでなく、その他にも安定所の提供をまっている多くのグループのあることを忘れてはならない。

(2) 情報の種類と内容（職業情報の与え方参照）

E 職業相談

1 職業相談の目標

(1) 生徒の職業相談は、一般的にいえば、前期職業指導により生徒が希望職業を自主的に選定する段階に前後する頃から行われる手順となり、その大きな目標は

生徒が自主的な職業選択をしているかどうかをたしかめる

正しい手順で（必要な事項はもれなく検討考慮した上で）選ぶ

本人の希望する職業が適職であること。

② 不適職を選んでいる者に対しては、それが、不適職である理由を説明し必要な情報と指導とを与えて再考を促す。

③ 希望職業を決定し得ない者に対しては決定し得ない理由実情を話合い、必要な援助をあたえる。

④ 適職の決定をした者については、あっ旋計画及び今後の援助計画を、適職の決定しなかった者については適職決定までの援助計画を決定する。

で相談活動はすべてこの目標に向って進められる。

(2) 職業相談における困難な問題点

職業相談において最も困難を感ずる点は生徒の「希望」である。即ち生徒自らえらんだ希望職業が本人の資質、労働市場状況等からみて適切でないと判断される場合である。

不適職を希望し、それに固執している者に対する指導は、

① 希望する理由、固執する理由をつきとめること。

② 適切な資料、情報を提供し、その希望が不適切であること、又は偏見に基くものであることを生徒、又は父兄に理解せしめる。

③ 本人の資質能力、労働市場状況を説明し、如何なる職業をえらぶのが適当であるか指針を与える。

の如き順序で進めなければならないが、大抵の場合、それは非常な忍耐と時間とを要する作業となる、従って現実には安定所が職業相談を行う以前の段階に於て、この種のケースを早期に発見し、是正指導しておくことが望ましい。

即ち、学校における前期職業指導及び学校の行う職業相談の段階が重要となってくる。

職業指導において生徒の自主性、

個性尊重を重視するたえまえから、生徒が自主的に希望した職業を十分に検討を加えずに是認する傾向がまだ一部の学校において残っているが、これが如何に皮相的な考えであるか、次の如き問題点について、資料に基き、安定所職員が自巳の業務を反省すると共に、学校職業指導担当者に十分認識させておく必要がある。

(1) 職業指導の加えられていない生徒達の、職業についての知識は殆んど無いに等しい状態であること。

(2) 十分な職業指導がなされる以前の生徒の「希望職業」「職業興味」は極めて浮動しやすいこと、

(3) 十分な職業指導がなされる以前の生徒の「希望職業」は極めて狭い視野から決定されていること。

(4) 十分な職業指導がなされる以前の生徒の「希望職業」は当然考慮しなければならない幾つかの条件のうち一部の条件によって決定され、他は閑却されていること。

F 就職後の補導

1 補導前の準備

就職後の補導を効果的に行うには、安定所職員が面接の技術を身につけ、職業適応やその機能構造をよく理解しなければならないことは勿論であるが、次の事項は大切である。

補導を行う場合、事前に就職者の諸事業を職業相談票、その他の記録や技師、父兄の話などから十分把握しておく、

雇用主の協力なしにはその目的を達することはむづかしいが雇用主の同情的(又は反撥的(感情を抱いて臨むことは厳にさけなければならない。

2 問題発生のおそれのあるものの情報交換

経済的原因、その他の情報から問題の発生が是念されるもの就職者の個性、又は家庭環境から時別の助言を必要とするもの

3 問題発生の早期把握

4 県及び安定所における補導計画の周知

G 職業紹介と学校に対する働きかけ

1 連絡事務の重要性

職業紹介が円滑に行われて、業務が支障なく遂行されるためには学校と安定所の間に充分な連けいが保たれねばならない。安定所は、常に、学校、安定所における求人求職の状況を把握し、学校を訪問したり、文書、電話等により密接な連絡を取る必要がある。

2 学校の職業指導体制の把握

安定所の対学校活動業務の困難さの一つには、管下学校はそれぞれ職業指導の体制や、その業務への考え方や実積が異っているところにある。学校にどのような働きかけをするかの前提として先ず各学校の現況をとらえることが大切である。

(1) 学校職業指導の不備から生ずる諸現象の把握

職業指導主事(安定所依存校の職業指導担当教師を含む)から把握できるもの

職業指導主事が頻繁に(毎年)交替し、その都度事務指導を行わなければならない。

職業指導主事打合せ会の出席がよくない。

統計報告、その他の報告及び事務連絡が円滑でない。

報告内容に誤りが多い。

担当者が「持時間が多くて手が廻らない」と不満を漏らす。

担当者が「他の教師は少しも協力してくれない」と不満をもらす

担当者が「校長が職業指導や就職問題について余り熱意や理解を持たない。」と不平をもらす。

予算が少なくて工場見学できない等と訴える。

② 校長、PTAから把握できるもの

安定所職員が職業講話、テスト相談等の用務で学校を訪問した際の印象から

進学指導に対する力の入れ方と較べて職業指導に対する熱意が薄い

P、T、AがP、T、Aの事業計画、(活動計画)として職業指導や職業紹介に関する援助、協力を取りあげたり計画に折込んだり、或は予算支出を考える等関心を示すことがない。

③ その他より把握できるもの

安定所との連絡が低調である。

職業講話、職業適性検査、職業見学等を自主的に積極的に行なおとしない。安定所の援助により行っても授業時間の融通で協力的態度を示すことがなく消極的である。

職業指導、紹介体制が確立しない。

職業指導、紹介体制の予算措置が考慮されていない。

巡回職業相談の際把握できること。

職業相談票の記入が不完全で

ある。

一応の職業選択の出来てないものが多い。

適職決定後に把握できること。

希望職業の根拠薄弱は変更が多い。

求職取消、就職取消、早期離職の率が高い。

(2) 上記の諸現象の生ずる原因

1 教師、P、T、A関係者の認識の低さ

2 運営上の不備

関係者の認識や意欲は決して低くないにもかかわらず校内体制の不備、年間計画上の欠陥等が主なものと

③ 担当者の不慣れ

3 対策

(1) 原因の究明把握

原因を究明する場合には、単に一、二の出来事から判断したり断定を下すことは厳にさけ、ある程度長期に亘り交捗、連絡打合の至遅及び過去の業務や手続上の実積など綜合し、他との比較検討を行った上で、原因を把握する。

(2) 働きかけ

間接的働きかけ

常時適切な機会を把え広く関係機関、団体に対して行うこと。

例えば、職業指導協議会、職業指導研究会、P、T、A、教育委員会の会合、校長会、関係団体の会合の席上、を利用して行う。又報道機関の活用も積極的に考慮しなければならない。

時期的考慮を払うこと。

相手を納得させるに足る適切な資料を準備すること。

当面する問題の性質によって、安定所長、職業（業務）課課長が自ら当ること。

直接的な働きかけ

原因が、2(2)、③の如く担当者の不慣れから生ずる場合は当然事務処理等に関する指導及び職業指導技術の向上に関する援助を行う。

原因が、2(2)②の如く関係者は大きな熱意と関心とをもっているにもかかわらず単に運営上の不備から諸般の問題を生じている場合は関係資料を提供すると共に次の点を反省する。

安定所は学校に無理を強いていないか。

安定所は、学校の要望する（又は必要とする）援助に対して十分な協力を行っているか。

学校と接触する業務担当者は、それだけの人格、資質経験のある職員であるか。

原因が2(2)③の場合は積極的事務指導を行う。

(3) 働きかけの準備と段階

学校に対する働きかけは単なる思いつきや場当り的な話し合いではかえって反撥反感を買う結果となることがあるから事前に周到な用意が必要である。

準備

職業指導上に生ずる不備、欠かん支障を克明に記録し整理して、その原因と思われるものをまとめておく、

同様な問題を比較的充実した学校と比較できるようにする。

この際利用される資料は就職率、定着率、求職取消率、走赴任率、希望変更状況、その他統計資料

働きかけの順序

事務処理等に関する指導及び職業指導技術の向上に関する援助をする。

職業指導協議会、教育委員会P、T、A、第三者を通じて働きかける。

安定所長、学校長が直接話し合う。

四 公共職業安定所年間計画例

（昭和36年度）新規学校卒業者職業紹介業務年間計画表例示

（其の一）　　　　（岐阜公共職業安定所）

月別	実施期日又は期間			実施事項	実施要領	実施機関		
	中学	高校	大学			県	安定所	学校
四月	下旬	〃	〃	職業紹介年間計画の策定	県の大綱に基くのほか、管内の特殊事情、過年度の実施結果、本年度の見透し等勘案して計画する。	○	○	

月別	実施期日又は期間 中学	高校	大学	実施事項	実施要領	実施機関 県	安定所	学校
四月	20日	〃	〃	職業課長会議	1 本省取扱方針及び県の方針指示 2 中学校卒業者需給調整要領の指示 3 過年度取扱い結果反省検討	○	○	
	下旬	〃	〃	職業紹介の法的取扱別の決定	1 過年度の取扱実積の検討 2 学校長との協議		○	○
				学校名簿の整備	学校長、職業指導担当官を把握、名簿作成		○	○
五月	上旬	〃	〃	雇用主懇談会開催	1 学卒職業紹介方針(本省需給調整要領)について説明 2 管内主要雇用主を大企業、中小企業(集団求人を含む)に夫々区分し懇談会を行なう。	○	○	
	中旬	〃	〃	学校との就職対策打合開催	1 前年度業務取扱結果の反省 2 学校職業紹介方針(本省需給調整要領)について 3 進路指導のあり方、進め方 4 安定所、学校間の業務計画、調整及び協力体制の確立 5 法第75条の3の学校の業務分担の明確化 6 職業指導講話の日程について 7 職業相談票の記入要領の説明		○	○
	下旬	〃	〃	適性検査の実施及び援助	1 中学校については全校実施 2 学校実施について安定所は援助する 3 七月末迄に実施する		○	○
	〃	〃		職業指導講話	1 中学校第三学年全員について全校実施 2 中学校第二学年についても進路指導講話を学校よりの要請により実施する（年間を通じ実施） 3 視聴覚資材（映画、スライド）を出来る限り使用する 4 高校については学校の要請により実施 5 父兄に対しても正しい職業観を啓蒙する 6 六月下旬迄に終了する		○	○
	〃	〃		求人、求職動向調査の実施	求人、求職共職種別に取りまとめ、全国需給調整の予備調整資料とする	○	○	○
	〃	〃	〃	学校卒業者進路見込調査実施	1 大学、高校、中学別に卒業者の進路を調査 2 性別に進学、就職、家事従事、その他別に実施 3 就職希望者については安定所紹介希望する者、両親又は片親を欠く者、身体障害者及び県外就職希望者数等把握	○	○	○

月別	実施期日又は期間 中学	高校	大学	実施事項	実施要領	実施機関 県	安定所	学校
六月	上旬	〃	〃	過年度卒業者の求人求職状況分析	1　120号、130号調査による分析 2　就職者の地域別、産業別就職状況	○	○	
	1日	〃	〃	求人受理開始、雇用主に対する周知	1　見込求人については目下確認正式受理 2　報道機関の利用 3　中小企業求人条件指導		○	
七月	中旬			予備需給調整 （職業課長会議）	1　本省主催求人、求職情報交換会結果に基き県内における予備調整を実施する 2　求人受付等には求人先の指導を行う（大口求人については県においても指導） 3　集団求人指導及び条件指導	○	○	
八月	上旬			職場見学、職業訓練所見学及び職場実習の実施	1　職場選定について学校と協議 2　訓練所の状況見聞 3　職場実習の効果を確認		○	○
	〃	〃	〃	前期職業相談の開始	1　適職判定について指導援助する 2　職業安定機関利用増大を図る 3　父兄の意向確認 4　9月末日迄に完了するよう実施する		○	○
	中旬	〃		補導結果の確認	1　労働条件、宿舎施設、福利厚生施設、社会保険加入状況等指適事項の確認 2　来年度学卒求人申込の条件と照合、確認 3　補導票の分析検討		○	
	下旬	〃	〃	学卒者就職確保体制の確立	職員の機動的配置		○	
	31日	〃	〃	第一期求人受理分の整理	求人票の整理		○	
九月	上旬			第一回求人、求職状況調及び県外向求人一覧表の作成	1　8月末現在における求人、求職状況調作成報告 2　第一期分県外向求人一覧表作成、供給県送付 3　県主催による需要地安定所打合会（資料60部作成）	○	○	
	中旬			県外向求人一覧表の検討（需要県からの送付分）	需要県からの送付された求人一覧表を検討受理求人判定（会議）	○	○	
	〃			求人情報第一回配付	8月末現在のものを第一回分として各中学校宛配布		○	○
	25～26日			第一回全国需給調会議	労働省主催、県出席	○		
	31日			第二回求人受理分の整理	求人票の調整		○	

月別	実施期日又は期間			実施事項	実施要領	実施機関		
	中学	高校	大学			県	安定所	学校
十月	5~6日			第一回県内需給調整会議	1 県内調整求人一覧表作成提出調整実施 2 県内求人に対する調整実施	○	○	
	上旬			第二回求人、求職状況調及び県外向求人一覧表の作成	1 9月末現在における求人、求職状況調作成報告 2 第二期分県外向求人一覧表作成、供給県送付 3 需要地安定所打合会（県主催）	○	○	
	〃	〃	〃	後期職業相談の開始	1 具体的求人に基づき職業相談を行う 2 前期職業相談時未決定者についての指導 3 縁故就職予定者の実態把握 4 父兄及び学校教官の意向再確認 5 25条の3の高校についても実施 6 母子家庭、身障者、特殊児童等重点的に行なう		○	○
	中旬	〃	〃	あっ旋計画の樹立	受理した求人、求職の充足あっ旋計画樹立		○	
	〃			県外向求人一覧表の検討（需要県からの送付え）	需要県からの送付された求人一覧表を検討受理求人判定（会議）	○	○	
十月	中旬	〃	〃	雇用主に対する周知	各報道機関利用、雇用に対する呼びかけ（職業相談結果による）	○	○	○
	〃	〃		他県との需給調整会議	通勤条件求人について他県との需給調整会議に出席（10、11、12月予定）	○	○	
			下旬	学生就職対策打合会	1 学生に対する職業指導について検討 2 就職及び施対策について	○	○	○
	25~26日			第二回全国需給調整会議	労働者主催、県出席	○		
	31日			第三期求人受理分の整理	求人票整理		○	
十一月	5~6日			第二回県内需給調整会議	1 県内調整求人一覧表作成提出 2 県外求人に対する調整実施 3 県外からの返戻求人検討	○	○	
	上旬			第三回求人、求職状況調及び県外向求人一覧表の作成	1 10月末現在における求人、求職調作成報告 2 第3期分県外向求人一覧表作成、供給県送付 3 需要地安定所打合会（県主催）	○	○	
	中旬	〃		あっ旋計画の樹立	受理した求人、求職の充足あっ旋計画樹立		○	

月別	実施期日又は期間 中学	高校	大学	実施事項	実施要領	実施機関 県	安定所	学校
十一月	中旬			県外向求人一覧表の検討（需要県から送付分）	需要県から送付された求人一覧表を検討、受理求人判定（会議）	○	○	
	27～28日			第三回全国需給調整会議	労働省主催、県出席	○		
	31日	〃	〃	第四期求人受理分整理	求人票整理		○	
	中旬			求人情報第二回配布	9月～10月末迄の求人を第2回分として各中学校宛配布		○	○
十二月	5～6日	〃		第三回県内需給調整会議	1 県内調整求人一覧表作成提出、調整実施 2 県外求人に対する調整実施 3 県外からの返戻求人検討	○	○	
	上旬			第四回求人、求職状況調及び県外向求人一覧表作成	1 11月末現在における求人、求職調作成報告 2 第4期分県外向求人一覧表作成、供給県送付 3 需要地安定所打合会（県主催）	○	○	
	〃			応募書類の提出	1 第1回の求人情報に基づく応募書類提出 2 求人者別の応募状況把握		○	○
	中旬			学校教師との就職打合会	あっ旋及び選考要領細部の指導		○	○
	〃	〃	〃	あっ旋計画の樹立	受理した求人、求職の充足あっ旋計画樹立		○	
	〃			県外向求人一覧表の検討（需要県から送付分）	需要県から送付された求人一覧表を検討、受理求人判実（会議）	○	○	
	下旬			求人情報第3回配布	12月20日現在のものを第3回分として各中学校宛配布		○	○
	末定			第四回全国需給調整会議	労働省主催、県出席	○		
	末定	〃		第四回県内需給調整会議	1 県内調整求人一覧表作成提出、調整実施 2 県外求人に対する調整実施 3 県外からの返戻求人検討	○	○	
一月	1日			紹介（推せん）開始	大企業関係1月10日 第1回求人情報分1月11、12日、第2、3回求人情報分1月20日実施		○	○
	上旬			充足状況調査	第1回求人情報に基づく充足状況把握		○	○
	〃			職業訓練所への入所選考実施			○	○

月別	実施期日又は期間			実施事項	実施要領	実施機関		
	中学	高校	大学			県	安定所	学校
一月	中旬			応募書類の提出	第1回未充足求人、第2、3回求人情報に基づく応募書類提出		○	○
	下旬			赴任受入計画立案（業務課長会議開催）	1 赴任及び引率旅費取扱い要領の作成 2 集団赴任取扱いについて供給県と連絡	○	○	
二月	月間			未充足求人、未就職者対策	1 未就職者の再相談 2 学校と安定所との連絡 3 中学、高校、大学求人の切替指導		○	○
			中旬	学生就職対策打合会	1 大学当局より状況説明 2 就職促進について	○	○	○
三月	中旬			就職決定者の実態調査	特に縁故就職者に重点を置き調査		○	○
	中旬〜下旬			計画赴任実施	赴任者の把握と関係県及び安定所と連絡	○	○	
四〜六月	下旬以降			就職後の補導実施	1 中小企業重点に特に早期離職防止のための補導実施 2 学校、供給県と連絡 3 7月補導結果をまとめ、今後のあっ旋資料とする	○	○	○

昭和三六年度　年間業務計画　学卒関係　其の二　（瀬戸公共職業安定所）

月別	実施項目　中学校	実施項目　高等学校
4	新規学校卒業者就職対策打合会（所内）	新規学校卒業者就職対策打合会（所内）
5	職業指導主事打合会 適性検査（六〜七月） 主要供出県に対する産業労働事情の周知徹底	職業指導主事打合会 職業講話 主要供出県に対する産業労働事情の周知徹底 求人受付開始（大学含む）
6	帰すう見込調査 管内向け職業指導資料の作成 職業講話（六〜七月） 職場見学実施並に援助（六〜八月） 雇用主懇談会 特に県外求人対象 ｛求人見込の把握　労務管理設備の近代化賃金関係｝ 県報告 イ 求人動向調査　ロ 求職動向調査 ｝職種別に検討 求人者（集団求人）指導 求人見込の予備調査	職業相談 帰すう見込調査 県内県外アルバイト求人開拓 （併せて文書で雇用勧奨） 同　左 三三条の二学校臨査及び指導 求人開拓（大学含む） 求人見込の予備調査（大学含む）
7	第一期求人受付開始（七〜八月） 管内管外予備調整 父兄保護者との懇談会（地区別） 寮母主婦との懇談会 第一次現地説明（七〜八月）	県外求人連絡開始 求人開拓（大学含む） アルバイト学生の受入れ 同　左

月別	実施項目 中学校	実施項目 高等学校
8	職業相談計画の樹立{前期 後期 雇用管理指導 職場実習の指導援助	求人開拓 雇用管理指導
9	第二期求人受理期間 職業指導主事打合会（第二回） 第一回計画的職業相談（前期）	三三条の二学校監査及び指導
9	県報告 イ　第一回求人求職状況調（八月末で作成） ロ　第一回県外向求人一覧表（八月末で六〇部）	
10	第三期求人受理期間 雇用主懇談会 第二次現地説明（十〜十一月） 県報告 イ　第二回求人求職状況調 ロ　第二回県外向求人一覧表 県内向け職業指導資料作成（求人情報その他） 県主催求人求職交換会（第一回）	大学職業紹介選考開始 高校すい選開始 同左 同左
11	第四期求人受理期間 県報告 イ　第三回求人求職状況調 ロ　第三回県外求人一覧表 県主催求人求職交換会（第二回） 未結合（返戻）求人の訂正検討	高校職業紹介選考開始（十一月一日予定） 県外現地選考 同左
11	学卒採用雇用主指導用及び就職決定者心得作成 第二回計画的職業相談（後期）	同左
12	県主催求人求職交換会（第三回） 県報告 第四回県外向け求人一覧表 学卒相談会議による特殊求人開拓 応募書類の整備	アルバイト求人開拓（管内） 県外現地選考
1	県内一斎選考 第三回計画的職業相談（後期、一〜二月） 県外現地選考 県外赴任者受入態勢の再確認（一、二、三月）	三三条の二学校監査及び指導 同左 同左
2	未就職者の完全就職（管内） 未充足求人に対する充足計画の樹立検討 雇用主懇談会	同左
3	県外就職者受入開始	アルバイト求人開拓

第二編　本土に於ける青少年職場の現況

一　アンケートの上から

(1)　アンケートの内容

本土就職者状況調査

1　現在どんな仕事をしていますか（店員、職工見習、紡績、食品製造）

2　仕事になれましたか（なれた、だいたいなれた、なれない）

3　仕事はおもしろいですか（おもしろい、ふつう、おもしろくない）

4　仕事はむずかしいですか（むずかしい、ちようどよい、やさしい）

5　仕事は適していますか（適している、適していない、わからない）

6　仕事に満足していますか（満足、ふつう、不満足）

7　職場の上役になれましたか（なれた、だいたいなれた、なれない）

8　入社する時の約束は守られていますか（給料は守られている、多い少ない）（仕事の内容は守られている、内容がちがう）

9　本土就職をしてよかったか（よかった、よくない、どちらともいえない）

10　同僚との関係はよいか（よい、普通、よくない）

11　沖縄出身者に対する理解（理解がある、普通、理解がない）

12　あなたの住居は（間借、下宿、寄宿舎、使用者と同居）

13　食事は（おいしい、普通、おいしくない）

14　食事の量は（十分ある、たりない）

15　地元職安の人々は（時々来る、来たことがない）

16　職安の人々は（よく相談する、相談しない）

17　労働組合に（入っている、入っていない）

18　学校は（通っている、行きたくない、使用者が許さない）

19　残業は（毎日ある、時々ある、ない）

20　働らく時間は（八時間、九時間、一〇時間、一一時間、一二時間）

21　休日は（毎週一回、毎月一回、月に二〜三回、一月にない）

22　休みの使い方（映画、市街見物、使用者手伝、その他）

23　預金は毎月している、していない、する余裕がない）

24　郷里へ送金を（している、していない）

25　今のところに（ずっと働きたい、他に変わりたい、沖縄へ帰りたい）

26　郷里へ手紙は（毎月（　）回出している、毎月は出さない）

27　郷里から手紙は（毎月（　）回ある、殆んどない）

28　今後、本土就職は（送ってほしい、送らない方がよい、わからない）

29　本土就職を進められたのは（先生から、父兄から、友人から、職安から）

30　本土就職をしたのは（沖縄より収入があると思って、沖縄に仕事が少ないからなんとなく、本土にあこがれて、その他）

31　本土就職について予備知識を持っていましたか（持っていた、いない）

32　あなたの不満と思うことを何でも書いて下さい。

(2)　実施方法

(イ)　視察の際子供らと懇談の上短時間に記入させた。

(ロ)　職場の都合上全員実施の所と一部実施がある。

(3)　対　象

(イ)　二〇事業所

(ロ)　人員一九三名

(ハ)　職　種

店員三名、職工見習一〇九名、紡績一六名、縫製工六五名　美容見習一名

(4)　考察した結果

(イ)　現在の職場は青少年の技能に対してさほど難かしいとは思われない。

(ロ)　仕事に対しては「面白い」と答えたのが全体の三四%で「面白くない」が一二%である。

(ハ)　仕事に適しているのが三四%で適していないのが二六%である

(ニ)　仕事に満足しているのが一九%で不満足が一六%である

(ホ)　「入社する時の約束は守られていますか」に対して守られていると、自信をもって答えることの出来る子供が一〇%しかつかめない、無答がおよそ九〇%いる、その結果入社時の契約条件について充分の理解をもっているとは考えられない。

(ヘ)　(9)　(25)　(28)　の各項の綜合的結果からアンケート対象児童の約五〇%は現在の職場に安定していることが見受けられる。

残り五〇%は

本土就職に対して、不安定ながら本土就職を持続しようとする子供達と本土就職を中絶して帰郷を希望する子供たちに別れる。

(ト) 食事については憂りょすべき問題はない。

(チ) 組合については全然加入しない会社が二〇社のうち一四社を占めている。

(リ) 定時制については通学しているものが全体の八%である。現在定時制を希望するのは七〇%いるが職場の都合で行けない状況である。学業成績の状況と関連すべき問題であるが、アンケートにあらわれた%としては重要視すべきである。

(ヌ) 残業はほとんどの会社でやっている。但しこれは強制的ではない。職場によっては増収の道ともなっている。

(ル) 預金は大体の子供が実施している。

(ヲ) 本土就職をしたのは

「沖縄より収入があると思って」がおよそ七%

「沖縄に仕事が少ないから」がおよそ一六%

「なんとなく」がおよそ六%

「本土にあこがれて」がおよそ二三%

「其の他」が一四%

これから職場決定に対し漫然とした態度でのぞんでいるのが約三〇%あることは注目すべき事項である。

(5) 子供達の声（原文のまま）

◦ 食事は油分が少いのであまりおいしくない。
◦ 給料が安い。
◦ 娯楽施設が少ない。
◦ スポーツが出来ない（グランウドの施設がないので）。
◦ 技術が覚えられない（最近分業で仕事が簡単になっている）
◦ 給料から布団代、作業服代が差引かれる。
◦ 職安の人は求人票と実情をたしかめてほしい。
◦ 宿舎がせまい。
◦ 宿舎がやかましい。
◦ 油仕事なので洗濯にもおちない。（洗濯機がほしい）
◦ 入社する時は就職の目的をはっきりしてきてほしい。
◦ 仕事がやさしすぎて面白くない。
◦ 会社が給料から貯金を差引いてほしい。
◦ 父兄は本土就職に対してもっと理解してほしい。
◦ 転職する場合の手続、方法を教えてほしい。
◦ 残業が多くて学校へ通えない。
◦ 沖縄の新聞を読みたい。（五、六ケ所で子供たちの話）
◦ 学校の先生方に手紙を送ったが返事がない。
◦ 出来るだけ手紙を送ってほしい。
◦ 残業はしないで八時間労働にしてほしい。
◦ 沖縄からの入社が一ケ月送れるので、早く就職させるようにしてほしい。
◦ 集団就職に対して職安の人々や、教師の考え方がうすい。
◦ すべてに不満で書きようがない。
◦ 自分の性に合わない仕事をしている。他に変りたいが会社に対して恐怖心があり、転職が出来ない。
◦ 中途で転職したり、沖縄に帰ったりすると残りが迷惑である。
◦ 次から本土就職する者は固い決心で来て欲しい。
◦ 学校へ通って居ますが二人なのでたまに友達がいないとき一人になってしまうので夜通がこわい。
◦ 今の所図書の金は皆で出しあって、買っているので今後会社から出してほしい。
◦ 上役の人の中には「沖縄々々」云うて馬鹿にする人もいる。まるで南洋土人のように考える人もいる。
◦ 労働組合に入っている人と入っていない人と区別する。
◦ 仕事が将来役に立つ仕事ではない。
◦ 毎日たのしい生活で不満はない。

II 雇用主の声

◦ 仕事の内容についてあまり理解してきていない。
◦ 精度の技術習得には中卒の方が勘がよい。
◦ 過年度卒よりも新卒の方をのぞむ。
◦ 本土に送り出せば、性行がよくなるのではないかと云う安易な学校側の考えで送りこまれた問題児もあった。
◦ 本土のゴロと最初から対決する考えで本土就職した問題児もいる。
◦ 学校長の証明書を盗印して出したものもある。
◦ 沖縄の青少年は無口であるが勤勉である。
◦ 地味で真面目である（殆んどの職場でよくきく声である）
◦ 引込み思案である。
◦ 辛棒が足りないのもいる。
◦ 集団生活になれていない。
◦ 時間観念が乏しい。
◦ 応答が不明瞭であり、黙否の態度

が多い。

。他県のものとよくなじまない。

。身体検査は厳重にしてほしい。

。人物の選定には慎重にしてほしい。

。貯畜心を養成してほしい。

。会社や職安からの照会に対して早急に回答してほしい。

。求人内容をはっきり理解してから来てもらいたい。

。職安行政の体制を筋のあるものにして有機的に活動するようにしてもらいたい。

。スタートは悪いが尻あがりに成績はよくなる。

。語学が一般的にわるい（奨学女中の場合）

。勉強することが先だと云う考えを持たせないで働くことが基礎だと云う考え方を強くもたせたい（奨学女中の場合）

。労働組合に対する教育を徹底し附和雷同しないよう指導する。

。給与条件については具体的に内容明細についての理解をさせる。

。日本本土の子供は職業意識が強く、定着率はよいが、沖縄の子供は職業意識職業に関して考え方が薄く定着率が悪い。

。入社する時は職安の世話になるが、やめる時は他人の話を聞いて転々と職を変えていく。

。本土では優秀職場には九月頃から書類を送っているから、三年の一学期までには詳しい身上調査書を整えてほしい。

。定時制高校を希望する者の就職送り出しは入試に間に合うようにしてほしい。

。一般に無邪気で悪ずれしていない。

。お互同志方言で話していることがあるが、日本本土の人の悪口をしているようで気持がよくない、いつでも標準語でやってほしい。

。仕事は徹底的な分業で単一作業であることを十分に理解させることが必要である。

。他人の煽動によって不和雷同的に転職する傾向がある。

。工員全般に共通する問題だが、だらしない点がある。（衣服、はきもの、寝具の後始末など）

。常識的な道徳性と自立精神を養ってほしい。

。不満は雇用主によくうちあけて、相談してほしい。

。まじめであるが、依頼心が強い。

。勤労意欲に欠ける者あり、働くくせをつけてほしい。

。転職する場合は必らず職安に相談してほしい。

。本土就職をする目的をはっきりして貰いたい。

。作法面の指導を充分して欲しい。

。仕事になれてくると派手な生活をしたがるので、学校の先生や親から注意して欲しい。

。言葉遣いがぶっきらぼうである。

。始めから本土就職を足掛にして行ってから転職するつもりで来たのもある。

III 職場一般の事情

沖縄出身青少年の本土就職の職場分布に広島から、富山、新潟及び千葉、栃木に及ぶ一八都府県の広範囲にまたがっている。

この度の視察は、大阪を中心とした和歌山、奈良、京都、兵庫、名古屋を中心とした愛知、岐阜、静岡、東京を中心とした神奈川、埼玉、栃木の一二都府県にわたったものである。

(1) 工場所在地の概況

イ 。工場所在地はその地域の中心都市から電車で一時間内外の距離に散在する。

衛星小中都市の郊外にあって、田園地帯に包まれた場所にあるのが殆どである。

ロ 事例

。某事業所の場合（その一）

都心から電車で、近郊都市迄約一時間半、更に支線に乗り替えて約四十分、再びバスで三十分程かかる場所にある。

工場周辺は田園で映画やその他の文化施設は見当らない。

某事業所の場合（その二）府内ではあるが、汽車の便が悪く、二日かかりでなければ訪問出来ない遠隔の地にたった一ヶ所の事業所がある。

(2) 事業所の規模

イ 従業員数

十四―二十名程度の町工場から、三〇〇名内外の所謂中小企業工場が大部分である。

ロ 施設

民家を改造した木造建物から平屋建トタン葺きの工場などがあり殆んどが改造、増築中のものが多い。中には小規模ながら近代的体裁をそなえたものもあるが、一般には工場という概念からみて予想外のものがあった。

宿舎については、増築及び改装中のものが多く、娯楽施設、食堂風呂、寝室などの完備されているものは、吾々が視察した四三事業所中二、三ヶ所であった。

従業は通勤者で間に合っていたが、沖縄、九州等からの求人による事業拡張に伴って宿舎の施設を急いでいる事業所も数多く見受けられた。

ハ　労働条件

。労働時間

週休、八時間労働制は守られているが、殆んどの事業所は残業を行っている。

店員、美容見習の場合は十時間～十二時間の労働で休みは月二回である。

工場によっては二交代、三交代のところもある。休憩は昼食事時以外はとっていないところが多い。

(3)　。給　与

基本日給

250円×25日＝6500円（日給二二〇円―三〇〇円もある）

皆勤手当　五〇〇円

残業手当

一時間に付き時給の二割五分増を与給休日出勤者には基本日給の二割五分増を与給。

賞　与　年二回（盆、正月）

昇　給　（一回～二回）

手取額は食費、社会保険料、諸雑費を差引いた額である。

食費は事業所によって、一五〇〇円―五〇〇〇円ぐらいである。

手取額は三〇〇〇円―五〇〇〇円程度である、（残業手当を含まず）

作業服は会社負担で与給するところと、半額個人負担による与給と全く与給しないところがある。

寝具は無償貸与と個人負担（月賦）がある。

(4)　職務内容

イ　職務内容は職種によって差異があるが、全般に分業化された単純作業である。

ロ　作業は肉体的労働と云うよりはむしろ、持続的な根気強さを必要とする精神的疲労が大きい。

ハ　部分的単一作業の繰返しであることから、就職前に予想していたであろう、製品完成の喜びなどと云うことは味わえないのが普通である。

ニ　職務内容の上からは別段危険を予想されるような事情はみあたらない。

第三編　本土就職に関する今後の対策

一　本土就職に関する送り出し体制についての改善策

(1) 現在までの反省

本土に於ける郷土出身青少年の職場を視察し関係機関の意見を聴取し、その送り出しの経路や現在の各職場の中におこっている諸問題を検討して見ますとこれまでの労働局と中学校側と本土の両雇用連絡所の連絡調整において職場の選定や、求人条件の実証等に不備の点があったのではないかと云う事が痛切に感じられます。

　そこで本土就職に関係する各機関はこれまでの実情をつぶさに反省し、一日も早く正常なルートを確立し、関係機関がその分限に応じて有機的に活動するような体制をつくり、需要側の信頼を得ると共に、青少年をより一層によい職場におくりだすための対策をたてなければならないと思います。そこでその改善策として次のように要望いたします。

(2) 改善策

(イ) 職安行政の上で厳につつしんでもらいたいことは、本土における求人側の職場を実地に検分することなく事業主の口車や、紹介書類だけで職場の選考を行い、そのまま各職業安定所に求人票を流すと云うことであります。

　(1)(2)の実例をあげるひまもなく青少年の不満足な職場として、定着率もわるく、職場における転職離脱の問題の起りもここに起因するものと思われます。

(ロ) 次に本土職場の検証や、本土の地元職安との連絡及就職後の定着補導の関係から今後本土に関する職場の選考に限り東京、大阪の両雇用連絡所にその権限を完全にうつすことだと思います。

　最近は本土の事業主が沖縄にまで求人のために出張し、本土の職安との調整や大阪、東京の両雇用所との事前の連絡がなく、時には労働局職安課の手をはなれて、各職安側が単独なルートをむすんだり更に学校側と事業主と直接にむすびつく等のことがもしあったとするならば職業紹介や職場開拓の上からいろいろと不備点が生じてくると考えられます。

　本土に於ける求人ブームは予想以上のものであり、もっと腰をすえて職場を選考し、定着率において、信用をかっている郷土青少年のために少しでも良い職場を求めてやると云う努力がつくされなければならないことは申すまでもありません。その為には、次のような体制が必要であります。

(ハ) 本土に於ける需給調整の体制におくれないようにするためには大阪、東京の両事務所は地元職安と連絡を密接にして職場の開拓と職場の実証を行い、年度の職場一覧表を作製しこれを労働局職安課に提供し、職安課はその範囲に於いて学校側に対する求人を行うようにすることが最も安全なルートだと思います。

(ニ) 以上の構想の上にたって送り出し体制を図表に示しますと凡そ次のような体制が確立されるのではないでしょうか。

○ 望ましい求人ルート

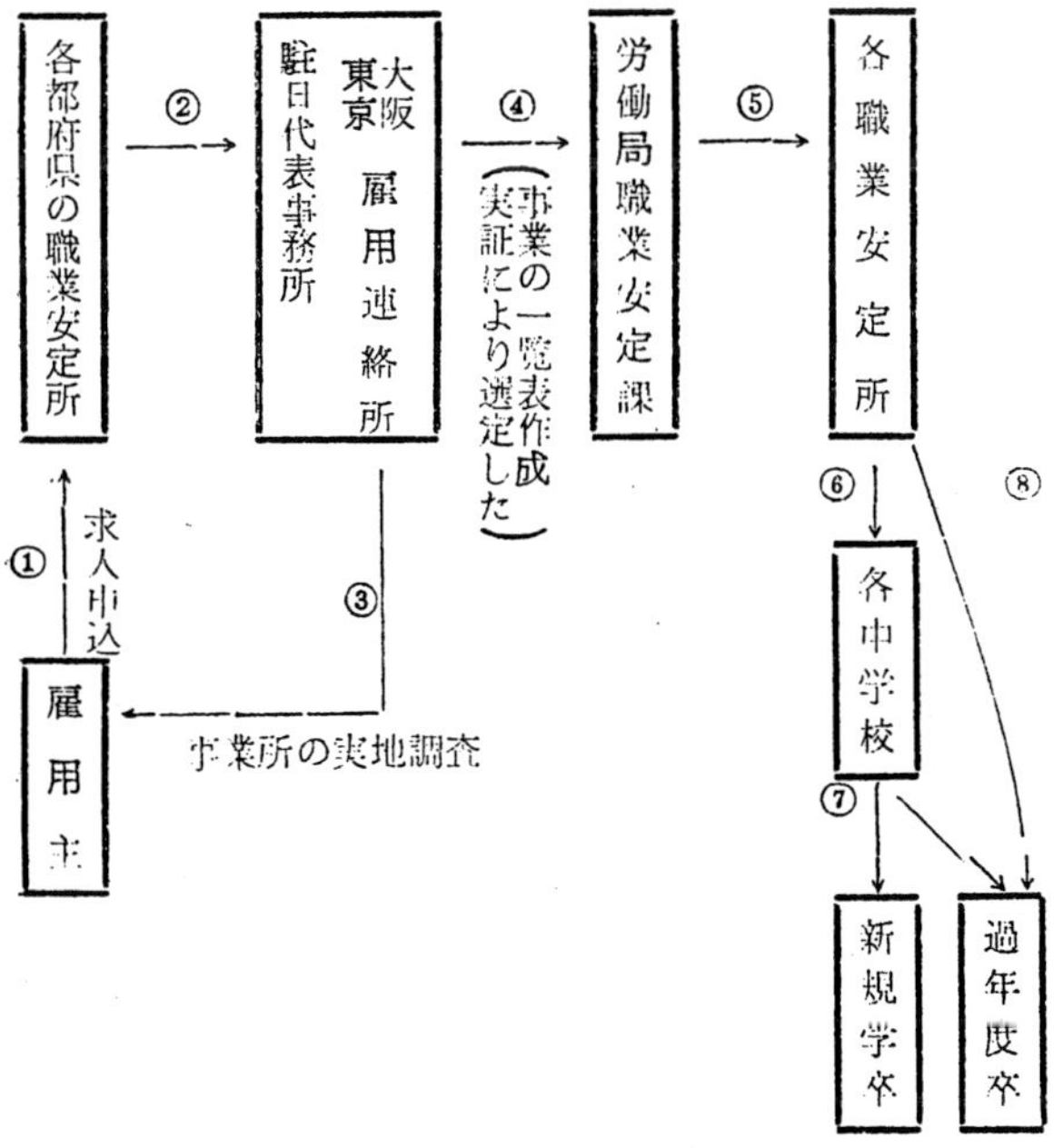

（このルートは本土就職を軌道に乗せるための根本策として厳に確保されるべきである）

(弊害の多い不当な求人ルートの例)

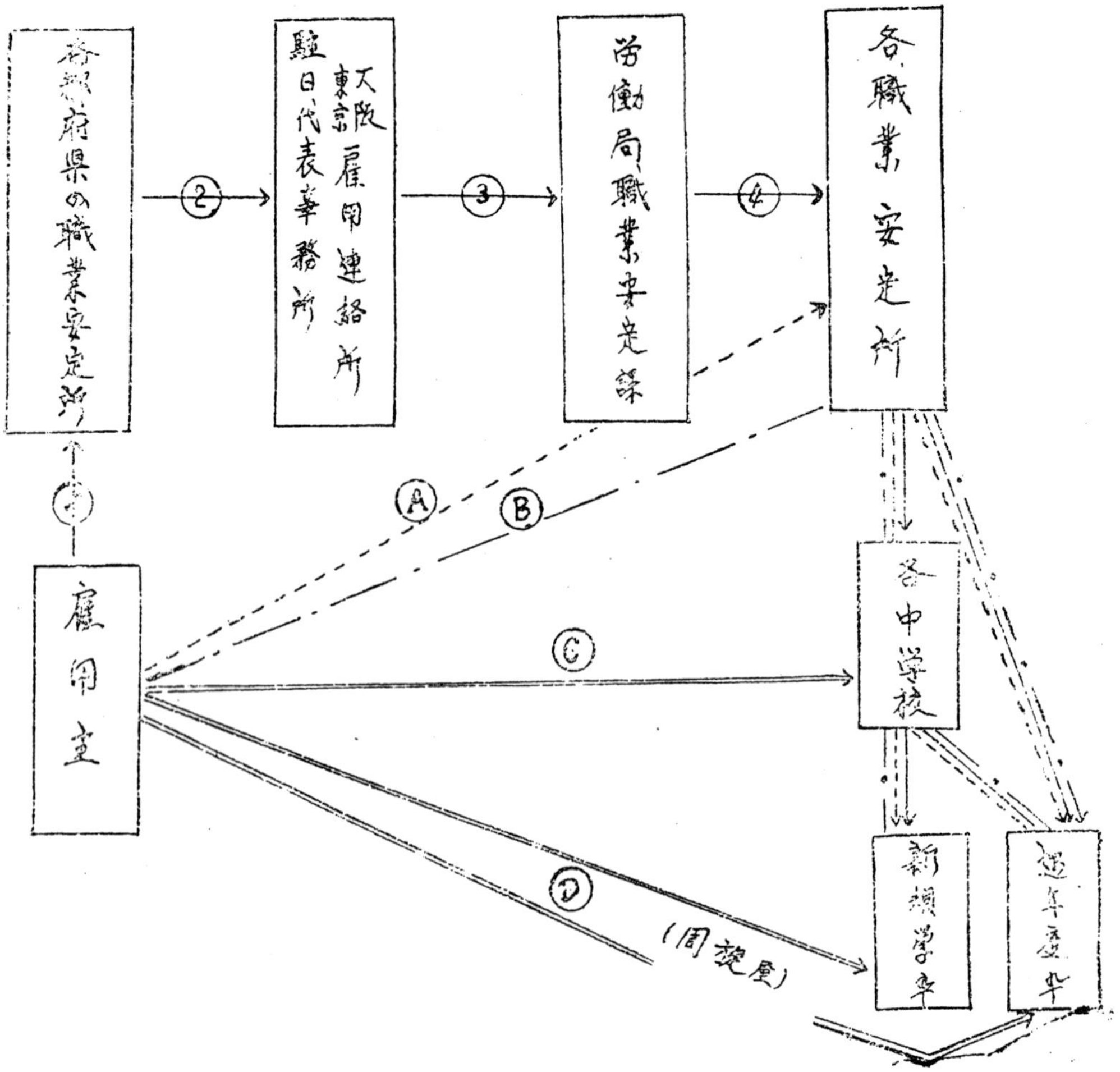

○ A、B、C、D、のように正当なルートを経ずに直接現地へ赴いて求人することが予想されるが、労働局職安課は一応正式の公文によって大阪、東京の連絡し実証の上にたって求人に応じなければならない。

○ 学校が直接雇用主と契約して送り出されることも予想されるが、事業所の口車にのったり、正しい姿の職場紹介が行われない危険も考えられるので本土の連絡所にその実証をまかせるべきである。

○ そのために悪質な業者に乗じられたり、周旋屋の介入するすきを許し、送り出し後の補導にも困難を生じ地元職安との提携がうまくいかないことが予想される。

○ 労働省職業安定局においても雇用主が直接学校へ求人に行くことを阻止しなければならないという方針である。

(ホ) 職場全体の問題の中から、今後の対策としてとりあげてもらいたいことは、本土の現在の職場が余り広範囲にひろがっているためにその後の補導が困難であるということと、職場についての諸条件の上から必ずしもよい職場ばかりとはいえない事情のところも含まれており、そのような二点から、これ以上に職場を拡げると云うよりも労働条件を質的に向上していくための対策をたててもらいたいことであります。

現在送り出している職場の中には除々に整理していくべき職場もあり、今後も持続的に提携にいくべき職場もあり、これらの職場についての観察を持続しながら、整理し、よりよい条件の職場については積極的に開拓していくよう心掛けるべきことだと思います。

(ヘ) 職場紹介については事業主の提供した求人票やその他のパンフレットにあることなく、職務内容や事業所周辺の事情等、ありのままの様子を伝え、就業前に仕事についての長短や若楽の事情をよくしらせるようにしてもらいたいことであります。

特に沖縄においては中学校の教師も生徒も、父兄も現在の小中企業の事情にうといことから事前指導の重要な事項であると考えられます。

(ト) 最後に強調したいことは、団表の中で一部ふれておきましたように、本土の地元職安、大阪、東京雇用連絡所、労働局職安課、各地区職業安定所、各中学校の進路指導主事の各関係者が常に有き的な連携を保持するための対策をたてることであります。

勿論その体制はそのまま本土の需要体制につながるものでなければならないと思います。

III 中学校側に対する要望

(1) 学級活動の進路指導の年間計画のうち特に進路決定に関する事項については三年の一学期までに終了するように配慮すること。

(2) 本土にあこがれ、なんとなく本土就職したという卒業生が三〇%、就職前に契約条件や職務内容を充分理解してなかったのが九〇%、をしめしている点から職場に対する紹介を慎重に明細に指導すること。

例えば、給与に関しても日給の他の諸手当等も充分考えさせないままに、その総計でもって、多額に印象づけ、その為に契約違反だと反問して事を起した例もある。

(3) 労働条件や生徒の希望だけにたよることなく、職場に対する生徒の適不適の問題についても慎重に考慮し、その能力や性格等についての考察をおこたることのないようにすること。

(4) 近代産業の分業流れ作業の一般的事情を充分理解させ、単調な流れ作業に長時間たえ得る根気強さの重要性を身近かに感得させること。

・すいせん事務的
・学歴のかき方にまちがいが多い
・一四〇〇人　求人票の件
・就職に力を入れている

(5) 宿舎における集団生活については定着指導の主要な場面でもあるが中学校において生活指導面（挨拶、言語、作法等の）の指導を徹底すべきである。

(6) 転職する場合の手続きや方法についての指導を行い無軌道な脱線行為の危険なことについて具体的に事例をあげて指導すること。

(7) 労働組合に対する理解を深めること。

(8) 平素の行為の観察の上から補導を要する生徒についての本土就職はつとめてさけることがのぞましい。

(9) 時間的観念が一般に乏しい学校生活のあらゆる面で今後共強調し、指導されなければならない。

(10) 郷土に対する自信をもたせるとともに、日本人としての確固たる理解を深め、他県の青少年とも充分にしたしめる心情を養うこと。

(11) 同一職場に居りながら平均二〇〇〇円以上の貯金するものも居れば、余裕がないと云う理由で貯金や送金をしないで無駄使いするものも居るので在学中貯畜精神を養成する必要がある。

(12) 就職先への書類を完備し特に補導のための資料として、所見欄の記入を欠かさないようにすること。

(13) 進学指導に主力を注ぎすぎるという傾向は本土においてもきかされたことであるが、学卒の進路指導こそもっと重要なことであることを認識すべきである。

特に教育課程の改訂に伴う進路指導の諸計画は、第四編に例示してありますように充分な計画と研究を行い職業家庭科としての専門的な指導から学級担任制にうつされた意義をいかすようにしなければならない。

追 進路指導の計画を樹立し、後期前期の職業相談を充分に行い確固した職業観を樹立させる。

学校側はすすんで職安との協力をはかり職安行政をより効果的に運営されるようにとりはからうこと。

(14) 進路についての指導の中の職場紹介のためのスライドや資料をととのえるように心掛けてもらいたい。

(15) 最近本土から直接求人にくる事業主に対してうかつに手をむすぶことなく職安課や地方職安との連絡を密にするように

補導（定着指導）についての対策

(イ) 現　況

東京大阪に琉球政府駐日代表事務所の雇用連絡所が置かれ、その指導に当っているが、担当係官の手不足と、事業所が広地域に散在しているために、指導が思うようにいかない状態である。

(ロ) 対　策

1 東京、大阪の雇用連絡所の担当係官の増員。

2 就職先は補導の上からも、東京、大阪、名古屋周辺の交通の便を考慮して集約すべきである。

3 青少年ホームの充実。

現在、在阪県人会の手によって運営されているが、政府によって施設、設備して、活発に活動できるような計画をたてるべきである。

4 組織的な激励補導会の開催

労働局、文教局、本土就職促進協力会、県人会などがタイアップして、実施すべきである。

5 進路指導主事の継続的派遣による補導と進路指導主事相互の連絡提携による効率化をはかる。

文教局、教育区委員会、本土就職促進協力会の支部等の事票として、数多く派遣すべきである。

6 各学校進路指導の一環としての定期的な文書補導と、各種団体（PTA、促進協力会、婦人会、青年会、市町村など）による激励文の発送や郷土に関する各種印刷物の送付。

7 本土派遣研究教員並に本土視察の教職員関係者、市町村関係者等による激励補導。

8 郷土発行新聞を各新聞社支局の世話により、各事業場に購読させるようにしたい。

A 票

新規学校卒業者就職後の補導

※ 1
※ 2

個人調査票

大阪府 公共職業安定所

A 氏名	男 女	B 出身校	府県 市郡 中学高校	C 送安定出所	
D 勤務先		E 職種		F 通住別	イ、通勤 ロ、住込

G		H	
1. 誰の紹介で就職しましたか	1.安定所 2.学校 3.その他	1. 毎日の仕事は楽しいですか	イ、楽しい ロ、普通 ハ、楽しくない
2. 賃金は月いくらですか(手取)	円	2. 主人や同輩は親切ですか	イ、親切 ロ、普通 ハ、不親切
3. 休日は月何回ですか		3. この職場に永く勤めたいですか	イ、勤めたい ロ、わからない ハ、やめたい
4. 一日何時間働きますか	午前 時から 時まで (休憩 時間 分)	4. 勤めてからの身体の調子は	イ、よい ロ、普通 ハ、悪い
5. 残業はありますか	有 無	5. 就職してから病気をしたことがありますか	イ、有 ( ) ロ、ない
就職する前に聞いた条件と違っていることがありますか		6. 相談相手になってくれるか	イ、上役 ロ、同僚 ハ、その他 ( )
		7. 住込の生活について満足していますか	イ、満足 ロ、普通 ハ、不満足
		8. 楽しくない理由やめたい理由	

I 職場に対する希望
J 安定所・学校に対する希望
K 今後職業生活について自分の考へ

皆さんが働いている状況をおききしてよりよい職場生活をしていただくための資料とするものですから正直に記入してください。

検閲者印	

月　日	補　　導　　記　　録	担　当　者

昭和三六年度年間業務計画（学校関係の部のみ抜すい）

（豊橋公共職業安定所）

月別	業務内容	実施時間 上旬	中旬	下旬
4月	中学、高校未就職者のあっ旋（継続）（労働省　新学卒就職対策打合会）	○	○	○
	求人情報作成準備	○		
	学校卒業者の職業紹介状況調査	○		
	新規学卒者初任給調査	○		
	雇用主懇談会（総会）	○		
	職業指導講話の準備	○		
5月	中学、高校未就職者のあっ旋	○	○	○
	中学校職業指導主事打合会	○		
	学校卒業者の職業紹介状況調査	○		
	中学校職業指導講話		○	○
	中卒就職者座談会（通勤者）	○		
	求人情報発送			○
	学校の行う無料職業紹介事業の監査			○
6月	大学、高校求人受理開始（継続）	○	○	○
	集団求人育成指導	○	○	○
	雇用主懇談会（県外連絡求人）	○	○	○
	中学校職業指導講話	○	○	○
	中学校職業適性検査の援助（継続）	○	○	○
	新規学校卒業者進路見込状況調査		○	
	高校職業指導主事打合会			○
	新規学校卒業者の職業紹介業務報告（最終）			○
7月	中卒求人受理開始（継続）（労働者新学卒求人求職情報交換会）	○	○	○
	中学校職業適性検査の援助	○	○	○
	アルバイト求人開拓	○	○	
	集団求人関係事業主協議会	○	○	
	中学校職業指導主事打合会	○		
	中学校職場見学の援助（継続）		○	○
8月	中学校職場見学の援助（継続）	○	○	○
	中学校の訓練所見学の援助	○	○	○
	中学校職業適性検査の援助	○	○	
	アルバイト学生の補導		○	○
	中学求人情報発行（継続）			○
9月	中学求人情報発行（労働者第一回全国需給調整会議）	○	○	○
	一〇月入所職業訓練所のあっ旋	○	○	○
	中学校職業指導主事打合会	○		
	中学校職業相談第一次（継続）		○	○
	中学校長会議			○
10月	中学校求人情報発行（労働省第二回全国需給調整会議）	○	○	○
	中学校職業相談第一次	○		
	学校卒業者の職業紹介状況調査	○		
11月	中学求人情報発行（労働省第三回全国需給調整会議）	○	○	
	中学校職業指導主事打合会	○		
	学校卒業者の職業紹介状況調査	○		
	中学校職業相談第二次（継続）		○	○
	雇用主懇談会			○
12月	四月入所職業訓練所へのあっ旋（継続）（労働省選考開始―積雪地）	○	○	○
	アルバイト求人開拓	○	○	
	中学校職業相談　第二次	○		
	学校卒業者の職業紹介状況調査	○		
	中卒者選考書類の取まとめ及発送		○	○
	求人連絡に対するあっ旋見込数の把握			○
1月	四月入所職業訓練所へのあっ旋（労働省選考開始―その他全域）	○	○	○

月別	業務内容	実施時期 上旬	実施時期 中旬	実施時期 下旬
月	学校卒業者の職業紹介状況調査	○		
	中学校職業相談　第三次		○	○
	中学校第一次一斉選考		○	
	中学校第二次一斉選考			○
2月	中学校未就職者の職業相談及あっ旋（継続）	○	○	○
	学卒移動交換会の実施	○	○	
	学校卒業者の職業紹介状況調査	○		
	雇用主懇談会の開催			○
	中学校職業指導主事打合会			○
	学卒者帰すう状況調査			○
3月	中学未就職者の職業相談及あっ旋	○	○	○
	学卒初任給調査	○	○	
	就職激励会の開催	○		
	学校卒業者の職業紹介状況調査	○		
	学卒県外赴任者の受入			○

第四編　中学校における進路指導の一考察

一　進路指導関係の学年別月別年間計画例（草案）（労働省試案）

(1) 文部省進路指導の手びき（中学校編）による。

月	一年	二年	三年	進路指導部（委員会）
四	オリエンテーション 進路希望調査 家庭環境調査 知能検査	進路希望調査 家庭環境調査	家庭環境調査 （知能検査）	PESOとの年間計画協議会 未就職者の処置 卒業者の統計作成 （補導の計画）
五	（職業興味調査）	職業興味調査	職業興味調査 職業適性検査	諸検査の計画、実施
六			進路希望調査 （職業講話） （職業相談）	
七	自己分析 職業研究調査	自己分析 職業研究調査	自己分析 職業研究調査	
八	職業研究調査	職業研究調査	職業研究調査 （先輩と在校生の座談会）	
九			就職希望調査	個人票作成計画 （職業相談の計画）
一〇		（職業適性検査）	体力測定（就職希望者） 職業相談	進路別父兄会の計画実施 求人情報の提供 相談の実施
二		（職業適性検査）	職業相談	求人情報の提供 相談の実施
三	自己分析	自己分析	学期末反省 自己分析 進学相談 （職業相談） 就職希望者の指導	
一			進学希望者臨時身体検査 就職希望者の指導	
二			就職希望者の指導	
三	学年末反省 自己分析 進路希望調査	学年末反省 自己分析 進路希望調査	就職希望者の指導 進路別特別指導	次年度進路指導計画立案 諸記録整理 進路指導関係の全面的評価反省 （備考） 以上のほか実施するもの 1 情報の収集、整備提供 2 卒業者の補導 3 進路相談の適宜実施 4 職業安定所との連絡、協議

この草案は本年三月上旬現在のもので、四月上旬さらに委員によって検討修正され

る。
本年七月末までには決定版が出版される予定
（尚文部省との調整の上に構成されたものではない）

(2) 進路指導の学年別計画例（時間配当）

区分 内容	A・案 配当時間数 一年	二年	三年	合計	B 案 配当時間数 一年	二年	三年	合計
1 自己の個性や、家庭環境などについての理解	四	一	三	八	八	四	三	一五
2 職業、上級学校についての理解	七	一〇	四	二一	二	一一	—	一三
3 就職（家事、家業従事を含む）進学についての知識	—	三	三	六	—	—	八	八
4 将来の生活における適応についての理解	—	—	五	五	—	—	四	四
計	一一	一四	一五	四〇	一〇	一五	一五	四〇

A案（栃木県教育委員会案）
B案（東京都進路指導研究会案、神戸市立中学校案）｝による

1　上記進路指導の内容別、学年時間配当はそれぞれの地域及び学校が独自に定めるもので、A案、B案はその一例にすぎない。

2　進路指導に配分する単位時間数は一般的に第二、三学年に比重を重くする方法と各学年に平均して配分する方法とがあるが、多くは前者となるであろう。

3　上記学年別、内容別、時間配当は、さらに、別表（A案の分）の如き年間計画として作成される。別表の年間計画をみるときに公共職業安定所が、その学校に提供する職業情報として好ましい、時間別情報の種類とその内容が明確となる。

4　公共職業安定所が個々の学校別に、種類と内容の異なる職業情報を作成したり提供したりする業務上のはんさを避けるためにも、事前に、その地域の教育委員会との協議、あるいは管内職業指導協議会とも十分打合せをし、なるべく公共職業安定所単位に必要とする情報資料の統一を図ることが好ましい。

A案による学年別、学期別年間計画案　（2の別表）

学年	学期	題目	ねらい	配当時間	内容とおもな方法	備考
(11時間) I	1	1 個性と家庭環境	自己理解の関心を育てる自己分析	2	教師の指導 生徒の意見分析	調査 向性検査
		2 産業と職業	産業、職業の区別、職業への関心を育てる	1	〃	職場見学 産業、職業分類
		3 進路の計画	進路計画の必要学習の意義、相談の必要	2	〃	計画的相談の実施
	3・2	4 職業のいろいろ (1)	身近かな小売業について調べる職業というものの意義	2	小売業（大企業と小企業）仕事の内容 社会的役割 就職機会 男女の職業	生徒の研究調査を中心
		5 職業のいろいろ (2)	農業、製造業サービス業	4	同上	同上 職場見学
		6 自己分析、進路計画の反省と修正	同左	家庭作業		必要によっては1単位時間
(14時間) II	1	1 自己分析票と進路計画の修正	修正の理由を考えさせ、長所はのばし短所は矯正	1		調査 知能検査
		2 産業分類と職業分類	一学年で学んだものの他にも多くある事の概要理解	2	産業分類職業分類のあらまし	
		3 資格職業	その種類と取得方法	2		

学年	学期	題目	ねらい	配当時間	内容とおもな方法	備考
	2	4 職場調査の方法	調査の目的や方法と調査の観点の理解	1	目的、方法、観点票の作成	調査の実施は夏休み中にみせる
		5 職場調査感想発表	職場に働く者の実態理解	1	感想発表会	
		6 上級校と他の教育施設	職業との関連において上級校や各種教育訓練施設概要	4	働きながら学ぶを含む	
		7 先輩の進路	先輩の進路現実のわくの状況	1	過去二〜三年間(統計使用)	
	3	8 求人求職の動向	現状理解にもとずく働くことへの考え方心がまえ	2	同上 ならびに教師指導、感想発表	
		9 自己分析票進路計画の反省、修正		家庭作業		
(15時間) Ⅲ	1	1 自己の特性と進路		1	自己分析票 進路計画 の検討	計画的相談開始
		2 職業研究(その一)	自己の好きな職業 希望する職業 について研究	2	図書室その他	できるだけ詳細に
		3 〃(その二)	研究した職業について発表させ理解を深める	2	男女数名の発表	GATBとの関係
		4 職業研究	希望によりグループによる職業の実際についての研究	自由研究	職場調査	職業興味調査八月に職場実習(希望者)

学期	題目	ねらい	配当時間	内容とおもな方法	備考
2	5 進路の選択	進路選択の重要性 明確な観点	2	自己の特性、進路計画、卒業生の進路、将来の抱負、家庭事情	
	6 進学、就職家庭従事者の心がまえ	事業所の選び方 事業所の要求、労学両立の心がまえ、進学の心がまえ	3	いずれも先輩の資料等を中心に話合ったり指導する	個別相談
	7 適応と不適応(事例研究)	先輩の事例、原因と解決	2	職業生活、友人上司、人間関係、健康、能率、余暇等の問題	
	8 先輩との座談会	先輩と話合って就職後の心がまえを堅固にする	2	進学、就職した先輩との話合い	感想文提出
3	9 将来の理想と覚悟	将来の抱負を書かせ覚悟をあらたにする	2	作文を家庭でかく	作文宿題

（添別）

B 職業情報の主要領域

職業情報の構造

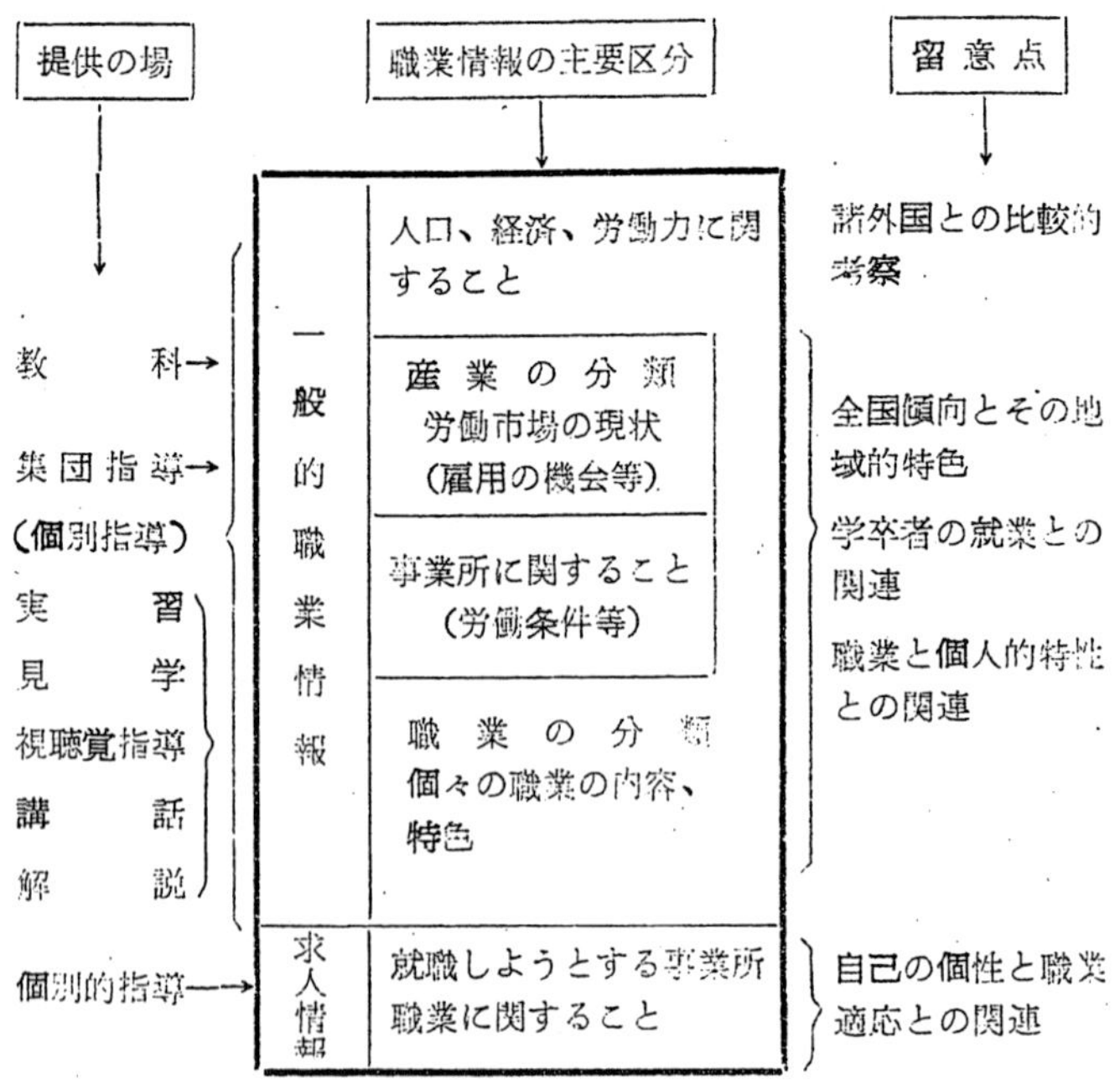

(1) 職業情報の主要区分においては概ね上段から下段の事項へ順に、一般的には広い職業領域の内容から特定職業の情報へと教示するのがよいと思はれる。

(2) 次のⅢ以下に統計的情報事例の一部を示した、二、三の事例は図式化してあるが他は統計表そのままを掲載した、情報提供の方法は理解を容易にするため適宜工夫するのがよい。

二　大阪府教育委員会指導課案

第一章　進路指導の運営について

第一節　進路指導への再認識

進路指導とは、「学校における生徒の個人資料、進路情報、啓発的経験および進路相談を通じ、生徒みずから将来の進路を選択し計画し、就職し進学して、さらにその後の生活によりよく適応し進歩するための能力を伸長するように、教師が教育の一環として、組織的、継続的に指導援助する過程」である。

学校教育の中に占める進路指導の位置は、教育法規の上でいろいろ規定されている。例えば学校教育法第三六条では、「個性に応じて、将来の進路を選択する能力を養うこと」を中学校教育目標の一つとしてあげている。

また改訂された中学校学習指導要領の中では、特別教育活動の規定において学級活動の中で、「将来の進路の選択」がとりあげられ、進路指導の内容が示されている。それの指導計画作成および指導上の留意事項をあげた中で「進路指導については、毎年計画的に実施し、卒業までの実施時数は四十単位時間を下ってはならないとしている。」そして学校行事等の規定の中で諸検査・諸調査など進路指導に直結する行事の行われるべきことを示唆している。

かような位置づけのもとに、進路指導は、生徒の進路の志向能力を高め、その将来の発達に寄与し、ひいては生徒のより好ましい人格形成に貢献しようとするものである。

したがって学級活動の中では主として学級担任が担当するが、学級全体の教育活動の中ではすべての教師が協力し、指導援助すべきものである。

こうした進路指導の意義や機能は、観念的には相当普及しており、また個性の伸長とともに、進路選択能力の啓発が、中学校教育の支柱をなすことも衆知に属している。

しかるに現実は、実践面に今もなお一部に重大な誤解が残存している。

それは長らく進路指導が **vocational guidance** の訳語として職業指導の名で把握され実践されて来たこととも符合しよう。

進路指導は、将来の職業を選択しようとする生徒への指導援助であるから、中学校を卒業して直ちに就職しようとする者に対しては勿論、高校、大学に学んで、より高度の知識、技能を身につけることにより、知能的・技術的な職業に就こうとする生徒に対しても適確な指導がなされるべきである。したがってことさら進路指導といわないで、職業指導と呼んでも、用語として不適当と思われない。

しかしながら職業指導の名は、しばしば次のような、世の誤解にさらされて来た。

a　職業指導は職業科教員のみに固定された任務であるとする誤解

b　職業指導は進学の指導とはかけはなれた指導分野であるとする誤解

これらは、職業の知識・技能の指導と職業指導とを混同する認識に基き、かつ職業指導を就職の指導——端的には就職あっせんとする把握に基くものである。

職業の知識、技能は啓発的経験や職業興味にむすびつくがそのすべてではない。普通教育の中学校においてはすべての教科指導・実験・実習・見学・クラブ活動等が教師の人格を通して生きた啓発的経験を体得させ職業興味の啓培に役立っているのであって、ひとり職業科教員のみが負担すべきものではない。

また、進学予定者に対しても、進学コース選定に必須の個人把握、高校情報、面接相談が将来の職業生活を目指して確実に行われなければならない。

これらの誤解乃至認識不足のゆえに、職業安定所の出先機関的な活動に止まったり、進学対策と称してひたすらな補習授業への没頭に終始する傾向も見られるのである。

この現状からして、数年前より職業指導の名を進路指導にあらためる提案が関係者間で採用され実現した。

しかも進路指導は職業指導と同意語であり、その内包する機能は、上述のとおり進学予定者、就職予定者その他すべての生徒たちに対し、彼らの進路選択が幸福な生活設計に直結するよう奉仕するものである。

進路指導は、かくて生徒の一生の運命に係る重要な指導活動であり、その重要性はくりかえし強調するに値いするものであるから、ここにその具体的内容を再確認したいと思う。

第二節　進路指導の具体的内容と学級活動との関連

学校教育の機能の一つとしての進路指導は、次のような活動分野をもつ。

(1) 個人理解

資料、面接、観察を通してなされる。学校行事における諸検査と調査個人相談、教科指導、学級活動、クラブ活動等のすべてを通して行われる。

1 調査および検査

①知能検査 ②興味検査 ③職業興味検査 ④クレペリン素質検査 ⑤性格検査 ⑥身体検査 ⑦体力検査 ⑧家庭環境調査 ⑨進路希望調査等

2 学力検査

3 生徒指導要録

4 自己分析

5 自叙伝、日記、その他の記録

6 生徒作品

7 個性観察

8 保護者の意見聴取

(2) 職業についての知識・理解

主として教科指導、学級活動、職場見学等で得られる。

(3) 進路情報

主として学級活動の中で行う。

1 産業や職業の情報

①産業の構造や職業の機構 ②一般職種、職能に関するもの ③入門職種についての解説

2 志向能力を養うもの

(自己分析、職業についての知識、理解、啓発的経験、進路相談等と関連して)

①進路の意義 ②個性と職業（就職可能限界の把握） ③進路計画 ④進路相談の必要

3 身近かな職場情報、高校情報

4 職業生活や高校生活への適応

(4) 啓発的経験

全教育活動の中で行う。学校行事の中では、職場や実習、高校、各種学校、職業訓練所の見学、一日実習などを計画する。

(職業や上級学校の選択に不可欠な自己の能力や適性、興味およびその他の個人的特性を、実際経験を通じて自己発見につとめ、解釈し、評価するための諸経験である。)

(5) 進路相談

学級活動の外で行う。

個々の生徒との面接相談と保護者の意見聴取

(6) 進路の準備

主として学級活動の中で行う。

就職、進学についての具体的な手続き、採用試験、入学試験に応ずる心構えなど。

(7) あっせん

指示された期間に行う。

進路先との交渉、事情調査、視察関係機関との連携、あっせん手続きの実務等。

(8) 進路決定後の指導

在学中は学級活動で、卒業後は職場補導、高校補導の形で行う。

諮問、文書、集会招集その他の方法

こうした進路指導の任務の中で、学級活動において主として指導されるのは、

(1) 個人理解の啓培に関する分野

(2)、(3)の進路情報的な分野

(6) 進路の準備における手続きや心構え

などである。

従来の学級活動（ホームルーム活動）は、学級づくりへの生徒集団の努力の中に、at home なふん囲気を高めて生活指導的、性格指導的な役割を果して来た。これに対し、今次の改訂では、学級活動のもつ性格に助けられて、進路指導の自己建設的な面を伸長させることになったのである。

したがって学級活動の中では共通に必要な一般的、基礎的な事項や内容を優先して取扱い、個々の生徒が個人として必要なより具体的な内容は、学級活動外の場で、個人指導されるべきである。

そして学級活動外の計画的な進路指導は大体従来からの進路指導部（委員会）の任務と一致しよう。しかも学級活動としての進路指導と学級活動以外の進路指導は表裏一体をなし有機的関連性を有すべきものであるから、両者の緊密な協力が期せられなければならない。

そのためには、全校的な進路指導計画を確立し、それをもとにして、継続的、計画的な学級活動や学級活動以外の進路指導の年間、月間計画を確立する。このとき教科、道徳、進路指導以外の特別教育活動、学校行事等との関連が合理的で、しかも妥当に調整されねばならない。

進路指導の中心組織が未設置の学校では、校務分掌として進路指導部（委員会）を組織し、上記任務を主導的立場に立って果すことが望まれる。

第三節　進路指導の担当者

進路指導は、くりかえす如く、あらゆる教育活動の場で行うべき性格のものであるから全教師が協同し指導する建前である。

ことに学校長は、地域の要請に応え全生徒の未来の幸福を実現させるために職員を指導監督しつつ明るい成果が得られるよう、進路指導の最終的責任者としての実を挙げられたい。

現状にあっては、進路指導は伝統のそう異もあり、学校間に不均衡に発達して来た。この際、学校長の良識によって、各学校の一斉前進が要望される。

教頭は学校長をたすけて円満な運営を推進する責務あることを確認されたい。一般教員間にあっては、全員で啓発的経験や職業興味の啓培に貢献するとか、教務主任が、進路指導の計画を、他との関連において適切に組み込むとか、生活指導担当教員が性格陶冶その他の働きによって側面援助するとか保健、視聴覚、図書その他の係数員は、それぞれの資料、情報の整理、保管供提を通して指導計画の円満な遂行に貢献できる。

こうした全職員の協力が期待されるなかで進路指導運営の二つの柱とされる学級担任、進路指導主任（職問指導主事）の任務は如何なるものかを考えてみよう。

(1)　学級担任の任務

学級活動をめぐる学級担任の任務は主として生活指導的（性格指導的）な面と進路指導的な面とに大別されるが、これらは道徳の指導とともに同時的、有機的に営まれる活動である。

進路指導に関する学級担任の任務は、

1　学級の年間、月間指導計画の作成と評価

進路指導が計画的に実施されるためには、他の教育活動との関連において調整され、ときに融合しながら、年間月間の計画を立案しなければならない。そして実施結果の評価、反省を次の計画に組み入れるべきである。

2　進路指導に関係ある学校行事等に対する協力

諸検査、諸調査の実施を始め、職場、高校の見学、保護者懇談会生徒の発表会、卒業生との座談会高校、各種学校、雇用主との懇談会、職業安定所員との懇談会や職業講話、同窓会、卒業生の激励力に積極的に参加する。

3　生徒の活動計画の作成と実践に対する助言と指導

自己理解、進路情報、啓発的経験、相談、進路の決定への自主的活動を指導援助する。ときには主導的に指導しなければならない面もあろう。

4　指導内容の研究

指導内容の中には相当専門的な知識、技術、経験を必要とするものがある。また社会情勢の変化や高校、職場の環境、条件の変化に対応し、常に新しい資料、事例や情報の調査、研究、収集に努めなければならない。

5　指導法の研究と工夫

学級での進路指導は、生徒の自発的、自主的活動の推進を中核とすべきものであるから、指導法はこの点に力を入れて研究し工夫をこらすべきである。

6　生徒の活動に対する評価と助言

活動結果の評価を怠たらぬようにし、それへの助言を含めて相談票指導記録等に記入する。

7　生徒の観察と個人資料の収集

断片的な観察を、綜合的なプロフイールの形成に高めていかなければならない。そのためには諸検査、諸調査の目的、内容、実施方法、その後の処理について充分理解し、その結果が正しく解釈されねばならない。

また教科の学習活動や生徒会活動、クラブ活動、学級活動の場で生徒の特徴をとらえるのに自ら努力するかたわら同僚からデータの提供をうけねばならない。

8　面接相談

学級活動の時間外に適当な機会に個々に面接相談する。

9　あっせん、補導への協力

あっせんが新社会への希望に満ちた出発点であり、補導が高校や職場における進歩を援助するものであるように、係職員と協力して実施する。

10　現職教育への参加

進路指導の原理、技術、管理運営にも、指導内容、方法等の研修に現職教育に参加する必要がある。

(2)　進路指導主任（職業指導主事）の任務

職業指導主事制度は昭和二八年十一月文部省令第二五号を以って定められ、「中学校には、職業指導主事を置くものとする。職業指導主事は教諭をもってこれにあてる。校長の監督をうけ、生徒の職業指導をつかさどる」と規定されている。同事務次官通達により、その任務は、「学校において職業指導を運営するための組織の中心者であり、職業指導の活動を計画的かつ継続的に運営するための責任者であるばかりでなく、職業指導に関する対外的な任務もあわせ受持たねばならない」として、「その人を得ることが必要である」と述べている。

職業指導主事は教諭を以てあてるとは、職業指導が教育上の活動であることを意味し、その人を得るとは、職業指導の免許状所有者であることとか人格、熱意、経験のすぐれていることを示唆するものである。

職業指導主事は、地方教委員会が補職発令するものであるが、その設置を見ない地域においても、各学校の校務分掌における進路指導主任は、上記職業指導主事と教育的任務を同じにする。

それは、学校長の監督のもとに、進路指導の実質的な責任者として、

1　進路指導部（委員会）を付表し係担任を定め、年間月間の指導計画を作成する。

2　つねに進路指導の管理、運営を全面的に確認、検討し、他の部、係および学級担任、教科担任等との連絡協調に努め、指導計画の円滑実施を図る。

3　ことに学校行事の中で行われる分野については同僚の協調が高められるよう配慮する。

4　個人資料、進路情報、啓発的経験に関する資料、事例を、同僚が活用しうる状態に収集、配置する。

5　相談室その他の施設、設備の管理、改善にあたる。

6　校外関係機関および上級学校、事業所等との連絡提携を図る。

7　必要とする諸経費の予算を立案し、指導力の充実を図る。

8　年間計画、諸経費、管理上の諸事項につき評価反省し、つねに向上を期する。

9　他教員、生徒、保護者と常に連絡をはかり、面接相談、あっせん補導等に主導的にあたる。

10　啓発的経験の計画に参加し、その結果についての評価とその活用をはかる。

11　外部に提出する書類、報告書、資料等につき責任を負う。

12　学級活動における進路指導の運営にあたっては、その指導計画、内容方法等につき積極的な指導性をもつと同時に、正確、新鮮な資料、情報を提供する。かつ学年会における企画、協議に参加し、学年間、学級間の調整に任ずる。指導内容によっては学級担任に代って学級活動を指導することもある。

第四節　学級活働における進路指導運営の基盤

学級活動における進路指導を推進する教師間の中心組織として、a進路指導委員会というべきものを組織する。b進路指導部（校務分掌の企画に全職員が協力する。c学年会（同一学年学級担任連絡会）で全員立案に参加し、実施方法を学年毎に統制する等、各校の実情に適合する基盤が求められる。

中心組織の参考例

a　ここでいう進路指導小委員とは、学級活動における進路指導の企画立案実施が、他の部、係の任務と摩擦なく運営されるように、他の部、係の責任者にも参加してもらって、その内容を研究、協議する会である。

構成員は進路指導主任を中心に教務主任、教育研究主任、保健体育主任、図書館主任、視聴覚主任、各学年主任等が参加する。（学級によっては、運営委員会をそのままあてる場合も考えられる）

b　ここでいう進路指導部とは、その組織、任務が確立されている学校で学級活動における進路指導の推進に積極的に奉仕できる体制にあるものをいう。

c　ここでいう学年会は、同一学年学級担任の連絡研究会であって、同一学年としてもつ共通な問題をじん帯としてよい意味で結束しており学級活動の共同研究の中に進路指導を位

置づけようとする立場である。指導計画が進路指導部から出されていても、さらにそれを自主的にそしやく吸収する。

上記三者の関係につき参考例をあげると、

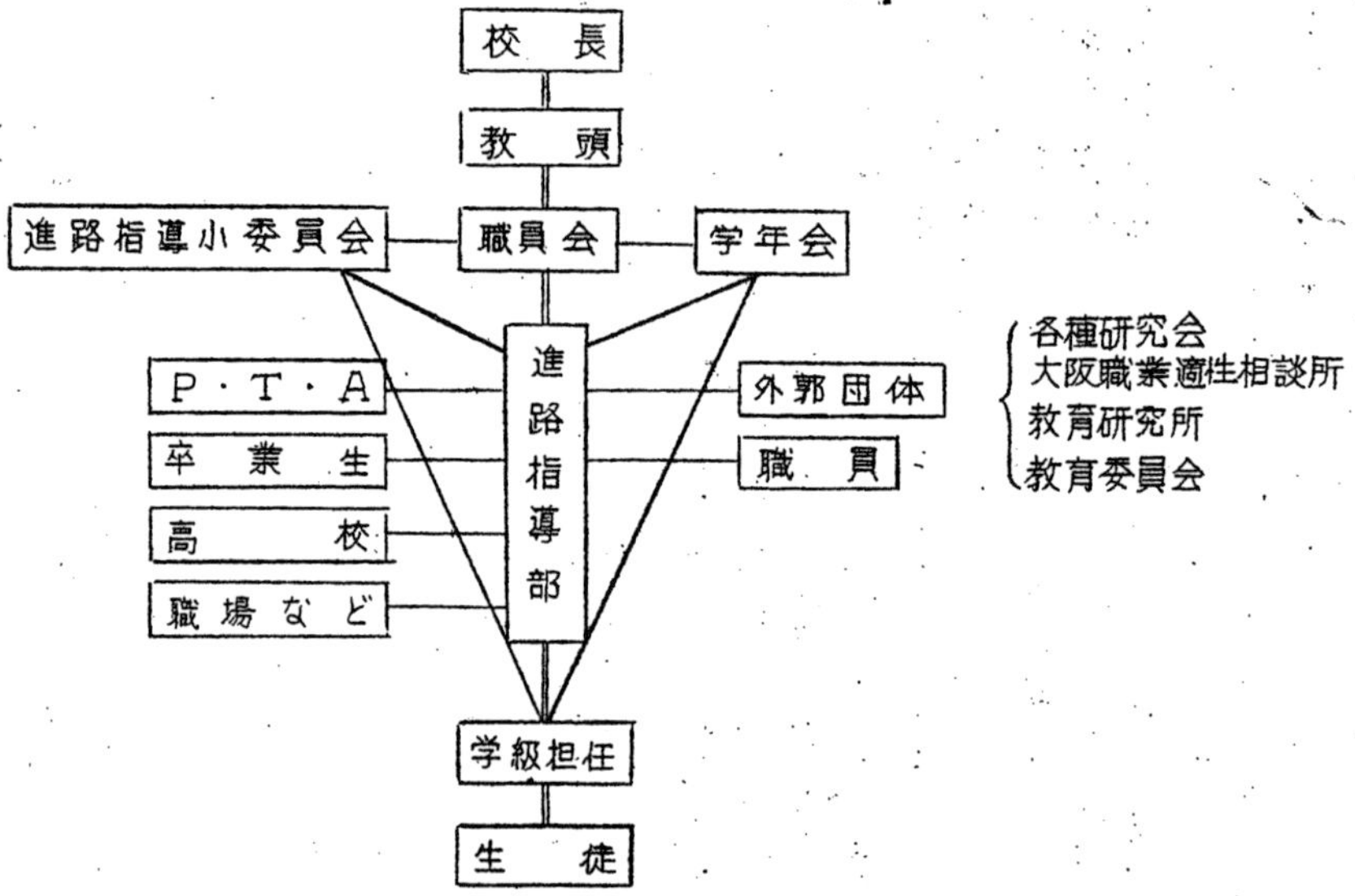

さらに生徒の活動を高める契機となるよう、生徒会とかクラブ活動の中でも活動の中心組織を置くことが考えられる。

ここで最も注意を要することは、学級活動の中での他の活動分野と進路指導との指導上の均衡をどう図るかという点である。

学級活動においては、学級としての諸問題の話合いと処理、レクリエーション、心身の健康の保持に関する活動と進路指導に関する活動が、円満に均斉のとれた計画の上で実践されねばならない。一方の特出が他方の後退を招くものであってはならない。

したがって研究企画の中心組織と実践を担当する学年会や個々の学級担任との間には、上の諸点で意見の衝突、計画のそごの発生を未然に防止し、望ましい協調が得られる配慮をつねに払っていなければならない。

これらのことと関連して次のような諸注意が喚起されよう。

(1) 諸活動の中における進路指導の位置づけが確立されていること。

(2) 全教師が進路指導の意義と内容を理解し、拙速的であろうと、試行錯誤を重ねつつも積極的に指導する意欲をもってもらうこと。そして指導の過程で相互に問題点を持寄り討議研修する機会をもつことが大切である。

(3) 学級活動の性格から、学級担任の熱意と創意工夫が大いに尊重さでる。進路指導主任（職業指導主事）はなるべく前面に出るのをひかえ、全校的な企画、立案を受持ち、設備、用具等の管理に当る外は、学級担任の困難とする問題を側面援助する程度にとどめる。

(4) 学級担任の負担の軽減を考えること。きまった場所で手引書参考書解説書の類、統計、図表の類、写真、テープ、新聞の切抜きの類がすぐ手にとれるように整備されており、またつねに新らしい進路情報が用意されていなければならない。

(5) 三カ年を通しての指導目標の達成は、当分の間特に前半に力を入れることによって可能となろう。なぜなら入学の当初から進路指導をすべての学習その他の活動に密着させることが、生徒の志向能力の素地を豊かに培

うであろうから。

(6) 面接相談は、生徒の個性把握家庭環境の理解、家族の人生観、職業観をつかさどるなど唯一の機会であり、事例収集の大なる源泉であり、且つば指導の成果を確認する機会でもあるから、実施されたい。

第二章　学級活動における進路指導の展開

第一節　カリキュラムの構成とその留意事項

中学校学習指導要領に示されている、学級活動における進路指導の範囲は次の如きものである。

(1) 自己の個性や家庭環境などについての理解（。個性のもつ意味　。自己分析のあり方　。自分の個性　。家庭環境の理解　。諸検査や調査の目的と結果の解釈　。家庭環境と学習や進路との関係　。学習や進路の計画立案、反省、修正　。進路の計画や選択に関する相談の進路選択など）

(2) 職業、上級学校などについての理解（職業についての理解　。職業観　。重要親近な職業の内容と特色　。上級学校、各種学校、育英制度などについての理解　。学校以外の教育練機関など）

(3) 就職（家事、家事従事を含む）や進学についての知識（。就職や進学の意義と心構え　。求人、求人の状況　。職場の選び方と受験　。進学先の選び方と受験　。家事、家事従事者のためになど）

(4) 将来の生活における適応についての理解（。職業生活と学級生活の相違　。将来の生活に予相される悩みと解釈　。職業生活への適応など）

この四分野は、互に交叉するものであり、且つ生徒の発達段階に即し、学年、学級の要求に即してカリキュラは構成さるべきである。

ここでは一応学年別に形式的配分を試みれば、第一学年においては主として(1)を、第二学年においては(2)および選択教科履修のための自己の特性や進路の理解、第三学年では(3)、(4)が主としてとりあげられることとなろう。

勿論、自己理解は第一学年のみならず、二、三学年でも順次程度を高めて指導すべきであるし、進路情報は第一学年においても提供さるべきである。そして学習や進路の計画の反省と修正は、広く学級活動その他の場でしばしばくりかえされねばならない。

以上の観点に立って具体的にカリキュラムを構成するに際して次のような諸点が注意されねばならない。

(1) 原則として学級担任が指導できるように構成すること。

(2) 三カ年通じて系統的に学習しうるよう編成すること。

(3) 地域、学校、生活の諸事情が組みこまれていること。

(4) 生徒個々の持ち味を生かし、生徒が自主的に活動しようとするふん囲気を盛りあげるものであること。

(5) 指導内容は一回限りのものとせず、環境や条件の変化に応じ発展的な積み重ねを意図すること。

(6) 抽象的、理論的でなく、具体的、実践的な指導を盛るものであること。

(7) 進学者だけ就職者だけの場面展開を極力避けること。生徒のすべてが自分の将来に自信と希望をもつように指導し得るものであること。

(8) 各教科、道徳、特別教育活動、学校行事等との関連を考慮に入れること。特に学級活動における他の活動分野との重複を避けること。

(9) 保護者会や家庭訪問その他の成果がとりいれられるようにすること。

第二節　指導目標と指導内容

学校教育の一環としての進路指導特に学級活動の場においては、できるだけ純粋な形で社会生活における人格的な適応を考え、また生涯における発達を考えるのを究極の目標とする。

したがって計画実施に当って種々の困難点に逢着されるであろうが、学級活動の基本性格は、生徒が学級集団の中に安定して、自己を建設してゆくその活動力を中核として推進されるべきであるから、学級担任は根気づよく一人一人の生徒の持ち味が発揮されるような多角的な経営を意図し、それに適合するよう指導計画をつねに修正すべきである。

この目標を達成するために、生徒の発達段階に応ずるものとして学年毎の指導目標を立てその指導内容を規定すれば次のようになろう。

「指導目標と指導内容概要」の参考例

項目／学年	指導目標	指導内容（概要）
第一	中学校生活に適応し、自分の個性や自分の環境についての理解を深めさせるようにし、あわせて進路に関心をもたせる。 自己建設の素地をかためるため	。中学生としての自覚と希望をもたせる。 。自分の心の働きを理解させる。 。自分の家庭と家族の職業について考えさせ、改善の意欲をもた

学年	第二学年	第三学年
に、学習計画や進路計画を立てさせ進んで相談する態度を養わせる。	職業や上級学校などについて知識や情報を得させ、自分の進路計画を深めさせ、進路の志向能力を高める。 三学年に進む前に、自分の進路特性に応ずる教科の選択を自主的になしうるよう援助する。	過去の努力を反省しつつ自分の特性を確認し、進路と結びつけて具体的な決定に至るよう援助する。 将来の生活に希望と自信をもって進む態度を養わせる。
せる。 ◦学習計画、進路計画を立てる。 ◦進路相談の意義を理解させ、進んで相談する態度を養う。	◦職業のもつ意義、内容、職業観のあり方を理解させる。 ◦進学の意義を理解させ、上級学校の体系、教育内容、特色等を理解させる。 ◦働きながら学ぶ意義や具体的な実行方法について理解させる。 ◦自分のもつ特質を反省し、これを進路とむすびつけて選択教科のとり方を考えさせる。	◦先輩の進路を分析させる。 ◦自分の過去を反省し、自分の特性を再確認させる。 ◦自分の特性と進路のむすびつきを考えさせる。 ◦希望する職場や学校を調査し、内容について確認させる。 ◦進学、就職、入所の手続きや受験の心構えを身につけさせる。 ◦学校生活と職業生活の特色、相違点を考えさせる。 ◦予想される将来の悩みについて事例的に対処する途を考えさせる。 ◦将来の生活に適応し進歩するための態度を養わせる。

第三節　指導計画

学級活動における進路指導の指導計画は、生徒の発達段階に応じて、生徒が自主的に進路の計画が立てられ、選択する能力を養い、さらに将来の生活に適応する能力が育成されることを目標としている。

そこで作成委員会は、学習指導要領の規定を尊重しつつも、当然考えられる指導内容を、各学年に如何に配当するかについて研究しあった。そして主題にあてられる時間表とか月別乃至学期配当の問題は、できるだけ生徒の自主的活動を尊重する建て前から、ある程度の幅をもたせることが必要と考える。

次に提示する指導計画の参考例においては、第一学年に二四%、第二学年に三九%、第三学年に三七%を配当して全体計画を設定した。またロングタイムで進路指導のみの展開を試みるのが本件であるが、運営の必要から、時には、学級活動全般にたわる主題を設定して、学級の話しあいに、二〇分、進路指導に二〇分健康指導に一〇分といった時間配当であっても生徒の興味と意欲を保持しうるような構成をとった方がよいこともある。

最後にそしてもっとも重要なことは、指導効果の確認、評価の問題である。それは生徒の自己評価、学級全員による協同評価、学年会職員会での協同評価のすべてを指すが、重点を生徒たち全員による協同評価の積み上げにおき、教師と生徒の間に信頼と愛情に満ちた建設的なふん囲気を醸成していく方向に導くべきであろう。

「進路指導の年間指導計画」　参考例

第一学年

学期	月	主題	指導内容	指導方法	資料	関連事項
I	4～5	◦中学校としての自覚と希望	◦中学校生活にはいった決意を固める。 ◦中学校における教科、道徳、特別教育活動、	◦作文「中学校にはいって」を課する。 ◦作文や事例を引用しつつ中学生の自覚を高める説話をする。 ◦進路希望調査を	◦本校教育課程（および選択教科の組合せ）の編成表。 ◦校務分掌一覧表。 ◦校内外生徒	◦学校活動で入学時のオリエンテーション。 ◦学級活動で学級づくりの討議。 ◦進路希望調査を四月始めにとる。 ◦学級活動で学校

学期	月	主題	指導内容	指導方法	資料	関連事項
			学校行事等の内容とその学習や参加計画。 ○将来の希望	検討分析させる ○作文「将来の希望」を課する。 ○中学校生活にはいった決意や将来の希望につき発表、討議させる。	会クラブ活動等の組織表	身体検査の結果を反省させる。 ○作文「中学校にはいて」の中に見られる誤解不満、悩みなどにつき個人指導する。
	6～7	○自分の心の働き。	○個性の意義 ○個性調査の方法と自己理解の方法 ○自分の個性と職業との関係	○個性の意義、内容を説明し、自己分析表の構成と記入方法を理解させ実際に行わせる。 ○自分の個性を充分理解して将来の進路にむすびつけることの必要を、事例を附して説話する。 ○個性の改善、伸長をいかに図るかにつき討議させる。	○文部省手引「個人資料編」「管理運営編」 ○日本職業指導協会編「標準心理検査法」	○小学校より送付の指導要録を分析検討し、生徒たちの特徴をまとめておく。 ○知能検査等の結果を参考にする ○同僚から教科、特別教育活動等に活動する生徒たちについてメモをもらっておく ○矯正されそうな個性のひずみについては個人指導する。
II	9	○自分の家族	○家庭環境 ○家族の職業 ○職業についての自分の考えと家族の意見	○作文「私の家庭」「家族の職業」を課する。 ○家庭環境調査からさしつかえのない項目についてまとめる。 ○家庭生活の改善について討議させる。	○文部省手引「情報事例編」	○家庭環境調査を整理しておく。 ○保護者から得た資料、事例をまとめておく。 ○家庭訪問の結果を参考にする。 ○生徒の作文の内容によって個人相談する。
				○家族の職業を自分も継ぐか他のどんな職業を選ぶかにつき討議させる。 ○職業について家族はどう考えているかを発表させる。		
	10～11	○自分の学習計画	○教科の性格と学習計画 ○学習と進路との関係 ○自分の学習環境の整備	○学習環境調査からさしつかえのない項目について検討させる。 ○学習の計画性につき先輩の事例とあわせて説話する。 ○作文「私の学習計画」を課する ○学習計画につき発表討議させる。	○文部省手引「情報事例編」	○学習環境調査を整理しておく。 ○先輩の学習計画の事例をまとめておく。
	12	○自分の進路計画	○進路計画の意義 ○進路選択のめやす ○学校の立てている進路指導計画	○既提出作文「将来の希望」を再検討させる。 ○作文「私の進路計画」を課する。 ○将来の希望と進路計画を関連させて自分の意見構想を発表させる。 ○進路選択はいか	○本校進路指導部運営組織と年間計画表 ○文部省手引「情報事例編」	○保護者会、家庭訪問の結果をまとめておく。 ○進路希望調査を再確認する。 ○先輩の進路計画の事例をまとめておく。

学期	月	主題	指導内容	指導方法	資料	関連事項
				なる目安に立って行うかを先輩の事例とあわせて説話する。 ◦学校の立てている進路指導計画を説明し生徒の要求に合致するかを検討させる		
III	1～3	◦進路相談	◦進路相談の意義 ◦相談相手と秘密性 ◦相手に何を相談するか	◦進路相談の意義と秘密性について説話する（相談したい内容によっていかなる相手を選ぶかについても） ◦作文「今相談したいこと」を課する。 ◦今自分が考え、悩み、相談したいと思うことについて発表、討議させる。	◦文部省手引「進路相談編」 ◦事例、資料	◦「今相談したいこと」について面接相談する。

第二学年

学期	月	主題	指導内容	指導方法	資料	関連事項
I	4～7	◦職業について	◦職業の意義と職業観 ◦職業の分類と内容 ◦職業と産業との関連 ◦職業のしらべ方 ◦職業生活への適応 ◦主な職業と職種 ◦職業と資格 ◦職業訓練制度 ◦職業状勢の変化	◦市町村役場について郷土の産業と職業の資料を得る。 ◦大阪府の資料から産業、職業の分類集計をつくる。 ◦職業分類について簡単に説明する。 ◦代表的な職業について解説する。 （スライド利用） （職業状勢の変化にふれる） ◦身近かな職業、職種について説明する。 ◦職業調査の方法を説明する。 ◦具体的な職業生活について適応の事例をあげる。 ◦職場見学の方法について説明する。 ◦職場見学の報告書をつくらせ発表させる。 ◦職業によっては必要とする資格について調査させる。 ◦職業訓練制度について説明する。 ◦職業に関し、先輩のあり方について話しあいさせる。 ◦作文「自分の希望職業」を課する。 ◦自分の希望職業について発表させる。	◦各種「職業論」 ◦各種「職業の解説」 ◦職業分類の解説 ◦文部省手引「職業情報編」 ◦各種「女性と職業生活」 ◦雇用問題研究会スライド「我等の職業」など ◦本校作成スライド、録音、新聞の切抜き	◦視聴覚係の協力を求める。 ◦職種別に職場見学を計画する（職業訓練所を含めて） ◦職場にある先輩と座談会をもつ

Ⅱ	9	◦進学の意義	◦進学の意義（将来の職業生活と関連して）	◦進学に関し、先輩のあり方について話合う。 ◦進学の意義について説話する。		
	9～10	◦上級学校について	◦上級学校の体系 ◦普通高校の特色 ◦職業高校の特色 ◦高校調査の仕方 ◦大学と大学院 ◦育英制度	◦上級学校の体系、普通高校、職業高校の特色について説話する。 ◦高校調査の方法について説明する。 ◦大学、大学院、育英制度について簡単に説明する。 ◦高校調査結果につき発表、討議させる。	◦学校系列の図表 ◦先輩の事例の資料 ◦文部省手引「情報事例編」 ◦大阪府高等学校案内 ◦「女性の職業と学校案内」	◦高校見学を計画する（普通、職業別男女別に） ◦高校在学中の先輩と座談会をもつ。
	11～12	◦働きながら学ぶ方法	◦高校定時制 ◦大学夜間部 ◦通信教育 ◦各種学校 ◦その他（検定制度、青年学級、婦人学級等）	◦働きながら学ぶ先輩のあり方につき話しあう。 ◦高校定時制、大学夜間部、通信教育、各種学校および検定制度、青年学級、婦人学級等について説話する。 ◦高校定時制調査の方法について説明する。 ◦調査結果について発表討議させる。 ◦働きつつ学ぶに適する職場の事例につき説話する。	◦働きながら学ぶ学校体系の図表 ◦文部省手引「情報事例編」 ◦先輩の事例の資料	◦働きつつ学ぶ先輩との座談会をもつ。 ◦（教科選択にそなえ個人面接相談の準備をはじめる）
Ⅲ	1	◦自分のもつ特質	◦自分の特質についての反省 ◦個性と進路選択	◦一学年に実施した自己分析を再検討し、さらに進んだ自己分析を課する。 ◦自己分析から自分の特質を発見するにはどうするかを事例をふくませ説話す。 ◦自分のもつ個性と進路をいかに結びつけるかを一学年より程度を高めて説話する。（進学、就職の方向範囲をなるべく幅ひろく説明する） ◦自分のもつ個性を更に伸ばすにはどうするかを進路と結びつけて発表、討議させる。	◦中学校学習指導要領 ◦文部省手引「情報事例編」「個人資料編』『管理運営編」「進路相談編」 ◦事例の資料	◦身体検査結果から個々生徒の難点をとり出す。 ◦知能検査その他の素質検査結果について再確認する。 ◦学習環境調査を再確認する。 ◦教科選択にそなえ個人面接相談を始める。

第三学年

学期	月	主題	指導内容	指導方法	資料	関連事項
	2～3	○進路選択と進路相談	○自分の特質と将来の進路との関連 ○家庭環境と家族の進路についての意見 ○選択教科の組合せ ○進路相談の内容 ○相談結果の検討 ○自分の決心	○既提出作文「将来の希望」を再検討させる。 ○自分のもつ特質と将来の進路との関連について説話する。 ○選択教科の内容と特色を生徒の進路、特性にむすびつけて事例的に説話する。 ○作文「自分の決心」を課する。 ○自分の決心につき発表、討議させる。 ○選択教科のとり方につき討議させる。 ○相談の過程につき学級の傾向を説話する。 ○相談結果につき生徒の感想見解を発表させる。	○文部省手引「管理運営編」「進路相談編」 ○選択教科の組合せ編成表 ○自己分析表 ○事例の資料	○個人面接相談をつづける。 ○保護者会、家庭訪問の結果を再検討する。 ○保護者、家族は生徒の進路、特性につき如何に判断し如何なる意見をもつかを調査する。 ○生徒の決心と家族の意見をまとめる。
I	4	○先輩の進路について	○本校の状況 ○ブロック内中学校の状況 ○大阪府の状況 ○全国の状況	○本校卒業生の進路先につき分析しその変遷と、最近の実状を説話する。 ○ブロック内中学校の卒業生の進路先の資料につき説明する。 ○大阪府、全国の状況につき説明する。 ○作文「先輩の進路に思う」を課する。 ○卒業生の進路の特色傾向につき討議させる。	○本校資料 ○ブロック地教委資料 ○府教委資料 ○職安資料 ○大阪府職業安定課資料	○高校補導、職場補導から卒業生の状況を把握しておく
	5	○過去の反省	○自己分析の徹底 ○家庭事情の理解 ○趣味、特技が身についたか ○自分の理想の変化 ○今後の努力点	○これまで学習した教科、クラブ活動その他の経験につき発表討議させる。 ○作文「私の長所短所」「学力、体力、特技、趣味が身についたか」を課する。 ○自己分析を多角度的にみることについて理解させる。 ○自分の長所、短所を発表、討議させる。	○文部省手引「情報事例編」 ○事例の資料	○学級活動で学級づくりにつき討議する。 ○学級活動で勉強の仕方の反省を討議させる。 ○学習環境調査を書かせる。 ○保護者会、家庭訪問を生徒の反省とからませる。

	Ⅱ		
	9	7～6	
1	○希望する職場や学校の調査	○自分の進路	
2	○事業所の求人内容 ○大企業と中小企業との相違 ○事業所の選び方	○個性と職業（適職とは） ○職業と学歴 ○進路計画の再検討	
3	○就職、進学に関する現実的限界につき説する。 ○事業所はどんな人を求めているかを説話する。 ○事業所の約束す	○個性と職業との相関から、適職の意義（努力による能力、環境の改善、向上の可能性を含めて）について説話する。 ○職業と学歴の相関を説明する。 ○自分の進路計画を再検討して発表、討議させる ○作文「自分の進路」を課する。	（長所を伸ばし短所をなおす努力についても） ○過去を顧み、自分の理想はいかに変ったかを発表、討議させる ○作文「今後の努力点」を課する
4	○情報資料 ○職安資料 ○大阪府高等学校案内		
5	○職場見学または調査をさせる。高校見学または調査をさせる。	○生徒の自己分析をまとめる。 ○進路計画表を提出させる。	

	10	
1	○進学や就職、入所の手続き	
2	○書類の書き方 ○手続きのしかた ○受験の心構え ○就職進学決	○今年の求人申込状況と本年度の見とおし ○希望する高校の調査話
3	○就職詮衡に応ずる為の準備や書類のととのえ方について説明する。 ○入学試験に応ずる為の準備や手	る待遇の内容を具体的に事例をあげて説明する。 ○大企業と中小企業の相違を調査させ発表討議させる。 ○事業所を選ぶには、個人の将来性伸長を主とするか、事業所の将来性依存を主とするかにつき討議させる。 ○近年の求人申込状況と本年度の見通しにつき説明する。 ○二学年の高校調査を修正再確認させる。 ○具体的に数校の特色につき発表討議させる。
4	○図表 ○入学志願書見本 ○求職志願書見本	
5	○高校説明会をもつ ○職場説明会をもつ ○職安講話をひらく ○先輩との座談会	

	11	12
	○学校生活と職業生活	○将来の悩み
定後の心構え	○先輩からの便り ○学校生活の特色 ○職業生活の特色と学校生活との比較	○職業生活の悩み ○高校生活の悩み ○家事、家業働きながら学ぶ者の悩み
続きについて説明する。 ○受験直前の心構えについて事例をあげて説話する。 ○就職、進学決定後の心構えを事例をあげて説話する。 ○先輩の体験談を聞く書類記入練習をする	○先輩の事例（便り）に基き、高校生活の特色（努力点）職業生活の特色（努力点）を説話する、 ○職業生活と学校生活の相違につき討議させる。	○先輩の事例（便り）に基き、職業生活の悩み、高校生活の悩みをあげ説話する。 ○家事、家業、働きながら学ぶ者
	○事例の資料 ○文部省編「働く青少年の実態」	○事例の資料
をもつ		

	Ⅲ
	1～3
	○将来の生活への適応
○適応者、失敗者の事例	○失業、転職 ○職安の利用 ○労働法規 ○社会保障 ○将来の心構え
の悩みをあげ説話する。 ○悩みを解決する方法につさ討議させる。 ○適応者、失敗者の事例をあげて説話する。	○失業、転職につき事例をあげて解決方法を説話する。 ○職安をどのように利用するか、その機構やサービス内容はどうであるかを説明する。 ○社会保障の意義と現行制度の内容を説明する。 ○社会を明るくし個人の幸福を確保するにはどうすればよいかを討議させる。
	○事例の資料 ○文部省手引「情報事例編」
	○学級活動で「三カ年の反省」卒業を前にして討議させる。 ○職安見学を計画する。

第四節　指導展開の事例

第一学年

進路指導案

指導者　○○○

1　学年・組　第一学年○組　男女○○名

2　日時　昭和○年○月○日　第○時限

3　主題　自分の進路計画

4　主題設定の理由

二年進級を間近にして中学の学習生活にもようやくなれてきた生徒の間で

は、ぼつぼつ進路選択に関心が寄せられつつある。この時に当り、進路決定の意識を充分に把握せしめ、併わせて進路選択のめやすを考えさせ、本人の個性、能力を充分活かした進路選択ができるようにとの念願からこの主題を設定した。

5 配当時間　二時間

6 指導計画

(1) 進路選択の意義について…一時間

(2) 進路選択のめやすについて

(3) 学校の立てている進路計画について } …一時間(本時分)

7 本時の指導

(1) 題目

(イ) 進路選択のめやす

(ロ) 学校の立てている進路計画

(2) 目標

生徒の能力・個性を充分把握せしめ、将来の進路を合理的に見極める態度を養う。

(3) 指導過程

学習活動	指導上の留意点	資料準備	関連事項
1 宿題で課しておいた作文「私の進路計画」を朗読させる。(一部の生徒)	作文を事前に検討し、各種ケースのものを朗読させる。	一時限後に生徒に課した作文	二三年進路指導三年社会(下)職業と職場
2 朗読した作文の内容について意見を発表させる。	重点的に誘導質問し以後の学習に便ならしめる。	作文検討による各種ケースと、その考え方をまとめておく。	
3 卒業生から寄せられた「私の進路決定のきっかけ」を代読する。		卒業生に依頼しした作文	
4 朗読した作文から進路決定のめやすについて話しあう。	進路決定の実際例を挙げて、それの適否を考えさせる		
5 進路決定に必要な参考事項について説話する。	進路決定は能力・個性等を充分考慮した合理的なものでなければならぬことを強調する。	進路決定の参考資料 クレペリン 性格検査 労働適性検査 知能検査	
6 学校で計画している進路指導について説明する。		学校における進路指導計画表	

8 本時の発展

家庭でもこの問題について話合いさせ、父兄の考えもまとめさせておく。

ホームルームノートの検閲により、生徒の考えを把握し、参観日等に父兄との話合いの資料とする。

第三章　資料と用具

進路指導に要する資料と用具の参考例をあげる。これらの管理、運用については、文部省職業指導の手引管理、運営編中「職業指導の管理」P三三〜P六一にくわしい記述がある。

(1) 職員研修用図書

職員が研修するのに必要な図書は次のようなものであるが、生徒用副読本も数社から発行されている。

(イ) 文部省編職業指導の手引

中学校、高等学校

職業情報編　三二〇
進路相談編　二七二
管理運営編　二三五
個人資料編　一六三
進学指導編　一五三
生徒向け情報編　二八四
中学校情報事例編　一三六

(以上日本職業指導協会発行)

(ロ) 日本職業指導協会編

標準心理検査法　三八〇　月刊誌　職業指導
職業指導の実践　三二〇 (年額六〇〇)
中高進路情報提供の実際　一七〇
職業教室 (全六巻)

(ハ) 日本応用心理学会編

職業指導講座 I II 基礎編　III IIII V VI 技術編　各六五〇

(ニ) 中央官庁、大阪府刊行物

日本統計年鑑 (総理府統計局)
労働市場年報 (労働省)
経済要覧 (経済審議庁)
労働統計年報 (労働省)
経済白書 (経済審議庁)
労働白書 (労働省)
日本貿易の現状―通商白書
全国中学校高等学校進路状況
(通商産業省)
調査報告書 (文部省)
わが国主要産業の実態
(通商産業省)

産業教育（文部省）
雇用情勢（大阪府）
労働統計調査月報（労働省）
教育調査紀要（各年一回）
（大阪府）
進路状況調査（大阪府）
産業教育調査報告（大阪府）
大阪府教育委員会月報
（大阪府）
教育時報（大阪府）

(ホ) 雇用問題研究会編
職業辞典　第一部職業分類　第二部職業解説

(ヘ) 東洋経済新報社、日本経済新聞社その他から、我国産業についての一般的な解説書が出ている。また新聞社、雑志社等から年鑑類が刊行されている。

(2) 参考資料および情報

調査形式、検査形式のひな型、高校、各種学校、職業訓練所等の施設教育内容等の図表、産業の構造、職業の機構、企業所の人事組織、労働法規、適職群、不適職群などの図表職安の機構などの図表をつくる。

掲示用のものは、適切な解決を附し、誰にも分るようにしておく。かつ教室の隅からも明るく見えるような大きさのものとする。

(イ) 個人理解のための調査用紙、検査用紙
家庭環境調査、学習環境調査、
進路希望調査
学力検査、知能検査、興味検査
職業興味検査、クレペリン素質検査、性格検査、身体検査、体力検査
自己分析表、自叙伝、日記、感想文、生徒作品
職業相談票
生徒指導要録

(ロ) 進学関係の情報例
公私立高等学校案内
（校名、教科課程、校風、設置科目、募集人員学資、通学方法、例年の応募状況および学力基準、卒業生の進路状況）
育英制度案内
（日本育英会、大阪府育英会、母子家庭奨学制度、資格、貸与額、返済法、受験手続）
各種学校案内
（准看護婦、理容、美容、洋裁経理等）
職業訓練所案内
（所在地、設置科目、募集人員卒業後の状況等）
公私立大学案内
各省関係養成機関案内
高校、大学卒業生の進路関係統計

(ハ) 就職関係の情報例
産業分類、職業分類
職種別作業内容解説シリーズ
労働関係法規
郷土の産業構造、特色、将来性についての調査
中学生を迎える職場、職種例
最近の卒業生の就職先、作業状況内容、給与等
身体的障害と禁忌職業例
知能と適職選択基準
職業適性検査と職種選考最低基準
体力による職業群の例
職業訓練所案内
職業安定所案内
定時制高校案内
通信教育制度
各種学校案内
育英制度案内
免許の必要な職種表
独立経営可能な職業解説書
会社の案内書、製品見本、カタログ
安定所管内主要会社事業所案内地図
最近の求人情報
（会社名、所在地、資本、従業員数、営業（生産）品目、申込職種、作業条件と適性、給料、将来の昇進、福利施設、採用方法、通勤法等）

(3) 設備、器具

学級活動において進路指導を推進するうえにも、全校的な取扱いとしての進路指導の運営（検査、情報提供、相談、あっせん、補導等）のために最低必要なものをあげる。

幻灯機または映写機、テープコーダー、進路指導用スライド、フイルム、掛軸、情報資料掲示板、職業適性検査器具、体力測定用器具、ストップウオッチ、進路情報、資料整理戸棚、研究資料戸棚、相談資料整理箱、教科用図書戸棚、生業検索用カード入れ引出し、生業個人別資料戸棚、器具収納戸棚、情報展示板、事務用机といす、面接用テーブルといす、整理箱、小黒板。

(4) 既製（市販）スライド

ここに掲げる以外にも市販されているはずである。これらは、ブロックの中学校で協定して、職安から借りるとか、地域の視聴覚ライブラリーに備えつけてもらうとかの方法もある。

(イ) A社　われらの進路スライドシリーズ　各五〇〇

①総論　②進学コース　③職業訓練所を訪ねて　④農村水産に働く人々　⑤造船所に働く人々　⑥自動車工場に働く人々　⑦食品工場に働く人々　⑧センイ工場に働く人々　⑨電気器具工場に働く人々　⑩商店に働く人々　⑪木工工場に働く人々　⑫面接と受験　⑬職場と生活

(ロ)　B社　中学生の明るい進路スライド

①自巳理解と進路相談(四五〇)　②～④身近かな職業(八〇〇ずつ)　⑤進学と将来の就職（八〇〇）　⑥働きながら学ぶ（四五〇）　⑦事業所の選び方と就職の手続き（四五〇）　⑧上級学校の選び方と受験のの心構え（四五〇）　⑨職場の悩み、学校生活の悩み(四五〇)　⑩将来の向上を目ざして(四五〇)

(ハ)　C社　各巻四五〇

①　進路について考えよう
②　進路の計画をたてよう
③　職業の意味を考えよう
④　職業について調べよう
⑤　上級学校などについて調べよう
⑥　進路を確めよう
⑦　進学先を決めよう
⑧　進学や就職の準備をしよう
⑨　将来の生活への意志
⑩　将来の生活の向上

(ニ)　D社　二、二〇〇

われらの職業　I・II・III

私たちは就職する。

進路の計画　職業の知識、理解
個性の理解　職業講話
職安、相談と選職
紹介と就職準備、就職と適応

(5)　自校作成のフイルム、スライド、テープ

八ミリフイルム、スライド、テープ等による学校行事の記録、高校訪問の記録、職場訪問の記録、先輩の声、進路指導のテイピカルな場面等。

(6)　自校作成のスクラップブック

新聞の切抜き、その他参考記録の収集

以上の「資料と用具」に関しては、索引張をつくるは勿論、引き出しやすく見易い状態にしておくことが大事である。

作成委員氏名（順序不同）

布施市立第五中学校長　渡辺　鉡一
堺市教育委員会指導主事　小野　文子
守口市立第一中学校教諭　青井　秋作
泉南町立中学校教諭　肥田米三郎
大東市立四条中学校教諭　村田　温雄
堺市立上野芝中学校教諭　松浪　明
三島出張所指導主事　中村　勇一
中河内出張所指導主事　山田　恭夫
豊中市教育委員会指導主事　西畑　一男
大阪市立夕陽丘中学校教諭　広瀬　茂勝
大阪大学教授　新津　靖
ミシン開放研究所　古谷　敦司
美原町立美原中学校教諭　西田　栄次
堺市立上野芝中学校教諭　佐野　薫
枚方市立第一中学校教諭　上堀　章子
河内市立第三中学校教諭　谷沢　潤子
大阪市立昭和中学校教諭　布施　マサ
枚方市立第三中学校教諭　中島　咲子
他……大阪府教育委員会指導課

日　　程　　表

月　日	曜	主　な　用　務	備　考
5月20日	火	◦ 各職場への挨拶巡り 文教局長、庶務課長、労働局 教職員会へ挨拶 ◦ 本土就職少年工約40名の壮行会へ参加 照屋労働局長、白川労働課長、其の他関係職員約7、8名参加 ◦ 本日黒潮丸で神戸向那覇港出港（午後4時乗込み、6時出港）	
5月21日	水	◦ 与論島に寄港（午後1時） ◦ 午後7時沖永良部に向い午後9時着港 ◦ 沖永良部10時出港、0時半徳之島に到着 ◦ 午後1時に徳之島を出て午後5時古仁屋着 ◦ 午後10時名瀬着 ◦ 船内座談会 一　集団就職に関する各種資料のまとめに就いて 二　視察事項に対する構想について 三　職場視察並びに定着指導について 1　各県の送り出し体勢の調査 2　各県に於ける定着指導の仕方 3　各県に於ける職場補導所の機構運営	
6月　1日	木	航海	
6月　2日	金	◦ 午前10時半神戸港到着 ◦ 大阪雇用連絡事務所の仲地修康所長大城義光氏、沖縄タイムス記者（関西支局長）池原善福氏達の出迎をうく ◦ 少年工の子供達を各雇用者に引渡し　午後2時ハイヤーに分乗し大阪雇用連絡事務所に到着し1時休憩 ◦ 旅館「くら本」に旅装をとく ◦ 大阪府教育委員会主事仲西氏と懇談をなす	
6月　3日	土	◦ 松田州広主事文部省主催の教育課程研究会に出席 ◦ 残り6名は午前9時「くら本」を出発し、大阪雇用連絡事務所に集合 ◦ 大城義光氏に伴われて左の会社視察 ◦ 大阪府泉佐野市射手矢紡織株式会社 ◦ 　　　　　三沢繊維株式会社 ◦ 大阪府泉南郡泉南町戎野紋羽株式会社 ◦ 　　　　　　　坂本紡織株式会社	
6月　4日	日	◦ 松田州広主事文部省主催全国中等学校教育課程研究会へ出席 ◦ 6名2組に分れ左の職場を訪問 ◦ 奈良職業安定所訪問 ◦ 高田職安訪問 ◦ 　　奥田布帛株式会社 ◦ 　　鳩間メリヤス〃〃 ◦ 　　奥西メリヤス〃〃 ◦ 　　硬化合板　〃〃 ◦ 　　共立毛糸紡織〃〃 ◦ 　　富士美粧院	

月　　日	曜	主　　な　　用　　務	備　　考
6月　5日	月	本日2組に分れ左の職場訪問 。京都西陣職安訪問 。京都7条職安　〃 左の会社視察 。大和紙工有限会社（紙箱製造会社） 。大和金網株式会社（米軍キャンプ用金網製造） 。×草木染研究所 。永和化成工業株式会社 。大和金網伏見工場 中央レースKK（染色工場） 大洋紡織KK	
6月　6日	火	。次の会社視察 。大和高田市 。共立毛糸紡織株式会社 。中井金糸株式会社 。大阪市教育委員会訪問 。大阪市教育研究所　〃 。大阪雇用連絡所（山内君の連絡のため）	
6月　7日	水	。大阪市巽《たつみ》中学校訪問 。大阪市西淀川区小学校訪問並びにPTA 会長（県人）訪問 枚方市役所枚方一中	
6月　8日	木	本日午前11時30分大阪をたって 午後8時15分に東京着 教職員組合指定の宿泊所「うずら荘」に9時15分着ここで旅装をとく	
6月　9日	金	。本日午前10時琉球政府駐日代表事務所訪問 。午後左の会社訪問 東京都太田区馬込町　八潮計器株式会社	
6月10日	土	。報告書作製、日誌記載についての打合せ	
6月11日	日	東京市内自由見学	
6月12日	月	。琉球政府駐日代表事務所を訪問し、三浦氏と懇談 。午後3組に分れて各会社を訪問 。高義加須メリヤス工場 。栃木県足利職安訪問 。　　鹿貫縫製株式会社視察 東京都江戸川区　興和ガラス株式会社視察 。原木職安訪問市川製果KK 。渋谷職安奨学女中訪問	

月　日	曜	主な用務	備考
6月13日	火	○文部省国際文化課、職業教育課訪問 ○労働省の職業安定課訪問 ○渋谷職安奨学女中家庭訪問 ○琉球文教図書東京出張所訪問	
6月14日	水	○本日午前10時20分東京新宿駅をたち名古屋に向う、名古屋千種駅に午後1039分着 ○午後10半「名古屋中区千郷町1の17番地「アサヒ旅館」で旅装をとく	
6月15日	木	○本日3組に分れて左の職場を訪問、視察 ○岐阜県田島市福寿町　福寿工業株式会社視察 ○名古屋市袋町小出商会視察 ○愛知県名古屋南職安訪問 ○愛知県名古屋宮中学校訪問 ○愛知県名古屋豊臣株式会社視察 　　　名古屋市北島鋳機株式会社視察 ○　　名古屋県庁訪問 ○　　名古屋職安訪問 ○愛知県犬山職安訪問 愛知県犬山市　林鉄工所視察 ○愛知県瀬戸市職安訪問 愛知県瀬戸市　光和製陶所視察 　　　　　　伊藤正製陶所 ○岐阜職安訪問 岐阜萱場《かやば》工業職安訪問 ○岐阜都鉄工所視察 　　日本精機株式会社視察 　　高井鉄工所視察 　　第一縫製株式会社視察 　　丸善既製品株式会社視察 　　砂田商店視察 　　加藤既製品株式会社	
6月16日	金	○愛知県尾西市起学用水添 林染工場K.K視察 ○名古屋市北職安訪問 ○名古屋市北区　武田時計店株式会社視察 ○愛知県豊橋職安訪問 ○　　豊和鋳機株式会社 ○　　豊橋大林製糸所 ○西島鉄工所視察 カナヤ〃　〃 ○愛知県豊橋市　医師会看護婦養成所視察 ○大府紡績株式会社訪問 ○愛知県名古屋サツシュ株式会社訪問	

月　　日	曜	主　　な　　用　　務	備　　考
6月17日	土	◦ 11時25分近鉄特急で大阪に向う　午後1時55分大阪着 ◦ 旅館「大源」で旅装をとく	

第二回
日本青年海外派遣報告書

はじめに

青年に明るい希望と理想を与える施策として、日本政府は一九五九年度に青年海外派遣の事業を行いましたが、その成果によって一九六〇年度にも引続いて、百七名（内指導者十三名）の男女青年を欧州、米国、中南米、東南アジアの各地方に派遣いたしましたが、沖縄からも、はじめて、東南アジア班に東村川田青年会員の吉本勲君が参加致しました。

団員は全国各都道府県から一名以上が選ばれ、資格要件としては、二十才〜二十六才の実務についているいわゆる大衆青年であって、地方又は職域にあってグループ活動に参加し、将来は指導的な役割を果し得るものとなっております。これから選ばれた青年を六班に分け、通計三十三カ国を歴訪せしめ、各国の文化、産業、経済の状況を見学し、青少年と交歓を行ったのでありますが、青年の若い目で直接に外国の姿を見、外国に出て日本を再認識するということは極めて意義深いことであり、貴重な体験であります。次は特にはじめて参加した吉本君の班の行動記録と、報告書を御紹介致し、皆参考に供したいと思います。

第二回日本青年海外派遣（東南アジア）
第一班行動記録

一九六〇年一〇月一五日（土）曇

二三時三〇分、総理府中央青少年問題協議会深見局長外事務局職員、前年度中田団長外団員ならびに本年度団員家族知人の見送りをうけ、インド航空機にて羽田空港出発

一〇月一六日（日）晴

六時五五分香港着、香港虎報第一面に浅沼氏刺殺に対するデモが大きく掲載されているのを見、又羽田より同乗の東パキスタンのフエンチユガンジに肥料工場建設に行く技師達やアフリカのナイロビ1貿易に行く青年と日本の現状と将来を語り合う、一三時三〇分バンコック着、エンジン不調のため二時間休憩。一七時五〇分カルカッタ着。総領事館茨木、東郷両氏、大坂府工業技術相談所西井、小野、リンガム三氏、インド航空サルカール氏の出迎えを受け、二〇時一五分グランドホテル着、先着の第二班と合流、以後二三日午前までの行動は第二班と同じ。

一〇月一七日（月）晴

早朝よりサルボダヤ、アスラムの島田R、C、シンハ両青年の訪問をうけ、インド社会について教わる。以後両氏はカルカッタのほとんどの行動を共にしてくれる。午前、総領館にて番総領事より「管内概況説明」小野氏より「インド工業事情説明」をきく、午後、市内見学ジャイナ教寺院、ヴイクトリア、メモリアル等、夜、総領事招待の歓迎晩餐会に出席。

一〇月一八日（火）晴

午前、サンチニケタ大学春日井教授の講話を総領事館できき、同教授の案内で博物館見学、同館スタッフの出迎えをうけ、特に館内の自由撮影を許可される。

午後総領事館村田氏の案内で植物園見学、女子留学生池田さんも同行。

一〇月一九日（水）

午前（自由行動）数グループにわかれてインド人家庭訪問、一部はカルカッタ地区ボーイスカウト訪問。午後、ラーマクリシユナ、ミッション、アシユラム訪問、僧院長S・L・アーナンダ師の出迎えをうけ、迎賓館庭でテイーパーテイー職員、学生と交歓、その後アシユラムの諸施設を見学。おりから夕闇せまりデワリ、プジヤ（光の祭）が始まり、アーナンダが師よりデワリ、プジヤ、カリー神の説明をきく。

一〇月二〇日（木）晴

昼食携行にてチンスラ農業試験場、農業技術員訓練所を訪問、農業改良状況、日本式稲作普及状況の視察、帰途ベルル僧院を訪問しヴイヴエカナンダの遺品より、ヒンデユイズムの改革運動をおもう。

一〇月二一日（金）晴

午前国立図書館訪問日本政府寄贈の百科辞典等を見る。ついでカルカッタ大学訪問、午後ビルラ、ジユート工場見学。

一〇月二二日（土）晴

昼食携行にて西ベルガル州立畜産研究所およびニリンガタ、ミルク工場を訪問。畜産改良事業と野良牛対策を見学しカイラニー中小企業センターにて夫人が日本婦人であるD・ロイ氏の玩具工場を西井、小野氏の案内で見学

し、その後でロイ氏宅で昼食をごちそうになる。

一〇月二三日（日）晴

午前（自由行動）数グループにわかれてウイリアム要塞、博物等を見学、

午後、ホテルでナラヤン氏からガンジーならびにヴイノーバーの精神についての講演をきく。（なおカルカッタ滞在中の自由時間にホテルでカルカッタ日本山妙法寺酒迎氏、小松製作所島津氏その他の諸氏から、それぞれのインド観をおききした）

一九時一〇分カルカッタ空港出発、二二時二五分ニューデリー着、大使館松田、武藤、鈴木諸氏、国民会議派青年部代表の出迎えをうけ、ジャンパッ、ホテルにとまる。

一〇月二四日（月）晴

午前、大使館で那須大使から世界情勢とインド、山崎氏からインド経済事情についてオリエンテイションをうける。

午後、市内見学、クトウベミナール、ガンジーの墓と暗殺されたビルラ邸その他を訪問。

夜、国民会議派青年部レセプションに出席交歓、那須大使、武藤氏も出席。

一〇月二五日（火）晴

午前、国民訓練計画総裁J・K・ボンスレー氏（元インド独立軍参謀総長）邸訪問、テイーパーテイー中インドの諸問題）、日本青年への助言等をきく、ついで国会議事堂訪問、議会運営状況の説明の後、事務局長カウ氏と懇談。午後、オールド、デリ見学、レッドフオート、ジャママシッド回教寺院、マーケット見学

夜、国民会議派労働組合本部訪問。場所を変え各地域、各職場組合員（一九組約六〇人）と熱心な質疑応答、交歓。

一〇月二六日（水）晴

午前、モダンスクール訪問

午後、フアリダバード工業地区訪問、バーター製靴工場、ケルヴイナタノ電機器具工場、従業員クラブ見学の後、ロータリークラブの歓迎 テイーパーテイーに出席。NHK櫛部氏もテレビニュースのため同行撮影。

一〇月二七日（木）晴

午前FAO西村氏の案内でモデル農業地区ナジヤフガール、ブロック訪問。那須大使夫人、武藤、山田氏、NHK櫛部長夫妻も同行。ブロック本部、スレハラ村の農協、農村工業施設、ナジアフガール穀販売連・保健所、女子高校を見学。午後映画「ムガール、エ、アザーム」観賞。一〇カ年の才月をかけたインド映画の大作を通じてインド文化政策にふれ三日後のアグラ見学の予備知識をうる。

「モテマハル、レストラン」でパンジヤップ料理の夕食。

一〇月二八日（金）晴

午前、公立テント張り学校見学、その後、武藤氏宅でテイをいただく、午後オールインデイア、ラジオでナショナル、オーケストラによるインド音楽をきく。

夜、那須大使招待レセプションに出席。

一〇月二九日（土）晴

午前、国立中央農事試験場、国立物理学研究所訪問、午後（自由行動）数グループに分れ、ビルラテンプル、YWCAアジア研究所共同新聞社等を訪問。

一〇月三〇日（日）晴

アグラ日帰り旅行。アクバル大王の墓アグラフオート、タージマハール等ムガール帝国遺跡見学。大使館から武藤、山田両氏と留学生の石田氏の案内。

自動車事故と病人により、全員帰宿二時三〇分。次第に疲労が重なりこれより病人たえず。

一〇月三一日（月）晴

午前、団長外三名NHKのインドの印象座談会に出席録音。一三時一五分松田武藤氏の見送りをうけニューデリー発、一四時一五分ラホール（西パキスタン）空港着。大使館の佐藤氏、ラホール教育委員会のS・A・H・リズヴイ氏の出迎えをうけ、フアレテイスホテルに着く。ラホール教育委員会を訪問、団員の一部はさっそく親日貿易商の歓迎をうける。

一一月一日（火）晴

午前、ガヴアメント、カレッジ、フオアメン、クリスチヤン、カレッジ訪問、職員、学生と交歓。

午後、ジヤハンギールの墓、バドシヤヒ、モスク、シーク教寺院見学。

一一月二日（水）晴

午前、アチソン、カレッジ、パンジヤップ大学訪問。

午後、ラホール博物館見学、ひきつづきラホール教育関係者のレセプションに出席、学童劇踊りを見学。交歓。夜、一部日系米人教授奥田氏宅とナショナル、カレッジに陶器製作指導に来ておられる滝田講師宅を訪問。

一一月三日（木）晴

午前、商科大学訪問。ラホール、ホートシヤルマー、ガーデン見学。午後、農村班はラホール郊外農村見学。文化班はアチソン、カレッジで馬術見学交歓。夜、YMCAのテイー、パーテイーに出席。

一一月四日（金）晴

九時一九分佐藤氏、リズヴイー氏の見送りのなかをラホール空港発。一〇時一〇分大使館今川氏、ゴールドン、カレッジ学生の出迎えをうけてラワルピンデー空港着。歓迎特別仕立のバスでフラッシユマンホテルに着く。ただちにモスレム、ハイスクールでの歓迎会に出席、全生徒のマス、ゲーム、ボーイスカートのタンブリング等を観覧、ゴールドン、カレッジ訪問、交換。午後、タクシラ博物

館見学。ゴールドン、カレッジ職員、学生も同行。時間なく仏教遺跡見学不能。夜、アユブ、ナショナル、パークのカムラン、レストランでの歓迎交歓レセプションに出席。

一一月五日（土）晴

午前、イスラマバード新首都建設状況を車中より望見し、マリーヒルに向う。途中南下するジシーの数群に会う。マリーの大使館出張所よりヒマラヤ山系の一端を望む。午後、数グループに分れ、タクシラ遺跡再訪、学生との交歓等。

一一月六日（日）晴

一二時二五分今川氏、学生の見送りをうけ空港発、ラホールに寄ったのちパンジャップ平原、シンド砂漠を眼下にし、一五時五五分カラチ空港着、大使館佐藤夫妻、文部省N・H・ナクヴィー氏等の出迎えをうけ、セントラルホテルに着く。ただちに全パキスタン、ユース、カウンシル会長I・カーン氏邸で歓迎晩餐会に出席。

一一月七日（月）晴

午前、建国の父ジンナー、初代首相アリ・カーン墓に墓参、花輪を献げる。大使館において政治、経済、文化、農業のグループに分れてオリエンテーション。午後、児童福祉施設見学にひきつづき市内見学、クルフトンビーチでアラビヤ海の日没を望む。このころより病人続出。

夜、海洋小年団訪問、カラチ港近くのクリークにあるコンクリート製訓練所で夕食交歓会、男子シースカウトと女子レンジャーグループ多数参加し、劇、踊り、歌で交歓。

一一月八日（火）晴

午前、文部省、カラチ大学、家政大学訪問。

午後、メトロポール、ホテルでの日パ文化協会のレセプションに出席。

夜、全パキスタン、ユース、カウンシルの晩餐会で交歓。

一一月九日（水）晴

午前、バワニーヴアイオリン紡績工場を大西技師の説明で見学。ダダブホイ、アルミニユーム工場を日本人技師四名の案内で見学、ついでハビブ紡績工場を大川、時田技師の案内で見学、経営陣、幹部と昼食懇談。午後、大使館姉歯氏の案内でカラチ近郊マリール村の農業技術普及事務所、国立農業試験場、農家をまわり、オアシス農業を見学、農氏からゴアバ（果物）一箱を贈られる。一部はユース、カウンシルと交歓。夜、大使立食餐会、愛媛県知事も出席。

一一月一〇日（木）曇り後晴

午前、国立男子部学校訪問。ボーイスカウトの啓蒙劇を見学、スクール、ブリガードを閲兵の後、職員、生徒と交歓、国立博物館を参観。午後、ダウン新聞社訪問、シエザン、レストランで青年芸術団体との交歓テイーパーテイに出席。夜、パキスタン社会福祉協会長S、R、コンヴエナー氏の招待晩餐会に出席。

一一月一一日（金）晴

早朝アラビア海で日棉の堀内、宮本両氏の招待をうけて鯛つりを楽しむ。

一四時一五分大使館佐藤氏、カラチ滞在全期間せわをいただいたナクヴイ氏ほか文部省ユース、カウンシル、社会福祉協会、新聞社、学生等各方面の見送りをうけて空港発。一六時四〇分総領事館G・A・キユレシー氏の出迎えをうけボンベイ空港着。ミラベル、ホテル着。

一一月一二日（土）晴

午前、総領事館で吉岡総領事にあいさつ、伊藤副領事、JFTRO牧氏からボンベイ事情をきく。午後、国民会議派青年部ボンベイ支部訪問、支部長デザイ女史の司会でメンバーと懇談。

一一月一三日（日）晴

エレファンタケーブ見学、船で一時間船中よりインデイアン、ゲート、ボンベイ港、工業地帯、原子力研究所を望む。

午後（自由時間）一部は日本山妙法寺に渡辺師を訪ね、ハリジャンの新仏教徒への改宗状況を伺い、仏前結婚式に参列他は市内を見学した。夜、ボンベイのルルラル氏の招待レセプション、インド音楽を楽しむ。

一一月一四日（月）晴

午前、インド最大のミルク、コロニーならびにガンジー精神により建設運営されているコーラ、ケンドラのモデル村見学。午後、国営映画製作部でインド青少年活動その他のインド紹介フイルムをみる。その後一部は家族計画事務所訪問他は拝火教葬儀場等を望見等の市内見学。

夜、総領事館にて晩餐会。

一一月一五日（火）晴

午前、インド農村工業奨励のための州営陳列販売所（カーデイ、エンポリウム）を見学、ドヨッピング、他の一部はJEJRO事務所を訪問、所長永原氏、森川次長、牧顧問の各氏からインド工業と日本の機械輸出についてはなしをおききし陳列フロアーを見学した。午後、カーデイ農村工業委員会事務所を訪問、その映写室でヴイノーバー運動、新農村建設運動等のフイルムを見学。短篇映画製作者連盟によるテイーパーテイー、日印協会のレセプションにて交歓、留学生山田氏も参加。夜、数グループに分れ、日棉大森氏、留学生山田氏とインド経済問題で懇談、同じホテルに宿泊中のヴイノーバー運動推進者M、コタリ氏と懇談。

一一月一六日（水）曇、小雨

七時二〇分空港発、一三時一〇分バンガロール学生青年団体の出迎えをうけシルトンホテルに着く。午後、休養、日本

を思わせる曇り空で、高原の涼しさを味い、生気をとりもどす。

一一月一七日（木）曇

午前、日本海外工業技術協力会マイソール工業相談所にて小出氏よりマイソール州工業事情ならびに日印経済協力の全般的見通しについて説明をきくと共に、これまでの見学よりえた感想を語り合う。ひきつづき牛工業奨励館で模範作品陳列場ならびに製作状況を見学、新聞に皇太子殿下印度御訪問のニュースが写真入りで報道されていた。

午後（自由時間）

一一月一八日（金）晴

午前、壮大なラルバウグ、ガーデン散歩後、インドの誇るヒンダスタン、マシン、ツールスの近代工場見学。午後、ラジオ、アンド、エレクトリカル、マニュファクチャリング会社訪問、前工場とはシチジン時計が後工場は東芝電機が提携している。帰途ニュー、マーケット見学工場相談所K・S・ネイヤー氏同行。

夜、バンガロー、クラブで日印協会レセプション、帰宿後全員でこれまでの印象ならびに報告様式につき遅くまで語り合う。

一一月一九日（土）晴

記録班は行動記録整理、他は牛工業奨励館長ハリハラン氏（奥さんは日本人）マイソール社会福祉局長レ、デイ女史等を訪問。夜、ウツドランドホテルでアジア青年協会との交歓会。

一一月二〇日（日）晴

七時出発し、貸切バスで八〇マイル西方のマイソールに向う。ネイヤー氏の外アジア青年協会のメンバー一〇名も同行。テイプ、スルタンの夏の宮殿、英軍との激戦地、マハウジヤ宮殿を訪問の後メトロポール、ホテルで昼食、チヤムンデイ丘上の宮殿、ヒンヅー寺院その他を見学、美しいマイソール市街を見下し、ゲスト、ハウス、美術館訪問後、大農業用ダムを利用して造られた美しい噴水のクリシユナラジヤ、サガラ、ガーデンで休憩、夜闇迫るごろ帰途に向い、途中本格的な雨にあい二一時三〇分帰宿。

一一月二一日（月）曇り後晴

午前（自由時間）各種青年団体の訪問をうける。前日マドラスはサイクローンに襲われ、大被害をうけ、マドラス行全飛行機は欠航していたが、幸いダイヤ回復し、予定より約一時間遅れ、小出氏夫妻、アジア青年協会メンバーの見送りをうけ一五時四〇分空港発一六時五五分マドラス空港着、住友商事長谷部氏、日本伺鉄鉱石検査員永田氏、三菱商事豊石夫人の出迎えをうけコネマラホテル着、途中サイクローンの大被害状況を見る。

一一月二二日（火）晴

午前、これまでの全旅行の印象懇談ならびに反省会。午後、市内見学、博物館エンポリウム。心霊協会。ヒンヅー寺院マドラス港、高等法院その他を廻り、島田ガラスによる魔法ビン製造工場見学。

夜、ホテルにおいて三菱商事石原氏等現地商社関係の方々と夕食会、現地事情につき懇談。

一一月二三日（水）雨

バスでマドラス北方三八マイルのマハバリプラン、セブンパゴダを見学。途中サイクローンによる広大な水没地帯の一本道で大雨にあう。目的地を小雨の中を南インド型ヒンヅー教の寺院建築、神像をみ、ゲストハウスで休憩の後、帰途田植風景を撮影。昨日の博物館と本日行程の案内者T・K・N・ヴアンダヤール氏は良きガイドであつた。

一一月二四日（木）晴　時々曇

（自由行動）一部は永田氏の車で西方三八マイルのカンチプール見学。一部は野村貿易佐々本氏の車で元フランス領ポンジエリー見学後良質鉄鉱石積出し港カダロール（マドラス南方一一七マイル）で人海戦術による船積状況、元英監獄を事務所倉庫にした英国系パリー会社見学

夜、ニューウツドランドホテルで青年団体と交歓、司会は日本陸士出身のセエカー氏、留学生丸山洋子さんも出席。

一一月二五日（金）曇

一二時五〇分商社の方々の見送りをうけ、マドラス空港発、一四時三〇分コロンボ空港着。大使館末松、積田両氏の出迎えをうけ、グランド、オリエント、ホテル着。

一一月二六日（土）晴

一〇時、大使館で政治、産業、文化につき千葉、積田両氏よりオリエンテーシヨンをうけ、セイロンの産業についての映画を観覧。ひきつづき大使館押野氏の案内で市内見学、（途中昼食）海岸通り、官庁街、コロンボ港、国立博物館、仏教寺院、動物園をへてマウント、ラヴイニア海岸の夕景を楽しむ。夜、ニツポン、ホテルで日本商社一七社の招待晩餐会。

一一月二七日（日）晴

九時四台の大型カーで三泊四日のセイロン一周の旅にでる。大使館末松氏同行。ココナツ、ゴムエステート、谷間の水田を走り、キツルガラ、レストハウスで昼食。次第に展けるデイー、エステートを窓外ながめつつヌーワラ、エリヤのグランドホテル着、G・S・グネラトン、C・M・K、ピライ氏の出迎をうけ。夜、ローマンカソリツク、ガールズ・スクールの歓迎会で民族舞踊、歌ならびに学童劇を観賞、知事ワイスワサム氏出席。山間高地のためホテルの炉を燃やす。

一一月二八日（月）曇

午前、養魚池、国立資料館、マハガストーテ、テイー、テステートならびに茶工場見学、一三時三〇分ホテル発、山道を下ってカンデイーに向う、一六時カンデイー、クイーンズ、ホテル着。直ちにヤング、ファーマーズ、クラブ本部訪問後、郊外村落でクラブ員の歓迎会に臨み展示物、日本稲作普及劇民族舞踊等を観覧し、交歓。熱帯植物園見学、夜仏歯寺見学後、カンデイー知事、A・B・Wブレナエガン氏招待により、セイロン最高チームによるカンデイダンスを観賞。カンデイーの行事はL・H・Pヤパテイルケ氏が案内。

一一月二九日(火)曇り後雨

八時ホテル発。一〇時三〇分ギリヤ着巨石上の城と壁画を見学。一三時ポロナルワ着。湖畔レストハウスで昼食。小雨中を古跡見学。ジャングル各地で焼畑式開墾をしているのを車窓より望見しつつ一八時五〇分アヌラドハプラのレストハウス着。二〇時同市仏教協会の要請により、団員中の僧侶佐々木君が公会堂において日本仏教の紹介講演。

一一月三〇日（水）曇

八時よりアヌラドハプラ古跡見学。各所で日本式田植之状況をみる。一三時ツセラム、レストハウス着、昼食。同地ヤング、ファーマーズ、クラブの訪問をうけ交歓、熱心に米増産の技術上の問題につき質問をうける。一五時五〇分マラヴイラ・ココナツエ場を見学。続いて二組に分れココナツ・エステート見学。二〇時グランドオリエンタル、ホテル着。

一二月一日（木）晴

午前、日ヤ合弁ダイシャツ工場見学。午後、セイロン議会見学、事務局長の案内で見学後、議会招待のテイー懇談会、二名の大臣も同席。夜、勝野大使招待の、レセプション。各青少年団体代表、各親日有力者と交歓。

一二月二日（金）晴

午前（自由行動）殆んどの男子団員はマウント、ラヴイニア海岸で海水浴。他はショッピング。午後、国立芸術大学で民族音楽、舞踊の教育状況、ホールで模範演技を見学。夜、西部ユース、カウンシル本部訪問、交歓。次いで回教男子青年協会（YMMA）本部訪問、交歓。

一二月三日（土）晴

午前、ショッピング、出発準備。一六時大使館菅田氏に見送られコロンボ空港発。一七時三十五分マドラス空港着、名誉領事代理、永田、佐々木諸氏の出迎えをうけ、休憩、夕食。二二時一〇分マドラス発。

一二月四日（日）曇

一時三五分ナグプール着、二時三五分ナグプトル発、六時一〇分カルカッタ空港着、領事館茨木氏出迎え、九時一〇分カルカッタ発、一〇時五〇分ダッカ空港着、竹中領事、松本、江幡両氏の外、東パキスタン儀典課長、青少年団体の出迎えをうけ、シャバーグホテル着。午後、竹中領事の東パキスタン事情オリエンテーション後、市内見学。ラルバック城跡およびモスク、モスレムホール、医科大学、ダッカ大学、高等法院、マーケット等。ナショナル、ユース、カウンシル訪問、交歓。夜、領事招待夕食会。在ダッカ各方面の日本人の方々と懇談。

一二月五日（月）晴

午前、ダッカ総務長官M・アツフアール氏訪問。アジムダー、ジュート工場見学、ギャンド紡績工場見学、東技師の説明をきく。サター、マッチ工場見学、足立氏の説明をきく。午後、ベナレス、シルク、ファクトリー見学、全行程領事館の松木氏同行。夜、旧グループに分れて東パキスタンの家庭訪問。

一二月六日（火）晴

午前、ダッカ大学、芸術研究所、パルダー、ガデン同博物館見学

午後、ハーデイオ、ガラス工場、ジュート研究所日本農業センター訪問、日本講師団長久納氏外市村、中原山元、紫辻、杉山諸氏の案内でセンター見学ならびに東パキスタン受講生と懇談。東パキスタン、ユース、カウンシル訪問、竹中領事、松本氏夫妻、令嬢も同行。夜、神戸製鋼後藤氏宅にて招待、夕食会、二一時一〇分、貸切寝台車にてフエンチユガンチに向う。領

（西パキスタン）

事館江幡氏三泊四日の旅行に同行。（女子二名後発）

一二月七日（水）晴

　六時二十五分、マイジガオン駅着、全員疲労し熟睡中出迎えの神戸製鋼、新三菱重工の方々の声に大急ぎ下車、ジープに分乗し、天然ガスによるアンモニヤ肥料工場建設現場に向う。工事事務所側の親切な計いで小憩朝食の後、本部で竹峯所長の概況説明をきき、所長らの案内で日本最大のプラント輸出といわれる工場現場を見学、約二〇〇人の日本人技術関係者の活動に眼を見張り、敬意を表する。途中日本側、パキスタン側の工事関係者と交歓。次いで新三菱重工の発電所部門を見学。向山氏より発電部門の概況とプラント建設の意義につき説明をきき昼食を頂く。午後、パキスタン工業開設の意義につき説明をきき、昼食を頂く。午後、パキスタン工業開発局幹部とテイー、パーテイ交歓の後、茶園見学。フエンチユガンジエ工業用水道工事、重量部品運搬船繋留場を見学。ここで最初東京よりの飛行機に同乗の技師達に再会。夜旅行中初めて日本式風呂に入浴、神戸製鋼の招待夕食会に出席、二〇時五五分コミラに向け貸切寝台車で出発。

一二月八日（木）晴

　三時二〇分コミラ駅着、農村開発アカデミーのS・イスラム氏、同日本人農業技術指導員伊藤氏らの出迎をうけ、アカデミーに向う。アカデミーで、松田、宮本、料所三氏の出迎えをうけ、講習生宿泊所、竹製家屋、ランプの部屋で再度睡眠。アカデミーでは特に我々のため寝具新調して頂いた由、石川、高橋団員と合流。午前、講堂でA・ハメツト所長の歓迎挨拶と相互の紹介。所内見学の後、学校とチヤパプール、モデル村見学。午後アカデミー農場見学、木陰で日本人技術指導員四氏と東パ農業、社会問題につき懇談。その後アカデミー職員と交歓。

一二月九日（金）晴

　午前、サルバム、ビハール仏跡見学、新アカデミー建設地で日本式苗代をみてコミラ知事テイムリ氏を訪問、コミラ戦没者墓地に墓参し、インパール作戦による二千柱の日本人墓地を清掃し、佐々木団員の読経により黙とう、一同感無量、墓守M、マリタン氏も日本女性と僧侶の墓参は初めてだと喜ぶ。国立農事試験場、マイナマテイ見学。午後、松田氏ら四名を囲んで質疑応答。一七時二二分、伊藤氏夫妻、松田、料所、宮本諸氏、イスラム氏夫妻の見送りを受けコミラ発、二一時三〇分ダツカ駅着。

一二月一〇日（土）晴

　午前、社会事業福祉委員会訪問、E・H・チヨーデリー氏、M・A・ハフエル氏の説明後、診療所、婦人教育施設、学校、手工業教習所等を視察。一一時三〇分より、一六時四〇分まで東パキスタン総督A・カン氏招待船上昼食ならびに交歓会。その後総督官邸訪問、テイー、パーテイーでパキスタン、フツトボールチーム選手と交歓、チツタゴンのサイクローン四惟災者に対して水筒、薬品、衣類を贈る。夜、領事館において日パ協会主催の交歓会、その後領事招待夕食会に出席。

一二月一一日（日）晴

　一〇時四〇分、竹中領事、松本、江幡氏、青少、団体多数の見送りをうけダツカ空港発、一二時四五分カルカツタ空港着、総領事館より稲川氏の出迎えをうけグランドホテルに着く。既にインドの風土、慣習に馴れ、去る一月一六日に味った如き驚異を感せず。午後、自由行動。

一二月一二日（月）晴

　午前、留学生奈良氏を囲んでヒンデユイズムを中心にインド事情について懇談。午後、タゴール、ハウスならびにタゴール芸術院を見学。多くのインド民族舞踊をみせて頂く。二一時一五分カルカツタ空港発。

一二月一三日（火）晴

　バンコツクを経て八時三〇分香港着、タイ航空鄧氏の出迎をうけ、インターナショナル、ホテル着同氏の案内で午後市内見学。

一二月一四日（水）晴

　午前、総領事館で土田、大和田両領事の香港ならびに中国事情、日中関係につきオリエンテーションをうける。午後自由行動。

一二月一五日（木）晴

　一二時〇七分、香港空港発、台北を経て二一時羽田空港着、深見局長、河上連絡課長外中青協事務局職員、前年度中田団長、槍田団員、本年度団員家族、東急観光K、K職員の出迎えをうけ、無事帰国を報告。

東南アジヤ報告書

東村川田青年会　吉本　勲

印度の牛

町の中農村と言わず聖なる牛公が遠慮なく、堂々と人垣、混雑する道路を歩き廻っている光景は宗教優先の国印度ならでは見られぬ風景である。

　印度人の八〇%が信奉するヒンズー教では牛は神とされ、殺すこと肉として食うことをも禁じている。「万物の霊長である人間」私達は幼い時からそう教え込まれ、この世の支配者は我々人間であ

り、他の如何なる動物も人間の支配下に置かれているものと信じ込んでいた。しかしこのような真理も私達が住むごく限られた社会に於てのみ通用し、広く世界の如何なる社会においても、我々が信ずること必ずしも真とは限らない。

　牛は私達の住む社会では家畜であり、人間生活の必需品である。何時、如何なる時でも人間の命には、絶体服従せねばならないのが我々の社会に生する牛の運命である。

　しかし印度に住む牛公は我々が考えるような牛ではなく、神としての聖なるものであるから、私達の考える牛とは全然別物となってしまう。日本の牛と印度の牛との性格にも現われている。日本の牛は一般に臆病な牛が多く、それに比べて印度の牛はそのふるまいが、いかにも堂々たるもので、人間や車等が近寄っても、いっこうに恐れることなく、かえって人間、自動車の方が牛を恐れているような感を受ける。町内の目抜き通り、商店がずらりと立ち並び雑踏する繁華街、車のひっきりなしに通る道路を、神なる牛公がまかり通る時の様子は、人間社会での大臣様のお通りになるような一幕を演ずるのである。この牛公が人ごみの中を通るものなら、先ず牛公が優先される。又車道を横断する時は、如何に車がいそいだ用件があろうとも、牛公を先に横断させて後に自分は通過していくのである。全くもって不思議な我々日本人の感覚では計り知れない社会が印度人の社会である。そのように印度は牛公と人間とが互に争わずに、共存共栄、否牛公が優先して生活しているのが現実の印度社会である。

　そのために印度社会は我々の住む社会とは全く異質の社会になっている。カルカッタに最初に到着した外人の誰もが、開口一番に出る言葉は「臭い」「きたない」と連発的に出るこの二語だそうである。

　その「臭い」「きたない」という言葉は印度には形容詞になっているようである。印度に行ったことのある外人に印度で最も印象的なことを尋ねるものなら、必ず「臭い」「きたない」が最初に出る。それ程にその「臭さ」は強烈である。その臭さを端的に現わせば牛舎の中で人間が生活しているようなものである。

　このような形容詞をつけられるのも前に記したように、牛公を神聖視するため、町内いたるところに見かける野放しの牛公の糞尿の充満した社会なるがためである。我々の社会では畜生である牛が印度では人間以上の神の地位までのし上ったのも、ヒンズー教のお蔭である。ヒンズー教で牛が神聖視される理由は次の三つが、主な理由のようである。その一つとして特にヒンズー教では性器を宗拝し、性器はこの世で最も崇高なものとされている。牛の角は男性の性器に似て尖った型をしている。したがって牛は性器を頭上に持った動物であるという意味あいから牛の神とされた理由の一つがあげられる。

　誠に牛にとってはこの上もない幸せである。

　第二の理由として十二世紀頃印度に侵入して来た回教と、ヒンズー教と区別するために牛を神とし、殺すこと肉として食うことをも禁じたようでがる。今一つの理由として牛は印度国民の母であるためである。何千年という昔から牛は印度国民にとっては最も馴染まれた動物であり、牛乳があるために何億という国民があの苛酷な自然の中を耐えしのんで生き抜いて来たのである。したがって彼等印度国民は牛なくしては古い歴史を誇る印度国は成立せず、今日の印度はあり得ないと信じ込んでいる。機械文明の発達しなかった古代においては、牡牛は輸送機関の大きな役割を果し、牝牛は国民に重要な食糧としての乳を与えて来たのである。今日においても尚牡牛は農耕、その他荷物の運搬等の輸送におおきな役割を果し、牝牛も昔同然に四億余の国民に大事な食糧を与え続けている。このように今掲げた三つの理由が、牛が神とされた理由となっている。聖なる牛が印度全体で凡そ二億というから、まるでその国は牛でうもれた国であると想像する如く、日本から行った者には牛のみの社会であるような錯覚を起す。しかしその中で本当にその国民に役立す食糧の供給者である牛は過半数で後は幼牛や老廃牛である。この老廃牛が町内あちこちとうろついている愚連隊のような主のない牛である。あの見渡す限り、山一つ見えない広大な土地を農耕地として耕し、穀物その他の農作を栽培して、その国民に充分な食糧を与えるには、広大過ぎる程の平地を持ち乍ら、今尚食糧は外国からの輸入に頼らねばならないということは、印度の大きな悲劇の一つである。その土地は最も生命力のある野生の草木すら、生育することが出来ない乾ききった砂漠のような土地が殆どで、その土地を農耕地とするにはあまりにも苛酷な、無慈悲な自然である。その自然で戦い、それを征服するにはあらゆる面で無力過ぎた。インド人があらゆる苦難を克服して現在まで生き抜いて来たのも牛のお蔭であることは、あの自然を見た者にはうなずけるのである。彼等の牛を大事にする気持もあの自然を見た時、始めて理解されるのである。しかし、一方衛生思想の向上と物質文化の発展に伴って、聖なる牛が現実

の社会を如何に不合理にしているかを認識し、牛をもっと有益に人間生活に利用して行く動きが州政府を中心としてだんだんと動きつつある。

今カルカッタでは町内を非衛生的にしている牛を一掃して、明るい町衛生的な町にしたいという州政府の方針のもとで、今着々と町から持ち主のな牛を追い放して、一定の場所に集めつつある。そこがベンガル州立家畜研究所であり、牛の委託所である。ベンガル州立家畜研究所は、一九四九年にその地方の家畜改良を目的として設立されたベルガル州では唯一の家畜研究所である。

当試験所には現在二〇〇〇頭の牛（内六〇〇頭成牛）と鶏一万羽、山羊二〇〇頭が飼育されている。そしてこの研究所は次の四つの研究部門に別れて各研究部門を担当して研究を重ねている。

一、家畜研究部、二、獣医部三、栄養研究部、四、衛生研究部、いちよう外型としては整った一つの研究所であるが、研究実積としては未だにそれというものはない。しいて言えば泌乳量が農家の牛の二倍に上昇したということ位である。現在当研究所での研究の狙いは、インドにいる乳牛五品種中（ターベル、サヒワーズ、ギール、シンデー、ハリカナ）で最も泌乳量の多い品種の選定が重点のようである。又この研究所は附属のミルク工場を持ち、この試験所で生産された乳は、この工場で加工して町内のミルクの需要を満たしている。更にこの工場は各農家から集乳もして、一般の農家の唯一の資金源ともなっている。その他当研究所の構内に牛の集荷所（委託所）があることは最も興味のある印度的な事業である。この委託所は一九五七年に設立された。

一、持ち主のない牛を町から追放すること
二、非衛生的な乳をなくすること
三、牛をより有益に利用し、牛の品種頭数の確保をすること
四、科学的な飼育法に作り泌乳量を増すこと

以上四つの目的を持って発足したのが、この州立牛委託所である。

現在委託飼育されている牛が五〇〇〇頭で、依薄料も泌乳中の牛と出さない牛によって異る。泌乳中の牛一日三十六ナヤパセ、乳を出さない牛一日当十八ナヤパセとなっている。その料金は現金ではなく委託した牛の生産した乳を販売した乳価から支払われるので、農家その他の持ち主にとっては誠に結構なことである。その事業は一種の慈善事業であり、利益を追求するような営利会社ではないことは言うまでもない。

以上記した如く印度の牛は宗教より見た神としての牛と、純家畜として見た動物としての見方の両方がある。しかし現在の印度では宗教より見た「神としての牛」の見方が強い、現実の印度は国民の殆んどが、人間としての否動物としての最下の生活で現世を送っている、食うことすら充分ではなく、これが人間生活とか思われる程、実にみじめな生活にあえいでいる。この反面老廃牛となった牛が町内をうろつき廻っているのは、我々の感覚では到底理解の出来ない不合理さの充満しているのが現実の印度である。貧困な印度、きたない印度等々とあらゆる汚名を持つ印度に物質文明が発達し、民衆の生活が向上して、現状の自国の社会に目を向け、その不合理さを認識しない限りは印度の発展性は望めないであろう、このように現在のインドの貧困民が現状の生活を肯定し、来世を楽しみに生きているのもヒンズー教の教えであるが、しかしその宗教がいかに現実の印度国民の生活発展を抑制しているかも只一つの牛を例に取ってでも実証さわることである。真に国民の母である牛が宗教的な制約から切り離され、家畜としての本来の動物に戻り、人間の食卓に上った時に始めて印度の国民の生活は向上があるであろう。神としての牛から家畜としての牛に移りつつあるのが現状の印度の聖なる牛である。

（※　八一頁より）
百姓の耕作方を指揮し地頭代は報告した。

地頭代は更に四季毎に総耕作当、掟、耕作当と共に各村を巡察監督しなければならない。

田地奉行は春秋二回下役人を従えて間切、間切を巡回し、篤農家を賞したり、違反者を処罰した、監督者たる地頭代以下の総耕作当、掟耕作当にも取締監督不行届の場合はそれぞれ科銭や科鞭をいいつけるのである。尚田地奉行巡回の際農村では村所に村揃をし、蔡温の著作による御教条を読みきかせ（これを読法令といった。）その意味を徹底させることも一つの仕法とされていた。（以下次号）

対外競技の基準を改訂

（文部広報より）

中学生の全国水泳大会参加も認める

保体審答申

保健体育審議会（会長足立正氏）では十一日東京千代田区平河町の都市センターで総会を開き、次の諮問事項について、荒木文相に答申した。①三月十四日に諮問の「学徒の対外運動競技の基準」について。②昭和三十三年十月三十一日に諮問の「現行の学校給食実施上改善すべき点」について。対外競技については、二十九年、三十二年の次官通達があるが、この答申によると、これまでの制限がゆるめられている。また、学校給食は献立の内容が、一般の生活水準の向上に適応していないばかりでなく、物価の上昇に対応していないので、おかず代の基準を引き上げるよう答申している。

本省ではこれらの答申に基づき、近く各都道府県教育委員会へ通達を出す。

学徒の対外運動競技の基準について

（答申全文）

1　小学校については、実質的には現行の連合運動会程度にとどめることが妥当であるが、禁止的印象が強いので、文章表現を改めること。

2　中学校の県内および隣接県にまたがる小範囲の競技会については、教育委員会に責任をもたせることとし、宿泊制限については、教育委員会に責任をもたせることとし、宿泊制限については、実情にそうよう緩和する。この場合、経費面での負担が増大しないよう配慮すること。

3　中学校の水泳競技についてはその特殊性にかんがみ、一定の水準に達した者を選抜して行なわれる全国大会の開催を認めるものとすること。

4　中学校生徒の国際的競技会および全日本選手権大会等への参加については、現行の世界的水準に達している者またはその見込みのある者とあるのを、特にすぐれた者にまで緩和すること。

5　高等学校生徒の個人当たり参加回数の制限は、実情にそわないので削除すること。

6　国際的競技会および全日本選手権大会等への参加手続きを簡素化し、文部省との協議は、国外で行なわれる国際的競技会への参加の場合に限ろものとし、それ以外は、都道府県の教育委員会の承認にとどめるものとすること。

7　主催者については、児童生徒のみを対象とする競技会についてのみ規定することとし、この場合学校、教育委員会または学校、教育委員会または学校体育団体の主催またはこれらと関係競技団体との共同主催とすること。

8　高等学校における教育関係以外の団体の主催加入に関する審議会については、高等学校体育連盟において自主的に実施しうるのでその規定は削除してさしつかえないこと。

9　その他、全体的に、禁止的統制的印象の文章表現を改めるとともに、所要の整理をし、全体として基準の簡明簡素化を図ること。

児童生徒の対外運動競技の基準（案）

▽小学校の場合

小学校では対外運動競技は行なわないものとするが、親ぼくを目的とする隣接学校間の連合運動会は行なってもさしつかえない。

▽中学校の場合

中学校の対外運動競技は、都府県（北海道の場合は、支庁の管轄区域内程度とする。以下「県」という。）内で行なうこととするが、隣接県にまたがる小範囲の競技会は、関係都道府県の教育委員会の責任において開催されるかぎりさしつかえない。この場合、経費面での負担が増大しないよう配慮するものとする。

▽高等学校の場合

高等学校の対外運動競技は、都道府県内で行なうことを主とし、地方的および全国的大会の開催は、各競技種目についてそれぞれ年一回程度にとどめる。

▽国際的競技会、全日本選手権大会、全国中学生選抜水泳大会等への参加

①　中学校生徒の個人競技については、特にすぐれた者を国際的競技会または全日本選手権大会およびこれに準ずる大会に参加させることができる。

なお、水泳競技については、その特殊性にかんがみ、一定の水準に達した者を選抜して開催される全国中学生選抜水泳大会に参加させることはさしつかえない。

②　中学校生徒または高等学校生徒を国際的競技会または全日本選手権大会およびこれに準ずる大会に参加させようとする場合は、次記による。

ア　国外で行なわれる国際的競技会に参加させようとする場合は、文部省に協議するものとする。

イ　国内で行なわれる競技会については、中学校生徒の参加の場合に限り、都道府県の委員会の承認を得るものとする。

▽主催者

抜すい

① 児童生徒のみを対象とする対外運動競技（小学校にあっては「連合運動会」をいう。）の主催者は、次のとおりとする。

ア 小学校の連合運動会は、関係の学校または教育委員会（以下「教育機関」という。）が主催するものとする。

イ 中学校の競技会は、教育機関もしくは学校体育団体の主催またはこれらと関係競技団体との共同主催とする。

ウ 高等学校の競技会は、教育機関もしくは学校体育団体の主催またこれらと関係競技団体との共同主催とするが、他の団体を協力者として主催者に加えてもさしつかえない。

② 学校および学校体育団体（学生競技団体を含む。）は、下級の学校の競技会の主催者となることはできない。

③ 主催者は、当該主催者の管轄する地域にわたって参加者範囲を拡大しないものとする。

高等専門学校について

文部広報より

解説

本省では、新たに高等専門学校の制度を創設するために、学校教育法の一部を改正する法律を第三十八回国会に提案したが、昭和三十六年六月七日の政府原案どおり可決成立し、同十七日法律第百四十四号をもって公布され、同日から施行されることになった。以下はこの高等専門学校制度のあらましである。

三十七年度から設置

法案提出までの経緯

まず、この高等専門学校設置についての学校教育法の一部改正法案を提案するに至るまでの経緯を、一応簡単に説明しなければならない。というのは、今回高等専門学校として具体化された中学校卒業を入学資格とする五年制専門教育機関の構想は、けっして一時の思いつきではなく、すでに十年前にもそのきざしが現われてきており、その後種々の観点から論議が重ねられ、各方面から要望されてきたものであるからである。

まず六・三・三・四の学校制度が確立してまもなく、昭和二十六年には、占領下にできた諸制度の再検討を行なった政令改正諮問委員会の答申に「専修大学」の構想として、高等学校の段階の大学の二年または三年の段階とをあわせた五、六年制の学校制度をつくるべきであることが述べられた。

その後、学校教育の体系上暫定制度である短期大学を恒久化すべきであるという論議に関連し、また、科学技術振興方策の一環として、五、六年制の学校を実現することが強く要望されるようになってきた。

このような情勢に則応し、中央教育審議会も文部省の諮問に応じてこのような新しい学校制度の実現について検討し、前後三回にわたって答申を行なった。そのおもな趣旨は次のとおりである。

①「大学入学者選考およびこれに関連する事項についての答申」（昭29・11・15）

短期大学制度を恒久化して、充実した専門教育を行なう完成教育機関にするとともに、高等学校課程を合わせた五年または六年年制の短期大学を認めること（四年制大学入学緩和のため）

②「短期大学制度の改善についての答申」（昭31・12・10）

短期大学制度を恒久化し、四年制大学とは別個の目的、性格をもった高等教育機関としその教育内容は、実験実習などを重視し、画一的ではなく特色をもたせること。一貫して充実した専門教育を授けるため、必要のある場合は、高等学校課程を包含する五年または六年制の短期大学を認めること。現行短期大学の新制度切替えにあたっては現状を尊重し、円滑に移行させること。

③「科学技術教育の振興方策についての答申」（昭32・11・11）

理工系短期大学の目的、性格を明きらかにして、その制度および内容の充実を図ること。短期大学と高等学校とを合はせた五年または六年制の技術専門学校を早急に設けること。

文部省としては、右の中央教育審議会の答申をもとにして検討した結果、昭和三十三年三月通称「専科大学法案」を国会に提出し、短期大学の恒久化を図るとともに、中堅技術者養成のための専門教育機関を創設することを期した。

この法立案における専科大学は、四年制大学とは別個の二年または三年制の

高等教育機関であり、必要があるときは、三年の前期の課程をつけて、五年または六年制のものにすることができることとして一貫教育を行なうこととした。しかるに、この法案は専科大学を四年制大学と別個の目的、性格を有する高等教育機関であるとしたため、短期大学のわく内として恒久化することを要望する関係者の反対がおもな原因となって、第二十八、第三十および第三十一国会と三度にわたって審議未了に終わったものである。

高等専門学校の構想および内容

抜すい

専科大学法案が廃案となってからも、社会における中堅技術者の必要はますます強く訴えられるようになり、昨年十月の科学技術会議答申においてもその必要が強調され、中堅技術者養成機関の必要はまことに緊急のこととなってきた。そこで、従来の専科大学法案の内容のうち、短期大学制度の恒久化の問題を切り離し、これは大学制度全般問題の一環として、さらに今後検討することとし、中堅技術者の養成の目的を最も端的に達しうる学校制度を創設しようとして立案したのが、今度の高等専門学校の構想である。この構想およびその内容を「学校教育法の一部改正法」によって若干詳しくは述べることとする。

① 高等専門学校は大学、高等学校とは別個の新しい学校である

学校教育法第一条を改正して、大学の下に高等専門学校を加えている。これによって、高等専門学校は学校の一つの種類として明記されたのである。高等専門学校を大学の次に加えたのは、現行の六・三・三・四の学校体系は基本的な幹として維持し、そのほかに六・三・五の新しい学校体系をつけ加えることを意味する。

② 高等専門学校は、深く専門の学芸を教授し、職業に必要な能力を育成することを目的とする（第七十条の二）

高等専門学校の目的規定である。「学芸」とは、学術と技芸の意であるが、高等専門学校において実際上、中心的に教授される内容に即していえば、学術の理論およびその応用技術を意味する。「職業に必要な能力」には、単に特定分野の職業に関する専門的な技術的能力ばかりでなく、一般に職業人として、また社会人として、必要な知的道徳的能力も含まれている。

大学の目的との相違点は、第一に大学は「深く専門の学芸を教授研究」するのに対し、高等専門学校は「深く専門の学芸を教授」するものである。すなわち、大学では学校の機能として学生を教授することと研究することとが、同じように重点がおかれているのに対し高等専門学校においては、学校の機能としての研究は行なわず、学生を教授することに使命をおいていることを意味するものである。もちろん高等専門学校の教員が個々に学問的な研究を行ない、教育をするために研究をすることは当然のことである。

第二の相違点は、高等専門学校は職業に関する専門教育期関であるため、大学のような「学術の中心として」ということはない。第三の相違点は、大学が「知的、道徳的および応用的能力を展開させる」のに対し、高等専門学校は「職業に必要な能力を育成する」ことである。

（大学の目的―学校教育法第五十二条―大学は、学術の中心として広く知識を授けるとともに、深く専門の学芸を教授研究し、知的、道徳的および応用的能力を展開させることを目的とする。）

③ 高等専門学校には、工業に関する学科を置く。

前項の学科に関し必要な事項は監督庁が、これを定める。（第七十条の三）

高等専門学校の学科の種類を工業に関するものと限定した趣旨は、わが国産業経済の著しい発展に伴う工業に関する中堅技術者の需要に応えることが、高等専門学校の創設の理由であるからである。二項の学科に関し必要な事項は省令で定めることとしているがその内容としては、学科定義および工業に関する学科の種類としては次のようなものが考えられる機械工学科、電気工学科、応用化学科、化学工学科、土木工学科、建築科、金属工学科、や金工学科その他工業に関する学科として適当な規模内容がある学科。

④ 高等専門学校の修業年限は、五年とする。（第七十条の四）

高等専門学校の修業年限は、高等学校の修業年限に、大学修業年限四年のうちの二年をあわせたものに相当する。しかし、高等専門学校にあっては、その修業年限を前期課定（あるいは予科）三年、後期課定（あるいは本科）二年というように分けることはせず、

五年間を通じて一貫教育を施し、一般教育および基礎教育の効率化を図り、それだけ専門教を充実できるようにしたものである。

⑤ **高等専門学校に入学することのできる者は、第十七条に規定する者とする。（第七十条の五）**

これは、高等専門学校の入学資格を中学校卒業程度であることと規定したものである。

⑥ **高等専門学校には、校長、教授、助教授、助手および事務職員を置かなければならない。**

高等専門学校には、前項のほか講師、技術職員その他必要な職員を置くことができる。

校長は、校務をつかさどり、所属職員を監督する。

教授および助教授は、学生を教授する。

助手は、教授または助教授の職務を助ける。

講師は、教授または助教授に準ずる職務に従事する。（第七十条の六）

本条は、高等専門学校に置かれる教職員の種類および職務について規定したものである。大学の教授の職務は「学生を教授し、その研究を指導し、または研究に従事する」ことであるが、高等専門学校は機能として研究機関の性格をもたないで、その教授の職務規定に研究を除いている。また、大学の助教授の職務は「教授の職務を助ける」ことであるのに対し、高等専門学校の助教授の職務を教授と同じようにした。これは、高等専門学校は大学のように研究体制として講座あるいは学科目という組織単位を必要とせず、助教授が教授を助ける体制をとらないためである。したがって、高等専門学校における教授と助教授との相違は、資格要件を異にすることにある。なお、教員の資格については、省令で定めることとなるがこれは、現在の教員の資格が学術論文等の研究実績を重視しているのに対し、生産現場等における実務上の経験実積をも重視した資格基準を作りたいと考えている。

⑦ **高等専門学校の設置の認可に関しては、監督庁は、高等専門学校審議会に諮問しなければならない。**

高等専門学校審議会に関する事項は、政令でこれを定める。（第七十条の七）

本条は、高等専門学校の設置認可を高等専門学校審議会への諮問事項としたものである。高等専門学校の設置について大学設置審議会に諮問しないことにしたのは、高等専門学校が大学とは制度上別個の教育機関であって、高等専門学校の目的性格に合致した新しい審議会を設け、これに諮問するのが適当と思われるからである。なお高等専門学校審議会は文部大臣の諮問に応じ、高等専門学校の設置に関する（廃止、閉鎖を含む。）について調査審議するほか私立高等専門学校を設置する学校法人に関し私立学校法に規定する次の事項も調査審議することとした。

（学校教育法の一部改正に伴う関係法律の整理法―法律第一四五号）

一　学校法人の行なう収益事業の種類の決定（私立学校法第二十六条）

二　寄附行為の補充（同法第三十二条第二項）

三　学校法人の予算変更の勧告（同法第五十九条第六項）

四　学校法人の役員の解職（同法第五十九条第六項）

⑧ **高等専門学校を卒業した者は監督庁の定めるところにより大学に編入学することができる。（第七十条の八）**

ここでいう編入学とは、高等専門学校を卒業した者が大学に入学する場合には、高等専門学校の修業年限の一部を入学した大学修業年限に通算し、かつ高等専門学校において履修した授業科目の一部を、大学設置基準の単位の計算方法により、大学において修得した単位に換算することによって、大学の除中に編入することである。修業年限の通算、単位の換算等については、省令でこれを定めることとなる。

⑨ **高等専門学校は、昭和三十七年四月一日前には、設置することができない。ただし、同日前その設置のため必要な手続きその他の行為をすることを妨げない。（附則第二条）**

この法律は公布の日から施行することになっているが、高等専門学校の設置は来年四月一日以降としたものである。ただし、それ以前に設置準備のため、認可等に関する法的な手続き、処分をすることができることを定めたのである。

尚敬王の時代 ②

―十八世紀の社会経済史―

饒平名浩太郎

㈡ 農村支配

総地頭、脇地頭である大名や、士の上層部は知行や領地を給せられるので、知行持と称せられ、総地頭は諸役所の長官である奉行になり、脇地頭である政治の中枢部を受持つ者は物奉行や申口座など十五人役の重職につくが、役職につく者は知行や領地の外に役俸が給せられる。士は知行領地こそないが役職につけば役俸が給せられ、勲功によっては領地も給せられる。この大名や士によって農村は直接支配されるのである。こうした身分制度は当然の社会組織であり、身分は生れながらのものもと心得ているのが封建社会であるから、この制度は、永劫に変らないものと考えられていた。この制度は尚真王時代に制度化され、十七、八世紀と時代の経過や社会の発展のうちにますます整備され、農民は職業や住居地域が固定してしまって一つの社会性格を形づくるになった。

もとよりこの制度は支配階級の社会的特権をながく保持するために設けた制度で、統治の円滑化の強化をするものに他ならなかった。封建社会は農村の土地を媒介として支配被支配の関係をつくるのであるが、土地は原則として国家のものであり、公儀から授けられるものであるから、御授け地ともいい、大名たちはこれを間切や村を単位として、貢納や夫遣を百姓に割当てて支配するという化組にしてしまうのである。百姓たちは、割当てられた土地を自作（自分作り）するのが原則であるが、地割による配分であるから、分家して新に世帯をもった百姓たちは百姓地の割当がなく（これを名子という）小作（これを作り分けという）するか、又は叶掛（土地の石高による小作料で貸借する）する他はない。この人々は次の地割まで待たねばならぬが、それも割当てられるかどうか保障されたものではない。勿論地割は公平と生産増強を目標とするものではあるが、種々の協約のもとに一定の土地を共同管理（間切か村で管理する）のもとにおき、その総使用収益権を一定数に分割して、使用収益の持分単位とし、各自持分に従って、その単位土地を使用収益し、且つその土地を一定期間に割換えたものである。ところが悪役人たちの中には百姓に割当てられた土地のうちよい土地はとりあげて自作したり、又特権をもつ地方の身代持といわれる連中が、貢租転荷のため百姓地を貧農におしつけたり、借金のかた代りに土地をとりあげたり、又富農といわれる者は百姓地を多くとり、貧乏人には種々の口実を設けて土地を少く配当したりして貧農がたんたんふえ、あげくの果は身売する者が多く出る始末であるから、まして貧農の二、三男で次の地割の際土地を受けることができるとは保障されないのである。元来土地の割当は村単位で行われるから、各地の持分は村揃村吟味によって、家族の多少や労働力の多少が斟酌され配分される建前であるが、ものいわぬ農民は自已主張などという口はばったいことは全然ないから、掟頭或は間切の夫地頭総耕作当などの勝手自儘な割振が多い、たから一見この制度は農村の自治を認めてやって、収奪をするという心理が多分に窺えるのである。おまけに役人たちには幾らでも自巳の有利になるような方法や抜け道があるから益々始末が悪いのである。

貢租を未納したかどによって土地を取りあげ自作したり、おえか地、地頭地が荒地になっているからというので百姓地ととり換えたり、地割帳には知らぬ間に某地が掟や頭役のものとして記帳されたりする。こういう悪役人の横暴が募るのでその都度政庁では掟書や取締規則で取締ることはあっても、政庁の手先である役人の悪徳行為であるから、厳重な取締りは困難であった。政安四年八重山旧記書類によると「百姓上田地の内より役人共配分を以て請取手作り致し、百姓迷惑させ候者も有之由、不宜候間、田地儀きっと百姓へ可引渡事」。又百姓地の内上地之方は段々致手作、百姓迷惑させ候者も有之由不宜候間、向後在番頭親ら廻の砌能々致差引、右之化形無之様締方可申渡事。とあってこの事情は八重山に限らず本島内でも同様なことが各地で行われていた。天保三年羽地間切日記によると「諸間切百姓地之儀各々家内家内有無等見合せ、不便の者共不痛様地割可致之処、地面広き村々は家内有付居候者共地方少く持ち、不如意之面々へは致持過、且つ地面少き村々は、家内有付者地方多く、不如意者共は少相持候故、上納兼調及迷惑候所も之有由、右の通段々親疎之成行放威勢有之面々は猶余財相増、困窮の者共は自然と衰微の方に成行、進年疲増候振合之由相聞得、甚いかんの儀候条きっと右の執行引改家内の厚薄に応じ致

割地候様可被取計候旨、此旨御差図にて候以上。とあって百姓者は年貢を納めるけのだけの土地で満足しようとするが、身代持は尚更仕明地のみに専念して場当地は百姓に委せて年貢を免れようとする根性があるから、百姓は余分の持過しをし、引いては年貢の滞納が重なって身動ができないようになる。これに反して化明地をもった身代持は年貢はないし、仕明地は念入りに耕作するから愈々余財が増すという結果になる。こうなると年貢によって賄われる国家経済は破綻せおばならなくなる。こうした現象は元禄以来幾度か指令を出して取締っているが、なかなか実行されないというが現状であった。元禄十年中頭法式張によると、

「おえか、地並請地、仕明地、荒地欠地施有之は其地の高可見合、兎角代下相究候はば、能々見合、おえか地の儀は百姓地繰合可申、仕明地の儀は少々損失までは敗地懸引、仕間敷候自然大粧の破損にて難捨置節は引高可申渡事。」引高に付、上納不足分其間切中に能々以て見合代可相重候。右相重方、施無之は代下分の上納不足分張に相記、三司官仰印形申受格護仕置、惣高に割付候。員数に成候出米可申付事。」として役職地の欠地分は百姓地から補い、上納不足分は間切中を見合せて欠地代としてとった分の貢租は農民に相重ねるようにせよと命ずるのである。

年貢未納で欠落者がでると早速掟や村内法でしぼられてしまう。

「地人中において貢租その他上納物未納いたすときは、掟頭にて本人の拒み又は不在と雖も、直ちに作毛家財、畜類を引きあげ売買し、未納分に差し向け残余あれば本人に還付し、もし不足を生ずる時は妻子を売り親類にまで及ぼすべし、尚それにても不足するときは、組中、村中間切中及ぼすべし。ただし以後も未納のうれいある者は現地引揚他へ掛替候事。」（名護間切村内法六十九条）

とあり、完全に抜け道をふさがれて、あるだけのものを収奪され、妻子さえも道具同様に売払われるのである。

「年貢未納者があれば、その村掟頭より組中に対し日限を以て督促し、右日限まで不納すでば、その者の畜類ならびに所有品とも引揚げるよう会達してあるから組中からはその趣を親類中にも通告し、日限を誤るようなことがあれば、組中で本人の畜類所有品を引揚げ、もし不足を生ずる見込であれば親類の畜類所有品を引揚げ、尚それでも不足すれば、村掟頭が組中の畜類所有品を引揚げおき、皆納してから返すようにせよ。尚十四、五日間延期すれば、それぞれ公売に付して清算する。もっとも未納が二、三度に及べば現地作物共引揚げ所払とする。」という悲惨極りない誅求をする。

農民を全く牛馬のようにこき使い人間性を完封していた尚敬時代の租税制度はどんなものであっただろうか。

1 正租（田畑の税）
2 諸出米（附加税）
3 夫役銭（労役に従事する雑徭）
4 浮得税（桑シュロ刳舟九年母等に課す）

このうち田租は米で納め、畑租は雑穀（麦、粟、黍、大豆、小豆、胡麻、菜種）で納め、且つ一部は砂糖で代納し、久米島は砂糖の代りに紬で納める、夫役銭と浮得税は原則として原銭で納めるのであるが、特例としてシュロ縄、綿花は現品で納めることになっている。先島は各税目を一にして、宮古では粟と反布、八重山では米と反布で納めさせた。以上四種が王府に納める上納であるが、この外に薩摩への貢租と、地頭やおえか人に納める税がある。薩摩への貢租は仕上世座が取扱い、正租諸出米の外に上木税（芭蕉、唐苧、藺、桑シュロ、塩、うこん）ありすべて米に換算して納める。一六四六年以来砂糖の価値が高くなると薩摩側ではその貢租の三分一を砂糖で代納させるようになった。薩摩への貢租は一旦王府に納め、王府から薩摩に納める仕組である更に地頭おえか人への知行、役俸、作得、夫役銭等があり、知行役俸作得は米雑穀で納め、夫銭は雑の外に銭と野菜、魚、鶏、薪炭、材木、茅、苫等で納める。直接地頭おえか人へ納めることになっている。

これらの税品になっている米、砂、粟籾、豆類、菜種子、胡麻、砂糖の諸作物或はうこんのような薩摩への御用品は否応なしに作らされる。しかもどんな作物をどれだけ作ること。」というのはすべて公儀できめることにしているが、その実は薩摩からの指令であったのだ。こういう状態であるから百姓はただ牛の如く黙々として働くだけの存在であった。即ち沖縄の農民は薩摩入り以来三重の税の取立てによって完全に余すところなく収奪されていたと見られるのである。薩摩が貢租の三分一を砂糖で納めろと指令を出したのは、一六四六年古波藏賀親と当間重陳の進言によるといわれている。当時琉球では薩摩からの借銀四百貫があり、その返済で四苦八苦の状態にあった。古波藏、当間の進言による、砂糖とうこんの私売を禁じて王府で買いあげ、薩摩に送ってその利益で負債を相殺するということにあった。これが薩摩の思うつぼにはまってしまい、沖縄糖独占のきっかけになってしまった。利にさとい薩摩では最初貢租の三分一を砂糖で代納しろと命じ、ついで余分の砂糖を全部買い上げればその利によって速かに負債の償

還ができると、琉球側に相談を持ちこんできた。琉球側では砂糖の経済的利潤がいかに大きいかを知らないので、早速薩摩の要求に応じてしまった。そして貢糖買い上げ糖の名において収納する専売制度をも承諾してしまった。砂糖の専売が決定してしまうと、王府でもこれに対処する手をうたねばならず、とりあえず製糖地域を指定した。島尻方、中頭方の各間切と国頭の金武、本部、今帰仁、国頭伊江を加えて三十一間切の製糖地域を指定したが、本来これらの地域は畑地が多く、王府納入の正租や薩摩への貢納は米であって、稲作に影響はないと見たからに他ならなかった。そうなると砂糖生産の確保が必要とあつて、一六六二年砂糖奉行がおかれ、王府の厳重な統制と監督のもとに製糖されるようになった。砂糖で貢租を代納するには公定の代納率によって行われ、田租に代る分を貢糖といい、畑租に代る分を買上糖といって、貢米、諸出米と差引計算をし、過納分に対しては、砂糖代として現金で百姓に払い戻した。しかし抜け目のない薩摩側は現金を払い戻すのが惜しくなって鉄器類や日用品と差引勘定をすることをすすめるようになった。薩摩の利にさとい政策はこのとき以来私売買について厳重な取締りを行い、間切村で公租完納前に密売したり不法な取引があると、過酷な刑罰を加えてひたすら収奪をつづけたのである。更に米や雑穀類は王府だけに納めるのでなく、地頭の知行役知や作得、おえか人（役人）の役俸として百姓から収奪されていく、この知行役知はすべて所領の間切村から生産される米、雑穀で納められる仕組になっている。諸地頭はこの外に間切村に地頭地をもっている。これを百姓に小作させてその作得をも取る。地頭の作得というのは、三分一を百姓分とし三分の二から上納分を差引いて残りを作得するというのである。一七五〇年薩摩による慶長の検地以後綿密な検地が行われたが、そのときの竽入帳の記載によると田畑合せて二七九八町歩であった。地頭地をもつ地頭が三七〇人（概算）であるとすれば、たとい収穫の三分二から上納分を差引いた残りを作得するにしても僅かの高ではなかった筈である。地頭の外に間切、島には番所村屋の役所に詰めるおえか人の役俸がまた米や雑穀で納められる。（役人は地下離で八六〇人、宮古三五〇人、八重山二〇〇人）間切によっておえか人の役俸は幾分の差異はあるが大体以ていたようである。今帰仁間切たけ例にとって見ても、

○地頭代の役俸　七石八斗
○夫地頭　七石三斗
○首里大屋子　二〇石四斗
○大掟　十二石一斗
○南風掟　九石二斗
○西掟　十一石一斗
○村掟　九石

（年功や仕事の多寡によって役俸は異なる。）

一間切の役人全部の平均役俸十一石としても、間切捌理《さばくり》の役俸が全体で九、四六〇石という夥しい額に上る。

以上がすべて土地の百姓の負担になるから驚く外はない。のみならずこれだけの貢租を納入した上に、夫役銭というくせものがある。これは原則として、現銭納であるが、間切の地頭はその領有する間切村の百姓を徴用して労役に服せしめるのである。即ち労役地代になる。或は使役の代りに役米を納めさせたいのであるから、律令国家時代の雑徭まがいのものであるが、これが又大へんな負担である。間切村の正頭夫（十五才―五十才までの男女）に課するもので、男は一貫文、女は五百文とし、総地頭は年一日分、脇地頭は年二日分、総地頭、脇地頭の分を合せると正頭夫は年三日の雑徭が余儀なく課せられるのである。ところが地頭の欲するのは現銭よりも野菜、魚、肉、薪炭、木材を定代として納めてもらったがよいから、番所や村屋には諸品定代帳というものを備えつけていて、いきなり徴収するという方法をとったのである。換算の方法は六尺まわり薪一束を一貫文とする。かように農村の諸作物の殆どが貢租、夫役として納められていた。温察の樹立した御財政（財政計画書）には、「田畑の儀は住古より出実十の内五分年貢五分百姓仕得の分制伝来」とあり、計画書には五公五民の精神がうたわれている。又別の記録には「正米正雑穀を三つ割にして一分は百姓仕得、二分の内公儀上納を差引いて残り分を地頭作得とあって、後者が貢租上納の原則となっていたことは地頭の地頭地作得の方法からも考えられることであるから、七公三民というのが農民の貢租の事実であったただろう。そして百姓にこれだけの負担を課するのには、支配者は百姓の農耕生活に緊密な統制を加えたのであるが、その具体策が農務帳なのであった。農務帳は一七三四年評定所から令達されたものであるが、殆ど他の手を借りず蔡温自らの手による諸法令であるから、蔡温の大きな業積と見てよいものである。これによって間切や島では総耕作当や耕作当が百姓を指導監督した。耕作当は毎月三回、田畑を巡視して諸作物、上木類、蘇鉄、等の栽培面積、植付本数の適否、耕作、施肥、牛馬の飼養、道路、池沼の管理を指導し、毎月朔日掟と共に番所に出頭し担当村の農務を地頭代に報告する義務をもっていた。総耕作当は毎月二回、各、作当と各村を巡回し（※　七四頁へ続く）

一九六一年八月 二日 印刷
一九六一年八月二一日 発行

文教時報 （第七十六号） （非売品）

発行所 琉球政府文教局
研究調査課

那覇市久茂地町二丁目八八番地
印刷所 新光社
電話 (8) 三六八〇番

文教時報

77

1961.11　　No. 77

琉球　文教局研究調査課

巻頭言

中学校技術・家庭科担当教員の現職教育の必要性から

文教局職業教育課長　比嘉信光

昭和三七年度から新しく発足する「技術・家庭科」の成否のカギを握るものは、人の面と物の面の二つであるが施設、設備を活用して効果的な指導を進めるものは、なんといつても教員自身であるから、その資質のいかんこそこの教科の成否を制する重要な問題であるといえよう。

ところが現在職業・家庭科を担当し将来技術・家庭科を担当すべき教員の専攻分布を調べてみると、農業三〇・四八%、工業八・一五%、商業一一・八四%、水産〇・八五%、家庭三三・三一%、その他一五・三五%で農業専攻、家庭専攻がそれぞれ総数の三分の一以上を占め、工業専攻は、総数の一割にも満たないのである。

さらに各専攻別の学歴分布を調べてみると職業科では青年師範、旧農林学校、教員訓練所、新制大学農学部、旧制商業学校、旧制工業学校、旧制水産学校の順であり、家庭科では旧制女学校、教員訓練所、新制大学家政学部、師範学校、短大の順であり、このような担当教員の実態と技術・家庭科の内容とを対応するとき、女子向きはともかく、男子向きを担当する教員については、大いに注目を要することである。このことは現職教育の実施に際して相当その程度に弾力性をもたさなければならないことを意味している。文教局では今までに男子向き講習会二回、女子向き講習会一回の現職教育の講習会を実施したが、その結果は受講員の研究意欲がきわめて旺盛で予想以上の成果をあげることができた。今予算年度でも中学校職業技術訓練費として予算を獲得してあるので、この種の現職講習会を質的にも量的にも拡大して継続的に実施する計画をたてているので該当者は進んで参加するとともに同好会の研修組織をとおして研究や、個人研修にもはげんでもらいたい。

なお、文教局では中学校の教育課程の改訂に伴なつて当該教科を担任する教員の免許状も「職業」が「技術」に改められるように立法要請をすすめている。

目次

第2回 中学校技術科担当教員の会

現職訓練　於真和志中学校実習教室

金工旋盤作業

木工旋盤作業

木工手押鉋作業

木工作業にいそしむ　受講生

第２回中学校技術担当教員の作品展示会

← 展示会の状況

電気作品を前にして 許振声講師とフエル教授 →

← 木工作品を見る 比嘉職業教育課長

金工作品を見る講師団 →

↑ボックスブレークで板金を曲げる生徒、比嘉職業教育課長と中校の技術科教員

←木工帯のこ盤を操作する

↑金工旋盤作業

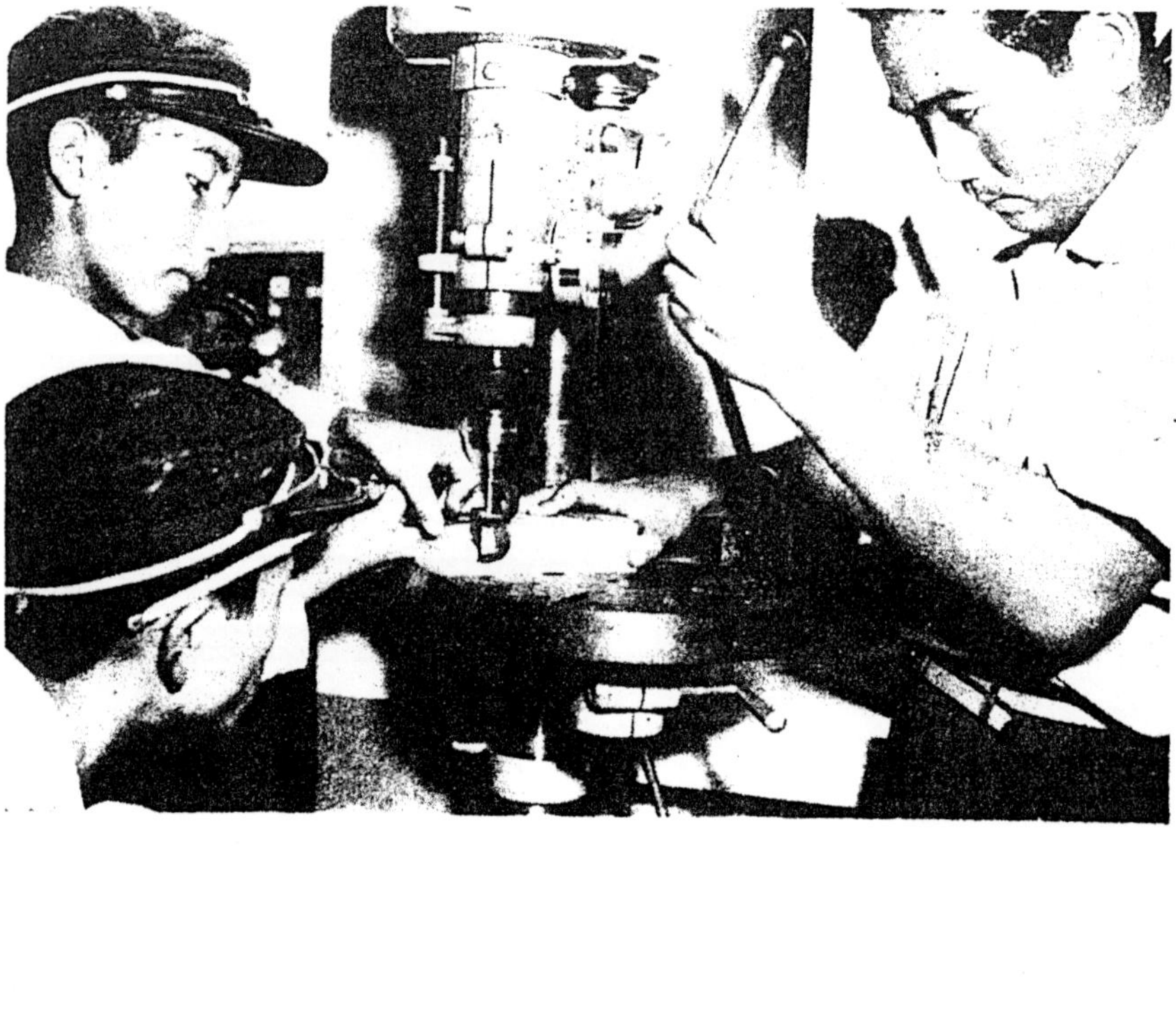

←ボール盤で孔あけ作業を指導する技術科教師

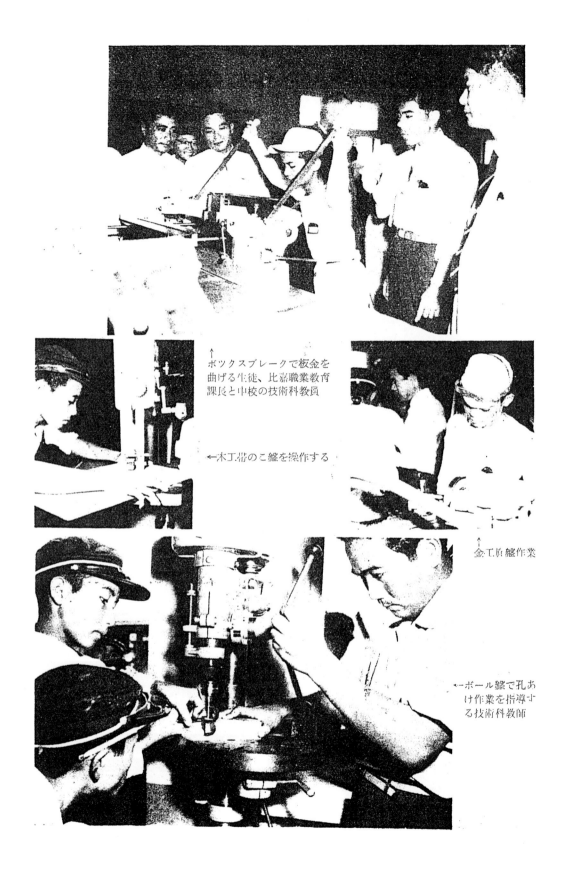

真和志中学校
設備紹介

↑　木工機械の配置

↑指導に当たつた台湾師範大学
張　甘棠講師

↑　丸　鋸　盤

←　糸のこ盤

↑　板　金　機　械

══真和志中学校設備紹介══

↑ 手 押 鉋

↑ 自 動 鉋 盤

↑ 金 工 旋 盤

← 移動式工具パネル

真和志中学校

実習状況

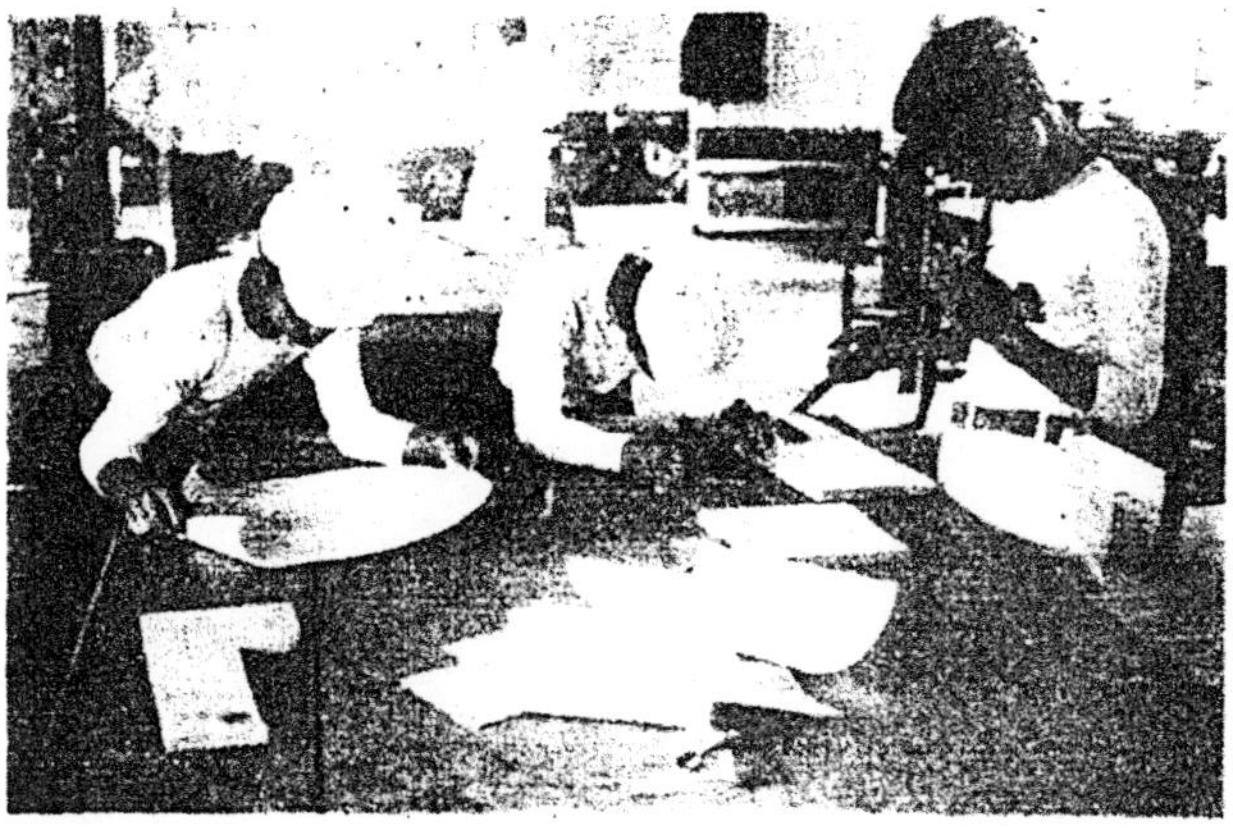

← 工作図を見ながら
すみつけをする生徒

丸鋸盤で材料を切る生徒（二年生）→

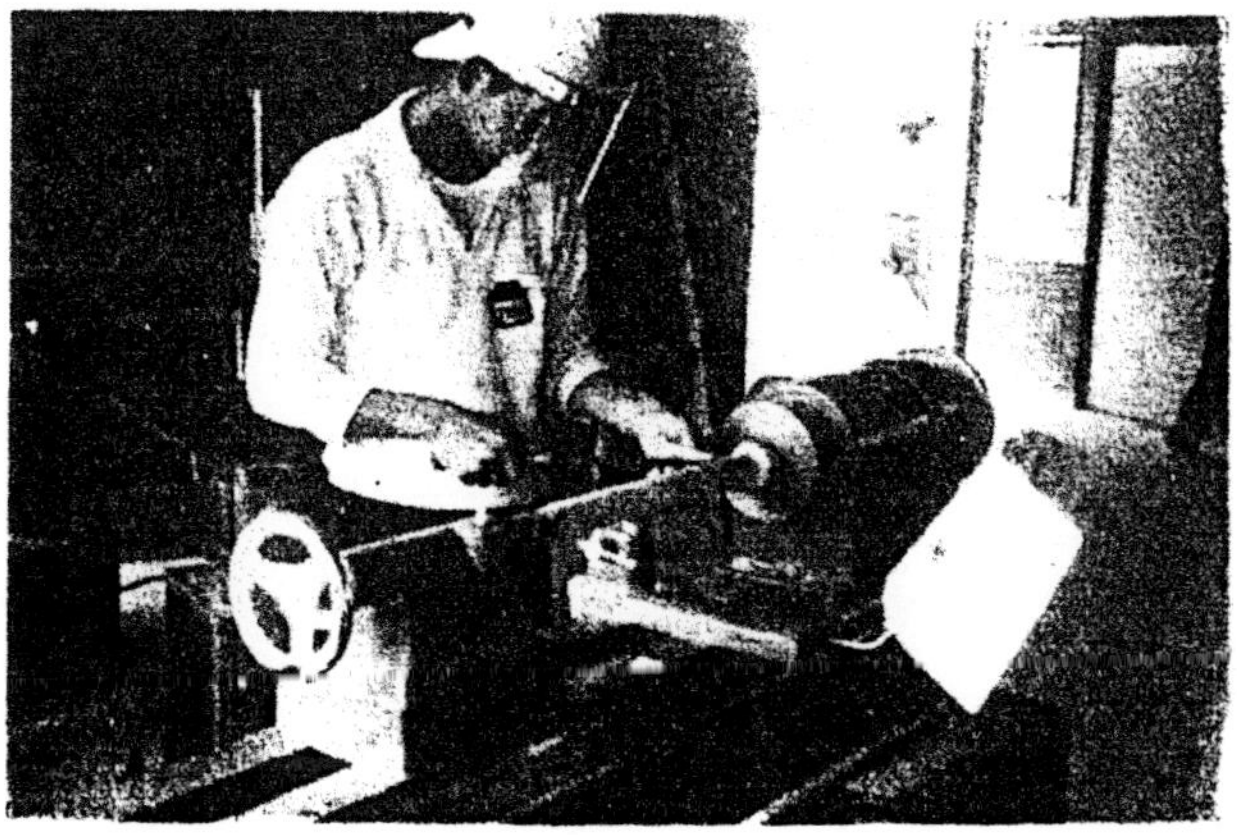

← 防災面をかぶつて木工旋盤
作業をする生徒

中学校技術科のセンター校設置及びその教員訓練

職業教育課主事

城間　正勝

一九六二学年度より実施される中学校指導要領の改訂により、職業、家庭科は技術、家庭科にかわることとなり、その施設、設備の充実と教師の技術研修が、緊急且つ重要な問題として提起されたのであつた。

文教局では、その尨大な額にのぼる施設、設備に対する援助方を米国民政府と接衝、キンカー前教育部長の時に、施設は琉球政府が、設備は米国民政府が分担するという約束で、六二、六三会計年度に四五万弗の設備費を米国民政府補助金として獲得した。

しかし、この四五万弗を全琉一六二の中学校に分散しては充実した設備をすることは不可能であり、又、この二会計年度でそれに見合う施設を建築するのも、琉球政府の財政能力として能うべくもないので、さしあたつて全琉から四二の中心校を選び、施設、設備とも存分の手を打つて技術科や選択工業の用に供しよう又、時間に余裕があるならば近隣の学校にも使つてもらおうという考え方で、中心校の設置にふみきつたのである。（表一参照）

施設と設備については、来島中の台湾省立師範大学の講師団の指導を得て職業教育課で設計並びに品目の決定をした。（図一及び表二）この設計図に従つて、六一会計年度に七校（名護、普天間、首里、東風平、平良、石垣中）に実習場の竣工を見たのである。六二会計年度には十七校に実習場を建築、この七校と合わせて二十一校として、民政府補助による二二万五千弗の備品を粗漏なく受け入れる予定である。なお、この十七校の実習場は、前年の経験により図二のように幾分設計を変更した。

（表一）　中学校技術科センター校名

連合区	学校名	連合区	学校名
南部	糸満	中部	普天間
〃	東風平	〃	北谷
〃	豊見城	〃	コザ
〃	三和	〃	越来
〃	玉城	〃	美東
〃	与那原	〃	美里
〃	南風原	〃	読谷
〃	佐敷	〃	嘉手納
〃	西原	〃	具志川
那覇	小禄	〃	与勝
〃	那覇	〃	石川
〃	上ノ山	〃	宜野湾
〃	首里	北部	名護
〃	真和志	〃	本部
〃	寄宮	〃	羽地
〃	仲西	〃	今帰仁
〃	浦添	〃	伊是名
〃	安謝	〃	宜野座
〃	具志川	〃	国頭
〃	仲里	宮古	平良
中部	中城	八重山	石垣

教員訓練

一方、アジヤ財団の援助により、台湾省立師範大学から講師を招き、四十二のセンター校を担当する教師の技術訓練を実施した。あくまでも実技の研修を主体に置き、最大限の教育効果があがるよう人数も二十名程度におさえて、四ケ月の二回に分けて行なつた。

第一期

期間　二月六日～五月十八日

受講人員　十九名（表三）

講師　金工　張甘棠

電気　許振声

木工　鄭曾祐

製図　鄭孟清

原動機　泉裕巳（琉大）

（表三）　中学校職、家教員、技術研修受講生名簿（第一期）

地区	学校	氏名
糸満	豊見城	大城・博和
那覇	小禄	上間　英爾
〃	首里	田場　典永
〃	真和志	中山　峻
〃	仲西	比嘉　良幸
〃	浦添	末吉　常次
〃	安謝	山城　盛光
知念	与那原	金城　正男
〃	南風原	大城　勇
〃	佐敷	野原　辰男
普天間	中城	仲地　辰彦
コザ	コザ	前原　信男
前原	具志川	栄野川安快
〃	与勝	上地　安彬
石川	石川	石川　武一
名護	名護	崎浜　秀松
〃	羽地	宮城　勤
〃	今帰仁	松田　邦男
〃	伊是名	中村　武雄

時間制

	月	火	水	木	金	土
1	技術科教育法	技術科教育法	製図	技術科原論	職業分析及び教材編成	原動機
2	〃	工芸意匠	〃	〃	〃	〃
3	職業分析及び教材編成	〃	〃	〃	実習場管理及び安全	〃
5 6 (イ) 7	A 木工 B 金工	A 電工 B 木工	A 金工 B 電工	A 木工 B 電工	A 金工 B 木工	
5 6 (ロ) 7	A 金工 B 木工	A 木工 B 電工	A 電工 B 金工	A 電工 B 木工	A 木工 B 金工	

午後はすべて実習にあて、二十名をA、B二グループに分けて隔週毎に(イ)、(ロ)の時間制に従つた。

第二期
期間　五月二十六日〜九月十三日
受講人員　二十四名・（表四）
講師　金工　曾錫鉀
　　　電工　許振声
　　　木工　廖永忠
　　　原動機　馬道行

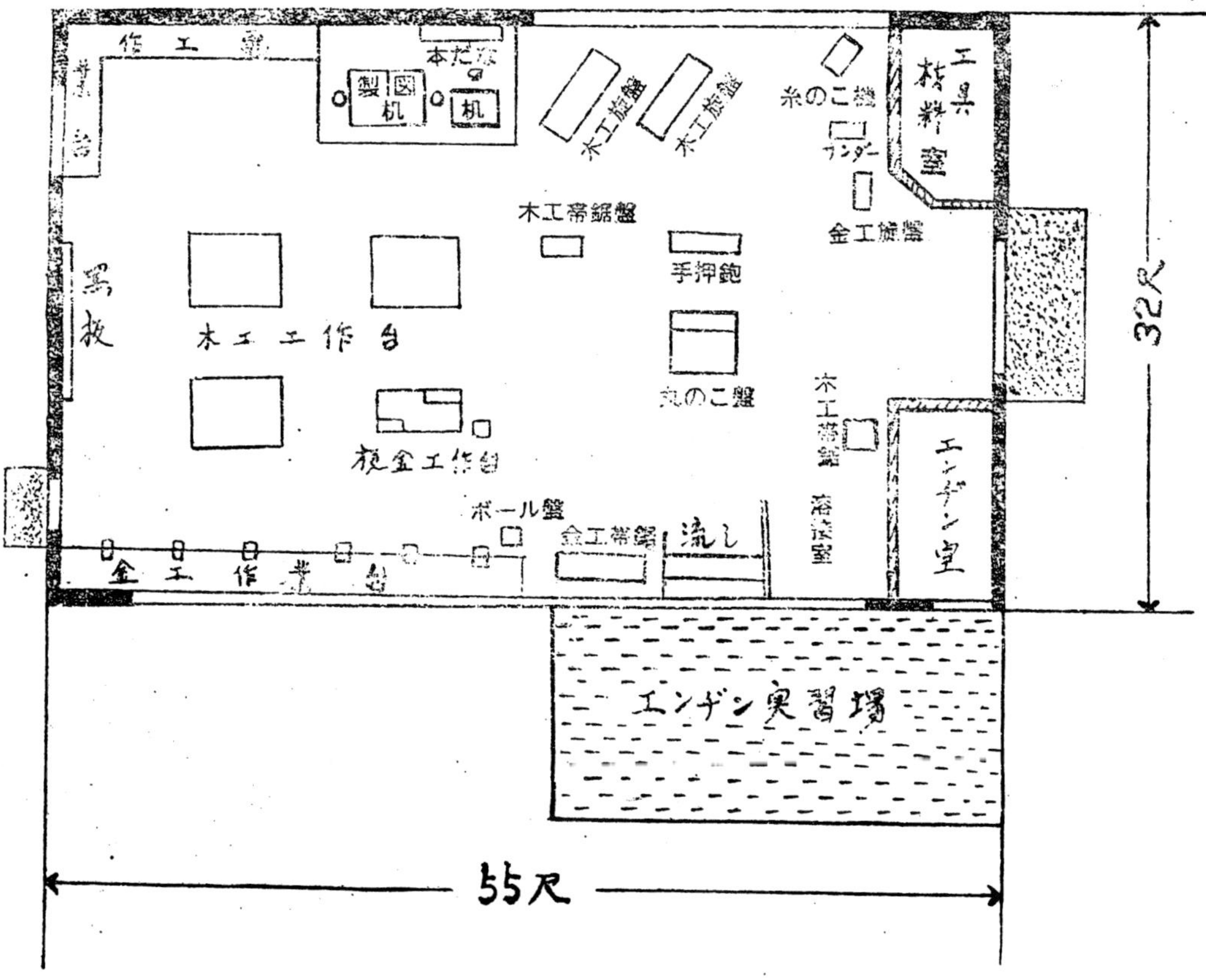

（四表）第二期中学校技術科教員技術研修講習会受講者名簿

連合区	学校	氏名
〃	糸満	永山清幸
〃	東風平	東恩納正行
南部	三和	金城善昌
那覇	那覇	佐久本哲
〃	上ノ山	具志堅松一
〃	寄宮	久高将男
南部	玉城	具志堅源三
〃	西原	与那嶺浩
中部	普天間	野国昌春
〃	北谷	米須清一
〃	越来	仲座盛助
〃	美東	金城秀雄
〃	美里	町田宗重
〃	読谷	松田善成
〃	嘉手納	池原良盛
北部	本部	仲川景雄
宮古	平良	高江洲恵正
八重山	石垣	前津栄一
那覇	具志川	上江洲□巌
〃	仲里	儀間周嗣
北部	宜野座	仲間清
〃	国頭	嘉陽宗政
中部	宜野湾	仲原英孝
厚生局	厚生局	比嘉徳信

なお、第一期の鄭孟滑講師が職業調査のため、滞在を一ケ月延期したため、馬　講師の来島が一ケ月おくれ、原動機の授業は七月十日より始めている。

イ．時間割

	九、〇〇～十二、〇〇	一、〇〇～四、〇〇
月	職業分析	製図
火	金工(A) 電工(B)	木工(B) 電工(A)
水	電工(B)	金工(B) 木工(A)
木	教育法	金工(B) 木工(A)
金	木工(B) 金工(A)	電工(A)

註　五月二十六日より七月九日まで。二十四名をA、Bニグループに別けた。

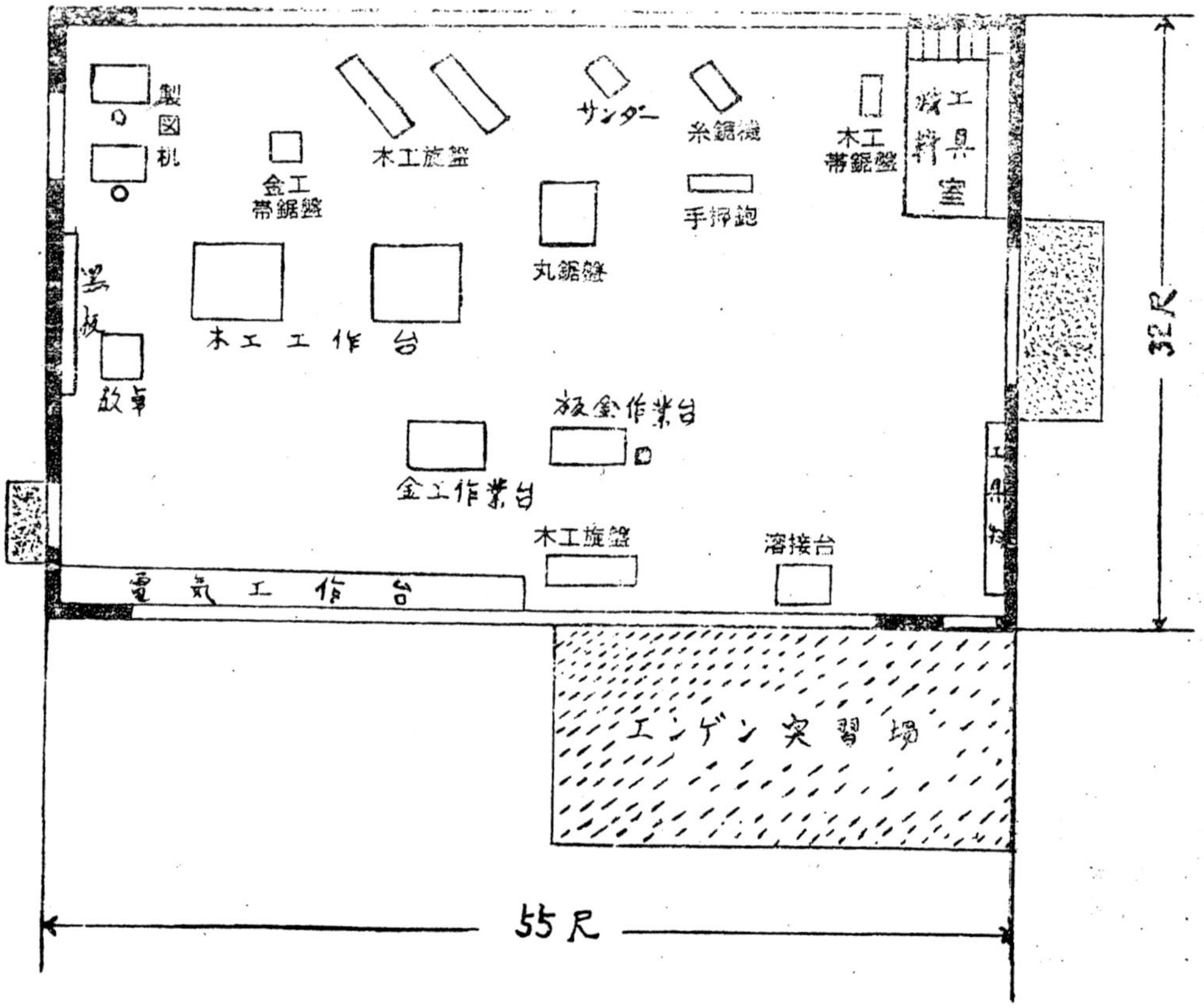

ロ．

	月	火	水	木	金	土
九、〇〇～十二、〇〇	職業分析	金工（Ａ）電工（Ｂ）	電工（Ｂ）原動機工（Ａ）	教育法	木工（Ｂ）金工（Ａ）	木工（Ａ）原動機（Ｂ）
一、〇〇～四、〇〇	製図	木工（Ｂ）電工（Ａ）	金工（Ｂ）木工（Ａ）	金工（Ｂ）原動機工（Ａ）	電工（Ａ）原動機工（Ｂ）	

註　七月十日より九月十三日まで。二十四名をＡ、Ｂ二グループに別けた。

第一期の経験から、第二期では、実習を大巾に強化した。

実習材料費は、第一期の場合、受講生より四十弗徴収、十弗政府補助、第二期の場合、受講生より五十弗徴収、両期共受講生一人当り五十弗の材料費を消費している。なお、その中、約十弗はラジオキット、約七弗はラジオテスターの購入に充てた。そして製作品はすべて各学校へ持ちかえり、教材として使用することにしてある。

又、民政府教育部の好意で、第一期受講生十九名は、二十日間、台湾の職業教育事情を視察した。

× × ×

四二校以外の施設、設備については、今後、米国民政府或いは本土政府の援助を得て一日も早く充実するよう努力したい。

又、教師の技術訓練についても、長期或いは短期の講習を続けていきたい。しかし技術というものは一朝一夕に習得できるものではないので、今回の四二名の受講生を中心にして、各地区においてつとめて研修の機会を持つよう希望するものである。

（表二）　技術科備品目録

機械類

	数量	単価	金額（＄）
A．金工関係			
1．金工旋盤　10〃	1	2,550.—	2,550.—
2．金工帯鋸盤	1	550.—	550.—
3．ボール盤	1	250.—	250.—
4．ガス熔接機一式	1	110.—	110.—
5．ガス溶接ベンチ	1	30.—	30.—
6．グラインダー　6〃	1	67.—	67.—
計			3,557.—
B．エンヂン関係			
1．デイーゼルエンヂン	1	145.—	145.—
2．ガソリンエンヂン	1	60.—	60.—
3．モーターバイク 50c.c.	1	140.—	140.—
4．移動式工具台	1	10.—	10.—
5．エアコンプレッサー ½HP．	1	240.—	240.—
計			595.—
C．木工関係			
1．木工旋盤　12〃	2	705.—	1,410.—
2．丸鋸盤　10〃	1	600.—	600.—
3．手押鉋　6〃	1	320.—	320.—
4．木工帯鋸盤	1	350.—	350.—
5．糸鋸機　24〃	1	400.—	400.—
6．ベルトアンドデスクサンダー	1	370.—	370.—
7．作業台	3	50.—	150.—
計			3,600.—
D．板金関係			
1．ダイアクロー板金機械一式	1	1,050.—	1,050.—
計			1,050.—
E．電気関係			
1．交直電源供給台	1	260.—	260.—
2．基礎電気キット	2	82.—	164.—
3．同上収納パネル	2	23.—	46.—
4．基礎電子キット	2	150.—	300.—
5．同上収納パネル	2	30.—	60.—
6．直流電圧計　0～10V	2	24.—	48.—
7．交流電圧計 0～110/220V	2	26.—	48.—
8．直流電流計　0～1A	2	18.—	52.—
0．交流電流計　0～5A	2	18.—	36.—
10．回路テスター	2	42.—	84.—
11．電気ドリル　1/4〃	2	35.—	70.—
計			1,168.—
F．製図関係			

1.	製図机	2	30.—	60.—
2.	椅子	2	3.—	6.—
3.	製図板　90cm×60cm	3	16.—	48.—
4.	製図器　12本組	3	12.—	36.—
5.	T定規　90cm	3	1.20	3.60
6.	三角定規　30cm	3	1.60	4.80
7.	雲型定規　24cm	3	5.70	17.10
8.	自在定規　50cm	3	0.60	1.80
9.	直定規　30cm	3	0.60	1.80
10.	教師机	1	25.—	25.—
11.	教師椅子	1	14.—	14.—
12.	本棚	1	30.—	30.—
			計	248.10
			機械類総計	10,218.—

工　具　類

G．金工関係

1.	金工万力	6	10.—	60.—
2.	直定規　1m	6	5.—	30.—
3.	トースカン	2	1.50	3.—
4.	Vブロックアンドクランプ	2	3.00	6.—
5.	鋼尺　6〃	8	0.30	2.40
6.	〃　12〃	2	1.—	2.—
7.	外パス　6〃	4	0.25	1.—
8.	内パス　6〃	4	0.25	1.—
9.	デバイダー　6〃	4	1.—	4.—
10.	マイクロメーター　0〜1〃	2	9.—	18.—
11.	マイクロメーター　0〜25mm	1	9.—	9.—
12.	ハンマー　116	3	0.65	1.95
13.	たがね　5種	2組	2.—	4.—
14.	えぼしたがね	2組	1.60	3.20
15.	センターポンチ　3/8×5〃	4	0.25	1.—
16.	両口スパナ　6本組	2組	2.30	4.60
17.	タップ、ダイセット	1	18.—	18.—
18.	ドリルセット　1/16〜1/2〃	1	30.—	30.—
19.	金切弓鋸歯	3	0.80	2.40
20.	センターゲーヂ	1	0.25	0.25
21.	ピッチゲーヂ	1	0.50	0.50
22.	タップ及びドリルゲーヂ	1	1.70	1.70
23.	油砥石	1	0.70	0.70
24.	平やすり　8〃	4	0.30	1.20
25.	丸やすり　8〃	4	0.23	0.92
26.	三角すやり　8〃	4	0.30	1.20
27.	旋盤用やすり	1	0.30	0.30
28.	半丸やすり　8〃	1	0.35	0.35
			計	208.67

H．木工関係

1.	両刃のこ　240mm	4	2.00	8.—
2.	どうつきのこぎり　240mm	4	2.—	8.—
3.	あぜびきのこぎり　90mm	4	1.—	4.—
4.	まわしびきのこぎり　200mm	4	0.50	2.—
5.	つるかけのこぎり　200mm	4	0.20	0.80
6.	平かんな　64mm	4	3.50	14.—
7.	平かんな　58mm	4	1.—	4.—
8.	丸かんな	4	0.75	3.—
9.	そり台かんな	4	0.60	2.40
10.	面とりかんな	4	1.—	4.—
11.	きわかんな	4	1.—	4.—
12.	さしがね　1.5尺	4	2.—	8.—
13.	けびき	4	0.25	1.—
14.	折尺　3尺	4	0.20	0.80
15.	直角定規	4	0.50	2.—
16.	すみつぼ	4	0.65	2.60
17.	墨さし	4	0.02	0.08
18.	木づち　42mm	4	0.25	1.—
19.	金づち	4	0.25	1.—
20.	げんのう	4	0.65	2.60
21.	もみぎり	4	3.50	14.—
22.	きり　4本組	4	0.35	1.40
23.	ねじ廻し	4	0.17	0.68
24.	ナイフ　2本組	4	0.70	2.80
25.	モンキー　200mm	1	1.60	1.60
26.	プライヤー　150mm	4	0.80	3.20
27.	ペンチ　175mm	4	1.60	6.40
28.	水準器　300mm	4	0.40	1.60
29.	リングオーガー　15mm	4	0.40	1.60
30.	砥石	2	0.67	1.34
31.	金砥	2	0.25	0.50
32.	木工万力	4	12.66	50.64
			計	163.84

I．板金関係

1.	プラスチックハンマー	4	1.80	7.20
2.	ハンマー　116	4	0.65	2.60
3.	板金工用つち	4	4.—	16.—
4.	板金工用つち	4	3.—	12.—
5.	板金工用プライヤー	4	2.20	8.80

6.	金切はさみ　直刃	4	5.—	20.—
7.	〃　　柳刃	4	5.40	21.60
8.	万力　4〃	4	10.—	40.—
9.	円周尺	4	6.—	24.—
10.	鋼尺　1050mm	4	4.—	16.—
11.	棒曲げ機　3/8〃	2	5.50	11.—
12.	センターポンチ	8	0.25	2.—
			計	181.20

J. 電気関係

1.	電気半田ごて 100V×300W	5	1.20	6.—
2.	ニツパー　6〃	5	1.50	7.50
3.	ペンチ　6〃	5	1.30	6.50
4.	ねぢまわし　12本組	5	0.85	4.25
			計	24.25

K. 雑

1.	消火器	1	25.—	25.—
2.	救急箱	1	10.—	10.—
3.	丸椅子	11	3.—	33.—
4.	展示箱	1	20.—	20.—
5.	幻灯器	1	68.—	68.—
6.	スクリーン	1	25.—	25.—
7.	スライド入箱	2	3.50	7.—
8.	スライド〃職家シリーズ〃	1組	29.—	29.—
9.	スライド〃吾らが職業〃	1組	40.—	40.—
10.	フイルムストリツプボツクス	2	2.—	4.—
			計	261.—
			工具類計	838.96
			総　計	11,056.96

註　この目録を作成したときは1校11,250.—の割当として計算したが、その後多少の変更があり、又、値段も時価にいくらか変動があるので、この目録どおり購入できるとは限らない。実際の購入までにはもつと検討して無駄のない品物をえらびたいと考えている。しかし大きな変更はないであろう。

二三ページより

さて現在の中学校卒業生の動向を文教局の資料から見てみるとなってい

年度	卒業生数	進学者	就職者	無業者	その他
1958	15,644 (100%)	7,738 (49.5%)	5,310 (33.9%)	1,890 (12.0%)	706 (4.51%)
1959	15,932 (100%)	7,452 (46.8%)	4,817 (30.2%)	3,004 (18.9%)	659 (4.1%)
1960	13,816 (100%)	7,043 (51%)	4,046 (29.3%)	2,498 (18.1%)	229 (1.6%)

て、年々卒業生総数の四〇%以上が社会人として出発していることがわかる。これらの生徒達には何らかの形で職業訓練を与えてやる必要があるのであるが、現行の職業家庭科も又来年度から始まる技術、家庭科も内容からいつても時間の上からも、職業訓練としては不充分で別の措置を講ずる必要がある。

撰択の職業科の時間を充分に取つて内容を充実させるか又、卒業生を集めて短期の職業訓練を行なうなど一方法であろう。

本職業調査に現われた左官、塗装工及びその他の半技能職などの訓練は上掲の実習場を利用して、僅かばかりの備品、工具を整えることにより充分可能である。

全琉中学校の在籍別による学校数　　(1960年4月)

規模	50人以下	50〜100	100〜200	200〜300	300〜400	400〜500	500〜600	600〜700	700〜800	800〜900	900〜1000	1000以上
学校数	31	35	22	19	16	11	12	1	0	3	0	11

沖縄での職業教育技術研修会報告書

場　所　沖縄工業高等学校・建築科実習場
報告内容　（主として木工作）
期　間　1961年5月26日～9月15日

那覇中学校
教諭　佐　久　本　哲

① **技術科教育の目的**
1　工業文明に接触し、その材料、工作過程、生産品を了解する。
2　基本的な技術と知識を修得する。
3　日常器具の選択、手入れ、正しい使い方のできる能力を養う。
4　良き作業習慣と良き作品を鑑賞する能力を養う。
5　計画的な思慮ある生活態度を養成する。
※ 参考書の選択　一
各種書籍のあさり、プリント作製
※ 工作室の準備
・工作機械の整備
・工具の数
・生徒の配置
・学生の指導法
6　将来いかなる進路をとつても必要な教科である。
・実際に仕事をすること（実践）
・腕でいく。

② **教学法**
工場の先生の価値
・物理、化学を学ぶこと
・工業方面のリーダシップ
・手と頭
① **shop talk**　十分位がよい
② **demonstration**　使用してみせる
③ **instruction sheets**　指導票
④ **shop practice**　実際の仕事
⑤ **reading and report**　読む・報告書
⑥ **visual aids**　掛図・模型
⑦ **tests**　試験

③ **技術と知識**
技術（充分に手を動かすこと）
※ 生徒は知識を習う前にいくらか経験している。
※ 精神的に疲れるとき
体力に応じて仕事をさせる
※ 事件が発生した場合注意すること
※ どういうところで意外な事件が発生するか。
※ 事故の起り得る場所
※ 安全教育で防止する
※ ポスター
※ 諸注意事項を考える
※ 施設
※ 外傷用薬品はあるか
※ 衛生室への連絡

④ **工場へはいる Good personal habit**
（よい服装、習慣）
※ 作業服の着服
※ 作業前に手を洗う
きれいな工具の使い方（油だから油手ではいかん）
※ 上品であること
※ 髪の手入れ（作業帽をかぶる）
※ 時計その他リングをはずす
※ 目にゴミがはいつた場合（洗顔すること）
※ 工場の中を走つてはいけない
※ どんな小さなすり傷も報告すること
※ すり傷が危い
※ 病気かげんの場合の報告

⑤ **工作順序**
※ 工程表の作製
※ 材料表の作製
※ **Student Personnel Chart**
（生徒役員図）　順番制で行う
今日の職長は次回には器材係
サークル制
生徒役員図左記の板をベニヤ板に作る

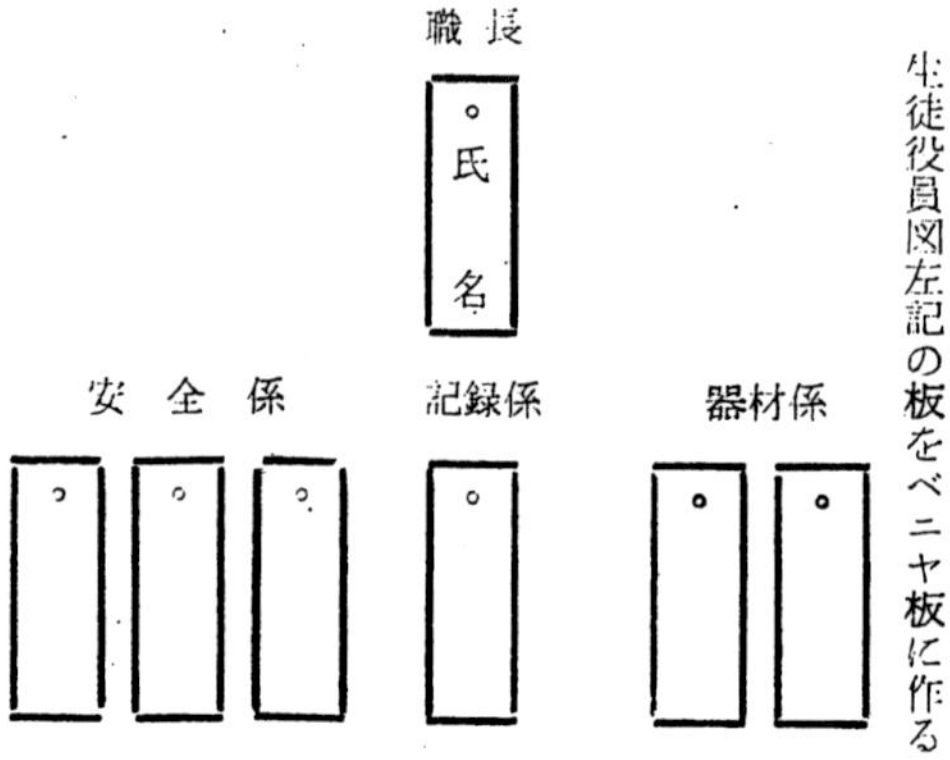

⑥ **職業分析より**
① **営業的工場と学校工場との相似**

営業工場

① 金銭的利益を獲得するため
② 投資後その収獲の多少により、その成功、失敗を判断する
③ 職工を最も生産できる位置におく
④ 売れる製品を生産せしめるを目的とする
⑤ 主として材料製造法に注意する
⑥ 個人の利益が優先的になる
⑦ 個人資本の為に経営する
⑧ 職工が工賃を獲得する権利があり、実際に獲得している

学校工場

① 教育的価値を獲得するにある
② 卒業生が職業方面における成功如何がその成功、失敗を判断する
③ 学生を最も学習できる位置に置く
④ 雇用される学生を作ることを目的とする
⑤ 主として学生に注意をむける
⑥ 社会的利益が優先的になる
⑦ 公共社会国家の為に経営する
⑧ 学生が充分なる訓練を受ける権利があり、また、実際に受けている。

※ 技術教育とは雇用できる学生をつくることにあり
※ 工場では売れる製品を作ることである。

② 生産者（職人）と教師

職人

① 工具、機械、材料を使つて品物を生産する
② **blue print**（青写真）説明書を使つて仕事を指導する
③ 最も経済的な生産が得られるように仕事を割り当てる
④ 材料の性質を了解し研究する
⑤ 仕事上の最もよい方法を知る

shop teacher

⑥ 親方のために働く
⑦ 頭の中には仕事の数、仕事時間、産品の数量を考える

教師

① 工具、機械、材料を使つて、いかに仕事をするかを他人に教える
② 課程明細計画、教案（**instruction sheet**）を使つて仕事を指導する
③ 学習の難易に従い最も経済的な訓練が与えられるよう、その仕事を割り当てる
④ 人の性格（心理学的に）を了解し研究する
⑤ 他人に仕事のやり方を発展させる最上の方法を知らしめる
⑥ 自分が主人であり、指導計画せねばならない
⑦ 頭の中には学生が仕事に進歩があるかを考える

③ 教学的順序と生産的順序

木工関係

家具製造の場合

① 図面を読みとること
② 材料請求書を出す
③ 材料を受ける
④ 各パートを作る
⑤ 配合する
⑥ 修飾準備をする（塗装）
⑦ 修飾を実施する

※ 初めて生徒に木工をやらせるには、教学的順序の方法を変えて各分析によつて教える

⑦ 参考資料の集め方

① 教学に使えて、職業に関係ある書籍はどんなものがあるか
② 学生に知らすべき職業方面の新しい発展があるかどうか
③ 特殊な材料をどこから入手するか
④ 教学の参考資料に役立つ図面はどこで入手するか
⑤ 技術に関係する雑誌を発行しているのは何種類あるか
⑥ どういう種類の文献に接触すべきか
⑦ 仕事に使われる設備の規格と資料は何処で得られるか

⑧ 木工実習の状況

感想

能率的な各種工作機械での工程で規格化されたのがこの実習の成果です。

家具が元来は建築物の一部であり、それがやがて独立して自由に動かせるものとなつたということ、フランス語の家具 **meuble** という語が「動かせるもの」という意味をもつていたことからも容易に想像ができます。さらに英語の家具 **Furniture** になりますと、この点がいつそう明らかになります。それは建築物の空間（室内）に装備を加えるという意味の動詞 **to Furnish** からきていることです。

人間の造形生活の基礎能力が正しければ、正しい程、結果としてすぐれたものが生まれてくるのが家具です。

※ 機械による量産は製品を規格化します。国際文化の交流が盛んな今日では、デザインは地域的特色が薄くなつてきたようです、そして機能主義、合理主義の徹底は人間の自由さを束縛し、製品はメカニズムを強調する冷たい様相を示す傾向になります。

※ 新しい技術や材料を生かし、近代生活にマッチしたデザインでなければならない、すなわち過去的な手工芸ではないモダンクラフトになつてきました。

※ 機械の分業による品物の大量生産は工芸の姿も一変することでしょう。家具にせよ、陶器にせよ、織物にせよ、ひとり工人により、形や色や材料など

うしようかという造形計画、すなわち意匠から製作仕上げまでが一貫して行なわれてきたのです、それは工人たちの個性と技術が結集された純粋な創作活動であつて、デザインと工作は分離されず、製品は工人の職業的造形精神によつて責任がもたれてきたのです。ところが機械生産という分業の形態は製品に対する責任の所在をあいまいにし、作る者の良心を失わすことになりかねます、しかも製品のスタイルだけに無分別に歴史様式を借りてくる結果、時代の造形精神の裏づけのない混乱した装飾が氾らんし、社会の趣味をいちじるしく低下させる結果となりかねない、きらいがあります。

しかし、合理的に機能的に美しく構成でき得たらよい結果が生まれます。

それでここで木工作で感じますことは、或程度の立体構成ができなくてはいけないようです。

① 形に対する感覚を鋭敏にすること

② 色彩感覚を鋭敏にすること（木材の地肌はどうか）

③ 平面構成ができるか

あとは、現在までの日本的工作の仕口（結合法）で組立てるか、近代接合金具、ボルト、ナット木ねじ等を使用すればよいと思います。

講習で使用した木工作のテキスト、ブック

※ アメリカの中学校工作教本

※ 旋盤による工作法

※ 板材、カマチ材を使用しての工作法

（那覇中校教諭）

第二回 中学校技術研修会

宜野座中学校 仲間 清

中学校の教育課程が改訂され、現行の職業・家庭科を改めて技術・家庭科として新設し、昭和三十七年度（来学年度）から全面的に実施されるに当り、余りの変革さに一驚し、これが移行措置に苦慮していた矢先、第二回目の中学校技術研修会参加の好機を与えられ、研修の出来た事を喜ぶと同時に感謝の念でいっぱいである。

「実践を重んじ知識理解が実践によって明確にされ、確認され、さらに将来の創造にまで発展してゆく」趣意に則り、一応新指導要領に基く教育内容の全領域（設計製図・木工・金工・機械・電気・職業分析及職業指導）にわたり、台湾師範大学の四名の先生方の指導のもとに、実習本位の実質的な研修で、それにより或程度の自信が得られ、これまでの不安が半減されたような感がして本当に有効適切な研修会であつたと思う。

受講者の二十四名が二組に分れ週三十三時間の時間割により、整備された工業高校の実習室に於いて作業服に身をまとい、旋盤や木工機械の操作運転、製作・板金工作・設計製図・職業分析及職業指導・原動機の分解組み立て、操作運転等に汗にまみれつつ研修したのであるが、ここで各分野の状況を書くのはさけておいて、私は主として原動機（内燃機関）について記述する。

一、教材

今回研修受講した機械の教材は新指導要領による三年生用で次の通りである。

1 ガソリン機関（単気筒、四サイクル、六馬力）……五台

2 オートバイ（単気筒、二サイクル、五〇cc）……一台

3 デイーゼル機関（単気筒、四サイクル、三〜四馬力）……二台

二、研修法

十二名が四組に分れて各組一台宛受け持ち逐次交換して全機関について学習する方法で、馬道行先生の指導のもとに次の事項について研修した。

1 実習場の安全

2 各種工具の正確な使用法

3 四サイクル機関の働き

4 機関（エンジン）の構造と機能

イ 機関本体

ロ 燃料系統

ハ 点火系統

ニ 冷却系統

ホ 潤滑系統

5 機関の検査と故障排除

以上の五点について行届いた準備のもとに、技術に理論的根拠をおき、機関を系統的に分解しながら分解された部分ごとにその構造や機能を知り、その他列挙した事項に関連する知識理解等を習得した。具体的にいえば、

① 予備知識として機関の構造概要と機能を理解する。

② 機関の点検と運転をする。

③ 系統的に分解する。ここで工具の正確な使用法を習得する。

④ 部品の洗滌と検査をする。③④の際に各系統ごとの各部品について詳細にわたりくわしく学習する。

⑤ 部品及附属品の修理、交換

⑥ 組み立て・調整する。部分ごとに調子を調べながら分解の逆の順序で組み立てる。

⑦ 試運転する。燃料、潤滑油、冷却水等を補給し運転する。

⑧ 機関の廻転速度の調子をとる。

右の順序で反復すること数回、おかげで機関各部の名称を知り簡単な故障排除（弁《バルブ》・断続器《ポイント》・点火栓《プラグ》の調整やリングの交換等）にも一応の体験を得たことは今後の機関指導に大いに役立つことを喜んでいる。

今回の研修会の状況を短的に言うならば各分野とも、実践的活動を通して技術に対する理解とそれを現実の生活、生産に活用することのできる基礎的な素養を培うという本教科のねらいに立脚して「為すことによって学ぶ」実技主義の有意義な研修会であったといえる。その尊い体験を得、これが血となり肉となったことはいなめない。しかしながら反面今後の学習指導にこれが如何程活用されるかを思うとき一抹の不安を感ずるものがある。それについては今後の課題として研究することにして、ここにあらためて御指導下さった先生方並に工業高校に感謝を申し上げ研修会の状況報告にかえる次第である。

「参考までに機械指導に要する最低設備を示すと次の通りである。

（群馬大学助教授吉田元氏の「技術・家庭科のための最低設備指針」による。一学級五〇名、六～九学級の場合）

機械最低設備　　金額　円

品目	要目	単価	数量	金額
1，石油発動機	中古	円 10,000	5	円 50,000
2，または スクターエンジン	中古			
3．組スパナ（インチ）		400	5	2,000
〃　〃（mm）		400	5	2,000
4．プライヤと ノズルプライヤ	各6インチ	各200	各5	2,000
5．自転車工具	1組	2,500	5	12,500
6．クロスレンチ	5/8×¾×13/16×7/8インチ 14×17×19×21mm組	2,500	1	2,500
7．T型レンチ	8mm 10mm 12mm組	1,580	1	1,580
8．プラグレンチ	3個1組	500	1	500
9．ソケツトレンチ	組合わせ	5,500	1	5,500
10．自在スパナ モンキレンチ	8インチ 12インチ	400 700	5 5	2,000 3,500
11．めがねレンチ	6本組	2,800	1	2,800
12．油さし		30～150	5	150～750
13．ワイヤブラシ		50	5	250
14．木ハンマ		50	5	250
15．トルクレンチ		3,000	1	3,000
16．ユニバーサル ギヤプーラ		1,150	1	1,150
17．トーチランプ	1ℓ入り	2,000	1	2,000
18．グリースポンプ		1,800	1	1,800
19．タペツトレンチ	3本組mm用	400	1	400
20．パイプレンチ		1,500	1	1,500
21．バルブリフタ		800	1	800
22．ハンドブロワ		5,400	1	5,400
23．押　切		2,515	1	2,515
24．火ばし	丸　平1組	各300	各1	600
25．へしたがね		各300	各1	600
26．片手ハンマ	5ポンド	500	1	500
		合計		107,795～108,395円

台湾省立師範大学講師團による第二回の技術研修

西原中学校教諭　与那嶺　浩

研修会では、中学校技術科にもられた工業面全般にわたつて技術面の研修会が持たれた。

Job（ジョブ）の取りあげ方は施設設備に基づいてなされ、しかも要素が完全に理解し充分身につくように考慮されていた。この点は現在の沖縄の学校施設設備不完全な中で如何に技術科教育をすすめていくかという点において最も重要なものであり、今後私達が大いに研究しなければいけない切実な問題として脳裡にピンときたものである。

ややもすると、とつつきにくい技術科は施設設備の不備を理由にして、移行期を傍観し只、黒板の上での知識中心又は知識先行型技術科学習をしがちだつた。私には強い自己反省の機会を与えられたことで或る意味において希望と研修意欲をもつた次第である。

技術科の総括目標に一生活に必要な基礎的技術を習得させ、創造し生産する喜びを味わわせ、近代技術に関する理解を与え、生活に処する基本的な態度を養う。

あとがきに基礎的技術について主として実践的活動を通じて学習させ、必要な知識、技能、態度を身につけさせるという目標があげられている。

現在の我々は現在の施設設備の中でいかにすれば指導することができるかが私達の研究課題である。本研修会では施設設備に基づく仕事のとりあげ方は、たしかに他の研修会では見られない特色であり、私達が或る希望と勇気をあたえられた一コマでもあつた。

要素作業

学習指導の成功、失敗は目標達成のための学習活動の中で生徒に興味と欲求に対し満足感を与え楽しく誰もが突組んでいるときに始めて成功したと云えるでしよう。

この点私達が事実上なやみ苦しんで来たのであるがその理由として研究の浅さ、即ち研究の余裕がなかつた事、学習指導要領や指導書が余りにも抽象的であり、技・家の教科書がなかつたこと、実習例を見ると直ぐにはとつつきにくい（多くの要素を含んでいる）

要素中の一例

木工具の使用法、材料の種類、木取、工作法、塗装まであげているので実習に入るまでに時間がかかりすぎ学習指導はにぶり意欲を失うおそれもあり　また、木工具の使用法や構造を説明し、教師のデモンストレーションだけで実際に生徒が操作をしなかつたら、その使用法は技能として身につかない上に興味もうすくなり、学習嫌いになるであろうまた、生産的学習の意味もなくなるであろう、さらに段階学習指導も全く出来ないであろう。

鋸の使用法及び構造の学習指導において鉋のみその他の工具を使用しないで指導できるベニヤ板を材料として本立や壁掛用飾り棚を設計製図させ、使用法構造を学習させつつ製作させるならば生徒の興味は勿論のこと、満足感をもつて製作し、要素作業も完全でしかも、工具の構造もあわせて指導することができることでしよう。この問題は学習指導の大切な部面であり本研修会ではこのようにして要素の段階指導の工夫の点深い研究と現状にマッチした適切なものであつたと考え、学習指導要領の展開のしかたをもつと研究していかなければいけないことを痛感した。

学習指導の進め方

技術科は原理平行型学習でなくてはならぬと木工の権威ある先生方は云われておられるが学習中（実習中）における知識や、技能、示範のあたえ方と時期について本研修会ではこの学習形態を適切、合理的に実施されている。私達がなやみ続けて来た問題の一つである。

時間が不足し勝ちなのでいかようにしてその仕事（実習）に必要な関係知識と一般的知識をあたえ、さらに要素を指導するかである。

関係知識や一般的知識即ちインフオメーションは刷物にして事前に準備し、さらに仕事シート、操作シートが準備され各自にくばられ、学習活動に必要なだけが説明され状況に応じて示範され活潑なる学習活動に入り、個人指導がなされる。

三〇分以上の説明や示範はかえつて生徒の興味や欲求をそぐものであるといわれるが事実上そうである。早く作りたい、やりたい意欲をもつている生徒の意志に反したものにしかならない。示範の時期や説明量は私達の今後研究の余地があることを痛感した。

安全教育の立場から

この教科の内容面（製図、木工、金工電気）から他のどの教科より安全教育の徹底を必要とし、また機会も多いのである。即ち実習室内での一般規定、使用規

二七ページへつづく

台灣沖縄での職業教育技術研修会の状況

コ　ザ　中　学　校
職業科教諭　前　原　信　男

1　研修について

文教局、民政府教育部、台湾講師団の絶大なる御尽力によりまして私達各地域から集まつた研修生二〇人は各人各様の期待と不安の複雑な面持ちで研修の初日を迎え台湾講師団の綿密な計画と指導により充実した四ケ月間の技術研修を滞りなく終えることが出来ましたことは関係当局の御努力と御尽力によるものと深く感謝お礼申し上げます。

研修生の実習状況をみますと最初の頃は地域性、個人差に大きな開きがあつたが二～三ケ月頃からは技術教育に対する考え方、技術実習処理、工程における正確さ早さ等に足並が揃うようになり、自信をもつて研修している姿は頼母しいものがあつた。この研修によつてこのような確信に満ち自信あふれる姿で現場教育へ返えるこの喜びは私達だけのものでなく広く関係せられる方々、関心をよせられる方々の等しくするものであり研修の成果にしましても皆様の各方面よりの側面的御援助大なるものがあつた事を見逃すことは出来ません。

現場教師の悩みと不安を除いた因はどこにあつたか、簡単に申し上げると、実践を通しての指導学習には細密なる計画、準備、高度の技術が身についていなければいけない、そのために職業科担当教師は他教師の数倍に当る時間と知識技能の研究に日夜悩み尽きなかつたが、加えて昨今のいちじるしい科学技術の進歩発展に伴い教育課程及びカリキュラムも新しい時代に即応したものに変りつつある中で私達はいうまでもなく科学技術を身につけなければいけない。このような多々の重大問題をかかえている現在、このたびの技術研修は私達の欲していた技術実習を主にして行われたので、あすの教育実践にすぐ役立つものであるしこれから起る問題に対処して行ける能力が基礎の上に積み上げられたのでその成果大なるものがあつた事はここに述べるまでもない。

工業高校を利用しての研修は施設設備が中学校と多少ちがうため研修した木材加工、金属加工、電気工作、機械実習等が中学校教育に一〇〇%発揮出来ないところもあると思われるが、そのうちでも金属加工には設備を最大に使用しての製作があり充実したものを感じた。

2　金属加工について

a　準　備

製作についてのべる前にそれ以前のことについて述べてみたいと思います。実習指導に止まらず全ての指導を行なうには精密な計画、準備のもとに行なわれなければ目的を達成する事が出来ないことはここで云うまでもない、次に順を追うて準備について研修したことを記してみたいと思います。

(1)　工具管理

施設の関係で集中管理をしたが整理点検の便からもその方法がよかつた、その方法には工具名と数量と形を書いたカードを整理所にはりつけたので紛失、破損もなく最後まで維持出来たのは集中管理のすぐれていることを示している。その他、はめ込み式や色別法も科学的方法として第一にあげられる。トールパネル等による分散管理は貸出し、返納は簡単に行なわれるが、紛失破損等の早期発見、点検出来なつきらいがある。

(2)　設計製図

これまでの指導に於ては、時間数や施設設備、教師の教材研究などに色々な困難点が多く設計製図の指導取扱いがうまく行なわれていなかつた。製作すべきものについて前もつて製図することは、けがき作業が正確かつ早く出来、また作業順序の理解、工具機械の選定等に大きく役立つところがあり特に板金における展開図の製図はその成果に大なるものがあつた、計画性を身につけさせるには展開図の指導を徹底させ、考案、設計製図、工程の計画等と一連性のある技術実習が生徒たち自身のものであるところまでいつてこそ技術科は技術科としての性格が発揮さ

れるものである。

(3) 材料及消耗品

現施設設備に於ける金属加工の実習は主に板金加工が主になり材料もトタン、ブリキ、銅板、鉄板等を使用し、又工業高校は一〇台余の旋盤があるので丸鋼材を使つての幾つもの製作品を作ることが出来た、それに完備した材料室、保管について二～三記すれば①いつ見ても材料が種類別に整理されていること、②切れ端しが集めてあり材料の利用度を高めるばかりでなく物品の大小を問わず大事にしていることは全ての安全教育の根底になるものである。③材料室が明かるい、隅までよく見えるので整理するとき、材料の出し入れによい、その他室の位置については省略する。消耗品は設計製図によりその数量、種類も前もつて準備購入出来るし無駄な購入をさけることが出来る。

b 製 作

ここでは実習授業の立場から完全な製品を仕上げるまでのことについてのべたいと思います。

(1) 工具機械の整備点検

正確で完全な製品は完備した工具機械から生まれる、又安全教育の見地からしても、完全で安全な工具機械を使用して万全を期さねばならない、作業に移るまえに必要なだけの工具を揃え、機械は油さしから各個所の点検と順を追うて整備する、これは物的にも精神的にも冷静さをとり戻す段階で、未然に失敗を発見することも出来、又危険を防止することも出来る重要なことである。

(2) 製作実習

イ、板金工作

最初から最後まで慎重さを必要とする作業で、正確なケビキ、切断、折り曲げ（打ち木を使うか、木槌を使うか、金槌を使うかによつても出来映えがちがう）ハンダ付・リベット接合、仕上塗装等正しい工作の習慣が身についていなければいけないし、工程を理解していないと時間的にも大きな差が出て来る、板金による作品名をあげると外径パス、内径パス、シャベル、円形スコップ、スコープ、ソープ入れ、チリ取り（柄付）、チリ入れ、バケツ灰皿、雨戸、ベル、その他円筒、木札掛、煙突、箱類、つけ加えて述べて置きたいことは正しい作業の習慣についてである。これはよく軽るく考えがちだが時間をかけてでも徹底的に指導する必要があり、しなければいけない、正しいヤスリがけ、金切鋸、金切鋏、たがね、ポンチ、……共通してどの作品にも使われる工具は特に重要なのに反しおろそかに扱われがちである。後片付、清掃もきれいにする以外に重要な意義がある。作業についての反省をする。材料の使い方、工作順序について、工具の種類と使用、新しい技術の発見、工具の紛失破損はなかつたか等常に注意して気を配れる所まで指導したいものである、教育が実生活に活かされなければ真の教育とは云えない。

ロ、旋盤工作及び機械工作

実習して脳裏に焼付いていることは安全の一言に尽きる、最初の実習は、機械の構造機能の説明、整備から操作運転の練習をし一応ねじ切りの操作が出来るようになつてから製作に移つた。ここで要求されることは、作業にふさわしい服装をすること、これは機械の大小を問わず、又工具の如何を問わず反射的に感じなければいけない。その他作業に適した条件のもとで行なうこと、例えば戸は開けられているか、暗いときは電灯を点けるなど、機械の注油及び各個所の点検、試運転、必要な工具（物差、トーカン、パス等）を手近かに揃え行動に無駄無理のないよう細心の注意を払つて冷静にしかも正確敏速にのぞまなければいけない、それと平行して製作の喜びを感じる技術指導でありたい、計画如何によりその成果は教育を進展させることにもなり、教育を破壊することにもなることを考えれば私達に負わされた重務と一方誇りを身をもつて感じているものの一人である。旋盤、ボール盤、グレインダー、カッター、等を使用しての作品名には、ケビキ、トースカン、オモリその他ハンマ等があげられる。

最初のケビキ製作は大変印象深いものがあつた。材料の取付をトースカンで中心を合わせるのに二〇～三〇分もかかつて鋼材を削る正味の時間が少くなるし、機械の扱い方も不慣れな所があり指導教師に度々注意され不安とあせりが伴い研修を積む事がこんなにも困難な事か、作品はうまく仕上るだろうか、色々悩んだり、考えたりしたものだが機械に慣れ作業がスムースに行くようになつた頃からは始まる時間が待遠しいくらいで、機械の整備、材料の準備も自発的になり製作することに喜びを感じるようにない時間ぎりぎりまで実習したので最初の頃の遅れを取り戻したし、次の作品を作り上げたい意欲に燃えたのは私ばかりではなかつた、この私達の体験は生徒達にも云えることで、求めて学習をする充実した指導にまで盛り上げてこそ向上がある。

(3) 工具並びに機械と製作品

①どの作品にも共通して使われる工具にはヤスリがあり、ヤスリの正しい使い方を指導することは全ての工的基礎技術を身に付けることにもなり、忍耐を養うことにもなるので文ちん、へらは中学校程度に適した学習が出来る、

②切断用具で手軽に一番多く使われる金切鋏の技術も直刃、曲刃に、複雑な個所の切断等細い技術を要する作品も日常生活の必需品が多く、日用品を自作する、又は修理出来なければいけない、このような見地からすると課題も多く、教材にも板金を主材料にした作品が豊富に取り扱われてもよいと思う、関連した工具材料にはけがき針、折り台、打ち木木槌、ドリル、リベット、ハンダゴテ、針金等を使つて前にのべたバケツ……を製作したが時間的にも、設備の面から見ても取扱いがたやすい。

③機械を使用しての金属加工には旋盤が主で製品の部分的な個所の加工としてボール盤、グレインダーカッター、等を使用するのが多い、機械を扱つての実習は高度の知識技能をもとにして製作に当らねばならないし、これからの人は職業、立場の如何を問わず生産に対する知識理解、機械を操作する能力を身につけていなければいけないことは云うまでもないことである、中学校に於ける技術科教育の仕上げとして充実した機械工作の実習指導はこれからの技術科及び中学校以上の教育の進展に大きく寄与するものがあり、製作品も科学時代に相応したものを豊富に取材し指導に当らなければいけない。

④その他に熔接工、鍛鉄工、鋳物工等があり金属加工にこれらを欠かすことは出来ない、これらの実習についても一通りの知識技能が習得出来るよう学習計画が必要である、現施設設備で無理なところが出て来るので、設備が充実するまでは近くの工場などを利用し、見学程度にとどめるのも考えられる。

3 台湾に於ける技術研修

a 施設設備

私の見て感じた台湾の教育実状を一言で申しのべるならば「実践している」又は「活動している」である、すなわち社会に於てもそう感じたが教育も実践の中に理論が存在していることを証明するものに施設設備があろ、現在の私達はしゃべり過ぎるし逆に聞きすぎる、すなわち実践実習の時間が少いが台湾は設備が揃つているばかりでなくその管理にも行きとどいたところがあり、必要以上にしゃべることがなくなつても指導上の成果が上つていることは、製作品により評価することも出来るし、完備した機械類を見てもうかがえる。製作品は日常生活に役立つものが多くそこにも実質的なものがにじみ出ているし社会と学校が密接な関連のもとに教育し使える作品、使える人間の育成に教育の主力を注いでいる事が分る、ややともすると形式に流れがちな私たちの日頃の教育に参考になるところが多い。

b 実習

台北師範大学での研修は同大学の工学部内にある中学校技術モデル教室を主にして行なわれ、板金を主にして設備を使用したが、同じ切断にしても、折り曲げにしても全て器械化され、バケツなども沖縄での半分の時間も要しないで製作出来る段階にまで完備している、又普通の中学校にも技術科の特別教室が三教室以上もあるので、学年と実習の程度により実習の完備も変り、モデル教室のようなものは高学年が主に使用するようになつているようである。

ねじ切りの実習は大学の旋盤を利用して行なわれたが沖縄での研修の成果を発揮して全員二時間程度で完成したのは実習条件が良かつたからでもあつた、例をあげると、作業服が実習室に準備されている、工具の管理がよい、それに工具が豊富に揃つている、後片付、清掃が簡単に出来る、チリ取は長い柄がついているしチリ箱は移動出来るようになつている。材料、製品置場がはつきりしている……

台湾の教育は社会よりも学校が色々な面で進んでいるように感じた、真の教育はそうであるべきと思う、古い時代おくれの技術を教えてもこれは進んだ社会では役に立たないし、又時々刻々と移り変りつつある技術進歩に対処しうる弾力性のある教育をしなければいけない、その点台湾は私達よりも一歩先んじていることは外観的にも内容的にも明確である。

最後にのべておきたい事は人的組織である、合理的に私達はだれでもなしうる範囲内で各人が職務にベストを尽す、そこから全体の力強さが生まれて来ると思う、一人であれもこれもやろうとすることは失敗のもとである、無理のない適材適所の人的組織を早く作りあすの教育に支障のないようのぞみたいものである。

——中学校における職業教育の回顧と展望——

職　業　教　育　課

1 戦前の義務教育は初等学校六年までであつたが、戦後は一九四六年の八年制の初等学校又は一九四八年の六・三・三制の六・三年と義務教育の就業年限が延長され、教育内容も戦前の劃一的な全体主義教育より民主的な人間育成へと転換した。

職業教育についても、八年制の初等学校の四年より農、工、商、水の科目を設け、基本的な技能を養うと共に職業に対する理解を深めようとした。

六・三・三制の中学においても、実業科或いは職業・家庭科を必修とし、更に生徒の必要に応じて一〜四時間の選択を設けた。一九五五年、文教局は中学校の基準教育課程の試案を完成、現在に至つている。

初等学校教科科目時間配当表　　(1946年4月)

教科	科目	1	2	3	4 男	4 女	5 男	5 女	6 男	6 女	7 男	7 女	8 男	8 女
人文科	公民	1	1	1	1	1	1	1	1	1	1	1	1	1
	読方	7	7	7	6	6	6	6	6	6	5	5	5	5
	歴史 地理				1	1	2	2	2	2	2	2	2	2
	英語	1	1	1	1	1	2	2	2	2	3	3	3	3
理数科	算数	6	6	6	6	6	5	5	5	5	4	4	4	4
	理科			1	2	2	2	2	2	2	2	2	2	2
体育科	体錬 衛生	7	7	6	6	5	5	4	5	4	5	3	5	3
芸能科	音楽			2	2	2	2	2	2	2	2	2	2	2
	図画 工作	2	2	2	2	2	2	2	2	2	2	2	2	2
生産科	農業 水産 工業 商業				3	2	3	2	3	2	5	3	5	3
家政科	裁縫					2		2		2		2		2
	家事											2		2
毎週授業	総時間数	24	24	26	30	30	30	30	30	30	31	31	31	31

必修の職業家庭は、日常生活に必要な基礎的な生活技術を中心に学習することにより、職業生活、家庭生活に必要な知識、技能、態度を習慣することを目標にしたもので、いわば教養科目にすぎず、職業準備訓練を与えることを意図した選択の職業家庭科も施設、設備の不備から殆んど顧りみられない状態であつた。

一九五六年頃の職業家庭科の状況を教育要覧によつて見てみよう

(1) 農村地域の中学校

全島的な一般的傾向として、男子では農耕、園芸、及ご珠算が、絶対多数の学校によつて選ばれ、養畜、手技工作、保健衛生を採用している学校は極めて少い。女子では裁縫、調理、保健衛生及び洗濯手入れが圧倒的に多く、紡績、染色及び保育を取り上げた学校は極めて少ない。

(2) 漁村地域の学校

殆んどの学校が男子は農耕と珠算、女子は裁縫と調理を選んでいる。

(3) 都市地域の学校

男子に対しては珠算、製図、記帳が農耕などより多くえらばれている。女子に対しては裁縫調理が一般的である。

これから見ると、何れの地区でも工的なものが殆んどなく、手技工作に至つては皆無である。この職業科の奮わない理由として施設、設備の不備、担当教師の

技術の不足等があげられるが、文教局は一九五七会計年度から漸く備品購入費を交付、一九六一年度現在、総計約二五万弗が支出され、これは全琉一六一校に対して、一校平均約一、五〇〇弗になっている。

中学校教育課程　(1955年)

教科 ＼ 学年		1	2	3
必修教科	国語	175 (5)	175 (5)	140 (4)
	社会	140 (4)	140 (4)	175 (5)
	数学	140 (4)	140 (4)	140 (4)
	理科	140 (4)	140 (4)	140 (4)
	音楽	70 (2)	70 (2)	70 (2)
	図工	70 (2)	70 (2)	70 (2)
	保健体育	105 (3)	105 (3)	105 (3)
	職業家庭	105 (3)	105 (3)	105 (3)
	英語	105 (3)	105 (3)	105 (3)
	小計	1,050(30)	1,050(30)	1,050(30)
選択教科	職業家庭	70 (2)	70 (2)	70 (2)
	その他の教科	70 (2)	70 (2)	70 (2)
特別教育活動		105 (3)	105 (3)	105 (3)
総時数		1,225(35)	1,225(35)	1,225(35)

次に一九五八年の調査による中学校の地域別の分布状況を見てみよう。学校数など現在と多少の変動があるが、全体的には大差ないものと思われる。

地域	学校数	%	学級数	%
農村	一〇三	六一・七	五一五	四七・五
半農半漁	四〇	二三・九	一二九	一一・九
半都市	一七	一〇・二	二六四	二四・三
都市	七	四・二	一七七	一六・三
計	一六七	100	一、〇八五	100

一九六二年度四月から中学校の教育課程が改訂されることになり、従来の職業家庭科は技術家庭科となって内容も工的分野が大部分を占めるようになるが、必要な施設設備と、農業専攻の多い職家担当教員の再訓練が重大な問題となっている。

文教局においては、全琉一六二校の中から四二校を選び、それに地域のセンター校としての性格を負わせ、新しい教科の牽引車たらしめようとしている。この四二校の備品費は米国民政府の補助金により、一九六二、一九六三会計年度で完成することになっている。

なお教員の訓練については、先づこの四二校の四二名の教師をアジヤ財団の援助を得て台湾師範大学からの招へい講師によって四カ月間訓練し、以後この四二校の実習場において、これら四二名の教師を中心として各地区毎に技術訓練を行ない逐次全教師に推し拡げていく計画である。

中学校職業家庭科備品費補助金の推移

会計年度	補助金
1957	83,588.00
1958	112,566.00
1959	16,667.00
1960	17,000.00
1961	20,000.00
計	249,821.00

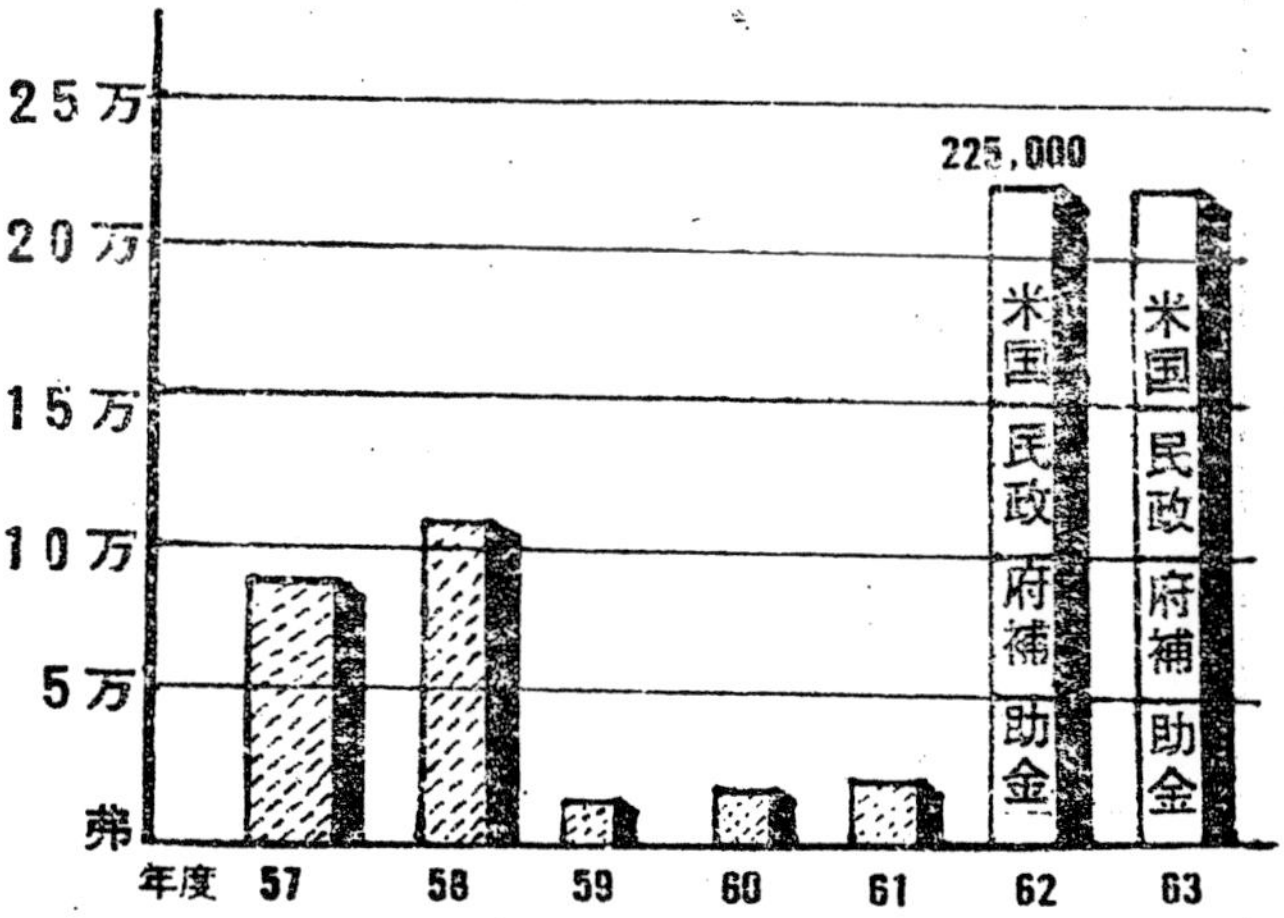

因みに、この計画による施設は一六五平方米五十坪の総合工場、備品費は一校当たり約一万弗で、その内容は、

木工関係
木工帯鋸盤　一台
手押鉋　一台
木工旋盤　二台
糸鋸盤　一台
丸鋸盤　一台
サンダー　一台

金工関係
金切鋸盤　一台
金工旋盤　一台
板金機械　一式
ボール盤　一台
ガス溶接器　一式
手仕上工具　数セット

その他電気関係、エンジン関係となっている。

一二ページへ

―随　筆―

学校経営雑感

越来小学校

山城宗雄

先般、文教局研究調査課から、次の内容の何れかにより（(1)、実践してこられた学校経営の一端、(2)、沖縄教育への要望、意見）を十月二十五日までに届くよう投稿してくれとの御依頼を受けたが、素より浅学非才、執筆などの柄でもなく、それに最近は運動会や雑多な行事に忙殺されて思索の余暇もなく、且つ健康も勝れず、到底その期日までに責任を果すことはむつかしく一応お断りをしておいた次第ですが、これまで永年に亘り教育界に御世話をいただいた上からも、是非何か書かねば相済まない気もするので、鈍才に鞭つて標題のような寸感を認めた次第である。

さて私は大正十二年十一月に、恩納村山田小学校の校長に任命されて、爾来稲嶺、兼次、那覇甲辰、那覇国民学校に歴任し、戦後は沖縄文教附属初校田場を経て、現在の越来小学校に至つている。その間に約一年五ケ月は横道をして本部の町政に携つていた。

三十有六年の学校経営は、決して平坦の道ばかりではなかつた。寧い国家的にも、社会的にも多事多端の時で、山あり河あり溪ありで、苦難の連続の感さえあつた。

学校経営のあとを回顧するとき、先ず最も緊要なこととして常に念頭においたことは、「和」を作るということであつた。「天の時は地の利に如かず地の利は人の和に如かず。」と古人もいつている。何れの社会、団体に於いても、苟も人の集るところ、性格の相違があり、更に体位に於いて、知能や趣味において幾多の差異がある。ことに学校においては、何れも知識の優れ才能の勝つた人人の多い集団である。

その規模の大小を問わず、之を組織する要素たる教師の各自が、その個性を認め、その特徴を発揮し、互に長を採り短を補い、しかして同一の目標に向つて進むとき、学校の進展、教育の向上は期してまつべきものがあることは論をまたない。私の尊敬する山城篤男先生は、かかる姿をオーケストラの諧調の美に等しいと称えられたことがある。

私は素より浅学短才の者で、その柄でもなかつたが、努めて「和」を念じ「和」を願つて経営にあたつてきた。

お互に会い、話し、語ることによつて互にその人格にも接し、人間性にもふれることが出来るので、努めて話す機会、遊ぶ機会を作つた。

戦前、地方では何処にも校内に校長住宅があつて、校長はそこに生活していた。それで私は、新任の先生を迎えるときは、赴任の夜は必ず住宅に泊つて貰つて、四方八山を語りあい、その環境の紹介をも努めたものである。

職員の親睦をはかる一方法として、誕生会も催した。A先生の誕生日は、その朝、職員室の黒板にその旨をかいておく。それを見て、出勤の同僚は交る〳〵祝詞をのべる。午後には、A先生が茶菓子を一同に提供して誕生会が催される。歌が出る、踊りもやるので和気どあいあいたりで、実に賑つたものである。あの頃やつたO先生（今は時めく市長さん）の安里ユンタは、今にも印象深く脳裡に残つている。

旧三月には御重をもち寄つて、海岸の丘で半日を楽しく過したことがある。各自の御馳走は一品にして、必ず手製たることにしたら、独身のC教頭が丸孤大の油揚（アンダギー）を沢山作つてきて、みんなに配つて、一同を唖然たらしめたこともあつた。職員数の多い学校での誕生会は、費用がかさむようになつたので、後には単独にせず、月一回の合同祝賀にして費用の節減につとめたが、実に明朗愉快な会合で、永く方々の学校でも続けた。たしかに職員の親和融合をはかる上に大きな効果があつたと思つている。その外にハイキング、職員旅行、各種スポーツ、映画観賞、観月会、忘念会、新年宴会等々あらゆる機会をとらえて和親の道を講じた。亦転退職に際しての送別歓迎の会や餞別、簡易な月々の互助組織も試みた。

お互に何の気兼ねも遠慮もなく意見をのべ合い、互に協力する体制が整えられたら、学校経営も毎日が楽しく、愉快にすごせることになろう。これこそ学校経営者としての校長の至大幸福であろう。

玉川学園の小原先生が、戦前名護に来られたとき、一晩、旅館で、学校経営について御高見を拝聴したことがある。その時、先生は、学校を経営して十年目に始めて職員に小言がいえたよといつておられた。個性を知ることのいかにむつかしいことかがうかがえる。

袖ふり合うも他生の縁とか、かく睦び、かく交り友人同僚は、仮令いつの

時、いかなる場所に居ろうとも、親交を続け、友誼を温めていきたいことを念願し、平素努めている次第である。

次に私の願望したことは、いかにすれば子供をよく知ることが出来るかということであつた。子供を知るには、子供と共にあることであつた。平日、教室における教科の学習は素より、休育のとき、清掃とき、食事のとき、休憩のとき、努めて子供に接する機会を多くもつことである。運動会や遠足や諸行事の時には一層しかりである。教師がたえず共にあるということは、子供らに大なる喜びと安けらさを与える子供は何でも先生にいう。先生はどんなに子供を知る多くの機会を恵まれることだろう。

私共が中学生の頃、昼食後の休憩時には、運動場の大ガジマルの蔭に、いつも四、五名の友達が集つて、与太話で賑つていた。そこには、きつと島袋盛範先生（現在鹿児島高校勤務、県社会教育常任講師で御活躍の方）が来られて、私たちのグループに加わられた。そして私達と膝を交えていろいろと話して下つた。私達は心から先生を尊敬し、何の遠慮もなくお話することができた。半世紀に近い今に至るまで、先生は私共の指標となられて懇切なる指教を賜つていられる。指導者は、世の光となり、地の塩たれとある。宜なる哉。

学校を管理する立場におかれた校長として、一抹の寂しさを覚えることは直接、学級の児童に接する機会をもたないということではなかろうか。朝礼や時々の行事などでなすあいさつは実に味気ないものである。私は努めて子供達に接する機会を多くもちたいと思つて、学級をもたなくなつてからは、上級学年に週一回位いつて、いろいろ話合いをしている。それが子供を知るによい機会である。更に子供達と文通をすることにしているが、上級生でも下級生でも誰でも、いつでも手紙を私の部屋のポストに入れてもらうことにしてある。大抵、午前中に披読して、午後に返事をかくことにしている。返事は必ず出す。誤字や脱字や語法のあやまりなどは赤エンピツで訂正しておいて、本人を呼んで注意を与える。なかなか思いきつたことをいつてきたり面白いことも書いてくる。文通している子は、ずいぶん親しみをます。子供の手紙を通じて、その家庭の状況や生活などもよくわかつてとても楽しい。

この文通は、一九五四年から始めたが、多い年には人員が一九〇名、来翰数が五八三通（但し年賀状除く）にも及んでいる。今年はまだ六七名、一七七通である。その返信かきも、なかなかの仕事だが、子供達を知ることであり、一つには自分の勉強という意味でせいぜい認めている。

最後に書きたいことは、共通語の問題である。共通語を使わすことは、子供の現在は勿論、将来の幸福ということを思うとき、是非必要だと考える。最近の世情を静観するとき、憂慮させらるる点が多い。去年、宮崎県の教育を視察したとき、共通語の指導に、研究校を指定して、大に努力している状況に接して転感慨無量なるものがあつた。

（越来小学校校長）

——一九六一・一〇・二五——

おわび

前号（七六号）よりつづくべき「尚敬王の時代③」は編集の手違いで「尚寧王の時代」を完結してから後にいたします。

執筆して下さる饒平名先生ならびに読者各位に深くおわび申し上げます。

（四一ページより）

残つている、雪がとけてチョロチョロ流れているが、こんなたくちん積つた雪がとけない中に又冬がやつてくるかも知れない、思い出したように風が砂じんをまきあげる。六月というのに背広でも寒い、帰りの会津盤梯山のふもとには湖が多く、ふん火の時せきとめられて出来た猫苗代湖は周囲五十五粁で会津盤梯山からの吹きおろしの風が強い為に海のように荒れている。

車は峠を越して帰路へ向かう、途中で冬になるとスキー場になるという所は草が青々とのびている。此の辺は東京タワーと同じ高さだという事である。スケート場には、かえるが楽しそうに泳いでいる。冬になると雪の為にバスも通れないが此のスケート場までは除雪作業をしてスキーやスケートの客をのせてくるそうだ。山の中腹にある部落では今、麦かりの真最中である。疲れきつている人々はガイドの説明を耳に入れているのか、いないのか舟をこいでいる。

そういう自分もうとうとしているうちにバスは駅に着いていた。

中部離島見聞記

中央教育委員　石垣喜興

民生安定五ケ年計画、日米援助など話題の多い昨今、いかにすればへき地教育振興法にそうて効率的運用が出来るかを調査するため与勝港に集結したのが二十九日の十一時、港には小型運搬船が（遊覧船兼用）三十隻ばかり細長い機橋の横腹に目刺魚を並べたように客を待つている。

中教委一行に局からの随行員は、初めて見ると言う伊計、宮城、平安座の島々を早く渡つて見たいのか、地元教育委員会の人々をせかせて船の上でガチャ〳〵している。

◉なんでも一つの伊計島

船体三トン十八馬力のデイーゼルエンジンをつけた船は、潜航艇かと思えるように波とシブキをかぶりながら一時間で伊計島についた。戸数一八四、人口千百二十名、在籍数小、中合わせて二八六名教員数十二名の伊計校で、部落の有志を交えて話を聞いた。

半農半漁の島で、部落の前に鰹の回遊場があり、網を張つて鰹が取れるそうでその魚はみんなで分けるらしい。戦前は養蚕が盛んだつたと見え桑の木が多く、今は砂糖ギビが換金作物になつている。

昔から水に恵まれないこの島は、井戸は海岸べりにただ一つ、若い女や生徒は水くみが重要な日課になつていたらしいが今は米軍がその水源地を確保し、ポンプで部落のタンクに送水している。

伊計離り島や　嫁ないぶさあしが
インナガ（井戸）の水の
　アグデ、くみぬ

と好きな伊計の青年に求婚された他村乙女が水くみのためにはOKしなかつた、その気持ちは今の若者たちには味わえない昔話でしよう。

軍と切半の送水らしいが、村の青年がポンプの運転手なので三割位は多く村に送つてくれますから十分ですと、区長さんは笑いながら説明してくれた。学校も一ツ、製糖工場も一ツ、井戸も一ツ、おまけに部落も一ツとはちよつと変た島だ。

◉家畜優先の宮城部落

向いの宮城島に渡つたのが午後二時船着場から半里、車の準備があると聞いていたが、音沙汰もない、テクテク坂道を汗と斗いながら宮城校へつく。小中七百名、教員二十三名の併置校で見晴しのよい学校だつた。

マリン部隊が森をスキ倒して運動場を拡張してくれたので、部落民が総出で運動会に間合わすべく整地作業を続けている。いずこも同じ父兄の姿だつた。八重山出身は私一人ですと職員の一人新城君は笑顔で話してくれた。伊計も同じだが学校の先生方を下宿させてくれる家がないので困つているらしい。若い者は都会へ、家は年よりと子どもばかりである。

この部落では畜舎が住家より大きく甚だしい所では一棟に住家と畜舎がつづいていると言う家もあり、先生方を養うより山羊や豚を飼つているのが気苦労しないですむと言うように見受られた。教員住宅の設置を強く要望していた。

◉歩くのに弱い委員さん

目前にそびえる峰を越して反対側にある桃原の小学校と峰越しにかかる、三キロ余り、やはり自動車の準備はない、委員の中からボツボツ弱音が出る、離島へキ地苦をたつぷり味わつて貰いたいとの地区委員の配慮だなーとの声も出た。よし負けんぞと、反骨精神を出して歩るき出したものの、平敷屋朝敏の歌ではないか「ゆるちたぼり」といわざるをえん。

昔、平敷屋部落の地頭職として勢力を張つていた平敷屋朝敏は日本と手を取つて当時支那と親交のあつた王府の転覆を目ろんでいるとのかどで断罪され、その妻子は一時宮城島に流されていた。その家設がここにあると指さしながらその時の家族が歌つたと言われる、

「伊計離島（いちばなり）島や、む知らしどころ、なーむぬしやびたんぬゆるちたぼり」と琉歌のうまい新垣委員が歌い出した。

事情こそ異れヘトヘトの委員は同じ気持だと笑出していた。三千ドルもかかつたと言う雄大な墓に驚きつつ歩いても歩いてつきない坂道と、足にからむ草道がつづく、桃原から宮城へ通学する中学生の事を思い、みんな落ご寸前……

◉〃比嘉情話〃で元気回復

七合目あたりで前の海が見えて、遠く津堅の島も見える、その前に浮原小（うちばるぐわー）という無人島がある。大正の末期から昭和にかけて浜比嘉島の比嘉某氏（当時村会議員等村の有力者）が辻町から美人をうけ出して意気揚々と家へ連れて来たが、家の内務大臣は容易に許してくれない、毎日つつかれるので弱つて一応那覇へ帰そうとした。

ところが彼女は身代金を出して貰い一しよになつた私は総べてを貴男に捧げる決意でここまで来た。那覇には戻りませんと言い切つた。近くの部落に置くわけにもいかず、考えたあげく、本妻にも他の男等にも侵害されない無人島住いを思

いつぎ、サバニで約二十分で渡れる浮原小で愛の巣を造つた。

六坪の瓦ぶきを建て、水も食糧も島からせつせと運び、完全独占の生きた天国の愛を続けた。一年たち、二年を越した頃から男の立寄りも少しづつ遠のきがちになるが彼女は頑として島から離れようとせず、とうとう三年目には栄養失調で倒れ、那覇の病院に移した時にはすでに弱り果てていたという。

話題は飛躍して、一たん落籍されたら一生涯という昔気質を私ならどうする、僕ならこうしたと無責任に放言しているうちに、いつの間にか疲れは吹つとんで一気に桃原校へたどりついた。

二、三年前に独立したと言う桃原小学校は二一六名在籍で六学級、校長外六名の教員で校舎はパリツとしたコンクリート建て、一三八戸約七〇〇名の区民がいるが青年はたつたの九名、若い者はいずこも同じで都会へ都会へと離農して行くらしく、農業が主で、養豚も盛んであり人口の約四分の一が漁業をして別に貧乏ではないようだがPTA会費が十セントで、テレビや小型発電機が買えないから局で考えてくれと校長先生は哀願していた。独立したばかりで区民の疲れがまだ取れないのだろうか。

⦿無謀な離島視察

三十日は津堅島と浜比嘉、平安座島の視察と言うが、台風二十二号の余波はまだ残つており、二十三号の響影があつて太平洋の波はウネリが強い、本当に行くのか半信半疑で集合、昨日の強行軍で二、四名顔ぶれは変つたが、やはり日程通り行くと言う。心細い程ゆれるボートは昨日のより古い船だ。

手廻しよくむぎわら帽にぬれ仕度をした委員もいて、一時間の海路にヒヤヒヤ十一時半津堅へ渡りつく、在籍五三二名、十七名の教員で戦後独立した学校だけに教室はりつぱに出来ている。部落は一ケ所で約二〇〇〇名、半農半漁、漁業の方が主なのか、船揚場の整備が目につく。

⦿他力本願の委員会

教室を見て驚いたのは机、腰掛の展示会場だ、足をついだのもあれば、空箱を利用したもの、馬小屋の踏台にもと思われるようなもの、もあれば新らしくパリツとしたものもある。新入学の時作つたものを六年まで持上がりで使い卒業の時は家に持つて帰るという生徒個人の所有物らしい。

委員会は買つてやらんのかと尋ねたら机、腰掛を買う予算がありませんので軍に頼んで造つて貰うようにしていますがアチダン出来ません、教育税は村民税の二、六五倍取つていますから、それ以上も賦課出来ませんのでと村長兼委員長はシャシャと平気で答えている。仕　教主事上がりの校長先生の学校管理や短縮授業についてと弁舌豊かの説明とは何となく対照的だつた。

⦿美人のいない津堅島

われわれ一行はパンとミルクを昼食に持参、学校側はマグロの刺身に野菜の味噌汁を準備してくれた。パンと刺身をほほばりながら、ミルクと味噌汁をすする風景はまつたく漫画、ことに駐在のお巡りさんに、婦人会長まで教育委員やPTA会長さん等と混じつて我々を迎えて下さつたのは津堅らしい組合わせだと思いこれでヘキ地としての資格は十分だと…

昔から津堅島は美人産地だとの事だがどうした事か当らない。見うしろ髪を引かれる思いで浜比嘉へと出発したが、波は高く船はまつたく木の葉のようだ、天井からも横からも船そこからも海水が入つて来る。万一の事があれば年寄りの委員さんは「アキラメ」もつくが私はまだ若いから津堅へ戻りましようと言うと新垣委員はスカさず「津堅と久高に船橋かきて津堅美女(みやらび)渡たち見ぶさ」と歌にはあるが、今は島にはいないみんな那覇に出ているからあきらめて那覇で見なさいとカラカワれつつ船は波をさけて兼久の浜へついた。

⦿仲の悪いことで有名な部落

右の門と左の門が両村にまたがつているのは有名な久米島校だが、こちらはもつとひどい所らしい。浜区に学校が片寄つているとの事で比嘉区の区民は許せないと暴力沙汰まで発展、政府も委員会も手を焼き大岡裁判よろしく浜区に中学校比嘉区近くに小学校を建て、比嘉区の中学生は浜区まで御足労してもらい浜区の小学生は比嘉区まで御足労をして貰うと言う事でこれ以上のメイ案はないとのことでチョン、どうりで島の名も仲よく浜区と比嘉区を使つて浜比嘉島とつけたもんだと一人感心しながら校長先生の説明を聞いた。

今も悪いんですかと尋ねたら、子供等は仲よくやつていますと笑つて答えてくれた。学校の掲示板や井戸の建物、カベ柱などにやたらに標語が目につく「融和と協調」の精神面ばかり、どれだけ学校も気をつかつているかが窺えた。戸数二八三、人口一、三七〇名、在籍四一〇名の浜小中学校は十三名の職員で先生方が両部落の要（かなめ）役らしい。

⦿ペンキぬりの好きなマリン隊

この島はほとんど農業と言つてよい程で一割位が漁業、変たことを言えば、ハワイ、ブラジル、アルゼンチンと海外渡航者が多く現在六九七名もおり留守宅への送金も相当島の経済をうるおしているとの事、勝連のマリン隊とは鹿島に仲が良く、便所、机、ブランコ、電話、建物

のペンキぬりなどみなマリン隊が奉仕してくれるし、マリン隊のキャプテンがわざわざ校長や村長と一しよにいろいろ説明してくれる姿は愉快だつた。土曜、日曜日には隊から二、三〇名もこの島に渡りいろいろ作業をして帰るらしい。

子供等もなれて平気、アメリカさんはペンキ塗りがすきだと見えて便所、机、おまけに運動会用大太鼓にまで色とりどりペンキを塗つてくれているのには皆さん笑つていた。時間もないので平安座へと急ぐ委員の中にはつかれていると見へ後日にしようとの声も出る。平安座出身の新垣委員さん気分を引立る積りかやつきになつていろいろ話題を提供。「見れば恋しさや平安座みやらびぬ、きやぎゆる潮の花のちゆらさ」、琉歌をひき出して旅情をそそいでくれる。

◎水中道路と海上トラック

平安座の海岸は干潮の時には前の島まであるけると言い年々海流の関係で浅くなるそうで道路を作ろうと部落民の協議がまとまり、政府に渡りをつけたが、それこそ海のものとも山のものともわからない水中道路に手は出せませんと断られ、強気の部落民は形だけでも造り道路として使用出来る目鼻がつけば政府もだまつてはいないだろうと、自力で手をつけた。これは面白い我々も一ハダぬごうとマリン隊が出動、一八〇〇米の間をすでに九〇〇米位まで砂を盛上げてくれている。

この調子だとまんざら夢でなく、世界に数少ない海中道路が出来るわけで、大きな観光資源になるだろうと思つた。海中道路の出来るまでは部落行事も、学校行事もひかえ目にしていますとPTA会長は話しておられた。

昔山原船の中継地で平安座出身がほとんど船頭さんだつたようで、半農、半漁の島は今は昔の面影はなく、たんなる離島にすぎない、隣りの宮城島とくらべ土地はやせているが、島外で活躍している人は多く、有名な元立法議員の新垣金造さんに現議員の仲村さん等がおられる。

◎結　び

海一つへだてた島は都会の近くでもヘキ地の悩みを持つており、離農、離島する若者の多いのは八重山と同じである。

ただ残念に思うのはヘキ地だヘキ地だと泣言ばかり並べて、先生方がマンネリズムに落ちる事だ。甚だしいのは、離島としての解決策やいろいろ常識的な質問に対し一口に返答の出来ない方も中に居られるのには情けなく、委員の中ではそれだからヘキ地の校長をすぐ都会へもつて来れん、次第次第にしか近寄らされないと、ヒニクとも同情とも言えない表情で待つておられた。やむをえない点もあろうがもつと情熱を持つて貰いたいものだ。

近くヘキ地にも日の目が出るときが近づいている。離島の先生方のため、私たちの視察が実を結ぶ事を祈りつつ。

十七ページより

格を陶治し、望ましい工作習慣を身につけさせるということはこれまた重要であり、全神経を集中させる所以である。

さきにのべた実習室内での規定、使用規定も微に入り細にわたり作製し、実習場の組織即ち室長、安全係、材料係、工具係、清掃係、機械係を組織し、その職務を輪番制で勤務させることによつて自主性や責任感が培われると同時に危険から身を守るなけでなく良習慣が身につき、望ましい人間形成に役立つものであると考える。

む　す　び

教育課程の変遷や世界的すう勢に基づいて科学技術教育は新設科目として生まれたこの教科の目標達成のためには前途多難であるがしかし、熱と意気と力をもち、教育的良心にかけて、取組んでいきたい、諸先輩や同好の士の御指導をお願いして只思いつきのままに研修会の感想を記しておきます。

初の田研支部による研究発表会

主催　田研会那覇支部

日時　一月七日（日）午後三時～六時

場所　神原小学校　会議室

日程

- **支部長あいさつ**　支部長（五分）
- **両講師あいさつ**　両講師（一〇分）
- **支部概況報告**　幹事（一〇分）
- **会員紹介**　（一〇分）
- **研究発表**　（八〇分）
  - 研究調査課　平良　主事（二〇分）
  - 研究所　宮良　所員（二〇分）
  - 壺屋小校　嶺井　教諭（二〇分）
  - 寄宮中校　大浜　教諭（二〇分）
- **発表ならびに質疑に対する指導助言**　両講師（六〇分）
- **閉会のあいさつ**　副支部長（五分）

備考　質問事項は広く教育心理の立場から、学習指導、生活指導、知能、学力、人格の諸検査教育相談、問題児指導等の各分野にわたつて、理論や平素の実践技術等の両面からにじみでたものが望ましいと思います。

質問の要領は **TAKEN** 十一月号をご参照ください。

集まつた質問事項は当所で分類し、まとめて謄写印刷に付しあらかじめ講師および会員に配布したいと思います。

人間形成からみた
音楽の機能性
（曲り角に来た音楽教育）

石川高等学校　崎山　任

沖縄教育の最近の傾向は、科学教育の振興とか道徳教育の高揚とか産業教育の充実などが強調され、その整備発展に一層の力が図られて文教政策の具体化が実現しつつあります。まことに結構なことだと思いますが、そこに大きな穴のあることを発見いたしております。それは、その三つの方向とも人間の心により促進される問題でありながらその面の教育にバランスがとれず、ややもすると見失いがちであるということであります。

科学教育の最も重視する思考や創意も道徳教育における意思や行為も、産業教育の実利や技術も、その底には心の働きが原動力となつているのです。ならば、心に意欲を起させ、意欲の行動体系が樹立されてはじめてそれぞれの組織化に入らなければならないのではありませんか。心に意欲を燃やさせるという教達はなかなか困難な問題があろうと思いますが、科学的に究明してみると、情緒を豊かにし、生活にうるおいが与えられると解決されていく問題であります。私はこれを音楽教育の立場から心の働きを有機的に捉えてみたいと思います。

◉人間形成の場からみた心の機能

一、学校は人間形成の場

学校は学ぶ学校からもつと高い広い意味における人間形成の場となるべきであると思います。それにはただ実用的な人間が教育目標とすることの誤りを確認しなければなりません。教育とは教え育てることでありますが、教えることが主で育てることが副であつてはならないのです。つまり育てるために教えるのであつて生れた性能を発揮させる手段として授けるのであります。こんなところにも人間教育の本質的考え方を明確に認識しなければならない問題点があるのです。

二、心は生命の決定的要因

人間とは何か。と開き直つて考えてみたいのですが、ここではその本質は肉体と心（霊魂）からなるものであるとごく平易に考えてみます。この両者は近代医学が盛んに研究しているように、一体のもつ二つ相互に深く関連し合つております。即ち、心の働きが肉体とその病気の上に、診断的治療的に驚くほど高度に影響し（精神肉体医学）心は生命の決定的な要因と認められております。このことは人間の健康保持に心の働きが影響を与えているということでありまして、クレッチユマーの言によりますと「心が肉体の中に住むのではなく、肉体が心の中にある。」ということでその辺の事情が解明できると思います。

三、心の働き

それではその心とは何か、ということを捉えてみましよう。心の働きにご存じのように、知、情、意がありますが、現代の生命探究では、心は非分離的で分析し難い知情意の統一体とみられております。その非空間的で不思議な深さは、人間の存在と行動の中核であります。これに対する精神は心の一部の特別な機能であつて、組織された知性と意識された意思により、哲学とか科学とか経済や技術を生みだしたのであります。

精神を包括する心（その深さは測り知れないものでありますが）は精神の後にあつて、善も悪ももつているのです。意識された知性と意思に対抗する心の働きは、幻想、直観、感情、情意、感動、愛などとあらわれてきます。これを簡単に云いますと「観念論の」ヒューマニズムが本来の人間的なもの、即ちヒユーマネと考えたものであります。

これを次に図で示します。

人間の心の中には善と悪が相剋しているわけですが、そのどちらかに方向づけられるものが精神として心から飛び出すのです。勿論善の方向に飛び出ることを期待するのでありますが必ずしもそうとは限りません。この事あることによつて音楽の機能性が論じられるわけであります。

四、心は情神に励みを与える

心は一方では意欲や行動のように、精神に励みを与え、これを熱せしめます。精神は心の積極的な力なしには効果をおさめることは出来ません。たとえ探究者技術家職工などいずれでも生気のないロボットのようなものになりますし、またよい結果ももたらさないのです。

次の図は心が精神に励みを与えているものを示したものです。

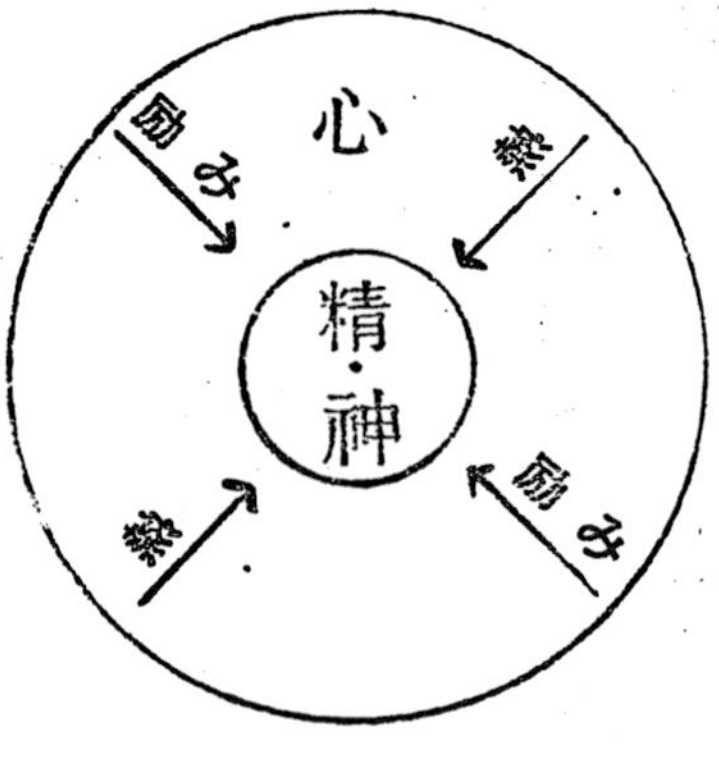

以上は情操を豊かにする立場から心の動きを捉えた原理であります。音楽教育を進めるのにとかく技術中心になり易いが、これは当然のことでそれ以前の問題点としてこの原理を主かさなければなりません。教育音楽と心の働きとの結びつきを有機的に考えて出発したいものであります。

◉人間形成における音楽の機能

音楽心理学の方で、極新しい問題としてクローズアップしてきておりながら、一般に音楽教育者自身でさえも知られていないのではないかと思われるが、これをいろいろなデーターで御紹介いたします。

一、機能主義的音観とその源泉

機能とい意味は、機能主義とう立場から音楽を見ていく、という見方を強調したものであります。

十九世紀から二十世紀にかけて、苦術思想は「苦術のための苦術である。」と唱えられ、他の目的のための手段でなく純粋に苦術そのもののために存在する。従つて音楽は音楽のための音楽であるという新しい哲学思想が非常に流行したのであります。苦術至上主義などとよくいわれていましたが、これは確かに苦術というものを理解する上に役立つたのであります。然し一面からすると、苦術は結局楽しみのためにやつているんじやないか、或は単なる感動のためにやるんではないか、従つて苦術は苦術だけの世界のものである、他の人間生活、或は人間形成というものに、別に役立たないぢやないか、という一種の常識的な解釈が、社会に流れるようになつた一つの原因となつたのではないかと思われます。

それに対して最近の芸術思想は、芸術のもつている機能というものを深く研究しますと、広く人生なり、生活なり、人間形成というものに役立たせるもの、或は人間の幸福のために必要欠くべからざるもの、そういうものとして苦術をもう一度見直していく、という動きが新しく生れているのです。

この考え方は実はヨーロッパの歴史をみればおわかりのように、古代ギリシアからすでに存在するわけであります。例えば、プラトンとか、アリストテレスの思想を見ますと、結局、音楽というものが、人間形成のために、理想的な人間像を作り出すための手段として必要である。ということを主張して、国策としての基本的な条件に音楽教育が強調されたことはすでに御承知の通りであります。

二、精神身体医学

最近になつて、精神分析の学派が盛んになつて、これが一つの導火線となり音楽というものが、人間のパーソナリテイを円満にするために、非常に役に立つということが主張されはじめました。

もう一つは、精神身体医学というものが、最近になつてから発達し（二十世紀）日本にも戦後入つたようですが、それは結局、人間の病気というものを、単に物質的に、或は生物的に扱つて治療の仕方を行つてきたわけでありますが、そういう薬物的な、機械的な治療だけでは治せない病気がたくさん発見されてきたのであります。殊に最近のストレス過剰時代にはそれが原因となつて、内科的な病気を起している場合が発見されました。

日本でも最近そういう精神身体医学講座という講座が出始めて、その精神身体医学の治療方法の一つとして、音楽が採用されているということが報じられています。

三、人間性の保護

最近は宇宙飛行にロボットを使い、人間代用の操作をさせたり、オートメーション化で人間が機械化されたりで、チヤツプリン映画の皮肉つた人間が機械の奴隷となつて暮らさなければならないようになりました。つまりこれは人間性の破壊であります。文明が高度化された裏にはこうした悲劇が現実として存在しているのです。

この現代的欠陥に対して、音楽の可能性が着目され始めたことは、暗夜に光明を発見したと同様であります。この欠陥に対し、人間に休息の方法を与える手段として、音楽の可能性が着目されたということは、遅れがちな精神文化の大きな進歩であります。さらに、それを通して生産力も増大し、能率を下げることも出来るということまで発見されているのです。古来、作業歌や労働歌が能率増進と結びついていたということは、この辺の事情を物語るもので、節合いのかなつたものであります。

このことは、いわば、音楽の機能主義的な使い方を考えたものであります。スポーツ行事にバンド等が出演することも機能主義的な役割として割り出された一例であります。その他、人間の生活を幸

福にする手段として、音楽の可能性がいろいろな再度から使いはじめられております。映画やラジオやテレビその他によく用いられるテーマ音楽（その雰囲気を作る短い音楽）等も、場面々の雰囲気を盛り上げ、勇気や悲しみや励みや慰め等を与えたりするのもその機能性を生かしているものであります。

そこで考えさせられることは、音楽教育というものは、単に音楽技能の発達というものではなくて、音楽というものを日常生活に滲透させ、毎日毎日の生活を非常に合理的にし、能率的にし、そうして幸福な感情の中に生活することが出来るような手段として、音楽の可能性を使つていく、そういう機能主義的な音楽の使用方法を認識し、科学的にどしどし採用しなければならないと思うのであります。

四、ストレス時代に対する音楽の療法的意義

ここでは、ストレス時代に対する音楽の療法的意義に関するデーターを御紹介することにいたします。

例一　胃潰瘍の問題

胃潰瘍は難病の一つで、治療しきれないものが多いようでありますが、研究の結果、胃潰瘍の原因に精神的な影響のあることが発見されました。それで最近の治療法は、医者は必ずといつていいくらい、何か患者の精神生活の中に心配があるか、或は精神的な苦痛があるかを調べてからかかるそうであります。そしてこの精神の中にあるストレス的なものを、まず除く治療から始められるということであります。

胃潰瘍が精神に原因して発生するということは、病理学的には古くから発見されていたようであります。大脳を手術するとき、不思議な事実に、血管の末端部に、大脳から非常に離れたところに出血が起る。ことに胃壁に出血が起る。この原因は長い間未解決であつたのが、最近になつて取り上げられ解決をみたのであります。生理的な現象としては考えられないことでありますが、心霊的に考えさせられる問題点であります。

（実験）

大脳に物理的刺激や精神的な刺激を与えます。人為的に心配とか、苦しみとか不愉快を与えると、胃潰瘍的な症状が表われてきます。これはネヅミを棒で突いたり、電気ヨツクを与えたりして、不愉快なことを毎日毎日くり返し、そういうストレス的な状態が続いた後、ネヅミの胃袋を解剖してみると、胃潰瘍的な症状を呈しているのが発見されました。こういうところから、胃潰瘍の患者に限り、精神的な影響があるので、これの治療のために音楽が使われるようになつたのであります。

生活様式によつても、その治療の仕方はいろいろと異るようでありますが、西欧では、彼らの伝統の中には、食事のための音楽という機能主義的に考えられたのがあります、それを心理学者が取り上げ、科学的に研究した結果、音楽をかけると、消化する時の胃のリズムが、音楽によつて変化するということが発見されました。非常にリズムカルな音楽をかけると、胃の活動が非常にリズムカルになるとのことです。ところが、突然に驚音を発したり、急に調子が変るとか、急激な変化が起るような音楽ですと、これが反対の効果を発しまして、胃の幽門部が収縮して、食べものが順調に流れなくなるという。これは大体不安な時とか、何か異変を感じた時と同じ状態になりますそこで食事のための特別な音楽というものを考えなければなりません。ワーグナーやシエーンベルグやストラビンスキー等の音楽は激情的であつたり、無調な無気味さがあつたり、はなばなしさ等があつて食事音楽としては不向きだといわれモーツアルトやシユーベルトやショパン等の音楽は、優雅さ、甘美さ、流暢さ等が備つているので合格品とされています。つまり、静かで、やはらかで、スローであることを要求いたします。しかもバツクグランド・ミユージツク（背景の広い音楽）でなければいけません。あまり緊張を与えたり、そこに精神が集中されるようなものではいけない等と科学的に研究されております。

例二　高血圧

高血圧を音楽で治す。これは主として感情的な因子で高血圧になつていくものに効果があるようであります。大体騒音の多いところでは血圧上がつてくるようです。都会生活者に多いのはそのためであります。この血圧に対しては、精神を沈静にする音楽が考えられ、これが血圧を下げることは実験の結果あらわれているとのことです。

沈静音楽というのは、例えば、大体短調的な傾向のものを採用いたします。

一九四六年にサンダーマンが心理学の面白い研究を発表されたと報じておりますが、それによると、音楽家と非音楽の違いで、血圧が音楽家は比較的に低いとのことです。つまり高血圧は少ないということです。これは音楽家の役得といえましよう。この傾向の方はつとめて静かな音楽を多くきくようすすめております。

例三　頭痛の治療に音楽を使う

音楽の中で、歴史的に残つている曲目を調べてみると、興奮するよりも、安静にしたり、寛ろがせたりする種類のものが多いということが、統計的に出ており

ます。この頭痛も、原因が精神的緊張によるもので、つまりストレス的時代の実情から出てくる一つの傾向であります。これには当然、心をさわやかにする音楽をあてるのが適切であります。

例四　うつ病的な症状

憂うつに対する療法として音楽を使つています。つまり現在の生存競為がはげしいために、非常に多くなつてきましたが、気分が憂うつになと、ものを考える力がなくなつて外の世界に対して興味を失つてきます。不眠症、被害妄想、頭痛消化不良、便秘等が起ります。このためにもやはり音楽療法が行われているのです。

治療方法として、一日に三時間位音楽を聞かせる。そうして精神的なノイローゼ的な病気に関しては、普通は一週間位で治療が完了し、重症でも二週間位で退院出来るとのことであります。方法にも技術的にいろいろと発達しているようですが、憂うつな場合には、明るい音楽を聞かすとよいと普通は考えられますが、これは間違いであります。まず憂うつな人には憂うつな音楽をかけます。短調的な音楽をかけます。そうしてそれによつて自分が共感を受ける状態を作ります。それからだんだん明るい方の音楽をかけてゆく。それを毎日繰返していくと、憂うつ病が治つていくのであります。

アメリカには、ミュージックセラピストというその面の専門家を養成する大学があつて、音楽療法を学ぶのであります。主科目に音楽と心理学をもち、副科目に生理学と医学を学ぶことになつており、卒業生は各地で開業しているという新しい道が開かれているとのことです。

例五　労働生活の幸福と能率増進のための音楽使命

労働生活の幸福と能率増進のための音楽の機能を果す使命ということですが、われわれが想像できないくらい、音楽は労働生活の中に利用されています。第二次大戦中、英国で、音楽のもたらす生産能率及び影響を研究した結果、戦争の生産力増強のために、産業組織に対し毎日音楽を流す方法が採用され、全英国の九〇％が音楽を聞きながら生産力を上げたのです。（この方法はやがてアメリカにも採用された）勿論これは科学的に研究されたもので、大体をいうと始めから終りまで音楽をブッ放すのではありません。これはかえつて生産力を下げてしまうのです。一番能率を上げるのは、疲労曲線の頂点が表われる丁度一歩手前で音楽をかけるわけです。そしてその山の間に短く音標を入れていく。その方法でいくと能率が非常に高まつたのです。殊に夜間作業で著しい効果を上げたということです。

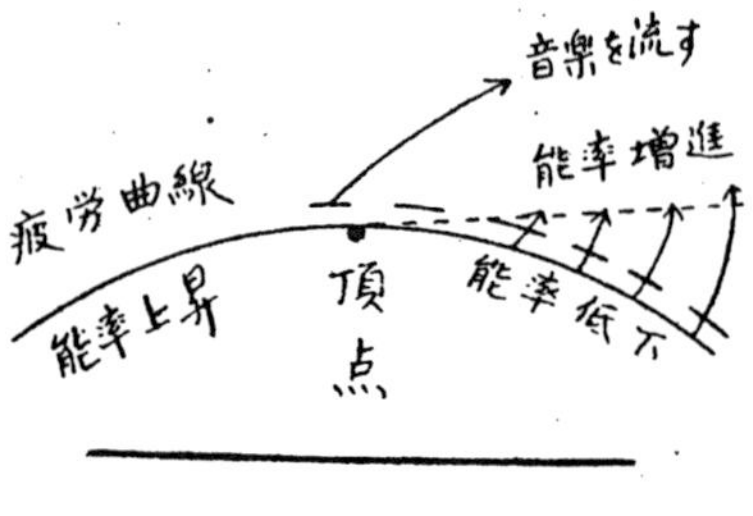

次の図は能率向上のために音楽を入れた説明です。

働く側にも調査してみると、とても気持ちよく働ける、労働者のモラルが大変よくなつた、事故も少くなつた、欠勤も少くなつた、悪い風習が減り、工場に来ることを楽しみにする等の状態が出たのであります。

この事実は、結局精神的異常というものが肉体を病的な状態に入れたからでありますが、同時に精神そのものの異常さということが慢性的になり、人間性の異常が生れてくるのは当然な現象であります。

さらに、労働生活が、現在のように非人間的な状態の中に入れこまれ、人間が一つの機械とされてくる時、人間性と機械性の間に一つの問題点が起ります。人間のパーソナリテイが、異常に沈んでくるのでどうしても音楽の力で救わなければないません。

これまでレコードは鑑賞音楽をおもな使命としてきたが、科学の発達と共に最近は鑑賞音楽とは別に、いろいろと生活に結びついた実用面が考えられるようになりなした。その一つとして職場の能率管理の面に音楽を使うという意図で、生産性向上のためのBG音楽（バックグランド音楽＝背景の広い音楽）というLPがコロンビアで製作されています。近頃のように技術がどしどし革新され、オートメ化が進んでくると、そこで働く人々の環境は機械的になつてきます。それに伴つて職場の能率管理の面が重要な問題となつてきたのであります。欧米の会社の九〇％はこれを活用しているが、これを日本に輸入して使つてみると、日本人の労働者にしつくりしない。そこで日本向きに田口卯三郎理学博士の監修で、能率管理のデータにもとづいてBG音楽が新作曲されていると報じております。編成もフルオーストラから、ピアノソロまでのものが出たり、内容もセミ・クラシックからモダン・ジャズまでというバラエテイーをもたせております。オフイス向きは一曲ごとに違つた感じをもち、テンポの起伏が大きいもの、工場向きは一定のリズムをもつものと工夫がこらされています。いわば科学を利用したレコ

ードの新分野ということでありまして、今後レコードが実用音楽として発展する第一歩として注目されています。

以上のことがらで音楽の機能性がデーターで知ることが出来ますが、このことは音楽教育の原理であり、音楽教育の基盤をなすものと深く思うのであります。現実には人間性が破壊されつつあるのですが、これは二十世紀の大きな欠陥だといわれております。この結果、いろいろな性格異常者の犯罪が世間ではどんどん増えてきますが、これは当然に起る問題であります。そこに道徳教育の問題も起つてくるわけですが、観念的になり易い倫理道徳でなく、音楽を通して倫理を体得しなければなりません。

この最大の二十世紀の欠陥を治す使命それは音楽が背負わされているのでありますす。つまり、この音楽の機能性というものを発揮することによつて、実現されるわけであります。

◉まとめ

音楽的人格の構成

最後に、音楽的人格の構成という問題でまとめてみたいと思います。

人間形成の立場から音楽をみたとき、その機能性が相当に影響していることは以上に述べたデーターでもよく知るところであります。いわゆる非行少年、あるいは犯罪者に対する一つ精神の療法として、音楽が非常に広く使われています。これは実験的なデータしから出たのでありますが、とにかく音楽の鑑賞、楽器の演奏を教えます。それからバンドを組織する。などで音楽を身につけさせると非行少年といえども、礼儀が正しくなり、一般の人間的印象というものがよくなり非常にモラルが改善されているとのことであります。

結局、私たちが考えてみたいことは、刺激としての音楽というものが、人間の精神なり、肉体にどういう働きや変化を与えていくかということを、もう少し科学的に研究していく必要があるのです。それを発見することによつて、今度はその機能をわれわれの精神及び身体の健康のために、合理的に使つてゆく方法を考えなければならないと思うのでありまず。

従つて音楽は、音楽の時間のための存在ぢやない。毎日毎日の生活の、一刻々々に必要なものであり、適当な音楽の機能を使つていくべきじやないかと思うのです。例えば、勉強をするために、精神を集中させるための音楽があるわけであります。運動や何かウオーミングアップするための音楽は勿論あります。或は社交的にするための音楽もあります。そういう機能を使つて、われわれの毎日毎日の精神の動きを誘導し、人間生活の幸福向上のために使うことを考えなければならないと思います。このことが社会に常識として承認されると、音楽が今より二倍も三倍にも必要なものとして認められるんじあないか。単に音楽を教室の中だけに考えるような情勢が出てきたことはこの点非常に憂うべき残念なことだと思います。

高等学校も、小学校中学校に続いて教育課程が改訂されて、近々その実施をみるのであるが、その内容は現在より一歩前進したとはいえ、まだまだ望ましい姿とはいえません。さらに将来の改訂を期待するのでありますが、そのための基礎資料として考究する必要がありましたので、本問題を取扱つたのであります。

（完）

教育心理技術講習会並に講演会開催のお知らせ

斯道の権威者を招請して教育現場に役立つ講習会ならびに講演会を開催いたしたいと思います。心理技術講習会になるべく多数聴講するよう、おすすめします。

教育心理技術講習会ならびに講演会開催要項

主催　文教局、那覇連合教育委員会、那覇教育研究所、田研那覇支部共催

目的　近代教育の特色とする教育心理、特にテストの測定、診断、教育相談等に対する実際の技術者を養成し、教育を科学的に処理する機運を高める。

内容　教育心理テストの測定、診断、治療の技術、教育相談の技術

講師　田中教育研究所　常務理事　茂木茂八先生
東京学芸大学助教授
田中教育研究所所員　品川不二郎先生

日程

月日	曜	教育心理技術講習会関係（二時〜六時）	教育心理講演会関係（三時〜五時）	備考
一月八日	月	教育心理技術講習会		技術講習会の場所 教育会館（八日〜一二日） 那覇琉米文化会館（一三日〜一六日） 南部、那覇、講演会の場所 商業高校体育館
九	火	〃		
一〇	水	〃		
一一	木	〃	教育心理講演会（中部）	
一二	金	〃		
一三	土	〃	〃（北部）	
一四	日			
一五	月	〃		
一六	火	〃	〃（南部、那覇）	

備考　(イ)講座内容の性格上、受講者は講習期間中、同一人たること。
(ロ)受講意識を明確にし、講習会をして効果あらしめ、研究活動を活発に推進したいとの意向から、あらかじめ申込を受け、講師に対する質問事項を用意しておくことにしました。

尚寧王の時代 (1)

饒平名浩太郎

はしがき

尚寧王在位三十二年に沖縄の歴史は書きかえられた。政治体制において或は経済体制に於て殆ど置きかえられてしまつたからである。原因はともあれ、戦争に負けた結果として当然来るべきものは被征服者に対する収奪がまちかまえていた。薩摩に征服された琉球もその例にもれない。琉球は海外貿易始つて以来王城に貯えられた七珍財宝の数々は没収せられ、続いて検地による長期の物産獲得、海外貿易を積極化して其の利を収奪するという方法や、行政組織を本土のそれに則らせて農民を収奪し、その富の上にあぐらをかくという具体策などによつて琉球古来の慣習を徹底的に崩壊せしめたのであるから、僅々三十二年の短期間であつても一つの時代を劃するものと考えるのである。

検地によつて土地は勿論安定はしたが農民相互間でもその権利を主張することができた。但し年貢さえ納入すればという但書があり、所謂経済的強制といわれる、いろいろの身分上生活上の制限を受けたのである。

「農民は天を怨み天を厭い候とも逃れ申すべき様これなく候」というのが生活の実態であつた。

年貢割付状が村に交付されると村中の農民による村吟味で高下なく割当てられるが、村役人だけで処理してしまうことも少なくなかつた。殆ど字のよめない農民であるから、印鑑を村役人にあずけつぱなしの者が多く、村役人の不正も行われ易かつた。又薩摩在番の監視による政治は、近世的な行政府を成立させる画期ともなつた。ユカッチュ（士族）の間には優越的な感情が譲成されていくから、家族親類の連帯責任を免れるために子、女を勘当したり殺したりした。長幼の制もはつきりしていて特に家をつぐ長男と弟妹とは衣、食、住教養のすべてに差別待遇をした。農民にはきびしい統制と監視が加えられ、曲りなりにも年貢の納められるものはまだ仕合せ、納められない者には驚くべき刑罰が待ちかまえている

だから農民は支配者に強制されなくても衣、食、住に徹底的な抑制を加え身を粉にして勤労につとめなければならなかつた。全く人間外の社会に追いやられるのと同様であるから村の構成でも、いまの単純な構成をもつ農村から見れば驚く程複雑であつた。

身代持といわれる所謂複合的家族から夫婦と子供を中心とする単婚家族が分立していくことがこの時代の特色であつて零細な耕地を家族労働の燃焼によつて維持する小農経営が村の生活を支配するようになつたことをはつきり示している。

農民の間には士階級のように蓄妾が行われなかつたことは主婦の幸福ではあつたろう。それも生活がせつぱずまつていたからであつた。しかし子女は一歩外へ出れば家長権のとどかない自由な世界をもつていた。遊庭（あしびなー）での自由奔放な毛遊び、祭祀への参加や若者宿や娘宿がそれである。苦しいときの神だのみで村人たちは行事にかこつけては、村中集つて飲食を共にし、神に奉仕することも忘れなかつた。東お巡り、今帰仁上りなどやシヌグの神遊びなどがそれであつた。こういう社会生活の全面に渉つて変態的な改革が行わたのがこの時代であつた。

本稿は琉球経済史の一環として書きあげたものであるから、定説とされる経済史的な卓説は逐一これを採用しようと試みた。又経済史料をなるべく多くとり入れることにし、考察の資料としたが、年代が僅々三十余年であるため、この時代に該当しないものは割愛した。小学校社会科むかしのくらし、中学校社会科封建社会の教授資料に供せられれば幸である。

尚寧年譜

嘉靖四三年甲子（一五六四）——浦添王子尚懿の長子として生る。生母尚永王の妹首里大君

慶隆四年庚午（一五七〇）より——父尚懿につき漢学の指導を受く。

万暦十一年癸未（一五八三）——伯父尚永王の長女阿応理屋按司を妃とす

万暦一七年巳丑（一五八九）——二十六才にして即位同年豊臣大閣秀吉に土産を献上す。

万暦一八年庚寅（一五九〇）——琉球人朝鮮に漂着薩摩の好意により帰国

万暦一九年辛卯（一五九一）——薩摩より秀吉朝鮮征伐のための食料供出を命ぜられる。

万暦二〇年壬辰（一五九二）——秀吉琉球に対し兵賦を督促し来る。支那に進貢して薩摩よりの恐迫状を通告す。

万暦二一年癸巳（一五九三）——食料を薩摩に送る。つづいて義久食糧た

輸送せよと厳命す。
首里謝名一族の反乱起る。

万暦二二年甲午——琉球の窮状を薩に訴（一五九四）う支那に使を派し冊封をこう。

万暦二三年乙未——冠船接迎の準備に入（一五九五）る。

万暦二五年丁酉——尊円城間浦添道路開（一五九七）通碑をかく。平良橋を架橋。

万暦三〇年癸卯——袋中上人来琉す。尊（一六〇三）円城間謝名鄭迥の讒言で三司官を退く。

万暦三三年乙巳——袋中上人琉球神道記（一六〇五）を著す。野国総官甘藷を移入す。

万暦三三年乙巳——始めて天界寺を廟とす。

万暦三四年丙午——冊封使夏子陽等来琉（一六〇六）阮、毛二姓の帰化人に臣籍を許す。

万暦三六年戊申——島津氏琉球を招諭す（一六〇八）謝名親方の発議により拒否謝名親方（豊見城、池城親方）と意見衝突

万暦三七年三月十七日慶長の役。
（一六〇九）薩摩軍今帰仁運天に上陸。

万暦三七年四月三日——薩摩との和議成る。（一六〇九）首里城御蔵の検閲始る。

万暦三七年五月一四日——薩摩軍琉球の攻略終（一六〇九）り尚寧薩摩の捕虜となり上国す。

万暦三七年九月——池城安頼進貢使とし（一六〇九）て中国に行く。

万暦三八年——琉球の検地あり、検（一六一〇）地帳成る。貝摺奉行をおく。

万暦三九年——大島諸島分割される（一六一一）尚寧この年十月二十日帰国す謝名親方誅さる儀間真常木綿種子をもたらす。慶賀使を薩摩、江戸に上国せしめる様命令出る。行政機構の改革始る。初めて地頭代職をおく。

万暦四〇年壬子——西来院菊隠薩摩の命（一六一二）で宰相となる。十年一貢を明の神宗命ず支那に進貢す。

万暦四一年癸丑——おもろさうし巻編集（一六一三）さる。薩摩より医師二名来琉す。

万暦四三年甲寅——画家自了生れる。年（一六一四）貢納入苦しくなり農村疲弊す。

万暦四五年丁巳——張献功等湧田村に陶（一六一七）器を造る
首里に観音堂建つ。

万暦四七年己未——八巻、冠を制して位（一六一九）を分つ。

万暦四八年庚申——極楽陵を修築す。薩（一六二〇）摩の命により朝鮮、シャム、ジャワ等の通航を断つ。九月十九日薨去遺命によりようどれに葬る（五七才）在位三十二年ようどれの碑建立す。

浦添王子尚寧

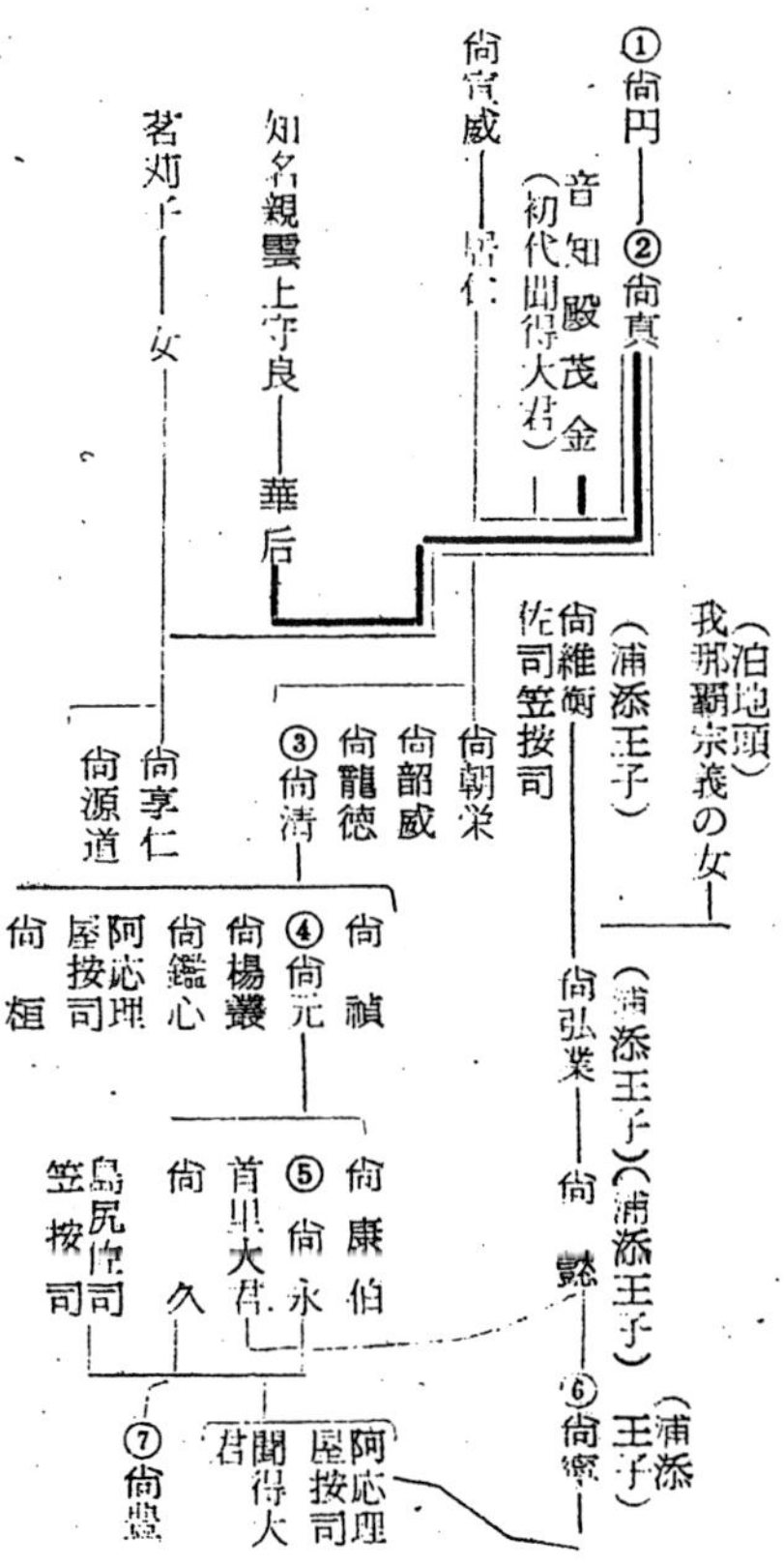

尚寧は尚円王六世の孫、尚永嗣子なきため世子となり、宗家を継ぎ尚氏六代の王位に昇つた。嘉靖四十三年（一五六四）生れ万暦十七年（一五八九）巳丑二十六才にして即位、万暦四十八年（一六二〇）庚申九月十九日薨ずるまで在位三十二年間というのは実に波瀾にとんだ数奇の生涯であつたといつてよい。尚清の晩年以来琉球を垂涎して島津の侵寇によつて身は捕虜として島津氏に引廻され、帰国するや、薩摩の検地によつて政治的な大改革が彼等の手によつて断行され、薩摩の隷属政策によつて身は一地方の国司としての冷遇に甘んじなければならず、あまつさえ先祖以来苦労して築かれた南方、大陸からの珍宝財宝はす

つかり薩摩に横領されるという悲惨な境遇におかれ、すつかり虚脱状態となつて憂愁の中に生涯を終らねばならなかつたのが尚寧の一生であつた。その先は尚維衡以来、代々浦添王子として浦添間切の宰領地があつて四代の永い平和な生活が展開していた。

生母は先王尚永の妹首里大君で聞得大君補弼の重責をもつた神職であり、その所領も広く、父浦添王子尚懿は廟堂に於て学徳すぐれた漢学者である。長じて伯父尚永の長女がおおりやえあじがなしと夫婦になり、尚寧は父君や伯父王から将来を嘱望（しよくもう）された青年政治家であつた。ところが一たび尚永の襲封を受けるや内憂外患がひつきりなしに襲いかかつてきた。明徳の高い青年王もこの大事件を切り抜けるために苦しい生活を続けねばならなかつた。元来王子というのは察度王以後明との交通が開かれてから用いられた称号であつて、古代は国王を始め各地に散居した頭目をすべて按司と唱えていた。王号、王子号が備つた後でも按司と総称される慣行であつたから、国王を特に「あんじおそいがなし」と敬称し、王子、王弟等を「あんじ」と称するようになつた。あんじ即ち王子は間切を全領して、これを総地頭と唱えたが、尚真以後の度々の改革で三司官も親方部に昇格し総地頭となり、その外の諸士でも勲功によつて惣地頭に出世し、親方位を称することができるようになつたので、次第に給地方が差詰り、止むなく「余儀なき方」以外は一村領有の脇地頭とするという例をつくるようになつた。この按司たちは所領地の名を家名とする慣行であるから、按司地頭、総地頭共に同一間切名を名乗るのである。王子、按司、親方共に一間切を総領するのであるから辞令の上では某間切総地頭職に任ずという文言になる惣地頭と脇地領地域の量的相異によつて命ぜられた名称であつて、従属関係はない。丁度享保七年（一七二二）に間切総数が四十六村、数が五百九十五、殆ど全間切が惣地頭持であり、村の半数が脇地頭持という現象が出現した。彼等役職の収得の方法は 全物成を三分して、その一分が百姓に残り二分から、百姓同様の国税その他諸負担を控除した剰余を地頭の得分とするのであるから、惣地頭の得分は（禄）大変な額に達したのである。

地割制度が整つて以来、百姓地以外に地頭地又は里主地を取り、各地頭は自作又は小作か便宜な方法によつてこれを作得することができるようになつたから、その得分は（禄）増えるとも減少するというようなことはなかつた。のみならず検地以前は地頭屋敷地として広大な地積を占め領有することが許されていたため地頭の権勢は大変なものであつた。そのために検地に際してはこれを整理して、惣地頭には十五、六間四方、脇地頭は十二、三間四方と限定し、それ以外はすべて、公地に計上される事になつた。叙述したように浦添王子としての尚寧は二十六才まで誠に恵まれた境遇にあつた。

参考　王代記

尚寧襲位後の国情

一五七二年尚元が薨じて尚永が継ぐと早速薩摩に遣使したが、この頃から島津は琉球に対して威圧的な態度をとるようになつた。その後豊臣秀吉が征韓に当つて島津氏は一万五千の出兵を命ぜられたが、その一部を尚氏にも負担させるつもりで、差当つてその半数七千五百人に対する十ケ月分の食糧を調達するか、さもなければ大島以下五島を譲渡するか何れかという難題を持ちかけてきた。当時一人分の軍糧は一日五合の制であるから、七千五百人の十ケ月分とすると、一万一千二百五十石の高になる。ちようどその頃琉球では冠船迎接の準備中であつたから一通りならず当惑し、群臣を集めて協議した。

この日三司官謝名親方が顔色をかえて、とんでもないことだと激昂し、反対を唱えたためこの要求を拒否することに決したのである。喜安日記によるとこのときのことを、「勅使迎への事、金銀米銭山の如く霞の如く積みたりともなお飽き足らじ、いかにもなり難しと憚るところなく申されけり。」とあり、冠船接待について周到な計画を立てていた謝名にとつては全くとんでもない申出と見る外はなかつたに違いなく、且つ親支派の総帥であり久米村出身であるという面目にかけても冠船接待をおいて、薩摩の申出を容れることは到底出来る相談ではなかつた。謝名は名を利山字を鄭迵といい、三十六姓の一、久米村出身である。十七才の時に福州に渡り多年南京国子監に留学し帰国後は久米の講解師として唐栄の子弟を教え、数度の進貢使として入みんし、功により浦添間切謝名の総地頭に補せられ、謝名親方と称し、一六〇七年、三司官に抜擢された人物である。その当時から彼は余程の権謀家であつたらしく、彼が三司官になつたのも当時三司官として名声を博した城間親方盛久を讒言によつて職を退けしめ、その後釜を襲つたということになつている。城間親方は尊円城間といわれた尊円流仮名書の名家で、和漢朗詠集、徒然草等の筆跡も伝えられる程、本来の和学者であつた。且つその娘が三司官豊見城親方の妻であり豊見城、池城等（三司官）は縁戚で日本道の家柄であるから、官生出身の謝名とはもともと主義思想の上からも両立しなかつたで

あろうし、それに唐栄人として三司官になつたことからが既に首里士族の間には苦々しいことであつたに違いなかつたから、政庁で形式的には政治態勢は出来上つていても、精神的な結束は乱れていたと見ることができよう。

一五六九年尚元王は天龍寺の僧を薩摩に遣わして去年宮古島の運租船が、加世田浦に漂着したのを救恤を加え送還されたのを謝したので、その翌年は藩主島津貴久はその来使を謝して、広済寺住僧雪岑を沖縄に遣わした。そのとき貴久の書翰には「貴国と兄弟の約あり、以て隣交を修め。」などの語句があり、又広済寺和尚は「近年往来の商人で印判を持たず、私渡するのは沙汰の限り、なお違犯する者は取締るように。」と島津の要望を伝えた。ところが生憎この来使の際は、王府取込みの最中で琉球側の使者接待は島津氏の不満をかつたらしい。尚永の就位翌年一五七四年このことに関して、天界寺の住僧南叔と金武大屋子とな薩摩に遣わして、先年広済寺僧雪岑来聘に対し「先王の薨去のため報聘が遅緩したことを陳謝している。南叔等が鹿児島に着くや否や薩摩側からは、去年雪岑の帰国後琉球に糺した条々書について弁明を求めている。その重なものをあげると㊀怪しい印判船を許したこと。㊁雪岑使僧に対して接待不行届なること。㊂進物が先例に相違し一些少なること。㊃雪岑の宿舘に三司官が無礼を加えたこと。㊄島津氏の書状は小門より請取り、琉球の返書は大門より出したこと。㊅雪岑の乗用船の脇船頭を死刑したこと。㊆飛脚使僧で通達するは私曲なること。」などであつた。これに対し三司官口伝は一々仰せ達せられる事は唯尤もであると陳謝口述し、別に釈明して次のようにいつている。

一、印判は先王薨去の際で上下諸事に忙殺の折で心なく許した。
二、雪岑接待の件については今後かかることなき様にする。
三、進物の事は自分等の知る処ではないから、帰国の上よく伝えたい。
四、使僧宿舘に三司官が無礼を加えたのは全く申しわけない。
五、脇船頭を殺させた事件は、船頭衆との争い事がもとであり、出会の際脇方から地下の者を傷けたので船頭のはからいで、船方中の対手である脇船頭に自殺申しつけた。
六、飛脚使僧で通達した件は「先王薨去の際で諸事取紛れて、広済寺下向の礼、義久の祝言をも無沙汰していたので取敢ず飛脚使僧を立てたこと」を述べて陳謝している。

島津氏の態度が高圧的であつたのは、このとき以来であるから、一五七九年に渡来した冊封使謝恩使は帰国の後「薩摩が人が琉球の市場に政治的圧力を加えている。」ということを語つたといわれている。

琉球軍記に記された記録によると、尚寧の臣に謝名親方と池城親方二人あり、この二人七島の船頭に依頼して曰く、「国王尚寧王近来銀子わけて差迫の候につき、大和の殿様へ御訴へ申上げ、銀子二百五十貫御拝借仕りたしと、此時七島の船頭は右両人と相談の上利銀五割を取りきめ、島津氏に右の旨訴へ願いの通り、銀子二百五十貫拝借し、琉球国へ下り右両人の親方に渡したり、これより毎年利米として五枚帆の船に積登せて、上納せりといえども、その後利米を不納によつて、その故を詰問せしに、謝名親方曰く右銀子の儀は年々米にして木くずしにて返し、ただ今出入なく返済せりと。よつて七島の船頭達は迷惑に思い、次に池城親方に問いしに、同人は曰く謝名親方かく申せば予も又如何とも致し難し」「一応謝名親方にもその旨相達し相談すべし。」と「かくて事両三に及べども相変らず、かかる非道の行ありければ、船頭共決議の上急に薩摩に上り、島津氏にこの旨を申上げしに、島津氏これを聞入れ、再度使者を琉球へ遣わししも、謝名親方散々護しろにもてなししかば、遂に事征伐に及びしなり。」といつている。

一五七九年薩摩が圧力をかけるようになつてから十年後即一五八九年尚永が死んで尚寧が継いだが、この頃から薩摩は琉球を征服しようという野心があつたらしく、この事を秀吉に報じたので、秀吉は琉球に対して参礼せよと次のような文書を送つている。

「吾卑賤より運によりて興る。威武を以て日本を定め六十余州已に掌握の中に入る。是に於て殊域遐方（しゆいきかほう）朝貢せざるなし。而してなんじ琉球自ら弾丸の地を擁（よう）し、険と遠をたのみ未だ聘貢（へいこう）を通せず。今特に爾（なんじ）に告ぐ。我将に明年春を以て先づ朝鮮を伐たんとす。爾宜しく兵に将として之に会すべし、若し命を用いずんば、我先づ爾が国を屠（ほお）り、玉石共に焚かんとす。汝それ之を思へ。」という恐迫状である。この書を受け取つた尚寧は驚いて、早速鄰礼を遣つて関白の書を福建の巡撫使趙参鮎（じゆんぶしちようさんてん）を通じて、明に報告したが何等の返答も得ることができなかつた。もつとも関白の書がもたらされる前十月廿四日には島津義久から書状がやつてきて「関白将に朝鮮を伐たんとす。兵を薩摩及び貴国に徴す。宜しく両国の衆を合して一万五千に満たしむべし。寡人貴国もとより軍事に習わざるを以て、兵を送るを責めず、因つて貴国に告

ぐ、宜しく七千八十ケ月の食糧を輸し、明年二月迄に坊津に至り、然る後高麗に達せしむべし、又本月十日より諸侯行営を肥前名護屋に築く、王は絶海の故を以て会するに及ばず、宜しく金、銀、米穀を以て役を助くべし。」といつてきている。

十一月に至つて義久は名護屋に出発しているが、十二月九日には又書を尚寧に送つて「琉球の舟が遅延したことを責め速に兵糧を送るよう厳達してきた。

さきに秀吉から送られた恐迫状は、明に報ぜられたが、明では「小国の僕兵を輸す能わず。」とあつて、何たる返事がないのみならず、義久が兵糧の遅延をせめた翌年五月十九日首里西平等（にしのひら）の謝名一族が反乱を起している。将に文学通りの内憂外患である。

もつともこの反乱は直ちに鎮定されたが、この反乱の原因が政庁の情勢に対する因循姑息（いんじゆんこそく）な態度についての反発であつて見れば、容易ならざる事態であつたことは明らかである。後年袋中上人が当時の事態を琉球神道記に記述しているが、それによると「我任せし内に大なる落書あり、王者諸官を毀る、是を顕すに力なし、弁の岳に二十七日詣でて諸官一同祈る。日満ちて自託の人あらわれて其の一類遠島せられる。」とあり、国内は蜂の巣をついたようた騒然たる状態であつたに違いない。

（真恩納教授琉球の歴史）

こうしている中に七月二十六（文禄二年）には再度にわたる義久からのきつい達しがやつてきた。止むなく尚寧は義久に書を送つて「高麗の役に助勢せよとの命令であるが、当国の疲弊の状態では到底これを遂行することはできぬ、御諒察（りようさつ）ありたい、両国の和親の約束は永く渝ることはない。」と書翰（しよかん）を出す始末であつた。

薩摩側にして見れば琉球に対してこれ程きつい催促をせねばならぬ理由があつたに違いない。恐らく経済上の地歩を堅めていこうという考えがあつただろう。というのは島津氏は豊臣氏に対しては毫も恩義は受けていない。豊臣氏に対する反抗の罪を宥（ゆる）められて、薩、隅、日三州を安堵したのであるが、戦国の時代は反抗は当然のことで罪といわれるべきではない。薩、隅、日三州は霧島、桜島の火山灰の堆積したシラス台地が多くて耕地としては最も貧寒である上に、平野が少ない上に台風の訪れは頻々であるし生産的にも恵まれない土地で、当時の石数は五十万石を欠けるという貧弱である。藩主島津家久が奄美と琉球を征服して、この両島の生産を二十二、三万石に査定してやつと七十二、三万石という石高にしたのだ。この貧困をもつて江戸時代を通じて大藩強国として天下に雄視したのは藩の武断的精神の訓育による鍛練しぬいた兵員の素質の優秀さによるといわれている。だから兵の力と並行して経済的な力を持たねばならぬという分国時代の教訓が根強く働いていたと思われる。

薩摩の侵寇

一六〇三年家康の江戸幕府開府は尚寧の十五年に当る内外の情勢上全面的に琉球を支配する必要を感じた島津氏は、その機会をねらつていたが一六〇六年島津家久が伏見城で家康に謁（えつ）したとき、琉球近年の無礼を理由に征討を請うて許諾（きよだく）を得、そこで着々その準備をすすめ、一六〇八年には千五百人五ケ月分の糧食、兵器、鉄砲七百三十四丁、玉薬三万七千二百発分、弓百十七張、鍬三百九十七只、鉈類三百九十八只を整備した。琉球側ではこんな準備が進められているとは知らず、ひたすら支那側からの援軍や援助物資が来ることをまちわびている始末である。従つて当面の貿易による利益勘定ばかりで、支那側の気を損ねないような腐心ぶりである。そのためか一五九七年平良橋を石橋として交通の便を図ると共に、地方物資の首里、那覇集中を目図としているのである。一六〇四年島津義弘からの琉球の再三に渉る無礼を責める書状が到来しているのに不拘、これに対処する方法はさらさら講ずることなく、翌年一六〇五年に野国総管のもたらした芋を礼讃し、その普及に政庁の総力をあげてかかつたかと思うと、翌一六〇六年には尚寧のための冊封使夏子陽、副使王士禎接迎のため、国内はお祭り騒ぎである。だから阮氏、毛氏二姓の支那帰化人に対しても容易に本国の臣籍を与えてすましこんでいるのである。一方薩摩側では一六〇九年二月二十六日にはすつかり征琉の手筈をきめ、義久、義弘、家久連署の「琉球渡海の軍衆御法度」の条々を定め家久袖判の覚で軍略の心得を諸将士に授け、樺山久高を総大将に任じ、平田増宗を副将として総勢三千余人、船隻百余艘でいよいよ征討軍の出動ということになつた。

その軍衆御法度の条々には、

一、物主相定候間彼の衆談合を以て申出づべき儀違背すべからず。

一、喧嘩口論の儀新しからず法度たりと雖も、今度は別として、各相嗜むべきこと肝要たるべく候。たとい図らず喧嘩出来候とも、兼ねて法度の如くして、私に相果さず重ねて披露を遂ぐべく、若しこの旨を相背き事を破るに於ては、いかようの理有之といえども、理非の沙汰に及ばず一組罪科に処すべきこと。

一、鉄砲持ちたる衆 或は しし島をねらい、或は建物を射いたずらに玉薬をつくすまじき事。

一、船の出入おもいおもいに無之様に惣別同前に有之るべきこと。

一、その組を離れ他の手につくまじき事

一、手に入りたる島々の百姓等に少しも狼藉（ろうぜき）いたすまじきこと。

一、大島よりこの方泊々右同前たるべきこと。

一、堂、宮、寺等あらすまじきこと。

一、相働くべき時海陸ともに物人数を待合さず無人衆にて先懸いたすまじきこと。

一、経、其他書籍等むざと取散らすまじきこと。

一、罪なき者 殺害一切 停止たるべきこと。

一、順風よく見定め出船致すべからざること。

一、取人一切停止たるべきこと。

一、下知衆中すべき旨を相背くべからざること。

右条々堅く相守り違背すべからざるもの也、仍て法度件の如し。慶長十四年二月二十六日家久判、義弘判、義久判実に堂々たる軍法である。

更に家久は大将樺山権右衛門に軍略覚書を与え、周到な軍略を指示している。

一、琉球よりあつかいを入れ候はば異儀なく其筋に談合あるべきこと。

一、いづれのみちにも利運に相済み候はば、少しも逗留なく早々軍衆六、七月頃は引取るべきこと。

一、琉球の歴々の人質、その外島々の頭々の者まで質人をとり候て当国へ引こし、琉球向後の諸役儀此方に於て相定むべきこと。

一、自然琉球は国王居城に取こもり、長く籠城の覚悟相見え候はば悉く焼き払い、空城になし、人数少しもためらわず、引取り、あたりの島々の者人質を取り手をつけ候て帰陣すべきこと。

一、兵糧米おさめさせべきこと、このうち琉球人の申付けたるより、いかにもかろくおさめさせべきこと。

右条々違変あるべからず候也。

慶長十四年三月

樺山権右衛門 殿

すつかり戦備を整えた薩摩軍は慶長十四年三月三日、鹿児島を発し、戦国期を通じて鍛えあげられた薩摩武士は、道の島々を難なく攻略し、三月七日大島を略取してしまつた。神速をもつて鳴る薩摩軍はそれから一路琉球を指して殺到し、二十六日未明には今帰仁間切運天港に上陸を敢行した。これは大手の那覇港に厳重な防備を施していると聞いて搦手（からめて）から押し寄せたのである。これより前三月十日敵大島に上陸の報を聞いた尚寧王は非常におそれ、北谷親雲上、天龍寺長老を大島に派して和を申し込んだが、薩摩はこれをきき入れず、再び三月廿六日西来院菊隠長老と名護良豊、江洲栄真を先頭として三十余人が運天に走せて、二十七日改めて講和を申込んだが、再度聞くところとならず、国内の周しよう狼狽ぶりは大変なものであつた。

そのうちに二十七日には増宗の率いる本隊は今帰仁城を攻略し、越えて二十九日夜半今帰仁を出船した軍船は、四月一日読谷山大湾から上陸を開始し、向うところ敵なく、四月一日大将の率いる軍は浦添の城と龍福寺を焼き払い、二日太平橋にせまつた。そのとき、越来親方を将とした宗徒士百余人が迎え討つたが、鉄砲をうちかけられ、城間鎖子はわき腹を射られ、くびを取られてしまつた。浦添親方の子息真大和、百千代、真蒲戸は識名原で敵兵と遭遇し、法元二右衛門、正覚坊とわたりあつたが敵将法元は傷き正覚坊は斃れ、真大和三兄弟共に討死してしまつた。

この戦の最中 那覇では 大 寺市来織部、村尾笑栖等が具志上王子尚宏、西来院、名護良豊、池城安頼、豊見城盛続、江洲栄真、喜安和尚等と親見世で相会し、講和中であつたがたまたま首里から出火したというので講和がとげられず、敵味方戦の中に巻きこまれてしまつた。

この日具志頭王子尚宏は王の御所に内に入つて城と運命を共にしようとしたが、君々女房共の泣き叫ぶ様を見て決意ができなかつた。四日薩摩の質に取られた王主従は名護良豊の宿所に行幸され、二十余年すみなれた城を後にした。この戦の中に聞得大君御殿、仙福庵豊美城の宿所すべて灰燼（かいじん）に帰し、民家はいうに及ばず、家々の日記代々の文書七宝殆ど失せ果ててしまつた。（喜安日記に拠る）

（以下次号へ）

千葉県習志野市立 津田沼小学校

嘉陽田　朝吉

スポーツの秋であの町この村で運動会、競技会でにぎあう今日この頃の沖縄は未だ残暑の候でしよう。こちらは、十月で運動会も終り後期の研究発表会のシーズンです。四季の変化と共に人々の活動がよくわかり、自然の恵みにはぐくまれて育つこども達、明日への希望に小さな胸をおどらせて躍動するこども達、このこども達と一偖に勉強し、遊んでいると、一年という月日も短いような気がします。いつの間にか半年も過ぎ残された月日をより価値ある日々とするために努力して居ります。さきに教育新聞への雑感を書きましたが、今日はあれこれ感じたことを書いて皆さんのご批正とご指導をおねがい致します。

スパイクのない子

スポーツのシーズンになると思い出されることがある。市内の陸上競技会や運動会の対校リレーでのことである。スパイクのないこどもは自分のこどもだけではないか「スパイクはなくとも、全力をつくせばいいんだよ」「がんばれよ!」と言うと「ハイ」といいながらも意識しながらスタートについた。結果は知れている。やつとびりでなかつたことがなぐさめであつた。反省会でのこどもの声はスパイクの購入についての要望である。幸いにして校長は、直ちに願いを入れてくれた。ピカピカするスパイクを手にして喜ぶこども達、その日からの練習は今までとはちがつて熱のある練習であつた。ここで思うのは、優れた施設、設備のある学校と劣つた学校では差のあることが考えられる。今日の義務教育の学校には施設、設備の基準はあつても強制されない状態である。もつとも施設、設備は市町村まかせのことゆえ、富んだ市町村と貧しい市町村では差のできるのは当然である。しかし、これは財政的の面からのみ考えないで、教育行政の面からも検討されなければならないと思う。万全の理科教室を持つた学校内容空のインスタント教室、校庭が総合運動場のような学校があるかと思うと、百米の直線コースもとれない学校もある。図書館、各教科の資料室など、特別教室のある学校。この条件のもとで、一斉にスタート線に立たされるのである。スパイクのないこどもは、「たのむ」「なんとかしてくれ」と訴えざるを得ないではないか、劣悪な環境で育つこどもたち、そしてそれを育てる教師！　これが沖縄の教育である。本土並の学力をつけるためには、施設、設備、教師の研修、待遇改善、社会環境の問題などを本土並の条件にもつていくことであると思う。

職員集合

「時は金なり」「スピード時代」とか宇宙時代の今日程時間が云々され、又我々が生活していくためにも定時励行は重視されなければならない。東洋時間とか沖縄タイムと呼ばれるように大会や集会の時間が守れないのは残念なことである。せめて学校の集会や大会だけでも定時励行したいものである。運動会や競技会では予定時間が記入され実行されているだけではないでしようか。そこでここ津田沼小学校の定時励行について高橋誉富校長のお話をご紹介もしましよう。

職員集合のベルを鳴らしても、なかなか集まりにくいのがどこの学校でもの通弊だと思う。私の学校でも今まで着任した、どの教頭も職員集合のベルが鳴つたら早く集つてください、という注意を繰返していた。「ベルが鳴つてから三分以内に」とか「決められた時間の五分前に」とか、でも結局全部揃うのは五分後か七分後である。それで最近はこんな方法にした。定刻になると、大切な議題からどんどん話し合いを進めて行く。あとから来た人のために決して話をもどさないし、二度と繰返したりもしない。何回かこうした会議を進めたら、特別の用のある者以外定刻前に全員ピタリと揃うようになつた。注意などしないで、定められた約束をその通り実施することなのだということが、何十年か経つた今日ようやくわかつた。

こどもの作文から

戦後の教育はほとんど書かせることを忘れてしまつたとか、こども達の話し合いの技術は高まつたが書くことは駄目だとよく云われる。テレビ、ラジオなどで見る聴くだけで、マンガだ写真だという刺激ばかり与えるから、どうも考える力がつかないとか、まとめて解くことかできないのが現状ではないでしようか。日本作文の会の国分一太郎先生の作文教育として書かせる意義についてみますと、一つは、国語教育という立場から、書くことによつて日本語を確実に自分のものにする。それからもう一つは、さらに中を二つに

分けて、一つはものを認識する能力、観察力、考え出す力、記憶力、論理的に考える力――そういう認識のさまざまな能力が育つこと、書くことは厳重な仕事であるから、一まとまりの文章と筋が通るように書くには、まわりのものを確めながら書かなければならないことである。もう一つは、何か値打ちのあるものか、本質的なものか、何か本当のことか、うそのことか、美しい美しくないというように中身のある判断であり、それができるようになると言つている。次のこどもの作文を読んでみよう。

二人組グループ

六年　二橋　順子

こんど、あたし達の組に二人組グループというのができた。先生が「二人で力をあわせて一つ一つの鉄棒教材が合格できるようがんばつて下さい」とおつしやつた。私は二人組なら安心だと思つた。いままでのグループでは、できない私はみんなから「順ちやんしつかりやつてよ」「順ちやんだけできれば私達のグループはいいのよ」そんなふうにいわれて来たのでグループはいやだなあと思つていたのだ、先生が二人組を発表してくださつた。私の相手は山田さんだつた。私といい勝負だつたと思つた。昼休みや放課後はあつちでもこつちでも練習がはじまつた。私は足がかかるだが片足のふりが思うようにいかないので困ります。山田さんと組んで補助してくれるのですが、かけない足を強く下に押すので私の体は前のめりになつてしまいます。いつかは私のせなかを下から押して熱いあまつて私は頭を強くたたかれてしまつた。山田さんの補助はこりごりです。この頃は山田さんをあてにしないで一人で練習しています。もう長浜さんや黒木さんは前まわりの練習をしています。野村さん川村さんはとても楽しそうに練習しています。私は悲しくなります。（原文のまま）すなわち、この作文から二人組グループの助け合い学習の限界がうかがえる。この機会をとらえて技能の高い子と組ませることも一方法ではないかと思うのである。鉄棒運動したことを書いても、書く過程で鉄棒運動したことの価値判断するわけです。このように体育指導の過程に於ても話し合いだけでなく書かせることによつて、ひとりびとりの実態を把握してひとりびとりの成長の度合に即して指導して　いくことも大切だ　と思う。

（十月二十五日記）

全国大会に参加して

神奈川県川崎小学校

本　村　朝　祥

六月十日～十二日まで福島で全国図工研究大会が開かれました。此の会は今年十三回目ですが、当初は西日本のつどいだつたので西日本大会と称していましたが、全国大会まで発展しているらしい。初日は福島公民館で全体会議をして六つの会場にわかれて公開授業がなされた、参集した千数員の会員は北は北海道より南は鹿児島までの人々である。数時間も電車にゆられて、かけつけるまでは時計は正午を過ぎ、第一日目は午後の分科会に間に合つただけである。三十二の分科会にわかれているので一人で全部の分科会に参加するのは不可能である。それで版画の分科会に参加した。そこで話し合われた事をまとめてみますと、

版画の学習は版画の特色を考慮しながら子どもの発達段階に即して発展的系統的にとりあげるよう計画する事が大切である。そのためには、版画の体系、版画の素材や用具の抵抗、版画学習の内容と造形的な意義について、しつかりしたものをもつていなければいけない。たくさんの版種を限られた時間内に行なうには無理な点もありますが、その時は表現内容に一定の条件を設けて、材料や技法の面でくふうさせたり、子どもの生活経験の中で利用できるような配慮などがほしい。

版画学習で最も大切な事は「版画で何を作らせるか」という事で、版画はいろいろな素材や用具を使いますが、表現活動としては、「心象表現をさせる」「造形の感覚練習をさせる」「デザインをさせる」ことにつながる三つの大きなねらいをもつている。この学習活動のねらいをしつかりおさえることが、指導上最も大切である。次に材料や用具に対する正しい理解をもつたと、また版画の作り方と版画の特色についても基本的な理解をもつことも大切である、というような事でありました。

第二日目　午前は公開学習である。一年の教室を　のぞいてみた。題材は「すきなもの」でヘチマを主材料にしてのおもちやつくりである。子ども等はせつせと手を動かして作つている。

人形、豚、ロボット、きようりゆう、飛行機、船などさまざまである、彩色もてぎわよくやつている。素材を生かして表現を自由にしている児童達は楽しそうである。

四年の教室では、題材は「おもしろいかべかざり」で半畳ぐらいの大きさのわくに金網をはり紙ねんどで半立体の空間構成である。費用は大会本部から出るはずだが、よくもこんなに用具材料の準備が出来たものである。

六年の教室では「はだかの王様」紙版画により楽しい物語りを表現させ、児童の豊かな空想力をのばすのがねらいである。グループ別にわかれて、紙に絵をかく人、切りとる人、台紙にはりつける人、全員が一生懸命である。刷る時、インクをつけ過ぎて、はつきりしないグループあり、台紙にはりつける時完全にのりづけしなかつた関係で、ずれて失敗したグループあり、ていねいにしあげたグループなど様々である。しかし版紙がうすくて絵がはつきりしない点があつた。

五年では「そうじをするともだち」で板戸一枚位のひろさのベニヤ板にグループ別に陰刻をしている。担任の先生にたずねてみるとインクもローラーも版板も紙もバレンも彫刻刀の他は全部学校に準備してあるそうだ。今まで参観した学校でもみなそうであつた図工室には、用具作品資料、掛図、その他の資料でいつぱいである。

貧困な沖縄の学校の施設では、どんなにすればよいか、迷うものである。こちらでは学習指導をどのようにすればよいかを考えればよいが図工室も、特別学習室もなく材料用具に乏しい沖縄ではどのようにすれば図工科の学習が可能になるかの問題が重要である。それだけ仕事が過重になる。と考えている中に午前の授業終了の合図がなる。

午後は分科会

描画について

教師の助言や批評はどのようにすればよいか、よい「こつ」はないでしようか経験に基づいて話し合う。

子どもが「描けない」といつた時どうするかという問題がでた、「描けない」という子どもは経験のほどばしるような創造的表現を抑圧されている。私たちはそれを技術の不足、つまり物事を適当に表現する能力がないからと考える、若し児童が自分自信を表現出来ないなら、何かが子どもの自信を、妨げている。ふつうこの何かは三つある。最もふつうなのはおとながまちがつた批評をしてじやまする事である。子どもは描いた絵が、ほんとうらしくないとか、うまくないといわれたり、どういうふうに描くか教えられたりすると、その批評が正当とは思えないので描けないといつて、とやかくいわれないですむような態度に逃げこんでしまう。

第二の原因もよくある事ですが、子どもが描こうとするものを十分こまかい所まで思い出させないか、それとも心の中がからつぽである。第三は子どもがまねをして描いたり、なぞつて描いたりするのになれてしまつたので、何かそういうものがないと、自分一人では描けないと思う、児童が描けないといつたら、そんな考えを持たしたまま、ほつておいてはいけない。教師は子どもが何か描きたいのか見つけ出さなければいけない。ふつうの子どもの返事に二通りある。一つは知らないという返事、一つは、ボールまたは景色が描き度いという返事である。知らないのは、子どもが絵にしたいと思うような経験を持たない事である、子どもに経験をもたせその経験を引き出すのは教師のつとめである。

第三日目は、午前、討議、講演がありましたがこれは割愛させてもらいます午後は観光、福島市は周囲は山で盆地になつており、調度鍋の底のようになつている、観光客を乗せたバスは十二時半に出発する、観光バスにはつきもののガイドの説明をききつつスカイラインへ向こう。山の斜面に作られた曲りくねつた観光道路は窓ごしにながめると下は数百米の谷底で目がくらみそうだ。もしもの時にバスがひつかかりそうな丈夫な木がその辺にないものかと注意して見ても名もしらないヒヨロヒヨロした高山植物ばかりで頼りにならない、運転手の腕のみが頼りである。

しかし、こんなきれいなガイドさんもいつしよならどうなつてもよいとよけいな事を考え、鈴を振るような美声にうつとりしている間もようしやなく車は進む。途中の谷間に自動車がころがつているので事故でもあつたのかと思つていると、ガイドの説明によれば、日活映画「赤い夕日の渡り鳥」撮影の時、おとした自動車という事でひきあげるにも費用の関係でそのままになつているらしい。此の辺の道は、小林旭がギターをかついで馬に乗つて通つた道路という事である。なるほどそういえば、映画で見覚えのある山や谷である。

吾妻山ではまだ煙をはいており何時爆発するかも知れないというのでぞつとする。千七百米の頂上にはまだ雪が

（二四ページへ）

て教師の注意によつて記入しないということは事態の本質上許されないことなのである。記入することによつてその生徒の学習指導に大いに参考となることはいうまでもない。

つぎに記入に反対の意見について考えてみよう。反対論者はいう「1回のペーパーテストの結果が一生ついて回る」と。まず、ペーパーテストということであるが、ペーパーテストが学力のすべてを計り得ないことはいうまでもない。したがつて私たちも客観テストペーパーテストによる一せい学力調査によつて計り得ない領域、たとえば各教科における態度などが残されていることは認めるにやぶかでない。しかし、残された領域についてはペーパーテストによつてかなりよく計りうることは教師の常識であろう。それだから入学試験にしろペーパーテストが常例となつているのである。教師自身もペーパーテストを活用しているこというまでもない。だからペーパーテストだから指導要録に記入しないと いうのはなんら 根拠のない考えである。

つぎに「1回の」ということであるが、一せい学力調査も回数の多いことが望ましいのはもとよりであるが、1回 実施だから記入してはならないというのはどういうものであろうか。1回 でも客観性、信頼性のあるものならば記入してしかるべきではないか。さらにこの反対論をつきつめていけば、教師の評定が唯一絶対であつて、外部からの評定は不要でありまちがいだという独断があるのではなかろうか。生徒に不断に接している教師の評定が重んぜられるべきことというまでもない。だから指導要録の「学習の記録」欄には担任教師の判断による評定点を記入するのである。ただそれには前述の欠かんが伴うので「標準検査の記録」欄があり、そこに一せい学力調査の結果を記入するのである。両者にそれなりの価値を認めてそれぞれを記入するのである。後者が前者を排する、つまり指導要録の教科の成績は一せい学力調査のみを記入するというのであれば反対するのも根拠があろうが、そんなことは誰も考えていないのである。

そこで「一生ついて回る」ということも、指導要録が「標準検査の記録」欄だけであれば心配もあるかもしれないが前述のとおりいろいろの記録がいつしよについて回るのである。教師の見込みの悪い生徒にとつては一せい学力調査が救いであることがあるかもしれない。教師の評価と標準検査の評価とが間々あいまつてその子どもの学力が客観的に表現されるのではないか教師の評価が唯一絶対であるとするのは教師を神格化するものに外ならない。

最後に、指導要録に書いておくと、高校入試や就職試験に利用される「おそれ」があるという心配があるかもしれない。前述のように指導要録と内申書とは全然別なものであり、高校入試方法は文部省の指導の下に都道府県教育委員会が決定することとなつている。文部省はもとより、どの都道府県の教育委員会も、ことしの一せい学力調査の結果を高校入試に利用する意志はもつていないのである。就職試験のときも、一せい学力調査の結果を報告しないという態度を教育委員会や学校が守ればよいのである。

（中等教育課長）

全国学力調査抽出の結果

年度	教科	小校	中校	高校 全日	高校 定時
31	国語	44.4点	48.3点	62.1点	49.2点
	数学	30.5	40.8	31.9	15.9
32	社会	55.7	55.7	48.6	38.7
	理科	51.3	49.5	—	—
	物理	—	—	34.7	22.4
	化学	—	—	39.8	28.8
	生物	—	—	37.9	31.9
	地学	—	—	40.4	33.7
33	音楽	54.6	—	—	—
	図工	56.6	—	—	—
	家庭	52.7	—	—	—
	英語	—	Ⅰ44.4 Ⅱ36.8	P49.4 Q31.1 R19.3	P24.0 Q17.0 R15.3
	職家	—	41.2	—	
	保健	—	—	38.9	31.8
	体育	—	—	41.2	31.1
34	国語	49.2	60.3	61.4	46.5
	数学	43.6	44.4	36.3	13.2
35	社会	44.5	41.2	—	—
	理科	51.7	47.7	—	—
	日本史	—	—	54.0	34.1
	人文地理	—	—	41.5	34.0
	化学	—	—	37.6	24.4

英語Ⅰは、第1学年から第3学年まで継続履修
英語Ⅱは、上記以外の英語を履修したもの
高校英語Pは 15単位以上、Qは15単位未満 Rは、初修用教科書使用のもの

とを記録するところである。

評定は5、4、3、2、1の5段階で表示されるが、その分け方は、「学級または学年において普通の程度のものを3とし、それより特にすぐれたものを5、それより特に劣る程度のものを1とし、それらの中間程度のものをそれぞれ4または2とする。」ことになつている。各段階の人数は、一般に3の程度のものが最も多数を占め、5または1が少数で、2または4がその中間になる、所見の数項目は、それぞれの生徒について著しい長所や短所、進歩の度合など、個人としての特徴を表示するためのもので、各項目を見てわかるように、知識だけにかたよらず各方面から生徒の学習をみるようになつている。

この評定法は、生徒の成績を1クラス内または1学校内で互に比較して位置づけるものであるから、A校とB校とに学力の格差があれば、A校の4とB校の4とは、実際には同じでない。また、たとえば2の生徒がよく勉強して学力が向上しても、学級全員の学力が同様に向上すればその生徒の評定はいぜんとして2である。このように指導要録における評定は、同一学級内または学年内の生徒の比較であるから、他の学校の生徒の成績と比較することは出来ないのである。

つぎに「標準検査の記録」欄には、標準検査で妥当性、信頼性の高いものの結果を記入する事になつている、標準テストは、全国的な水準との比較ができるように作成されたもので、得点の換算表（尺度）がついており、それで得点を換算すると全国的な位置がわかる様になつている。

標準テストは、学力テスト、知能テスト、性格テスト、適性テストなどにわたつて、多数のものが作成され市販されている。指導要録にこの欄が設けられているのは、学習の記録が教師の平素の観察や教師作成のテストの成績にたよるため、その評価が主観的にかたよるかもしれない弊害や前述のように5、4、3、2、1の評定法がもつている他の学校の生徒とは比較できないという欠かんを是正し、矯正するために設けられているものといえよう。

指導要録のねらいは、このように生徒の学習状況や学校におけるいろいろな活動状況をできるだけ多角的に詳細に記録しておき、平素の指導の改善に役立てたり進級や進学によつて担任教師や学校が変つたとき新しい教師が指導上困らないように、また、よりよい指導が出来るようにすることである。

指導要録は家庭連絡簿や高校進学のための調査書（内申書）のもとになるものであるがこれらは指導要録そのままではなく、必要な欄を抜き出してそれぞれ作成する。生徒が転学したり進学した場合は、指導要録の写しまたは抄本が生徒の行なつた学校へ送付されることになつている。ところで一せい学力調査の結果を指導要録に記入する場合どのようにようにするかということを明らかにしておきたい。

一せい学力調査は、国語、社会、数学、理科、英語の5教科についてそれぞれ100点満点で採点される。各生徒はそれぞれたとえば45点、63点という得点をとる。記入する欄はもちろん前述の「標準検査の記録」の欄である。しかし、この際各人の得点の45点なり63点なりをそのまま記入するのではない。そのままの点数（粗点）では、その得点者が全国的にみてどれぐらいの成績であるかがわからない。そのわけを昭和35年度の文部省サンプル調査による中学校理科の得点分布について検討してみよう。

この調査での全国平均点は41.2点であるが、たとえば、60点から64.9点の間の点を得た者は5,421人で、調査総人数68,130人の8パーセントを占めており、0点から64.9点、までの者は85.8パーセントいるのである。この際ある生徒のテストの結果を63点と記入しただけでは、平均点が41.2点だから、相当に高い成績であることはわかるが、数学的に明確でない。そこでその生徒の得点を85.8点（パーセンタイル）と記入すればその生徒の全国的地位ははつきりわかるわけである。また翌年度の調査を受けた場合、その結果と前年度のものとを比較する上でも便利である。なぜなら各年度の問題の難易や、全国水準の上下によつて同じ63点でもねうちが違うからである。そこでこんどの一せい学力調査では、全国の生徒の点数分布を調べて各得点が何パーセンタイルに相当するかという各教科ごとの早見表を1月中に発表することになつている。各学校では、この早見表によつて指導要録の「標準検査の記録」欄に各教科ごと（各教科の総得点ではない。）に標準化換算点を記録することになるのである。

それではなぜ、一せい学力調査の結果を上のようにして、指導要録に記入しなければならないのであろうか。端的にいえば、一せい学力調査は、全国の全生徒について行なわれ、その結果を標準化するものであり標準検査の一種として完ぺきに近いものであるからである。すでに「標準検査の記録」欄があり、民間のものも記入しているのであるから、標準学力検査の一種として最も完ぺきに近い、それ故に客観性、信頼性の高い一せい学力調査の結果を指導要録に記入するのは当然であつて、民間のものは記入しておきながらこれだけを書いてはいけないとする理由はどこにもないのである。したがつて記入することは当然のことであつ

5 英　　語

(1) 第2学年　英　語

出題の範囲は、聞くこと、話すこと、読むこと及び書くことの各領域にわたるようにした。この範囲の中で聞くこと、話すことの領域では基本的な語の発音、アクセントおよび基本的な文のくぎりについての習熟、読むことの領域では基本的な語句や文の意味の理解、書くことの領域では基本的な句とう点の用法、基本的な文の転換や基本的な語形の変化などの能力をみるようにした。

なお実際に、音声を聞かせたり、英語を書せたりすることは、一せい学力調査の制約上、含めなかつた。

大問の番号	分野、領域等	ね　ら　い
①	聞くこと 話すこと、発音	○〔S〕、〔Z〕などの発音についての習熟
②	聞くこと 話すこと、アクセント	○2音節の語のアクセントについての習熟
③	聞くこと 話すこと、文のくぎり	○簡単な文のくぎりについての習熟
④	読むこと 語、句の意味	○語、句の意味の理解
⑤	読むこと 文の意味	○簡単な文のまとまりについての意味の理解
⑥	書くこと 文の転換	○文や文のまとまりに関する問いに対する答え方の習熟
⑦	書くこと 句とう点の用法	○人称、数および文の種類を転換して書く能力 ○句とう点の用法についての習熟
⑧	書くこと 語形の変化など	○代名詞などの語形の変化や語の選択についての習熟

(2) 第3学年　英　語

出題の範囲は、聞くこと、話すこと、読むことおよび書くことの各領域にわたるようにした。この範囲の中で、聞くこと、話すことの領域では基本的な語の発音、アクセントおよび基本的な文のくぎりについての習熟、読むことの領域では基本的な語、句や文の意味の理解ならびに基本的な短縮形についての理解、書くことの領域では基本的な語形の変化や基本的な文の転換および基本的な型の文を書く能力をみるようにした。

なお、実際に、音声を聞かせたり、英語を書かせたりすることは、一せい学力調査の制約上、含めなかつた。

大問の番号	分野、領域等	ね　ら　い
①	聞くこと 話すこと、発音	○〔a:〕〔e:〕などの発音についての習熟
②	聞くこと 話すこと、アクセント	○2音節以上の語のアクセントについての習熟
③	聞くこと 話すこと、文のくぎり	○やや進んだ文のくぎりについての習熟
④	読むこと 語、句の意味	○語、句の意味の理解
⑤	書くこと 文型の運用	○疑問文など基本的な型の文を書く能力。
⑥	読むこと 文の意味	○副詞句などを含む文のまとまりについての意味の理解 ○文や文の纏まりに関する問に対する答え方の習熟
⑦	書くこと 文の転換	○時制態および文の種類を転換して書く能力
⑧	読むこと 短縮形	○短縮形についての理解
⑨	書くこと 語形の変化など	○動詞などの語形の変化や語の選択についての習熟

全国中学校一せい学力調査と指導要録

安　達　健　二

全国中学校一せい学力調査は、関係者はじめ各方面の協力をえて実施率94%以上ということでまず成果をおさめて実施をみたことは、まことに御同慶にたえない事である。

そこで今後の問題は、学力テストの結果を指導要録に記録することについての一点に絞られてきたように思われる。父兄の一部にもこれについての不安があるように伝えられているので、なぜ学力テストの結果を指導要録に記録しなければならないというのか、そのわけを考えてみよう。

それには、まず、指導要録とはどんなものであるかを理解しておく必要がある。指導要録は、生徒の学籍ならびに指導の過程および結果を要約して記録し、指導および外部に対する証明等のために役立たせるための原簿であり、その作成、保管について学校教育法施行令および同法施行規則によつて定められている公簿である。

指導要録は、1枚のかたい紙の表裏に、「学籍の記録」、「出欠の記録」、「身体の記録」、「標準検査の記録」、「学習の記録」、「特別教育活動の記録」「行動の記録」および「進路に関する記録」の8欄が印刷されている。これらの欄のうち「学習の記録」欄は最も大きい紙面を占めており、各教科の評定と所見

大問の番号	分野、領域等	ね　ら　い
⑦	数 正の数、負の数	○正の数、負の数の概念についての理解 ○正の数、負の数を用いる能力
⑧	式 文字を用いた式の計算	○文字を用いた式の計算技能
⑨	式 方程式	○方程式をつくる能力 ○方程式を解く能力
⑩	数量関係 比例関係	○比例関係についての理解
⑪	数量関係 式とグラフ	○一次式で表わされない関数関係についての理解
⑫	図形 四角形の角 平行線	○四角形の角の性質についての理解 ○平行線についての理解
⑬	図形 三角形の合同	○三角形が合同になる条件や合同な三角形の性質についての理解
⑭	図形 三角形の相似	○三角形が相似になる条件や相似な三角形の性質についての理解
⑮	計量 縮図	○縮図を用いて測定する力
⑯	数 有効数字	○有効数字についての理解

4　理　　科

(1) 第2学年　理　科

出題の範囲は、物理的、化学的、生物的、地学的の各内容にわたるようにした。この範囲の中で、基本的事項についての知識や理解をみるとともに、事象の観察力、実験を計画し、考察し処理する能力、基本的な原理や法則の応用力などをみるようにした。

大問の番号	分野、領域等	ね　ら　い
①	実験器具	○よく用いられる実験器具についての知識
②	生物的内容 植物の生態	○発芽と環境要因との関係についての基礎的な理解 ○実験結果と実験の条件との関係を考察する力
③	化学的内容 溶液	○溶解度についての理解 ○表の数値を比較しその意味を読み取る力
④	生物的内容 動物形態、分類	○セキツイ動物のおもな種類の特徴についての理解
⑤	化学的内容 酸、アルカリ 物理的内容 水の表面	○リトマス試験紙についての知識 ○表面張力と毛管現象についての理解
⑥	地学的内容 地表の変化	○川のはたらきについての基礎的な知識や理解
⑦	物理的内容 水の圧力	○水の圧力の強さについての理解 ○圧力の伝達の原理についての応用力
⑧	生物的内容	○生物の分類、生態などについての基礎的な知識や理解
⑨	地学的内容 風化作用	○岩石の風化についての知識や理解 ○岩石の風化の様子についての観察力

大問の番号	分野、領域等	ね　ら　い
⑩	化学的内容 気体	○気体の発生と性質やその実験法についての基礎的な知識や理解
⑪	物理的内容 測定	○水に浮かぶ物体の体積を測定する実験を計画し、考察し、処理する能力
⑫	生物的内容 植物の形態、分類	○花の咲く植物の形態についての具体的な理解

(2) 第3学年　理　科

出題の範囲は、物理的、化学的、生物的、地学的の各内容にわたるようにした。この範囲の中で基本的な事項についての知識や理解をみるとともに、事象の観察力、実験を計画し、考察し処理する能力、実験結果から帰納する力、基本的な原理や法則の応用力などをみるようにした。

大問の番号	分野、領域等	ね　ら　い
①	物理的内容 単位	○単位についての基礎的な理解
②	物理的内容 熱	○温度と熱量についての理解とその応用力
③	生物的内容 人体	○人の内臓や消化器官の位置についての基礎的な知識
④	生物的内容 植物の組織	○葉の組織と植物の通道についての知識や理解 ○組織とはたらきとを関連させて観察し理解する力
⑤	化学的内容 物質の組成	○単体、化合物、混合物、有機物についての基礎的な理解
⑥	地学的内容 気象	○天気図についての基礎的な知識 ○天気図から実際の様子を考える力
⑦	化学的内容 燃焼	○燃焼についての化学的な理解 ○実験結果に基づいて帰納する力
⑧	生物的内容 植物の生理	○光合成についての理解 ○実験の目的と方法とを関連させて考える力
⑨	物理的内容 電気	○電流回路についての基礎的な知識とその応用力
⑩	生物的内容 植物の形態、分類	○単子葉植物、双子葉植物の形態的な特徴についての具体的な理解
⑪	化学的内容 気体	○二酸化炭素の検出法についての理解 ○目的に応じた実験装置を用いる力
⑫	地学的内容 気象	○乾湿計の原理についての理解 ○乾球、湿球の示度と温度との関係を考察する力
⑬	地学的内容 岩石	○おもな岩石の特徴についての具体的な理解
⑭	物理的内容 測定	○測定値の表やグラフから法則性を帰納したり帰納したことを応用したりする力

大問の番号	分野、領域等	ね　ら　い
⑥	地理的分野（日本の貿易）	○日本の主要輸入品の輸入先についての理解 ○統計地図を読む能力
⑦	地理的分野（日本の農業）	○日本の農業の地域的特色についての総合的な思考力 ○農業統計の帯グラフと円グラフを読む能力
⑧	歴史的分野（原始、古代の文化と生活）	○原始、古代の生活様式や文化の特色についての理解

(2)　第3学年　社　会

出題の範囲は、歴史的分野の内容を主とし、地理的分野および政治、経済、社会的分野については、歴史的分野の学習に関連する事項にふれる程度にとどめた。この範囲の中で基本的な事項に関する知識や理解、年表や歴史地図を読む力などとともに、上記3分野の知識や理解を基礎として、社会事象を総合的にはあくする力などをみるようにした。

大問の番号	分野、領域等	ね　ら　い
①	歴史的分野 古代、中世における日本と中国	○古代、中世におけるわが国の歴史的な事がらと中国との関連について考える力
②	歴史的分野 文化の時代的傾向と人物	○いくつかの時代の文化の傾向と人物とについて関連的に考える力
③	歴史的分野 古代、中世の時代の流れ 蒙古襲来の影響	○古代、中世のおもな政治のできごとについての年代的な理解 ○蒙古襲来が我が国に及ぼした影響についての理解
④	歴史的分野 土地制度の改革	○わが国のおもな土地制度の改革の内容結果などについての理解
⑤	歴史的分野 地理上の発見とそのころのアジアの様子	○地理上の発見やそのころのアジア様子についての知識や理解 ○歴史地図を読む力
⑥	歴史的分野 近代民主々義の発達	○イギリス、フランス、アメリカにおける民主々義の発達についての理解 ○民主々義の発達の明治時代における特色とその背景についての理解
⑦	歴史的分野 政治、経済 社会的分野、地理的分野 明治以後の工業と貿易	○明治以後の工業や貿易の推移についての歴史的な理解 ○工業の発達と貿易の推移との関係を総合的にはあくする力 ○帯グラフを読む能力

3　数　　学

(1)　第2学年　数　学

出題の範囲は、数、式、数量関係、計量、図形の各領域にわたるようにした。この範囲の中で、基本的な事項の理解とその応用力、基本的な計算技能数学的な思考力などをみるようにした。

大問の番号	分野、領域等	ね　ら　い
①	数 計算	○分数、正の数、負の数の計算技能
②	式 文字を用いた式	○文字を用いた式の乗法、除法の表わし方についての理解 ○文字を用いて数量を表わす力
③	数量関係 比	○比および比の三用法の理解 ○比の三用法を用いる力
④	図形 三角形の角、平行線	○三角形の角や平行線の性質についての理解
⑤	計量 面積、体積	○図形の面積や体積を求める能力
⑥	数 正の数、負の数	○正の数、負の数の概念についての理解 ○正の数、負の数を用いる能力
⑦	式 式の値	○文字を用いた式の表わし方についての理解 ○式の値を求める力
⑧	式 立式	○等式の中の文字の値を求める力 ○立式する能力
⑨	数量関係 比例関係	○比例、反比例を判定する力
⑩	数量関係 比例関係	○比例関係についての理解
⑪	図形 作図	○基本的な作図（角の二等分線）をする力
⑫	計量 速さ	○速さについての理解と計算
⑬	数 整数の性質	○最大公約数、最小公倍数についての理解 ○最大公約数、最小公倍数を求める力
⑭	図形 平行、垂直	○簡単な展開図と直線や平面の平行や垂直についての理解

(2)　第3学年　数　学

出題の範囲は、数、式、数量関係、計量、図形の各領域にわたるようにした。この範囲の中で、基本的な事項の理解とその応用力、基本的な計算技能、数学的な思考巾などを見るようにした。

大問の番号	分野、領域等	ね　ら　い
①	数 計算	○正の数、負の数の計算技能
②	数 整数の性質	○最大公約数、最小公倍数についての理解 ○最大公約数、最小公倍数を求める力
③	式 立式、式の値	○文字を用いて数量を表わす力 ○式の値を求める力
④	数量関係 比の三角法	○比の三用法についての理解 ○比の三用法を用いる力
⑤	計量 面積、体積	○図形の面積や体積を求める力
⑥	図形 合同、相似	○三角形が合同や相似になる条件についての理解

オ2　各教科の調査問題の構成とねらい

1　国　　語

(1) 第2学年　国　語

出題の範囲は、読むことを主とし、これに書くことをも含めたこの範囲の中で漢字の弁別力、語句の意味や用法の理解、文章の主題や要旨および構成のはあく、文脈の中での語句や文の意味や用法の理解、ことばのきまりの理解、文章の鑑賞力、文章を組み立てる力などをみるようにした。また、聞くこと、話すことについても配慮した。なお、実際に話を聞かせたり、文字や文章を書かせたりすることは、一せい調査の制約上含めなかつた。

大問の番号	分野、領域等	ね　ら　い
一	読むこと 書くこと （文字と語句）	○漢字の弁別力 ○語句の意味や用法の理解
二	読むこと 文章の読解	記録、報告類の文章について ○要旨の把あく ○文脈の中での語句の意味や用法の理解 ○ことばのきまりの理解
三	読むこと （文章の読解）	説明、論説類の文章について ○要旨や構成のはあく ○文脈の中での語句の意味や用法の理解 ○ことばのきまりの理解
四	読むこと 文章の読解と鑑賞	物語、小説類の文章について ○主題のはあく ○文脈の中での語句や文の意味や用法の理解 ○鑑賞力
五	読むこと 書くこと 文章の構成	○文と文との続きをとらえる力 ○文章を組み立てる力 （○会話の場面をとらえる力）

(2) 第3学年　国　語

出題の範囲は、読むことを主とし、これに書くことを含めたこの範囲の中で漢字の弁別力、語句の意味や用法の理解、文章の主題や要旨および構成のはあく、文脈の中での語句や文の意味や用法の理解、ことばのきまりの理解、文章の鑑賞力、文章を組み立てる力などを見るようにした。また聞くこと、話すことについても配慮した。なお、実際に話を聞かせたり、文字や文章を書かせたりすることは、一せい調査の制約上含めなかつた。

大問の番号	分野、領域等	ね　ら　い
一	読むこと 書くこと （文字と語句）	○漢字の弁別力 ○語句の意味や用法の理解
二	読むこと 文章の読解	記録、報告類の文章について ○要旨のはあく ○文脈の中での語句の意味や用法の理解 ○ことばのきまりの理解
三	読むこと （文章の読解）	説明、論説類の文章について ○作者の考えや構成の把握 ○文脈の中での語句の意味や用法の理解 ○ことばのきまりの理解
四	読むこと 文章の読解と鑑賞	物語、小説類の文章について ○主題の把握 ○文脈の中での語句や文の意味や用法の理解 ○鑑賞力
五	読むこと 書くこと 文章の読解と構成	○作者の考えを文脈の中で読み取る力 ○文章を組み立てる力 （○話し方に関する理解）

2　社　　会

(1) 第2学年　社　会

出題の範囲は、地理的分野の内容を主とし、歴史的分野については古代までとした。

この範囲の中で、基本的な事項に関する知識や、理解、地図やグラフを読む能力、総合的な思考力などを見るようにした。

大問の番号	分野、領域等	ね　ら　い
①	地理的分野 （地図の読み方）	○縮尺の大きな地図における地図の記号と縮尺についての知識 ○等高線から地形の特色を把握する力
②	地理的分野 ヨーロッパ諸国の自然、産業など	○ヨーロッパのいくつかの国々の自然、産業、政治その他についての総合的な理解 ○各国の特色を比較考察する力
③	地理的分野 （日本の工業都市）	○日本のいくつかの工業都市の名称、位置、特色についての理解 ○立地条件、変遷、歴史的背景などの面から工業都市の特色をはあくする力
④	地理的分野 歴史的分野 （気候と生活）	○ナイル川下流地域における気候、歴史的背景、農業、開発事業都市についての理解 ○気候に関するグラフを読む能力
⑤	地理的分野 （日本の諸地域の特色）	○日本地域の特色についての総合的で具体的な理解

昭和36年度 全国中学校一せい学力調査

調査問題の作成方針とねらい

才1 調査問題の作成方針

1 問題作成のねらい

基本的な事項について 問題を作成するものとし、できるだけ理解の深さや応用力、考え方などをみることができるように配慮した。

調査は、ペーパーテスト、客観テストの方式によるので、その制約上、学習指導要領の要求するすべての学力にわたりえなかつたが その範囲内において基本的な学力についての調査を行なうことをねらいとした。

2 出題の範囲と程度

調査する学年の前学年までに含まれる 指導事項を原則とした。問題は、全体として平易なものとし、特別の準備を要しないものとしたが 比較的やさしい程度の問題および比較的やさしい程度の問題、普通の程度の問題および比較的むずかしい程度の問題を含めるようにした。

を観察したり、実現したりしてその結果を法則の形で説明することができる。そして これらは次のような目的をもつて具体化される。

1　記憶の補助手段として

2　観察を詳しく精密にする手段として

3　推理判断を効果的に展開する手段として

4　自然現象の中でとくに時間的に変化し変容するものを客観的に固定し再現するための手段として

5　実験、観察の結果をのこしまとめる手段として

以上のことは一言にしていえば 科学的思考を効果的に能率的にすすめるためということになる。実際の学習指導にあたつては 児童の記録指導と、板書を中心にした教師の記録活動という形においてなされるのでその注意や工夫しなければならないことをあげよう。

△　教師の板書について

黒板は 単に学習のまとまりや結果を知識の形で児童に書き写しさせるために用いられるものではない。また無意図的に、乱雑に書板されたが為にかえつて児童の思考活動を阻み学習を混乱に おとしいれたりする場合もあるのでつぎのような配慮と工夫が望ましい。

1　教材分析の結果、予想された思考過程を常に頭において その全体指導構想のもとに書板されること。

2　思考の進展に伴いそれに応じ得るように また思考を進展させる思考要素や思考条件がくみとれるように整理すること。

3　表現にあたつては抽象的な用語にとらわれないで、 児童の主体的な発言や発見による素朴な表現をとりあげ、それがかりに間違つている場合でも直ちに 否定しないで、確認の過程や集団思考活動の中において自主的に是正されるようにすること。

4　色チョークを効果的に活用すること。

△　児童の記録指導について

記録指導の時期、方法、内容、様式、表現、期間や その系統性などについて詳しく述べることは紙数の都合で出来ないが、思考力を高め 有効的な学習を展開するために、という観点から注意事項のみを列記することにする。

1　表現の工夫をはかること、低学年の即物的な思考の段階は実物を貼らせたり、 身振り、手まねなどから絵、図、文章、などを学年の発達に応じて組み合わせていく。

2　思考のねらいに応じて用紙や型式、様式を工夫すること。

3　変化に富んだ記録を工夫すること どうような記録が望ましいかということを考えさせるのも大切である。

4　低学年の場合は、綜合的な記録、 例えば絵日記などに併用し、全体的な指導をはかる配慮も望ましい

5　常に学級全体の問題とすることができるような工夫をすること。

6　個人やグループの思考活動がはつきりわかるように指導すること。

7　記録の限界をおさえておくこと、いやしくも記録のために実験、観察がなおざりになることは 前に戒めること。

（学校教育課　　指導主事）

② 思考学習の基盤

(1) 教材研究の立場から

実験や観察はそれぞれのねらいのもとに事前の教材研究を徹底してそのポイントをおさえる。各学年各単元毎に指導の手がかりをおさえ区切りをつけて行わせる。

(2) 教材に対する児童生徒の興味、経験疑問の傾向、つまずき等に対して じゆうぶんに配慮がなされ指導に無理と無駄をなくする。

※ 前年度の反省記録は、その担任に申し送り尊い体験を生かしているか

(3) 従来、実験や観察のテクニツクの面にウエイトをおいた研究が多かつたが、各段落（例えば、計画とかまとめの段階）における児童生徒のリードの仕方については、目立つた研究が少ないように思う。

結局、教師と児童、生徒との働きあい、とくに問題の進め方が不適切ではなかつたか、下記はその指導例の一端である。

（小学校・五年　酸　素）

A 問題意識をしつかりもたせる。

学習指導を行う場合はその学習のねらいをはつきりさせておく必要がある。酸素と いつてもその製法をやるのか、性質をしらべるのかはつきりさせておかなければならない。ここでは 酸素中での燃えかたと、空気中での燃えかたを比べてみよう、ということで、全生徒に徹底させるわけである。

問題は、漠然とした つかみにくいものをさけ、できるだけ具体的なわかりやすいものでなければならない。また部分的な小さな実験にしても、その実験が 何のために行われているのか、はつきりさせ、目的を分まえた実験になるよう指導しなければならない。

B 問題解決の方法を考えさせ、解決のための計画をたてさせる。

学習問題がはつきりしたなら、それを解決するための具体的な方法を考えさせなければならない。ここで実験計画の見通しと、実験結果の予測が できるわけである。この問題解決には、多量の酸素を必要とし、その補集のための指導が必要となつてくる。

酸素の補集は初めての事であるから、その方法は、教えなくてはならない。二酸化マンガンにオキシドールを かけてでてくる気体が 酸素であるということはいくら考えさせても わからないことがらである。このようなものはあつさり教えこんだほうがよいのである。

酸素の補集の方法も初めてで あるから、水上置換を示範し、 誤りのないよう 指導しなければならない。科学的思考は教え込むことがらは徹底して教え、また この場合なぜ水上置換が一番よいか考えさせる必要がある。

C 計画に基いて実際にやらせる。

酸素の補集に必要な用具を合理的に使用する能力を養うためには必ず生徒にさせなければならない。用具の合理的な使い方、ここにも思考が必要である。試験管、集気瓶の使いかたなど、酸素が空気よりやや重い気体であるということから、その取扱いかたも考えていかなければならないのである。また燃え残りによつて瓶を割ることがあるので、水を残したり、砂を入れるなど それを防ぐ方法を考えさせるのである。そして酸素中で いろいろなものを燃焼させると、子供達は驚きの目をもつてその現象をみつめるであろう。

D 結果の処理

実験はあくまでもありのまま見させなければならない。そして その事実に基づいて発表させ、最初とらえさせた問題へと結びつけて考えさせなければならない。予想に反した結果が あらわれる場合もあるが、これらについても なぜそのような結果があらわれたかを考えさせる必要がある。またこれが次の問題へと発展していく場合もある。

③ 記　録　指　導

記録を無視し、記録から遊離した理科学習指導や、科学的思考は存在しない、と いつてもよい程、記録は実験観察を効果的にし、思考を有効且つ適切に導くものである。学習指導として記録の はたらきは、二つに大別して考えることができる。即ち、自然のありのままを記述するという活動と、もう一つは自然のしくみ

科学的思考の問題が提起される理由がある。

そこでこのような考え方から、望ましい学習指導のタイプを考えることにした。

これを簡単に説明すると、

一般的な理科学習の過程とそれに科学的な思考活動をおりこみ、さらにその中に属すると思われる思考要素を考え、それぞれに応じた学習指導と思考の土台について考えを進めたのが次表である。もちろん、この表は、理科学習の一般的なもので、具体的に単元や、学習の内容、教材の性格によつては、多少変容されるものであるが、一応の学習のタイプと考える。

過程		思考経路	思考要素	教師のはたらきかけ	思考の土台（注意事項）
導入	導入	疑問と欲求の発生 → 方向統一…	○疑問をもつ ○欲求をもつ	誘発的発問・名称的発問 → 事象的発問 ○おや、へんでないか・ ○やつてみようか ○問題をまとめると、どうなるか	○安定感に満ちた学習雰囲気
	計画	→ 研究問題の確認把握 → 解明計画と方法樹立（対象的思考）	○関心がたかまる ○資料、材料の蒐集	○どんなことを調べるか ○どうしたらよいか、どんな方法で（本ではどうか、参考書ではどうか） ○どんなじゆんびがいるか	○問題を目標にふかつてしぼる ○全員の問題となるように意識化する
展開	研究（理解）	実験、観察、他：原因推論 → 仮説 → 検証 → 結果(1) → 検討反省 → 結果(2)（検討反省から仮説・検証へもどる）（仮言的思考、生産的思考）	○仮説をたどつて推論 ○筋道の通つた考え方 ○結果の予想 ○条件吟味 ○正確な観察 ○比較観察考察 ○数量的観察 ○分析的観察 ○分析的判断 ○整理、記録、図表 ○事実から推論	事象的発問 → 機能的、関係的発問 ○どうなると思うか ○どんな考え方がよいか ○観察はくわしく、よく注意して ○要点はのがさず……メモやノートに ○どんな状態か ○どう変つたか ○しくみはどうなつているか（なぜ） ○気づいたことはわかつたことは ○ほんとうか……おかしいぞ ○なんべんもやつてみよう ○やりかたはそれでよいか ○みんな同じ結果か ○先生の実験では ○予想どおりになつたか	○条件吟味をきびしく ○個人思考、集団思考を導く ○気づかせること 考えさせること 教えること（をはつきりつかんで） ○思考容易な書板と記録のくふう ○主体的な学習を ○目的に応じたまとめ方図や表のつくり方
	整理	一般化、抽象化（帰納的思考）	○綜合考察 ○推論 ○普遍化、一般化 ○組織化	実践的発問 ○それでどういうことがわかつたか ○かんたんにまとめると	○児童の知識体系へ組織化する
発展	活用	適用（演繹的思考）	○法則の適用	○ほかにもつとこのような場合はないか	○思考力を評価する問題のくふう

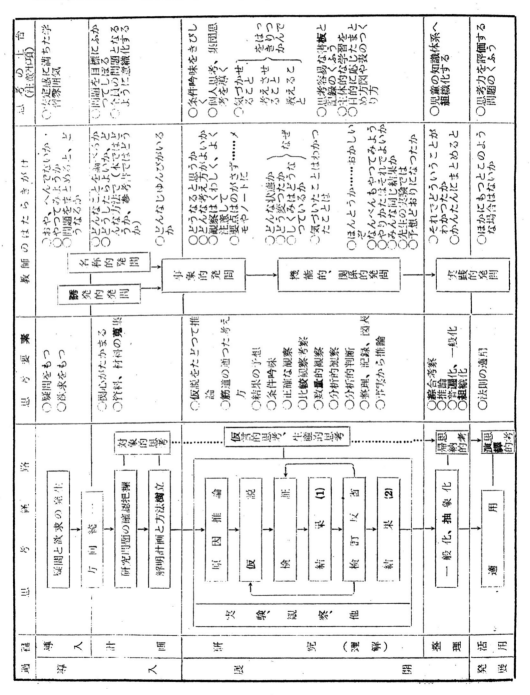

理科学習指導における科学的思考

松　田　正　精

近来とみに科学技術教育の高揚がやかましく論議されている。世界情勢や産業界の要請がかくならしめたものであろう。科学技術教育の基盤をなす最も重要なものの一つが理科教育である。理科教育の中核的要素が科学的思考であると考えられる。

一方思考の問題はただに理科、算数のみならず、国語や社会科においてもとり上げられてきている。こうして各教科で研究課題とされるその底に流れるものは、現時の社会状勢からと戦後十数年になる経験主義、生活主義的学習に対する反省によるものと推察できるように思う。とくに科学的思考力をたかめる実験、観察の指導法について、第八次教研集会の統一テーマとして、現場でのもりあがる研究が進められているとき、科学的思考の意義や学習のタイプならびに記録指導等についてまとめてみよう。

① 科学的思考のもつ意味

まず「思考」についての諸説をあげると、

(1) 問題事態を解決する手段がつくり出される過程で、この手段は創造的なものである。

(2) 物事の関係を見きわめたり、新しい関係づけを発見したりすること。

(3) 既得の手段に変容を加えて、その新事態にうまく適応していく過程で、生産的、創造的な面が含まれる。

以上三者とも同じような内容をもつものと見られる。

次に「科学的思考」とは

◎ 永田義夫氏によれば合理性と実証性を特質とする思考の様式、すなわち物事を考える場合に筋道をとおすことであり、さらにこうして考えた結論をもう一度事実に当てはめてみて、果たしてそれが正しいかどうかを事実に即して確めてみるといつた事実を尊重する考え方である。そして理科教育では自然環境にある事実現象を主対象としてこの能力を身につけさせていかなくてはならないという。

◎ 長浜克重氏の説は、いわゆる科学の方法と科学的思考の因子分析したものでデューイの問題解決学習の三者を対比し、課題解決の方法に応じた場をもち、それに含まれる因子の訓練をおこなう。問題をつかむ、資料を集める結果を予想する……等々の因子の個々の訓練ではなく、各学年の能力訓練の場を与え、全体として総合されたものが科学的思考になる。というように方法にまで及んでいる。

◎ 栗山重氏曰く、小学校における科学的思考は高度のものではない。中・高校に進むに従つて高度のものとなる。小学校ではその基礎である科学的思考を伸ばす機会は常時あり、単に45分の授業時間だけでなく、生活の中でこどもの経験に即して積み重ねていくべきものである。とさらに実践への諸提言に及んでいる。

◎ 宇井芳雄氏は、科学的思考ということについては、定説はないが……と前置きして、科学的ということからして、それは即物的な論理的思考でなければならない。そのねらいとするものは、積極的な思考であり、創造性を予定する思考であるといつている。そして発達上からみれば、低学年は、即物的な思考が中心であり、中学年では即物的に思考錯誤するという時代であり、高学年になつて一応科学的な思考がなされるものであると説明している。さらに教壇人としては、一つの考え方にこだわることなく、理科教育の本質をとらえて指導をする必要があるといい、誤つた思考主義のために、理科教育が、ゆがめられてはならないと警告している。

最後に現場人としての我々の考え方を以上の諸説を参考にしてまとめてみると、自然生活環境の中で、こどもひとりひとりが、問題意識をもち、それを解決するための方法をくふうしたり考えたりして、事物、現象をありのままにとらえ、分析したり総合したりして筋道の通つた考え方をし、事実に即してたしかめてみること、となる。これは別に目新しいことではなく、学習指導要領の理科の目標第2項と軌を一にするものである。我々が不断に指導している筈のものである。果してしからば、これが一般に現場において豊かに実践されているかの反問に対してはまことに弱い。ここに理科学習指導の重要な一分野として

一九六二年十一月十八日　印刷
一九六二年十一月二〇日　発行

文教時報

（第七十七号）　（非売品）

発行所　琉球政府文教局
研究調査課
那覇市久茂地町一ノ八八

印刷所　新光社
電話(8)三六八〇番

文教時報

＝号　外＝
第　4　号
1962年　1月22日
編集兼発行
琉球政府文教局
印刷所
新光社

もくじ

教公二法の立法はなぜ必要か

教員の身分保障と教育を通じ全住民への奉仕

一、公務員制度の根本理念は何か

主権在民の原理に立つ日本国憲法第十五条は「公務員を選定し、及びこれを罷免することは、国民固有の権利である。すべて公務員は、全体の奉仕者であつて、一部の奉仕者ではない。……。」と宣言している。従つて公務員の地位は直接間接に国民の意思に基づいて、国民全体のために奉仕すべき使命を負う者であるということを憲法は明示しているのである。また、琉球政府章典第十五条は「琉球政府は、公務員法を定めて公務員の任命、昇進及び退職に関する責任を規制しなければならない。」と規定して、公務員法の制定によつて公務員の地位及び待遇の保障をはかるべきことを要求している。

更に、教育基本法第六条には「法令に定める学校の教員は、全体の奉仕者であつて、自己の使命を自覚し、その職責の遂行に努めなければならない。このためには、教員の身分は、尊重され、その待遇の適正が期せられなければならない。」とうたわれている。すなわち、教員が全体の奉仕者であるという使命をもつていること、そのためには身分が尊重され、適正な待遇が得られるべきであるということである。身分の尊重ということは単に精神的のものでなく実質的に地位や生活の安定とが伴わなければならないのは当然である。この実質的な安定は国民の意志に基づいた立法によるのでなければ真の安定とはなり得ないのである。

憲法や基本法における「全体の奉仕者」ということが、公務員の根本理念である。

それでは、全体の奉仕者とはどのことか。

民間企業における勤労者は、その会社の利益のために働けばよいのであつて、会社の利益のためということは、その会社の資本家や株主の利益のためということになる。もちろん、今日の社会において、私企業のもつ公共性、社会性を否定するものではないが、そうかといつて社会公共のためを目的に活動しているものとは考えられない。

ところが、公務員の場合には、政府や地方公共団体に勤務しているといつても、雇用主はだれであるか。行政主席であるか、市町村長か、教育委員会であるか、決してそうではない。つきつめていけば公務員の雇用主は住民全体である。国民主権主義の国においては、すべて国民が自らを統治するという考え方に立つているからである。

このように、公務員の終局の任命権者は、国民主権主義のたてまえをとる限り、国民全体であるということが理念としていえることである。従つて、公務員は雇用主たる国民全体への奉仕者であるということになるのである。

また、近代的な公務員制度は、民主的かつ能率的であるということである。民主的であることについては、公務の任用がすべての人に平等に公開されていること、すなわち公務の平等公開の原則に立つていることであり、一定の競争試験あるいは選考によつて選任し、能力に応じて採用、昇任させるいわゆる能力実証主義の原則をうち出しているのである。このことは、憲法第十四条における「すべて国民は、法の下に平等であつて、……差別されない。」という精神をうけたも

ので、公務員制度における平等取扱いの原則を具現するものである。

次に、公務員制度における重要な要件として公務員の身分、地位の保障ということである。

代議制をとつている国民主権主義の近代国家においては、すべて住民の意思、選挙の結果によつては当然政権の交替ということが生ずる。政治にたずさわつている特別職は政権の交替によつて、つまり住民の意志によつてその地位のかわることもあり得るが、一般職にある公務員は政権の交替にかかわらずその身分の安定が保障されなければならない。政権の交替によつて公務員の地位が左右されることになると、公務の安定性あるいは継続性はそこなわれ、その結果、迷惑をこうむるのは一般住民である。一般職の公務員が特別職のように政治に介入しているとすれば、政権の交替に際しては、当然にその身分を失うことにならざるを得ないからである。

このような意味において一般職の公務員に一定の政治的行為が制限されているのである。すなわち、公務員に政治的中立性の保障が要求されるゆえんである。

二、地方教育区公務員法及び教育公務員特例法は、どういう性格の法律か

かつて教育が家庭においてあるいは親族間において私事として行なわれていた時代には、教育行政という観念は生じてこなかつたのであり、またその必要もなかつたのであるが、近代国家がその民主的自覚を強めるにともない教育に対する関心を増大させ、いずれもその権能の中に教育をとりこみ、教育をもつて国家の最も重要な任務の一つとして考えるに至つた。このように国家が特定の教育政策を樹立し、それに基づいて教育制度を定め、それを維持、管理するに至つてはじめて教育行政ということが考えられ、従つて教育法規というものも出現したのである。

しかして、教育法規の最も一般的な形式は法律であり、これは教育行政における法律主義の当然の帰結である。教育行政において法律主義を採用しているということは種々の観点からみて極めて重大な意義を有するのである。その第一の意義は、教育行政が強力な民主主義的行政に切りかえられたことである。終戦前の教育行政は「勅令」や官僚が意のままに制定する「命令」による行政、すなわち官僚行政であつて、そこには民意の反映は殆んどなかつたのである。現在では、国民の意志を代表する立法機関即ち議会において制定される法律によつて教育行政が行なわれている。教育基本法第十条の教育行政に関する規定において、「教育は……国民（住民）全体に対し直接に責任を負つて行なわれるべきである。」とあるが、これは教育の目的、制度、教育方針等が国民の代表者で構成されている立法議会において決定されるべきであるということ、つまり教育行政の法律主義の原則を宣明したものと考えられる。

第二の意義としては、教育行政に関する一般国民の関心の高揚である。従来のように教育法規が一般国民とは無関係のうちに制定されるならばこれに対する国民の関心も薄くならざるをえないのである。教育法規が「法律」として立法議会において制定されるということは、立法を通じて一般国民が教育行政に参与するという意義をもつことであり、一般国民の教育に対する関心はここにおいて十分高揚され得るわけである。

以上は、教育法規が「法律主義」を採用している意義を述べたのであるが、それでは教育に関する法律にはどのようなものがあるか。

まず、教育憲章とも称すべき教育基本法は教育法の基本原則を定めたものであり、教育行政の組織と運営に関して定めたのが教育委員会法であり、学校教育の制度や組織等について定めたのが学校教育法であり、社会教育の方法や運営については社会教育法、教育職員の資格、免許等については教育職員免許法及び同法施行法があり、教育の振興、助成を目的とするものにへき地教育振興法及び理科教育振興法があり、更に学校給食の健全な実施をはかる学校給食法があつて、既定法として現在施行されているのは周知のとおりである。これらのほかに、目下立法準備中のものに学校図書館法、私立学校法、学校保健法、給食会法、学校安全会法、地方教育区公務員法、教育公務員特例法等がある。これら準備中の立法も本土においては既に立法化されているものであり、更にそのほか立法すべき教育に関する法律が相当残されてはいる。しかしそれはそれとして、法律には立法の目的によつてそれぞれの性格があるのはさきに少しくみた通りである。

それでは、地方教育区公務員法案及び教育公務員特例法案は、どのような性格の法律であるか。以下その大要を述べることにする。

地方教育区公務員法案と教育公務員特例法案の性格
（以下、「教公二法案」と略称する。）

この教公二法案を含めて、まず「公務員法」全般について考察してみよう。
公務員法の性格としては、次のようなことがあげられる。
第一は、改革法であること。第二は、基準法であること。第三は、保護法であること。第四は、身分法であること。
第一の改革法であることについては、
戦前の旧憲法下の官吏制度を民主主義の理念に基づいて根本的に改革し、全く新しい公務員制度を樹立しようとするものであること。
第二の基準法であることについては、
公務員たる職員について適用すべき根本基準を確立し、更にこの法律に反する補従来の法令に対して優先するものであること。
第三の保護法であることについては、
職員の福祉及び利益を保護すること。
第四の身分法であることについては、
他の法律との比較の上からのことではあるが、新憲法における公務員という身分を確立することによつて全体の奉仕者たらしめようとすること。
以上は、公務員法全般に対するごく概括的にその性格を述べたのであるが、その特色の一つとして第三にあげた保護法としての性格に関して地方教育区公務員法案について以下条文に即して説明しよう。

人事委員会の設置の必要とその性格

まず、どの公務員法でも同じであるが、その法律の根本基準に従い、その法律の完全な実施をはかるために、人事委員会又は公平委員会を置くことである。人事委員会は、職員の任命権者たる人事委員会に独立した機関で、単的にいつて職員を任命権者から擁護する機関であるといえるものである。

それでは、人事委員会はどのような職務、権限を有するか、その主なものには次のようなものがあげられる。
一、職員の給与や勤務時間、勤務条件はもとより、厚生福利制度、公務員災害償やその他職員に関する制度について絶えず研究し、これらの制度の実施、確立を促進する。
二、給与の改善や、人事行政の運営の仕方について、任命権者に勧告する。
三、競争試験や選考の事務を行なう。
四、職階制に関する計画を立案し、実施する。
五、職員の給与が適切に支払われているかを管理する。
六、職員の給与、勤務時間や勤務条件に関する措置が適切であるかどうか、その要求があつた場合これを審査し、判定し、更に必要な措置を執る。
七、職員に対する不利益な処分たとえば、任免の際や給与、懲戒、分限等の場合における不利益な処分が任命権者においてなされた場合、これに対して審査し、その結果必要に応じて任命権者の処分に修正、若しくは取消し等の措置をなさしめる。
公平委員会は、主として前掲の六、七のことがらについての職務を行なう。人事委員会や公平委員会が行なう以上のような職務は一般に公平事務と称しているが、この公平事務を行なう機関を公務員法において特に設けているのは、一般私企業において、たとえば給与の改善や不利益処分等の場合争議行為に訴えるのに対して、公務員の場合は立法によつて権限を与えられた、しかも専門的な機関によることが、住民全体の福祉をはかる奉仕者としての職務の上からは適当であるとの趣旨からである。

この法案は、本則の六十二条と附則の十項からなつているが、人事委員会に関する条項が実に十四ケ条項にも及んでおり、職員の側に立つて保護することを主たる任務とするこの機関の重要性がうかがえると思う。

公務員の差別取扱いの排除

次に、平等取扱いの原則を強く打ち出していることである。すなわち、「人種、信条、性別、社会的身分や門地若しくは政治的意見や政治的所属関係等によつて差別されてはならない。」（十三条）、ということである。この考え方は、憲法の第十四条の「すべて国民は、法の下に平等であつて、人種、信条、性別、社会的身分又は門地により、政治的、経済的又は社会的関係において、差別されない。」（十四条）を受けたものである。

この平等の原則は、今や近代民主国家においては一般的に通念となつてはいるが、戦前のわが国では、男女の性別等によつて相当の差別取扱いがなされていたのは周知のとおりである。たとえば、男教員と女教員の初任給の相異や、昇給、昇任の場合の差別扱いがなされたが、不思議でもなくむしろ当然の如く思われた程であつた。

公務員法は、過去のこのような不平等の取扱いを完全に払拭しようとするものであり、任命権者はもちろん何人といえども公務員を差別取扱いをしてはならないこととしているのみならず、差別取扱いをした者に対しては、この立法によつて罰則を適用している程である。

公務員の給与改善の問題

次に、情勢適応の原則をうたつていることである。すなわち、任命権者は、公

務員の給与や勤務時間、勤務条件等が社会一般の情勢に適応するように、随時、適当な措置を講じなければならない（第十四条）と義務づけている。給与についていうならば、民間の賃金水準や国民所得の増大、生活水準の向上等社会一般の情勢に絶えず研究と調査を行ないそれに適応するように公務員の給与の改善をはからなければならない。特に給与の改善については専門的研究と定期的な勧告の義務をもつ人事委員会の職能の大きな部門ではあるが、任命権者はその勧告を立法に基づいて履行する責任を有するのである。

公務員に必要な研修の機会

次に、公務員はその職務の能率を増進させるためには研修の機会が与えられなければならないこととして、特に人事委員会は研修に関する計画の立案や方法等について任命権者に勧告することになつている（第三十七条）。

公務員の福祉と保護、とくに地方公務員の場合

次に、特に職員の福祉及び利益の保護については十一ケ条にわたる多くの規定が設けられていることである。すなわち、福祉及び利益保護の根本基準を示し（第三十九条）、職員の保健・元気回復その他厚生制度を実施すること（第四十条）、職員の公務によらない死亡、はい疾、負傷や疾病、分娩、災厄、事故並びにその被扶養者のこれらの事故等に関する共済制度がすみやかに実施されなければならないこと（第四十一条）、退職年金及び退職一時金の制度を実施すること（第四十二条）、又、職員の公務による死亡、負傷、疾病、はい疾に対する補償並びにその被扶養者や遺族に対する補償を行なういわゆる公務員災害補償がなされるべきこと（第四十三条）、更にまた、職員は、給与や勤務時間その他の勤務条件に関して適当でないと思われる場合には、適当な措置を執るように要求することができる（第四十四条）、この要求があつた場合には人事委員会や公平委員会はこれを審査し、判定し、適当な措置を講ずるよう任命権者に勧告することになつている。若し、この措置の要求の申出を故意に妨げた者があればこれに対しては罰則を適用することにしている（第四十五条及び第六十一条第五項）。

職員はこの立法で定める事由による場合でなければ、その意に反して、降任、免職、休職されないし、懲戒処分を受けることはない（第二十五条）のであるから、若し任命権者から意に反する不利益な処分を受けたと思う場合には審査の請求をすることができるようになつている

教公二法案の立法の主旨を周知していだくため増刷しました。
教員のみなさんのご研究を望みます。

（第四十七条）。

このような請求があつた場合、人事委員会又は公平委員会はこれを審査し、その結果に基づいて任命権者に対しその処分によつて受けた不当な取扱いを是正するよう指示することになつている。若しこの指示に故意に従わなかつた場合は罰則を適用することになる（第四十八条及び第六十一条第三項）。このことは、公務員の地位の安定性に関する重要なことがらであり、任命権者の恣意や独断から護ろうとする趣旨によるものである。

現在、政府公務員は現行の琉球政府公務員法によつて、任命権者が勝手に不利益な処分を行なうことができないようにその地位の安定が保障されているが、地方教育区の職員の不利益な処分に対してこれを救済する法的根拠がないし不利益処分を訴える道がない。

教育公務員特例法案の性格

次に、教育公務員特例法案の性格について

この立法の趣旨は、第一条に示しているように「教育を通じて住民全体に奉仕する教育公務員の職員とその責任の特殊性に基づき、教育公務員の任免、分限、服務及び研修について規定する」ものである。すなわち、公務員法が、一般勤労者に対する身分法としての特別法であるのに対し、更にこの立法は、一般公務員に対して教育公務員としての教育職務のみを対象にした特例法である。

特例法は、普通その基本となる一般法がなければならない。そこで教育公務員特例法案は、琉球政府公務員法及び地方教育区公務員法案が母法となるわけである。教育公務員特例法は、いわば救済的あるいは特典的な法であるが、政府立学校の教育職員を対象とする特例法の立法はできる（政府立学校教育職員の結核性疾患及び出産休暇に関する特　措置法（一九六一年立法第　号）が、公立学校の教育職員を含めた特例法は、地方教育区公務員法が制定されない限り立法化されない。

これに対して、公立学校の場合は、現在中央教育委員会規則でやつているではないか、との意見もあるが、規則は法に優先しないのであつて、特に予算を伴う事項などの場合、議会あたりでは立法事項に対しては責任をもつが規則事項については必ずしも責任をもつとは限らない。こういう事例はこれまでいくらもあつたし、今後もあり得ることである。財政に関することのみでなく真に法的安定

性を得るためには立法によらなければならないのは当然である。

教育公務員特例法案の内容

それでは、教育公務員特例法案の内容を概述してみよう。

○一般公務員の任用は、さきに述べた一般法で競争試験を原則とするが、教育職員の場合は、免許資格を有するので、選考によつて任用することにしている。

○結核性疾患の休職を、普通の公務員よりも期間を長くして満三年までとしかつ、その期間給与の全額を支給する。ここで付け加えたいことは、さきに立法した政府立学校教育職員の結休に関する特別措置法において、「予算の範囲内において」を入れてないので、この案からもこの字句は削ることになる。なぜならば、この案が立法されると、さきの特別措置法は当然、この法に吸収されるからである。更に、産休の期間を八週間としてあるので、これも吸収することになる。

○教育職員に最も必要な研修を実施するよう任命権者に義務づけていることである。

○一般法では、公務員の兼職を禁じているが、教育に関する他の事業や事務に従事、兼職できるようにしたことである。

○この立法が成立することによつて、教育公務員の給与に関する立法が現行の一般公務員の給与法とは別に立法される根拠を得ることができる。

○この立法によつて、校長及び、職員の勤務成績の評定について、緩和措置を講ずることができる。

○この立法によつて、政府立学校職員と公立学校職員との完全な職員団体の連合体を組織することができる。そして政府当局と、現在官公労組のやつているような完全な団体交渉が正式にできることになる。

以上、地方教育区公務員法案及び教育公務員特例法案の性格について述べたのであるが、この法案における政治的行為の制限、争議行為等の禁止、団体協約、勤務成績の評定等を大きく取り上げて、この法案全体がいかにも教職員を一方的に規制する悪法の如き印象を広く与え、この法案の成立に大きなブレーキをかけているのは甚だ遺憾である。

それでは、これらの問題となつている事項の趣旨や内容は、どのようなものであるか、以下説明と見解を述べることにする。

政治的行為の制限

公務員の政治的行為が、ある程度制限される理由については、さきに述べた公務員制度の根本理念のところでふれたとおりであるが、法案の第三十四条及び教育基本法第八条との関係等について説明しよう。

まず、法案の**第三十四条**を少しく分析しながら説明してみよう。

第一項

「職員は、政党その他の政治団体の結成に関与し、若しくは、これらの団体の役員となつてはならず、又はこれらの団体の構成員となるように、若しくはならないように勧誘運動をしてはならない。」となつている。

○「政党」とは、政治上の主義若しくは施策を推進し、支持し、若しくは、これに反対し、又は公職の候補者を推せんし、支持し、若しくは、これに反対することを本来の目的とする団体をいう。

○「政治的団体」とは、政党以外の団体で、政治上の主義若しくは施策を支持し、若しくはこれに反対し、又は公職の候補者を推せんし、支持し、若しくはこれに反対する目的を有する団体をいう。

○「関与」とは、たとえば、発起人（企画者）となり、その結成企画に係る団体の規約や綱領等を立案し、結成準備のための会合を招集したりして推進的役割を果すことをいう。

○「勧誘運動」とは、不特定又は多数の者を対象として組織的、計画的に構成員となる決意、又はならない決意をさせるようにうながす行為をいう。たとえば、党員倍加運動などのように計画的になす行為はこれに含まれるが、たまたま友人間などにおいて入党をすすめることなどはこれには含まれない。

○本項は、職員が、政党や政治団体の結成に積極的に参画したり自ら企画者や発起人などになること、又その役員になること、党勢拡張などのために勧誘運動などすることがいけないのであつて、政党や政治団体の構成員となること、つまり政党に入党することは何ら差支えないことであり、自由である。これは、第十四条の平等取扱いの原則に明示されているところで、政治的意見や政治的所属関係によつて差別されないからである。

第二項

職員は、

特定の「政党、政治団体、政府、市町村や地方教育区の執行機関」を支持、反対の目的で、

選挙又は投票における〈特定の人／事件〉を支持、反対の目的で、

一、勧誘運動
二、署名運動の企画、主宰の積極的な関与
三、寄付金、金品の募集の関与
（以上、当該地方教育区内だけで制限）
四、学校の施設への文書の掲示資材、資金の利用
五、（削除）

右のような政治的行為をしてはならない。」ことなつている。

○「特定の人」とは、当該選挙において立候補の制度がとられている場合においては、法令の規定に基づく正式の立候補届出又は推せん届出により候補者としての地位を有するに至つた者をいう。まだ、候補者としての地位を有するに至らなかつた者は含まれない。特定の人には自己も含まれる。

○「事件」とは、公の選挙や投票を必要とする事件であつて、例えば法令の規定に基づき正式に認められた裁判官の国民審査の投票とか、議会の解散請求などであつて、選挙とか投票とかを伴わない事件などは本項にいう事件とはいえない。

○本項を要約すると、特定の政治団体又は候補者を支持することは自由であるが、自ら進んで勧誘運動をしたり、署名運動を自ら企画したり主宰したり、又は選挙の運動資金などのような寄付金品の募集を自ら進んで企画したり発起人となつたりすること、学校の校舎や施設などに政党や候補者のポスターなどを掲示したり、学校の資材や資金を利用したりしてはならないということである。ただし、第一号から第三号までの規定は、その職員の任命権者の管轄内での制限であつて、他の地域においては制限されない。（本土の場合公立学校職員は全国的に制限されている。）

○第二項における「事件」が、いろいろに憶測されている向きがある。たとえば、祖国復帰の運動が、ここにいう「事件」とみなされないか、ということなどがある。祖国復帰は、沖縄住民の悲願であり、その運動は民族運動であつて、これは選挙とか投票を伴わない大衆運動である。従つて、この法案における「事件」は、さきに述べたとおり法令の規定に基づく公の「選挙」や「投票」を伴う事件に限られるものである。現に政府公務員法の下で公務員たる官公労は教職員会やその他とともに復帰運動を行なつている。この法案は現行の政府公務員法より相当緩和されたものであるので、これが成立したからといつてこの運動がこの立法によつて影響されるとは考えられない。

○第一項及び第二項が、直接職員に対する規定であるが、次の第三項は第三者に対する規定である。

○**第三項**

何人も――職員に対して――

前二項の政治的行為をするように、求め、そそのかし、あおつてはならない。

このような政治的行為をなし、なさないことに対する代償、損償として

――任用、職務、給与、地位に関して何らかの利益、不利益を与えようと――企て、約束してはならない。

○この第三項は、説明するまでもなく、職員を政治的に利用しようとする第三者からこれを護ろうとする規定であり、ここにも保護法としての性格の一端がうかがえるのである。

○**第四項**

職員は、前項（第三項）に規定する違法な行為に応じなかつたことの故をもつて――不利益な取扱いを受けることはない。

○この項は、第三項を受けたものであり、たとえば、上司から政治的行為を行なうよう命令された場合などにその命令に従わなかつた理由として懲戒処分とかの不利益な取扱いをなされない。若しこれによつて不利益な処分がなされた場合は、第四十七条によつて不利益処分の審査請求をすることができるのである。

○**第五項**

本条の規定は、

職員の政治的中立性を保障することによつて

教育行政の公正な運営の確保

職員の利益の保護

を目的とする趣旨で解釈し、運用されなければならない。

○この項は、本法案における政治的行為の制限の目的を明示したものである。すなわち、職員のすべての政治活動を制限しようとするものでなく、憲法や教育基本法における全体の奉仕者として勤務すべき公務員の政治的中立性を保障することによつて、公務の円滑な運営をはかるとともに公務員の地位を安定し、その利益を法的に保護しようとするためのものである。であるから、本条の規定は、そのような趣旨において解釈し、運用すべきであつて、一方的に公務員の政治的行為を対象としての制限規定であると解してはなら

ないのである。

教育基本法第八条第二項と本条の関係

教育基本法第八条二項は「法令に定める学校は、特定の政党を支持し、又はこれに反対するための政治教育その他政治的活動をしてはならない」と規定している。

元来、学校において教育を受けている年令の者とくに未成年者は、その知識及び経験において未発達の段階にある者である。従つて、政治に関する一般的基礎的な常識や教養をじゅうぶん備えていないので、如何なる党派を選ぶべきかというような実際的の問題についての判断を下すことはできない。学校は、これら未発達段階にある未成年者に対して将来公民として正当な判断がなし得るような政治的教養を育てる場所である。この意味において学校は、具体的な政策の実現を目的とする政党政派の上に超然たる地位と使命を有する。若し、学校が特定の党派の支持又は反対の政治教育や政治的活動をするならば生徒や学生に不当な影響を与え、良心の自由を束縛する結果を来たすおそれなしとしない。この意味において教育基本法は、教育が政党に利用されず政治的に中立を維持するように要求しているのである。

そこで、「学校」は、元来教育の協同体であるから、各教員は当然その構成分子をなすものである。であるから、その職員が学校の教員としての身分で学校の内外を問わず、その学校の教育活動の一環としてなす政治的行為は、この基本法の精神に反するものであると考えられる。

ところで「教育の中立性」と、「教員の中立」とは、一応概念としては区別できるが、教員が教育というものと切りはなして考えることは困難である。そこで教公法の本条で、あのような規定がなされているのである。であるから、基本法は学校教育活動として協同体の立場から、教公法は教員たる公務員としての立場からという関係になるのである。

争議行為の禁止

第三十五条（争議行為等の禁止）

○第一項

職員は、

「地方教育区の機関が代表する使用者としての住民に対して――同盟罷業、怠業その他の争議行為」、「市町村、地方教育区の機関の活動能率を低下させる怠業的行為」をしてはならない。

何人も、

このような違法な行為を企て、遂行を共謀し、そそのかし、あおつてはならない。

○この項、職員の争議行為の対象は、地方教育区の「住民」と、その「機関」（教育委員会や学校など）とし、それに対して争議行為をしてはならないことを規定し、更に後段は、第三者に対して、共謀、示唆、煽動を禁止している。

○「同盟罷業」とは、労働組合あるいは争議団などが、自己の主張を貫徹するため、その団体所属の労働者に、労務の提供を停止させること、いわゆるストライキである。ストライキには、ハンスト、坐り込みスト等の種類がある。

○「怠業」とは、労働組合が、自己の主張を貫徹するため、その団体所属の労働者に、形式的に生産を継続しながら故意に能率を集団的に低下せしめることである。

○「争議行為」とは、同盟罷業、怠業その他労働関係の当事者が、その主張を貫徹することを目的として行なう行為及びこれに対抗する行為であつて、業務の正常な運営を阻害するものをいう。

○第二項

職員で、前項の規定に違反する行為をした者は、その行為の開始とともに、地方教育区に対し一法令又は教育委員会、規則、地方教育区の機関の定める規定に基づいて保有する任命上又は雇用上の権利をもつて対抗することができなくなるものとする。

○本項は、争議行為をした者が不利益な取扱いを受けても、これに対して任命上又は雇用上の権利を主張することができないということであつて、その職員に対する法令上の保護がすべて否定され、任命権者は恣意によつてその職員に関する処分を行なうことができるということではない。任命権者はその職員に対する措置を行なう場合には、法令上必要とされる手続きをとらなければならない。

○それでは、なぜこのような争議行為が禁じられているか。

労働三権は憲法第二八条に勤労者の基本的人権として認められているところである。ところが、公務員には、立法によつて団結権、団体交渉権は認められていながら団体行動権のうちの争議権が認められていない。その根拠はどこにあるか。これは、憲法第十五条における「公務員が全体の奉仕者である。」というところにある。さきにも、ふれたように、主権が国民にある国家社会にあつて、「全体」とは、国民であり、住民である。その住民に奉

仕する公務員は、住民に対して争議行為はできないからである。公務員と住民との関係は、一般私企業の労働者も資本家又は企業経営者との間における労資対抗の関係でなく、もつぱら信託奉仕の関係にあるのであつて、公務員の勤務条件は住民の意志としての議会において決定されるものである。これに対して争議行為をもつて対することは、住民に対する反抗である。

いうまでもなく、基本的人権といつても絶対無制限の行使が許されるべきでなく、その性質上当然に公共の福祉によつて限界づけられる、水木惣太郎（法学博士）は、その著「基本的人権」の中に、「無制限な効力を有する権利は現実には存在せず、逆にいえば現実に有効な権利は必ず一定の限界を有する。」とし、その限界を公共の福祉としてあげている。そこで、公共の福祉は、基本的人権の理念として、これに内在し、これを基礎づけているものである。従つて、基本的人権の行使は、その理念である公共の福祉に反することはできない。

「公務員なるが故に、基本的人権が剥奪又は否定されてはならない。これは憲法に反する。」という論もあるが、同じ公務員であるところの警察職員、消防職員、監獄職員等は、労働三権すべてを否定されているし、現業の公共企業体の職員は争議権が否定されている。かように職務の性格によつて制限の限界が附せられているのであつて、これをもつて直ちに憲法違反とするには当たらないのである。公務員の争議権禁止が合憲か、違憲かの論争に対して、昭和二八年の東京高等裁判は、合憲を認めた裁定を下しているし、多くの法律学者もその合憲性を認めている。

○本条に関連して附言したいことは、大衆運動として行なわれている「デモ行為」は、本条にてい触するだろうか、ということである。

これについては、本条第一項の条文や、同盟罷業、怠業等の争議行為の内容説明でじゆうぶん理解がゆくものと思うが、争議行為としてでない一つの大衆運動としてのデモ行為は本条の関するところではない。現行の琉球政府公務員法第四十五条にも同じような規定があるが、デモが若し争議行為だとすれば、政府公務員たる官公労のやつているデモはすべてていıı触することになる筈である。デモは意志表示の示威行為であつて、法令に定める争議行為ではないのである。

○団体交渉権

第五十三条（交渉）の骨子は、次のとおりである。

○第一項

職員団体は、……給与、勤務時間、勤務条件に関し、――当該地方教育区の当局と――交渉することができる。ただし、団体協約を締結する権利を含まないものとする。

○第二項

書面による協定を結ぶことができる。

○第三項

この協定は、誠意と責任をもつて履行しなければならない。

○第四項

職員は、個人としてでも、不満を表明し、意見を申し出る自由は、団体に加入している、いないによつて否定されない。

○本条に、職員団体の団体交渉権は認めているが、それには団体協約の締結権を含まないとしているのは、公務員の給与は、主としてその使用者たる住民の意志として議会における立法によつて決定されるものである。であるから行政当局と書面による協定はできるが最終的な決定は議会においてなされるのである。先ほど行なわれた官公労による期末手当二十割支給の団交における行政府当局との協定――すなわち、来議会における給与法の一部改正によつて支給するとの協定――などは、事例の一つである。職員団体の団交権は、労働組合法によるが如き団体協約ではないが、協定が成立した場合は、誠意と責任をもつて実行しなければならないものとされているのであるから、能う限りの努力を持つてこれの実現を期せなければならなのである。

※9頁以降は欠損（不二出版）

○分限その他の問題

○第二十六条第一項第四号「職制若しくは定数の改廃又は予算の減少により廃職又は過員を生じた場合」の降任又は免職の規定について。

これについては、定数や予算の関係を理由にして降任又は免職される可能性があるので職員の地位に不安定をもたらすものであるから削除すべきだとの意見がある。

行政において、定数とか職制とかは永久不変のものでなく、場合によつてはそれの増減又は改廃ということは当然考えられることである。しかしながら、そのことは、任命権者が恣意によつてなされるべき性質のものでなく、合理的理由によらなければならないものである。若し、合理的理由に基づかずに改廃し、その改廃に名をかりて職員をその意に反して一方的に降任又は

文教時報

78

1962. 1　　No.78

琉球　文教局研究調査課

校内研修にひとこと

研究調査課長　濱比嘉宗正

急激に上昇した教育研修ブームが、停滞した感を与える。しかしこのことはむしろ、現場の教育研修が着実な歩みを保っていることによる。かかる教育研修の最たるの場は校内の研修であろう。本号にこの度披瀝していただいたような校内研修の真摯な研究態度に対しては改めて賛意を表したいばかりである。

教師は多忙であると謂われている。にもかかわらず不断の研修は必然的に要求される。研修は出発から既に教師の努力とくふうを必要とする情勢にあると言える。従つて校内研修は時間を生み出すことから、時間の有効な使い方まで、研修する者の考え方や態度によつて著しい差異をみせるものである。

校内研修を望ましいものにしてゆくために第一に考えたいことは、校内研修のねらいを的確に把持することである。研修テーマにもよろうが、研修のねらいは研修の機会ごとにしつかりしておかねばならない。ねらいを的確にすることによつて研修の到達度を研修者自ら予知出来ることや研修の方向がそこから考えられることは言うまでもない。

第二に考えたいことは個々の教師の体験が生かされる研修であると言うことである。そこには個性が存分に働らき、個々の教師のもつ悩みが躊躇することなくとりあげられるものである。校内研修はみんなの水準を高めるといわれる所以もそこにある。

第三は、原理的考察を怠らないと言うことである。科学的知識を応用し、先学の研究を参考にし、正確な判断を堅持することである。

校内研修が斯くて授業研究をおりまぜて、教師一人一人がなじめる研修としてくふうされてきつつあることは甚だ幸いなことである。

しかし実地授業の如き、研修の究極の目的は単なる技術的問題に終始するものではない。実地授業の研修にあつても、学習の定着、即ち学習の効果を忘れてはならないと言いたいのである。学力の向上と結びつくことのない授業研修は考えものである。

校内研修は継続して行なうことでその意味が加わる。しかもこのことは個々の教師からうきあがることなく、かつ実質的な効果をつみあげていくことのできるものとして貴重である。

目次

四十五分間の主軸をたてよう

指導主事　松田州弘

さる一月二十日教研大会中央集会の最後を飾る我妻栄先生の二時間近くの講演会は、その道の権威者だけあられて「権威による秩序と協力による秩序」という演題を、よく教師の立場にあわせて感銘深い講演を終えられた。

最初は家族の具体的な話から、だんだんと演題の中心を打ち出し、協力による秩序を理想の秩序とし、それを実現するためには、教育の働きこそ重要であると強調された。

これまで幾度か国家的権威者のお話を聞く機会を得たのであるが、その度に共通的に感じたことは、講演の筋動がはっきりして、かつその中心点が実に明確であるということである。長時間の話の中には数多くの内容がもられているが、それらは皆、次第に中心点に消化され、話が進むにつれて益々核心的なものが浮きぼりにされてくる。そして聴講者はいつのまにかその中心点を心の奥深くかみしめていく。それが「感銘深い」という現象であろう。そのような講演会の終りに連想するのは「五〇分の授業でさえ、中心をはずして失敗する時があるのに」ということである。

および教壇実践とそのような講演とでは比較する性格のものではないが、ある一つのテーマをどのようにすれば聴講者に理解してもらい、制約された時間内で効果的に行ないたいという点では共通であろう。公開授業でも教師が展開上の技巧に気をとられ、つい四十五分～五十分の中心点を充分生徒にとらえさせなかつたことを見うける時がある。研究討議の場合も、今何を協議しているかという点をしつかりわきまえたつもりで発言しても、結果的には方向をはずれてちんぷんかんぷんになつてしまい協議会は混乱させる時もある、また発言が協議題にされていることを司会者が気付かない場合があるし、気付いてもそれをたしなめようとしない司会者も見うけることがある。

生徒の学級会や生徒同志の話合いの場合は、発言意欲をそがないという点から敢えて許容する場合があつても差支えないと思うがすくなくとも、結果として何かをねらつている。教師の研修会では不必要な気がねではないだろうか。申すまでもなく、実験授業にしても、研究協議会にしても、司会運営に中心がぼやけていては、よい結果は決して生まれてくるものではない。

主題の中心点やそのねらいる足場として授業を展開し、テーマをめあてとして研究協議を行なうということは、ことあたらしいものでもなく、あたりまえのことであるが、実際にやつてみるとなかなかの業である。二時間余にわたる講演の内容に筋道を明白にすることが出来るのは、それについてのすべてをかみしめている権威者の力にほかならない。

主題の中心テーマを見わける力も、やはりそのことのすべてをかみしめることによつてのみ発見されることである。

研究授業の参観にあたつては、主題の内容に充分かみしめてたてられた立案者のねらいをしつかり理解してのぞむべきであろう。

展開の仕方も、教材の適否も、配列もも、すべては、授業のねらいに帰一して考察しなければ意味をなさない。

そのように常識化された教壇実践の研究でさえ、時には逆立ちしている場合があるし、ディスカションの内容についても、全く無関係のような事項や、さほどまで重要でないことに時間をかけることがある。最近教師の自主的な研究意欲や、教研大会の組織も加わつて、いろいろの形で同好会や研修会が組織され、活動していることは、大変喜ぶべきことであるが、マンネリズムにおちいることのないように用心したい。研究がすすめられるにしたがつて、テーマを開拓するための小テーマを分担研究する機会も多くなつてくると予想される。そのような傾向からしても、同好の教師が同じ意欲に燃えていることが、大切であるように、常に中心テーマにむすびついた研究がすすめられていくということも見おとしてはならない。四十五分～五十分の授業の中心点を明確にすることの重要さと、そのための展開や方法の一連の操作が大変むつかしいものであり、それは教育のための技術の一つだという意識をもつと強くもつことの重要さを強調した。

四十五分～五十分という教育の足場がコマの中心軸のように、その目標によつてつらぬかれ、軸を中心として回転しているのでなければ決してその目標はたたないはずである。

案外学力低下ということが、今の子どもたちにはりつけられたレツテルであるとすれば、案外そのような現象の鍵はこの軸のあたりにころがつているような気がする。

さて私のつたない意見のまとめ方が中心点からはずれていたかどうかは読者諸賢のご批判をおうけしたい。

校内研修の動向

——那覇地区の現状を考えて——

那覇連合区教育委員会指導主事
平良良信

△はじめに

子どもは教師のいのちであり、子どもの学力をつけていくには、「よい教育」が為されなければならない。そのためには、よい校舎も、よい施設も欲しいが、なかんずく、一番大切なことは、「よい教師」が、沢山いることである。

現在の沖縄教育において、現場教師の資質の向上をはかることは、その物的条件の整備充実と相いまつて、一層力を入れていかねばならない問題の一つであろう。

「よい教育は、よい教師の手から生まれる、」といわれる。それは、教えることが常に、自己を磨いていく尊い人間変革の過程を繰り返えしているからでもある。教師研修の大切な意義も、この辺にあるのではないだろうか。

△校内研修の価値

ところで、教師研修の機会や類型は、いろいろさまざまで、判然と類別することは、むづかしいが、学校内における研修（校内研修）と学校外における研修に大別することができる。

校外における研修には、文教局や琉大その他の各種教育機関による、講習会、研修会、講演会等多種多様であり、どちらかといえば形式的、理論的な傾向が強いのに対し、校内研修においては、教壇実践と結びつく、授業研究、教材実技の研修といつた実質的面の研修が主である。そういう意味で、確かに、校内研修の価値は、高く評価されなければならない。そのような観点から、校内研修について、今一度見直し、考えて見る必要があると思う。（もちろん、校外研修の価値を、低く評価しようというものではない。）

また、一方那覇地区においては、同好会研修活動も近頃、とみに活発になり、現在各教科の同好会が、殆んど結成され、研究会や研究授業も盛んに行なわれ、教師研修の大事な一翼をになつている。以下、主として校内研修会の動向について考えていきたい。

△校内研修の概況

那覇地区においては、各種同好会が盛んになつて来た反面、学校自体の自主的運営による校内研修については、全般的に未だこれからという段階である。新学期から計画的に実践し、その効果を上げている学校は極めて少ない。

昨年度より、地区内の申し合わせ事項として、毎週金曜日は、校内研修日にあて、他の対外的諸行事は、いつさい、持たないことにしている。この金曜日だけは、どの学校でもよく守られ、そのときどきで校内研修会や学年打合わせ会などがよく実践されている。更に、この十二月からは、月曜日、水曜日、金曜日とそのわくがひろげられ、対外的行事は主として火、木、土に持つように話し合われた。これについては、関係諸機関の協力を得て、実行に移していきたいと考えている。

これは、今後の教師研修の方向として、現場の自主性を尊重し、常に教壇実践と結びつく実質的研修に力を入れようという現場の教育実践第一の考え方として、もつと研究していかねばならない課題でもある。

次に、地区内二三の学校の校内研修の現状について考えてみたい。

△現場の実情

次にあげる学校は、近頃実施した学校訪問記録と一九六一年度学校要覧の中から抜すいし、その要点を記述することにした。

△開南小学校の場合

○学年研究会——・毎週、金曜日、教材の進度を打ち合わせ、教材研究、その他学年の具体的問題について、つっ込んだ話し合いが持たれる。

○学習指導計画の作成——・学年による横のつながりと、教科による縦の系列を組み合わした研究組織。
・道徳教育年間指導計画の作成
・給食指導要綱

○校内公開授業——・一学期二回程度
・主として教科指導主事の学校訪問の機会をとらえて実施。

○校内実技研修会——・技術指導を要する教科についてベテランの主任級の教師が中心になつて実施。
・音楽科（楽器の取り扱いについて）
・図工科・理科・体育科等

なお、この学校には、去る十一月十六日、たまたま学校訪問を実施した際、六年生担任、K教諭による理科の校内公開授業が実施された。ひき続き研究会が持たれたが、終始真剣な研究討議がなされ、理科指導の問題点の幾つかが話し合われ、すばらしい校内研修の機会を持つ

ことができたことを付記しておきたい。

△神原小学校の場合

○授業研修会実施計画（研究部単位に実施す）

・六月二九日（木）国、算、音、図
・九月二八日（木）国、算、音、社
　理、図、道
・十月十二日（木）国、算、音、社
　理、図、道
・十一月三〇日（木）国、　、音、
　社、理、図、家、体、道
・十二月十四日（木）国、算、音、
　社、理、図、家、体、道
・一月二五日（木）国、算、音、社
　図、体

この計画とともに、各部の目標が設定され、年間を通して努力が続けられる。その一部を次に掲げてみたい。

○国語科
・説解と思考力。
・年間学習指導計画の作成検討。
・研修授業の継続
・教材の類型による指導形態の確立。

○社会科
・地理的学習内容の限界
・教育委員会篇「年間学習指導計画」の実践と検討。
・研修授業の実施
・指導形態の確立、・指導の研究
・資料の収集とその活用。・備品の充実。

○算数科
・文章題の指導。
・年間学習指導計画の作成、検討
・研修授業の継続
・指導形態の確立

○理　科
・科学的思考と実験観察。
・教育委員会篇「年間学習指導計画」の実践、検討。
・研修授業の実施。・指導書の研究。
・理科環境の整備。・指導形態の確立
（以下紙面の都合で省略）

△上山中学校の場合

年間行事計画の中に研究調査の項目を設け、新学期に計画し、毎月それぞれの教科について校内研究授業を実施するようにしている。その他各種調査、作成等も実施している。教科の研修にあたつては主として学年のわくをはずし教科担任をグループとする研究組織を編成して実践している。

○年間教育行事計画、（研究調査）
四月・基礎学力調査
　・図書館教育カリキユラムの研究
五月・一年数学研究授業
　・家庭科、繊維標本の作成
　・性格調査
六月・二年、理科研究授業
七月・三年、英語科研究授業
九月・各学年臨時研究授業の実施
　・道徳教育の理論的研究
十月・三年、保体研究授業
十一月・一年、社会科研究授業・一年理科研究授業・家庭科、乾物の標本作製
十二月・二年、国語研究授業
一月・三年、図工研究授業
二月・二年音楽研究授業
三月・進路指導

△授業研究の動向

校内研修の中心は授業の研究である。

校内公開の授業研究にあたつては、先ず部員による自主的計画をなし、そして教材の共同研究につづいて、指導計画を全メンバーで話し合い、みんなの責任で協力して立案する。授業者も話し合いによつて、あるいは輪番で、あるいはくじで、和やかな雰囲気のうちに決められ、その準備にとりかかる。

残りの者は、それぞれ記録係、資料係準備係などと協力者として仕事を分担する。

授業観察も、学習過程を克明に記録し、その記録をもとにして分析的に考え授業構造を科学的にとらえ、その傾向性や法則性を抽出していこうとする新らしい方法によるようになつてきた。すぐれたひとりの教師による、華やかな流れるような巧みな授業を見て「ああ！素晴らしかつた、だが私にはとてもできない」という授業研究のあり方ではなく、はた目では、あまりじようずでなくても、教材の本質がとらえられ、子どもの実態を正確につかみ、子どもが生き生きと活動し、子どものいのちが磨かれていく授業、しかもその中にみんなの問題があり、みんながプラスになり、誰にでもできるような授業研究でありたい。それはひとりの百歩前進ではなく百人の一歩前進を意味するものでもある。

△問題点

校内研修の実施反省を通して、実際運営上いろいろな問題があるがその二三を記しておきたい。

・校内、校外を通して、現在行事が多過ぎて研修の時間を見出すのに精いつぱいである。
・教師の校内研修の意欲を育てるにはどうすればよいか。——一般に公開授業をあたるのは好まれないので全員実施へ踏み切るにはもつと研究しなければならない。
・教科主任に適任のベテランがおれば、スムーズに進められるので組織作りも大切。
・職場の人間関係の問題——お互いが安心して授業や学級を見たり、見せたりできる、民主的な雰囲気を育てることなど。

△今後の課題

以上の問題点から、校内研修のあすの課題として次の三点を掲げこの稿のまとめにかえない。

1. 教師の自主性を育てる

従来の研究活動の中には、教師の好むと好まざるとにかかわらずいろいろな形でおしつけられ、マイナスになる傾向もなかつたとはいえない。現場における研修のよさは、教師のひとりひとりの自主性がじゆうぶんに生かされ、地道ではあつても、ほんとうの問題意識の上に立つて、自由な研究の雰囲気と教師の良識から生まれるものでなければならない。

2. 子どもの力を伸ばすために

校内研修の中心が授業であるならば、その研究活動のねらいは「子どもの学力を如何にして伸ばすか?」という問題ととつ組まれるものである。子どもが忘れられ、授業がショー（芝居）になり、理論のための理論が戦わされるようでは本末転倒である。校内研修の営みはあくまで子どもの力を伸ばし、子どものたましいを磨く純粋な動機からの出発でありたい。

3. 職場の仲間づくり

校内研修の成否の鍵は、その職場体制の如何によるといわれる。すなわち学校運営の民主化である。職場における仲間同志の明かるい人間関係である。——温かい人間的雰囲気、明かるい話し会い、理解、協力、責任……そのような素地の上に営まれる研修は実を結び、子どもが伸びる。そこに教師としての生きがいも湧く。大きな仕事をなし遂げるには、やはり「人の和」が第一の出発点であると思う。

校内研修の動向

＝南部連合区＝

指導主事 与那嶺仁助

一、研修ということ

画期的な教育課程改訂等に伴つて、最近「研修」ということばがさかんに使用されるようになつた。研修の問題は、教育者の生命につながる重要なことがらであつて、さかんに使用されるようになつたのは、やはり教職者としての自覚の高まりと、自主的な研修組織や体制が、戦後十数年を経て、ようやく軌道に乗りつつあることを示すものであろう。

そもそも、研修ということは、研究と修養との二面をもち、それらを総合し表現したのが研修である。研究とは、その発想が個人であろうが、グループであろうが、ある問題点に対する究明の活動であり、修養とは、グループ等で協同的活動が行なわれたとしても、本質的には個人の生活、個人の意識の発展を意図する自主的な活動である。従つて教職員の研修は、修養することによつて、教師としての職責を遂行するにふさわしい個人の完成を目指す一面と、研究活動によつて専門家としての技術、識見を高めるという一面とがある。

二、校内研修の動向

管下の各学校から、現職教育計画を報告してもらつてその動向を検討したのであるが、学校規模により、学校種別により、地域の環境等のいろいろの条件によつて、研究の方法、研修の内容が異り、南部連合区として一括してこの方向だと示すことができなかつた。それだけに各学校では、じつくり子どもをみつめ、子どもを支えている諸条件の上にたつて研修を計画し、実践していることと思つたのである。そこで小学校、中学校、離島の併置校からそれぞれ学校規模の大きい学校、小さい学校各一校ずつ、比較的特色のあるものを掲載してみたい。

(一) 小学校

職員数　男五名　女八名　計十三名　事務職員なし

1. 授業研修会時間配当

曜日＼月別	五	六	七	九	十	十一	十二
第二木曜		四ノ2	二ノ1	五ノ1		四ノ1	三ノ1
〃四〃	三ノ2	六ノ2	二ノ2	一ノ1	五ノ2	一ノ2	六ノ1
備考	二ノ2、六ノ1は第三木、三ノ1は第二木						

・隣学年（低、中、高）に分かれ全職員、全教科実施

・標準テスト（学研社）実施により診断に基づく指導法の研究

◎ねらい　（毎月行なう）

・教具の活用……視聴覚教材教具の活用研究
・資料収集……資料の収集、教具の作成

2. 学年会……毎週水曜日
・教材研究、進度打合せ、教壇実践上の問題研究
・教室経営、資料収集、教具作成の研究
・児童の生活指導に関する研究

3. 合同研修会……第三木曜日、その他必要に応じて
・教育諸行事に関する研究
・指導要領に関する〃〃
・標準テスト、指導者に関する〃〃
・指導要録〃〃
・P、T、A活動、教育隣組に関する〃〃

4. 研究時間のとり方
○印は教師個人研修にあてる。

㈡ 小学校

職員数 男十名 女二十三名 計三十三名 事務職員 一名

曜日＼週別	第一週	二週	三週	四週
月	○	○	○	○
火	主任会（衛、住、学級）	主任会（音、特活）	○	○
水	学年会	〃	〃	〃
木	合同研修会	授業研修会	合同研修会	授業研修会
金	○	○	○	○
土	同好研修会（国、理、体、職）	同好研修会（社、数、図工、英）	○	○

月	旬	研究主題	研究問題
4月	上〃〃中下	○学校運営の計画について	○本学年度の教育実践目標 ○年間計画の確立 ○校務、事務分掌 ○各教科の年間計画 ○家庭訪問のあり方について
5月	上中〃下	○特活運営計画について	○道徳実践の反省討 ○学級会、児童会、クラブの活動計画 ○職業教育計画 ○保健衛生の実践計画
6月	下中上	○学級経営について	○学級経営案の検討 ○教室経営の研究 ○器楽の研修
7月	中〃〃上	○夏休みの対策	○授業研究会 ○安全教育について ○水泳教室の実施計画 ○夏休み中の生活指導について
8月	上	○自己研修	○校内トレイニングセンターの実施計画 ○（夏季認定講習会） ○指導要録の記入法
9月	〃中〃上	○生活指導の強化	○作品展示会の実施計画 ○規律生活の強調 ○運動会ののぞましいあり方について ○授業研究会
10月	中上	○体育行事の持ち方	○運動会の実施計画と反省 ○校内競技会の持ち方について、
11月	下中上	○学習指導について	○読書指導について ○実験器具の取扱いと天体観測について ○授業研究会
12月	中上	○教研地区集会	○教研集会の参加について ○授業時数と目標時数との関係
1月	中上	○学芸会の持ち方	○学芸会の計画と練習について ○授業研究会
2月	〃中〃上	○年間計画の調整	○三五週確保のための補充計画 ○指導要録の整備について ○授業研究会 ○卒業式のあり方について
3月	下中上	○本学年度の反省と新学年度の計画	○総合年間計画の反省と検討 ○新学年度の教育目標 ○入学式のあり方について

㈢ 中学校

職員数（男 八名／女 五名） 計十三名
事務職員 一名

一、現職教育の目標

1. 教育に関する理論の研究
2. 教職員の一般教養の向上
3. 指導技術校務の能率的増進

4. 諸問題の解決

二、現職教育の方法

1. 全職員の研修
2. 自己研修
3. 教科研修会
4. 委員会研修会

三、研究機構

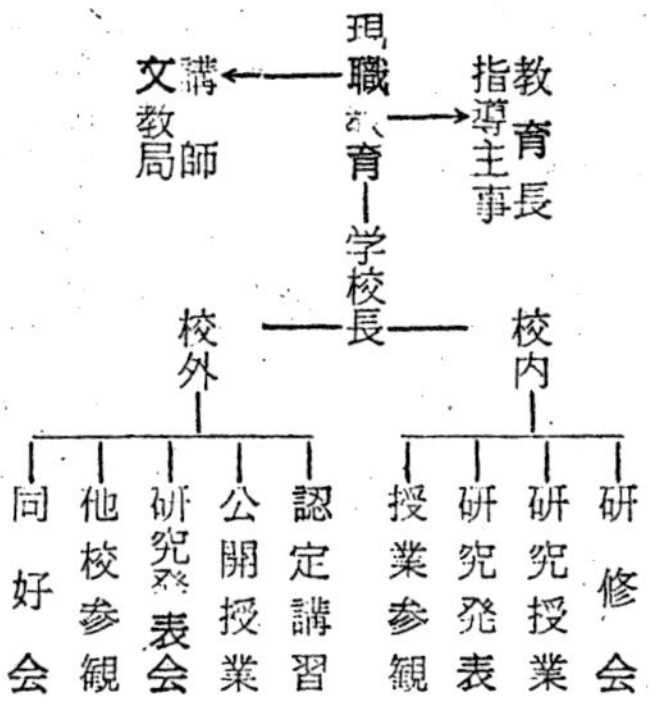

月	研修内容	運営
4	○学校経営について ○教職員の服務について ○学校給食について	運営委 保健委
5	○生徒会について ○生活指導について ○学級活動について	全員
6	○特活について ○授業研究会	全員 個人
7	○対抗競技会について	全員
8	○夏季講習受講	個人
9	○運動会のもち方 ○学校保健について	体育部 保委会
10	○授業研修会 ○進路指導研修会	個人 主任
11	○学級経営研修会	個人
12	○教研地区集会参加 ○個人研究発表会	全員 個人
1	○教研中央集会参加	全員
2	○他校PTA活動視察	全員
3	○実験学校発表会参加 ○修卒業式のあり方	全員

㈣ 中学校

職員数 男 十二名 女 六名 計 十八名

事務職員 一名

1 現職教育の内容としては、教科学習指導法の研究、教職教養、一般教養等考えられるが、本校の計画立案にあつては、校内現職教育を指導技術の研究と教師が毎日の勤務において当然処理していかなければならない教育活動との二つとし、これらの研究活動を漫然と行なわないで、周到な計画による実施、反省評価を通して現職的に成長しようと考えた。

2 毎週木曜日を研修日とする。

月	四	五	六	七	八	九	十	十一	十二	一	二	三
学校行事	入学式 始業式 身体検査	家庭訪問 校内球技会 遠足 クラブ結成式	地区球技会	終業式	夏期休暇	始業式 短縮授業	体育祭	文化の日	島研集会 文化祭 終業式	新年祝賀式 始業式 校内マラソン	記念植樹	高校入試 卒業式
現職教育の主題	教育計画の樹立と 生徒会の組織	生徒指導の強化	道徳教育の強化	夏期休暇の対策		生徒会指導の強化	特活指導法の研究	学習指導法の研究	進路指導		評価	評価
研究問題 討議	学校運営上の諸計画 学級活動年間計画 家庭訪問の計画 生徒会の組織について	校内球技会の持ち方 修学旅行の計画実施 学級活動について (生活グループ編成、進路指導) クラブの組織編成	○身体検査、体力測定の結果利用 ○道徳教育カリキュラムの検討と指導方法 ○クラブ活動の年間計画	夏季休暇中の活動計画	校内トレーニング	校内体育祭の計画	体育祭の実施、反省	読書祭 文化祭の持ち方について	進路部職指導について	特活生徒の事例研究	生徒会活動の反省と評価 生徒個人評価の決定	本学年度の反省 来学年度の学級経営計画の樹立
研究問題 授業研究			○授業研究会 国語、数学 英語、職家				○学級活動研究会 一年、二年	○授業研究会 理科、社会 保体				

(五) **離島の併置校**

職員数（男　四名 ／ 女　四名）　計　八名
事務職員　一名

月	週	曜	研修・事項
四月	第三、四	木	年間計画樹立、一人一研究テーマ決定研修方法
五月	第二	〃	事例研修会
	第三、四	〃	指定講習伝達、新指導要領の研修
六月	第二、三	〃	同一テーマ「複式学習指導について」の研修会
	第四	〃	研究、授業
七月	第一、二	〃	新指導要領の研修会、事例研修会
	第三	〃	研究授業
九月	第二	〃	新指導要領の研修会
	第三、四	〃	「複式学習指導について」の研修会
一〇月	第一、三	〃	問題解決研修会
一一月	第一、三	〃	研究授業、事例研修会
一二月	第一、三	〃	「複式学習について」の研修会
一月	第一、二	〃	一人一研究発表会
二月			くりかえ授業により他校参観

なお研修会の時間をうみだすために次のようにしている。

旧糸満地区では毎月
第一、第三水曜日は校内研修会（午後三時から）
第二、第四水曜日は三時頃から地区内の同好会
授業研究の場合は午後一時頃から行なう

旧知念地区では毎月
第一火曜日　学級経営、道徳の同好研究会
第二火曜日　音楽、特活の同好研究会
第一土曜日　保体、職家、国語、理科の同好研究会
第二土曜日　社会科、数学、図工、英語の同好研究会
毎週木曜日　校内研修会
以上午後三時頃から実施している。

三、校内研修についての問題点

教師は、児童、生徒にとつて自由に選ぶことができないことを自覚して、たえざる研修に努めなければならない。また子ども達の魂をとらえ、高い理想にもえさせるものは、実に教師の深い学識と豊かな教養と専門家としての技術にある。ところが研修にとつくむためには次のような問題点があり、それぞれの関係者の一層の協力と努力とが望まれる。

1. 各種研修会の重複をさけ、整理して重点的に実施すること。
2. 研修と教育実践との直結をはかり、研修の成果を実践に生かし、研修は日頃の実践を足場にしてとつくむこと。
3. 学校内に研修的な雰囲気をつくりだすこと。その日その日を充実させるために常に課題をもち、ちよつとの時間でもお互いが語り合い話し合うようにつとめる。
4. 事務の能率化、簡素化につとめ研修時間を生みだすようにくふうする。
5. 教員の　定基準を高める一方、事務職員を全学校に配置して研修にとつくめるように努力する。
6. 旅費、研修費の捻出と効率的に使用する。
7. 教職員の参考図書の整備充実をはかる。

※地区内の理職教育の為の予算を示する次のようになっている。

○理職教育費

	小（13校）
なし	2
十弗	1
十一	1
十八	1
三十	1
三十五	1
六十	3
七十	1
百	1
九十三	1

	中（8校）
なし	3
十一弗	1
十五	1
三十	2
百三十	1

	併(2校)
なし	1
三十弗	1

○ 教師用図書購入費

	小(13校)
三十弗	2
三十六	1
三十八	1
四十	1
五十	4
六十	1
七十	1
百	1
百七十二	1

	中(8校)
十弗	1
十二	1
二十	1
五十	1
九十九	1
百	1
百十	1
百五十二	1

	併(2校)
なし	1
五十弗	1

(南部連合教育委員会　指導主事)

研修の動向

宮古連合区　譜久村寛仁

一、こどもぼつくなろう

といつても政治に無頓着であれ、経済的自立の方途を考えるな、社会的地位などを気にするなということではない。社会的職業のしくみになつている現実の職種から見た教育の分野にはこどもぼつくなる機能の場面が多く見受けられるという意味からである。

教員の相手は子どもです。教員が大学で学んだことや、高遠な理想を知つているだけぶちまけても子どもらはわかるはずはないし、燥感をもつて大きな声で教師がわめけばかえつて子どもはソツポを向くであつて、良寛は子どもらとかくれんぼをして子どもらにに見つけられはせんかとひやひやして夢中になつてかくれたとか。そのかくれ場をおとなびいた考え方で子どもらの生活圏外に求めたとすればどうなつたでしょう。子どもらとの遊離！、このようなことが時折見られる。○ガヤガヤ学級、○オシツケ学級、○放任された学級、○無規律な学級など種々の姿であらわれる。そういう学級のありさまが多いというわけではないが、子どもらと遊離しないためにひとまず次のようなことを教育学に求めねばなるまい。

(1) 子どもらの心身の発達の段階を見定める。

(2) 子どらひとりびとがとりまかれている生活環境の実態を把握する。

(3) 子どもらの諸能力を科学的に診断する。

(4) 具体的な身近かな経験や事象をふまえて指導する。

(5) 趣味に即した教育、興味や関心を高めて継続的に学習する態度を育てる。

(6) 正しい人間関係を形成する。

など、そのような方向へと方向づけるのが指導行政のねらいでもあると思つている。

次の表は本年九月に実施した全国学力調査の結果を問題別に見た正答者数の全体に対する割合である。

小学校全国学力調査の問題別の正答者数(算数科)

問題		正答者数	%
一	一	一〇七九	五二・三
	二	八四五	四〇・九
	三	五九八	二八・九
	四	六四七	三一・三
二		八〇五	三八・八
三	一	五六九	二七・四
	二	七六七	三七・〇
四	一	六八四	三二・九
	二	九二六	四四・七
	三	七九五	三八・三
	四	八五二	四一・二
五	一	一五四	七・三
	二	二七二	一三・三
	三	一〇九	五・三
六		二〇三	九・八
七		三二四	一六・四
八	一	一六二	七・五
	二	七〇	三・三
九	一	八一九	三九・六
	二	八七〇	四二・〇
一〇		一五一	七・三
一一	一	四五九	二二・五
	二	一一三	五・三
一二	一	一〇五	四・九
	二	一六八	七・七
一三		六二六	三〇・二
一四		一二〇	五・八

問題	正答者数	%
一五	四一一	一九・九
一六	一八〇	八・七
一七 A B	五二〇 三六八	二五・一 一七・七
一八 一 二 三	五二四 二一五 四八三	二五・三 一〇・八 二三・四
一九	二〇八	一〇・〇
受験数 総点数 平均	二〇六五人 四二二七四 二〇四一	前回（二二、七）

（国語科）

問題	正答者数	%
(一) 一 二 三	一六一二 六五四 四四〇 五一八	二六・一 三一・七 二一・三 二五・一
(二) チコ 製造 工場 へ 見学 いった 案内 説明	四六一二 五四五 九七 六八九 一〇二三 七七二 六九五 三八五 四〇六	二七・一 二六・四 四・七 三三・〇四 四九・六 三七・四 三三・七 一七・六 一四・八
(三) 一 二 三	一六二三 四七一 四八〇 六七二	二二・八 二二・八 二三・二 三二・五
(四) 一 二	一一七八 六七四 五〇四	二八・五 三二・六 二四・四
(五) 一 二 三 四	三九五七 一四一四 九四四 五九八 一〇〇一	五四・二 六八・五 四五・七 二九・〇 五八・五
(六) 一 二 三	二一八三 七三五 七九四 七五八	三六・六 三五・六 三八・五 三六・七
(七) 一 ア イ 二	一七三六 二一九 七四九 七六八	二五・一 一・六 三六・三 三七・二
(八) (一)(二)(三)(四)(五)(六)(七)(八)	六三九七 七〇八 七三四 五九四 三八八 六一九 一〇二四 八九三 一二一〇	三六・一 三四・三 三五・九 二八・八 一九・八 三〇・〇 四八・三 四三・三 五八・六
(九) 一 二 三	一七九三 七三二 四〇二 六五九	二九・一 三五・四 一九・五 三二・二
(十) 一 二 三	一五二三 八〇六 三二〇 五四〇	二三・五 二九・〇 一五・五 二六・一

なお本年の五月、小中学校全児童生徒を対象に実施した知能テストの結果を指数段階別にみると次の表の通りになつている。

知能偏差値の段階別の人員の割合（小学校）

学年	全人員	75以上	74～65	64～55	54～45	44～35	34～25	25以下
1 年	1,719人	0	36	410	349	322	480	122
	%		1.1	23.9	20.3	18.8	27.9	7.1
2 年	1,583人	4	11	97	452	409	355	254
	%	0.2	0.7	6.2	28.6	25.9	22.4	16.1
3 年	1,513人	3	32	128	371	458	346	175
	%	0.1	1.1	8.5	24.5	30.2	22.9	11.6
4 年	1,388人	4	10	56	163	337	427	391
	%	0.3	0.7	4.0	11.7	24.3	30.8	28.1
5 年	1,561人	0	19	83	202	407	425	425
	%		1.2	5.3	12.9	26.0	27.2	27.2
6 年	1,385人	1	4	62	205	394	363	356
	%	0.1	0.3	4.5	14.8	28.4	26.2	25.7
計	9,148人	12	112	836	1742	2327	2396	1723
	%	0.1	1.2	9.3	13.9	[illegible]	[illegible]	18.7

この外に具体的な統計を見れば種々の課題が伏在しているので今後の対策をたて次のような努力目標を定めたのである。

知能偏差値の段階別の人員の割合（中学校）

学年	全人員	75以上	74～65	64～55	54～45	44～35	34～25	25以下
1 年	1,307	12	26	89	266	450	341	123
		0.9	1.9	6.8	20.4	33.4	26.1	9.4
2 年	1,227	1	35	124	333	404	247	83
		0.1	2.9	10.1	27.1	82.9	20.2	6.8
3 年	758	5	14	59	195	286	153	46
		0.7	1.9	7.8	25.9	37.7	20.2	6.1
計	3,292	18	75	272	784	1140	741	252
		0.6	2.3	8.6	24.1	36.2	22.5	7.9

三、本学年度の努力目標と研究松

1 学力の向上をはかる　砂川中学校

2 科学技術教育の強化　下地中学校

3 生活指導の強化　上野中学校

4 健康教育の強化　佐良浜小学校

5 学校環境の整美　久松中学校

6 社会学級青年婦人学級の促進

努力目標をかかげても、マンネリズムになりがちだ。それには予算の裏付けがないからだとの意見が出たので各教育委員会から百弗から二百五十弗研究費を出すことになり、研究校は来年三月までに発表することになつている。

四、指導行政の強化とその活動

1 専任指導主事

2 兼任指導主事の委嘱

小学校算数、中学校数学、理科小中、体育小中、音楽小中、図工小中、道徳小中、技術中、家庭小中、英中、社小中（へき地の教育を強化するため伊良部区専従）の十一人を委嘱し、専任指導主事は社会国語の教科の外学校学級の経営進路特殊学級などの分野をうけもつ

兼任指導主事は主として指導法の改善や教材の研究に力を入れ時には公開授業を行なうようになつている。

3 教科研究委員の委嘱と活動

小中学校別、教科別に一教科五―六名委嘱し各教科の研究センターとして活動し教科カリキユーラムの作製や指導法、教材を研究して研究のデーターを各学校に流してその実験研究をする。

小学校教科研究委員は既に新教育課程による教科カリキユーラムを作製して各学校に配布した。まとめて見ると五千四百冊、紙数十五万枚という莫大なものになり、六五〇弗の経費となつたので一冊十七仙で全教員に分配した。

中学校教科研究委員は来年の四月までにカリキユーラムを作製する計画で、教科別、単元別にカリキユーラム作製要領で指導案をたて、実際の授業とかみあわせて研究を進めている。

4 同好会の組織運けい

教職員会の事業を推進する母体として全教科ともに組織され自主的な計画によつて活動し成果をあげつつある。最近の活動の特色といえるのは。

1 学年別単元別に綿密な計画で公開授業をもつている。

2 公開授業に参加する場合は必ず指導案を持ちより比較究をしている。

3 研究の結果を広く他の教員にも流し横の連けいをとつている。

四、民主主義は十六才です

終戦直後「日本の知性は十二才だ」と言われていたようだが今では十六才にまで成長している。二十才以上の成人になつているぞと反ばくされかも知れないが社会のあらゆる方面に民主主義的諸政策がまだまだ実現されていないからである。ノーワーク、ノーペイ、は原則であるがワーク、ノーペイという働いても無報酬の事実なども見られるからである。では十六才とはどんなことだろうか、その一つは三遠主義からの脱皮であり、もう一つは男女七才にして席を同じゆうせずとの東洋意識からの解放である。

1 どの集会でも論談風発、建設的な自分の意見を開陳し、他人の話をきき正しく批判する態度が見える。

2 女教員も奮起一番というところで、男教員にまけず進んで公開授業も引きうけ、その他意見を交換する広場を求めている

僅かな民主主義のとらえ方ではあるが積極的な研修態度を持つようになつたことは自由や平等の要求を満たしつつ一歩一歩と進んでいることを物語るものである。わからない者に話せるはずはない。話せない者は実践する迫力に欠くところがあるだろう。不言実行という古語は有言実行というように止揚されて認識と実践との一貫性を求める筋道を追求している。学者たちの研究の方向もそうであろうが教員は地についた実質的な動き方をしてうまい具合にあらゆる能力を伸ばし、建設的に幅広い領域にわたつて実践する主体的な子どもに育てようとしている。これが宮古の教員の姿のようである。

五、研究の機会ともち方

1 研修の機会

△校長会と教頭会

校長会は毎月一回で従来事務の連絡に流れがちであつた集会を諸問題についての研修会の持ち方に改め、事前に研究し資料を提供する意味で適任者に発表させその後審議する。教頭会は毎学期一回、事務指導行事等の実践後の反省を主とし方た持ちで進んでいる。

△校外研修日

第一第三の水曜日の午後の時間を校外研修日にあて、同好会、教科研究委員会、隣校研修会などを行ない横の連絡をとつている。

△校内研修日

第二第四の水曜の午後の時間をとり各校独自の計画により授業研究教材研究を行なうように方向づけている。従

づて授業研究を行なうように方向づけている。従つて授業研究する学級の外は自習をさせるという授業時数のロスがなくなつた。

⑧ **研修会の持ち方**

△指導主事の学校訪問

小中学校三九校を各校とも年三回は訪問する計画をたて毎月予定に従つて訪問している。

○事前に資料を提供する。

○五分や十分間の一般授業参観でなく教科を指定して公開授業を行ない後検討する時間を充分もつようにしている。

○公開授業はその校の教員または指導主事が行つて指導の流れのもち方や授業の比較研究をする

△兼任指導主事

校外研修日に各校の要請により学校を訪問し実践面の強化につとめている。

3 ブロック別の研修

学校をあちこち訪問すると学校よりよりの話し合いはできる。それも年二ー三回のことで、粒よりのよい研修が一校だけで行なわれ他校への示唆がなければ他校への好えいきようを大きく期待することはむづかしいそれで地区全体を四区に分け合同研究をする方法も行なつている。

○その場合科別に班をつくり十三名の指導主事が助言者となる。

○教材、指導法の研修、教員の研究や作製など。」

○会場は地区日の適当な学校第二学期中に全ブロック完了する予定

六、現場の声

1 教室が不足しているのをどうするか。

2 施設が不揃いで生徒実験なんて出来ない。

3 ヒマがないので困まつている。

4 コンクール、ポスター、外部からの行事の持ち込みや、金銭集めなどで余計な時間をさかれてしようがない。

5 産休、結休以外の教員の欠勤の場合の補充をどうするか。

6 受験生の指導もやらねばならない。

7 教員給料をあげた方がよいか。教員数をふやした方がよいか検討する必要がある。

など現場の表情は複雑である。このような表情は宮古地区だけの問題ではないでしよう。ヒマがないとは毎月六ー七時間の授業を終えたら四時過ぎになる。それからのあれこれやつている中に五時になる。一体明日の準備を何時やらねばならないのか、ほんとに忙がしいようだ、超勤手当をくれたとしても教員の体はもちこたえられない程である。それではどうするか、超勤手当はもらえそうもないし、時間の余裕はない。それかといつて明日の準備を放棄するわけにもいかない。何とかしなければならない。では企業経の近代的なしくみを学校学級経営にも取り入れたらどうか、即ち時間の合理的な経営と教材研究の質を高めるために、その一例として次のようなことをすすめている。

1 教科を教員で分担して研究し指導案をたて他の教員にも提供する。これで教員ひとりで全教科を調べねばならないという不便さがなくなり質的な高まりが得られる。

2 時間割の編成を同学年は同日のちがつた時間に指導する。五年の理科をA組は二時限にB組は三時限にとるようにしてA組の教師が準備し指導した備品教具をB組の教師は受けついで第三時限に使用する。

このようなことなどを克服してもなお残る問題はすし詰め学級と教員の適正な人員ということである。これらのことが解決できなければ殊に中学校における新教育課程による経営は困難であろう。

七、ウサギバンザイ

身体的に成熟度が早まつていることは世界的な現象のようで宮古の子どもらもそうなつているだろう。身長も伸びたなど体質の変化があるならば、その心質も変りつつあるようだ。

○高良とみ氏がソ連の子どもにウサギとカメとのかけくらべの話を聞かしてどちらがよいかと聞いたら、ウサギが好きだと叫んだそうだ。その理由は

○ウサギは走るときには一生けんめい走り休むときにはグッスリ休んでいるから。

○カメはウサギを起さなかつたからいじわるだ。

とのことだつたようだ。

ORBCの歌のプレゼントの放送の時間にある中学校の女生徒が他校のお友達へ「ギターを持つた渡り鳥」の歌をプレゼントしていた（これは宮古の子どものこと）

カメの行動を謳歌した勤労主義よりウサギの行き方を好む子どもはあながちソの連子どもばかりではないでしよう。物の考え方や観方はこのように変化しているようだ。即ち価値観の質の変化だといわねばならない。

ギターを持つた渡り鳥の旋律を好むようになつた女生徒は体全体でリズムをとつて楽しんでいる。希望のささやき、四つ葉のクローバなどのクラシツクな歌を耳で聴いて情操を育てようとする学校音楽からはほど遠いもので情感も質的に

変化しつつあるようだ。このように変化しつつある子どもを意図的に教育しようとする学校教育とマスコミ等との課題が問題として伏在しているのを見聞きするとき教師の教養の問題、研修の方向も見なおさなければならない気がする。新旧の激突これは学なる表面上の問題だけではないようです。ではどうするか。三千頁読破運動を提唱したのは田中指導委員でした。その運動の促進をうけつがねばと思つている。

校内研修の組織と運営

仲西小学校長　平良利雄

「よい教師、よい校舎、よい待遇」は学校教育前進の為の必要な条件である。

よい教師とは、豊富な知識と愛情、素晴しい教育技術を持ち、学校運営に建設的な見識と協力を吝まない教師である。その為、各学校に於て最も重視されねばならないのは校内研修の組織と運営であろう。

此度研究調査課からこのテーマで何か書いてくれとの命を受けて私は困惑した。然し乍ら私達がやつているものは、極めてありふれた組織と運営ではあるが読んで戴いた方から遠慮のない指導と助言を受けるチャンスを与えて下さつたものと感謝をし、筆をとつた次第である。

先ず私は職員室を和やかな而も研究心溢れる雰囲気醸成する為に次の文章を「座右の銘」として、職員会議室の入口に掲示してある。

これは三年程前、「文教時報」にあつた文章だが私達学校職員に大きな示唆を与えるものとして、大切にしている。

「水の性」

※自ら活動して他を動かしむるは水なり

※常に己が進路を求めて止まざるは水なり、

※障害にあい、激して、その勢を百倍し得るは、水なり、

※自ら潔うして他の汚れを洗い、清濁併せ容るの量あるは水なり、

※洋々として大洋を充て、発しては蒸気となり、雲となり、雨となり、雪と変じ霰と化し、凝つては、玲瓏たる鏡となり、而もその性を失わざるは水なり

私達はこの「水の性」の如く、校長が教師が或は部長が立案計画して、一人じたばたするのでなく、皆に呼びかけて皆の協力を得ると同時に、自らも卒先垂範理論倒れにならず実践に移すことであり、全職員児童が何か夢を抱いて目標を決めて、前進の為に精進し、あらゆる困難にも挫折することなく、敢斗精神を燃やし、紆余曲折幾多の困難にぶっつかっても叡知と努力によつて勝利の道を見出して行くことであり、時に職員会議で口角泡を飛ばして討論するにも常に冷静にして自己を失わず理想の彼岸に達すべく前進躍進しようとの誓である。

知識を豊富に、愛情備わる指導技術は教師として重宝なことである。その為、本校では、各教科指導書の外に日刊総合教育技術（学校用一冊）各学年別教育技術（月刊一冊宛）学校図書館並に教師用参考図書や沖縄の日刊二新聞を購入してこれを活用している。尚地区の各教科の同好会諸研究会、発表会や大学の夏季講座等に積極的に参加して教師としての教養を身につけるべく精進している。更に金曜日は那覇地区全体、校内研修日として、学校独自の研究集会を持つているが、去る十月二日の地区校長会に於て、金曜日だけでなしに、月、水、金は、校外行事を無くするよう教育長、文教局長教職員会長、同好会長等に要望し、最も効果のある校内研修日の確保に努力している。

ではこの辺で本校の研修の組織と運営について述べてみたい。

校長
　｜
教師
　｜
企画委員会（各部主任、学年主任）

- ○各部研修会（生活指導部　特活研究部　保健体育部　など一〇部設置）
- ○職務会（第一金曜）
- ○教科別研修会（第二金曜）　各教科別六～七人　各学年から一人参加
- ○授業研修会（第三金曜）　全職員一回はやる　全教科、全学年に亘る
- ○学年会（第四金曜）　一、二、四年　九学級宛　三、五、六年　八学級宛

各部研修会は一〇部設置しその一つを示すと次の通りである。

△生活指導は

1 生活指導全般に関すること
2 道徳教育に関すること
3 児童の安全に関すること
4 週番活動に関すること
5 遺失物、拾得物の処理に関すること
6 子供会、活指導部に関すること

その他の部も研究内容が示され、定期的に開くのでなく学校行事やその他必要に応じて集会を持つて討議する。

次の四つの集会は、下記説明の通り定

月金曜日に定例会を持ち（必要に応じて臨時にも開催）記録に残して校長(教頭)に提出して貰っている。

記録に残すことは私達の研修の歩みを知ることが出来るし、又過去を反省して将来への計画を立てる資料として貴重なものである。

○職務会の持ち方について、一昨年は週番職員が議長団となつて、司会をして貰つたが、最近は殆ど教頭で司会をしている。

○教科別研修会は、各教科別に各学年の教科主任が集まる会合で施設備品や教科指導上の問題点について話し合い、尚も納得がいかなければ地区の指導主事又は文教局の主事の先生方の指導助言を受けることにしている。尚先に行われた文部省テスト（六年生の国語、算数）の結果について検討し問題点に児童の抵抗を感じている点を見出し対策を講じている。

○学年会では学年度始めに各教科の年間教育計画をたて、学級経営、教室経営について話し合い毎月の定例会では月並テストの問題や教材進度の打合せ並に毎月実施する研修授業について話し合っている。

○校内研修授業について今年度の計画は次の通りである。

	一年		二年		三年		四年		五年		六年	
六月	体	九組 当山	音	七組 宮田	理	一組 石川(盛)	体	六組 与那嶺	算	三組 仲嶺	理	二組 下門
七月	図工	一組 稲嶺	図工	三組 具志堅	図工	八組 太田	道	二組 宮城	体	十組 糸数	算	四組 宮平(初)
九月	道	二組 佐久川	算	八組 与那城	音	二組 西表	図工	五組 仲真	図工	六組 上江洲	算	三組 慶田
十月	音	七組 山城(千)	理	四組 佐川	算	七組 久貝	社	七組 山城(伸)	社	一組 桃原	社	五組 比嘉
十一月	算	三組 翁長(光)	国 道	二組 渡口 一組 松田	道	六組 照喜名	音	八組 翁長(豊)	理	八組 石垣	音	仲松
十二月	国	八組 仲宗根	社	六組 上地	体	四組 呉屋	算	三組 宮里(信)	音	四組 新里	国	七組 金城
一月	理	六組 山田	算	九組 平良(米)	国	五組 知花	国	四組 平良(絹)	国	一組 古堅	図工	八組 大城(隆)
二月	社	五組 儀間	体	五組 仲座	社	三組 吉田	理	一組 宜寿次	道	五組 上原	道	六組 大城(文)
		四組 病休						十組 学級増 ([illegible])			体	石川(元) 研究教員

那覇地区は大規模の学校が多いが本校もマンモス学校の一つである。在籍二、五四四人職員五四人一、二、四年生は九学級宛、三、五、六年生は八学級宛で一学年八〜九人の先生方が居る。八教科に亘つて、各学年一人一教科を研究して貰うのに都合がよい。教科の数だけ学級数があるので各教科を研究分担するのに便利なようだが先生方には不得手な教科も分担せねばならぬ不合理も生じてくる。この問題には相当に悩み、時間もかけて審議されたが結局小学校教師はレベルの高い八百屋でなくてはならぬし、全教科に趣味と関心を持つて欲しいと要望した。その結果各学年で話し合つて、余り無理がないように研究を進めて行くことにした。

さて、研修の為の授業であるが前記の表の通り毎月第三金曜日に当番の先生が授業をして、同学年及びその教科の主任と校長教頭が参観するのである。去年は先生方は色々な思惑があって默否権を張つているやに思われたが、一通り終つて反省会では「やってよかった」ということになり、今学年度も六月以降実施しているが大分熟れて自信もたつぷり落付いた授業が出来るようになつている。でも実施に当つては、色々の困難があつた、七月の学期末の多忙さの中で、又運動会済んで二、三日後に、その他の突発行事に

も拘らず押し進めてきた先生方の御苦労に対し深く謝意を表する次第である。

今まで実施してきて思うことは、教室経営に一段と創意工夫が払われたことであり、先生方の中には毎週一教科を選んで研究授業のつもりでやつて居られる方もある程に研究的雰囲気が高まつたことである。

唯遺憾に思うことは校長としての指導助言であり、全学年全教科に亘つての助言は私には無理であり、施設備品の面で大いに協力すると同時に自己研鑽に一層努力せねばと決意を新にするものである。

誠にお粗末な記録ですが「何を書いてあろうか」と折角お目通し下つた先生方何卒御批判御指導下されたくお願いします。

小学校

本校の校内研修概要

宮森小学校長　仲嶺盛文

当校における教育研修の現状を申し上げて諸賢の御指導をいただきたい。

㈠ 日日の教材研究

○ 午後三時に六時限が終るのでそれから午後五時まで教材研究の時間に当てる。

○ 明日教える所の教材の内容をよく調べ必要な教具の準備をなし、どの子にもよくわかるように授業の仕方について工夫する。

○ 指導案は週計画案である。小学校習指導要領、教師用指導、教育技術等を研究して立案する。

㈡ 週間の研修　学年（四学級乃至五学級）研究会を毎週金曜日にもつている。学年主任が中心となつて相当時間をかけて教材の相互研究をなす。必要な時には教科の研究部から参加して研究をなす。

㈢ 月間の研修　教科研究部が中心となつて動いている、学年の始にその年度の努力目標決定し年間の研究計画を立てて研究に着手指導主事を招聘して指導をうけ研究授業をなす。

㈣ 年間の研究

⑴ 実験学授研究　今年は文教局指定の実験学校として算数科の指導の研究をしている。研究テーマは「算数指導における教具の活用」で年間を通して研究し年度末に研究発表会をもつ研究組織は研究主任のもとに低学年グループ、中学年グループ、高学年グループの三グループをもち継続的に研究を進めている。

⑵ 他校参観と報告会

年間計画の一つで全職員そろつて行く時と教科研究部で行く場合がある実験学校や研究校その学校に行くのであるが帰校後報告会を持つ事にしている授業のこと、学級経営のこと学校経営のこと等について各自発表しあい相互研修となし他校のよさを自分の学校学級にとりいれるようにしている。この場合一しよにいつたＰＴＡの方々の意見もとりいれるようにしている。

㈤ 個人研究　これは教師一人一人の自的な主体性からもりあがるもので自分の好きな問題と取つくんで研究していくのである各人自分の好きな研究テーマをもち継続研究をして校内で研究発表会をもつて研修につとめているが今までに発表会をもつたのは社会科生活指導普通授業における興薬指導図工科のデザイン指導理科の実験観察案である。

㈥ 研究教員派遣による研修　常に教員を本土へ研究教員として派遣し本人も研究させながら派遣先の学校と連絡をもち研究資料を得て校内研究を盛んにし本人の帰任後は早速その報告会をもちその人を中心に研究的雰囲気を醸成するようにつとめる。目下当校には四人の研究教員がいるがその人達の働きにより学校経営学級経営教科指導生活指導その他の面に幾多の改善を見つつある事は教育向上のため誠によろこびに堪えない。

それから研修時間を生み出す法と方法として今年からＰＴＡに専任会計をおき金銭徴集事務をうけもたせたので各教師はその事務から解放されそのため教材研究時間も多くもてるようになり研修に専任したので児童の学力も向上してきた。この点当校ＰＴＡの大いなる協力に心から感謝している次第である。

おわりに教師の研究を進めていくための心構えについて述べて見たい。

○校内に研究的雰囲気をつくり出すようにつとめる

○教員の自主性を尊重する

○教師自身の自己を高める研究がそのまま子どもの幸福に結びつくものであるように理解しあつていきたい。そのために平常の話しあいや、職員間の人間関係の結びつき、また校長と職員との人間的な結びつきが常に円満に行われ

るようにつとめる
○個人の研究グループの研究全体の研究は個個ばらばらのものでなく共通の機会や場とか広がりをもつように留意する。
○ひとりひとりが納得して全体の共通意議として研究活動をすすめることが子どもの学習と生活の向上につながるものであるということを教師全体が主体的に考えていくようにする。

（一九六一、一二、一）

小中併置校

本校の校内研修概要

本部町瀬底小中学校長
玉　木　健　助

はじめに

児童生徒の学力の向上を図り、健全な成長発達を促進するための第一条件は教師その人の力であると考えている。教師の力は不断に研修を積み重ねるところから生まれるものである。そこで校長として、学校経営上最も力を注ぐべき部面は校内研究活動の推進であると考えている。次に私のとっている校内研修の概要を記述したいと思う。

一、今している教育研修の内容

1　学校教育課程の研究
○学習指導要領及び指導書の徹底的研究
○文教局編纂の基準教育課程（試案）の研究

2　琉球教育法の一般目標に基づいて具体的学校教育目標の設定研究

3　郷土実践の研究

4　特に学校行事等の具体的位置づけの研究

二、研修時間を生み出すためのくふう

1　研修会開催予定日の確保
中校の場合週授業時数を三七時間（教科三四、道徳一、特活一、クラブ一）とっているので、終業時のほぼ一致する火曜日木曜日を全職員研修日とし他は自己研修日に当てている。

2　時間厳守による研修時間の確保

3　事務の効率的処理による時間の確保

4　共同研修、グループ研究の推進による時間的、労力的負担の軽減をくふうしている。

5　諸会合や行事の合理的精選による研修時間の確保

6　教師各自の研修予定表による徹底した事前研究と、司会の仕方の研究によるスムーズな運営を図って時間の縮少に努力する。

三、今とっている研修方法

1　組織

校長
│
職員研修会
│
企画委員会
├ 各教科研究部
├ 道徳研究部
├ 特活研究部
└ 学校行事等研究部

2　内容
○学校統一研修計画の樹立
○年間、月間、週間、日々の研修計画の樹立

3　研修手順
○自己研修、○各主任の計画試案作製
○各部別研究会、○全職員研究会

4　方法
○輪読会、○討議法、○個人研修、
○一人一役主義、○権威者の受講、
○研究授業

四、校内研修の問題点

○現場は多忙で研修時間の確保が困難である。
○研究経費の貧困さと資料や施設設備の乏しさ
○教師の経済的貧困さ（欲しい本も買えない）
○単位制の悩み（免許講習）
○校外集会が多く予定した研修が割愛される
○へき地の悩み（指導助言の機会僅少）

以上校内研修の概要を記述したが結論は児童生徒の学力を向上させるための合理的研修をすることが必要であるということである。

教師個々の資質の向上はひいては学校教育そのものの進展を左右する重大な問題だと思うからである。

校内研修のあい路とその打開策

豊見城中学校
当銘武夫

はじめに

現に職務に従事しているものが、その職にありながら、自己の職務を充分に果たすために研修するということは、当然であって、だれもそれを否定する者はないであろう。特に、教師はその職責上、他の如何なる職域におけるよりもこれは必要であり、その実践を強調しなければならないであろう。なんとなれば、研修の累積がそのまま自分の受持つ子どもの上に作用して、実績が如実にあがり、将来有為な国民が育成されると思うからである。

では、そのようなねらいをもつた現職教育としての校内研修会の実施困難点はどこにあるか、反省しつつ、その打開策について、非才を省みず私見を述べて、諸賢の御叱正を請いたい。

そのあい路と打開策

校内研修会は、おおかたの学校が計画に従つて毎月日を決めて、定期的に実施していることと思う。年間にすれば相当な時間がこれに割かれることになるわけであるが、実状はかえってその逆ではないだろうか。まず、何としても対内対外の行事がまだまだ多過ぎるということである。そのことについては、前々から行事の簡素化が呼ばれて、対策されつつあるが、まだまだ検討の余地があるのではなかろうか。そのしわよせが校内研修会の実施困難をきたしている、といつても過言でなかろう。今の教育現場では、少し古い言い方をすると、鳥のなかない日はあつても、会のない日はないというぐらい、実に会が多い。「また会か」こう会が多くては」などと、話されているのはどこの現場でもあることと思う。まつたくもつて会にあけ、会にくれる昨今であるといいたい位である。もちろん、それぞれの会が一かどの目的をもつて計画され、実施されるのであるが、現状をみるといささか検討反省もあつてはどうだろうか。

日常の教師本来の仕事の上に、雑務の処理をかかえもつている教師たちにとつては全くからだが幾つあつても足りないというところである。教師は疲労困ぱいして気ぬけし、変な言い方だが、研究のための研修会のためにかえつて研修意欲が阻害されて、本来の意味における研修が実をあげ得ないのではなかろうか。日本の教育界ほど会の多い所はないと何かの本で読んだ覚えがあるが、何とか整理統合精選はできないものか。

次に考えられることは、教師自らの研修意欲の問題である。右に述べた会が多くて研修の時間が不足している、ということの外に、その他種々のあい路があると思われるが、根本は教師個々の研修意欲の問題である。現職教育としての研修会が、その本来の意味において実をあげるためには、本当に現場の教師たちの真の必要感と、積極的な意欲から生まれたものでなければならない。そして、研修することが現実の児童生徒の生長と発達のために役立ち、子どもの幸福に真に貢献するものでなければならないことは論ずるまでもないことである。教育を研修するための研修会が全く形式化し、マンネリズム化して、単に申訳的な、何かやらねば学校としての面子がたたないといつた型のものにおち入つてはいないだろうか。一体研修会とは何をする会なのかというところに立ちもどつて、考えなおさねばなるまい。おざなりの事なかれ主義的研修会は大いに反省されねばならないのではないか。この事について、東大助教授岡津守彦氏の言を引用したいと思う。（一九五八教育技術七月号）

「研修活動のマンネリズムは、その活動が上からあるいは仲間から強制をされて、しかたなくおつきあいしているというような、その活動の基本的な目的や意味が十分理解されず共鳴されていないためにおこつてくることである。教師の研修というものは、その職務に伴う当然の倫理であるはずである。これは単なる事務ではない。従つてマンネリズムの気配が感じられるならば、根本から今までのやり方を疑つてみる必要がある。」

ごもつともな卓見であると思う。研修会が、だれかの事業、あるいは発表するための…、あるいは予算獲得というような第二義的な動機から出発するのではなく、その教育的意義を十二分に納得して、今一応、研修会はこれでよいかについて考えなおす必要があるのではないか。

教育問題の終着は、教師の自覚如何にかかつているという強い信念と自負を堅持して、自主的に研修活動をすすめていきたいものである。

そこではなはだ無茶ながら、ひとつの提案をしたい。教育界は（小、中学校）ここ一・二年の間あらゆる会というものをいつさいストップして、教師たちは落ちついて、教材を研究し、書を読み、ものを考えて、じつくりと、おのが学 ※

中学校としての研修のあり方

仲西中学校長
親富祖永吉

一、方針

①生徒の全き成長と発達のため研究意欲を盛んにしていく

② 豊かな人間性と見識を高めることに努力すると共に技術を身につける

③ 各種の集会には、はつきりした目標をもつて参加し、報告会をもつ

④ 行事の調整と校務処理の能率化に努め研修の機会を多くする

二、内容

主として授業研究（直接の対象は生徒）研究授業によつて指導技術を高めようとすることは、教科担任制の中校においても、重視されてよいと思う。

専門教科のワクにとじこもつて、広く学習指導一般の方法についての研究視野が狭くなりがちである。他教科の授業を参観しても意味がうすいとか、反省会も形式的に終ることが多いなどと消極的になりがちで、そのため全校授業を一斉自習にしてまでなどいわれてきた。

本校では前述の意義を確認し、全職員が関心を持つて自主的な学習生活に結びつくようにテーマの設定もくふうしている。

三、方法

全員参加のほかに、教科別グループなどによる自主的な授業研究も行なつている。十一月には第二金曜日（数、画、英）第三金曜日（社、理、音）第四金曜日（国、職、体）と各教員が校内授業研究を担当して、よりよき授業（学習指導）をめざしている。この方法が基礎学力を伸ばす原動力と考える。なおこの外に指導主事の訪問指導（各教科とも問題を用意して迎える）各講習の受講、研修会への参加個人研究テーマの設定（自己研修）実技研修、研究グループの連携等。

四、研修時間の確保

（時間を生み出すためのくふう）

日常多忙に明け暮れている、われわれにとつて、時間をみいだすことは容易でない。

① カリキュラムの年間計画を学年始めに確立して、前年の反省の上に立つて指導に役立て、各教科ともむだがないように便をはかる。

② 雑務の圧迫から解放する。集会、統計など記入法、統計法を教えておき、学習の一環として生徒にさせる。

③ 毎週金曜日を研修日として設定する。（定例日）不必要な部分は思いきつて除去し、協力して研修時間を見出すこと、例えば職員会など無駄を排除して有効合理的に運営する。

④ なお、空時間を利用する。家に帰つてからは研修時間を求めかねるので、休み時間も生かして使うような職員もいる。

五、研修の障碍点

① 研修意欲の低調、他人の前で発表したがらない。生活上のことで費用と時間をかけにくい。教科担任制による問題解決の共通性の不足

② 経済的負担がかかる。（図書の購入他校参観、講習会出席、講師招へい学校予算が少い）

③ 時間の不足、教師の仕事が多過ぎて心に余裕がない、地域社会の諸団体との交渉も多い。

六、対策

① 意欲のもりあげ、教師各個人が研修しようという意欲のないところには、どんな組織を作つてみたところで発展するとは考えられない。教育諸記録を奨励する。広く教育の問題についても語り合う雰囲気を作る。研究会に出たときは報告会を開く。中堅教師の研究態度、指導性、協力性が大きく全校に影響するので、この人たちが全体を高めることに力を注ぐように努めさせる。研修は概ね、緊張の連続であるので、レクリエーションを入れその調和をはかる。又隣接校との交流をもち気軽に話し合う。財政困難は研修を大きく阻害しているのでその充実に努力するとともに費用の要しない方法も考えたい。

※ 級の子どもたちと取り組む。そうすれば新しいあい路打開の道が見出されると思うがどうだろうか。

おわりに

表題について、その内容面、運営面にわたつて、具体的に述べ得ず、ただ抽象的な所見に終つてしまつて編集子の意にそい得なかつたことについて深くお詫びいたします。

それも、はなはだ赤面のいたりであるが、本来の意味における校内研修を実践していないからであるとの自覚の上に立つて、これを機会に、もう一度校内研修会の在り方について深くさぐつて、本来の姿において研修活動を実践したい。

校内研修時間を生み出すためのくふう

普天間小学校長　大里朝宏

はじめに

わたしが、これから書くことは、わたしが職務上、わたしなりになやんできたことであり、こどもたちの学力の向上も教師の研修なくしてはあり得ないと思つてのことである。小学校の現状を女教師についてとかき始めたのも女教師の欠点をあばくつもりはない、学校管理運営上、教員の三分の二を占める女教師の立場を考慮の上でなければ、いけないと思つてのこと、また研修時間も生みだせない、といういみである。もしわたしの考えがまちがつていたら御教示下さつて、わたしを成長させていただきたい。

一　女教師について

「教育者が女の人ばかりになつたら、そのときこそ日本には、ほんとの教育がおこなわれるようになるんです」（鈴木道太郎編「女教師」）という。これはすばらしい文句である。

小学校では七、八割は女教師でしめているので喜ばしいことではあるが、また困まることもある。校内研修の問題については、大かたの校長方は、おこまりの事と思う。教師の窓（五六号）は、長い間低学年ばかり担任してきた先生が、「むずかしい漢字なんか忘れていつて、こどもの知能に近づいてゆくようです」と告白している。校長以下全教師が、自分たちの不完全さをすなおにみとめ、お互いに、向上をちかい合うところに教師の本分があると思うが、どうも生徒の前に完全者として立つくせがついて、いつの間にか、自分を完全者そのものとして考えているようになつているのではあるまいか。

「劣等感をもつものほどプライドをもちたがるのは人情であつて、大正時代以来生活は社会の下層階級に属しながら、心構えだけは軍人的・官僚的であつたのは教師の清貧に甘んじた心意気でなく、むしろ劣等感のあらわれであつた」（唐沢富太郎「教師の歴史」）

、現在でも、「口先ではさんざんに持上げられながら、じつさいにはさんざん見くびられ」「先生先生と、とりなしながらその眼はすでに相手を見下しているのである。」（宮原誠一の教師論」）

「多くの父兄は自分の子どもが、女の先生が担任するクラスに入ることを心配している（婦人公論「この教育の現実をみよ」四月号）

学級編成担任決定のときに非常に困まることがある。教師（特に女教師）の方は、私はあの学年は担任したことがないから自信がないとか、あの学級はいやだとか、あの子どもは父兄が有力者だからとか、父兄があまり学級訪問をするからとか、家庭の事情があるとか、さまざまな要求があるので調整するのに困まる。

しかし、いざ担任させて見ると、すばらしい学級経営をし、すぐれた指導をしている。

父兄からは、「子どもをあの先生のところから他の組へ移してくれ」とか抗議でもない要求がましい事がある。

小学校において、男女教員の比率ということが、問題になるのは、なぜだろうか。

これに対して、女教師の立場から、または進歩的思想の持ち主といわれる人々からは、それは、男尊女卑の封建思想だ。男性は女性に理解がないとか「女」だからバカにする。

「女だから」ということで、あらゆる面に事を解決しようとする。斯様なことで社会に受け入れられてよかろうか。そのような議論では女性の地位は向上しないと思う。先日軍雇用員の格付職位について、労務管理について図表にして、掲示されてあつたので見ることが出来たが、それによると、職位格付は、人にするのでなく仕事にする。また、その仕事の能率によつて給与もするといつている。

資本主義の社会は、非常なビジネスの社会で適者生存の世の中である。能率をあげるものは優遇され、能率のおとるものは陶汰されてゆく。その点は男女を問わない。女でも男以上に仕事のできる人だつたら、社会は手放すことはしないし、男でも役にたたぬものは整理される。そういう現実の社会に目をつむつていられない。

約半数の教師が女性である。そして教員社会が他の職場と違う点は女教師の半数以上が既婚者で平均二、三人の子どもをかかえている上に長く勤続し、平均年齢が高いということである。（講座「女性」第四巻）といつているが現実に沖縄では、それに輪に輪をかけたものである。それで「女教師の立場を考慮して研修を考へ研修の時間を生みだすためのくふう」をしなければならない。その点を考慮なしには成立たないというのである。

「働くことが女性を高める条件である。」（戸川行男「女の学校」はこういつている。）しかし大かたの女教師は、一家の主婦であるので次のことも考えてみなければならない。

「近代化をあこがれる人の家庭が近代に不可欠の科学から余りにも遠い存在である。いわば、家庭は、科学がふみこんだことのないジャングルである。家庭に科学と機械をもちこみ、前近代的なものを家庭から追放せねばならぬ。同時に、家庭の技術というものは、これら機械に勝るとも劣らぬ近代的家庭の要素である。」（山川菊枝「婦人」）女教師は家庭人としても多忙であるし、自分の子どもの教育もせねばならぬ。

しかるに、教師という職業は「重い知的労働と重い肉体労働との組み合わされたもので、教師になりたての一年間は、疲労のあまり、家に帰つても新聞を読む気力がなく、三年間は自分の授業に関する以外の本を読めない。」（宮原誠一「職業」子どもを守る教師の任務から考えて結婚した女教師は多忙である。

二　校内研修の時間をはばむもの

七、八割の教師が女性である。そして女教師の多くが既婚者であり、平均二、三人の子どもをかかえている上に、長く勤続し、平均年齢が高いということを念頭におかなければならない。どうしても、学級担任のきめ方、事務分掌のきめ方に事務の能率化を図ることである。校内研修がうまくいかないのも、また教師を忙しいとフウフウさせ、研究授業や研究発表を逃れようとする口述を作るのも、学校事務の煩雑さにあり、教育活動を乱すのもこれである。本来、教育向上と能率をあげるための事務が、かえつてこの教育の低下をきたす原因となつてしまうのである。ことに小学校では、事務職員のいない学校が多い現状である。いるとしても、ひとりの事務職員の能力に対して、事務量は、その何倍かに相当しているであろう。そこで、どうしても、くふうして能率的に、合理的に処理する必要がおこつてくるのである（事例による学校経営中村益雄）

三　わたしのとつた対策

本校は職員数五一名（校長を含む）その他事務職員一名世話人一名（教育委員会給与負担）給食夫三名の構成であるが、どうしても、くふうして能率的に、合理的に処理していかなくてはならないのである。

職員は学級担任者は四七名、学級担任しない者が四名（校長、教頭、教諭一名、養護教諭）ある。学校事務を学級担任から取りあげてしまうとすると、養護教諭を除く三名と事務職員だけでは「むり」がある。そこで教育委員会より給与をうけている世話人に高校卒業生で事務担当出来る能力のある者をあて、事務職員とし従来教員の担当していた集金事務を排除するとともに「むだ」をなくしたのである。

それから給食夫（PTAが給与負担）三名を常勤として能率的に運用することをくふうした。施設管理（校地、校具の営繕、学校庭園、給食調理室等）は常時活動するものである。それで給食夫の三名は世話人と呼びさらに三名に夜警をさせ、男教員の宿直勤務を排除しているので男教員の勤務の負担を軽減することが出来た。またこれら三名の世話人は女教員の出来ない教材教具の作製も手伝うので、教員に喜ばれている。

図書室の司書一名（PTA給与負担）は学校図書室の管理、視聴覚室の管理、授業の準備片付け等を受持つている。

理科助手一名（PTA給与）には教員の実験準備片付け、理科環境の整備、教材教具（理科）の購入等をやらせているのである。

そこで学級担任教諭としては、毎日のやる仕事は最大限に縮少されたわけで、健康観察学級経営、教科指導、指導要録の作成などである。もう校内研修の時間がないとは口述しなくなつたわけである。

職員室を廃し教員は、各ホームルームに配してあるので、部屋が余裕があれば研究室を各教科毎に持ちたいが、そういう余裕のない現状は、学年主任、教科研究主任の教室に参考書類、調査資料、研究物をまとめて活用しやすいように整理しておき、そこで集会をもつようにした。

能率の原理の応用（事例による学校経営中村益雄）

イ　転移の原理

人間の仕事の一部を機械にうつす原理である。労力を節約したり時間を節約したりする機械や道具を使用する。電話、ラジオ録音機、映画、スライド写真機、拡声装置を利用する。輪転機は電動機付けにしたいと思う。そうすることによつて教員の労力の節約されることは大きい。

ロ　補足の原理

電話は構内電話を施設充実することにより連絡の原理も充足出来る。

自動タイマーの施設。

構内電話は研修の時間の障害をなくする点からもぜひ考慮しなければならない。リヤカー運搬車も能率をあげる補足の原理を充足する点から求めなければならない。

要するに、能率的に、合理的に、事務の現状を改善し、執務環境を整え、教員に研修の時間を最大限に生み出すようにすべきである。

私がこころみた入門初期の文字板学習

瀬喜田小学校　比嘉八重子

はしがき

一年生にとつて、「読む」学習は、「聞く」、「話す」、学習と異なつて地方の子どもの殆んど大部分には始めて要求されるものであると思う。

当校の子どもも、幼稚園または、それ以前から共通語に大体なれているので、「聞く」、「話す」ことの極く初期的な段階は家庭で自然のうちに出来ていて余り抵抗を感じないが、「読む」ことになると、入学当初自分の名前がやつとよめる子がいくらかいる程度で、殆んどの子が新しく入る生活なので入門期における「読み」のつまづきや、抵抗を少しでもすくなくしようとの考えで、指導書や、先輩の助言をもとにして私なりに実施した文字板学習をまとめてみたい。

入門期における読むことの指導のねらい

1 本の持ち方がわかる。
2 拾い読みでなく語や文として読む。
3 音読が出来るようになる。
4、行を正しくたどつて読むことが出来る。
5、読点や、句読点に注意をする。
6、声を出さずに目で読むようになる。
7、何が書いてあるか考えてよむようになる。
8、本を読むのに興味をもちかける。

指導の要点

○読むことの入門初期の指導を国語の時間だけにせず、子どもの全生活を通して行なう。
○教科書を扱う時、出来るだけ多くの子どもに話させ、その中から教師は文字化することばを引き出すように発問をくふうする。
○読むことの学習においてできるものは、動作化して身振りなどを加えて読みを深める。
○読む練習は、時間を短かく度数を多くもたせる。

読むことの指導（文字板学習）

1 経験を通しての学習

○新国語教科書では、上巻の始めから文字が提出されているので文字の生活に早くなれさせるために

(イ)教室の身近かな物に「つくえ」「こくばん」、「おるがん」等と書いたカードをはつて、児童が自然のうちに文字に目をむけるようにし、さらに (ロ) 児童の興味ある動物や乗物等の絵、写真を掲示し、「くま」、「ひこうき」等と説明をつけておくなどして入学の当初から教室環境を読みに適するようにした。

○掲示した文字板（絵に説明をつけたもの）を黒板に並べてはり、児童に教師がいう文字板をさわらせたり、一斉に音読させたりする。

これは文字板学習の最初でしたが絵と文字がいつしよなのでどの子も大喜びでたのしくすごした。

○共同の興味ある経験等の後、教師の誘導によつて豊富に話題をあたえ、その中から適当な言葉を文字板に抽出して読ます。

例えば、学校めぐりの後の話合いで「すべりだい」、「ぶらんこ」「はと」という具合に取上げて読ます。此の場合、子どもたちは、直接経験したものが文字化されるので興味がわくようである。

2、国語教科書を扱つての学習

○教科書の絵や、文字で表わされたもののカードを作つて教師対児童で練習をする。

例えば、教師用文字板に教科書の中の「ひろこさん」、「まことさん」、「せんせい」等を書き、子どもには、画用紙に毛筆原紙で教師用と同じことばを印刷したカードを（縦十五糎、横四糎程度）をわたし、教師が示したカードまたは教師が読んだカードをとる競争をさせたり、また隣席同志でやらせたり、または、カルタあそびの方法等である。カードの数は始め三枚位からはじめ、学習がすすむに従つて次第にふやしてゆく。

この学習は、わたされたカードの中から教師が指示したものを読みとるのであるから子どもも大へん真剣になり、興味的であるし、学習の流れに変化もできてよいと思つた。

又語句全体の上からよみとるので一字よみをふせぎ、自然に言ばのかたまりとして読みとるようにな

る。

○さらに一字一字を確実に覚えさせるくふうとして、(イ) カードの練習が積まれた後、カードを一字一字切りはなして、ことばとしてよせ集めて読ます練習に使用した。

(ロ) 五十音表を各家庭にくばり、これを一字一字に切り、カルタあそびの要領で「まめ」「たぬき」等と語いをつくる練習をさかんにさせた。もちろん学校に持参させ同様な遊びをさせた。

3 他教科との関聯

これもいろいろあると思うがここでは理科の場合を例にすれば、花園の花の観察の後、話合いの中から「ゆりのはな」、「ばらのはな」、「きいろいちょうちょう」等と教材に関聯する語を取り上げて文字板にかき音読させる。子どもたちは自分のことばが文字化されるので眼をかがやかしてよろこぶ。以上のようにして出来た文字板を教室に掲示してたえず目にふれるようにしておく。

○ 文字板の取扱いについてちよつと気をつけたいことは、文字板をいつまでも同一場所に固定したり、あまり多く出しておくと掲示物に対する感覚をにぶらせる弊があると思われるので、時々はずしたり、場所をふつしたりして、気分を新らしくさせることにつとめた。

なお文字板にかくことばは

(イ) 短文にし、一文一行にかく。

(ロ) くりかえしの語が多いこと等に心掛けることが必要である。

4 文字板を読ませる時のくふう

○教師が読ませる場合は、始めの間は両手で一語をはさんで読ませ、さらになれてくると教鞭を使用するのが効果的のように思われた。

○ 教鞭使用の際は、ムチの先きから目をはなさないように予め約束し、教師は文字板のことばをさつとさしおろし子どもも、教師のムチの動きについて、眼球が動くように根強く躾けていく。

○ 子どもに教科書の文を読ます時は最初は人さしゆびと親指で一語ずつはさんで読ます。これも文字板の時と同じように根気強くしつけていかねばならない。このような読みになれていくと自然にことばとしてまとめて読むようになり、又行を正しくおつてよんだりすることが無理なく出来るなと思つた。

○ 句点や読点については、、や。の初出の文章でそのはたらきに簡単にふれておいて教師が、や。を生かして読んで、その呼吸をのみこませるという方法で進めた。

例えば「みんなのりましたかマルさあテンはしりますマル」と音読をする時に「テン」と「マル」を意図的に口の中でいわせたり、又児童に音読をさせる際、「テン」と「マル」だけを教師が読んで、や。に注意をむけさせた。

5 フラッシユカードの利用

○ 指導書にもフラッシユカードの学習が出ていたが私がとつた方法を極く簡単に紹介してみたい。

学習した語いを画用紙を二つ切りにしたカードにかきとつて国語学習の始めか、終りの短時間をとつて、瞬間的に読む練習をした。

○ 朝の自習時間等に児童を交替で前に出し、教師にかわつて読ます方法等で、この方法は割に興味をましてやることを促したようである。カードの数は五、六枚位にして、おのおの子どもごとに、かわつたカードの方がよいようであつた。

以上私が実施したことを極く大まかに記述してきたが、まだ研究中である自信あつてこの発表をしたのではないことを付記しておきたい。

この文を草しつつ私は子どもたちの生活を通して経験したことばをとりあげて読みの学習をすすめたり、他の教科の材料を使つたりしたことに偏したように解されるきらいがあるがもつぱらこの学習にのみ力をそそいだのではなく、入門期に最も大切な「聞く」「話す」学習をすすめながら行つたものである。それにカード作りなんて簡単のようであつたがやり出してみると新しい語いをつぎつぎ五十人分をそれぞれ準備してやるには苦労した。時々なげだしたくなることもあつたがなんとかつづけてきた。こうして書いてはみたものの何んとなく不安なことは最近よくいわれる経験学習とか、系統学習とかいつた考え方からして、かけはなれた変則的な取り扱いではないかということである。しかしいずれにせよ、今年の子どものよみがこれまでより比較的よかつたのはこのおかげかも知れないとひとりよがりに考えているところである。

（瀬喜田小学校教諭）

青森市における
第十一回 全国学校保健大会に参加して

東江小学校長　安井忠松

大会の概況

第十一回全国学校保健大会は、去る十一月十四日から十七日の四日間東北名物「ねぶた祭」の本場である青森市で開催された。十四日は、日本学校保健評議会、全体運営委員会、分科委員会等の準備委員会が催され、十五日は、開会式、全体協議会、パネル式討議、分科総会（八分科）、班別研究の日程、次の十六日は班別研究、特別講演（国民生活と健康）立教大学総長松下正寿、分科総会、まとめの全体会議で協議的な会合は終り、翌十七日は国立公園十和田湖の観光と、青森県下における健康優良校の視察で大会の幕が閉じられた。

全体会議の前日十四日には、保健大会と密接なつながりをもつ職域別大会の第六回全国学校医大会、第十一回全国薬剤師大会、全国学校保健主事部会代表者会議、全国養護教諭大会が、それぞれ催され、十五日には全国学校歯科医大会が開催された。

大会は、秩父宮妃殿下の御台臨を仰ぎ文部大臣はじめ多数の来賓を迎えて全国各地から小、中、高特殊学校の校長、幼稚園長、保健主事、養護教諭及び一般の教員、学校医、学歯科医及び学校薬剤師、教育委員会の学校保健関係職員、学校保健会の役職員、PTA、大学などの学校保健関係職員、（沖縄からは私と中村保健体育課長の二人）の三千有余人の教育関係者が参加して、広大な青森県立体育館で盛大裡に開催された。

主催は文部省と財団法人日本学校保健、青森市教育委員会、青森県学校保健会、青森市学校保健会で、青森県はじめ県下における市町村会、医師会、歯科医師会、PTA、各学校会が後援し、商工関係諸会、観光協会、放送局、新聞社などが協賛して一カ年前から総力をあげて研究や準備にとりかかっている。

大会の趣旨と協議事項

大会の趣旨

「学校保健に関する当面の諸問題について研究討議し、学校保健の振興を促進し、心身ともに健康な国民の育成に寄与す」

本年度の主要課題

「一般教員の学校保健に関する理解と関心をいつそうたかめるためにはどうすればよいか。」

先づ第一日目の全体協議においての協議題は主に各都道府県保健会から提出された。要望事項の審議が多く、例えば山口県外二県から提出されました「一般教員、保健主事の学校保健の研究に関する制度の確立を要望するの件」「教員の養成課程において学校保健を必須にする件」広島県外数県から提出された「学校保健専門職員の適正配置と待遇改善を要望する件」の如く、これらの数多くの要望事項はほとんど採択され、これを全国保健大会の名のもとで、当局に力強く要請するのであるが、当局においても学校保健事業推進のために、毎年の要望事項を充分に考慮、都道府県とも関係して法の改正やその外いろいろと改善していく原動力となつていくようである。

パネル式討論

パネル式討論は六人による領域の異なる権威者によつて活発に討論された。この討論の内容は大会の主題に対する総括的代表的な意見のように思つたので、ここに要点をまとめてご参考に供したい。

(1) 学校長の立場から

「学校長の健康観の如何が学校保健進を左右し、一般教員の活動に影響することになる。一般教員の活発な活動は学校長の保健観の確立を前提とする。学校保健の推進にあたつては、学校保健の根本的なものについて充分な研究をし、全職員の共通の理解の上にたつて、その運営をはかることが大切である。学校保健に対する根本的な事項の研修については、職員相互による討議会、講師を招いての研修会、同じ書物の内容についての意見

の交換等の機会を設け、ひとりひとりの学校保健に対する概念を確固たるものにすることを、学校長としては考える必要がある。そして研修と平行した実践活動の推進をはからなければならない。推進のかぎは何といっても組織構成の単位である学級の活動の如何による。学級の活動が低調では、学校全体の向上はありえない。

　更に全職員の学校保健に対する理解と関心を高めるためには、学校保健の各領域を全職員によって分担させることが必要である。そして各職員の経験と長所を研究会や発表会だけでなく、日常の生活の中に自己の長所を伸ばすような研究体制を構成することが肝要である等」昭和三十五年度日本一健康優良学校鎌倉第一小学校長の松岡忠夫氏は、自分の学校を今日までに積みあげてきた実績の上から力強く発表された。

(2) 一般教員の立場から

「一般の教員は、教科指導、生活指導、行事教育、事務分掌など、それに教科研究組織団体の仕事など日々の仕事が非常に多忙であるが、だからといって全領域の教育の柱核をなしていくという保健教育の推進に無関心であっては、学校教育の目標に到達することは至難である。したがって、学校保健は保健主事や、養護教諭の一部の職員の仕事でなくて、全職員が理解と関心を高めていかなければならぬ。教員養成機関において学校保健が必須でない今日、現場に出てから、保健活動に対する基本的な事項や、専門技術に重点をおいた現職教育がとくに必要である」と。昭和三十三年度日本一健康優良校、福井県[illegible]陰小学校教諭提腰利雄氏は力説している。

(3) 技術関係者の立場から

　児童生徒個々についての保健指導、保健教育にあたる学級担任の教員が学校保健の要となっているのであるから、健康診断による状態、毎日の健康状態、精神状態等を把握した上で学力向上を計るべきではなかろうか。また学校医、学校歯科医、学校薬剤師等は、開業のかたわら学校医をしているのが大部分ではあるが、教員同様お互に忙しい中ではあるが、保健教育を推進していくには、健康診断、健康相談、保健委員会、校内処置、その他の学校事業等において数多く寄り合う機会と場を持つことが緊要である」と。う歯予防を中心とした学校保健活動全般で優良校である弘前市立時敏小学校の歯科医、板垣正太郎氏は歯科医の立場から強調していた。

(4) PTAの立場から

　まず学校全体が、健康教育をとりあげることであります。そして学校全体がこの教育と取組み、それから先生方が熱心に保健活動をすることであります。学校での保健活動が進むにつれて、単に子供たちのけがや、病気のことだけでなく、児童生徒の毎日の学校生活、学習活動など、いろいろなことが問題となって、私たちの家庭に伝わって来るので、どうしても受持ちの先生とのわたりや話し合いが多くなってくるのである。つまり子どもの生活のこと、学習のこと、遊びのこと、その全部が健康教育で問題になるので、受持ちの先生がこの教育に熱心であればある程、先生と父兄との密接さが増すわけである。そうなると父兄が先生方と健康教育について語り合う楽しさを知るのが深まって行くので、父兄も先生方も保健に関する理解と関心がいっそう高まるようになり、学校を中心とした地域ぐるみの保健活動が非常に活発化していくのである。

　保健活動を推進していくのに非常に役立つ「学校保健委員会」は、最初の程は活発に動くが、だんだん下火になると、よく聞かされるが、こちら相内では、学校の先生方の熱心は保健活動に動されるようになり、この会合でいろいろの内容をもつ教育のことが楽しく語り合うことが、できるので、今では学校保健委員会が開かれるのを待ち兼ねる程活発になっている」と、昭和三十五年日本一健康優良学校、青森県三戸郡相内小学校のPTAの山内弼一氏は、父兄の立場から卒直に申し述べている。

(5) 教育行政者の立場から

「教員のみならず、一般に日本人は、学校保健や健康についての理解や関心が低いようである。これは何か根本的に伝統的なもの、あるいは行政的経済的な関係から、必然的なものがあるようにあるが、とくに教員においては明治以来の子ども教育における知育偏重の傾向から、自然に健康に対する価値観が低下しているのではないか。またこれにくわえて教員養成大学において学校保健が必須でないため、健康の意義や価値とか、教育上における学校保健の必要性やその位置づけなどについて、検討や認識の機会が充分与えられていず、これらが学校保健の重要性についての認識がなかったり、健康観の確立がない結果をまねいているように思われる。

　以上のような原因となるものを解決することが、結局理解や関心をたかめることになるのではなかろうか」と神奈川県教育委員会の指導主事、浜田政好氏はいる述べて。

(6) 学識経験者の立場から

「教員免許法の一部改正を急がねばならぬ」と次のようなことを主張している。「児童生徒の精神生活を直接対象とする心理学は6〜9単位があげられるが

彼ら自身の身体生活ないし精神身体生活を対象とする保健科学はゼロ位である。このような超不均衡が当然であるかのように見做されていることは、「自主的精神に充ちた心身ともに健康な国民の育成を期して行なわれなければならない(教育基本法第一条)精神を完全に無視しているものである。小学校においては、「健康、安全で幸福な生活のために必要な習慣を養い、心身の調和的発達を図ること」(学校教育法第一八条の七)からみても、現行の免許法の規定する教職科目の履修基準は教育基本法ならびに学校教育法違反の疑いがある。私はけっして心理学を軽視するものではないが、心理学的知見のみを支柱としての人間行動を理解することは絶対に不可能であり、精神的に、時には心体的に、時には社会学的にそれを包括した立場で保健学察し、実験し調査し考究して、はじめて的に観人間を理解しえるものと信ずる。しからずんば教師は惜むべし、学問の切り売り屋に転落することになり、その最大な被害者が日本の将来る託すべき現代の青少年諸君であると思えば、まことに嘆かわしい次第である。このような欠陥をもつ教員養成制度のもとで、主題の解法を志しても百年河清を待つようなもの、根本的対策として免許法を改正して教職単位として、保健学を心理学と同一単位数に取りあげるべきである」となお「保健に対する社会の要求を高めるようにしよう」。「保健主事を管理職にせねばならない」と、福島大学学芸部教授須藤春一先生は、力説しておられた。

分科協議会

分科協議会は、八分科(八会場)にわかれ、一分科を更に三ないし四分科にわけ、それぞれ課題を二日間にわたつて討議が行なわれた。

一分科会場の参加者だけでも、三百有余人もいるので、会場校に当たる学校では本年度における最大なる行事として、PTAの協力のもと、全校あげての準備と歓待振りである。

分科会は各分科会共、分科総会→班別研究→分科総会(まとめ)の順序で行なわれたが、何れの会でも協議題は、各都道府県の保健会において充分に研究討議されて提案された問題だけに、分科協議会においても班別研究会においても頗る活発に討論あるいは研究発表がなされた。

八分科会及び各班別研究会で討議あるいは研究された事項は、保健教育推進上非常に参考になることばかりであるが紙面の都合によつて、その概況を記載することができないので、左記に各分科会と各班の主題だけを示し何れの機会に紹介しい。

分科協議会　班別研究会主題

分科会	分科会主題	班	班別研究会主題
第一分科会	一般教員の学校保健に関する理解と関心を深めるための具体的方途をどうすればよいか。	第一班	一般教員、保健主事の理職教育をどうすればよいか。
		第二班	一般教員、児童、生徒の組織活動をどうすればよいか。
		第三班	特殊児童、生徒の管理と指導をどうすればよいか。
第二分科会	学校環境衛生の整備改善をどうすればよいか。	第一班	学校環境衛生検査の実施と処理をどうすればよいか。
		第二班	学校環境衛生の整備改善をどうすればよいか。
			学校給食の衛生管理をどうすればよいか。
第三分科会	学級における保健教育をどうすればよいか。	第一班	小学校における保健教育をどうすればよいか。
		第二班	中学における保健教育をどうすればよいか。
		第三班	高等学校における保健教育をどうすればよいか。
		第四班	栄養指導をどうすればよいか。
第四分科会	健康診断と疾病予防をどうすればよいか。	第一班	健康診断と健康相談をどうすればよいか。
		第二班	う歯の管理と指導をどうすればよいか。
		第三班	トラホーム、屈折異常等眼疾患の管理と指導をどうすればよいか。
		第四班	寄生虫の管理と指導をどうすればよいか。
		第五班	耳鼻科疾患、聴力異常児対策をどうすればよいか。
		第六班	学校伝染病対策をどうすればよいか。

第五分科会	児童、生徒の精神衛生をどうすればよいか。	第一班	小学校における精神衛生をどうすればよいか。
		第二班	中学校における精神衛生をどうすればよいか。
		第三班	高等学校における精神衛生をどうすればよいか。
第六分科会	へき地における学校保健活動をどうすればよいか。	第一班	保健管理をどうすればよいか。
		第二班	保健教育をどうすればよいか。
第七分科会	児童、生徒の安全生活をどうすればよいか。	第一班	安全教育をどうすればよいか。
		第二班	安全管理をどうすればよいか。
第八分科会	児童、生徒の健康生活についてPTAはどうすればよいか。	第一班	学校保健の組織活動にPTAはどのように参加すればよいか。
		第二班	家庭の健康生活について、PTAはどうすればよいか。

所感と次年度大会

⊙学校保健の推進

昨年（昭和三十五年）の十月学校保健教育指導委員として沖縄に六人の指導委員が派遣された。そのうち金沢大学教授の桐元武一氏と弘前大学教授の武田壌寿氏の二人は東江小学校に配置された。二人の医学博士を小学校に勤務させて何をするかわからないままに受け入れた。保健といえば、病気の予防の指導か、子ども達の疾病の治療をする程度の知識しかなかつたので、今考えてみると恥じ入る次第であるが、戦後に発展してきた「学校保健」ということについてはその認識が非常に浅かつたのである。

半カ年みつちりと、学校保健についての理論から保健活動の実践にいたるまで指導を受け、職員も児童も父兄も一体になつて実践活動を身につけるよう努力した結果、学校保健の要素である「保健教育、保健管理、保健組織」が漸くわかり始めるようになり、本学年度は更に学校保健を学校経営に位置づけて昨年に積み重ねている。

教育基本法の第一条にうたわれている「必身ともに健康な国民の育成」が、保健教育を推進していくにつれて認識が深まり、学校教育における保健教育の分野が、非常に重大であることがうなずかれる。

健康に関する定義の仕方は、それぞれの分野において、違つた表現もあると思うが、我々は世界保健憲章に言う「健康とは、単に病気や虚弱でないと云うことでなく、肉体的にも、精神的にも、そして社会的にも完全に良好な状態であること」にその理想を見出したい。そしてそのことを換言すれば、「心とからだ、さらに生活行動の三者がりつぱである」ということが健康であるということになる。

この考えかたによつて、学校保健を学校教育の中に位置づけ、そして推進していくことは、多くの教師や父兄が頭を悩ましている「学力の向上、生活の向上」となり、換言すれば究極する教育の目的である人間像が生まれ出ずるのであると思われる。

私は、大会に参加し、あるいは教校の全国一健康優良校を視察し、あるいは今日まで日本の学校保健を育ててきた学識経験者の意見に接し、このような健康観がますます深まり、このような考えかたをもとにして、学校教育を進めていきたいと思つている。

なお学校保健の重要性よりして、行政者、学校長、保健行事、一般教員、養護教諭、PTA、学校医、学校歯科医、保健所、一般父兄社会と、あらゆる人や社会に理解と関心を持ち、総合的協力で推進していかなければ、遅々として伸展していかないだろうし、さらに之を強力に推進していく為には、「学校保健法並びに安全法」の早期立法とさらに促進あるいは建議していく「沖縄学校保健会、沖縄学校保健主事会、同校医会、同歯科医会、同養護教諭会」などの会を組織して側面から、学校保健に関する諸問題について研究討議し、学校保健の振興を強じんに促進する必要がある。

次年度大会

昭和三十七年度の大会場は、静岡県と決まつた。第十回を開催する昨年度までひとりも参加できなかつたということは、学校保健に対する認識の問題、あるいはその外いろいろな事情があつたことでしょうが、次回の会場は静岡県であるので、教育関係の各職域からぜひ参加してもらつて、本土における保健教育の状況をひとりでも多く視察せしめ、そしておくれている沖縄の学校保健（学校においても、地域においても）を推進させたいと思う。

全国一健康優良学校紹介

都道府県名	学校名	所在地	交通関係	特色
青森	相内小学校	三戸郡内部町	東北東線諏訪駅下車徒歩一〇分	昭和三十五年度日本一優良校、学校保健全般
福島	福島第一小学校	福島市杉妻町十二	東北本線福島駅下車徒歩一〇分	昭和二十九年度日本一健康優良校、保健全般
神奈川	鎌倉第一小学校	鎌倉市大町久保	国鉄鎌倉駅下車徒歩十分	昭和三十五年度日本一道徳と保健の相関係的扱い研究を通しての組織活動の展開
新潟	新井小学校	新井市小出雲	信越線新井駅下車	三十二年度日本一地域一体保健活動
富山	蕾小学校	東礪波郡城端町	城端線城端駅下車バス十五分	三十三年度日本一
岐阜	神土小学校	加茂郡東白川村	国鉄高山線白川口駅下車バス一六K学校前下車	車三十四年度日本一保健教育、保健管理
奈良	桜井南小学校	桜井市河西	近鉄桜井駅下車	三十二年度日本一
〃	牧野小学校	五条市中之町	和歌山線五条駅下車	二十八年度日本一
大阪市	曽根崎小学校	大阪駅前	大阪駅から五分	本年度（三十六年）日本一
島根	須佐西小学校	簸川郡佐田村	立久恵線出雲須佐駅よりバス九〇分	学校保健日本一
香川	四番町小学校	高松市四番町	高松駅下車徒歩一五分	三十四年度日本一
鹿児島	東昌小学校	日置郡松之町	鹿児島より南鉄バス一時間	三十一年度日本一
千葉	津田沼小学校	習志野市		体育指導優良校

宮前小学校教頭　**奥間信一**

今している教育研修の内容

特別教育活動が近代学校に於ける大切な教育領域として取りあげられて久しいのであるが、未開拓、未解決の分野があり、他教育領域と相関的取扱が粗漏で確立されていないので、この問題を一歩々々解決して、教育の効果を充全にしたいと思つて、次の諸点を考究している。イ、特活の望ましい在り方。此の点はよく知られているようで、案外曲解され、便乗され、安易に取扱われて本質を没却されていることが多い。ロ、特活の特色を生かしつつ他領域との相互連関的事項を如何に教育計画の中に織込んでいくか。　ハ、実践活動の円滑な運営。

研修時間を生みだすためのくふう

協同研修は、週行事として、毎週金曜日の放課後を校内研修時間に定め、この日は行事をもたない。個人研修は帰宅後夜間の読書時間等をさいている。

今している研修方法

校内の教科研究組織の一分野として特別教育活動研究委員会を組織して協同研究をしているが、能率的研修をすすめるために、個人的研究課題を分担し、これを足場に全体討議し、成果を全職員に流してサービス的機能を発揮している。更に特別教育活動研究委員は地区の特別教育活動同好会の会員として研修している。

校内研修の問題点

教師は、より高次の指導力を発揮して、教育の効果を高め、全児童のより幸福のために捧げたい一念に燃えているが、それを阻む壁がある。　イ、教師は負担過重で研究に要する充分な時間が与えられていない。　ロ、社会的行事等によつて時間がくわれている。　ハ、権威主義的で自分達同志の研修に意欲的でない。　ニ、研修に要する施設、備品、予算措置が不充分である。ホ、小学校では研修の成果を教壇実践に結びつけるためには横の連絡を密にして、サービス的機能を発揮することが肝要である。

標準読書力診断テスト結果の概要

研究調査課

一、調査の目的

読書力は学力の基盤をなすものであり、その実態を全琉的な規模において小中校児童生徒を診断的標準検査によって測定し、その結果を現場ならびに指導行政上の基礎資料とする。

二、調査の方法

1. 使用した標準テストの名称

阪本D式標準読書テスト

C号第二形式

（発行所牧書店）

2. 調査の対象

この調査の対象となった学年は、小学校五年。中学校一年でそのうち各学校一学級あて抽出して実施した。

3. 抽出の方法

各学校とも各学級が一様に編成されているものとして各学校において抽せんして決める。

4. 再抽出の方法

統計処理の場合は都市地域と農村地域に分類し更にその中から学校単位に都市地域から五〇％農村地域から二〇％抽出して集計した。

全琉小学校五年生

二八、九一一人　抽出率一〇・三％

全琉中学校一年生

二三、六九一人　抽出率　九・一％

5. その他

調査は一九六一年五月九日午前中に、各学校各学級において当該学級担任が実施し採点処理をしてもらい報告をもとめた。

三、結果の概要

1. 児童生徒の読書力偏差値の分布状況

イ、小学校五年生の偏差値分布

	偏差値区間	人数	百分比	
			全琉	理論値
最優	76　以上	3	0.1	0.6
優	66 ～ 75	29	1.0	6.1
中の上	56 ～ 65	173	5.8	24.2
中	46 ～ 55	727	24.4	38.2
中の下	36 ～ 45	1277	48.0	24.2
劣	26 ～ 35	734	24.7	6.1
最劣	25　以下	31	1.0	0.6
計		2974	1.00	100.

抽出率　一〇・三％

抽出数　二九七四名

標準偏差　八・八〇

偏差値平均　二四・四

前表の分布状態から見ると理論値との間にはかなりの開きがあると見てよい。偏差値の性質から全国平均は五〇点となるが今回の結果は二四・四点を示し七・六点の差をもっている。

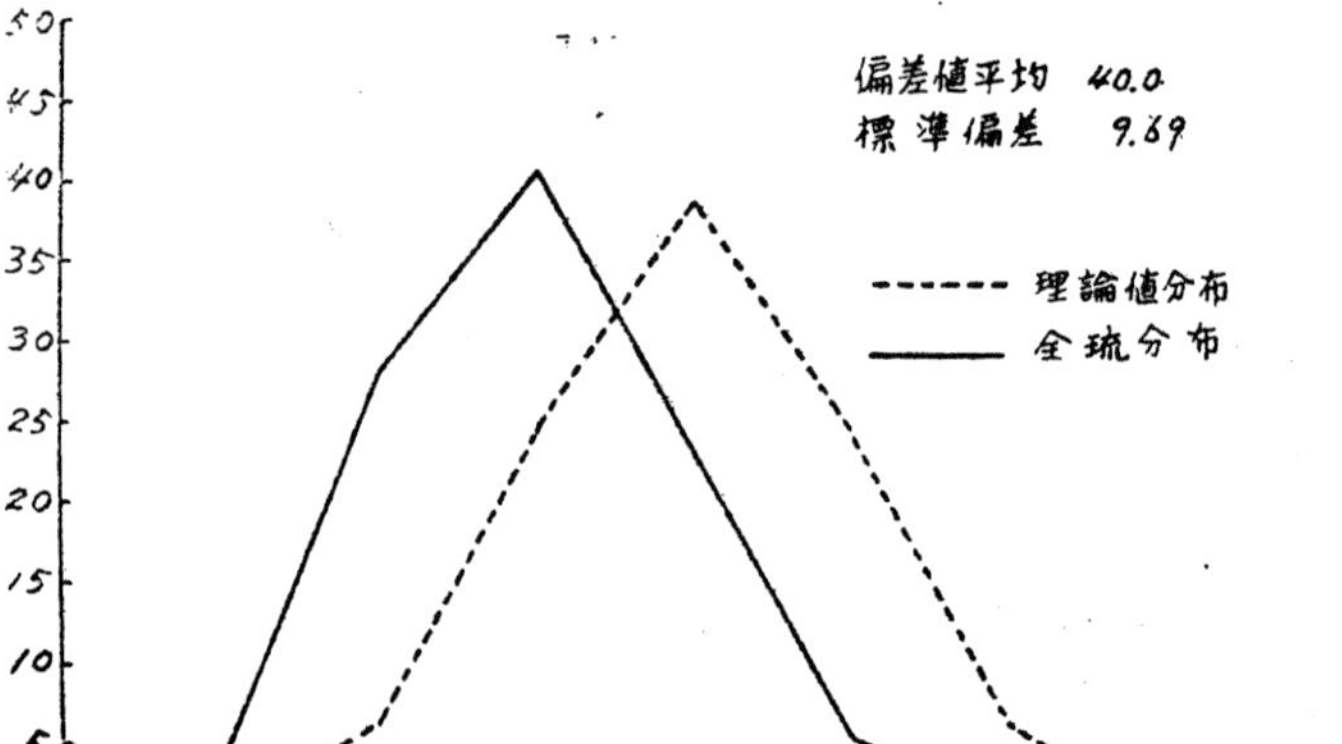

分布の状態からおして考えると標準偏差は八・八で、かなり良いと云えるが山が左の方に寄っていることから言わば全体的に読書力がおちていることがうかがわれ全体的に読書力指導の必要が感ぜられる。

なお一〇・三％の抽出率でもとめた偏差値平均が二三・四点であり、S・Dが八・八であることから母集団の平均をMとすれば、母平均Mの範囲を五％の危険率として次のように出出来る。

42.086＜M＜42.414

ロ、都市と農村における分布

前頁で全琉小学校五年生の平均分布を示したが更にそれを都市地区と農村地区に大別して分布状態と示すと次表のとおりである。

この表から見ると都市農村とも殆んどが「中の下」の方にかたよっている。都市地区は平均四四・二　標準偏差九・四八　農村地区は平均四一・四　標準偏差八・五一となっている。

以上のことから考えてもやはり農村地区

の方は都市地区に比べて読書力はかなり低いといえよう。

読書力段階	偏差値区間	度数分布 都市	度数分布 農村
最優	76以上	0.2	0.0
優	66～75	1.6	0.6
中の上	56～65	9.6	3.3
中	46～55	31.1	20.0
中の下	36～45	42.2	43.4
劣	26～35	14.6	31.4
最劣	25以下	0.7	1.3

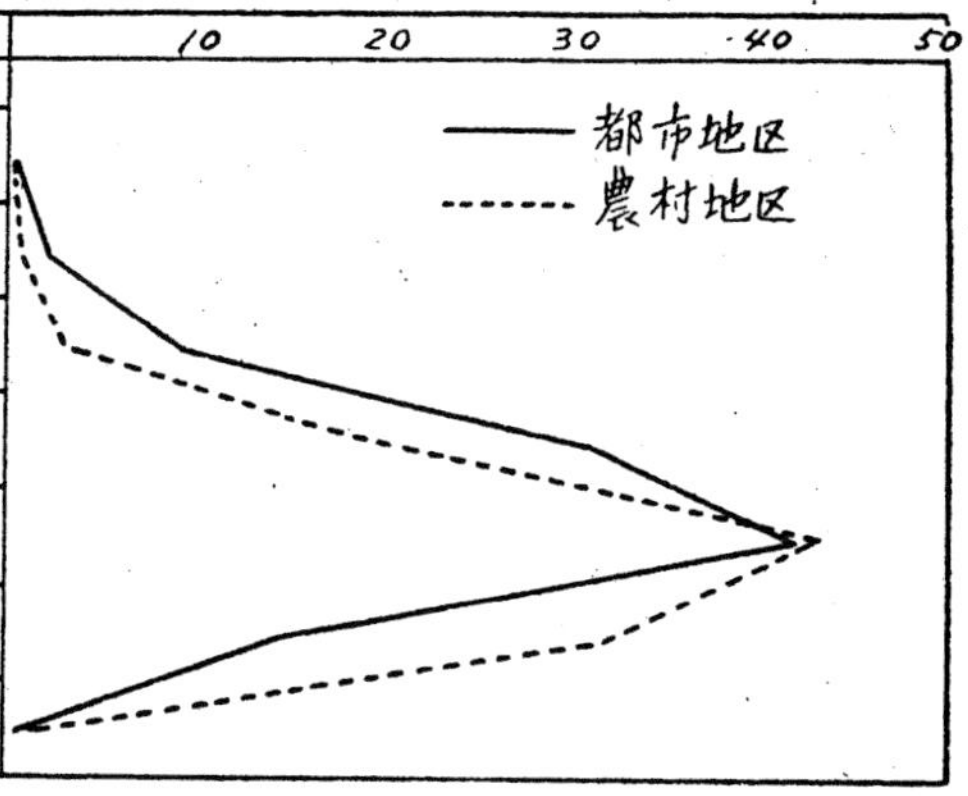

八、中学校一年得点分布

抽出率　九・一%

人数　二一五一名

偏差植平均　四〇・〇点

標準偏差　九・六九

読書力段階	油差植区間	度数	百分率 全琉	百分率 理論植
最優	76 以上	2	0.1	0.6
優	96 ～ 75	16	0.7	4.2
中の上	56 ～ 65	110	5.1	21.2
中	46 ～ 55	488	22.7	42.5
中の下	36 ～ 45	864	40.2	23.2
劣	26 ～ 35	595	27.7	7.5
最劣	25 以下	76	35	0.8
		2151	100.	100

小学校五年生の場合と比較して合散の度合は大きく、S・Dは九・六九を示している。それでもあまり分散しているとは思われないが偏差平均が四〇・〇を示していることからかなりの差があり小学校にくらべて全国標準から次第に遠ざかつていくように思われる。

ただし抽出平均と標準偏差より母平均（全琉平均）を推定すると、五%の危険を許せば、母平均Mの範囲は

$39.6 < M < 40.4$

算出できる。

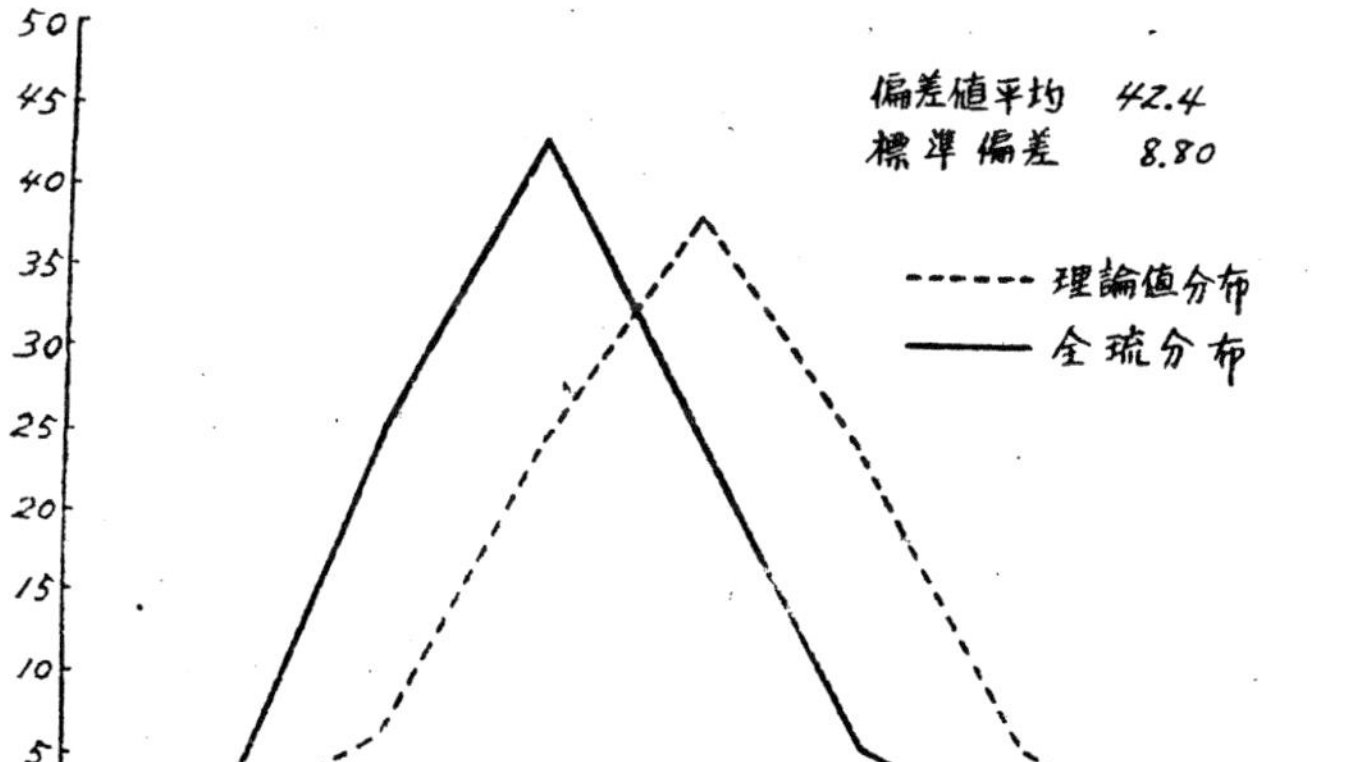

二、都市と農村における読書力偏差値分

(1) 小学校五年生の場合と同様読書力段階の「中の下」の方で高い山をなしている。ちなみに都市地区の場合、平均が四四・七標準偏差一〇・二六となっており、農村地区では平均三九・〇、標準偏差九・〇五を示している。

以上のことから学年が上がるに従って次第に優劣の差が何れの地区においても大きくなってくる傾向があるということができて今後の学習指導上大きな示唆を与えるものと考えられる。

読書力段階	偏差値区間	度数 都市	度数 農村
最優	76以上	0.5	0
優	66～75	2.5	0.3
中の上	56～65	9.8	4.0
中	46～55	31.6	20.6
中の下	36～45	39.2	40.4
劣	26～35	14.4	30.8
最劣	25以下	2.0	3.9

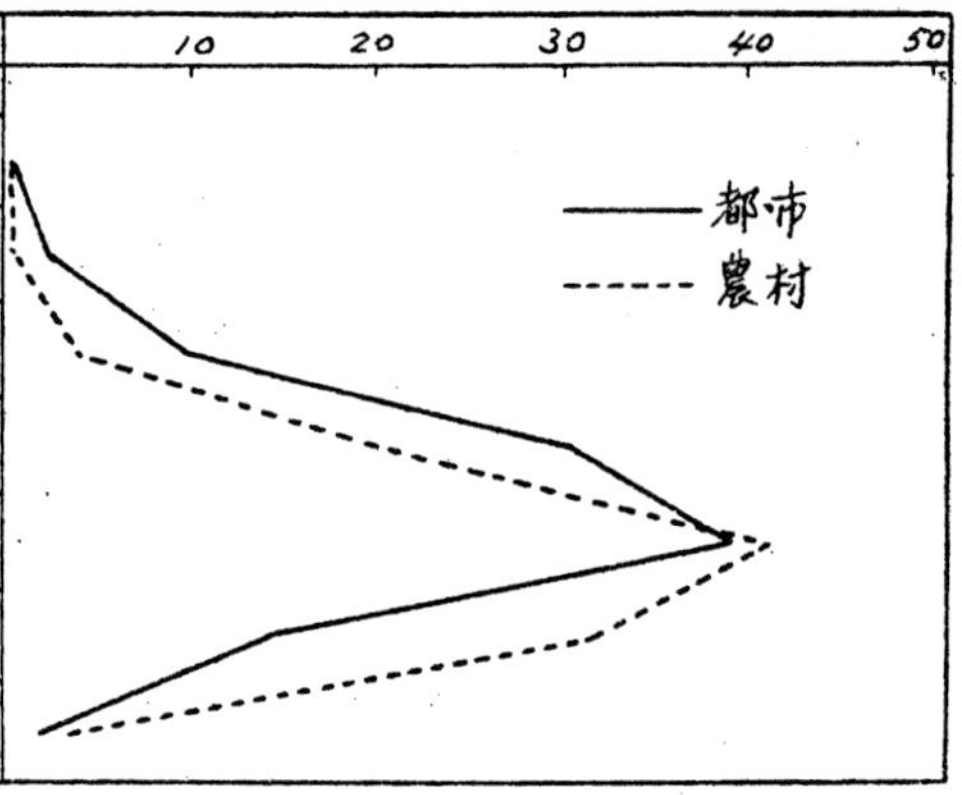

(2) 地域類型別にみた読書年令の分布と全琉平均

イ、小学校五年生

読書年令度数分布

年令	人数% 都市	人数% 農村
7才	3.2	6.2
8才	17.4	35.4
9才	28.3	30.6
10才	33.6	21.3
11才	11.3	4.6
12才	3.8	1.2
13才	1.8	0.4
14才	0.6	0.2
15才	0.1	0.1

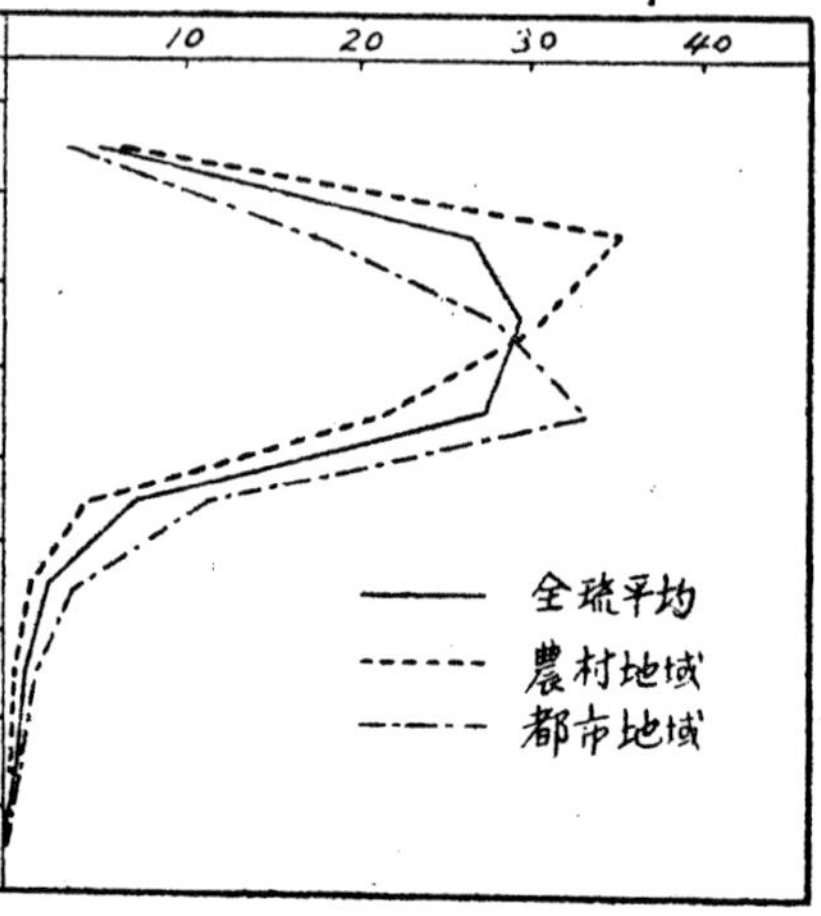

小学校五年生に対しては一学期の前半期にテストを実施したので読書力年令は四年の三学期として考えなくてはならないが、都市の場合は平均読書年令が一〇才〇ケ月に対し農村地区は九才四ケ月と示し都市と農村との間には読書力においてかなりの差があることが推測できる。

ロ、中学校一年生

概観して都市農村とも読書力年令は低いと云っことが云えよう。

農村の平均年令九才一四ケ月に対して都市地区は一〇才三ケ月となっている。

中学校一年生に対しては一学期前半にテストを実施したので処理法に従って六年三学期と見る。

そうなると読書年令は十一才から十二才が標準と考えられるが上表からして全琉的に一〇才の方が多く高い山をなしている。いいかえると標準読書年令に達しない生徒が全体の五二・九％いると考えられる。

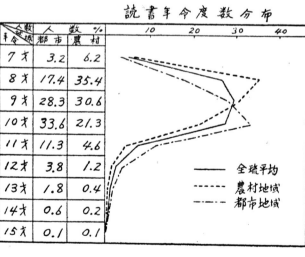

小学校五年生の標準に達しない生徒三一・一%に比較してかなり大きな数字を示している。学年が進むにつれて次第に標準から遠ざかつてゆくように思われる。読書力指導の上に大きな問題点として取りあげられるべきであろう。

3. 種目別読書力発達年令

総合的な読書力の発達状況について述べたがさらに種目別に分析することにする。

イ、小学校における種目別令読書年令の分布（小学校五年）

読書年令度数分布

年令＼地域・人数	人数% 都市	人数% 農村
7才	0.7	2.6
8才	5.9	13.3
9才	8.6	21.0
10才	26.2	29.5
11才	19.4	14.9
12才	13.2	9.5
13才	11.3	5.9
14才	5.9	1.8
15才	4.1	1.1
16才	2.7	0.3
17才以上	2.0	0.2

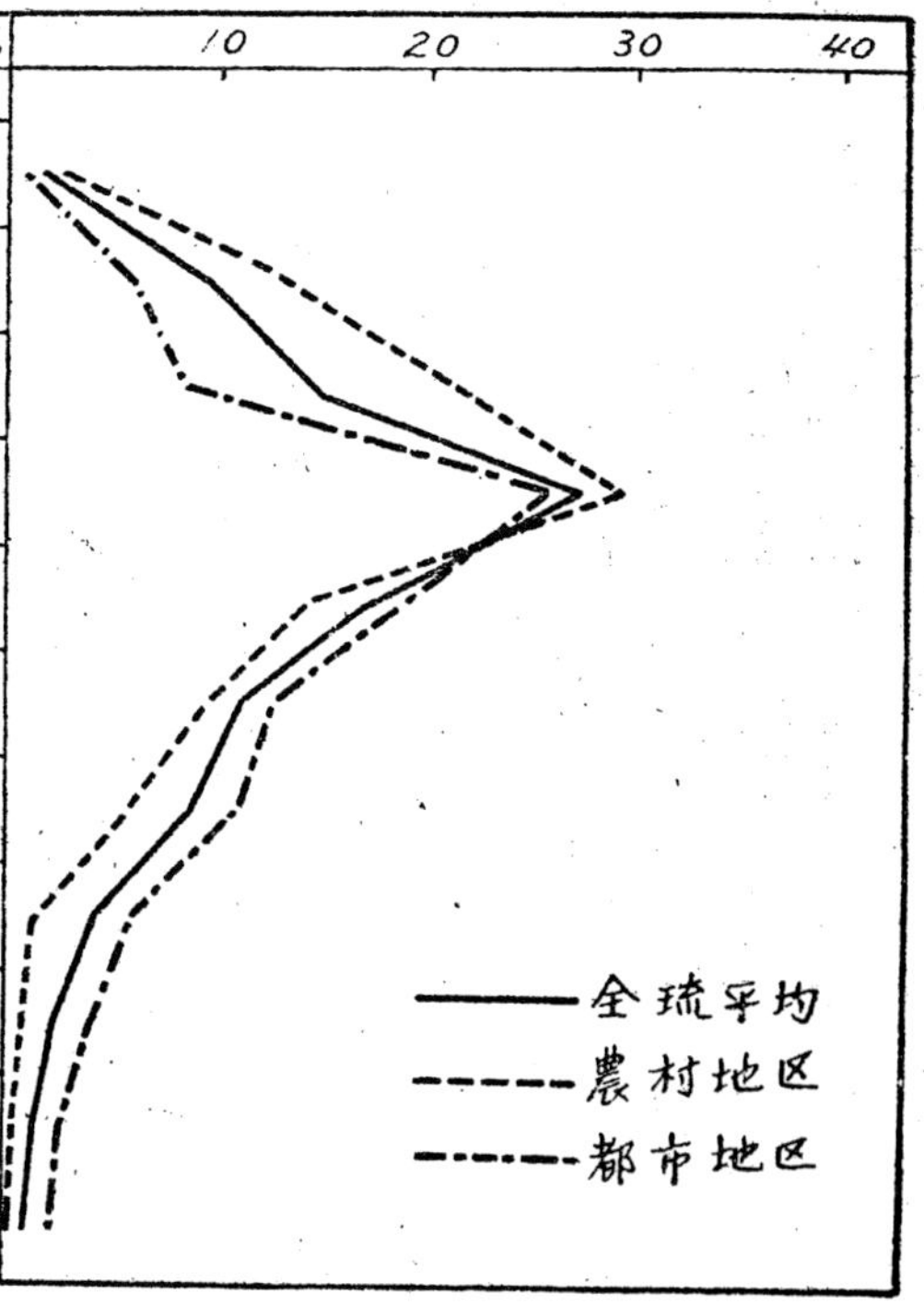

全琉小学校（五年）
種目別読書力偏差値分布

年令	速読	読解	読字	単語
6才以下	0.8	0.7	1.1	0.2
7	17.4	12.9	1.9	1.5
8	28.8	30.0	14.4	4.9
9	22.2	21.9	25.7	20.9
10	16.6	21.2	41.9	27.3
11	4.4	7.8	11.5	26.4
12	2.2	3.4	2.4	12.0
13	2.8	0.9	0.8	4.6
14	1.8	0.7	0.3	1.8
15	2.1	0.3	0.0	0.4
16	0.4	0.1	0.0	0.0
17	0.3	0.1	0	0
18	0.2	0.0	0	0

全琉小学校五年生の種目別読書力発達年令の分をグラフに示すと上の表の通りである。

読字と単語の力はそれぞれ学年相応に発達していると考えられるが速読と読解の方は何れも八才の所でモードを作り、五年生としてはかなり発達が遅れているといえよう。

一般的に言つて読字や単語に比較して読解や速読を伸ばすにはより多くの時間と行き届いた断読指導が必要である。その意味で上表における読解速読の遅れていることに注目したい。

読解、速読の遅れている原因は端的に言えないが、

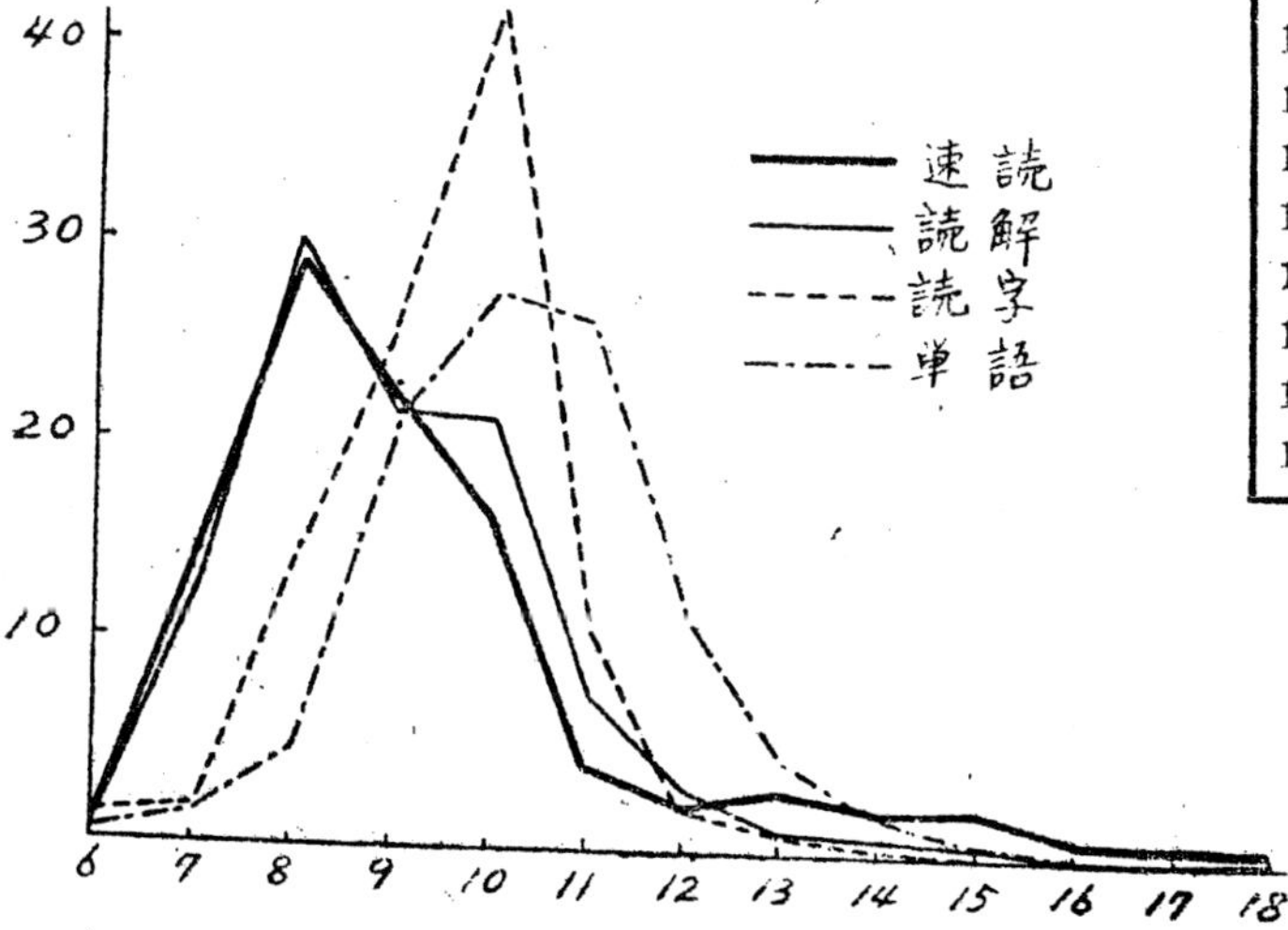

各学年相応の基本的な能力を身につけることへの努力の不足と読書経験の不足などを挙げることはゆるされるであろう。

ロ　中学校における種目別読書力発達年令分布

年令＼種目	速読	解読	読字	単語
6才	0.9	0.7	0.7	0.8
7	15.6	5.4	0.6	3.1
8	18.9	13.7	6.3	9.9
9	19.0	16.3	10.2	20.9
10	18.9	23.8	23.5	24.9
11	6.7	16.7	21.2	18.2
12	5.9	9.7	17.2	11.1
13	5.0	5.5	13.2	6.1
14	3.4	3.0	4.4	3.3
15	2.2	2.5	2.0	1.1
16	1.8	1.1	0.4	0.4
17	1.4	1.1	0.3	0.1
18	0.8	0.3	0.0	0.1
19	0.7	0.1	0.0	0.0
20以上	1.1	0.1	0	0.0

上の表を見ると矢張り速読において低い面にかなり大きなパーセントを示していることがわかる。

もつとも、中学校二年以上の速読力をもつているものも一六・五％いる。

小学校五年に比べて読解力の方が進歩をみせ、読字力に近づいていることもいえるが、読字力と単語力の方は全体的に発達を見せていないことはどういうわけであろうか。

ちなみに中学校一年の一学期前半期において実施したので読書年令は十一才の所にモードを示すのが標準とされようが種目の何れをみてもそれが十才の所で現われている。

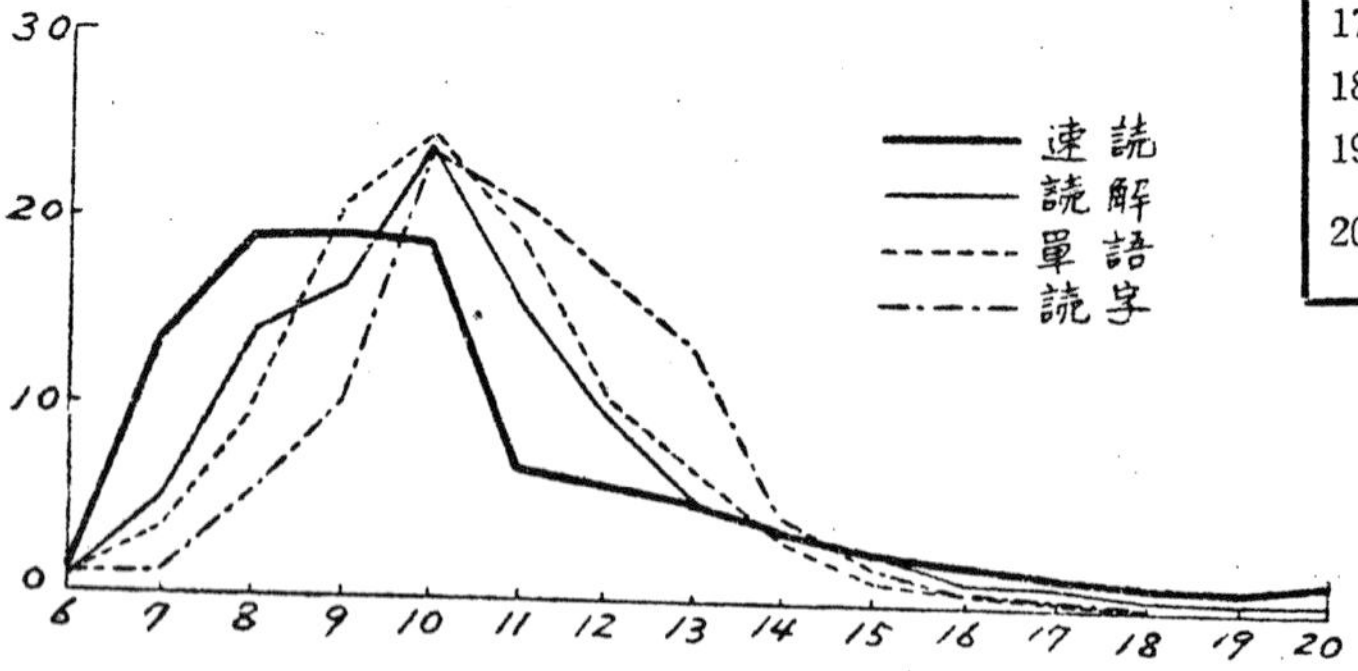

ハ　地域別に見た種目別読書力発達年令の分布
小学校五年生

		速読	読解	読字	単語
(	都市	0.3	0.9	0.8	1.3
	農村	1.2	0.6	1.3	2.0
7	都市	10.5	8.6	0.8	3.0
	農村	22.0	15.6	2.7	6.2
8	都市	22.9	23.0	10.7	15.2
	農村	32.8	34.8	17.5	24.7
(	都市	23.5	20.7	23.2	24.0
	農村	21.2	22.8	27.4	29.5
1(	都市	21.5	25.2	44.1	30.4
	農村	13.4	18.3	40.1	23.5
1	都市	6.4	11.8	14.2	17.3
	農村	3.0	5.2	9.2	8.5
1	都市	3.2	5.6	4.9	5.0
	農村	1.5	2.0	0.9	4.3
1	都市	4.1	1.8	1.0	3.1
	農村	2.0	0.4	0.8	1.0
1	都市	3.0	1.6	0.3	0.7
	農村	1.0	0.2	0.2	0.3
1	都市	3.4	0.3	0.0	0.0
	農村	1.2	0.1	0	0
1(	都市	0.6	0.2	0.0	0
	農村	0.3	0	0	0
1	都市	0.3	0.2	0	0
	農村	0.1	0	0	0
1	都市	0.3	0.1	0	0
	農村	0.3	0	0	0

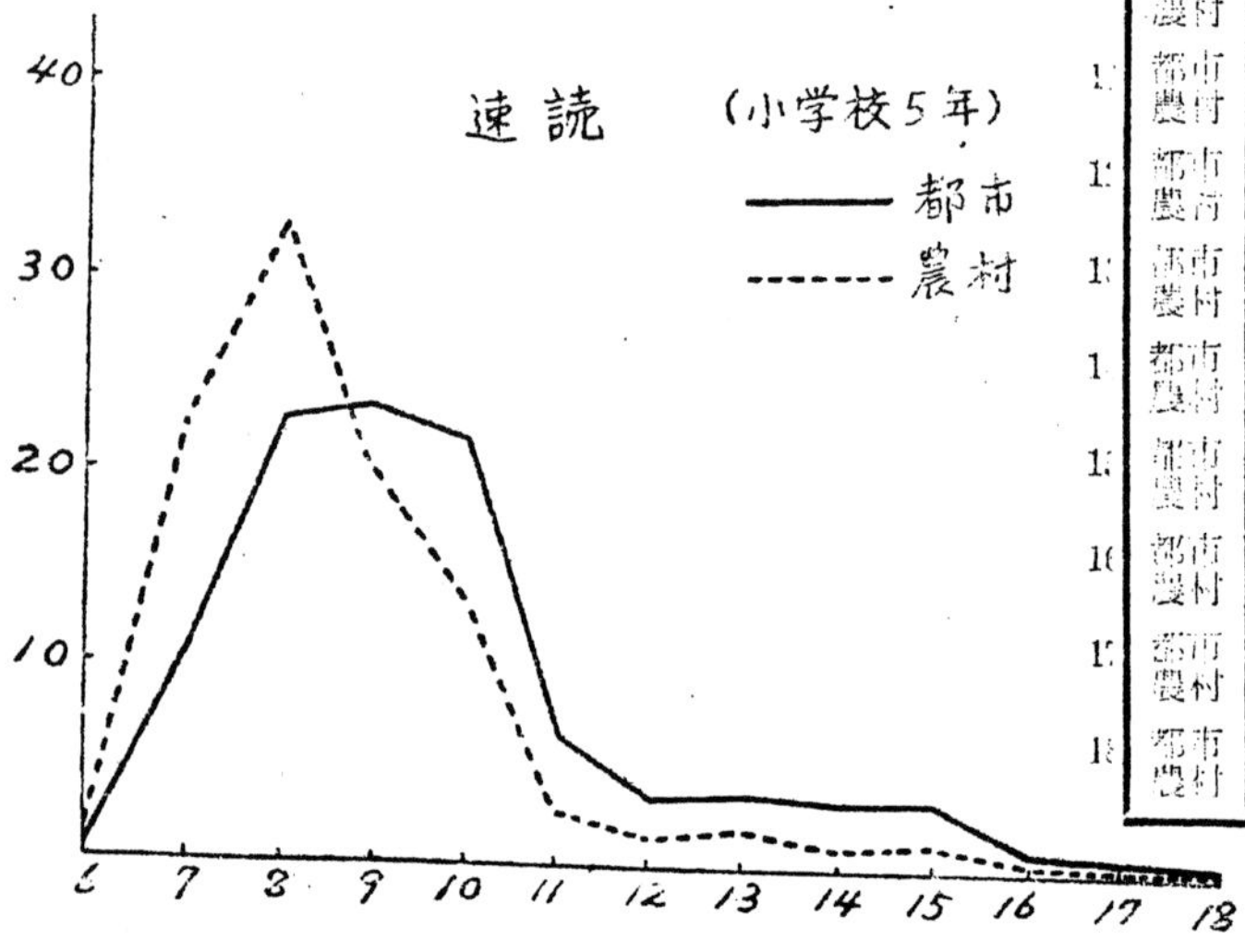

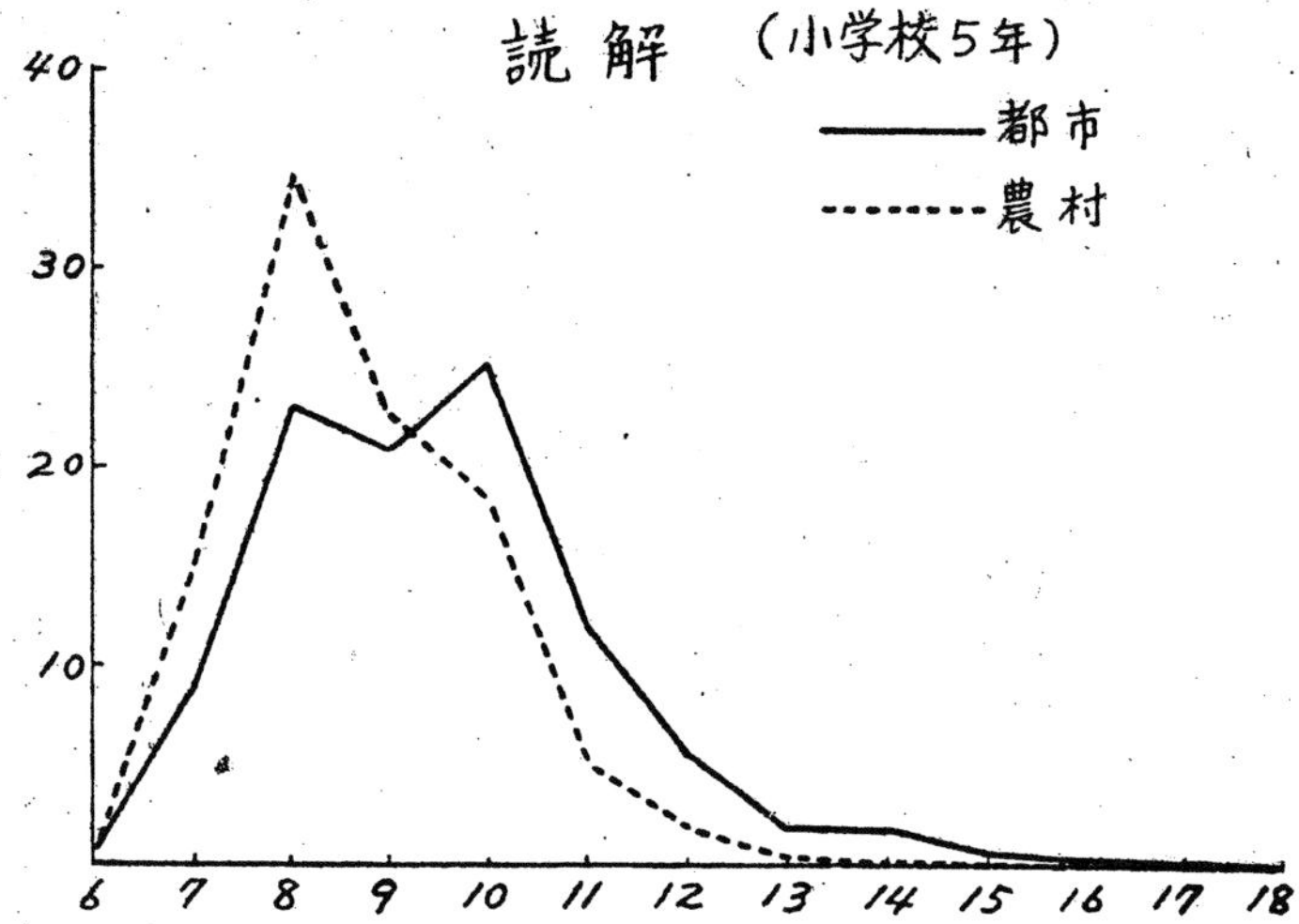
読解 (小学校5年)
都市
農村
40
30
20
10
6
7
8
9
10
11
12
13
14
15
16
17
18

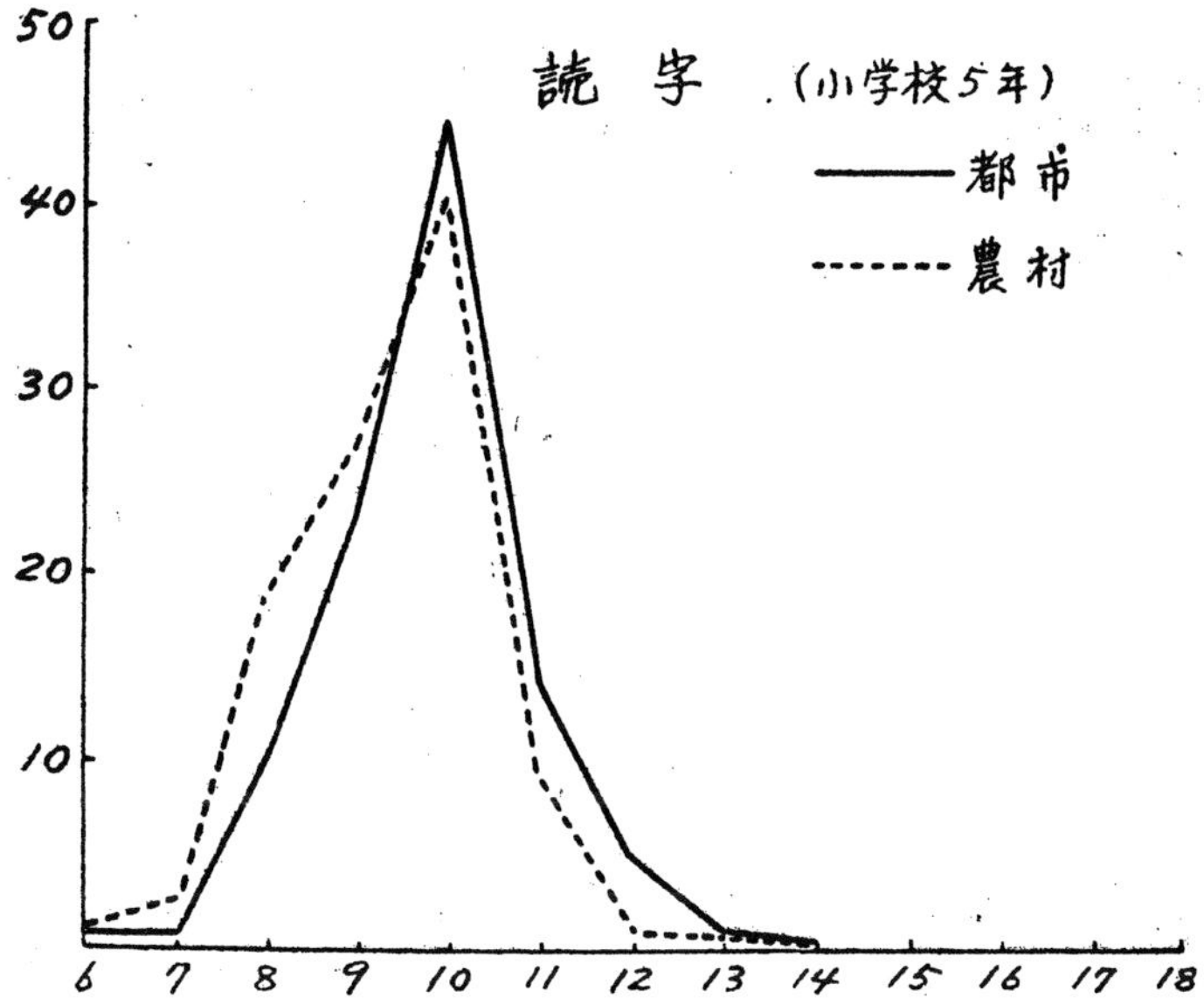
読字 (小学校5年)
都市
農村
50
40
30
20
10
6
7
8
9
10
11
12
13
14
15
16
17
18

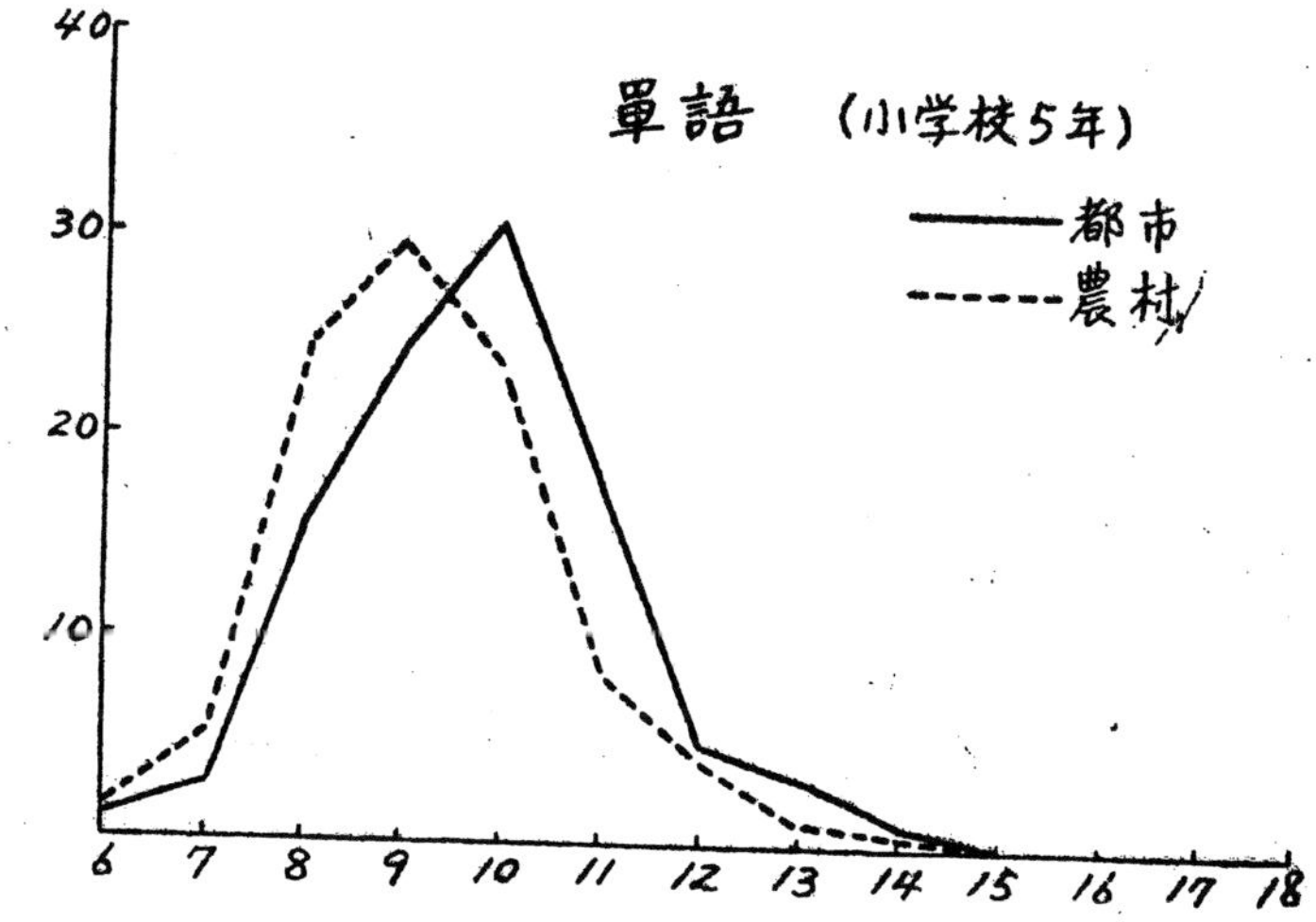
單語 (小学校5年)
都市
農村
40
30
20
10
6
7
8
9
10
11
12
13
14
15
16
17
18

中学校一年

		速読	読解	読字	単語
6	都市	0.7	0.2	1.5	1.0
	農村	1.0	0.9	0.5	0.7
7	都市	7.8	1.2	0.2	4.9
	農村	17.3	6.4	0.7	2.5
8	都市	11.0	7.4	3.3	10.8
	農村	19.8	15.1	7.0	9.7
9	都市	15.2	12.1	7.1	23.5
	農村	18.6	17.3	11.5	20.3
10	都市	21.3	22.6	15.9	19.6
	農村	17.5	24.1	25.0	26.2
11	都市	10.0	16.4	21.3	13.0
	農村	6.1	16.8	21.1	19.5
12	都市	6.9	15.0	19.1	12.0
	農村	5.7	8.4	16.6	10.9
13	都市	5.6	6.9	16.9	7.4
	農村	4.9	5.2	12.3	5.9
14	都市	4.6	6.1	7.6	4.7
	農村	3.2	2.2	3.6	3.0
15	都市	2.9	5.1	3.9	1.0
	農村	2.0	1.9	1.5	1.1
16	都市	3.7	2.7	1.7	1.0
	農村	1.3	0.7	0.1	0.2
17	都市	3.4	2.7	1.0	0.5
	農村	1.0	0.8	0.1	0.0
18以上	都市	7.1	1.6	0.4	0.6
	農村	1.6	0.2	0	0.0

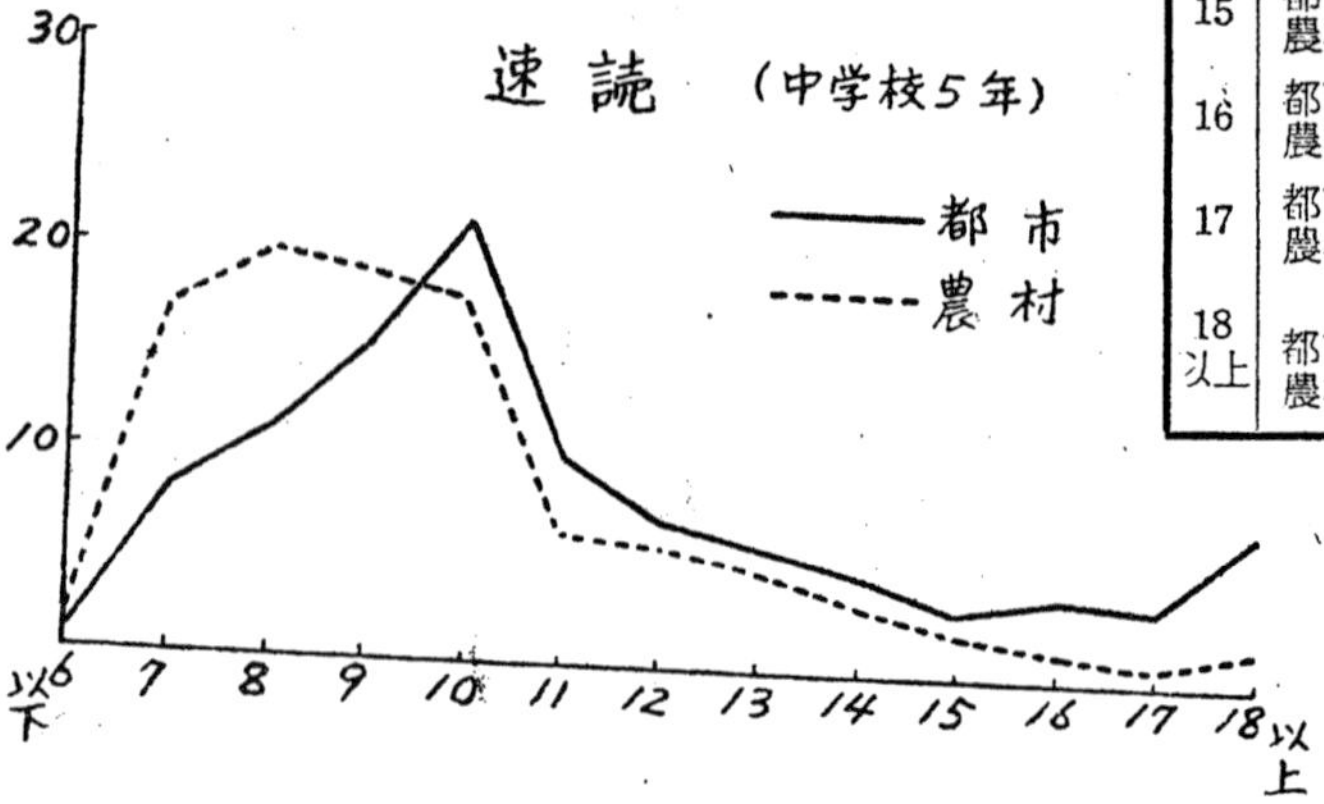

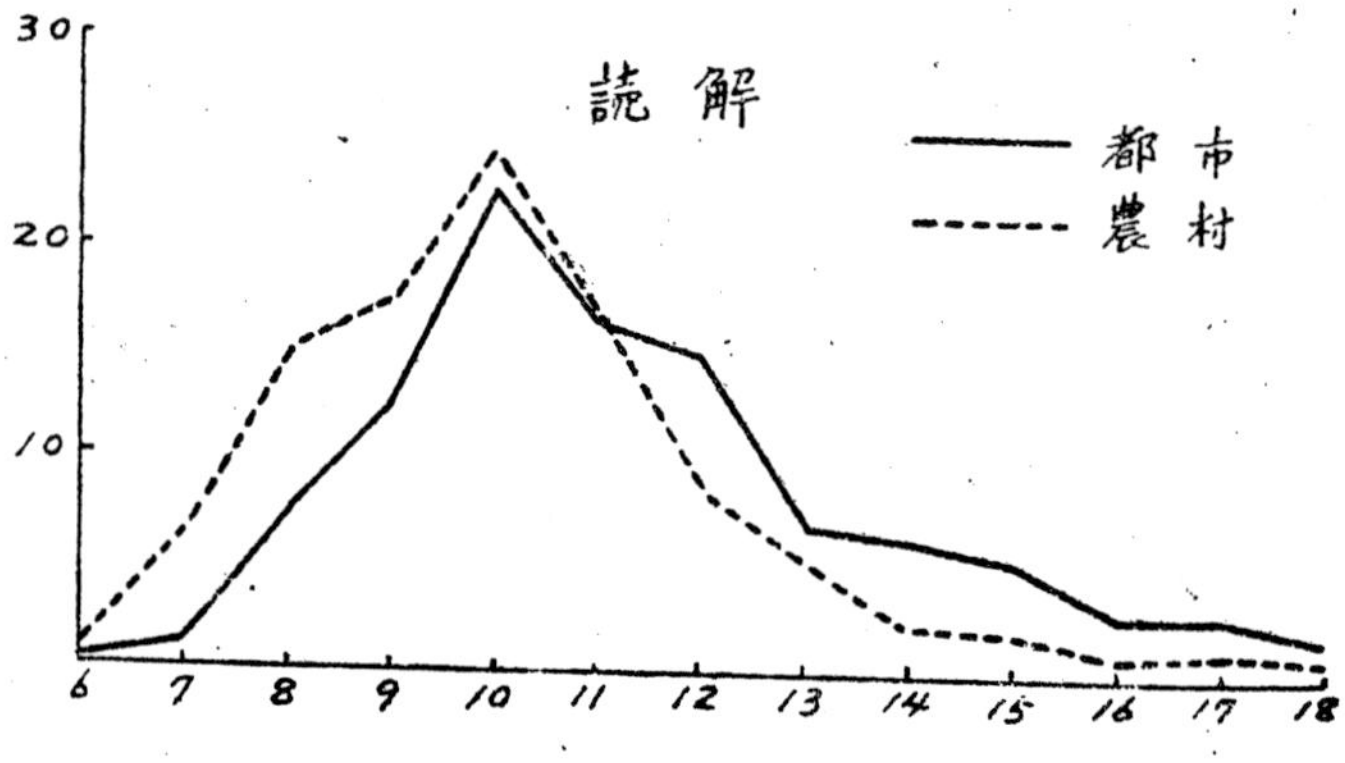

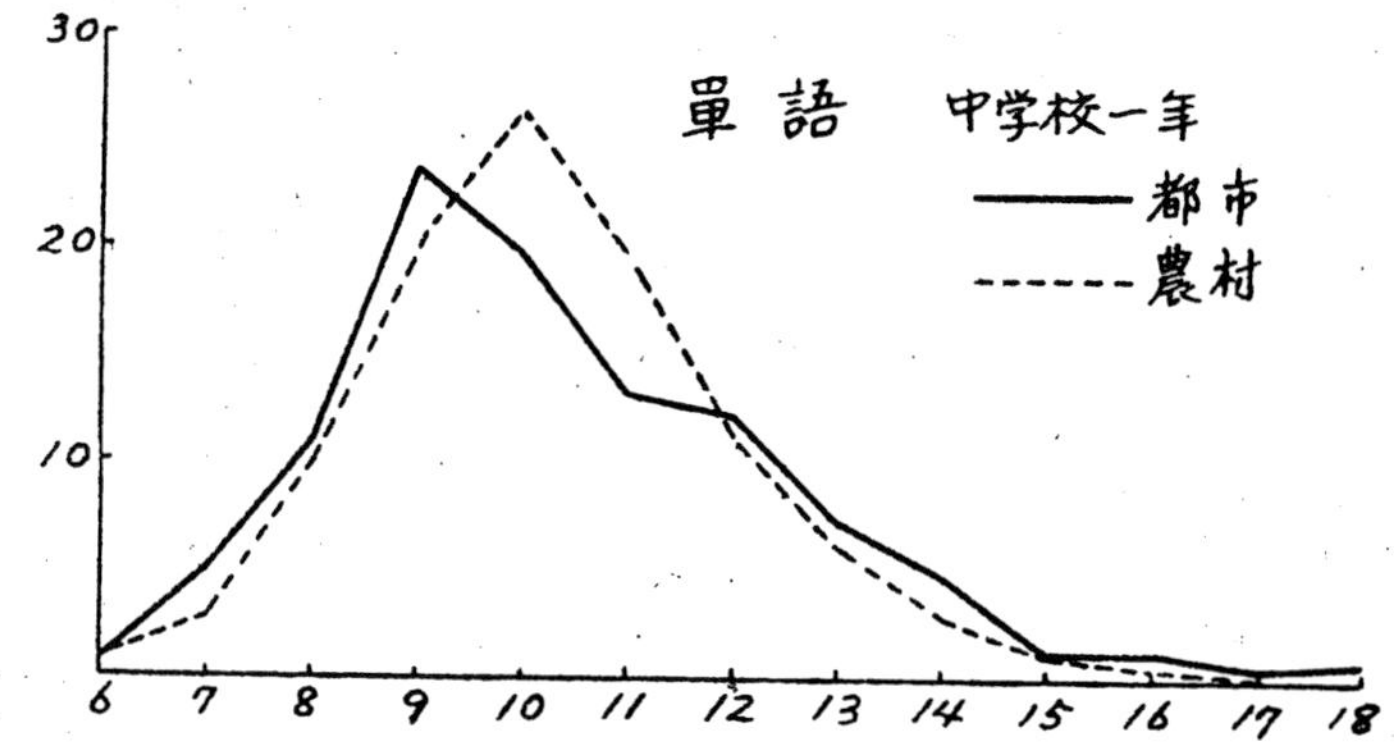
單語　中学校一年
都市
農村
30
20
10
6 7 8 9 10 11 12 13 14 15 16 17 18

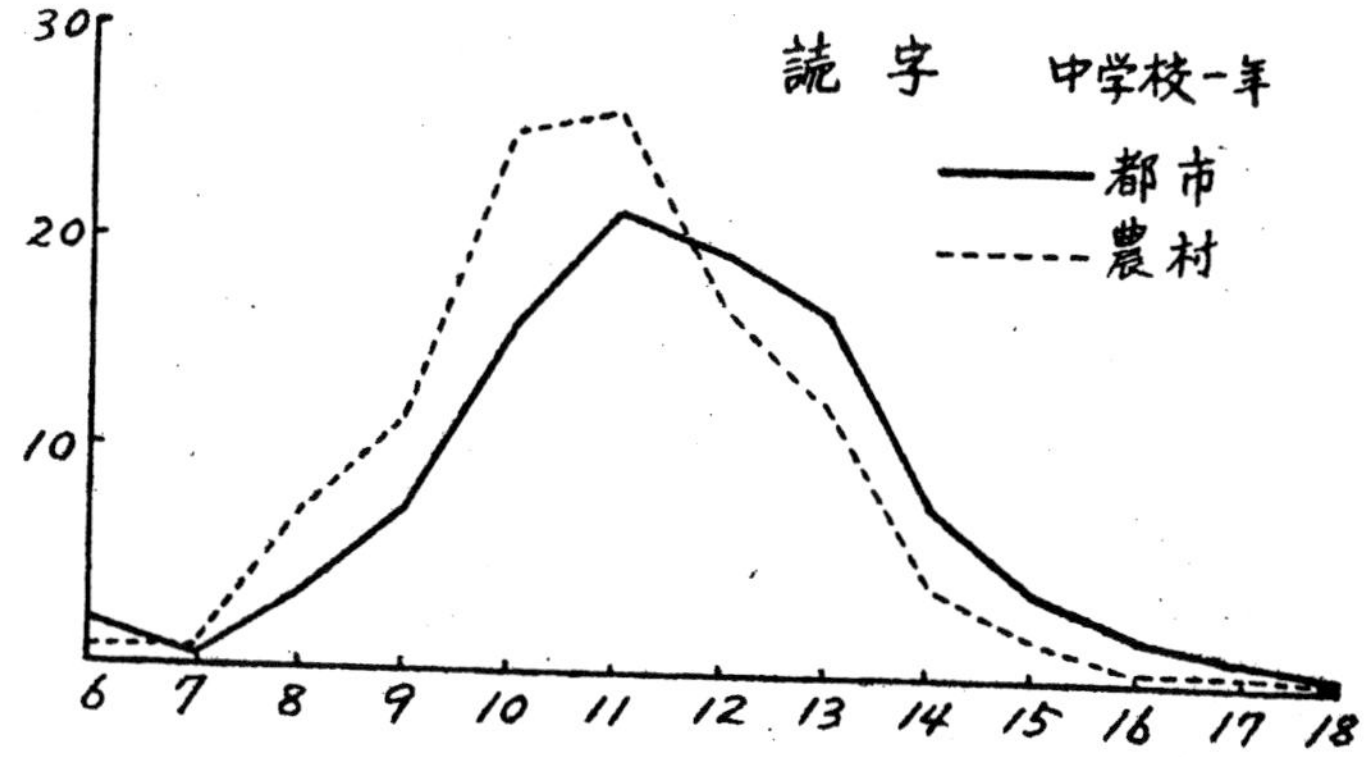
読字　中学校一年
都市
農村
30
20
10
6 7 8 9 10 11 12 13 14 15 16 17 18

尚寧王の時代（2）

饒平名浩太郎

薩摩の略奪

薩摩の渡海日記によると
「五日には首里の城御受け取なされ候故、御大将を始、首里へ御出候。城の内には御大将分の御人衆ばかり人を近くめしつれられず御入候。彼の日昼ほどより城内荷物御改にて日記に付け、薩摩御物に罷成候。四ずにて御改め候。日本に於てついに見申されざる唐物以下珍らしき物多きこと限りなく候。半右衛門様御分限にて候へ共、草履取一人も召しつれられず、我ばかり御入り候。晩に御帰りの時は城戸の番所にて惣別、城内に参り候。人々帯を解き、着物をふるい、少も御ひきかうなき御あらため、互にきびしきこと、申すことなく候。
金銀絹紗その外珍らしき物の中にみだれ入り、取りあつかい見申候。日数五日、六日、七日、八日、九日以上十三日ほどの御改にて候。その内は荷物改めの御人衆は首里へ逗留候。その外御人衆は那覇に御逗留候。右の御人数辰（たつ）の刻より酉（とり）の刻まで御諚にて御改なされ、相すみ候により那覇へ御下候、彼津之御逗留の内に荷物船に入候。都舟も参候。御荷物御国元へ参候。」
とあり、首里城内に於ける七珍財宝はすっかり持ち去ってしまった。しかもその略奪の仕方が大変である。城内から出入するものは帯をとき着物をふるい、悪態の限りを尽して収奪するという横暴振りである。

思へば察度王以来支那大陸に通じ、交流された財物、南方諸国より舶来した珍宝が、戦いというまわしい事実によって、何の沙汰もなく盗り去られたしまったという事実は、沖縄の歴史始って以来の国辱であったのだ。この状態が同じ藩の手によって明治十二年廃藩置県のときにも行われているのであるから、沖縄の文化を完膚なきまでに、破壊し去ったのは薩摩であったことを知らねばならない。即ち明治十二年三月二十七日琉球処分官松田道之は琉球藩王尚泰に対して次のような脅迫状をつけ、抵抗なき沖縄に傍若無人の独裁政策を断行したのだ。

「今般処分上の都合有之につき、旧藩簿書類所蔵の場所は封緘（ふうかん）候条同所の物件を調査又は他に出す等の節は城中に出張の内務省官吏に照会の上其立会を得て取計可有之、当方より調査致候節は旧藩吏立会を得て取計可申候。且又各所の城内は巡査をして護衛せしめ候条、城内より他に出す物件は大小を不問、且又城中に出頭の内務官吏の検査を受け、その印鑑を得て通行候様取計可有之候也。

旧琉球藩王　尚泰殿

別紙御調査書の旨趣については左の箇条に従い取計可有之候也。

旧琉球藩王尚泰殿

一、来る三十一日（三月）正午十二時限り居城を退去東京へ出発迄は嫡子尚典の邸第へ居住すべし、居城は当地営所長へ引渡すべき事。
一、県令に対し土地人民其の他旧藩の管轄に属したる諸般引渡の手続をなすべきこと。
一、土地、家屋、倉庫、金穀、船舶その他諸物件の官に属すべきものと、私有に属すべきものとを明細に引分け具申すべきこととあり、

二十七日この処分の惨状に堪えなかった旧藩吏は連署して歎願書を提出したが、処分官松田道之は歎願書を披覧もせず、直ちに差戻し、「三司官は来る三十一日居城引渡しの手続をせよ。よって首里各村の士族、平民強壮の者悉く明朝より城府に参集せしめるよう命令する。」と威かくしている。

同二十八日は衆官吏及び士族平民数百人参集したので、下庫理（したどり）書院近習内官各所より藩王儀鹵簿（ろぼ）器具図書及び衣衾、絹紬、布疋等を蔵むる箱櫃（ひつ）箪笥（たんす）その他数百年来経営聚蔵（しうぞう）せられた百般の器具、物件を悉く中庭に持ち出し、倚畳（きじよう）堆積すること山の如し。これを荷造りして夫卒に荷担せしめ、紳徒士輩がこれを護衛し、中城お殿及び按司親方等の大家に運搬し、朝から晩まで絡繹（らくえき）絶えず、喧々雑閙（ざつとう）して満城騒擾（そうじよう）をきわむ。城門を出るに及んでは守衛の巡査等一々封緘を開き、鍵鎖（けんさ）を解き看査を始めた。封鎖をとくのに稍々怠慢する者あるときは叱咤苛嘖して、所持の棒槍を以て、之を打撃し、内宮の装具、其他秘密の器具等が破壊されたものも少くない。この夕藩王及両夫人、令息令嬢等は肩輿（きようよ）に駕せられ、近侍の医士妾侍婢等数十人を伴い、城府を退き王世子尚典公の邸へ移られた。

按司親方衆官吏百余人が前後左右に護衛排列したのもいかにも哀れであつた。思へば二百七十一年前尚寧王が薩兵にせまられて城府を引渡し、三司官名護親方の邸に退き移られる状景そのままであつた。」琉球見聞録（喜舎場朝賢氏）

慶長十四年三月島津家久は樺山権右衛門尉等に手書を与えて、琉球歴々の人質、その外島々の頭目まで悉く人質にとつて薩摩に送還し、「琉球今後の諸役儀こなたに於て相定むべし。」と訓令し、国王以下諸官任免の権をおさえ、利権を確保した。これより従来対等の地位にあつた国王は島津氏附属の一国司となり、中山王の名を以てする国書も家老宛となり、藩〃藩王は大守様の尊号を以て近づくべからざるものとなつた。

琉球の政治機関もそれからは大抵薩摩のお国許に則ることになつた。（喜安日記による）

捕虜となつた尚寧

四日首里城開渡しと同時に、那覇親見世で和議が成立し、（押しつけられた）十五日諸軍は尚寧を伴つて出船凱旋の途についたが、六月二十三日鹿児島につき、二十六日には家久と対面した。九月十二日家久は伊勢兵部少輔等を以て「先規の如く唐の往来調達」あれと伝達しているのであるから、薩摩侵寇の目的は全く支那貿易による巨利を獲んがためであつたことは明らかである。

十五日尚寧の随員（人質）として指命された人々が次の通りである。具志上王子、中城王子、佐敷王子、菊院長老、恩斉長老、大里親方、池城親方、江洲親方玉那覇親雲上、江曾親雲上、川平親雲上具志親雲上、与那原親雲上、池城親雲上阿室親雲上、座安親雲上、湾里之子親雲上、山城親雲上、下郡親雲上、喜安等都合百余人、もつとも戦争の直接の責任者若那親方、浦添親方両人は一つ船に乗せられ、供の人々と別にされた。

九月十二日家久の伝達によつて琉球側の面々は俄かに協議し、池城安頼を進貢正使に任じて差遣することに決し、急遽（きうきよ）帰国させることにした。九月十七日尚寧は家久の命により加冶木に移りこの間三司官謝名鄭迵は薩摩の命に違背したかどによつて誅せられ、三十九年以来尚寧は慶賀使謝恩使を薩摩及び江戸に差向けよというきつい命を受けている。慶長十五年四月十一日家久を先頭に関東出発をした一行は、将軍秀忠の面前に於て謝罪させる目的で引廻されたが、当時の交通というのが又大変である。

鹿児島から伊集院の仮屋で休憩した一行は三日目市来（いちき）に到着、十五日市来から京泊に入り、ここの監江寺を宿所とし、ここで尚寧は新田八幡に参詣を差許され、五月二十四日京泊から蔦巣（とびす）に、そして二十五日糀島、二十六日糀島（こうじま）から沢潟、（さわがた）二十七日名護屋（なごや）の呼子（よぶこ）泊に着き、ここで二日泊り六月二日卯刻に筑前の片泊に、三日片泊の内湾に入り、休む暇とてなく、四月今端に到着す。六日長門下関に入り、七日室積（むろづみ）に、八日上の関、九日津波、ここで夜半から強風で波高く、供奉の人々はすつかりしよげてしまう。それでも十日船の疲れを休める間もなく、船を漕いで、鎌苅（かまかり）に着き、十一日高浦へ、十二日は田島から備後の鞆浦（ともうら）に到着した。ここでも強風で三日間滞在を余儀なくされ、十八日は白石に（沖に碇泊）汐がかりして、十九日には備後の下津井に、二十日牛木戸、ここから二日がかりで幡磨の室（むろ）に到着、旅の疲れで消衰した一行は漸く兵庫に達し、ここで四日間の休養を許され、五日目の夜大阪黄蓮寺に着く。

伏見には陸路、駕（かご）で平和な旅を続けていた家久が待ちかまえていた。花城親雲上は、ここで疲労から病気にかかり、伏見に居残るよう命ぜられ、家久は供奉の伊計親雲上、具志親雲上兄弟（恩五郎思次郎）を引具して先発した。二十九日一行は伏見から逢坂の関にさしかかつたが、物見高い京の人々は哀れな捕虜達を見んものと千余人がつめかけた。八月一日長京から射場（まとば）へ、ここで沢山（さわやま）の宗安寺を仮泊所にあてられ、二日早朝起つて美濃の今津、今津から大柿の宗永寺に入つた。三日は大柿から洲股（すまた）に出て、洲股から清洲の成興院（せいこういん）に仮屋をおいた。折からの雨は三日間降りつづき、止むを得ず院に逗留し、五日鳴海（なるみ）から岳崎に入り、六日岳崎から吉田、ここで一泊、七日遠江の今切を舟で渡され浜松に入り、国士清右衛門の宅に泊り、八日天竜川を渡つて池田の宿に入り、九日金谷へついで大井川の洪流を渡つて、富士枝の洞雲寺に入つた。

十日宇津山をこえたところ、関東から陸奥守が来迎、いよいよ船越から供奉の者共は八巻をするよう下命される。

間もなく駿府城に行くのであるが、城内には入れず士農尼崎与市の宅を宿所にあてられる。薩摩の警護はここから厳しくなる。

尚寧王はこの宿所滞在中故郷のことを偲ばれて悲歎にくれるという場面があつた。十六日駿府城から家康の声がかりがあり、城中で対面されたが、そのときの随員は具志上尚宏、平田、宗味、越来親方、城間親方、大里親方のみであつた。

対面があつた晩から具志上王子尚宏は病

気となり重態に陥つたので、一行は尙宏を駿府にとどめ、二十日駿府をたち蒲原↓冨士川渡↓吉原↓三島と進み二十一日三島で仮泊したが、二十一日晩一行が到着した時刻に尙宏は駿府で他界してしまつた。（家康の取計らいで清見寺に葬る。）

尙寧はこれをきき慟哭（どうこく）したが、とらわれの身いかんともし難く悲歎の中にせき立てられ、二十二日箱根山中を過ぎ小田原に入り大蓮寺に逗留、大蓮寺から藤沢へ、かくて二十四日武蔵のかの川に入り、二十五日品川から江戸入をしたのである。江戸ではとらわれの尙寧始め、一行を見物するため黒山のような人だかりである。恥をしのんで一行は誓願寺入をしたのであるが花の江戸に逗留しながら一行は誓願寺から一歩も外出が許されていない。

いよいよ九月十二日将軍秀忠の御声がかりがあり、尙寧は江戸城千畳敷の大広間で対面することになつた。随員には中城王子尙熙、佐敷王子尙豊二人他の随員は縁に座せとの命で対面の場に入るを差許したのは両人のみであつた。ここで尙寧は将軍秀忠に謝罪し、進上物を奉つている。江戸城を退去した尙寧の心境はおし計るだに哀れである。これが薩摩のはからいであつたかと考えるだけでも断腸の思いであつたろう。尙寧の一行はかくて九月十五日江戸を後にして出発、戸田川から浦和に入り玉蔵院に逗留、休む間もなく十六日に熊谷（くまがい）へ、十七日開禅寺から上野の高島に入つて天眞寺に逗留、十八日高島まで行き上豊源左衛門宅に仮泊、十九日坂本から碓氷峠をこえ追分に入つた。

ここでは土屋善七宅を仮宿にし、筑間川を渡つて望月へ、望月から長窪、和田峠から諏訪を一日で打渡つたのであるから大変な歩行ぶりである。疲労困ぱいに達しているが、二十一日は早朝諏訪をたつて本山まで走破、二十二日木曾路に入つて福島に到着した。しかしここからがいよいよ険路にさしかかるのだ。二十三日木曾のかけはしを一行あぶない足どりで乗り切り、鳥井峠をこえて巣原（すはら）、巣原から野尻と漸くたどりついたのである。

二十四日野尻からはまくめ峠を打こえ美濃の落合で日がくれ、堀啓平次の宅に逗留、二十五日落合から大井、翌二十六日晩稲（おんて）を過ぎて御嶽（みたけ）に入り、二十七日木曾の今渡を過ぎ、るき町から岐阜に到着した。

しかし一行はくる日もくる日もかちの苦しい旅の連続である。二十八日岐阜から五渡川、六渡川をうちこえ垂井の里にたどりつき、ここで藤井六左衛門宅に逗留、二十九日は垂井から今津、今津を過ぎて沢山へ、かくて十月一日一行は沢山から長原を過ぎ、二日長原から草津、草津から伏見に入ることができた。

十日家久からの使者鎌田左京亮、弟子丸越後（てしまる）の両人が伺候し、尙寧に京見物をすすめたが、尙寧は異郷で恥をさらすようなものだとひたすら謹慎し、十三日は薩摩側のすすめでかぶぎの見物をしただけであつた。

十五日伏見を立ち、平片をすぎて大阪に入り、二十日天保江に逗留した。ここで江洲親方長期の疲労で腫物ができ、大阪逗留居残りとなつた。二十六日天保江から兵庫に、二十八日室につき二十九日備前の牛窓（うしまど）に入る。ここで休養、十月一日うしまどから鞆浦に、三日鞆をたち、四日安芸の高原に入り、六日はかまかり、七日亀頭（かめがしら）、八日亀頭から津波（つなみ）へ、西へ西へと薩摩をさして進んでいつた。

九日がむろへ、十日はがむろから上関へ、十一日室積に到着、十二日は室積から深浦へと進んだが、ここで下郡親雲上は死去、旅のあわれを一入さそうのであつた。十六日深浦（ふかうら）から管松（くだまつ）に進み、翌十七日泉水まで進んだ。

十八日むかうにつき、十九日むかうから下関に到着したが、下関では風がはげしくなり滞留の止むなきに至つた。ここで二十三日まで逗留し井崎に進み、二十六日出帆後波高く航海の危険を察して引き返し小通という所に到着した。風はますますはげしく十二月一日大風雨となり樹木をへし折る程の暴風雨となる。

そこで二日王は舟から下りてひく島のほく井に行き、四日計地島に上り、五日芦屋（あしや）の延命寺（えんみよじ）に逗留することになつた。暴風のためここで滞在し漸く十六日芦屋を出発、十七日には相島から平戸、平戸から牛頭（うしがしら）につき翌十八日休養し十九日は牛頭をたち二十日糀島（こうじま）、阿久根に進みここで宿泊し二十二日川内に入り二十三日川内から市来に着き二十四日市来をでて鹿児島に到着、こうして長い旅路を終え、鹿児島で又翌年まで憂愁の明暮を送らねばならなかつた。

〃よかてさめ兄弟や、親がなしおそば
　我身や与所島（よそじま）のあらの
　一粒〃

と詠じて身のふびんをかこつたのもこの頃であつた。

明けて慶長十六年八月九日午の刻家久から帰還を許され、九月二十日帰国の途につき、十月二十日那覇につくことができた。鹿児府滞在中は色々の風説があつたらしい。琉球王城が知羅美（ちらみ）（慶良間）に定まつたとか、或は向う島に移されるのではないかとか、いづれも

肝魂を消すような風説ばかりだ。
　随行の人々はもはや帰郷の望は絶えはてた。これからどんな処分を受けるのであろうか、と歎き合い、中にはこんな事になるのであれば首里城に於てどんなにでもなつたものを、我身一つのことではないからという不甲斐ない心からかような始末になつて残念だ。こうして朽ち果てていくのかと思うと腹のちぎられる思いだといつて歎き合つた。
　ところが図らずも八月八日大守公家久より帰環差許すとの仰出があり、一行夢ではないかと喜びあつた。翌月九月十日尚寧王に対する領地目録が伊勢兵部少輔によつてもたらされる。

琉球国知行高目録

一、恵鬼納（おきな）、伊江、久米島伊勢那（いぜな）、計羅摩（けらま）与那国、宮古、登那幾、八重山
合八万九千八十六斗（石）
右諸島の斛為二国主之禄一而配分之永く可有御領知者也。慶長十六年九月十日御判
右八万九千八十六石の内五万石は王の御蔵入に相定候。
残分は侍に可被配分候、両配分之余分は王の御蔵入に可被召置候仍状如レ件
其の他諸島より年々可被相納物数之目録
一、芭蕉布三千反、一、しゅろ綱百房
一、上布六千反、一、黒綱百房、
一、下布一万反　一、莚三千八百枚
一、唐苧一三〇〇斤、一、牛皮三百枚
一、綿子三貫目

更に同日（八月十日）帰国の上は別心あるまじき様誓約書を手交した。（天爵盟社起請文）

一、琉球之儀自二往古一為二薩州島津氏之附一属。依之大守被譲其位之時は厳に艤船以奉祝焉。或は時時使者使價献陋邦之方物。其礼儀終に無怠候。就中大閤秀吉之御時被定置者相附薩州従役諸式可相勤旨雖レ無二其疑一、遠国之故不能相達、右之御法度多罪々々。因玆琉球国被二破却一且復寄二身於貴国一上者水止二帰郷之思一宛如鳥之籠中然処家久公有御衾憐、匪啻、遂二帰郷之志一、割諸島以賜二我其履一如此之御厚恩、何以可奉謝之哉永々代々、対二薩州々君一毛頭不可存疎意事。
一、至子々孫々譲レ此盟社起請文之草案、不可ミ忘二御厚恩一之旨可令相伝事。
一、所被相定之御法度、曾以不可致違乱事。
右条之偽於有之者與に御神文あり、大乗院にて書焉。慶長十六年九月十九日
尚寧御判

侍衆の起請文

琉球之儀自往古為薩州之附庸之条諸事可相随二御下知一旨処、近年依致二無沙汰一被レ成二被却一片二国王一王子並侍衆に至迄召寄二貴邦一上は再帰国之思を止め候処、家久様以二御衾憐一、被為帰国如之過分の御知行、被宛行、開喜悦之眉候、以何如斯可奉謝御厚恩候哉。永々代々奉レ対二薩州々君一不可奉存疎意候事。
一、若琉球之輩忘二右之御厚恩一企悪逆者有之而、総二国主一雖為其旨同心唯今起請文違与之輩は属薩州幕下島領不可相随逆心之可之事。
一、此盟社起請文之草案銘写置、譲与子々孫々奉レ対二薩州一不レ可レ致二不忠一之旨可レ令二相伝一候事。
右之旨若於偽申レ者（もしいつはりもうしあぐるにおいては）此次に神文、諏訪の廊主被レ書写。
　慶長十六年九月十九日各連判
（喜安日記による）

真喜屋小学校長　知念文平

今している教育研究の内容

○指導要領の中の最大公約数をほぐすためにいろいろの事例を持ちよつて皆で話し合うことは大切である。
○教師がいろいろの価値観を自分なりに教え放すということはない。以上の観点から道徳指導単元の事例を蒐集している。児童の生活の周辺から問題をみつけて「この子一人をよくつかむために」。

研修時間を生み出すためのくふう

○教師は現実において事務的な仕事に追われている。しかもそれをやらずにいるわけにはいかない。専門的な個人研究は所謂勤務時間以外にある。
○普段は始業前退散時後の僅かな時間をかける外はない。その集積を夏冬の休みにまとめる。

今している研修方法

○事例蒐集学級グループ別、課業合に学習作業をかるく補習しつつ、手がかりをつかむ。
○研修日　毎水曜日学級から持ちよつた事例について話し合い実践の方向を各自みつける。
○村内同好会毎月各教科研修会

校内研修の問題点

○担任が真剣に悩んでも組織指導が確立していなければはじまらない。
○よつて教頭は学級担任からはずして、校内研修の筋立て、学年サークル研修隣校同好会各科研究会等に参加させ、担任教師の協力者指導者としての地位を得させることが現状の良策なりと信じている。これまで行われたいろいろの研修会のよき成果や綿密な指導計画方法が今学校の職員室の中に画に描いた餅になつてしまいこまれている。

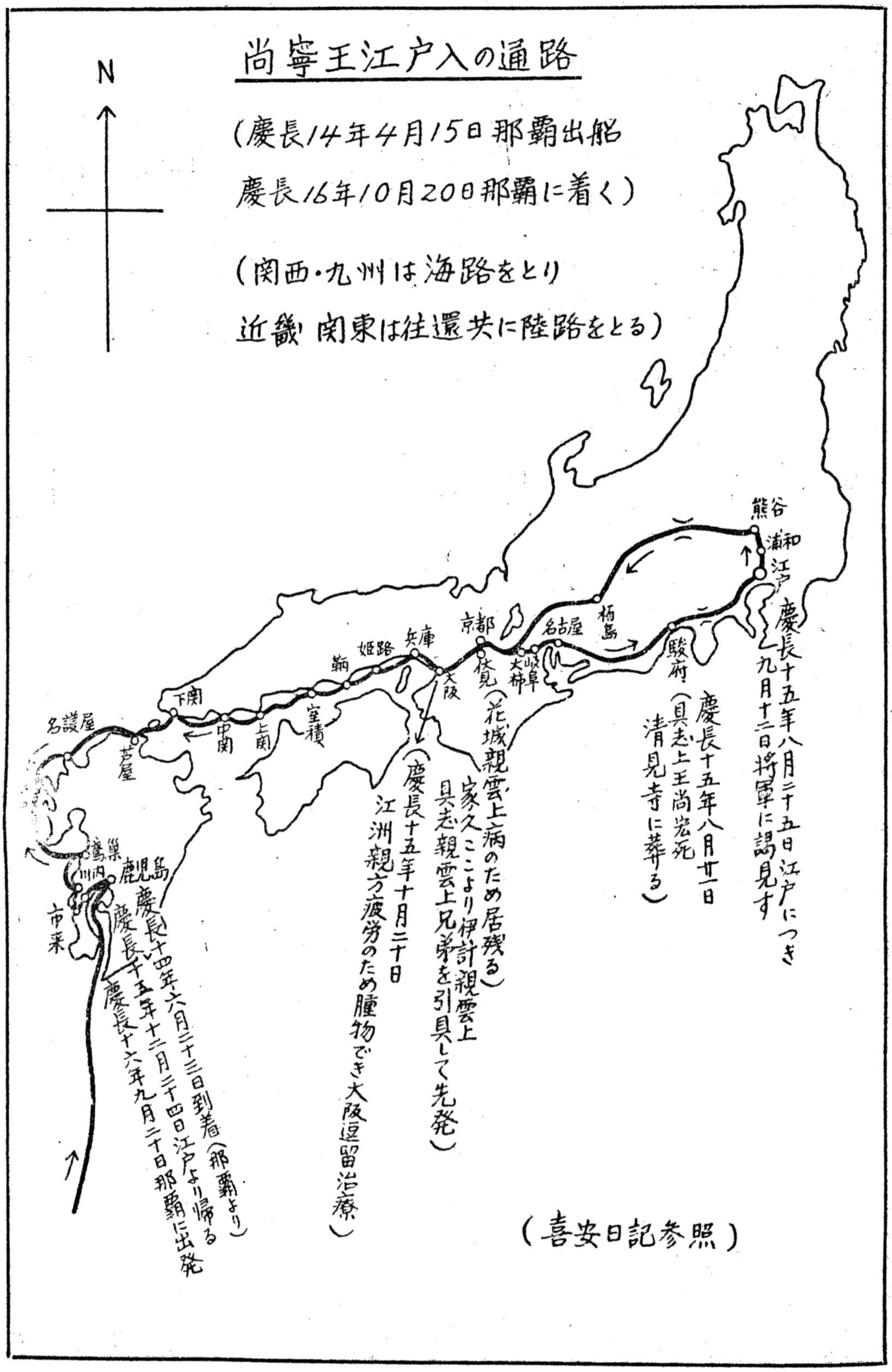
尚寧王江戸入の通路
（慶長14年4月15日那覇出船
慶長16年10月20日那覇に着く）
（関西・九州は海路をとり
近畿関東は往還共に陸路をとる）
N
熊谷
浦和
江戸
慶長十五年八月二十五日江戸につき
九月十二日将軍に謁見す
駿府
（具志上王尚宏死
慶長十五年八月廿一日
清見寺に葬る）
名古屋
大垣
岐阜
京都
伏見（花城親雲上病のため居残る）
家久ここより伊計親雲上
具志親雲上兄弟を引具して先発）
大阪
（慶長十五年十月二十日
江洲親方疲労のため腫物でき大阪逗留治療）
兵庫
姫路
鞆
室積
上関
中関
下関
芦屋
名護屋
鹿児島
川内
市来
慶長十四年六月二十三日到着（那覇より）
慶長十五年十二月二十四日江戸より帰る
慶長十六年九月二十日那覇に出発
（喜安日記参照）

随筆

秋田国体参観記

中教委員　石垣喜興

百参拾万の県民が三ケ年がかりで真心をこめて迎えたと云う第十六回国民体育大会は、秋田市を中心に二十一ケ市町村を舞台に、全国の精鋭一万三千余名の若人がつどい、スポーツの祭典がくりひろげられることになり、私も中教委員として参観の機会にめぐまれた。

⊙お上りさん

午后五時ジェット機で那覇を飛立つてウトウトしているうちに、東京羽田へ、着陸準備ですとの声に、あわてて何時ですかと尋ねると、十九時ですと答えてくれた。ザット二時間で東京迄来たのにはドキモを抜かれてしまつた。CAT機で八重山、那覇間を飛んでも二時間かかるのに、何んと近くなつた東京でしようと感心しながら、うすら寒い東京のどんより曇つた空をながめ、大きく胸を張つて祖国の〃秋の味〃を吸つてみた。

迎えに来た人と銀座東急ホテル迄どう行くかと言う事で協議、ハイヤーを乗れば七百円、バスで行けば五十円と聞いてバスを利用する事にした。お上りさんの悲しさ途中下車はオツカなくて八重洲口の終点迄乗る。なれた人なら十分位しかかからないホテルまで、流しのハイヤーでぐるぐる回つて百二十円を取られたのには我れながらあきれた。

すでに選手連は秋田に出発したあとで、追いかけるつもりで汽車の手配をしたら、全々乗れそうもない、東京事務所や物産あつせん所に頼んだら十五時間立ちづくめの決心ならキツプはどうにか手に入れましようと言われてガッカリ。幸いに新潟経由秋田行のチヤーター飛行便があるとのこと、体協会長の当間さんの力を借りて二人のつけて貰う事に成功してヤレヤレ

⊙めんくらつた観迎ぶり

国体に間に合わすべく建造中の飛行場ターミナルに降りたのが六日の正午婦人会やボーイ、ガールスカウトのうち振る観迎の小旗に、歌を流している。次に紹介してみる

流れは大地を　うるおして
実る稲穂よ　すぎの香よ
資源はゆたか　わき出る油田
希望の力　たくましく
ああ産業の　わが秋田
みんなでみんなで　伸ばそうよ
〇　〇　〇
潮深く　海ひらけ
雪にきたえた　すこやかに
働く日にも　いこいの夜も
文化の恵み　語りあう
ああしあわせの　わが秋田
みんなでみんなで　進もうよ

実に真心のこもつた国体といわれる秋田大会は県民の歌にも力つよく表現され第一印象からなんとなく親しい友のような気がした。市役所からは案内人が出て宿泊所までも案内してくれる。

⊙秋田市のあらまし

人口二十万の秋田市は、中古代は「アギダ」とか「飽田（あいだ）」とかと呼ばれてエゾの地であつたそうで、明治二十二年市制施行地の指定を受けて市役所が開庁した当時は、戸数六千六百、人口二万九千の小都市だつたが、明治三十八年四ケ村、大正十三年一町、大正十五年に一町、昭和八年に一村、昭和十六年に四ケ町村の一部又は全村を編入して、人口九万八千になり、昭和二十九年より三十年にモデル都市計画に基づいて十三ケ村の合併を実現して東北第二の都市として躍進をつづけていると云う。

那覇市の人口とはほぼ同じ秋田市は国立、私立の大学が三ツ、高校が県、市、私立で十校、中学校が国立一、市立二十、私立一で二十二校、小学校が国立一、市立三十三校があり那覇市の場合、大学二、高校七、中学十二、小学校が三十となつており、学校の数では那覇市より十八校も多い、

競技場の配置

沖縄関係の競技場は、陸上が秋田市相撲剣道が湯沢市、弓道、ボクシングが横手市、卓球が本荘市、柔道が男鹿市、体操が能代市、バレー鷹巣町、庭球が大館市と各地に分散、八日の秋田市営八橋競技場での開会式には全員が集合。

⊙感激の開会式

八時半からの開門をまち切れず夜明前から列を造つていた程で、十一時半には観衆者の入場が締切られ、十二時から公開演技が小中高校生に依つて演ぜられ、四〇〇名で編成する。ブラスバントが入場、つづいて鼓隊をともなつた標旗が入場、十一発の煙火が打上げられたかと思うと身の毛がよだつ様なそうごんな君が代が吹奏され、天皇皇后陛下が御着席、全観衆が一せいに起立してお迎えした。

いよいよ役員選手の入場が初まる。

随筆

先頭を切つて沖縄選手団が入場、四万の観衆が一せいに「沖縄ガンバレ」の声援とともに、万雷の拍手で迎えられた。コケ茶色に「沖縄」と染ぬいた県旗は緊張と興奮のためか心もちにふるえている様で、選手、役員、我々顧問団の感激は目には涙が光つて顔はこわばり〃拍手も忘れて腕を組んでしまう。右手を高く天皇皇后両陛下と大会長にさしのべ、堂々と行進する姿は人員こそ少ないが実にたのもしく、又祖国の同胞の国民感情による声援拍手はとぎれるをしらず、実に有難く感じようこそ秋田迄来たと思た。

延々四十五分もかかつての各県の入場進行は手のヒラのいたくなるほど拍手が続く、放送を合図に秋田県知事開会を宣言すれば、大平山山頂より昔式にスリ火を起して迎えた聖火、遠く態本を発して来た大会旗がどよめく拍手に迎えられて入場、聖火点火台に郷土の名選手の山田敦蔵氏に依り点火、勢いよく燃えるせい火は若人の血の如く赤々として燃え身が引きしまる様だつた。

君が代斉唱のうちに国旗が掲揚され若い力斉唱のうちに大会旗も掲揚、県民の歌演奏の中に各都道府県旗が掲揚され打上る煙火と共に一万個の風船は大会場空高く舞上りその見事さにただただ舌を巻いて感心した。

◉劇的な公開演技

入場式を前に行なはれた公開演技は三千、四千、単位の集団演技で、中学生の日傘を持つて演ずるマスケームは振りつけ、色彩共に圧巻だつたし、高校生の「躍動の美」などもなかなかアイデアーがよく、小学生の油田、十和田湖、を描いた演技も印象的だつた。民謡の古里だけあつて「どじようこふなつこ」等郷土色ゆたかな遊技はいつまでも見て居りたかつた。あれだけの員数を指揮者のタクト一つで、規律正しく「一糸乱れず」と言う言葉通り演ぜられた事は人間わざと思えぬ位で、努力すればこうも出来るものかと感心した。婦人会員に依る秋田おばこは四千名の婦人が、かすり着物に前かけ、赤いおこしをすそに見せての郷土民謡でこんなに揃えられたもんだと感心、秋田名物、竿灯は青壮年組と少年組とで、数拾ケの団体が競演するなど、各県の選手連を心から喜ばせ、単なるスポツ競技会でなく、秋田国体なんだという印象をみんなに与えた事は大成功だつたと思つた

◉観客の態度

一応県念された、選手の民泊も事故一つなく、かえつて民泊が取もつ縁で家族的な（家族づれ）の観客が目立ち芝居でも見物しているようにおとなしすぎたとの声がある位、競技場はどこも「みんなできれいな会場に」と標語通りキチンとチリ箱が準備され、スタンド、腰掛等に敷く紙も、食物のクズなど入れるビニール袋も準備されていたのに感心、おまけに、その紙、その袋にちやんと店や商店の広告が印刷され、宣伝に一役買つているのには、商魂の程も伺えた。ところ競技場でも沖縄選手には応援が多かつた、国民感情と言うか、日本人の特性と言われる「判官びいき」の感情が現われていたのでしよう。

愉快な競技が出来たのも「両極端は相通ずる」と言うように、東北の秋田と沖縄とは何か通ずるものがあるのでしようか。

教師と服装

中央教育員　石　垣　喜　興

服装についてはいろいろと掟があり、礼装には染めぬきの五ツ紋に角帯スジのある仙台平の袴に白足袋、白の鼻緒に畳表の草履、羽織のヒモは丸織の白と、むつかしい定めがあつたようですが、戦後は多分に簡素化され、そのわずらわしさは無いようです、と言うて簡素化の余り礼を失するようではどうかと思う。旅行をして気づく事だが、二三年前よく流行していたナイロンのペラペラワイシヤツを着ている人が余り見当らない。のりのきくシヤツがやはり多い。洗たくがしやすく、のりがいらないので便利だと流行したシヤツだが相手にあたえる感じが余り良くないので自然すたれたのであろう。

服装は自分自身のもので他人がどう感じようがと、割切れないのにむつかしさがあるのでしよう。

私が小学生の頃先生はすごく偉い人のように感じたのは、教鞭をとる人と言うよりかは立派な服装をしておられると言うのに比重があつたんではないかと思われる。校長先生が式の時に着けられるモーニング姿、女の先生の紋付ハカマ姿、教頭先生や次席先生方の背広姿、若い先生のキチンとした詰襟の洋服、いつかぼくもあんな服装をしてみたいと夢を見、あこがれの的でもあつた。

今は銀行員や会社員がパリツとした服装をし、教員の中には髪もヒゲもの

――随　筆――

びほうだい、洋服もシャツも余り手入されていないのを平気で着けている人がおられるような気がする。戦前はシヤンとした身なりをしている人を見ると、どこの先生かなーと言い、今は身なりにかまわない務め人風の人を見ると、あの人は先生だろうねーと言う。今の俸給取りで一番優遇されているのは教職員だとの声も多い昨今、そろそろ昔のように最高の身なりをしてだれが見ても、あー先生がこられたとわかる位になつてほしいものである。

学校でＰＴＡ総会や父兄の集まりがある時はパリツとして出勤されるかその外は悪いのか、生徒が「今日は先生が立派な服をつけているからお父さんやお母さんらが来るはずよ」とささやき、特に目立つ先生をヒヤカシにかかるらしい、日頃の先生方の服装が思いやられる。先生方に「ゼイタク」を望むのではありませんが普通公務員や会社員以下の身なりをなさらず先生らしいきれいな服装をしてもらいたいものだ。日本を旅行しあちらの先生方の服装を見たり、生徒や学生がアイロンのきいたシャツをつけているのを見たとき、今まで余い感じなかつたのが強く目についた、学校訪問者、外来のお客の多い時だけに特にお願いしたいと思う。

キチンとした服装をした時と見おとりのする服装をした場合の対坐は何とも言えない身の切られる思いがするもので恥かい思いをせんためにも常時服装はキチンとしていたいものだ。

形が整えば自から心が整うとの言もあるように、教師の構威としても服装に気をつけるように心掛けてもらいたいものだ。終戦直後なら仕方がなかつたが、いつまでもその惰性がぬけきれないとすればこの辺んで切かえようではありませんか

・機械の整備、家具用木材、接合材料と塗料、木工具の使用法と工作法　・住居のくふう

Ⅲ　社会科と科学技術教育

社会科は本来人間関係の正しいあり方の学習を通して有能な社会人を育成することを目的としている。そのためには絶えず変ぼうしながら無限に発展をつゞける社会の機構や機能を把握し理解しなくてはならない。ここに歴史的現実としての理解と、社会課題の問題解決学習が取り上げられてくる。科学技術教育はその問題点を解決する為の一つの方向づけをしてくれるものである。かかる立場で次の3分野について考えてみよう。

1　地理的分野

人間の自然に対する働きかけは科学技術の進歩によつて発展することと、自然を深く理解してこれを人間のために利用することが大切である。

指導要領

2　歴史的分野

内容面で「人類のはじめ」「民主主義の発達と産業革命」「日本の近代化」等歴史的観点に立つて科学技術の発達を把握させ、将来の歴史的基礎を培う。

3　政治、経済、社会的分野

科学技術が産業教育の振興と国民生活の向上との関係において考えられ、近代産業技術の理解とこれを発展せしめようとする意欲を高める。

指導要領3年内容(6)「現代の諸問題」より

Ⅲ　数学科における科学技術教育

第二節における概念に基き、数学は科学の基礎である。又中学校における数学はその基礎的立場で必要な役割を果たすべきである。かかる立場から、数学が科学技術の振興に対する役割は大きい。それには、推理の方法や、思考の技術を提供することであり、優れた見方や考え方、処理の仕方を生み出す能力を伸ばすことによつて、科学技術教育の根底を作ることである。

現場では、他教材との関連を特に理解、技術家庭科等においてとり、指導内容面での研究を深め、指導の徹底をきすべく工夫する必要がある。（学校教育課、指導主事）

1年　40時間

・材料（スギ、マツ、ヒノキ、サクラ、カツラ、ホウ、セン合板）

・接合材料（くぎ、木ねじ、カゼイン、合成樹脂）

・塗料（ワニス、ペイント、エナメル）

・木工具使用法　・工作機械使用法　・工作法・実習

2年　25時間

・角材　・荷重と構造　・にかわ　・補装具　・ボルト　・ナット　・ラツカー

・合成樹脂　・塗料　・実習

⦿金属加工

1年　20時間

・スズメツキ　・亜鉛メツキ　・銅板　・黄銅板　・銅　・アルミ板　・リベツト

・はんだ　・塗料、金工具使用法　・工作法　・実習

2年　30時間

・厚板金　・荷重と構造　・ねじ　・切削油　・補強具　・バス　・ノギス　・ゲージ

・トースト　・レブロツクの使用法　・工作機械の使用法（旋盤、ボール盤）　・実習

⦿機　械

2年　20時間

・機械材料　・機械要素　・故障点検　・分解、組立、調整　・洗浄、給油

・教材……自転車、ミシン、農用発動機械等

3年　25時間

・機械要素と機構　・原動機の種類　・内燃機関の構造と作用　・潤滑油　・故障点検、分野、組立、調整、起動、運転、停止、洗浄、給油、燃料　・機械と生活や産業との関係　・教材……スターター、エンジン、バイクモーター

⦿電　気

3年　45時間

・電気配線図　・電気回路要素　・テスター取扱い　・電気工作法　・配線器具の点検と修理

・けい光灯、スタンド、コンロ、アイロン　・電気器具の保守管理　・電信機の製作、調整、修理

⦿栽　培

1年　20時間

・栽培の計画、気温、水分、風、日照などの条件と作物　・栽培、土、肥料などと作物栽培

・作物の病気、害虫の対策　・実習

⦿総合実習

3年　35時間

・おもな機械要素をもつ機械模型の製作実習　・基本的な電気回路をもつ通信機の製作実習

・農業機械の操作運転などを含む作物の育成実習

③　女子コース内容（科学的もののみ）

⦿調　理

・献立——青少年、家族の栄養、食品の特質、食品摂取量　・調理材料　・調理用具と熱源

・台所の施設、設備　・調理法　・食物と生活

⦿被服製作

・繊維、用糸、布地、附属品　・被服整理用剤　・被服製作　・被服整理

⦿設計、製図

⦿保　育

⦿家庭機械、家庭工作

・家庭機械の材料　・機械の要素　・電気計器の取扱い方　・配線器具の点検修理

・照明器具、電熱器具の点検修理　・電動機をつけた家庭用器具の取扱い、点検

は、「まさつ」として出されている。科学的に思考する力、処理する力を養うために、現場では、どの程度技術的なものと関係づけたらよいか、ここに問題がある。

第四節　中学校における科学技術教育

最近の科学技術の進歩により、生産方法も、また、日常生活や、物の見方考え方も一変しようとしている今日、科学技術教育の振興は必要不可決の問題となつてきた。そこで中学校の教育課程の中で、理科、技術、家庭科、社会科、数学科等の各教科の役割の概要を科学技術教育の振興の上から考察してみよう。

Ⅰ、理科における科学技術教育

科学技術教育を振与もるため理科教育の役割は実に大きものがある。小学教育の上に立つて中学校では自然科学的分野を通し生活技術的面に於いても即ち、真理価値と実用価値との両面から考えて近代社会に於ける働く人間としての育成の為の理科教育の役割は最も重要な位置を示している。かかる立場で指導要領の目標をよくみつめ現場ではよりよく検討研究してゆくことが必要であると思われる。以上のことでその目標の要領を上げてみることにする。内容面については略す。

1、自然の事物や現象を通して行なわれることが指導の重点であり、それに対する興味や関心を科学的な活動に導き発展すること。

2、科学的方法を身につけさせること。

3、自然科学についての知識が活用できるように体得し、さらに創造的な態度を養うこと。

4、自然科学は生活に密接な関係をもつことを認識させ、また、それによつて生活における考え方や生活の仕方を合理的にする態度を養うこと。

5、自然と人間生活について認識させ、さらに自然の積極的な利用とその保護について関心を高めること。

Ⅱ、技術、家庭科における科学技術教育

従来の職業、家庭科が、こんど技術、家庭科として発足することになつたが、その主要をねらいは、理科が真価値としての科学をめざしているのに対し、実用価値としての技術、即ち、人間の働きについて考えるという点から、生活に必要な基礎的技術を習得させ、近代技術について基本的な理解を与えることにあると思われる。したがつて、自然を活用する技術の中核とみられよう。しかし中学校において近代技術を身につけるようなことは望む方が無理であろうが、それにしても基礎的技術を習得することによつて、近代技術についての理解と、近代技術に適応する自信とを与え、働きある人間を育成するのが主要なねらいである。したがつて固定的な技術のみを習得することがねらいではなく、弾力性のある適応性を高めることに重点があるべきである。

1、技術と科学の統一

原子力時代から宇宙時代をむかえようとする現在において、技術と科学の統一がなければその発展は望めない。かかる時代に於ける教育も必然的に、職業教育（今まで考えられていた）。でなく普通教育として科学性の上にたつた技術教育が重視されるようになつてきたと思われる。

2、科学性の豊かな技術に富んだ人間形成の育成が考えられる。

3、以上の立場で指導内容を男、女コース別に挙げてみよう。

① 男子コースの内は、工業技術を中心とした生産的技術を全面的に打ち出し編成されているようであるが、これには現場に於ては施設、設備、教師の指導力等の面より幾多の問題をもつている。女子コースに於いて同じようなことがいえると思われる。

② 男子コース内容

⦿設計製図

1年　25時間（日本工業規格製図通則）

・表示方法　・用具使用法　・線と文字の使用法　・平面図法　・展開図　・投影図

・寸法記入法　・工作図　・図面と生活との関係

2年　30時間

・工作図　・断面図　・複写図　・見取図　・パス、ノギスの使用法　・機械要素の略画法

・図面と生産との関係

⦿木材加工

(2) 理科と科学技術教育

理科は科学技術教育の中核となることは言を俟たないところである。実験観察を抜きにした理科はありえない。実験観察に於ては、必ず自然科学の法則と技術の原理とが重なり合わされて出てくる。そしてその中で科学的な知識や技能が修得されていく。例えば「ポンプ」の実験に於て、「大気の圧力」や「てこ」の原理等自然科学の法則と「ベン」のついたピストンやシリンダーはどのような物を用い、どのようにベンを取りつけるか、という技術の原理とが重なりあつて、為すこと（技術）により法則がわかり、法則がわかつて更にもつとすぐれた物や違つたものを作る進んだ技術が生れる。技術が進めば更にその上の法則がわかる。というように技術と法則（科学）とが互に相助けあつてより高次なものへと発展していく。このように理科の学習は小学校に於ても立派に科学技術教育を果している。このように理科の領域に関する限り理科の目標を忠実に実現することによつて、科学技術教育のねらいを達成することが出来ると思える。

(3) 図工科と科学技術教育

図画と工作の時間配当がはつきり決めてないため用具、材料等で比較的面倒な工作がおろそかにされ、図面のみが行われているというむきがある。科学技術教育に図画は全く関係ないというわけではないが、工作の面に於てより技術面に関係が深いので、もつと工作を重視すべきである。特に理科との関係の深い機構的な玩具模型類や製図等の科学技術的素材を取り上げ、これ等の製作経験を通して科学的思考力や技術を養うことが大切である。

(4) 家庭科と科学技術教育

現代の家庭生活は内容的にみると、世の中の進歩に伴いそれ相応に変化し、進歩向上してきている。このような家庭生活の合理化、科学化、能率化など生活を豊かに改善しようとする生活技術を身につける学習が行われる時家庭科もまた科学技術教育の役割を負わねばならない。科学技術教育に関係の深い理科、算数、図工科に於ける学習のうち、生活場面に適応させる部面即ち生活への科学の応用、数量関係の金銭出納とか計量の面、家庭工作等家庭科で扱う部面が非常にたくさんある。家庭科学習で特に注意しなければならぬことは、ただ料理をするとか、縫うとか、作るとかいう技術面のみを強調し勝ちであるが、科学技術教育という立場からもつと「考える」過程を充分取り入れなくてはいけない。単に与えられた事を為すというのでなく、自ら考えて作り出す、創造性をもつと生かすべきであると思う。

2. 科学技術教育と理科教育

科学技術教育の基礎を培う理科教育をどのように考えたらよいか。これが当面の問題となつてくる。しかし結論的には実験、観察を大切にする理科教育といえよう。ここで問題になることは、科学よりも技術の方へアクセントが付けられ、ただ、単に実験用具等の練習をよくさせることや、近視眼的に生産技術へ結びつけることは警戒を要することである。

五年「いねの育て方」を例にとれば、この学習内容は、次の二つの領域に分けて考えられる。一つは、除草施肥、水温、水量等いねの栽培技術であり、他の一つは、発芽の条件、環境と生育との関係を中心とした自然の法則の領域である。

この中にいねの栽培技術が出てくるが、この学習を通して生産技術を子どもに身につけるのではない。ここでは、いねを素材として学習させながら、技術や科学への理解や関心を持たせることにある。

科学、技術の領域を考えて、小学校の理科教材を分類すると四つに分けられる。

1. 遊びを中心とした教材（こま）
2. 技術を中心とした教材（グライダー）
3. 科学と技術の教材（モーター）
4. 学科を中心とした教材（まさつ）

一つの教材について、科学と技術の領域に分けることは困難なことといえよう。しかし二つの視点から教材を見すえることは、指導の手がかりをわれわれに与えてくれる。さて、科学と技術との関係は、第一に密切に相互依存的なものであつて、発生からみても発展からみても、相関的なものである。第二にこの相互依存関係は、実に実践を根底としてその上に結ばれている。

いま、このような視点に立つて、理科の学習内容を考える時、高学年は従来より科学的知識の面が強く出ている。例えば、従来は自転車のしくみの中で、歯車、まさつ等の指導が行われていた。改正された指導要領で

このように科学教育も技術教育も共に創造的、合理的な姿を意図してはいるが、前者の自然科学の法則と、後者技術の原理の二つを明確に捉え、これを中心として両者の強力な関連をはかることが、最も重要な問題点となつていることに留意したい。

3. 義務教育に於ける科学技術教育のねらい

科学技術教育をとおして人間形成をねらう上から義務教育である小中校の教育としてどのようなねらいを持つているか考えて見よう。

(1) 生産技術の向上と革新を目ざす。

a 技術の科学性

人間が生きていくためには自然環境に適応することが必要であるが、ただ、単にあるがままの自然に順応するばかりでなく、環境への積極的な働きかけによつて自分の意図する方向に自然を変形し改造 ――生産活動して活用しようとするものであるが、その生産手段の客観的基準が技術である。科学技術教育はこのような生産技術の向上革新を目ざしたもので、特に機械工業に於けるオートメーション化によつて代表される現代技術の科学生が一層要請されるようになつた。

b 機械や器具の操作についての基礎的技術を身につけると共に常に新らしい技術への適応力を養う。

現代における技術の進歩はその科学性が増大すると共に、その速度も急速である。

従つて或る技術を習的すれば、技術者として一生それを使つていけるようなものではない。機械も技術もまさに日進月歩で常に設備を改造し、技術の革新を図らなければならない。固定的な技術を習得した技術者を養成するのではなくて、常に新らしい技術に適応していける弾力性のある基礎的能力を高めるものでなければならない。

またこれら急速に進歩しつつある技術を習得し、更に改善し進歩させる能力を高めるために、物事を客観的に実証的に思考し処理する科学的態度を身につけることが必要である。

(2) 自然や社会についての基礎的知識の習得と共に物事を客観的実証的に思考し処理する科学的態度を養う。

わけがわかつて行為し、行為することによつてわけを知らせることを科学技術教育の要諦とするならば、自然や社会の事象の法則を見出し、それを適用する能力、態度を身につけさせることは極めて重要である。

自主的積極的に物ごとに立向かい、合理的、実証的に考察、処理させて、科学的な見方、考え方を育て、処理する力を養うことが、広く科学、技術教育の基礎となることは申すまでもあるまい。

第三節 小学校における科学技術教育

1. 科学技術教育をどう受けとめるか。

第一章に述べたように現代社会の生活様相は、日々刻々変化発展しつつある。科学技術の進歩如何が我が国社の発展を左右するといつても差支えない。こうした技術革新という社会的背景の中に育ち、やがて再びその会に投げ込まれて、次の新しい社会を形成していく子供達を如何にして教育していくか、それにはどうしても科学技術教育にまつほかはない。然らば小学校に於ては、どのようにすればよいか。小学校は義務教育であり国民生活の基礎になる教育をせねばならない。したがつて小学校の科学技術教育は産業技術ないしは工業技術を伝達するのではなく、科学性と技術性を兼ね備えた知性豊かな生産的実践人を作ることである。即ち「考え子供」「作る子供」を目指し、科学技術教育の母胎となる教育を行うのである。新しく要請された科学技術教る育は小学校に於ては全教育活動を通じて行わるべきである。然し教育課程全分野に亘るといつてもやはり教科により比重の大小はある。科学技術教育の役割を特に大きく果たすと思われる教科について以下述べてみたいと思う。

(1) 算数科と科学技術教育

算数科が直ちに生産力の中核たる技術に到達することは考えられないが、数学的な考え方や処理のしかたとは科学技術の基礎をなすものである。具体的な問題から概念や法則を抽象化したり、抽象した概念や法則を具体的な問題解決に適用する論理的な思考力を練つたり、又問題解決のための実験、実測、類推、推理、計算等の能力を練ることは、科学性や技術性を養う大きな役割を果すことになる。したがつて算数は本来の目標を確実に達成することをねらつて授業すれば、それが間接的に科学技術教育の目標を達成することになる。

なるものが技術であり、主体性をもち個人差の見られるものが技能であると解される。

2　科学技術教育とは

働く人をめざした教育の歩みは、コメニウス、ルソー、アームストロング、スペンサー等によつて唱えられ進められて来たことは教育史の教えるところであり、戦後に於いは英国の「技術白書」に代表される如く、世界はあげて科学技術の振興に努めていることは、周知のとおりである。

しかしその受けとめ方、進め方については夫々の国情により異つた姿がみられ、そのねらいも

- ピラミッドの頂点にある人を作る教育
- ピラミッドの底辺にある人を作る教育
  ――勤労者の素質の向上をはかる教育――
- 一般市民の科学、技術の理解を高める教育

と焦点の求め方の差異がみられることは当然であろう。

我が国の科学技術教育については、中教審の答申によつてもその一端はうかがうことが出来よう。

（中教審の科学技術教育の振興についての答申）　31.11.11
- 大学と産業界との関係を密にすること
- 大学で現職技術者を再教育すること
- 理工系の短期大学を設けること
- 中学校高等学校においては職業家事に従事するものを別にして技術者技能者としての資質を向上させること
- 高等学校においては産業教育、中学校においては職業に関する基礎教育を充実する。
- 小学校中学校高等学校を通して基礎学力ないしは数学、理科を強化すること。
- 高等学校の工業課程の増設をはかること。

また改訂指導要領には次のように述べられて一層そのあり方が明らかにされている。「……科学技術の向上を図つたことである。特に最近の科学産業の急速な発展に即応して科学技術教育の振興が叫ばれているから、このために算数、数学、理科の内容の充実、指導時間数の増加を考え、中学校に技術、家庭科を新設して、近代技術に対処する態度を養うようにした。」

以上の趣旨を受けて、研究、実践させる科学、技術教育とは、どのように捉えたらよいのであろうか。

我々は先に科学、技術の捉え方で述べたように、両者を分けて考える立場をとつておりその教育のあり方についても、同様の立場で若干の考察を試みたい。尚紙面の都合で、歴史的考察は省略する。

科学の教育と技術の教育とは領域が明確に区別され、そのめざす価値に於ても、前者が真理を追究し、後者は実用の価値を追求するものであれば一応分けて考えることが、妥当と思われる。事実、米国、ソ連等諸外国に於いては、自然科学関係の教科と、技術関係の教科とは内容的に明かに分けられており、技術教育の柱を樹立し、これと相補性をもつ自然科学の教育とを内面的に関連づけて取り扱つているのが実情である。

我国に於ては、技術教育の向上をはかる教科目の設定はなく、従つて義務教育に於て科学、技術教育の基礎的な扱いは理科、算数、数学、技術、家庭の各教科が中心となり、その他の各教科が関連をもつて、それぞれの分野で、科学、技術教育を分担していかなければならない現状である。

科学教育が強化されると、独立的なものと考えられ、孤立するようになり易く、さし迫った狭い実用本位となり易いものである。科学の立場と、技術の立場とを十分理解し、巾の広い融通性のある能力をねらい、知識水準の高い労働者を作る為の基礎教育を考えることが重要である。

また、科学教育の面では、知識の習得の他に物ごとの合理的、実証的な見方、考え方や処理のし方を身につけさせることが大切であり。技術教育面では、創造的な技術を重視し、技術を生み出す能力を身につけさせることをねらつている。即ち単に理解するとか、おぼえることが、熟練するとかで満足する技術でなく、探究的な技術を考え、昔の徒弟教育とは全く違つた姿をめざしているわけである。

て仕事を進められなければならなかつた。つまり科学と技術の間には深い溝があつたわけである。

• 近　世

現代に密接なつながりをもつ科学の展開がルネツサンスにはじまつた。

（カンパネラの太陽の都）

17世紀のはじめに欧州では商業や貿易が重視され、そのために船舶や大洋に於ける航海法の改良が問題となり、その他鉱山業の発達に伴つて生産の方法が進歩し、工場においては、手工業が行はれるようになつた。これ等の事実は科学の発達を促し科学の研究が次第に応用科学の領域にひろげられ、科学と技術との接触が増大しはじめた。そして18世紀の産業革命と共にはじめて科学と技術との協力関係が確立し、科学の近代化のみちが開け、技術の躍進がもたらされて今日に到つている。

今日の科学技術についての解釈は実に多様であるが、主なものを挙げると次のようである。

• 産業に於ける生産性向上のための産業技術と解するもの。
• 産業技術のうち特に工業技術と解するもの。
• 科学に焦点をしぼつて科学研究の方法としての科学技術と解するもの。
• 科学と技術と別個に解するもの
• 科学と技術の違いを認め、これを有機的に結合しようとするものと解するもの。

以上を要約すれば

(1) 科学的な技術と解し、従来の「手職という非科学的•非能率的な技術に対する科学的な技術と考えるものである。しかし現在ではこの立場をとる者は殆んどなくなつている。

(2) 科学技術を一体とした新しい概念と解するもので、両者を内容的に結合したものと考えている。これは自然科学のトツプレベルにあるものと、技術のトツプレベルにあるものとの関係から考えられており、「原子力の利用」には「理論物理学」の理論的究明が伴うべきものであること、反対に技術を離れて原子物理学は成立しないこと等から説かれており一般に流通している考えである。しかしこれを教育問題として考える立場からは異論も起つている。

(3) 科学、技術と解するもの科学と技術を分けて考えるのである。即ち自然科学と、自然科学と有機的に結びついている技術とを分けて考えるのである。

科学と技術の立場を明確にして、相互の結合、協力を図ろうとする立場である。

教育的にはこの立場をとりあげていきたいものと考える。然らば科学と技術とは如何なる関係にあるものか。一応検討してみる必要があろう。

自然科学 とは、自然に関する経験に含まれる客観的概念の間に存する一般的関係を法則として成立することを研究主題とするものである。この科学の法則は人間のみつけ出した思想であり不確定ではあるが客観的普通遍的であつて、一定不変のものと仮定している。そしてその価値は実証によつて認められるものであり、科学思想が根本となつている。即ち観念的であつて行動的ではないわけである。

それに対し

技　術 とは、われわれをとりまいている環境を望ましい姿に変形する一定の作業、整つた行動の連結であるといわれ、生産活動に於ける客観的法則性の適用であるともいわれる。

現在我が国に於ける技術に対する考え方をまとめてみると大体次の三つになる。

(1) 行動形態説……物のつくり上げ方をいい
(2) 労働手段説……生産のための労務、機械の体系をいう。
(3) 意識的適用説……つくる働き自身を意識の上にのせることを云つている。

以上は簡単に次のように図示することができよう。即ち単なる、働く「機械的人間」を目ざす技術ではなく「哲学者のように考え、農夫のように働け」…（ルソー）と云われるような新しい社会に生きぬく勤労人をめざした技術を考えることが大切である。尚技術とまぎらわしい用語に「技能」があるが、客観性をもち原理と

科学技術教育

松田　正精

第一節　はじめに

教育内容の刷新改善により、科学技術教育の振興が叫ばれ、日進月歩の科学の進歩から大きな関心をよせている。

そしてまた、このことは洋の東西を問はず、大きな波となつて、地球をとりまいているといえる。

例へば、米ソの人工衛星を問題にとつてみてもわかることである。彼のライフ誌は人工衛星の打上げ成功を機に彼我の科学技術教育の在り方について、詳細克明な究明を試み、その学校教育の在り方に反省を加えていること一つをとつてみても、科学技術教育の問題は、地球を覆う今日的な問題であるといえる。

ひるかえつて日本における本主題について、如何なる具体的な実践方策がなされているか究明する必要がないであろうか。

少なくとも義務教育を担当する小、中学校において、科学技術教育の振興のために如何なる教育実践をすべきであるか、明確なる立場を持たなければならない。

教育の現場をみたとき、

科学技術教育そのものについて、どのようにおさえるか、

次に科学技術教育振興の立場から、特に理科、算数、数学、技術家庭科において充分科学技術教育の基礎を学習させる、と示されているが、具体的にどうすればよいのか、

さらに施設、設備をどのように計画し、充実すればよいか、

科学技術教育振興のための教師の資質向上についてはどうか

等、教育現場で当面する種々の問題点について、これらの理解と実践の両面から、「全国指導主事研究修会」において研修討議が進められたので、次のようにまとめてみた。

○科学技術教育とは何か、「科学技術」そのものについても、諸説紛々、ために教師の科学技術教育の実践が確立しないと考え次節に概念規定について、三節と四節においては、小、中学校における科学技術教育が第二節における立場をとるならば、どうこれを受けとめ実践すべきであるか、その概要をまとめた。

現場における教育実践の一つのサンプルとして、ご一読をお奨めいたします。

第二節　科学技術教育とは何か

1. 科学技術とは

現在は日本を含めて世界的に科学教育が叫ばれ、その施策が進められている。

科学技術の知識や、労働方法の急速な発展によつて、正に技術革新の時代である。特に我が国では人口過剰で資源に乏しく、しかも国際競争のはげしさの中にあつて、国民の生活水準を高め維持するためには、産業の基礎をなす高度の科学と技術が必要となることは論をまたない。科学技術教育の重要性が叫ばれるのは当然のことであろう。

しかし、この科学技術教育というのは、どのような教育を指し、科学技術とは一体なにを意味するものであろうか。科学技術の概念の求め方によつては当然異つた方向を辿り、重要な問題となるものである。

ところが、この用語の概念規定がなされないままに科学技術教育の振興が叫ばれ、論議が重ねられたため人により、その解釈がちがい範囲が不明瞭で現場ではいろいろの混乱を招く一因となつている。

科学技術を歴史的に考察して見ると

・古　代

古代エジプトにおいては、農業技術を身につけている者一農業技術者は「農奴」と呼ばれ、他の技術者も職人と呼ばれて、社会的には身分は最底のものであつた。

・中　世

あらゆる技術者は、科学者から見はなされて仕事をしていたので、理論的な背景をもたず、試行錯誤によつ

例 18

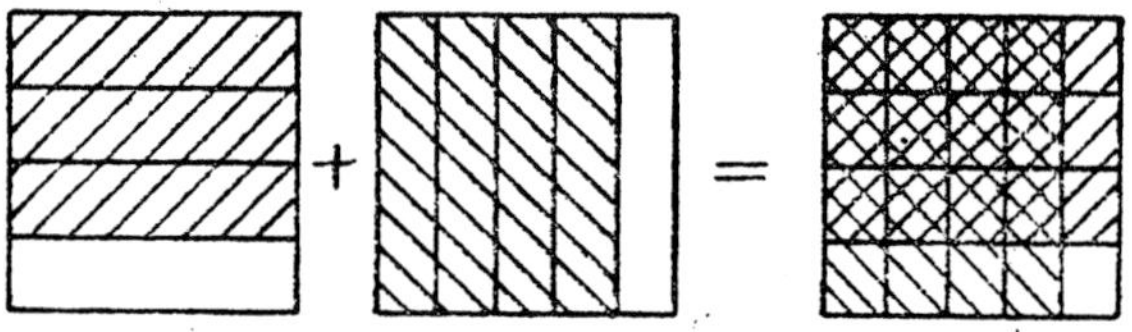

$$\frac{3}{4}+\frac{4}{5}=\frac{15}{20}+\frac{16}{20}=\frac{31}{20}=1\frac{11}{20}$$

例 19

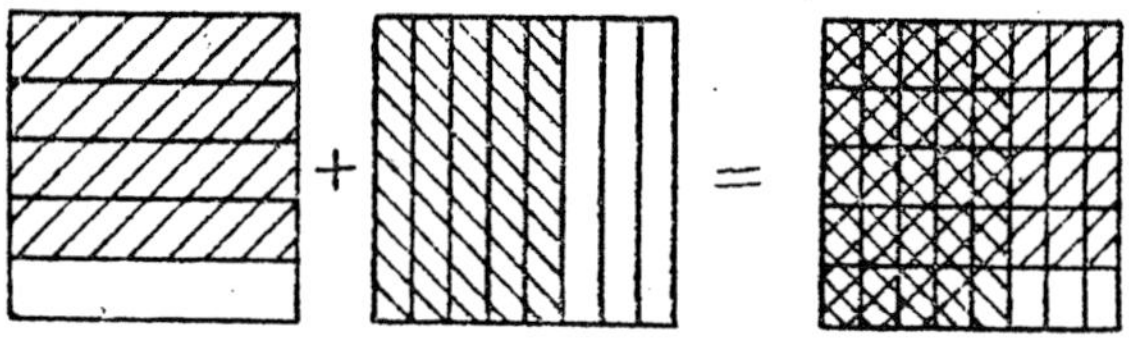

$$\frac{4}{5}+\frac{5}{8}=\frac{32}{40}+\frac{25}{40}=\frac{57}{40}=1\frac{17}{40}$$

例 15

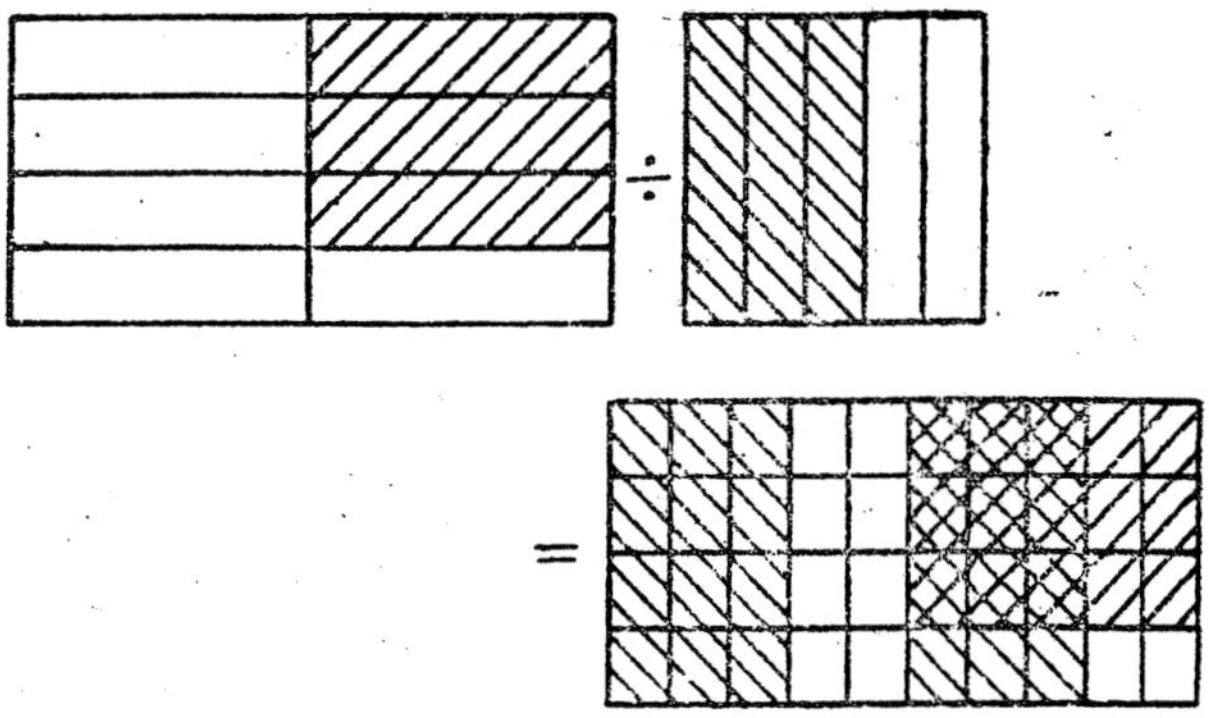

$$1\frac{3}{4}\div\frac{3}{5}=\frac{7}{4}\div\frac{3}{5}=\frac{7}{4}\times\frac{5}{3}=\frac{7\times5}{4\times3}$$

$$=\frac{35}{12}=2\frac{11}{12}$$

例 16.

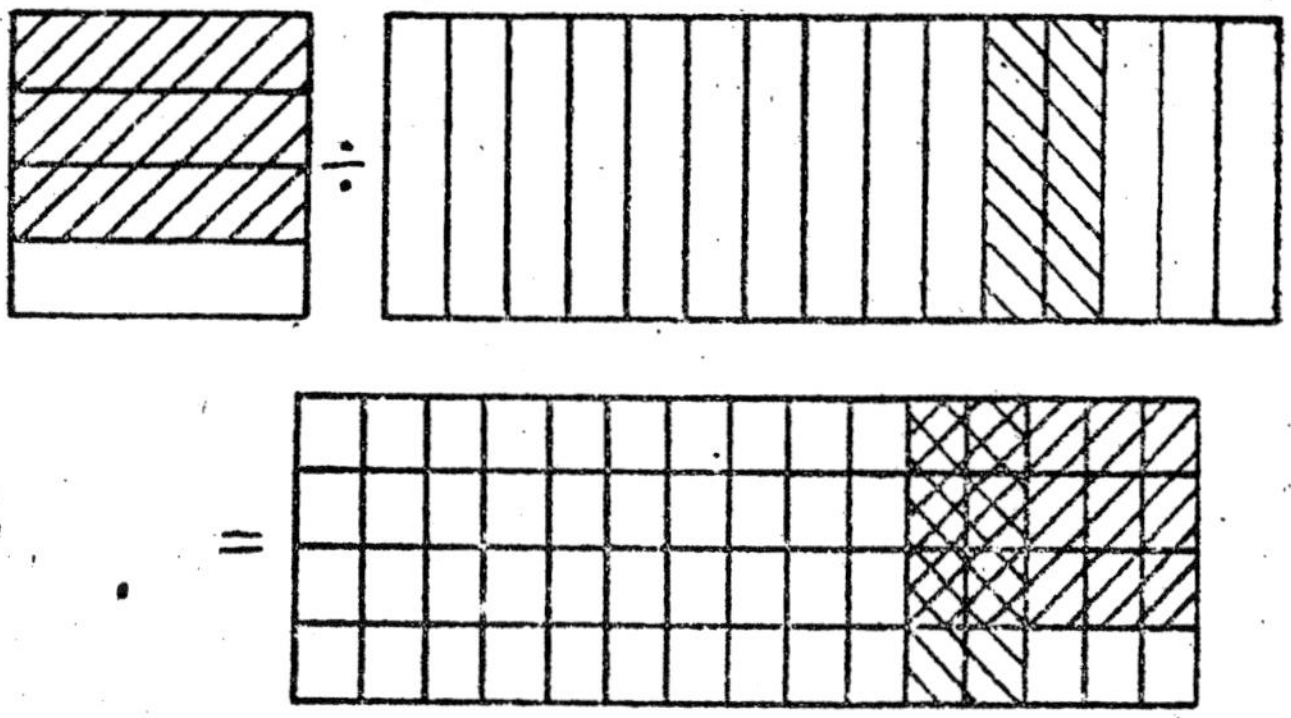

$$\frac{3}{4}\div2\frac{2}{5}=\frac{3}{4}\div\frac{12}{5}=\frac{\cancel{3}^{1}}{4}\times\frac{5}{\cancel{12}_{4}}=\frac{5}{16}$$

$$=\left(\frac{3\times5}{4\times12}\right)=\frac{15}{48}=\frac{5}{16}$$

例 17－1

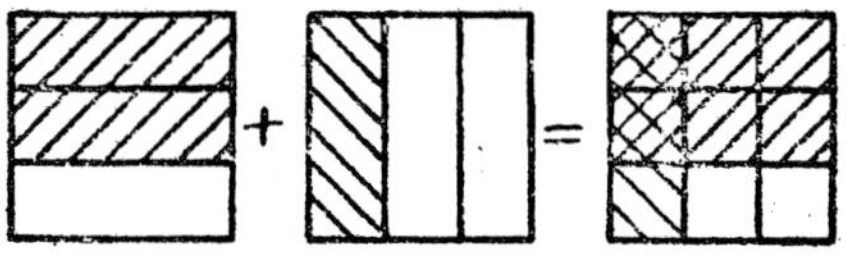

$$\frac{2}{3}+\frac{1}{3}=\frac{3}{3}$$

$$=\left(\frac{6}{9}+\frac{3}{9}\right)=\frac{9}{9}=1$$

例 17－2

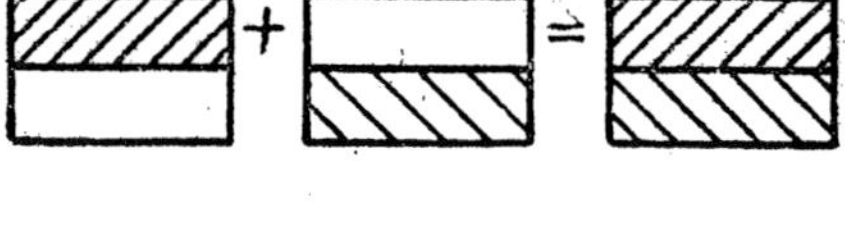

「かけ算」「わり算」の例は以上にとどめて「よせ算」に例をあげてみよう。

「よせ算」の答は枠内の方眼の総数が分母を表わし、A、Bの斜線がそれぞれ分子となるのでそれるを加えればよいわけである。例18、19も同様である。A、Bを重ねるだけで分母ができる。「ひき算」は「よせ算」では加えたけれどもAの分よりBの分を引けばよいわけである。

このようにして分数の「かけ算」「わり算」「よせ算」「ひき算」の方法を幾つか例をとりあげてみたが、さらに数多くの例をとりあげて考察していくと面白くなると思う。

問題はこの図解のように枠を製作して指導した時に、子どもたちに理解はしても次の段階へ発展しうるだろうか。それよりも分数の原理に結びつけて教具として取扱えるだろうか、このようにしてとり上げてくるといろいろな問題点があると思うので結論は読者のみなさんで解決したらどうでしょうか。

例 10

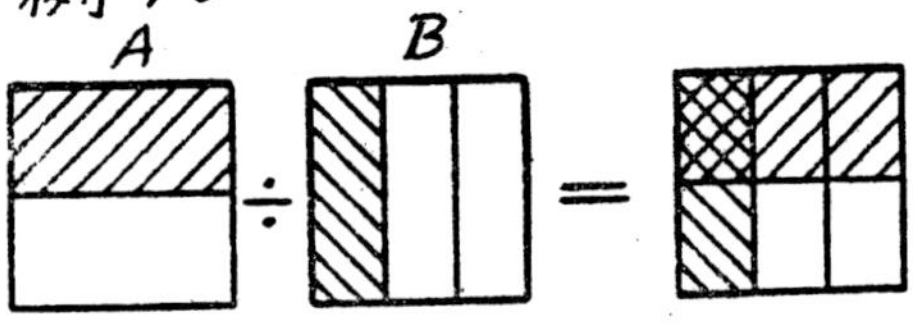

$$\frac{1}{2} \div \frac{1}{3} = \frac{1}{2} \times \frac{3}{1} = \frac{1 \times 3}{2 \times 1} = \frac{3}{2} = 1\frac{1}{2}$$

例 11

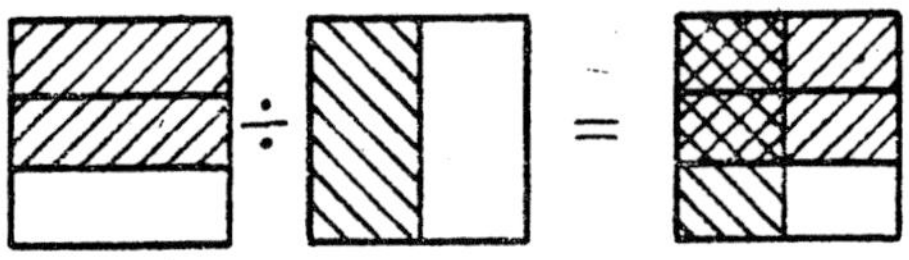

$$\frac{2}{3} \div \frac{1}{2} = \frac{2}{3} \times \frac{2}{1} = \frac{4}{3} = 1\frac{1}{3}$$

例 12

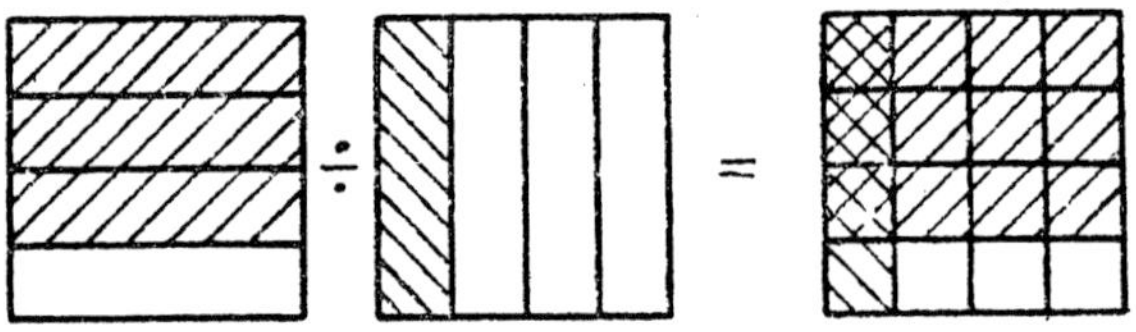

$$\frac{3}{4} \div \frac{1}{4} = \frac{3}{\cancel{4}_1} \times \frac{\cancel{4}^1}{1} = 3$$

$$= \left(\frac{3 \times 4}{4 \times 1}\right) = \frac{12}{4} = 3$$

例 13

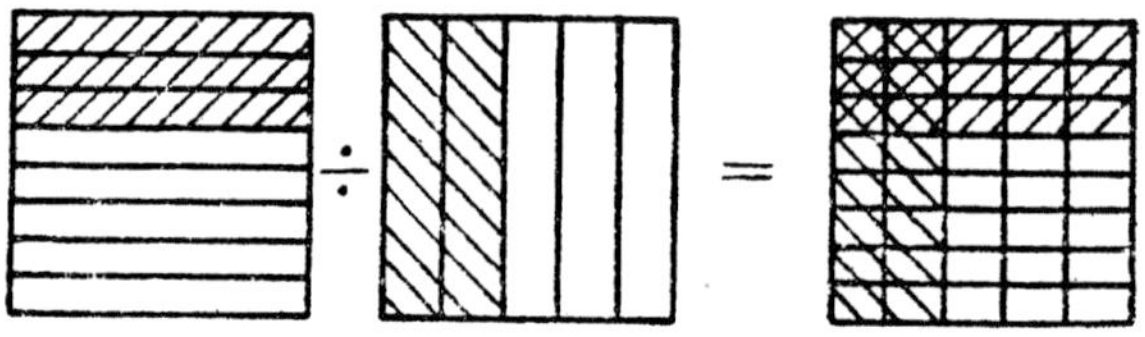

$$\frac{3}{8} \div \frac{2}{5} = \frac{3}{8} \times \frac{5}{2} = \frac{3 \times 5}{8 \times 2} = \frac{15}{16}$$

例 14

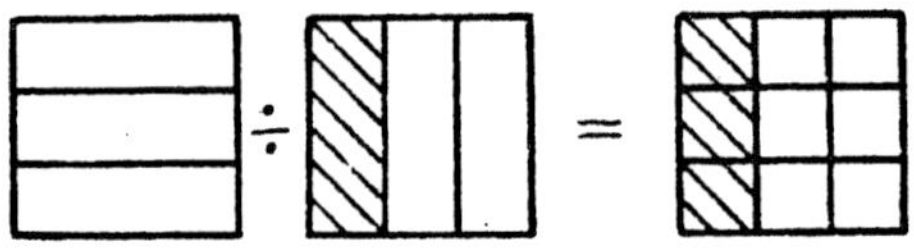

$$1 \div \frac{1}{3} = 1 \times \frac{3}{1} = 3$$

A は $1 = \frac{3}{3} = \frac{9}{9}$

$$\frac{9}{9} \div \frac{1}{3} = \frac{9}{9} \times \frac{3}{1} = \frac{\cancel{9}^1 \times 3}{\cancel{9}_1} = 3$$

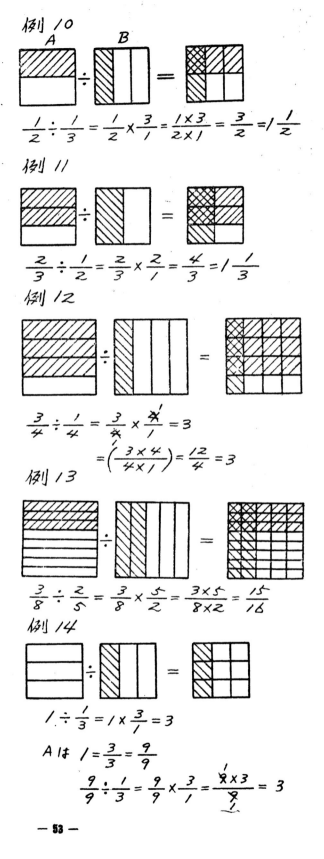

例10～例13までも例９と同様な方法で行なわれていることは図で明確にされると思う。例９～例13までは真分数と真分数の「わり算」の幾つかの例であるが、この次は帯分数の例にはいる前に整数を分数でわつてみよう。（例14）Ａは全体を意味しＢの分と比較すると$\frac{9}{3}=3$となる。

例15の答の図を見ると左側が$\frac{20}{12}$、右側が$\frac{15}{12}$で合わせて$\frac{35}{12}=2\frac{11}{12}$となる。これはＢをＡの左右に重ねたことによつて生じてくる。

例16はＡがＢの右側のみにしか重ならないそのために、左と中は20に区切られてそのまま分母となり右と合わせて$\frac{15}{48}$となり約分して$\frac{5}{16}$となる。

例 6

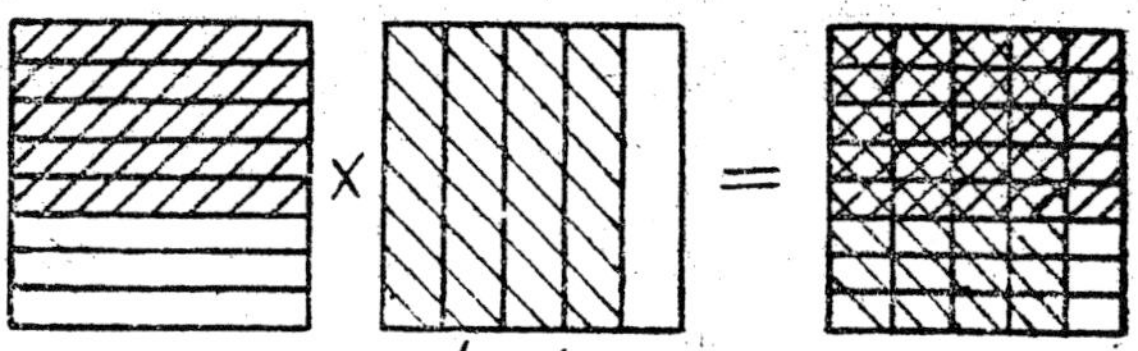

$$\frac{5}{8}\times\frac{4}{5}=\frac{5\times4}{8\times5}=\frac{1}{2}$$

$$=\left(\frac{5\times4}{8\times5}=\frac{20}{40}\right)$$

例 7.

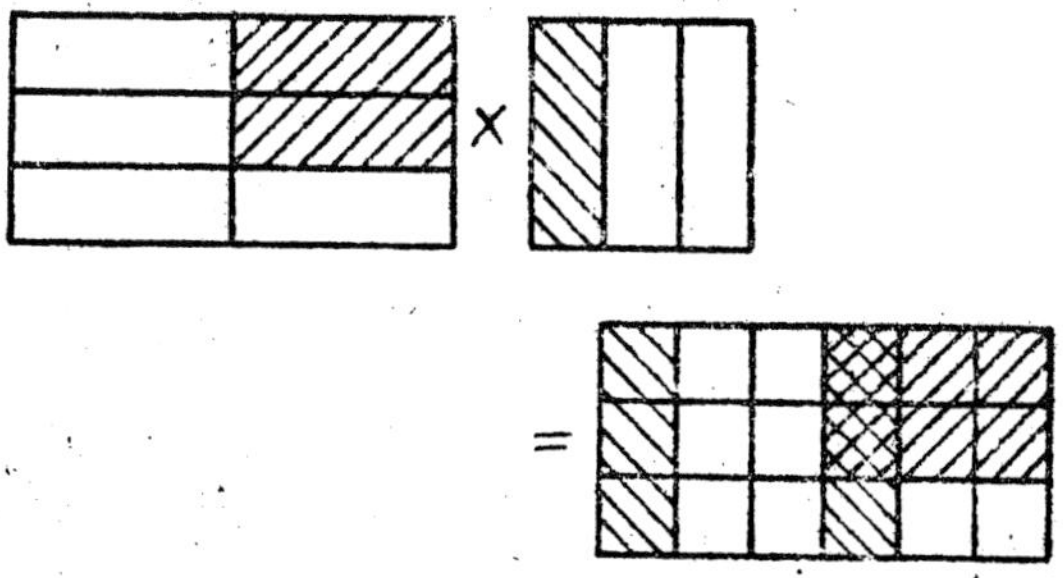

$$1\frac{2}{3}\times\frac{1}{3}=\left(1\times\frac{1}{3}+\frac{2}{3}\times\frac{1}{3}\right) \qquad \frac{3}{9}+\frac{2}{9}=\frac{5}{9}$$

$$=\frac{3}{9}+\frac{2}{9}=\frac{5}{9}$$

例 8

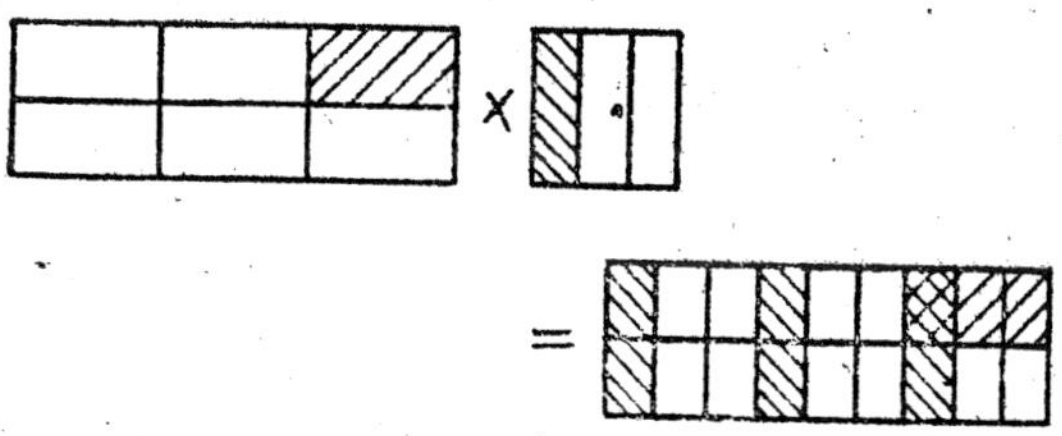

$$2\frac{1}{2}\times\frac{1}{3}=\frac{5}{2}\times\frac{1}{3}=\frac{5}{6} \qquad \frac{2}{6}+\frac{2}{6}+\frac{1}{6}=\frac{5}{6}$$

例 9

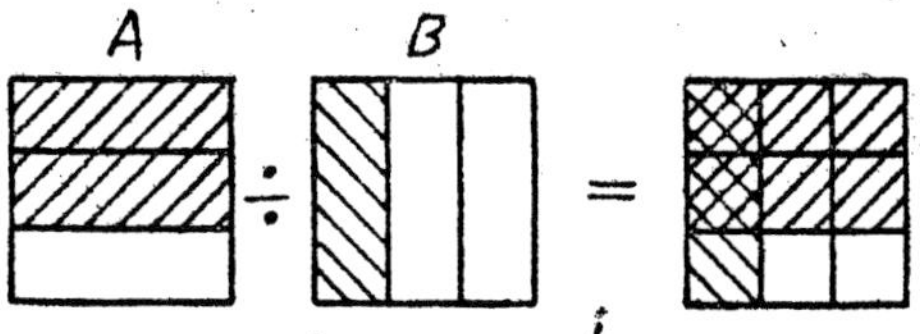

$$\frac{2}{3}\div\frac{1}{3}=\frac{2}{3}\times\frac{3}{1}=2$$

$$=\left(\frac{2\times3}{3\times1}\right)=\frac{6}{3}=2$$

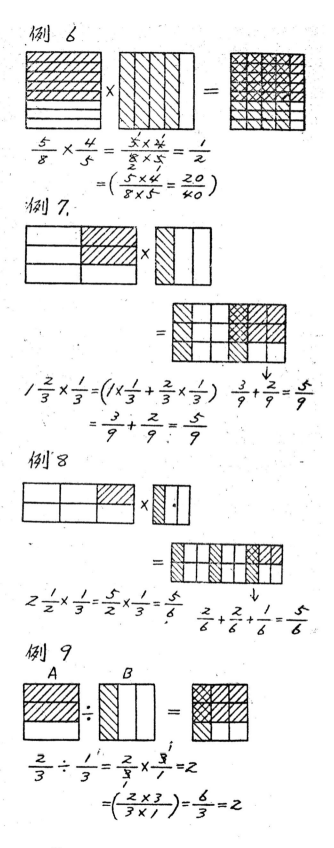

例1～例5までの右側に図示すると、方眼の総数が分母を示し、の数が分子を表わしている。

例5はを1とすると全体の$\frac{3}{10}$となり、例6のの総数は全体の½となり、約分を要する。この方法は「かけ算」にも使用される。

例7、8は帯分数に真分数をかける時を表わしている。B枠をA枠の整数を表わす部分にも重ねて見ると、整数と分数を分離したものにそれぞれ⅓をかけたことになるわけである。

次に「わり算」について教えてみよう。

やり方は「かけ算」と何ら変らないが、説明する関係上幾つかの例をあげてみよう。

Aの斜線の部分が分子になり、Bの斜線の部分が分母となるのが特徴である。例9の重ねた図をみるとBの分が3、Aの分が6で答は$\frac{6}{3}=2$となる。空白の枠は除外することを忘れてはいけない。

例 1.

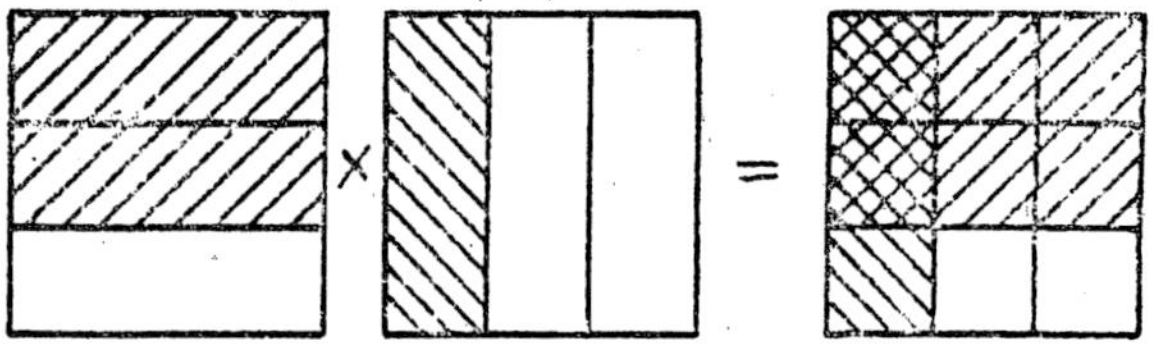

$$\frac{2}{3}\times\frac{1}{3}=\frac{2\times1}{3\times3}=\frac{2}{9}$$

例 2

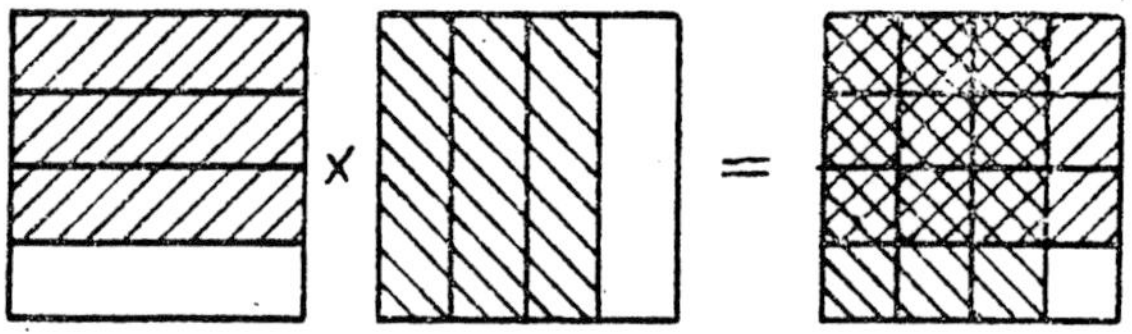

$$\frac{3}{4}\times\frac{3}{4}=\frac{3\times3}{4\times4}=\frac{9}{16}$$

例 3.

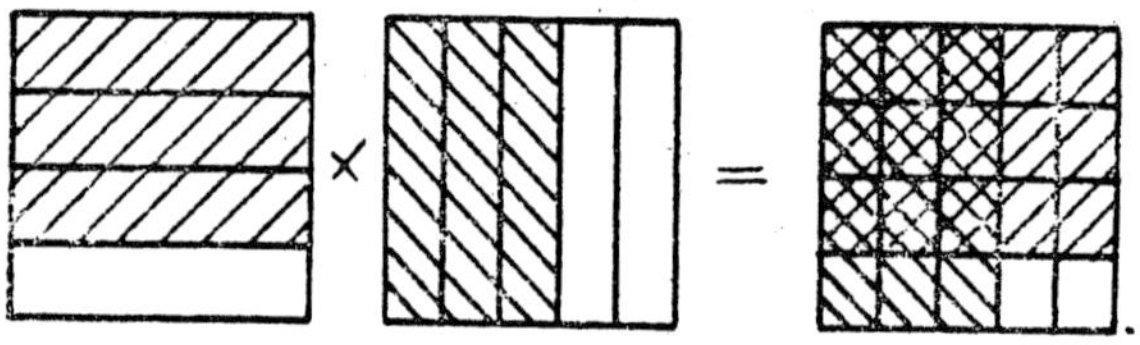

$$\frac{3}{4}\times\frac{3}{5}=\frac{3\times3}{4\times5}=\frac{9}{20}$$

例 4.

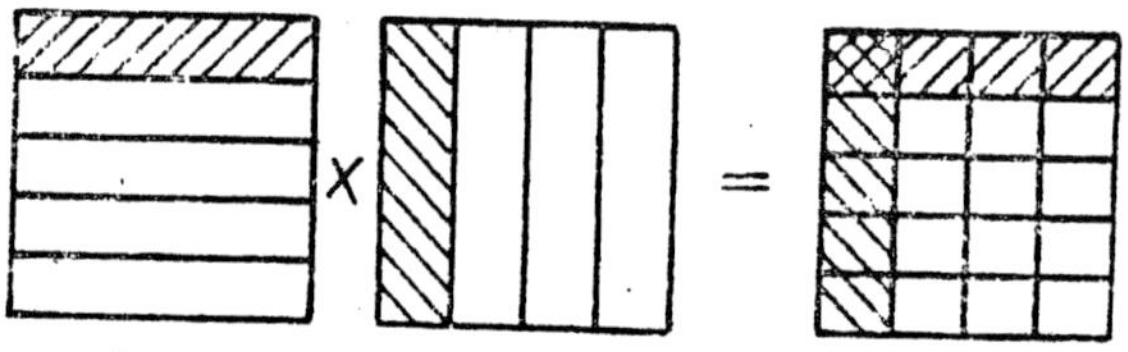

$$\frac{1}{5}\times\frac{1}{4}=\frac{1\times1}{5\times4}=\frac{1}{20}$$

例 5.

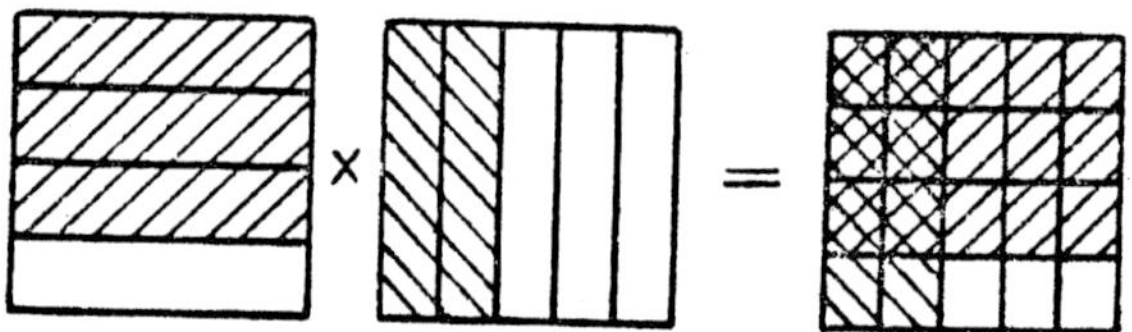

$$\frac{3}{4}\times\frac{2}{5}=\frac{3\times\overset{1}{\cancel{2}}}{\underset{2}{\cancel{4}}\times5}=\frac{3}{10}$$

$$=\left(\frac{3\times2}{4\times5}=\frac{6}{20}\right)$$

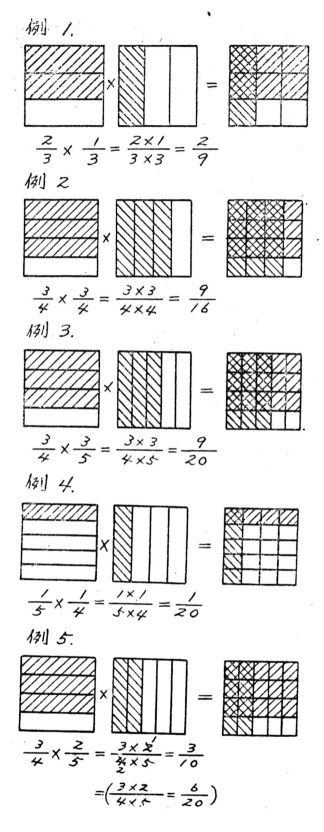

これも教具のひとつか

泊小学校　多嘉良　行雄

こどもたちが日々の学習を進めていくために、より理解し易く、より学習し易いためにと、教師はいろいろな教具製作に精を出している。これは政府や教育委員会の備品購入費の予算が僅かなもので、それをあてにしてはどうにもならないし、さらに、既製の教具よりは、なお一歩進んだものを通して学習を進めるのが指導し易く、理解し易いという点から出発したものと思う。

ある日、展開図と角柱の取扱いをするために左の図1のような、トタン製の展開板を作製しているときに次のようなことが浮んできた。

それは分数指導板である。針金で枠A、B（そたぞれ分数を表わすようにする。大きさは一定した方が整理し易い。）を作り、BをA（AをB）に重ねるだけの簡単な方法である。（黒板上での図示も可能）

分数は加減法より乗除法が困難であるので、最初に「かけ算」からいくつかの例をあげて具体的に説明して見たい。

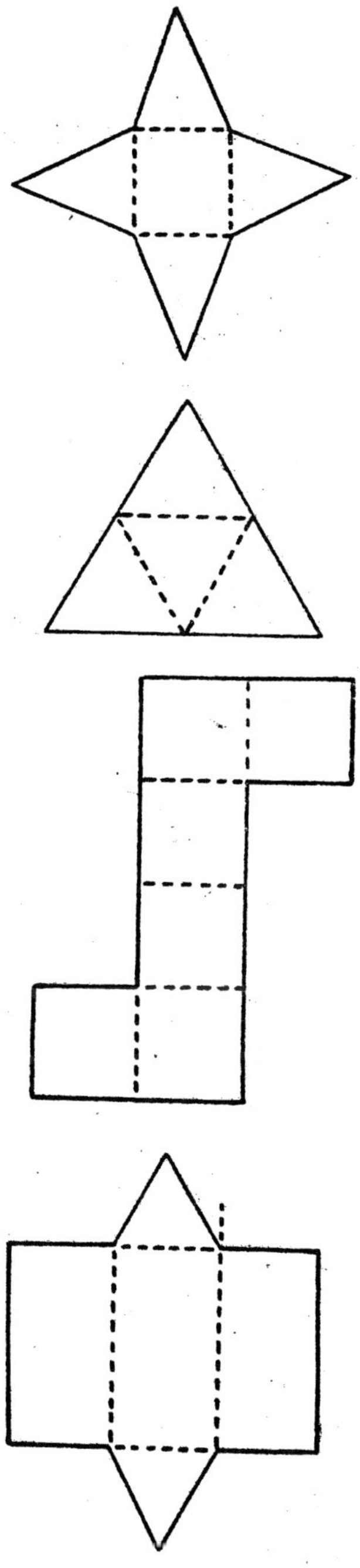

------線のところが蝶つがい式にして組立てゝある

一九六二年一月二七日　印刷
一九六二年一月二九日　発行

文教時報

（第七十八号）　（非売品）

発行所　琉政球府文教局
調査広報室

那覇市久茂地町一丁目八八番地

印刷所　新光社
電話(8)三六八〇番

巻頭言

職業教育課長　比嘉信光

今度の全琉高校校長、教頭研修会の趣旨は、全琉の高等学校校長、教頭相互の切さたく磨の機会をつくり、その連絡提携を緊密にして高校教育を強力に推進していくこと、学校経営諸行事等の合理化をはかり、民主的学校経営によつて生徒の資質向上をはかることをねらいとしており、実施にあたつて多大の効果を収めたことは御同慶に堪えません。

ここに各班の研究テーマや大会のまとめを発表し、皆様の御研究と御健斗をお願いする次第であります。また経過についての感想から時期や、内容の問題等については、今後研究し更に検討すべき余地が多々あると思う。来年度は更に校長、教頭主事を併せて本会の成果を一層高度に止揚したいと思います。

一九六一年四月三〇日

目次

文教時報

75

1961.6　　No.75

琉球　文教局研究調査課

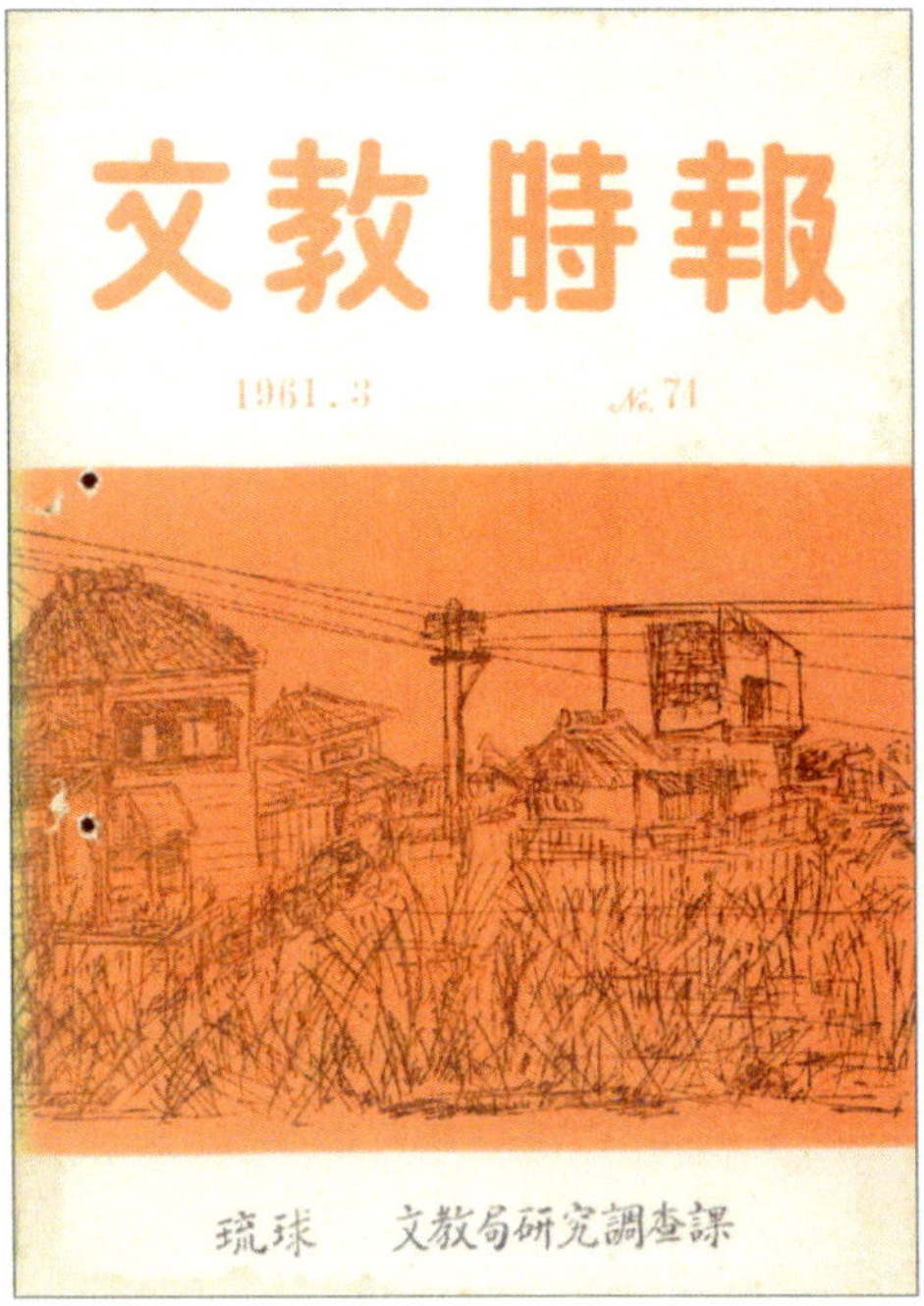
文教時報
1961. 3
№ 74
琉球　文教局研究調査課

74号

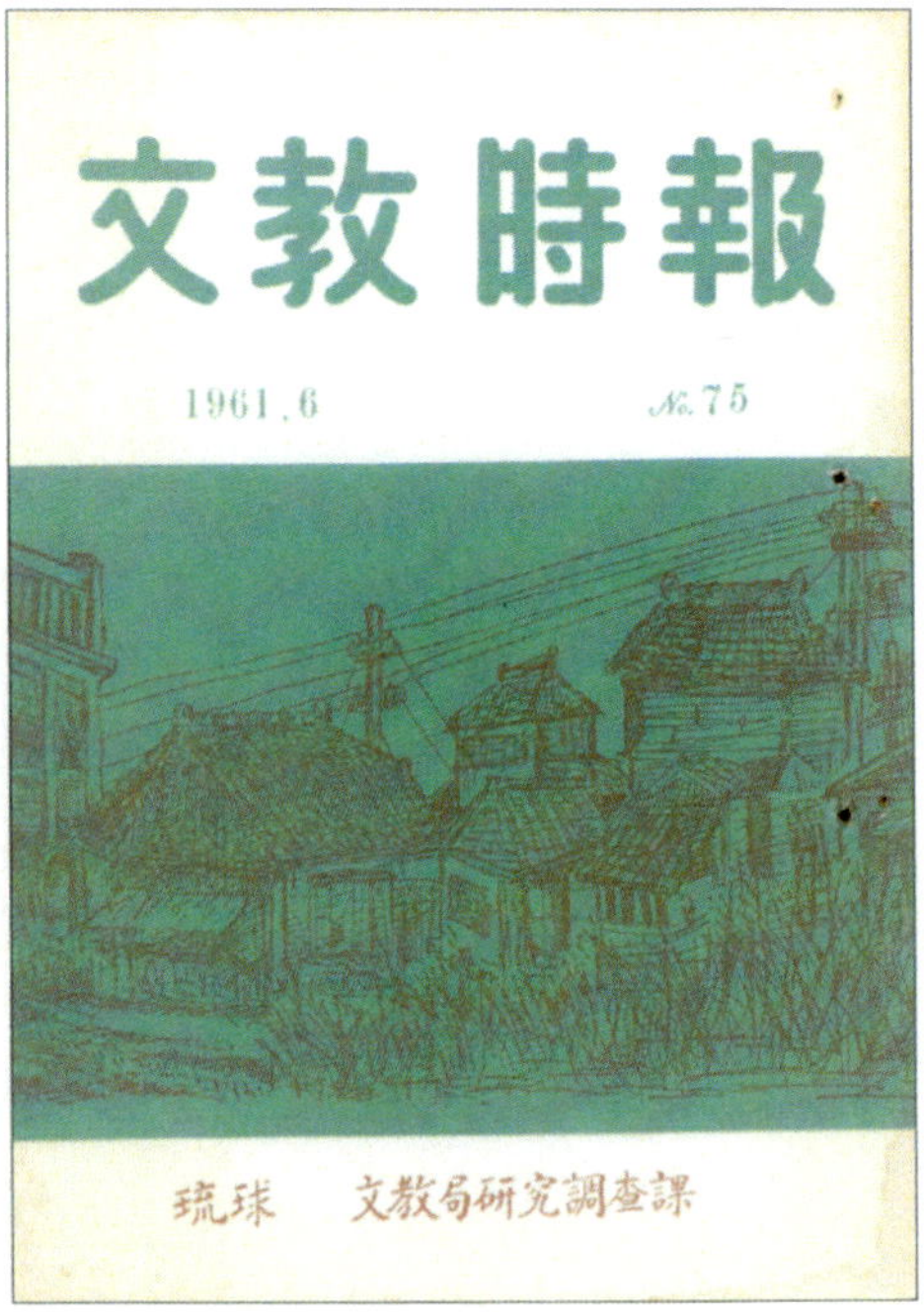
文教時報
1961. 6
№ 75
琉球　文教局研究調査課

75号

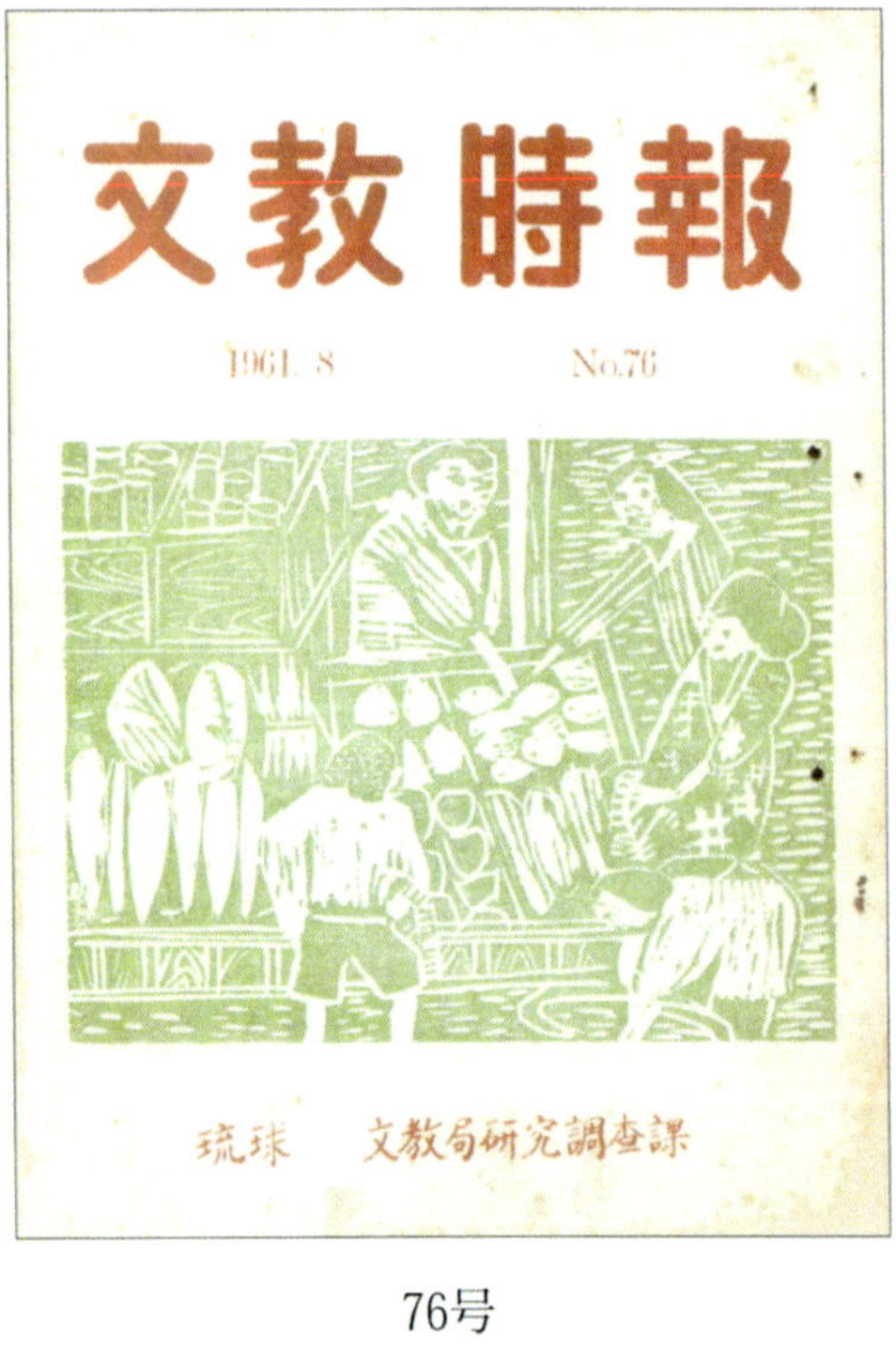
文教時報
1961. 8
No.76
琉球　文教局研究調査課

76号

『文教時報』復刻刊行の辞

わたしたちは、沖縄現代史のあゆみをどこまで知っているだろうか。この問いを掲げつつ、第二次大戦後、米軍によって占領されていた時期（一九四五―一九七二年）、沖縄・宮古・八重山（一時期、奄美をふくむ）において、文教担当部局が刊行した『文教時報』を復刻する。

同誌は沖縄文教部、つづいて琉球政府文教局が刊行した。前者では示達事項を中心とした指導書であり、後者では教育行政にかかわる情報、教育についての調査・統計、教室での実践記録や公民館を中心とした社会教育関連記事など、盛り込まれた内容は幅広い。総じて教育広報誌といえる同誌は、発行期間の長さと継続性から、沖縄現代史を分析するうえで、もっとも基礎的な史料のひとつと目される。しかし、これまで同誌は全体像についての理解を欠いたまま、断片的に活用されるにとどまってきた。

その背景にはなにがあるのか。まず、発行が群島ごとに分割統治されていた時期から琉球政府期にいたるまで四半世紀におよび、雑誌としての性格が変容していることがある。くわえて多くの機関に分蔵されるとともに、附録類、号外や別冊など書誌的な体系が複雑に入り組みつかみにくい。このために本格的な調査が進まなかった。今回、わたしたちは所蔵関係にかかわる基礎調査をふまえ、添付書類までもふくめた全体像の把握に体系的に取り組んだ。その成果をこうして全一八巻、付録1に集約して復刻刊行する。解説のほか、総目次や執筆者索引などから構成される別冊をあわせて刊行する。今回の復刻により、教育行政側からみた沖縄現代史について、それを総覧できる史料的な環境がようやく整備されることになる。

統治者として君臨した、米国側との関係、また、沖縄教職員会をはじめとした教員団体との関係、さらに「復帰」に向けた日本政府や文部省との関係、さらに離島や村落の教育環境など、同誌は変動する沖縄現代史のダイナミズムを体現するかのような史料群となっている。

沖縄の「復帰」からすでに四五年にいたるいま、沖縄研究者はもとより、教育史、占領史、政治史、行政史など複数の領域において、本復刻の成果が活用され、沖縄現代史にかかわる確かな理解が深まることを念じている。物事を判断するためには、うわついた言説に依るのではなく事実経過が知られなければならない。あらためて問いたい。沖縄現代史のあゆみはたしてどこまで知られているか。

（編集委員代表　藤澤健一）

〈第11巻収録内容〉

『文教時報』琉球政府文教局 発行

号数	表紙記載誌名（奥付誌名）	発行年月日
第74号	文教時報（文教時報） ＊横組みのため巻末に収録	一九六一年 三 月一五日
第75号	文教時報（文教時報）	一九六一年 六 月一五日
第76号	文教時報（文教時報）	一九六一年 八 月二一日
第77号	文教時報（文教時報）	一九六一年一一月二〇日
号外第4号	文教時報	一九六二年 一 月二三日
第78号	文教時報（文教時報）	一九六二年 一 月二九日
第79号	文教時報特集号（文教時報(特集号)） ＊横組みのため巻末から2番目に収録	一九六二年 六 月二七日

（注）

一、第74号投込の正誤表は、当該号最後尾の頁に掲出した。

一、号外第4号の9頁以降は原本において欠損している。

一、第79号の表紙には一九六二年九月発行とされるが、誤記である。

一、次の箇所には書き込みがあるが、そのまま復刻した（ただし、編集上の訂正か、旧所蔵者によるものかは判別できない）。

第79号2頁最下行

（不二出版）

『文教時報』第11巻（第74号〜第79号／号外4）復刻にあたって

一、本復刻版では琉球政府文教局によって一九五二年六月三〇日に創刊され一九七二年四月二〇日刊行の一二七号まで継続的に刊行された『文教時報』を「通常版」として仮に総称します。復刻版各巻、および別冊収載の総目次などでは、「通常版」の表記を省略しています。

一、第11巻の復刻にあたっては左記の各機関に原本提供のご協力をいただきました。記して感謝申し上げます。

沖縄県公文書館、読谷村

一、原本サイズは、第74号から第79号まで、及び号外4はB5判です。

一、復刻版本文には、表紙類を含めてすべて墨一色刷り・本文共紙で掲載し、各号に号数インデックスを付しました。なお、表紙の一部をカラー口絵として巻頭に収録しました。また、白頁は適宜割愛しました。

一、史料の中に、人権の視点からみて、不適切な語句、表現、論、あるいは現在からみて明らかな学問上の誤りがある場合でも、歴史的史料の復刻という性質上そのままとしました。

（不二出版）

◎全巻収録内容

復刻版巻数	原本号数	原本発行年月日
第1巻	通牒版1〜8	1946年2月〜1950年2月
第2巻	1〜9	1952年6月〜1954年6月
第3巻	10〜17	1954年9月〜1955年9月
第4巻	18〜26	1955年10月〜1956年9月
第5巻	27〜35	1956年12月〜1957年10月
第6巻	36〜42	1957年11月〜1958年6月
第7巻	43〜51	1958年7月〜1959年2月
第8巻	52〜55	1959年3月〜1959年6月
第9巻	56〜65	1959年6月〜1960年3月
第10巻	66〜73／号外2	1960年4月〜1961年2月
第11巻	74〜79／号外4	1961年3月〜1962年6月
第12巻	80〜87／号外5〜8	1962年9月〜1964年6月
第13巻	88〜95／号外10	1964年6月〜1965年6月
第14巻	96〜101／号外11	1965年9月〜1966年7月
第15巻	102〜107／号外12、13	1966年8月〜1967年9月
第16巻	108〜115／号外14〜16	1967年10月〜1969年3月
第17巻	116〜120／号外17、18	1969年10月〜1970年11月
第18巻	121〜127／号外19	1971年2月〜1972年4月
付録	『琉球の教育』1957(推定)、1959／別冊=『沖縄教育の概観』1〜8	1957年（推定）〜1972年
別冊	解説・総目次・索引	

沖縄文教部／琉球政府文教局 発行

(復刻版)

文教時報

第11巻

第74号～第79号／号外4
（1961年3月～1962年6月）

編・解説者 藤澤健一・近藤健一郎

不二出版